▼目次▲

●装幀・佐藤　博
●写真提供・石川県能登町ふるさと振興課
●写真撮影者・辻野　実

地方自治ポケット六法 '25

［令和7年版］

●地方自治制度研究会・監修

学陽書房

監修のことば

——令和七年版によせて——

地方自治制度研究会では、昭和二十七年以来「地方自治小六法」の監修にあたってきたが、基本法令である地方自治法は複雑化・多様化する地方行政の動きに応じて改正が行われており、関係法令もその都度、整備されている。「地方自治ポケット六法」は、このような状況を踏まえ、自治関係法令を中心に所収するコンパクトな六法を求める人々の要望に応えるために企画されたものである。

この新版においては、直近の地方自治法への改正等を反映させるとともに、参照条文、行政実例、通知、判例、注釈の吟味選択を行い、さらに内容を充実させたところである。

この「地方自治ポケット六法」が、本版である「地方自治小六法」とともに、地方行政関係者必携の書となれば、これに勝る喜びはない。

令和六年十一月

地方自治制度研究会

はしがき

——令和七年版の発刊について——

ここに令和七年版をお届けします。

本書は、自治体職員にとって最も基本的な法令を収めた六法として編纂されたものでありますが、その最大のねらいは、やや大部になり過ぎた観のある「地方自治小六法」の姉妹書としての〃携帯版〃の発刊にあります。

「地方自治小六法」は、発刊以来、毎年の法令改正や収録法令の範囲の拡大により、内容は年々漸増してまいりました。このような傾向は、地方自治行政の複雑高度化に対応したものとしてやむをえないものでありますが、反面、各種会議や研修、昇任試験等では基本法令のみで十分用をなす場合があり、そうした時には、内容・手軽さの点で適当でない面がありました。

そこで、多数の読者から寄せられた意見をもとに、自治体職員にとって最も基本的な法令のみを収録したハンディな法規集という発刊主旨のもと〃小型六法〃を発刊することとしました。

本年版においては、第二百十三国会までの主要な改正を収録し、また、地方自治法については参照条文、行政実例、通知、判例、注釈の一層の充実を図りました。

以上のように、読者各位のご要望と時代の要請に基づき、ハンディな自治六法として最新の内容・最高の権威を保持し世に送ることとなりましたが、しかしなお、不充分な点があろうことと思います。これにつきましては、各位の忌憚のないご批判をまって改善したいと思います。愛読者各位の格段のご支援をお願いする次第であります。

なお、本書の編集に当たりましては、地方自治制度研究会の懇切なご指導とご協力に負うところが甚だ大でありました。ここに厚く御礼申し上げます。

令和六年十一月

学陽書房編集部

凡　例

【本書の目的】
本書は、地方自治に携わる人々の事務用、研修用として、また昇任・昇格試験用としてハンディかつ実用的な法規集として編集した。

【収録法令等】
地方公共団体の実務並びに研修において必要とする基本法令「憲法」「地方自治法」「地方自治法施行令」「地方公務員法」の他に行政手続関係法令八件を収録した。

【内容現在】
令和六年七月二日現在をもって加除訂正したものを収録した。

【検索方法】
表紙見返しの「総目次」の外、各頁の傍柱によって検索できるようにした。

【公布・改正】
各法令の公布年月日及び法令番号は、各法令の題名の下に示し、以後の改正については直近の改正年月日及び番号のみを最終改正として掲げた。これに使用した略号は、次の例による。

法――法律　政令――政令

【条文見出】
本書の編集者がつけた条文見出しは、〔　〕を附して示し、法令自体についている（　）の見出しと区別した。

【項番号】
項数の附されていない法令にあっては、検出の便宜上、編集者においてそれぞれ項数を附したが、最近の法令形式の2・3等と区別するため、②・③とした。

【改正経過】
地方自治法には、各条文の末尾にその改正経過を色刷りで示した。

【例】　＊本条―全改〔昭三八・六法九九〕

と例示してあるのは、当該条文が、昭和三十八年六月法律第九十九号をもって、全部改正されたことを示す。

【実例・通知・判例・注釈】
(1)　尨大な地方自治関係の「行政実例・判例」のなかから、法の解釈運用にあたり現在規範とされるもののみを、地方自治制度研究会において慎重厳選し、その要旨を、地方自治法及び地方公務員法の各条ごとに当該条文の末尾に配列したほか、地方自治法の各条項においては、その解釈運用上基本的に解説しておくことが必要と思われる条句につき、規定の趣旨・解釈上の問題点等をさらに注解として加えた。これにより解説書を兼ねた小六法として利用できるように図った。このため説明の頭に付した見出しの●は行政実例・通知・判例・法制意見を、○は注釈であることを示し、両者の区別をした。

(2)　実例・通知・判例・注釈はすべて色刷りとし、各条ごとにそれぞれの字句に附された番号と同一の一連番号で表示し、両者の関係を明示した。なお、その条全部にかかる実例・通知・判例は※印で示した。

(3)　これに使用した略号は、次の例による。

行実　行政実例
通知　通知
法制意見　内閣法制局意見
地裁判　地方裁判所判決

高裁判　高等裁判所判決
最裁判　最高裁判所判決
大審判　大審院判決
行裁判　行政裁判所判決

【引用条文】

地方自治法の条文中において「準用する」、「適用する」あるいは「例による」とされている当該各条文について見出しを附して条文の理解に供することとし、これらを「引用条文」と総称して示すこととした。

【参照条文】

同じく、地方自治制度研究会の懇切な監修のもとに、地方自治法、地方公務員法に参照条文を附した。特に地方自治法の参照条文は、全く新たに実務の見地から詳細精密な注記を附した。これについては、次の方針をとったから御了承願いたい。

(1) 当該条文中において、すでに引用してある条・項については、あらためて参照条文としては掲げていない。

(2) 見出しは、できるだけ当該条文中の字句を引用するようにつとめたが、条文の構成その他により必ずしも統一していない。

(3) ＝印　この印の上部に掲げた条数は、その参照事項に関する地方自治法中の直接の根拠規定たることを示し、印の下部に掲げた条数は、上部に掲げた条数の実体的規定を示す。

【例】　第九四条の場合について示せば次のとおり。

【選挙権を有する者】法一八＝選挙法九2～5・一一・二五二

※印　①見出し中の※印は、当該見出しとは直接的関係はないが、間接的関係があるものとしての参考条数であることを示し、②末行に※印を附して一括して示した条数は、当該条文の参考条文として参照すべきものを示す。

【例】　第一七二条の場合について示せば次のとおり。

②【長の任免権】地公法六　※法二五二の一七の八2
④【この法律の定め】法二〇四～二〇六
※　法一五四・一六七・二五二の二〇の二9

【事項索引】

巻末に地方自治法の事項別条文索引を附した。

▼法令名略称表▲

【い】
一般社団・財団法人法…一般社団法人及び一般財団法人に関する法律

【か】
会検法……会計検査院法
解散法……地方公共団体の議会の解散に関する特例法
改正前合併特例法…市町村の合併の特例等に関する法律（平成二二年改正前）
合併特例法…市町村の合併の特例に関する法律
感染症予防法…感染症の予防及び感染症の患者に対する医療に関する法律

【き】
議院証人法…議院における証人の宣誓及び証言等に関する法律
旧合併特例法…市町村の合併の特例に関する法律（旧）
行訴法……行政事件訴訟法
教特法……教育公務員特例法
行労法……行政執行法人の労働関係に関する法律

【け】
刑訴法……刑事訴訟法
建基法……建築基準法
健全化法…地方公共団体の財政の健全化に関する法律
憲法……日本国憲法

【こ】
公企法……地方公営企業法
公共工事品質確保法……公共工事の品質の確保に関する法律
交付税法……地方交付税法
国保法……国民健康保険法
国公法……国家公務員法

【し】
自治法……地方自治法
自治令……地方自治法施行令
児福法……児童福祉法
社教法……社会教育法
収用法……土地収用法
消組法……消防組織法
職安法……職業安定法
人規……人事院規則

【せ】
政資法……政治資金規正法
選挙法……公職選挙法

【そ】
則……地方自治法施行規則

【た】
大都市地域特別区設置法…大都市地域における特別区の設置に関する法律

【ち】
地教法……地方教育行政の組織及び運営に関する法律
地公法……地方公務員法
地公労法……地方公営企業等の労働関係に関する法律
地財法……地方財政法
地税法……地方税法
地独法……地方独立行政法人法

【て】
程……地方自治法施行規程

【と】
特例政令……地方公共団体の物品等又は特定役務の調達手続の特例を定める政令

【に】
入札契約適正化法…公共工事の入札及び契約の適正化の促進に関する法律

【の】
農委法……農業委員会等に関する法律
農災法……農業災害補償法

【ふ】
風営法……風俗営業等の規制及び業務の適正化等に関する法律

【ほ】
法……1 地方自治法の参照条文においては、地方自治法を示す。
2 地方公務員法の参照条文においては、地方公務員法を示す。

【み】
民委法……民生委員法
民訴……民事訴訟法

【れ】
令……1 地方自治法の参照条文においては、地方自治法施行令を示す。
2 その他は表記法略称に基づく施行令を示す。

【ろ】
労基法……労働基準法
労組法……労働組合法
労調法……労働関係調整法

〇日本国憲法

昭二一・一一・三

日本国民は、正当に選挙された国会における代表者を通じて行動し、われらとわれらの子孫のために、諸国民との協和による成果と、わが国全土にわたつて自由のもたらす恵沢を確保し、政府の行為によつて再び戦争の惨禍が起ることのないやうにすることを決意し、ここに主権が国民に存することを宣言し、この憲法を確定する。そもそも国政は、国民の厳粛な信託によるものであつて、その権威は国民に由来し、その権力は国民の代表者がこれを行使し、その福利は国民がこれを享受する。これは人類普遍の原理であり、この憲法は、かかる原理に基くものである。われらは、これに反する一切の憲法、法令及び詔勅を排除する。

日本国民は、恒久の平和を念願し、人間相互の関係を支配する崇高な理想を深く自覚するのであつて、平和を愛する諸国民の公正と信義に信頼して、われらの安全と生存を保持しようと決意した。われらは、平和を維持し、専制と隷従、圧迫と偏狭を地上から永遠に除去しようと努めてゐる国際社会において、名誉ある地位を占めたいと思ふ。われらは、全世界の国民が、ひとしく恐怖と欠乏から免かれ、平和のうちに生存する権利を有することを確認する。

われらは、いづれの国家も、自国のことのみに専念して他国を無視してはならないのであつて、政治道徳の法則は、普遍的なものであり、この法則に従ふことは、自国の主権を維持し、他国と対等関係に立たうとする各国の責務であると信ずる。

日本国民は、国家の名誉にかけ、全力をあげてこの崇高な理想と目的を達成することを誓ふ。

第一章　天皇

第一条　天皇は、日本国の象徴であり日本国民統合の象徴であつて、この地位は、主権の存する日本国民の総意に基く。

第二条　皇位は、世襲のものであつて、国会の議決した皇室典範の定めるところにより、これを継承する。

第三条　天皇の国事に関するすべての行為には、内閣の助言と承認を必要とし、内閣が、その責任を負ふ。

第四条　天皇は、この憲法の定める国事に関する行為のみを行ひ、国政に関する権能を有しない。

②　天皇は、法律の定めるところにより、その国事に関する行為を委任することができる。

第五条　皇室典範の定めるところにより摂政を置くときは、摂政は、天皇の名でその国事に関する行為を行ふ。この場合には、前条第一項の規定を準用する。

第六条　天皇は、国会の指名に基いて、内閣総理大臣を任命する。

②　天皇は、内閣の指名に基いて、最高裁判所の長たる裁判官を任命する。

第七条　天皇は、内閣の助言と承認により、国民のために、左の国事に関する行為を行ふ。

一　憲法改正、法律、政令及び条約を公布すること。

二　国会を召集すること。

三　衆議院を解散すること。

四　国会議員の総選挙の施行を公示すること。

五　国務大臣及び法律の定めるその他の官吏の任免並びに全権委任状及び大使及び公使の信任状を認証すること。

六　大赦、特赦、減刑、刑の執行の免除及び復権を認証すること。

七　栄典を授与すること。

八　批准書及び法律の定めるその他の外交文書を認証すること。

九　外国の大使及び公使を接受すること。

十　儀式を行ふこと。

第八条　皇室に財産を譲り渡し、又は皇室が、財産を譲り受け、若しくは賜与することは、国会の議決に基かなければならない。

第二章　戦争の放棄

第九条　日本国民は、正義と秩序を基調とする国際平和を誠実に希求し、国権の発動たる戦争と、武力による威嚇又は武力の行使は、国際紛争を解決する手段としては、永久にこれを放棄する。

②　前項の目的を達するため、陸海空軍その他の戦力は、これを保持しない。国の交戦権は、これを認めない。

第三章　国民の権利及び義務

第十条　日本国民たる要件は、法律でこれを定める。

第十一条　国民は、すべての基本的人権の享有を妨げられない。この憲法が国民に保障する基本的人権は、侵すことのできない永久の権利として、現在及び将来の国民に与へられる。

第十二条　この憲法が国民に保障する自由及び権利は、国民の不断の努力によつて、これを保持しなければならない。又、国民は、これを濫用してはならないのであつて、常に公共の福祉のためにこれを利用する責任を負ふ。

第十三条　すべて国民は、個人として尊重される。生命、自由及び幸福追求に対する国民の権利については、公共の福祉に反しない限り、立法その他の国政の上で、最大の尊重を必要とする。

第十四条 すべて国民は、法の下に平等であつて、人種、信条、性別、社会的身分又は門地により、政治的、経済的又は社会的関係において、差別されない。

② 華族その他の貴族の制度は、これを認めない。

③ 栄誉、勲章その他の栄典の授与は、いかなる特権も伴はない。栄典の授与は、現にこれを有し、又は将来これを受ける者の一代に限り、その効力を有する。

第十五条 公務員を選定し、及びこれを罷免することは、国民固有の権利である。

② すべて公務員は、全体の奉仕者であつて、一部の奉仕者ではない。

③ 公務員の選挙については、成年者による普通選挙を保障する。

④ すべて選挙における投票の秘密は、これを侵してはならない。選挙人は、その選択に関し公的にも私的にも責任を問はれない。

第十六条 何人も、損害の救済、公務員の罷免、法律、命令又は規則の制定、廃止又は改正その他の事項に関し、平穏に請願する権利を有し、何人も、かかる請願をしたためにいかなる差別待遇も受けない。

第十七条 何人も、公務員の不法行為により、損害を受けたときは、法律の定めるところにより、国又は公共団体に、その賠償を求めることができる。

第十八条 何人も、いかなる奴隷的拘束も受けない。又、犯罪に因る処罰の場合を除いては、その意に反する苦役に服させられない。

第十九条 思想及び良心の自由は、これを侵してはならない。

第二十条 信教の自由は、何人に対してもこれを保障する。いかなる宗教団体も、国から特権を受け、又は政治上の権力を行使してはならない。

② 何人も、宗教上の行為、祝典、儀式又は行事に参加することを強制されない。

③ 国及びその機関は、宗教教育その他いかなる宗教的活動もしてはならない。

第二十一条 集会、結社及び言論、出版その他一切の表現の自由は、これを保障する。

② 検閲は、これをしてはならない。通信の秘密は、これを侵してはならない。

第二十二条 何人も、公共の福祉に反しない限り、居住、移転及び職業選択の自由を有する。

② 何人も、外国に移住し、又は国籍を離脱する自由を侵されない。

第二十三条 学問の自由は、これを保障する。

第二十四条 婚姻は、両性の合意のみに基いて成立し、夫婦が同等の権利を有することを基本として、相互の協力により、維持されなければならない。

② 配偶者の選択、財産権、相続、住居の選定、離婚並びに婚姻及び家族に関するその他の事項に関しては、法律は、個人の尊厳と両性の本質的平等に立脚して、制定されなければならない。

第二十五条 すべて国民は、健康で文化的な最低限度の生活を営む権利を有する。

② 国は、すべての生活部面について、社会福祉、社会保障及び公衆衛生の向上及び増進に努めなければならない。

第二十六条 すべて国民は、法律の定めるところにより、その能力に応じて、ひとしく教育を受ける権利を有する。

② すべて国民は、法律の定めるところにより、その保護する子女に普通教育を受けさせる義務を負ふ。義務教育は、これを無償とする。

第二十七条 すべて国民は、勤労の権利を有し、義務を負ふ。

② 賃金、就業時間、休息その他の勤労条件に関する基準は、法律でこれを定める。

③ 児童は、これを酷使してはならない。

第二十八条 勤労者の団結する権利及び団体交渉その他の団体行動をする権利は、これを保障する。

第二十九条 財産権は、これを侵してはならない。

② 財産権の内容は、公共の福祉に適合するやうに、法律でこれを定める。

③ 私有財産は、正当な補償の下に、これを公共のために用ひることができる。

第三十条 国民は、法律の定めるところにより、納税の義務を負ふ。

第三十一条 何人も、法律の定める手続によらなければ、その生命若しくは自由を奪はれ、又はその他の刑罰を科せられない。

第三十二条 何人も、裁判所において裁判を受ける権利を奪はれない。

第三十三条 何人も、現行犯として逮捕される場合を除いては、権限を有する司法官憲が発し、且つ理由となつてゐる犯罪を明示する令状によらなければ、逮捕されない。

第三十四条 何人も、理由を直ちに告げられ、且つ、直ちに弁護人に依頼する権利を与へられなければ、抑留又は拘禁されない。又、何人も、正当な理由がなければ、拘禁されず、要求があれば、その理由は、直ちに本人及びその弁護人の出席する公開の法廷で示されなければならない。

第三十五条　何人も、その住居、書類及び所持品について、侵入、捜索及び押収を受けることのない権利は、第三十三条の場合を除いては、正当な理由に基いて発せられ、且つ捜索する場所及び押収する物を明示する令状がなければ、侵されない。

② 捜索又は押収は、権限を有する司法官憲が発する各別の令状により、これを行ふ。

第三十六条　公務員による拷問及び残虐な刑罰は、絶対にこれを禁ずる。

第三十七条　すべて刑事事件においては、被告人は、公平な裁判所の迅速な公開裁判を受ける権利を有する。

② 刑事被告人は、すべての証人に対して審問する機会を充分に与へられ、又、公費で自己のために強制的手続により証人を求める権利を有する。

③ 刑事被告人は、いかなる場合にも、資格を有する弁護人を依頼することができる。被告人が自らこれを依頼することができないときは、国でこれを附する。

第三十八条　何人も、自己に不利益な供述を強要されない。

② 強制、拷問若しくは脅迫による自白又は不当に長く抑留若しくは拘禁された後の自白は、これを証拠とすることができない。

③ 何人も、自己に不利益な唯一の証拠が本人の自白である場合には、有罪とされ、又は刑罰を科せられない。

第三十九条　何人も、実行の時に適法であつた行為又は既に無罪とされた行為については、刑事上の責任を問はれない。又、同一の犯罪について、重ねて刑事上の責任を問はれない。

第四十条　何人も、抑留又は拘禁された後、無罪の裁判を受けたときは、法律の定めるところにより、国にその補償を求めることができる。

第四章　国会

第四十一条　国会は、国権の最高機関であつて、国の唯一の立法機関である。

第四十二条　国会は、衆議院及び参議院の両議院でこれを構成する。

第四十三条　両議院は、全国民を代表する選挙された議員でこれを組織する。

② 両議院の議員の定数は、法律でこれを定める。

第四十四条　両議院の議員及びその選挙人の資格は、法律でこれを定める。但し、人種、信条、性別、社会的身分、門地、教育、財産又は収入によつて差別してはならない。

第四十五条　衆議院議員の任期は、四年とする。但し、衆議院解散の場合には、その期間満了前に終了する。

第四十六条　参議院議員の任期は、六年とし、三年ごとに議員の半数を改選する。

第四十七条　選挙区、投票の方法その他両議院の議員の選挙に関する事項は、法律でこれを定める。

第四十八条　何人も、同時に両議院の議員たることはできない。

第四十九条　両議院の議員は、法律の定めるところにより、国庫から相当額の歳費を受ける。

第五十条　両議院の議員は、法律の定める場合を除いては、国会の会期中逮捕されず、会期前に逮捕された議員は、その議院の要求があれば、会期中これを釈放しなければならない。

第五十一条　両議院の議員は、議院で行つた演説、討論又は表決について、院外で責任を問はれない。

第五十二条　国会の常会は、毎年一回これを召集する。

第五十三条　内閣は、国会の臨時会の召集を決定することができる。いづれかの議院の総議員の四分の一以上の要求があれば、内閣は、その召集を決定しなければならない。

第五十四条　衆議院が解散されたときは、解散の日から四十日以内に、衆議院議員の総選挙を行ひ、その選挙の日から三十日以内に、国会を召集しなければならない。

② 衆議院が解散されたときは、参議院は、同時に閉会となる。但し、内閣は、国に緊急の必要があるときは、参議院の緊急集会を求めることができる。

③ 前項但書の緊急集会において採られた措置は、臨時のものであつて、次の国会開会の後十日以内に、衆議院の同意がない場合には、その効力を失ふ。

第五十五条　両議院は、各々その議員の資格に関する争訟を裁判する。但し、議員の議席を失はせるには、出席議員の三分の二以上の多数による議決を必要とする。

第五十六条　両議院は、各々その総議員の三分の一以上の出席がなければ、議事を開き議決することができない。

② 両議院の議事は、この憲法に特別の定のある場合を除いては、出席議員の過半数でこれを決し、可否同数のときは、議長の決するところによる。

第五十七条　両議院の会議は、公開とする。但し、出席議員の三分の二以上の多数で議決したときは、秘密会を開くことができる。

② 両議院は、各々その会議の記録を保存し、秘密会の記

録の中で特に秘密を要すると認められるもの以外は、これを公表し、且つ一般に頒布しなければならない。
③　出席議員の五分の一以上の要求があれば、各議員の表決は、これを会議録に記載しなければならない。
第五十八条　両議院は、各〻その議長その他の役員を選任する。
②　両議院は、各〻その会議その他の手続及び内部の規律に関する規則を定め、又、院内の秩序をみだした議員を懲罰することができる。但し、議員を除名するには、出席議員の三分の二以上の多数による議決を必要とする。
第五十九条　法律案は、この憲法に特別の定のある場合を除いては、両議院で可決したとき法律となる。
②　衆議院で可決し、参議院でこれと異なつた議決をした法律案は、衆議院で出席議員の三分の二以上の多数で再び可決したときは、法律となる。
③　前項の規定は、法律の定めるところにより、衆議院が、両議院の協議会を開くことを求めることを妨げない。
④　参議院が、衆議院の可決した法律案を受け取つた後、国会休会中の期間を除いて六十日以内に、議決しないときは、衆議院は、参議院がその法律案を否決したものとみなすことができる。
第六十条　予算は、さきに衆議院に提出しなければならない。
②　予算について、参議院で衆議院と異なつた議決をした場合に、法律の定めるところにより、両議院の協議会を開いても意見が一致しないとき、又は参議院が、衆議院の可決した予算を受け取つた後、国会休会中の期間を除いて三十日以内に、議決しないときは、衆議院の議決を国会の議決とする。
第六十一条　条約の締結に必要な国会の承認については、前条第二項の規定を準用する。
第六十二条　両議院は、各〻国政に関する調査を行ひ、これに関して、証人の出頭及び証言並びに記録の提出を要求することができる。
第六十三条　内閣総理大臣その他の国務大臣は、両議院の一に議席を有すると有しないとにかかはらず、何時でも議案について発言するため議院に出席することができる。又、答弁又は説明のため出席を求められたときは、出席しなければならない。
第六十四条　国会は、罷免の訴追を受けた裁判官を裁判するため、両議院の議員で組織する弾劾裁判所を設ける。
②　弾劾に関する事項は、法律でこれを定める。

第五章　内閣

第六十五条　行政権は、内閣に属する。
第六十六条　内閣は、法律の定めるところにより、その首長たる内閣総理大臣及びその他の国務大臣でこれを組織する。
②　内閣総理大臣その他の国務大臣は、文民でなければならない。
③　内閣は、行政権の行使について、国会に対し連帯して責任を負ふ。
第六十七条　内閣総理大臣は、国会議員の中から国会の議決で、これを指名する。この指名は、他のすべての案件に先だつて、これを行ふ。
②　衆議院と参議院とが異なつた指名の議決をした場合に、法律の定めるところにより、両議院の協議会を開いても意見が一致しないとき、又は衆議院が指名の議決をした後、国会休会中の期間を除いて十日以内に、参議院が、指名の議決をしないときは、衆議院の議決を国会の議決とする。
第六十八条　内閣総理大臣は、国務大臣を任命する。但し、その過半数は、国会議員の中から選ばれなければならない。
②　内閣総理大臣は、任意に国務大臣を罷免することができる。
第六十九条　内閣は、衆議院で不信任の決議案を可決し、又は信任の決議案を否決したときは、十日以内に衆議院が解散されない限り、総辞職をしなければならない。
第七十条　内閣総理大臣が欠けたとき、又は衆議院議員総選挙の後に初めて国会の召集があつたときは、内閣は、総辞職をしなければならない。
第七十一条　前二条の場合には、内閣は、あらたに内閣総理大臣が任命されるまで引き続きその職務を行ふ。
第七十二条　内閣総理大臣は、内閣を代表して議案を国会に提出し、一般国務及び外交関係について国会に報告し、並びに行政各部を指揮監督する。
第七十三条　内閣は、他の一般行政事務の外、左の事務を行ふ。
一　法律を誠実に執行し、国務を総理すること。
二　外交関係を処理すること。
三　条約を締結すること。但し、事前に、時宜によつては事後に、国会の承認を経ることを必要とする。
四　法律の定める基準に従ひ、官吏に関する事務を掌理すること。
五　予算を作成して国会に提出すること。
六　この憲法及び法律の規定を実施するために、政令を制定すること。但し、政令には、特にその法律の委任がある場合を除いては、罰則を設けることができない。

七　大赦、特赦、減刑、刑の執行の免除及び復権を決定すること。

第七十四条　法律及び政令には、すべて主任の国務大臣が署名し、内閣総理大臣が連署することを必要とする。

第七十五条　国務大臣は、その在任中、内閣総理大臣の同意がなければ、訴追されない。但し、これがため、訴追の権利は、害されない。

第六章　司法

第七十六条　すべて司法権は、最高裁判所及び法律の定めるところにより設置する下級裁判所に属する。

②　特別裁判所は、これを設置することができない。行政機関は、終審として裁判を行ふことができない。

③　すべて裁判官は、その良心に従ひ独立してその職権を行ひ、この憲法及び法律にのみ拘束される。

第七十七条　最高裁判所は、訴訟に関する手続、弁護士、裁判所の内部規律及び司法事務処理に関する事項について、規則を定める権限を有する。

②　検察官は、最高裁判所の定める規則に従はなければならない。

③　最高裁判所は、下級裁判所に関する規則を定める権限を、下級裁判所に委任することができる。

第七十八条　裁判官は、裁判により、心身の故障のために職務を執ることができないと決定された場合を除いては、公の弾劾によらなければ罷免されない。裁判官の懲戒処分は、行政機関がこれを行ふことはできない。

第七十九条　最高裁判所は、その長たる裁判官及び法律の定める員数のその他の裁判官でこれを構成し、その長たる裁判官以外の裁判官は、内閣でこれを任命する。

②　最高裁判所の裁判官の任命は、その任命後初めて行はれる衆議院議員総選挙の際国民の審査に付し、その後十年を経過した後初めて行はれる衆議院議員総選挙の際更に審査に付し、その後も同様とする。

③　前項の場合において、投票者の多数が裁判官の罷免を可とするときは、その裁判官は、罷免される。

④　審査に関する事項は、法律でこれを定める。

⑤　最高裁判所の裁判官は、法律の定める年齢に達した時に退官する。

⑥　最高裁判所の裁判官は、すべて定期に相当額の報酬を受ける。この報酬は、在任中、これを減額することができない。

第八十条　下級裁判所の裁判官は、最高裁判所の指名した者の名簿によつて、内閣でこれを任命する。その裁判官は、任期を十年とし、再任されることができる。但し、法律の定める年齢に達した時には退官する。

②　下級裁判所の裁判官は、すべて定期に相当額の報酬を受ける。この報酬は、在任中、これを減額することができない。

第八十一条　最高裁判所は、一切の法律、命令、規則又は処分が憲法に適合するかしないかを決定する権限を有する終審裁判所である。

第八十二条　裁判の対審及び判決は、公開法廷でこれを行ふ。

②　裁判所が、裁判官の全員一致で、公の秩序又は善良の風俗を害する虞があると決した場合には、対審は、公開しないでこれを行ふことができる。但し、政治犯罪、出版に関する犯罪又はこの憲法第三章で保障する国民の権利が問題となつてゐる事件の対審は、常にこれを公開しなければならない。

第七章　財政

第八十三条　国の財政を処理する権限は、国会の議決に基いて、これを行使しなければならない。

第八十四条　あらたに租税を課し、又は現行の租税を変更するには、法律又は法律の定める条件によることを必要とする。

第八十五条　国費を支出し、又は国が債務を負担するには、国会の議決に基くことを必要とする。

第八十六条　内閣は、毎会計年度の予算を作成し、国会に提出して、その審議を受け議決を経なければならない。

第八十七条　予見し難い予算の不足に充てるため、国会の議決に基いて予備費を設け、内閣の責任でこれを支出することができる。

②　すべて予備費の支出については、内閣は、事後に国会の承諾を得なければならない。

第八十八条　すべて皇室財産は、国に属する。すべて皇室の費用は、予算に計上して国会の議決を経なければならない。

第八十九条　公金その他の公の財産は、宗教上の組織若しくは団体の使用、便益若しくは維持のため、又は公の支配に属しない慈善、教育若しくは博愛の事業に対し、これを支出し、又はその利用に供してはならない。

第九十条　国の収入支出の決算は、すべて毎年会計検査院がこれを検査し、内閣は、次の年度に、その検査報告とともに、これを国会に提出しなければならない。

②　会計検査院の組織及び権限は、法律でこれを定める。

第九十一条　内閣は、国会及び国民に対し、定期に、少くとも毎年一回、国の財政状況について報告しなければならない。

第八章　地方自治

第九十二条　地方公共団体の組織及び運営に関する事項は、地方自治の本旨に基いて、法律でこれを定める。

第九十三条　地方公共団体には、法律の定めるところにより、その議事機関として議会を設置する。

②　地方公共団体の長、その議会の議員及び法律の定めるその他の吏員は、その地方公共団体の住民が、直接これを選挙する。

第九十四条　地方公共団体は、その財産を管理し、事務を処理し、及び行政を執行する権能を有し、法律の範囲内で条例を制定することができる。

第九十五条　一の地方公共団体のみに適用される特別法は、法律の定めるところにより、その地方公共団体の住民の投票においてその過半数の同意を得なければ、国会は、これを制定することができない。

第九章　改正

第九十六条　この憲法の改正は、各議院の総議員の三分の二以上の賛成で、国会が、これを発議し、国民に提案してその承認を経なければならない。この承認には、特別の国民投票又は国会の定める選挙の際行はれる投票において、その過半数の賛成を必要とする。

②　憲法改正について前項の承認を経たときは、天皇は、国民の名で、この憲法と一体を成すものとして、直ちにこれを公布する。

第十章　最高法規

第九十七条　この憲法が日本国民に保障する基本的人権は、人類の多年にわたる自由獲得の努力の成果であつて、これらの権利は、過去幾多の試錬に堪へ、現在及び将来の国民に対し、侵すことのできない永久の権利として信託されたものである。

第九十八条　この憲法は、国の最高法規であつて、その条規に反する法律、命令、詔勅及び国務に関するその他の行為の全部又は一部は、その効力を有しない。

②　日本国が締結した条約及び確立された国際法規は、これを誠実に遵守することを必要とする。

第九十九条　天皇又は摂政及び国務大臣、国会議員、裁判官その他の公務員は、この憲法を尊重し擁護する義務を負ふ。

第十一章　補則

第百条　この憲法は、公布の日から起算して六箇月を経過した日〔昭二二・五・三〕から、これを施行する。

②　この憲法を施行するために必要な法律の制定、参議院議員の選挙及び国会召集の手続並びにこの憲法を施行するために必要な準備手続は、前項の期日よりも前に、これを行ふことができる。

第百一条　この憲法施行の際、参議院がまだ成立してゐないときは、その成立するまでの間、衆議院は、国会としての権限を行ふ。

第百二条　この憲法による第一期の参議院議員のうち、その半数の者の任期は、これを三年とする。その議員は、法律の定めるところにより、これを定める。

第百三条　この憲法施行の際現に在職する国務大臣、衆議院議員及び裁判官並びにその他の公務員で、その地位に相応する地位がこの憲法で認められてゐる者は、法律で特別の定をした場合を除いては、この憲法施行のため、当然にはその地位を失ふことはない。但し、この憲法によつて、後任者が選挙又は任命されたときは、当然その地位を失ふ。

○地方自治法

昭二二・四・一七
法六七

最終改正　令六・六・二六法六六

目次〔略〕

第一編　総則

〔この法律の目的〕

第一条　この法律は、地方自治の本旨に基いて、地方公共団体の区分並びに地方公共団体の組織及び運営に関する事項の大綱を定め、併せて国と地方公共団体との間の基本的関係を確立することにより、地方公共団体における民主的にして能率的な行政の確保を図るとともに、地方公共団体の健全な発達を保障することを目的とする。

＊本条―追加〔昭二七・八法三〇六〕

【参照条文】
憲法九二～九五　令　程　則　旧合併特例法　改正前合併特例法　合併特例法　公企法　地公法　選挙法　地財法　交付税法　地税法　地教法　警察法　消組法等

〔地方公共団体の役割と国による制度策定等の原則〕

第一条の二　地方公共団体は、住民の福祉の増進を図ることを基本として、地域における行政を自主的かつ総合的に実施する役割を広く担うものとする。

② 国は、前項の規定の趣旨を達成するため、国においては国際社会における国家としての存立にかかわる事務、全国的に統一して定めることが望ましい国民の諸活動若しくは地方自治に関する基本的な準則に関する事務又は全国的な規模で若しくは全国的な視点に立つて行わなければならない施策及び事業の実施その他の国が本来果たすべき役割を重点的に担い、住民に身近な行政はできる限り地方公共団体にゆだねることを基本として、地方公共団体との間で適切に役割を分担するとともに、地方公共団体に関する制度の策定及び施策の実施に当たつて、地方公共団体の自主性及び自立性が十分に発揮されるようにしなければならない。

＊本条―追加〔平一一・七法八七〕

〔地方公共団体の種類〕

第一条の三　地方公共団体は、普通地方公共団体及び特別地方公共団体とする。

② 普通地方公共団体は、都道府県及び市町村とする。

③ 特別地方公共団体は、特別区、地方公共団体の組合及び財産区とする。

＊旧一条―繰下〔昭二七・八法三〇六〕、三項―一部改正〔昭三一・六法一四七、昭三八・六法九九〕、旧一条の二―繰下〔平一一・七法八七〕、三項―一部改正〔平二三・五法三五〕

【参照条文】
①【地方公共団体―憲法九二～九五　【普通地方公共団体―法二編　令二編　【特別地方公共団体―法三編　令三編

〔地方公共団体の法人格とその事務〕

第二条　地方公共団体は、法人とする。

② 普通地方公共団体は、地域における事務及びその他の事務で法律又はこれに基づく政令により処理することとされるものを処理する。

③ 市町村は、基礎的な地方公共団体として、第五項において都道府県が処理するものとされているものを除き、一般的に、前項の事務を処理するものとする。

④ 市町村は、前項の規定にかかわらず、次項に規定する事務のうち、その規模又は性質において一般の市町村が処理することが適当でないと認められるものについては、当該市町村の規模及び能力に応じて、これを処理することができる。

⑤ 都道府県は、市町村を包括する広域の地方公共団体として、第二項の事務で、広域にわたるもの、市町村に関する連絡調整に関するもの及びその規模又は性質において一般の市町村が処理することが適当でないと認められるものを処理するものとする。

⑥ 都道府県及び市町村は、その事務を処理するに当つては、相互に競合しないようにしなければならない。

⑦ 特別地方公共団体は、この法律の定めるところにより、その事務を処理する。

⑧ この法律において「自治事務」とは、地方公共団体が処理する事務のうち、法定受託事務以外のものをいう。

⑨ この法律において「法定受託事務」とは、次に掲げる事務をいう。

一　法律又はこれに基づく政令により都道府県、市町村又は特別区が処理することとされる事務のうち、国が本来果たすべき役割に係るものであつて、国においてその適正な処理を特に確保する必要があるものとして法律又はこれに基づく政令に特に定めるもの（以下「第一号法定受託事務」という。）

二　法律又はこれに基づく政令により市町村又は特別区

が処理することとされる事務のうち、都道府県が本来果たすべき役割に係るものであつて、国においてその適正な処理を特に確保する必要があるものとして法律又はこれに基づく政令に特に定めるもの（以下「第二号法定受託事務」という。）

⑩ この法律又はこれに基づく政令に規定するもののほか、法律に定める法定受託事務は第一号法定受託事務にあつては別表第一の上欄に掲げる法律についてそれぞれ同表の下欄に、第二号法定受託事務にあつては別表第二の上欄に掲げる法律についてそれぞれ同表の下欄に掲げるとおりであり、政令に定める法定受託事務はこの法律に基づく政令に示すとおりである。

⑪ 地方公共団体に関する法令の規定は、地方自治の本旨に基づき、かつ、国と地方公共団体との適切な役割分担を踏まえたものでなければならない。

⑫ 地方公共団体に関する法令の規定は、地方自治の本旨に基づいて、かつ、国と地方公共団体との適切な役割分担を踏まえて、これを解釈し、及び運用するようにしなければならない。この場合において、特別地方公共団体に関する法令の規定は、この法律に定める特別地方公共団体の特性にも照応するように、これを解釈し、及び運用しなければならない。

⑬ 法律又はこれに基づく政令により地方公共団体が処理することとされる事務が自治事務である場合においては、国は、地方公共団体が地域の特性に応じて当該事務を処理することができるよう特に配慮しなければならない。

⑭ 地方公共団体は、その事務を処理するに当つては、住民の福祉の増進に努めるとともに、最少の経費で最大の効果を挙げるようにしなければならない。

⑮ 地方公共団体は、常にその組織及び運営の合理化に努めるとともに、他の地方公共団体に協力を求めてその規模の適正化を図らなければならない。

⑯ 地方公共団体は、法令に違反してその事務を処理してはならない。なお、市町村及び特別区は、当該都道府県の条例に違反してその事務を処理してはならない。

⑰ 前項の規定に違反して行つた地方公共団体の行為は、これを無効とする。

* 二項—一部改正〔昭二二・一二法一六九〕、三・四・六・七項—追加〔昭二三・七法一七九〕、三項—一部改正〔昭二四・六法二〇七附則五項〕、二・三項—一部改正・四・五・八・九・一〇項—追加・旧四・五項—二項ずつ繰下・旧六・七項—五項ずつ繰下〔昭二七・八法三〇六〕、三項—一部改正・四・五・六項—追加・旧四～一二項—三項ずつ繰下〔昭三一・六法一四七〕、五項—一部改正〔昭三七・九法一六一〕、三・五項—一部改正〔昭三八・六法九九〕、三項—一部改正〔昭三八・七法一三三〕、三・四項—一部改正・五項—追加・旧五～一五項—一項ずつ繰下〔昭四四・三法二〕、三・六項—一部改正〔昭四九・六法七一〕、三項—一部改正〔平三・四法二四、平九・六法七四〕、三・六項—一部改正〔平一〇・一〇法一一四〕、二項—全改・旧三項—削る・旧四項—一部改正し三項に繰上・旧五項—四項に繰上・旧六項—一部改正し五項に繰上・旧七項—六項に繰上・旧八～一〇項—削る・旧一一項—七項に繰上・八～一一項—追加・一二項—一部改正・一三項—追加・旧一三～一六項—一項ずつ繰下〔平一一・七法八七〕、三項—一部改正・四項—全改〔平二三・五法三五〕

【参照条文】
① 【法人—民法三三】
② 【地方公共団体の事務—憲法九四 ※法二八一2】【普通地方公共団体の区域—法五】
⑥ ※法二五二の二一の二5・二五二の二一の三8
⑦ 【特別地方公共団体の事務—法二八一・二八四・二九四】
⑫ 【地方自治の本旨—憲法九二 法一】
⑭ ※法一九九3・二五二の二一の二5・二五二の二一の三8・二五二の三七2
⑮ 【組織及び運営の合理化—法二五二の一七の五】【規模の適正化—法八の二 ※法一三八の三・一八〇の四1・一八〇の五4・一九九3・二五二の三七2

【実例】
※ ●市町村は住民の福祉に関する事項である限り請負をなしうる。（昭二三・六・二二行実）

〔地方公共団体の名称〕
第三条 地方公共団体の名称は、従来の名称による。[1]

② 都道府県の名称を変更しようとするときは、法律でこれを定める。

③ 都道府県以外の地方公共団体の名称を変更しようとするときは、この法律に特別の定めのあるものを除くほか、条例でこれを定める。

④ 地方公共団体の長は、前項の規定により当該地方公共団体の名称を変更しようとするときは、あらかじめ都道府県知事に協議しなければならない。

⑤ 地方公共団体は、第三項の規定により条例を制定し又は改廃したときは、直ちに都道府県知事に当該地方公共団体の変更後の名称及び名称を変更する日を報告しなければならない。

⑥ 都道府県知事は、前項の規定による報告があつたときは、直ちにその旨を総務大臣に通知しなければならない。

⑦ 前項の規定による通知を受けたときは、総務大臣は、直ちにその旨を告示するとともに、これを国の関係行政機関の長に通知しなければならない。

* 三項—一部改正〔昭二二・一二法一六九〕、四・五項—追加〔昭二七・八法三〇六〕、二・三項—一部改正〔昭三一・六法一四七〕、四・五項—一部改正〔昭三五・六法一一三附則五〕、三項—一部改正・四・五項—追加・旧四・五項—一部改正し二項ずつ繰下〔平一一・七法八七〕、六・七項—一部改正〔平一一・一二法

一六〇〕

【参照条文】

②【名称変更法律の制定―憲法九五 国会法六七 法二六一・二六二 令一八〇・一八八・一九〇

③【名称変更条例―法一四・九六1Ⅰ 【特別の定―法二八七1Ⅰ・二九一の四1Ⅰ

※【廃置分合―法六・七

【実例・通知】

1）●従来町村の名称を「まち」あるいは「むら」と呼称している場合はそれが公称であり、また、従来「ちょう」あるいは「そん」と呼称している場合はそれが公称である。（昭二七・一一・二二行実）

※ ●地名の書き表わし方は、さしつかえのない限り、当用漢字字体表を用いる。当用漢字表以外の漢字についても、当用漢字字体表の字体に準じた字体を用いてもよい。（昭三三・四・二二通知）

〔**地方公共団体の事務所の設定又は変更**〕

第四条 地方公共団体は、その事務所の位置[1]を定め又はこれを変更しようとするときは、条例[2]でこれを定めなければならない。

② 前項の事務所の位置を定め又はこれを変更するに当つては、住民の利用に最も便利であるように、交通の事情、他の官公署との関係等について適当な考慮を払わなければならない。

③ 第一項の条例を制定し又は改廃しようとするときは、当該地方公共団体の議会において出席議員[3]の三分の二以上の者の同意がなければならない。

＊二項―追加〔昭二二・五法一四三〕、二項―追加・旧二項―一部改正し三項に繰下〔昭二七・八法三〇六〕

【参照条文】

① ※【法施行当時から事務所の位置変更のない地方公共団体―程一

※ 法一四・九六1Ⅰ・二五二の二〇2・二五二の二〇の二2・二八七1Ⅳ・二九一の四1Ⅵ

② ※ 法一五五・一五六・二〇二の四4・二八七1Ⅳ・二九一の四1Ⅵ

③ ※ 法一一六1

【実例・注釈】

1）○「事務所」とは、地方公共団体の主たる事務所、すなわち、都道府県については都道府県庁、市町村、特別区についてはそれぞれ市役所、町村役場、区役所である。なお、法第一五五条を参照のこと。

2）●この条例の提案権は、長及び議員の双方にある。（昭三四・八・三一行実）

●事務所の位置の変更条例の制定時期を新事務所の建築着工前とするか、建築完了後とするかは、いずれでもさしつかえないが、建築に必要な財源のみとおしもたたない時期に制定することは適当でない。（昭三四・八・三一行実）

3）○「出席議員の三分の二以上の者」とは、たとえば、出席議員が六〇人のときは四〇人又は四〇人をこえる者、四〇人のときは二七人又は二七人をこえる者を指し、この場合においては、議長も議員として議決に加わることができる。

●住居表示の実施に伴い、地方公共団体の事務所の所在地名を変更する場合のように、事務所の位置を実質的に変更しない条例の一部改正は出席議員の過半数で決すればよい。（昭四一・六・三〇行実）

〔**地方公共団体の休日**〕

第四条の二 地方公共団体の休日は、条例で定める。

② 前項の地方公共団体の休日は、次に掲げる日について定めるものとする。

一 日曜日及び土曜日

二 国民の祝日に関する法律（昭和二十三年法律第百七十八号）に規定する休日

三 年末又は年始における日で条例で定めるもの

③ 前項各号に掲げる日のほか、当該地方公共団体において特別な歴史的、社会的意義を有し、住民がこぞって記念することが定着している日で、当該地方公共団体の休日とすることについて広く国民の理解を得られるようなものは、第一項の地方公共団体の休日として定めることができる。この場合においては、当該地方公共団体の長は、あらかじめ総務大臣に協議しなければならない。

④ 地方公共団体の行政庁に対する申請、届出その他の行為の期限で法律又は法律に基づく命令で規定する期間（時をもつて定める期間を除く。）をもつて定めるものが第一項の規定に基づき条例で定められた地方公共団体の休日に当たるときは、地方公共団体の休日の翌日をもつてその期限とみなす。ただし、法律又は法律に基づく命令に別段の定めがある場合は、この限りでない。

＊本条―追加〔昭六三・一二法九四〕、三項―追加・旧三項―四項に繰下〔平三・四法二四〕、二項―一部改正〔平四・四法二九〕、三項―一部改正〔平一一・一二法一六〇〕

【引用条文】

②【国民の祝日に関する法律二（国民の祝日）・三（休日）

【参照条文】

①【国の行政機関の休日―行政機関の休日に関する法律 【裁判所の休日―裁判所の休日に関する法律

④【期限―民法一四二 【別段の定め―地税法二〇の五2 選挙法二七〇の三等

【通　知】

1）●盆、祭、市制記念の日等については、「当該地方公共団体において特別な歴史的、社会的意義を有し、住民がこぞつて記念することが定着している日で、当該地方公共団体の休日とすることについて広く国民の理解を得られるようなもの」には該当しない。（平三・四・二通知）

第二編　普通地方公共団体

第一章　通則

〔区域〕

第五条　普通地方公共団体の区域[1]は、従来[2]の区域による。

②　都道府県は、市町村を包括する。

【参照条文】

①　※【区域変更―法六・六の二・七・七の二・九～九の五

②　※法二5

【実例・判例】

1）●領海は、これに接続する府県、市町村又は島嶼の区域に属する。（昭一一・一二・二八、昭一二・五・二〇行裁判）

●境界が河川による場合、その境界線を河川のどこをもつて境界とするかは個々の事態によつて判断するほかはなく、これについての一般原則はない。（昭三三・八・二〇行実）

2）●川の中心をもつて郡村界としていた場合、川の流域が変更しても、郡村界は当然に変更するものということはできない。（大三・一二・二五行裁判）

〔都道府県の廃置分合及び境界変更〕

第六条　都道府県の廃置分合又は境界変更をしようとするときは、法律でこれを定める。

②　都道府県の境界にわたつて市町村の設置又は境界の変更があつたときは、都道府県の境界も、また、自ら変更する。従来地方公共団体の区域に属しなかつた地域を市町村の区域に編入したときも、また、同様とする。

③　前二項の場合において財産処分を必要とするときは、関係地方公共団体が協議してこれを定める。但し、法律に特別の定があるときは、この限りでない。

④　前項の協議については、関係地方公共団体の議会の議決を経なければならない。

＊三項一部改正〔昭二二・一二法一六九〕、二項一部改正〔昭二七・八法三〇六、昭三六・一一法二三五、平一六・五法五七〕

【参照条文】

①【法律の制定―憲法九五　国会法六七　法二六一・二六二　令一八〇・一八八・一九〇　【※政令委任―法二五五＝令一の二～六・一三〇・一三一・一七六

②【市町村の設置又は境界変更―法七1・3・6・7　【従来地方公共団体の区域に属しなかつた地域―法七の二　※法二五九

③【特別の定―法六1の法律―現在なし

④【議会の議決―法九六1XV・一一六1

〔申請に基づく都道府県合併〕

第六条の二　前条第一項の規定によるほか、二以上の都道府県の廃止及びそれらの区域の全部による一の都道府県の設置又は都道府県の廃止及びその区域の全部の他の一の都道府県の区域への編入は、関係都道府県の申請に基づき、内閣が国会の承認を経てこれを定めることができる。

②　前項の申請については、関係都道府県の議会の議決を経なければならない。

③　第一項の申請は、総務大臣を経由して行うものとする。

④　第一項の規定による処分があつたときは、総務大臣は、直ちにその旨を告示しなければならない。

⑤　第一項の規定による処分は、前項の規定による告示によりその効力を生ずる。

＊本条―追加〔平一六・五法五七〕

【参照条文】

②【議会の議決―法九六1XV

〔市町村の廃置分合及び境界変更〕

第七条　市町村の廃置分合又は市町村の境界変更は、関係市町村の申請[1]に基き、都道府県知事が当該都道府県の議会の議決[2]を経てこれを定め[3]、直ちにその旨を総務大臣に届け出なければならない。

②　前項の規定により市の廃置分合[4]をしようとするときは、都道府県知事は、あらかじめ総務大臣に協議し、その同意を得なければならない。

③　都道府県の境界にわたる市町村の設置を伴う市町村の廃置分合又は市町村の境界の変更は、関係のある普通地方公共団体の申請に基づき、総務大臣がこれを定める。

④　前項の規定により都道府県の境界にわたる市町村の設置の処分を行う場合においては、当該市町村の属すべき都道府県について、関係のある普通地方公共団体の申請に基づき、総務大臣が当該処分と併せてこれを定める。

⑤　第一項及び第三項の場合において財産処分を必要とするときは、関係市町村が協議してこれを定める。

⑥　第一項及び前三項の申請又は協議については、関係の

ある普通地方公共団体の議会の議決を経なければならない。

⑦ 第一項の規定による届出を受理したとき、又は第三項若しくは第四項の規定による処分をしたときは、総務大臣は、直ちにその旨を告示するとともに、これを国の関係行政機関の長に通知しなければならない。

⑧ 第一項、第三項又は第四項の規定による処分は、前項の規定による告示によりその効力を生ずる。

* 本条―全改〔昭二二・一二法一六九〕、一項―一部改正・二・七項―追加・旧三・四・五項―一部改正し一項ずつ繰下・旧二項―三項に繰下〔昭二七・八法三〇六〕、一・二・三・六項―一部改正〔昭三五・六法一一三附則五条〕、一項―一部改正〔昭三六・一一法二三五〕、二項―一部改正〔平一一・七法八七〕、一・二・三・六項―一部改正〔平一一・一二法一六〇〕、三項―一部改正・四項―追加・旧四～七項―一部改正し一項ずつ繰下〔平一六・五法五七〕

【参照条文】

①【※市の要件―法八1・附則二〇の三・二〇の五 旧合併特例法五の二 合併特例法七 【※町の要件―法八2 【議会の議決―法九六1XV・一一六1 【※境界変更の手続の特例―法九の三1・2・附則二〇の二 【※政令委任―法二五五＝令一の二～六・一三〇・一三一・一七六・一七七

※ 法六2・七の二～九の五

【実例・判例・注釈】

1・2）●市町村の境界変更、廃置分合の申請につき、県議会がその区域の一部を修正して議決し、又は知事が申請内容を一部修正して提案することはできない。（昭二五・一二・一行実）

3）○「定め」とは、関係市町村の申請の内容と異なつた定めをすることはできない。しかし、その時期については、申請の内容に拘束されない。

4）●市の廃置分合には、市の区域の一部をもつて町村を置く場合及び町村を廃してその区域を市に編入する場合を含まない。（昭二八・一二・二七行実）

※ ●市町村の住民は、知事がしたその市町村合併の取消を求める法律上の利益を有しない。（昭三〇・一二・二最裁判）

※ ●合併前の市議会でした市営住宅譲渡処分の議決は、合併後の市にその効力が及ばない。（昭四二・一一・二一行実）

※ ●一たん議決した境界変更について、その申請がなされていない間に次の会期において当該議決の内容を変更しようとするときは、新たな議案を提出し、議決すれば足りる。また、この議案の提案権は、長及び議員の双方にある。（昭四八・一〇・二行実）

※ 法第二五五条の実例を参照

〔所属未定地域の編入〕

第七条の二[1] 法律で別に定めるものを除く外、従来地方公共団体の区域に属しなかつた地域を都道府県又は市町村の区域に編入する必要があると認めるときは、内閣がこれを定める。この場合において、利害関係があると認められる都道府県又は市町村があるときは、予めその意見を聴かなければならない。

② 前項の意見については、関係のある普通地方公共団体の議会の議決を経なければならない。

③ 第一項の規定による処分があつたときは、総務大臣は、直ちにその旨を告示しなければならない。前条第八項の規定は、この場合にこれを準用する。

* 本条―追加〔昭二七・八法三〇六〕、三項―一部改正〔昭三五・六法一一三附則五条〕、二項―一部改正〔平一一・一二法一六〇〕、三項―一部改正〔平一六・五法五七〕

【引用条文】

③【法七（市町村の廃置分合及び境界変更）8

【参照条文】

①【法律―所属未定地域決定のための法律をいう―現在なし

※ 法六・七・九の四・九の五

【注 釈】

1）○従来地方公共団体の区域に属しなかつた地域とは、地方自治法施行前から、日本の領土でありながら、いずれの市町村、都道府県の区域にも属しない地域、割譲等により新たにわが国の領土となつた地域、又は領海外に造成された新しい島嶼等でわが領土に属することとなつたようなものを指す。

〔市及び町の要件・市町村相互間の変更〕

第八条 市となるべき普通地方公共団体は、左に掲げる要件[1]を具えていなければならない。

一 人口[2]五万以上を有すること。

二 当該普通地方公共団体の中心の市街地を形成している区域内に在る戸数[3]が、全戸数[4]の六割以上であること。

三 商工業その他の都市的業態に従事する者及びその者と同一世帯[5]に属する者の数が、全人口の六割以上であること。

四 前各号に定めるものの外、当該都道府県の条例で定める都市的施設その他の都市としての要件を具えていること。

② 町となるべき普通地方公共団体は、当該都道府県の条例で定める町としての要件を具えていなければならない。

③ 町村を市とし又は市を町村とする処分は第七条第一項、第二項及び第六項から第八項までの例により、村を町とし又は町を村とする処分は同条第一項及び第六項から第八項までの例により、これを行うものとする。

＊本条—全改〔昭二二・一二法一六九〕、三項—一部改正〔昭二七・八法三〇六〕、一項—一部改正〔昭二九・六法一九三〕、三項—一部改正〔平一六・五法五七〕

【引用条文】

③【法七（市町村の廃置分合及び境界変更）1・2・6・7・8

【参照条文】

①【人口—法二五四　令一七六・一七七　程二五　【※市についての参考事項—法七2・二五九2　令一七八

【実例・注釈】

1）●市が境界変更により要件を欠くに至っても必ずしも町となる必要はない。（昭二三・一〇・三〇行実）

2）○「人口五万以上」とは、官報で公示された最近の国勢調査又はこれに準ずる全国的な人口調査の結果による人口が五万又は五万をこえる場合を指す。

3）○「戸数」とは、市の中心部となるべき市街を形成している区域内の戸数をいい、密集し軒をつらねているものを指す。

4）○「全戸数」とは、必ずしも世帯数又は建物数を指すのでなく、たとえばアパートは生活単位ごとに一戸、学校、工場等は一戸として計算する。

5）○「世帯」とは、現実に住居及び生計を同じくしている者の集団をいう。

（市町村の適正規模の勧告）

第八条の二　都道府県知事は、市町村が第二条第十五項の規定によりその規模の適正化を図るのを援助するため、市町村の廃置分合又は市町村の境界変更の計画を定め、これを関係市町村に勧告することができる。

②　前項の計画を定め又はこれを変更しようとするときは、都道府県知事は、関係市町村、当該都道府県の議会、当該都道府県の区域内の市町村の議会又は長の連合組織その他の関係のある機関及び学識経験を有する者等の意見を聴かなければならない。

③　前項の関係市町村の意見については、当該市町村の議会の議決を経なければならない。

④　都道府県知事は、第一項の規定により勧告をしたときは、直ちにその旨を公表するとともに、総務大臣に報告しなければならない。

⑤　総務大臣は、前項の規定による報告を受けたときは、国の関係行政機関の長に対し直ちにその旨を通知するものとする。

⑥　第一項の規定による勧告に基く市町村の廃置分合又は市町村の境界変更については、国の関係行政機関は、これを促進するため必要な措置を講じなければならない。

＊本条—追加〔昭二七・八法三〇六〕、一項—一部改正〔昭三一・六法一四七〕、四・五項—一部改正〔昭三五・六法一一三附則五条〕、一項—一部改正〔昭四四・三法二、平一一・七法八七〕、四・五項—一部改正〔平一一・一二法一六〇〕

【引用条文】

①【法二（地方公共団体の法人格とその事務）15

【参照条文】

①【廃置分合、境界変更—法六2・七2・3　【勧告—法二四五の四・二五二の一七の五

③【議会の議決—法九六1XV・一一六1

㊟　次条中、点線の左側は、令和四年五月二五日から起算して四年を超えない範囲内において政令で定める日から施行となる。

（市町村の境界の調停及び裁定）

第九条　市町村の境界に関し争論があるときは、都道府県知事は、関係市町村の申請に基づき、これを第二百五十一条の二の規定による調停に付することができる。

②　前項の規定によりすべての関係市町村の申請に基いてなされた調停により市町村の境界が確定しないとき、又は市町村の境界に関し争論がある場合においてすべての関係市町村から裁定を求める旨の申請があるときは、都道府県知事は、関係市町村の境界について裁定することができる。

③　前項の規定による裁定は、文書を以てこれをし、その理由を附けてこれを関係市町村に交付しなければならない。

④　第一項又は第二項の申請については、関係市町村の議会の議決を経なければならない。

⑤　第一項の規定による調停又は第二項の規定による裁定により市町村の境界が確定したときは、都道府県知事は、直ちにその旨を総務大臣に届け出なければならない。

⑥　前項の規定による届出を受理したとき、又は第十項の規定による通知があつたときは、総務大臣は、直ちにその旨を告示するとともに、これを国の関係行政機関の長に通知しなければならない。

⑦　前項の規定による告示があつたときは、関係市町村の境界について第七条第一項又は第三項及び第七項の規定による処分があつたものとみなし、これらの処分の効力は、当該告示により生ずる。

⑧　第二項の規定による都道府県知事の裁定に不服があるときは、関係市町村は、裁定書の交付を受けた日から三十日以内に裁判所に出訴することができる。

⑨　市町村の境界に関し争論がある場合において、都道府県知事が第一項の規定による調停又は第二項の規定による裁定に適しないと認めてその旨を通知したときは、関係市町村は、裁判所に市町村の境界の確定の訴を提起す

ることができる。第一項又は第二項の規定による申請をした日から九十日以内に、第一項の規定による調停に付されないとき、若しくは同項の規定による調停により市町村の境界が確定しないとき、又は第二項の規定による裁定がないときも、また、同様とする。

⑩ 前項の規定による訴訟の判決が確定したときは、当該裁判所は、直ちに〔判決書の写〕電子判決書（民事訴訟法（平成八年法律第百九号）第二百五十二条第一項に規定する電子判決書をいい、同法第二百五十三条第二項の規定により裁判所の使用に係る電子計算機に備えられたファイルに記録されたものに限る。第七十四条の二第十項において同じ。）に記録されている事項を出力することにより作成した書面を添えてその旨を総務大臣及び関係のある都道府県知事に通知しなければならない。

⑪ 前十項の規定は、政令の定めるところにより、市町村の境界の変更に関し争論がある場合にこれを準用する。

＊ 本条―全改〔昭二七・八法三〇六〕、五・六・一〇項―一部改正〔昭三五・六法一一三附則五条〕、一項―一部改正〔平一一・七法八七〕、五・六・一〇項―一部改正〔平一一・一二法一六〇〕、七項―一部改正〔平一六・五法五七〕、一〇項―一部改正〔令四・五法四八〕

【引用条文】
①【法二五一の二（自治紛争処理委員）

【参照条文】
①【調停―令一七四の六 ※【本条の特例―法九の三3 ⑧【出訴―法二五六 裁判所法二五 ⑪【政令―未制定 ※【境界―法五1 ※【境界変更―法七1

【実例・判例・注釈】

1）●市町村の境界に関し争論があるときとは、市町村の境界が判明せずそれについて争論がある場合を意味する。（昭二七・一一・二七行実）

●公有水面のみに係る場合を除き、県の境界にわたる市町村の境界に関する争論についても、本条の手続による。（昭四〇・五・一四行実）

2）○「三十日以内」とは、裁定書の交付を受けた日の翌日を第一日とし三〇日目にあたる日までを指す。

※ ●町村の境界を確定するに当たつては、当該境界につきこれを変更又は確定する法定の措置が既にとられていない限り、まず、江戸時代における関係町村の当該係争地域に対する支配・管理・利用等の状況を調べ、そのおおよその区分線を知り得る場合には、これを基準として境界を確定すべきものと解するのが相当である。そして、右の区分線を知り得ない場合には、当該係争地域の歴史的沿革に加え、明治以降における関係町村の行政権行使の実状、国又は都道府県の行政機関の管轄、住民の社会・経済生活上の便益、地勢上の特性等の自然的条件、地積などを考慮の上、最も衡平妥当な線を見いだしてこれを境界と定めるのが相当である。（昭六一・五・二九最裁判）

〔**市町村の境界の決定**〕

第九条の二 市町村の境界が判明でない場合において、その境界に関し争論がないときは、都道府県知事は、関係市町村の意見を聴いてこれを決定することができる。

② 前項の規定による決定は、文書を以てこれをし、その理由を附けてこれを関係市町村に交付しなければならない。

③ 第一項の意見については、関係市町村の議会の議決を経なければならない。

④ 第一項の規定による都道府県知事の決定に不服があるときは、関係市町村は、決定書の交付を受けた日から三十日以内に裁判所に出訴することができる。

⑤ 第一項の規定による決定が確定したときは、都道府県知事は、直ちにその旨を総務大臣に届け出なければならない。

⑥ 前条第六項及び第七項の規定は、前項の規定による届出があつた市町村の境界の決定にこれを準用する。

＊ 本条―追加〔昭二七・八法三〇六〕、五項―一部改正〔昭三五・六法一一三附則五条〕、五項―一部改正〔平一一・一二法一六〇〕

【引用条文】
⑥【法九（市町村の境界の調停及び裁定）6・7

【参照条文】
①【境界―法五1 ③④【議会の議決―法九六1XV・一一六1 ④【出訴―法二五六 裁判所法二五 ※ 法七・九・九の三〜九の五

【注　釈】

1）○「三十日以内」とは、決定書の交付を受けた日の翌日を第一日として第三〇日目にあたる日までを指す。

〔**公有水面のみに係る市町村の境界の決定等**〕

第九条の三 公有水面のみに係る市町村の境界変更は、第七条第一項の規定にかかわらず、関係市町村の同意を得て都道府県知事が当該都道府県の議会の議決を経てこれを定め、直ちにその旨を総務大臣に届け出なければならない。

② 公有水面のみに係る市町村の境界変更で都道府県の境界にわたるものは、第七条第三項の規定にかかわらず、関係のある普通地方公共団体の同意を得て総務大臣がこれを定める。

③ 公有水面のみに係る市町村の境界に関し争論があるときは、第九条第一項及び第二項の規定にかかわらず、都道府県知事は、職権によりこれを第二百五十一条の二の規定による調停に付し、又は当該調停により市町村の境界が確定しないとき、若しくはすべての関係市町村の裁定することについての同意があるときは、これを裁定することができる。

④ 第一項若しくは第二項の規定による公有水面のみに係る市町村の境界変更又は前項の規定による公有水面のみに係る市町村の境界の裁定は、当該公有水面の埋立て（干拓を含む。以下同じ。）が行なわれる場合においては、前三項の規定にかかわらず、公有水面の埋立てに関する法令により当該埋立ての竣功の認可又は通知がなされる時までこれをすることができる。

⑤ 第一項から第三項までの同意については、関係のある普通地方公共団体の議会の議決を経なければならない。

⑥ 第七条第七項及び第八項の規定は第一項及び第二項の場合に、第九条第三項、第五項から第八項まで、第九項前段及び第十項の規定は第三項の場合にこれを準用する。

＊本条―追加〔昭三六・一一法二三五〕、三項―一部改正〔平一一・七法八七〕、一・二項―一部改正〔平一一・一二法一六〇〕、六項―一部改正〔平一六・五法五七〕

【引用条文】
⑥【法七（市町村の廃置分合及び境界変更）7・8・九（市町村の境界の調停及び裁定）3・5～8・9前段・10

【参照条文】
①【議会の議決―法九六1XV・一一六1
③【調停―令一七四の六　※法附則二〇の二
④【竣功認可―公有水面埋立法　※【公有水面―公有水面埋立法一
⑤【議会の議決―法九六1XV・一一六1
※　法九の四

〔埋立地の所属すべき市町村を定める措置〕

第九条の四　総務大臣又は都道府県知事は、公有水面の埋立てが行なわれる場合において、当該埋立てにより造成されるべき土地の所属すべき市町村を定めるため必要があると認めるときは、できる限りすみやかに、前二条に規定する措置を講じなければならない。

＊本条―追加〔昭三六・一一法二三五〕、一部改正〔平一一・一二法一六〇〕

【参照条文】
【公有水面―公有水面埋立法一

【注　釈】
1）○「できる限りすみやかに」とは、公有水面埋立法第三条の規定により地元市町村の議会の意見を徴したときから同法第二条又は第四十二条第一項の規定により埋立ての免許又は承認がなされる時までの期間にすることがこれに当る。

〔あらたに生じた土地の確認〕

第九条の五　市町村の区域内にあらたに[1]土地を生じたときは、市町村長は、当該市町村の議会の議決を経てその旨を確認し、都道府県知事に届け出なければならない。

② 前項の規定による届出を受理したときは、都道府県知事は、直ちにこれを告示しなければならない。

＊本条―追加〔昭三六・一一法二三五〕、二項―一部改正〔昭四四・三法二〕

【参照条文】
①【議会の議決―法九六1XV・一一六1　※法五・七

【実　例】
1）●公有水面に土砂が累積され、将来とも永続的に海水に蔽われないような陸地となつたものは、その護岸等の施設を施したことの有無を問わずあらたに生じた土地に該当する。（昭三七・一〇・一二行実）

第二章　住民

〔住民の意義及び権利義務〕

第十条　市町村の区域内に住所[1]を有する者は、当該市町村及びこれを包括する都道府県の住民とする。

② 住民は、法律の定めるところにより、その属する普通地方公共団体の役務の提供[2]をひとしく受ける[3]権利を有し、その負担を分任する義務を負う。

＊二項―一部改正〔昭三八・六法九九〕

【参照条文】
①【区域―法五　【住所―民法二二・二三・二四　会社法四　一般社団・財団法人法四
②【負担―法二二三～二二九
※　法二四四

【判例・注釈】
1）●ある地がある人の住所なりやはその地をもつて生活の本拠となす意思とその意思の実現即ちその地に常住する事実の存否により決すべきであり、いかなる状況が存すればかかる意思ありと認めらるべきかは事実問題で一定の具体的標準はない。（大九・七・二三大審判）
●転地療養のため妻子を同伴し乙市に赴き甲村自宅

留守は不在中妹等に依頼している場合は住所を移転したものとはいえない。（昭一二・四・一九行裁判）

●本籍地たる乙村に居住している者が甲村に在る農家に雇われ、さらに同村に在る某社番として雇われても、本籍地に娘及び婿養子が居住している場合には、その者の住所は依然として乙村にある。（昭一四・一・二七行裁判）

●住所所在地の認定は各般の客観的事実を総合して判断すべきものであつて、ある者が間断なくその場所に居住することを要するものではなく、また単に滞在日数の多いかどうかによつてのみ判断すべきものでもないけれども、客観的施設の有無によつてのみ判断すべきものでもない。（昭二七・四・一五最裁判）

●およそ法令において人の住所につき法律上の効果を規定している場合、反対の解釈をなすべき特段の事由のないかぎり、その住所とは各人の生活の本拠をさすものと解する。（昭二九・一〇・二〇最裁判）

●大学の学生が大学付属の寄宿舎で起臥し、実家からの距離が遠く通学が不可能ないし困難なため、多数の応募学生のうちから厳選のうえ入寮を許され、最も長期の者は四年間、最も短期の者でも一年間在寮の予定のもとに右寮に居住し選挙人名簿調製期日まで最も長期の者は約三年、最も短期の者でも五箇月間を経過しており、休暇に際しては帰省するけれども、配偶者があるわけでもなく、また管理すべき財産を持つているわけでもないので、したがつて休暇以外は実家に帰る必要も事実もなく、主食の配給も寄宿舎所在村で受けており、住民登録も同村でなされており、登録をなさない者でも故意に登録の手続をとらなかつたのでない場合は、それらの者については、選挙人名簿調製期日まで三箇月間は同村に住所があつたものと解する。（昭二九・一〇・二〇最裁判）

●選挙権の要件としての住所は、その人の生活に最も関係の深い一般的生活、全生活の中心をもつてその者の住所と解すべく、私生活面の住所、事業活動面の住所、政治活動面の住所等を分離して判断すべきではない。（昭三五・三・二二最裁判）

2）○「役務の提供」とは、地方公共団体及び地方公共団体の機関によつて行なわれる役務の提供の双方を含み、公の施設の供用のみならず、地方公共団体の諸種の施策を含めて、地方公共団体が住民に対しサービスをすることをいう。

3）○「ひとしく受ける」とは、住民ならば何人も同じ資格で区別なく平等に享受できるという意である。

●村民各自は、村道に対して他の村民の有する利益ないし自由を侵害しない程度において自己の生活上必須の行動を自由に行いうべき使用の自由権を有し、村民の村道使用の自由権に対して継続的な妨害がされた場合には、当該村民は、右の妨害の排除を請求することができる。（昭三九・一・一六最裁判）

〔**住民の選挙権**〕

第十一条 [1]日本国民たる普通地方公共団体の住民は、この法律の定めるところにより、その属する普通地方公共団体の[2]選挙に参与する権利を有する。

＊本条一部改正〔昭二五・四法一〇一、昭二六・七法二〇三、昭二七・八法三〇六〕

【参照条文】【日本国民―憲法一〇 国籍法 【この法律の定め―法一七～一九 【普通地方公共団体の選挙―憲法一五・九三2 選挙法九2～5

【判例・注釈】

1）○「日本国民」とは、国籍法の定めるところにより日本国籍を有する者をいう。

●日本国民たる住民に限り地方公共団体の議会の議員及び長の選挙権を有するものとした地方自治法第一一条は、憲法第一五条第一項、第九三条第二項に違反しない。（平七・二・二八最裁判）

2）○「選挙に参与する権利」とは、選挙する権利と選挙される権利をいい、現在では普通地方公共団体の長の選挙及び議会の議員の選挙について認められている。

〔**条例の制定改廃請求権及び事務の監査請求権**〕

第十二条 日本国民たる普通地方公共団体の住民は、この法律の定めるところにより、その属する普通地方公共団体の条例（地方税の賦課徴収並びに分担金、使用料及び手数料の徴収に関するものを除く。）の制定又は改廃を請求する権利を有する。

② 日本国民たる普通地方公共団体の住民は、この法律の定めるところにより、その属する普通地方公共団体の事務の監査を請求する権利を有する。

＊一項一部改正〔昭二三・七法一七九、昭三八・六法九九〕

【参照条文】

①【日本国民―憲法一〇 国籍法 【条例の制定・改廃請求（この法律の定め）―法七四～七四の四 令九一～九八の四 則九

②【監査請求（この法律の定め）―法七五・二五二の三九 令九九 則一〇

※ 法二四二 令一七二 則一三

〔**議会の解散請求権及び主要公務員の解職請求権**〕

第十三条 日本国民たる普通地方公共団体の住民は、この法律の定めるところにより、その属する普通地方公共団体の議会の解散を請求する権利を有する。

② 日本国民たる普通地方公共団体の住民は、この法律の定めるところにより、その属する普通地方公共団体の議会の議員、長、副知事若しくは副市町村長、第二百五十二条の十九第一項に規定する指定都市の総合区長、選挙管理委員若しくは監査委員又は公安委員会の委員の解職を請求する権利を有する。

③ 日本国民たる普通地方公共団体の住民は、法律の定めるところにより、その属する普通地方公共団体の教育委員会の教育長又は委員の解職を請求する権利を有する。

＊ 二項―一部改正〔昭二二・一二法一九六附則一五条、昭二三・七法一七九〕、三項―追加〔昭二七・八法三〇六〕、二項―一部改正〔平一八・六法五三、平二六・五法四二〕、三項―一部改正〔平二六・六法七六〕

【参照条文】

①【日本国民―憲法一〇　国籍法　【議会の解散請求（この法律の定め）―法七六〜七九・八五　令一〇〇〜一〇九の三・一二〇　則一一

②【議員の解職請求（この法律の定め）―法八〇・八二1・八三〜八五　令一一〇〜一一五・一二〇　則一二　【長の解職請求（この法律の定め）―法八一・八二2・八三〜八五　令一一六〜一二〇　則一二　【副知事、副市町村長、指定都市の総合区長、選挙管理委員、監査委員、公安委員の解職請求（この法律の定め）―法八六〜八八　令一二一　則一二

③【教育長又は教育委員の解職請求（法律の定め）―地教法八

※ 憲法一五

〔住民基本台帳〕

第十三条の二　市町村は、別に法律の定めるところにより、その住民につき、住民たる地位に関する正確な記録を常に整備しておかなければならない。

＊ 本条―追加〔昭四二・七法八一〕

【参照条文】

【法律―住民基本台帳法

第三章　条例及び規則

㊟ 次条中、点線の左側は、令和四年六月一七日から起算して三年を超えない範囲内において政令で定める日〔令七・六・一〕から施行となる。

〔**条例の制定及び罰則**〕

第十四条　普通地方公共団体は、法令に違反しない限りにおいて第二条第二項の事務に関し、条[1]例を制[2]定することができる。

② 普通地方公共団体は、義務を課し、又は権利を制限するには、法令に特別の定めがある場合を除くほか、条[3]例によらなければならない。

③ 普通地方公共団体は、法令に特別の定めがあるものを除くほか、その条例中に、条例に違反した者に対し、二年以下の懲役若しくは禁錮（拘禁刑）、百万円以下の罰金、拘留、科料若しくは没収の刑[4]又は五万円以下の過料を科する旨の規定を設けることができる。

＊ 本条―全改〔昭二二・一二法一六九〕、五項―一部改正〔平三・四法二一〕、二項―全改・旧三・四項―削る・旧五項―一部改正し三項に繰上・六項―削る〔平一一・七法八七〕、三項―一部改正〔令四・六法六八〕

【参照条文】

①【条例の制定―憲法九四　法一六・七四・九六1Ⅰ・一七六・一七九・二二二・附則一一

③【特別の定（例示）】―法二二八2・3　地税法三一・七二の一一・八一・一五四　消防法四六　屋外広告物法三四　風営法四九　建基法一〇二等　【過料―法二五五の三

※ 憲法三一

【実例・通知・判例】

1）●名誉市民に対し、その功績を顕彰するに相応しい礼を以て遇することを内容とする条例は違憲ではない。（昭三一・一・二三行実）

●条例が国の法令に違反するかどうかは、両者の対象事項と規定文言を対比するのみではなく、それぞれの趣旨、目的、内容及び効果を比較し、両者の間に矛盾抵触があるかどうかによってこれを決しなければならない。（昭五〇・九・一〇最裁判）

●いわゆる普通河川の管理について定める普通地方公共団体の条例において、河川法がいわゆる適用河川又は準用河川について定めるところ以上に強力な河川管理の定めをすることは、同法に違反し、許されないものといわなければならない。（昭五三・一二・二一最裁判）

●資本金等の額が一定額以上の法人の事業活動に対し道府県法定外普通税として臨時特例企業税を課すことを定める条例の規定は、地方税法の定める欠損金の繰越控除の適用を一部遮断することをその趣旨、目的とするもので、特例企業税の課税によって各事業年度の所得の金額の計算につき欠損金の繰越控除を実質的に一部排除する効果を生ずるものであり、各事業年度間の所得の金額と欠損金額の平準化を図り法人の税負担をできるだけ均等化して公平な課税を行うという趣旨、目的に反し、違法、無効であるというべきである。（平二五・三・二一最裁判）

1・3）●憲法第二九条第二項との関係で、直接に財産権を制限することはできないが、家畜市場開設期間中に所在市町村内のそれ以外の場所で家畜の売買等

をなすことを禁ずることは、公共の秩序維持と公共の福利増進のため必要な規制をする結果間接に財産権を制限する結果になるだけであるからさしつかえない。（昭二五・一二・一二行実）

●憲法第二二条は、公共の福祉に反しない限り職業選択の自由を保障しているのであり、同法第一三条の規定からも同様のことがいえるのであつて、公共の福祉に反するおそれがあると認められる場合においては、その限度において必要な営業上の制限を加えることも可能である。（昭二六・一一・一八行実）

●行政代執行法第二条に規定する「法律（法律の委任に基づく命令、規則及び条例を含む。以下同じ。）」中の条例には、法律の個別的な委任に基づく条例のみでなく、本条第一項及び第二項の条例をも含む。（昭二六・一〇・二三行実）

●単なる身許の確認その他犯罪捜査以外の目的のために、条例で指紋の採取を強制することは、一般的には消極に解すべきである。（昭二七・一・三一行実）

●畜犬の飼育者について、狂犬病予防以外の公益上の目的から、憲法その他の法令に違反しない限度において、軽犯罪法第一条第一二号以外の義務を課する旨の条例を制定することができる。（昭二七・八・二〇行実）

●各種生産物の検査を行なうことは、法令に特別の定があるものを除く外、公益上特に必要がある場合においてはその限度において条例でこれを定めて実施することができる。（昭二八・四・二四行実）

●青少年の福祉を保持する趣旨のもとに青少年の深夜外出を制限し、青少年に悪影響を及ぼすおそれがある図書、興行等の観覧、販売等を条例で禁止できる。（昭二九・一二・一七行実）

●公園管理の見地から、園内における行商、遊芸稼業等を一般的に禁止して許可制にすることはできないが、公共の秩序を維持するため必要上やむを得ない場合に限り一定の条件の下における営業等を規制することは可能である。（昭三一・一〇・二三行実）

●県が公害防止条例の規定に基づき汚水または廃液に関する公害の基準を定める場合、鉱山保安法第二条第二項に規定する「鉱山」についても条例の適用がある。（昭四三・一〇・七行実）

●事業者が公害防止協定に規定された事項を遵守しない場合に、知事が事業者に対してその措置を講ずるよう命じ、また操業の一時停止を命ずることができる旨を条例に規定することはできない。（昭四六・七・六行実）

●行列行進または公衆の集団示威運動について、公安委員会の許可を受けなければならない旨の規定が、これらの行動そのものを一般的に許可制にする趣旨ではなく、特定の場所または方法についてのみ制限する場合があることを定めたにすぎない場合には、憲法第二一条、第二八条、第九八条等に違反するものではない。（昭二九・一一・二四最裁判）

●道路その他の公共の場所で行う集団行進または集団示威運動についていわゆる届出制を採用しても、憲法第二一条、第一二条等に違反しない。（昭三〇・三・三〇最裁判）

●行列行進または公衆の集団示威運動により公共の福祉が著しく侵されることを防止するため、条例に、特定の場所または方法につき、合理的かつ明確な基準のもとに、あらかじめその許可を受けさせまたは届出をさせてこのような場合にはこれを禁止することができる旨の規定を設けても、憲法の保障する国民の自由を不当に制限するものと解することはできない。（昭三〇・五・一〇最裁判）

●金属屑業を営もうとする者に一定事項の公安委員会への届出を義務づけ、未成年者との売買等を禁止しても、いわゆる公共の福祉を維持するための必要な措置として規定されたものであつて、憲法第二二条第一項に違反しない。（昭三一・四・三最裁判）

●一定の住民を国民健康保険に強制加入させ、保険料は世帯主の町民税賦課等級に応じて納付させることを規定した条例は、憲法上の自由権および憲法第二九条第一項所定の財産権を侵害するものではない。（昭三三・二・一二最裁判）

●売春の取締について各別に条例を制定し、罰則を条例で定める結果、その取扱いに差別を生ずることがあつても、憲法第一四条に違反しない。（昭三三・一〇・一五最裁判）

●道路その他公共の場所における集会若しくは集団行進、および場所のいかんにかかわりない集団示威運動を許可制にしても、不許可の場合が厳格に制限されている限り、憲法第二一条に違反しない。（昭三五・七・二〇最裁判）

●集団行動について、条例に、許可制を採用しても、「公共の安寧を保持する上に直接危険を及ぼすと明らかに認められる場合のほかは、許可しなければならない」と定めて、許可を義務づけ、実質的には届出制とことなるところがない場合は、憲法第二一条に違反しない。（昭三五・九・二九最裁判）

●風俗営業の深夜営業を、それらが往々にして売淫や賭博その他善良の風俗を害する行為を誘発するおそれがあるものとして、禁止し、かかるおそれのない場合のみ公安委員会の承認により、許可することは、公共の福祉のために是認されるべきであつて、憲法第一三条、第二二条第一項、第二五条等に違反しない。（昭三七・四・四最裁判）

●ため池の破損、決かいの原因となるため池の堤とうの使用行為を制限しても、それは災害を防止するという社会生活上の已むを得ない必要から来ることであるから、憲法第二九条第二項・三項に違反しない。（昭三八・六・二六最裁判）

2）●条例を廃止するには、廃止条例をもつてしなけれ

ばならない。（昭四・九行実）

●市がマンションを建築しようとする事業主に対して宅地開発等に関する指導要綱に基づいて教育施設負担金の寄付を求めた行為は違法な公権力の行使に当たる。（平五・二・一八最裁判）

●甲知事の交際費に係る債権者請求書、領収書、歳出額現金出納簿及び支出証明書のうち、交際の相手方が識別され得るものは、原則として、甲公文書公開等条例において公文書の非公開事由を定めた条項により、公開しないことができる文書ないし公開してはならない文書に該当する。（平六・一・二七最裁判）

●乙知事の交際費に係る現金出納簿のうち交際の相手方が識別され得るものは、原則として、乙公文書の開示に関する条例において公文書の非開示事由を定めた条項により、開示しないことができる文書に該当する。（平六・一・二七最裁判）

4　●法人の代表者又は法人若しくは人の代理人、使用人その他の従業者が県条例の条項に違反する行為をしたときは、それが法人又は人の業務に関してなされたものである限り、行為者を罰するほか当該法人又は人も罰する旨の規定を設けることができる。（昭二五・八・二六行実）

●没収刑を除き、条例中に罰金と他の刑の併科規定を設けることはできないが（没収刑は、条例中に規定することを要せず、刑法の定めにより科することができる。）、刑罰と行政罰は当然併科することができる。（昭二六・四・一四行実）

●地方公共団体が、契約の当事者たる地位において、当該契約に違反したときは刑罰を科する旨の規定を設けることはできない。（昭三四・二・一〇行実）

※　●府県税の納税義務者に課税上必要な事項の申告を命ずる場合に条例には単に「府県税に関し、納税義務がある者は、知事の定めるところにより、課税上必要な事項を申告しなければならない」と簡単に規定し、細目については規則で規定することができる。（昭二二・一二・二七通知）

※　●市町村の条例が法令又は県の条例に違反した場合は、最終的には、当該条例に基く処分の取消又は変更に係る訴訟の提起により、裁判所によつて当該事件に関する限りにおいて条例の無効が決定されるはずである。この場合当該市町村としては、当該条例の改廃の措置をすみやかに講ずべきである。（昭二三・一〇・三〇行実）

※　●建築基準法第四〇条の規定に基き建築物の敷地、構造又は建築設備に関して安全上、防災上又は衛生上必要な制限を附加する市町村の条例において、県条例に規定するところと実質的に異なつた内容の規定を設けようとするのであれば、県条例において規定する事項以外の「制限を附加」することは可能であるが、県条例に規定する事項についてその規定に違反するような規定を設けることは法第二条第一五項（現行法では第一六項）によりできない。（昭二七・七・二二行実）

※　●印鑑の登録及び証明についての規程は、手数料に関する事項その他法令により条例で規定すべきものとされている事項を含まない場合においては、条例及び規則のいずれによるもさしつかえないが、条例によることが適当である。（昭三四・二・一三行実）

〔規則〕

第十五条　普通地方公共団体の長は、法令に違反しない限りにおいて、その権限に属する事務に関し、規則[1]を制定することができる。

②　普通地方公共団体の長は、法令に特別の定め[2]があるものを除くほか、普通地方公共団体の規則中に、規則に違反した者に対し、五万円以下の過料を科する旨の規定を設けることができる。

＊一項―一部改正・二項―全改〔昭三二・一二法一六九〕、二項―一部改正〔平六・六法四八〕

【参照条文】

①【長の権限に属する事務―法一四八・一四九　【規則の制定―法一六5　地税法三2　漁業法一一九2　※法一三八の四2　地公法八5　地教法一五1　警察法三八5

②【特別の定（例示）―法一五九2　漁業法一一九3等

【過料―法二五五の三

※　程二

【実　例】

1　●事務分掌、服務細則等は訓令で定めてもさしつかえないが、事務分掌等は規則で規定するのが適当である。（昭二四・一・一三行実）

●国税及び地方税を二カ年にわたり引き続き完納していることを競争入札の参加資格の要件として規則で定めることは可能であるが、これを条例で規定することはできない。（昭五七・一・七行実）

2　●法律の規定により規則に刑罰規定が委任されている場合に、当該規則に法に定める刑罰規定を設けず、二千円以下の過料を科する旨の規定を設けることは、第一五条第二項に違反する。（昭三〇・八・二三行実）

●条例の規定による委任があつても、規則に刑罰規定を設けることはできない。（昭二五・七・三一行実）

〔条例・規則等の公布〕

第十六条　普通地方公共団体の議会の議長は、条例の制定又は改廃の議決があつたときは、その日[1]から三日以内にこれを当該普通地方公共団体の長に送付[2]しなければならない。

② 普通地方公共団体の長は、前項の規定により条例の送付を受けた場合は、その日から二十日以内にこれを公布[3]しなければならない。ただし、再議その他の措置を講じた場合は、この限りでない。

③ 条例は、条例に特別の定があるものを除く外、[4]公布の日から起算して十日を経過した日から、これを施[5]行する。

④ 当該普通地方公共団体の長の署名、[6]施行期日の特例その他条例の公布に関し必要な事項は、条例でこれを定めなければならない。

⑤ 前二項の規定は、普通地方公共団体の規則並びにその機関の定める規則及びその他の規程で公表を要するものにこれを準用する。但し、法令又は条例に特別の定があるときは、この限りでない。

＊本条…全改〔昭二五・五法一四三〕、二項…一部改正〔平二四・九法七二〕

【参照条文】
①②【条例制定改廃の議決―法九六1Ⅰ】【再議―法一七六】【その他の措置（例示）―地税法二五九・六六九・七三一】
⑤【機関の定める規則・規程―法一二〇・一三八の四2＝法一九四　地公法八5　警察法三八5　収用法五九　農委法三四】【法令の特別の定―地教法一五2】

【実例・判例・注釈】
1）○「その日から三日以内に」とは、議会の議決のあつた日の翌日を第一日とし三日目にあたる日までを指す。
2）○「送付」とは、長の了知し得る範囲に至る意味、すなわち到達主義をさすのであり、単に議長の手を離れたという意味の発信主義ではない。
3）●条例は告示されるまでは効力を生じない。（昭二五・一〇・一〇最裁判）
●条例の制定、変更、廃止又は条例の内容となる事項について、上級行政庁の認可若しくは許可を要するものとなつている場合には、その許可をまつて公布すべきである。（昭二二・一二・二八行実）
●法令を官報により公布する場合においては、その法令を掲載した官報が印刷局より全国の各官報販売所に発送され、これを一般希望者がいずれかの官報販売所又は印刷局官報課において、閲覧し又は購読しようとすれば、それをなし得た最初の時点までにはおそくとも、公布されたものと解すべきである。（昭三三・一〇・一五最裁判）
4）○「公布の日から起算して十日を経過した日から」とは、公布の日を第一日として一一日目にあたる日からの意である。
5）●条例をさかのぼつて施行することはできないが、条例にその旨規定すれば、法的安定性を害しない限り、さかのぼつて適用することができる場合がある。（昭二七・一〇・七行実）
●条例の一部改正条例は、施行されて始めて母体たる条例にとけこむ。（昭二八・六・二二行実）
6）●自署のものゴム印を作つて押なつすることは無効である。（昭二五・一一・五行実）

第四章　選挙

＊本章…削除〔昭二五・四法一〇一〕、追加〔昭二七・八法三〇六〕

（議員及び長の選挙）

第十七条　普通地方公共団体の議会の議員及び長は、別に法律の定めるところにより、選挙人が投票によりこれを選挙する。

＊本条…削除〔昭二五・四法一〇一〕、追加〔昭二七・八法三〇六〕

【参照条文】
※【法律の定め―選挙法】憲法一五・九三2

（選挙権）

第十八条　日本国民[1]たる年齢満[2]十八年以上の者で引き続き[3]三箇月以上市町村の区域内に住所を有するものは、別に法律の定めるところにより、その属する普通地方公共団体の議会の議員及び長の選挙権を有する。

＊本条…削除〔昭二五・四法一〇一〕、追加〔昭二七・八法三〇六〕、一部改正〔昭四一・六法七七、平二七・六法四三〕

【参照条文】
【日本国民―憲法一〇　国籍法】【市町村の区域―法五】【住所―民法二二】【法律の定め―選挙法九2～5・一一・二五二】

【判例】
1）●日本国民たる住民に限り地方公共団体の議会の議員及び長の選挙権を有するものとした地方自治法第一八条は、憲法第一五条第一項、第九三条第二項に違反しない。（平七・二・二八最裁判）
2）●「年齢満二十年（現行法では十八年）以上の者」とは、出生の翌年を第一年とし第二〇年〔現行法では十八年〕目の誕生日の前日に達している者をいう。（昭五四・一一・二二高裁判）
3）●「三箇月以上」とは、住所を移した月の翌月を第一月として三箇月目の応当日の前日まで引き続いての意である。（昭五八・一二・一最裁判）

（議員及び長の被選挙権）

第十九条　普通地方公共団体の議会の議員の選挙権を有する者で年齢満二十五年以上のものは、別に法律の定めるところにより、普通地方公共団体の議会の議員の被選挙権を有する。

② 日本国民で年齢満三十年以上のもの[1]は、別に法律の定めるところにより、都道府県知事の被選挙権を有する。

③ 日本国民で年齢満二十五年以上のものは、別に法律の定めるところにより、市町村長の被選挙権を有する。

＊ 本条—削除〔昭二五・四法一〇一〕、追加〔昭二七・八法三〇六〕

【参照条文】

①【法律の定—選挙法一〇1Ⅲ・Ⅴ・一一・二五二】

②【法律の定—選挙法一〇1Ⅳ・一一・二五二】

③【法律の定—選挙法一〇1Ⅵ・一一・二五二】

【注　釈】

1）○「年齢満三十年以上」とは、出生の翌年を第一年とし三〇年目の誕生日の前日に達していることをいう。

第二十条乃至第七十三条　削除　〔昭三一・六法一六二〕

第五章　直接請求

第一節　条例の制定及び監査の請求

〔条例の制定又は改廃の請求とその処置〕

第七十四条　普通地方公共団体の議会の議員及び長の選挙権を有する者（以下この編において「選挙権を有する者」という。）は、政令で定めるところにより、その総数の五十分の一以上の者の連署をもつて、その代表者から、普通地方公共団体の長に対し、条例（地方税の賦課徴収並びに分担金、使用料及び手数料の徴収に関するものを除く。）の制定又は改廃の請求をすることができる。

② 前項の請求があつたときは、当該普通地方公共団体の長は、直ちに請求の要旨を公表しなければならない。

③ 普通地方公共団体の長は、第一項の請求を受理[2]した日から二十日以内に議会を招集し、意見を付けてこれを議会に付議[3]し、その結果を同項の代表者（以下この条において「代表者」という。）に通知するとともに、これを公表しなければならない。

④ 議会は、前項の規定により付議された事件の審議を行うに当たつては、政令で定めるところにより、代表者に意見を述べる機会を与えなければならない。

⑤ 第一項の選挙権を有する者とは、公職選挙法（昭和二十五年法律第百号）第二十二条第一項又は第三項の規定による選挙人名簿の登録が行われた日において選挙人名簿に登録されている者とし、その総数の五十分の一の数は、当該普通地方公共団体の選挙管理委員会において、その登録が行われた日後直ちに告示しなければならない。

⑥ 選挙権を有する者のうち次に掲げるもの[4]は、代表者となり、又は代表者であることができない。

一　公職選挙法第二十七条第一項又は第二項の規定により選挙人名簿にこれらの項の表示をされている者（都道府県に係る請求にあつては、同法第九条第三項の規定により当該都道府県の議会の議員及び長の選挙権を有するものとされた者（同法第十一条第一項若しくは第二百五十二条又は政治資金規正法（昭和二十三年法律第百九十四号）第二十八条の規定により選挙権を有しなくなつた旨の表示をされている者を除く。）を除く。）

二　前項の選挙人名簿の登録が行われた日以後に公職選挙法第二十八条の規定により選挙人名簿から抹消された者

三　第一項の請求に係る普通地方公共団体（当該普通地方公共団体が、都道府県である場合には当該都道府県の区域内の市町村並びに第二百五十二条の十九第一項に規定する指定都市（以下この号において「指定都市」という。）の区及び総合区を含み、指定都市である場合には当該市の区及び総合区を含む。）の選挙管理委員会の委員又は職員である者

⑦ 第一項の場合において、当該地方公共団体の区域内で衆議院議員、参議院議員又は地方公共団体の議会の議員若しくは長の選挙が行われることとなるときは、政令で定める期間、当該選挙が行われる区域内においては請求のための署名を求めることができない。

⑧ 選挙権を有する者は、心身の故障その他の事由[5]により条例の制定又は改廃の請求者の署名簿に署名することができないときは、その者の属する市町村の選挙権を有する者（代表者及び代表者の委任を受けて当該市町村の選挙権を有する者に対し当該署名簿に署名することを求める者を除く。）に委任して、自己の氏名（以下「請求者の氏名」という。）を当該署名簿に記載させることができる。この場合において、委任を受けた者による当該請求者の氏名の記載は、第一項の規定による請求者の署名とみなす。

⑨ 前項の規定により委任を受けた者（以下「氏名代筆者」という。）が請求者の氏名を条例の制定又は改廃の請求者の署名簿に記載する場合には、氏名代筆者は、当該署名簿に氏名代筆者としての署名をしなければならない。

＊ 一項—一部改正〔昭二三・七法一七九、昭二五・四法一〇一、昭三八・六法九九〕、四項—一部改正〔昭四一・六法七七、

昭四三・五法三九〕、五項―追加〔昭四四・三法二〕、四項―一部改正〔昭四四・五法三〇〕、一項―一部改正・六・七項―追加〔平六・六法四八〕、四―追加・旧四項～七項―一項ずつ繰下〔平一四・三法四〕、六項―追加・旧六項～八項―一項ずつ繰下〔平二三・五法三五〕、八項―一部改正〔平二五・五法二一〕、六項―一部改正〔平二六・五法四二〕、五項―一部改正〔平二八・二法八〕、五・六項―一部改正〔平二八・四法二四〕、一・三～九項―一部改正〔平二八・一二法九四〕

【引用条文】

⑤【選挙法二二（登録）1・3

⑥【選挙法二七（表示）1・2・二八（抹消）・一一（選挙権及び被選挙権を有しない者）1・二五二（選挙犯罪による処刑者に対する選挙権及び被選挙権の停止）　【政資法二八

【参照条文】

①【選挙権を有する者―法一八＝選挙法九2～5・一一・二五二　【政令の定―令九一～九八の四　※則九　【条例の制定、改廃の請求―法一二1

③【議会の招集―法一〇一

⑤【選挙人名簿―選挙法一九

⑦【政令で定める期間―令九二4・5

※法七四の二・七四の三

【実例・通知・注釈】

1）●公布していない条例に対しては、改廃請求はできない。（昭二三・六・二行実）

●直接請求の正式受理後は賛否投票期日の告示前においても、請求の撤回はなし得ない。（昭二三・八・九行実）

●既存の条例の一部を改正する条例の公布後、その施行期日の到来前において、改正条例の改廃請求を行う場合は、当該改正条例の改廃請求であっても、当該改正条例の施行によって改正される条例の改廃請求であってもさしつかえない。（昭三三・一〇・六行実）

●直接請求受理前に代表者が辞退したとき、他の者が代表者証明書の交付を受け前の者のなした署名、請求の要旨により請求することはできない。（昭二四・二・二三行実）

●署名簿の取りまとめ中請求代表者数人あるうちの一部の者が請求代表者を辞退する場合は、他の請求代表者を通じて選挙管理委員会に届け出なければならない。選挙管理委員会は、辞退の届出があった場合はその旨告示しなければならない。（昭二三・六・二四行実）

●国民健康保険料の賦課徴収に関する条例の制定又は改廃は、直接請求の対象となる。（昭四一・五・二八行実）

2）○「受理した日から二十日以内」とは、請求を受理した日の翌日を第一日とし、第二〇日目にあたる日までを指す。

3）●署名簿の照合中に市長提出案により当該条例が制定公布された場合も、選挙管理委員会は、照合完了の上、請求代表者に返付しなければならないが、既に制定公布された条例が、請求に係る条例と同一内容の場合には、取扱として議会に付議する必要はない。（昭二四・九・五行実）

●長は、条例の直接請求を受理した場合において、議会の議員の任期満了による選挙が告示されており、実質的に審議することができない等特段の事情があるときは、二〇日経過後に議会を招集し、請求に係る条例を付議することとしてさしつかえない。（昭四八・六・六行実）

※●第七四条の条例制定の請求があった場合でも、法令上条例規定事項でないことが明瞭な場合は、令第九一条第一項において受理すべき限りでない。（昭二四・七・四行実）

※●請求書に記載された請求の要旨が事実と相違することが明らかな場合でも、選挙管理委員会としては、これを訂正、補正させ、あるいは事実と相違する旨の証明書を発行したりすることはできない。（昭二五・一二・一一行実）

※●請求代表者が郵便をもって令第九二条第一項及び第二項前段による署名を求めることはできない。（昭二六・九・一〇行実）

※●議会が直接請求に基づき付議された条例案を閉会中の継続審査中、その議員の任期が満了した場合には、条例案は廃案となるが、長は次の議会において再び付議すべきである。（昭三八・三・八行実）

※●地方自治法施行規則で定められている条例制定請求代表者証明書の様式を横書きとして交付してさしつかえない。（昭四八・三・一行実）

4）●請求代表者証明書交付申請者が法第七四条第六項各号の資格制限に該当していることについて、当該交付申請を受けた長が知っていた場合には、当該申請者に対して同条第六項の規定により代表者になれないことを教示して、申請を取り下げるよう促すことが適当である。（平二三・八・二四通知）

5）●「身体の故障又は文盲（現行法では心身の故障その他の事由）により条例の制定又は改廃の請求者の署名簿に署名することができないとき」とは、公職選挙法第四八条と同様、通常の文字又は点字のいずれによっても自書能力がない場合に認められるものであること。（平六・七・一九通知）

㊟ 次条中、点線の左側は、令和四年五月二五日から起算して四年を超えない範囲内において政令で定める日から施行となる。

〔署名の証明・縦覧・争訟等〕

第七十四条の二　条例の制定又は改廃の請求者の代表者は、条例の制定又は改廃の請求者の署名簿を市町村の選挙管理委員会に提出してこれに署名した者が選挙人名簿に登録された者であることの証明を求めなければならない。この場合においては、当該市町村の選挙管理委員会は、その[1]日から二十日以内に審査[2]を行い、署名の効力を決定し、その旨を証明[3]しなければならない。

② 市町村の選挙管理委員会は、前項の規定による署名簿の署名の証明が終了したときは、その[4]日から七日間、その指定した場所において署名簿を[5]関係人の[6]縦覧に供さなければならない。

③ 前項の署名簿の縦覧の期間及び場所については、市町村の選挙管理委員会は、予めこれを告示し、且つ、公衆の見易い方法によりこれを公表しなければならない。

④ 署名簿の署名に関し異議があるときは、関係人[7]は、第二項の規定による縦覧期間内に当該市町村の選挙管理委員会にこれを申し出る[8]ことができる。

⑤ 市町村の選挙管理委員会は、前項の規定による異議の申出を受けた場合においては、その申出を受けた日から十四日以内にこれを決定しなければならない。この場合において、その申出を正当であると決定したときは、直ちに第一項の規定による証明を修正し、その旨を申出人及び関係人に通知し、併せてこれを告示し、その申出を正当でないと決定したときは、直ちにその旨を申出人に通知しなければならない。

⑥ 市町村の選挙管理委員会は、第二項の規定による縦覧期間内に関係人の異議の申出がないとき、又は前項の規定によるすべての異議についての決定をしたときは、その旨及び有効署名[9]の総数を告示するとともに、署名簿を条例の制定又は改廃の請求者の代表者に返付しなければならない。

⑦ 都道府県の条例の制定又は改廃の請求者の署名簿の署名に関し第五項の規定による決定に不服がある者は、その決定のあつた日から十日以内に都道府県の選挙管理委員会に[10]審査を申し立てることができる。

⑧ 市町村の条例の制定又は改廃の請求者の署名簿の署名に関し第五項の規定による決定に不服がある者は、その決定のあつた日から十四日以内に地方裁判所に出訴[11]することができる。その判決に不服がある者は、控訴することはできないが最高裁判所に上告することができる。

⑨ 第七項の規定による審査の申立てに対する裁決に不服がある者は、その裁決書の交付を受けた日から十四日以内に高等裁判所に出訴することができる。

⑩ 審査の申立てに対する裁決又は判決が確定したときは、当該都道府県の選挙管理委員会又は当該裁判所は、直ちに裁決書 又は判決書の写 の写し又は電子判決書に記録されている事項を出力することにより作成した書面 を関係市町村の選挙管理委員会に送付しなければならない。この場合においては、送付を受けた当該市町村の選挙管理委員会は、直ちに条例の制定又は改廃の請求者の代表者にその旨を通知しなければならない。

⑪ 署名簿の署名に関する争訟については、審査の申立てに対する裁決は審査の申立てを受理した日から二十日以内にこれをするものとし、訴訟の判決は事件を受理した日から百日以内にこれをするように努めなければならない。

⑫ 第八項及び第九項の訴えは、当該決定又は裁決をした選挙管理委員会の所在地を管轄する地方裁判所又は高等裁判所の専属管轄とする。

⑬ 第八項及び第九項の訴えについては、行政事件訴訟法（昭和三十七年法律第百三十九号）第四十三条の規定にかかわらず、同法第十三条の規定を準用せず、また、同法第十六条から第十九条までの規定は、署名簿の署名の効力を争う数個の請求に関してのみ準用する。

＊本条―追加〔昭二五・五法一四三〕、一二・一三項―追加〔昭三七・五法一四〇〕、四・五・六・七・九・一〇・一一項―一部改正〔昭三七・九法一六一〕、一項―一部改正〔昭四一・六法七七、令三・五法三七〕、一〇項―一部改正〔令四・五法四八〕

【引用条文】

⑬【行訴法一三・一六～一九・四三】

【参照条文】

①【署名した者―令九五】【選挙人名簿―選挙法四章】【署名の審査―令九四・九五　※則九】

⑤【証明の修正―令九五の三】

⑥【署名簿の返付―令九五の四】

⑧【出訴―法二五六】

※審査の申出・申立て―行政不服審査法

【実例・判例・注釈】

1 ○「その日から二十日以内」とは、提出した日の翌日を第一日とし、第二〇日目にあたる日までを指す。

●二〇日の期間を経過しても、当該署名簿の効力に影響を及ぼさないが、署名簿の提出を受けた委員会が故意に右期間経過後も審査を行なわない場合には、公職選挙法第二二六条による職権濫用罪が成立する。（昭二七・一一・一八行実）

2 ○「審査」には、署名簿自体の様式及び法定署名数に達している署名であるか否か等の形式的な事項に関するものと、署名が選挙権を有する者の自署にかかるものであるか否かの実質的な審査に関するものとの二種類がある。

●一旦署名簿が選挙管理委員会に提出された後においては、署名収集の期間満了前であつても選挙管理委員会は、請求代表者から署名押印の補充収集の申出に応ずることはできない。（昭二五・一二・一一行実）

●「署名し印をおした者（現行法では署名した者）が選挙人名簿に記載された者」とは、審査時において名簿に記載されている者である。（昭二七・一二・一七行実）

3）●令第九五条の二の規定に基づき、市町村の選挙管理委員会は、法第七四条の二第一項の規定による署名簿の署名の証明が終了したときは、直ちに条例制定又は改廃請求者署名簿に署名した者の総数及び有効署名の総数の「告示」と公衆の見易い方法による「掲示」を行わなければならないこととされているが、近年の急速なデジタル技術の進展に伴い、住民の利便性の向上及び行政の効率化の観点から、当該「告示」をインターネットを利用した方法により行うこと、又は当該「告示」を書面で行う場合であっても、それに併せてその内容をインターネットを利用した方法により公表することが望ましいものと考えられる。他方、インターネットを利用することができない者等がいることに鑑み、「掲示」については、引き続き書面で行うことが必要であるものと考えられる。（令五・九・二七通知）

※●令第九五条にいう「請求代表者を通じて、当該署名簿の署名及び印（現行令では署名）を取り消す」とは、署名者本人が請求代表者に申し出て署名簿の署名を自ら抹消することにより取り消すことを意味し、請求代表者は取消の申出を拒否することはできない。（昭二一・五・一二行実）

4）○「その日から七日間」とは、証明が終了した日の翌日を第一日とし、第七日目にあたる日までの期間を指す。

5・7）●第七四条の二第二項の関係人とは、選挙人名簿に登載されている者全部を指し、同条第四項の関係人には、請求代表者、その委任を受けた者、被解職請求者、署名者、他人に自己の名を偽筆された者等署名に直接利害関係ある者を含むが、選挙権を有する者であつても当該署名に直接の利害関係を有しない者は異議の申出をすることができない。（昭二六・九・一〇行実）

6）●「直接請求制度の運用上の課題に関する研究会」報告書において、署名簿の縦覧に関しては、昨今の情報通信技術の著しい発展等社会経済情勢の変化とそれに伴う個人情報保護に対する意識の変化に十分対応することができているかということを考える必要があり、署名簿の縦覧において個人情報への配慮を行う場合には、その縦覧の趣旨と個人情報保護とのバランスを慎重に考える必要があると指摘されている。この点、同報告書は、署名簿の縦覧における個人情報への配慮の方向性として、以下の手順で縦覧を行うことが考えられるとしている。

①　縦覧の際に、署名簿の住所、生年月日等を黒塗りや目隠しケースを当てる等の方法により、一旦隠しておく。

②　特定の署名者の署名を住所、生年月日等の部分も含めて縦覧したい旨の申出があった場合には、住所、生年月日等の部分も含めた当該特定の署名者の署名を縦覧させる。

③　以上の手順を踏んでもなお、署名簿全体を縦覧したい旨の申出あった場合には、署名簿全体を縦覧させる。

各地方公共団体におかれては、個人情報保護の観点から、同報告書の内容やこれまでの各団体における署名簿の縦覧時の運用等を踏まえ、署名簿の縦覧時における個人情報への配慮について検討されたい。なお、署名簿の住所、生年月日等を一旦隠しておく方法については、各地方公共団体の人口規模や署名簿の縦覧の頻度等を踏まえ、適切な方法を検討されたい。（令四・一二・二八通知）

8・10・11）●地方公共団体の議会の解散請求者署名簿の署名の効力に関する訴において、解散請求を受けている地方公共団体の議会は、当事者能力を有しない。（昭二九・二・二六最裁判）

●地方自治法第七四条の二の規定による署名簿の署名に関する争訟は、個々の署名の効力の有無をその対象とするものである。（昭三三・六・一〇最裁判）

9）○「有効署名の総数」とは、当該署名の署名者が選挙人名簿に記載された者であり、かつ、その署名について異議の申出がなく又は異議の申出がなされても市町村選挙管理委員会の決定により有効とされたものの総数を指す。

〔署名の無効及び関係人の出頭証言〕

第七十四条の三　条例の制定又は改廃の請求者の署名で左に掲げるものは、これを無効とする。

一　法令の定める成規の手続によらない署名

二　何人であるかを確認し難い署名

②　前条第四項の規定により詐偽又は強迫に基く旨の異議の申出があつた署名で市町村の選挙管理委員会がその申出を正当であると決定したものは、これを無効とする。

③　市町村の選挙管理委員会は、署名の効力を決定する場合において必要があると認めるときは、関係人の出頭及び証言を求めることができる。

④　第百条第二項、第三項、第七項及び第八項の規定は、前項の規定による関係人の出頭及び証言にこれを準用する。

＊本条—追加〔昭二五・五法一四三〕、二項—一部改正〔昭三七・九法一六一〕

【引用条文】

④【法一〇〇（調査権・刊行物の送付・図書室の設置等）2・3・7・8

【参照条文】

①【法令の定める成規の手続—令九一～九四1　則九

③・④【関係人の出頭、証言—民訴一九五～一九九・二

〇一～二〇五

※　法二〇七

【実例・判例・注釈】

1）○「関係人」とは、当該署名がなされるについての関係のある者であつて範囲は場合によつて異なるが一般的には署名者たる本人、請求代表者又はその委任を受けた者、自己の氏名を他人に代筆されたその本人、同一の筆跡で同居の家族・親族等の者の署名がなされている場合における同居の家族等を指す。

※　●署名は自書でなければならないから、同一筆蹟で明らかに自書でないと認定しうるものは無効として取り扱うべきである。（昭二三・六・一八行実）

※　●名前が戸籍どおり記名されていない場合でも、本人の署名と認められる限り有効である。（昭二三・一〇・三一行実）

※　●平仮名、片仮名若しくはローマ字による署名又は氏が同じため隣と同じであるという意味で「〃」の記号をして名のみ自書したものも、有効である。（昭二四・一・二〇行実）

※　●請求代表者証明書に添付された請求書の内容と相違する請求書又はその写を付した署名簿を用いて求めた署名、住所、生年月日の記載していない署名及び「有効無効の印」欄、「番号」欄、「備考」欄のない署名簿を用いて求めた署名は、すべて無効である。（昭二五・一二・一一行実、欄はあるが文字の記載のないものは有効として扱ってよいとするものとして昭二九・五・一四行実参照）

※　●証人として出頭を求める関係人の範囲のうちには、署名に関係がある限り県選挙管理委員会の委員、書記を含むものと解してさしつかえない。（昭二五・一二・一一行実）

※　●令第九二条第二項の規定による署名収集の委任状に委任年月日が欠けていても、当該署名簿の署名が委任後になされたことが明らかである限り当該署名は当然無効とは解されない。（昭三〇・一二・一行実）

※　●県条例の改廃請求において、一冊の署名簿中に他市町村における選挙権を有する者の署名が混記されている場合は、法令の定める成規の手続によらない署名であり無効である。（昭四八・四・二六行実）

※　●地方公共団体の長の解職請求者署名簿に、部落民が部落会の決議により署名し、あるいは請求代表者又はその代理人が第三者を同伴して署名を集めたからといつて、それだけでその署名が無効であるとはいえない。（昭二八・六・一二最裁判）

※　●第七四条の三第二項は、直接請求における請求者署名簿の署名が詐偽又は強迫に基づくものであるかどうかの認定を一応市町村選挙管理委員会の権限に属せしめているが、それは、署名簿の署名に関する訴訟において、裁判所が同委員会の右認定の当否を判断することを妨げるものではない。（昭二八・六・一二最裁判）

※　●町選挙管理委員会が町長解職請求代表者から署名簿の提出を受け、選挙人名簿記載者の証明を求められた場合、同委員会は、解職請求理由の内容の当否について審査権限を有しない。（昭二八・一二・四最裁判）

※　●署名の意味が不明のまま直接請求の署名簿にした署名であつても、令第九五条で規定する時期までに、同条に規定する方法によつて取り消されない限り有効である。（昭二九・一二・二六最裁判）

※　●選挙人名簿に記載されている者は、その後選挙権を失つても、直接請求の署名簿に署名することができる。（昭二九・一二・二六最裁判）

㊟　次条中、点線の左側は、令和四年六月一七日から起算して三年を超えない範囲内において政令で定める日〔令七・六・一〕から施行となる。

〔署名に関する罰則〕

第七十四条の四　条例の制定又は改廃の請求者の署名に関し、次の各号に掲げる行為をした者は、四年以下の懲役若しくは禁錮（拘禁刑）又は百万円以下の罰金に処する。

一　署名権者又は署名運動者に対し、暴行若しくは威力を加え、又はこれをかどわかしたとき。

二　交通若しくは集会の便を妨げ、又は演説を妨害し、その他偽計詐術等不正の方法をもつて署名の自由を妨害したとき。

三　署名権者若しくは署名運動者又はその関係のある社寺、学校、会社、組合、市町村等に対する用水、小作、債権、寄附その他特殊の利害関係を利用して署名権者又は署名運動者を威迫したとき。

②　条例の制定若しくは改廃の請求者の署名を偽造し若しくはその数を増減した者又は署名簿その他の条例の制定若しくは改廃の請求に必要な関係書類を抑留、毀壊若しくは奪取した者は、三年以下の懲役若しくは禁錮（拘禁刑）又は五十万円以下の罰金に処する。

③　条例の制定又は改廃の請求者の署名に関し、選挙権を有する者の委任を受けずに又は選挙権を有する者が心身の故障その他の事由により請求者の署名簿に署名することができないときでないのに、氏名代筆者として請求者の氏名を請求者の署名簿に記載した者は、三年以下の懲役若しくは禁錮（拘禁刑）又は五十万円以下の罰金に処する。

④　選挙権を有する者が心身の故障その他の事由により条

例の制定又は改廃の請求者の署名簿に署名することができない場合において、当該選挙権を有する者の委任を受けて請求者の氏名を請求者の署名簿に記載した者が、当該署名簿に氏名代筆者としての署名をせず又は虚偽の署名をしたときは、三年以下の懲役若しくは禁錮〔拘禁刑〕又は五十万円以下の罰金に処する。

⑤ 条例の制定又は改廃の請求者の署名に関し、次に掲げる者が、その地位を利用して署名運動をしたときは、二年以下の禁錮〔拘禁刑〕又は三十万円以下の罰金に処する。

一 国若しくは地方公共団体の公務員又は行政執行法人（独立行政法人通則法（平成十一年法律第百三号）第二条第四項に規定する行政執行法人をいう。）若しくは特定地方独立行政法人（地方独立行政法人法（平成十五年法律第百十八号）第二条第二項に規定する特定地方独立行政法人をいう。）の役員若しくは職員

二 沖縄振興開発金融公庫の役員又は職員

⑥ 条例の制定又は改廃の請求に関し、政令で定める請求書及び請求代表者証明書を付していない署名簿、政令で定める署名を求めるための請求代表者の委任状を付していない署名簿その他法令の定める所定の手続によらない署名簿を用いて署名を求めた者又は政令で定める署名を求めることができる期間外の時期に署名を求めた者は、十万円以下の罰金に処する。

＊ 本条―追加〔昭二五・五法一四三〕、三項―一部改正〔昭四四・三法二〕、一項―全改・二項―一部改正・三・四項―追加・旧三項―一部改正し五項に繰下〔平六・六法四八〕、五項―追加・旧五項―六項に繰下〔平二三・五法三五〕、三・四項―一部改正〔平二五・五法二一〕、五項―一部改正〔平二六・六法六七〕、一～五項―一部改正〔令四・六法六八〕

【参照条文】
① 【署名権者―法七四1・5　【署名運動者―令九一1・九二1・2
② 【関係書類―令九一～九三　※則九
⑥ 【政令の定―令九一・九二　【法令の定―法七四　令九一～九三　則九　【政令で定める署名を求めることができる期間―令九二3～5
※　選挙法二二五・二二九・二三七

〔監査の請求とその処置〕

第七十五条　選挙権を有する者（道の方面公安委員会については、当該方面公安委員会の管理する方面本部の管轄区域内において選挙権を有する者）は、政令で定めるところにより、その総数の五十分の一以上の者の連署をもつて、その代表者から、普通地方公共団体の監査委員[1]に対し、当該普通地方公共団体の事務の執行に関し、監査の請求[2]をすることができる。

② 前項の請求があつたときは、監査委員は、直ちに当該請求の要旨を公表しなければならない。

③ 監査委員は、第一項の請求に係る事項につき監査[3]し、監査の結果に関する報告を決定し、これを同項の代表者（第五項及び第六項において「代表者」という。）に送付[4]し、かつ、公表するとともに、これを当該普通地方公共団体の議会及び長並びに関係のある教育委員会、選挙管理委員会、人事委員会若しくは公平委員会、公安委員会、労働委員会、農業委員会その他法律に基づく委員会又は委員に提出しなければならない。

④ 前項の規定による監査の結果に関する報告の決定は、監査委員の合議によるものとする。

⑤ 監査委員は、第三項の規定による監査の結果に関する報告の決定について、各監査委員の意見が一致しないことにより、前項の合議により決定することができない事項がある場合には、その旨及び当該事項についての各監査委員の意見を代表者に送付し、かつ、公表するとともに、これらを当該普通地方公共団体の議会及び長並びに関係のある教育委員会、選挙管理委員会、人事委員会若しくは公平委員会、公安委員会、労働委員会、農業委員会その他法律に基づく委員会又は委員に提出しなければならない。

⑥ 第七十四条第五項の規定は第一項の選挙権を有する者及びその総数の五十分の一の数について、同条第六項の規定は代表者について、同条第七項から第九項まで及び第七十四条の二から前条までの規定は第一項の規定による請求者の署名について、それぞれ準用する。この場合において、第七十四条第六項第三号中「区域内」とあるのは、「区域内（道の方面公安委員会に係る請求については、当該方面公安委員会の管理する方面本部の管轄区域内）」と読み替えるものとする。

＊ 一・三・五項―一部改正〔昭二五・五法一四三〕、一・三項―一部改正〔昭二七・八法三〇六〕、一項―一部改正・四項―削り旧五項を四項に繰上〔昭二九・六法一九三〕、一項―一部改正〔昭三八・六法九九〕、四項―一部改正〔昭四四・三法二〕、三項―一部改正・四項―追加・旧四項―五項に繰下〔平三・四法二四〕、五項―一部改正〔平六・六法四八〕、四項―一部改正〔平九・六法六七〕、一・三項―一部改正〔平一一・七法八七〕、五項―一部改正〔平一四・三法四〕、三項―一部改正〔平一六・一一法一四〇〕、五項―一部改正〔平二三・五法三五〕、一～三項―一部改正・五項―追加・旧五項―一部改正し六項に繰下〔平二九・六法五四〕

【引用条文】
⑥ 【法七四（条例の制定又は改廃の請求とその処置）

自治法

5・6・7・8・9・七四の二（署名の証明・縦覧・争訟等）・七四の三（署名の無効及び関係人の出頭証言）・七四の四（署名に関する罰則）

【参照条文】

①【選挙権を有する者―法一八＝選挙法九2～5・一一・二五二　【方面公安委員会―警察法四六　【政令の定―令九九　※則一〇　【監査の特例（個別外部監査契約）―法二五二の三九

③【その他法令に基く委員の例―社教法一五

④【監査委員の定数―法一九五2

※ 法七四～七四の四の参照条文参照

【実　例】

1）●監査請求は、監査委員たる機関に対する請求を認めたものであり、特定個人たる監査委員に対しての請求を認めたものでない。（昭二六・七・三〇行実）

2）●単なる税額のみの公開請求は、監査の請求とは解されない。（昭二四・二・二二行実）

●県の監査請求の署名簿の審査を行なうのに要する経費は県の負担である。（昭四一・四・一二行実）

●市の特定の事務または特定の事業の経営を私人に委託した場合当該私人の処理する事務は直接請求による監査の対象とならない。（昭四四・五・八行実）

3）●事務監査の執行の際請求代表者に立ち会わせる必要はない。（昭二五・一〇・一九行実）

●監査請求事件が裁判所において係争中のものであつても、監査委員は独自の立場において監査をなすべきである。（昭二九・四・二二行実）

4）●監査結果の公表は、その実施した監査の内容の大要を示し、その結果の法的ないし事実上の適不適について公表すれば足りる。（昭二八・七・一行実）

第二節　解散及び解職の請求

〔議会の解散の請求とその処置〕

第七十六条　選挙権を有する者は、政令の定めるところにより、その総数の三分の一（その総数が四十万を超え八十万以下の場合にあつてはその四十万を超える数に六分の一を乗じて得た数と四十万に三分の一を乗じて得た数とを合算して得た数、その総数が八十万を超える場合にあつてはその八十万を超える数に八分の一を乗じて得た数と四十万に六分の一を乗じて得た数と四十万に三分の一を乗じて得た数とを合算して得た数）以上の者の連署をもつて、その代表者から、普通地方公共団体の選挙管理委員会に対し、当該普通地方公共団体の議会の解散の請求をすることができる。

② 前項の請求があつたときは、委員会は、直ちに請求の要旨を公表しなければならない。

③ 第一項の請求があつたとき、委員会は、これを選挙人の投票に付さなければならない。

④ 第七十四条第五項の規定は第一項の選挙権を有する者及びその総数の三分の一の数（その総数が四十万を超え八十万以下の場合にあつてはその四十万を超える数に六分の一を乗じて得た数と四十万に三分の一を乗じて得た数とを合算して得た数、その総数が八十万を超える場合にあつてはその八十万を超える数に八分の一を乗じて得た数と四十万に六分の一を乗じて得た数と四十万に三分の一を乗じて得た数とを合算して得た数）について、同条第六項の規定は第一項の代表者について、同条第七項から第九項まで及び第七十四条の二から第七十四条の四までの規定は第一項の規定による請求者の署名について準用する。

＊ 四項―一部改正（昭三五・五法一四三、昭四四・三法二、平六・六法四八）、一・四項―一部改正（平一四・三法四）、四項―一部改正（平二三・五法三五）、一・四項―一部改正（平二四・九法七二）

【引用条文】

④【法七四（条例の制定又は改廃の請求とその処置）5・6・7・8・9・七四の二（署名の証明・縦覧・争訟等）・七四の三（署名の無効及び関係人の出頭証言）・七四の四（署名に関する罰則）

【参照条文】

①【選挙権を有する者―法一八＝選挙法九2～5・一一・二五二　【政令の定―令一〇〇　※則一一　※【解散請求の制限―法七九

③【解散の投票―法七七・八五

※ 法七七・七八・八五

※ 法七四～七四の四の参照条文参照

【実例・注釈】

1）○「その総数の三分の一以上の者の連署」とは、選挙人名簿に登録されている者の総数を三等分した数（端数が出れば切り上げる。）又はそれをこえる数の者の連続した署名を指す。なお、三分の一の数は当該普通地方公共団体の選挙管理委員会において告示されるものである。

※ ●議会の解散反対の運動のための費用を歳出予算から支出することはできないが、令第一〇四条の規定による弁明書提出の事務費等特に法令によつて要求された行為のために要する経費は支出できる。（昭二三・五・二〇行実）

※ ●議会の解散請求に対し議会が異議あるときの訴訟費用を、町村費に計上して支出することはできない。（昭二四・二・二五行実）

※ ●議会解散請求の際、議会不成立中のときは、残留議員が適宜の方法により決定した弁明書を徴すればよい。（昭二四・一〇・一二行実）

※ ●財産区議会に対するリコールはできない。（昭二八・三・六行実）

※　●議会の解散請求に関する議会の法令研究、調査のための出張、弁護士依頼等に要する費用を町の予算から支出することはできない。（昭三二・五・一六行実）

〔解散の投票の結果とその処置〕

第七十七条　解散の投票の結果が判明したときは、選挙管理委員会は、直ちにこれを前条第一項の代表者及び当該普通地方公共団体の議会の議長に通知し、かつ、これを公表するとともに、都道府県にあつては都道府県知事に、市町村にあつては市町村長に報告[1]しなければならない。その投票の結果が確定したときも、また、同様とする。

＊本条一部改正〔昭二二・一二法一六九、昭二五・五法一四三、昭二七・七法二六二、昭三五・六法一一三、平一一・七法八七〕

【参照条文】

【解散の投票】法七六3・八五

※　法七八

【通　知】

1）●都道府県の議会の解散又は議会の議員及び知事の解職の投票の結果の報告には、(1)請求及び弁明の要旨、(2)選挙人の連署数、(3)選挙録の写、(4)解散又は解職に伴う選挙執行日等の書類を添付すべきである。（昭二三・三・二九通知）

〔議会の解散〕

第七十八条　普通地方公共団体の議会は、第七十六条第三項の規定による解散の投票において過[1]半数の同意があつたときは、解散するものとする。

＊本条一部改正〔昭二五・五法一四三〕

【参照条文】

【解散の投票】法七六3・七七・八五

【実例・注釈】

1）●過半数とは、有効投票の過半数を意味するものであり、投票率の多寡は問わない。（昭二四・一一・一六行実）

○「過半数の同意」とは、有効投票の半数を一以上超える数の同意を指す。例えば、有効投票が千の場合は、五〇一以上の数がこれに当たる。

〔解散請求の制限期間〕

第七十九条　第七十六条第一項の規定による普通地方公共団体の議会の解散の請[1]求は、その議会の議員の一[2]般選挙のあつた日から一年間及び同条第三項の規定による解散の投票のあつた日から一年間は、これをすることができない。

＊本条一部改正〔昭二五・四法一〇一〕

【参照条文】

【一般選挙】選挙法三三・一一六　【解散の投票】法七六3・七七・八五

【実例・注釈】

1）●議会の解散請求の場合、代表者証明書の交付その他の請求に関する手続は総選挙のあつた日から一年経過後でなければできない。（昭二三・四・三〇行実）

2）○「一般選挙のあつた日から一年間」とは、一般選挙のあつた日の翌日から起算して翌年の同月同日の前日に当たる日までの期間を指す。

〔議員の解職の請求とその処置〕

第八十条　選挙権を有する者は、政令の定めるところにより、所属の選挙区におけるその総[1]数の三分の一（その総数が四十万を超え八十万以下の場合にあつてはその四十万を超える数に六分の一を乗じて得た数と四十万に三分の一を乗じて得た数とを合算して得た数、その総数が八十万を超える場合にあつてはその八十万を超える数に八分の一を乗じて得た数と四十万に六分の一を乗じて得た数と四十万に三分の一を乗じて得た数とを合算して得た数）以上の者の連署をもつて、その代表者から、普通地方公共団体の選挙管理委員会に対し、当該選挙区に属する普通地方公共団体の議会の議員の解職の請求をすることができる。この場合において選挙区がないときは、選挙権を有する者の総数の三分の一（その総数が四十万を超え八十万以下の場合にあつてはその四十万を超える数に六分の一を乗じて得た数と四十万に三分の一を乗じて得た数とを合算して得た数、その総数が八十万を超える場合にあつてはその八十万を超える数に八分の一を乗じて得た数と四十万に六分の一を乗じて得た数と四十万に三分の一を乗じて得た数とを合算して得[2]た数）以上の者の連署をもつて、議員の解職の請求をすることができる。

②　前項の請求があつたときは、委員会は、直ちに請求の要旨を関係区域内に公表しなければならない。

③　第一項の請求があつたときは、委員会は、これを当該選挙区の選挙人の投票に付さなければならない。この場合において選挙区がないときは、すべての選挙人の投票に付さなければならない。

④　第七十四条第五項の規定は第一項の選挙権を有する者及びその総数の三分の一の数（その総数が四十万を超え八十万以下の場合にあつてはその四十万を超える数に六分の一を乗じて得た数と四十万に三分の一を乗じて得た数とを合算して得た数、その総数が八十万を超える場合にあつてはその八十万を超える数に八分の一を乗じて得

た数と四十万に六分の一を乗じて得た数と四十万に三分の一を乗じて得た数とを合算して得た数）について、同条第六項の規定は第一項の代表者について、同条第七項から第九項まで及び第七十四条の二から第七十四条の四までの規定は第一項の規定による請求者の署名について準用する。この場合において、第七十四条第六項第三号中「都道府県の区域内の」とあり、及び「市の」とあるのは、「選挙区の区域の全部又は一部が含まれる」と読み替えるものとする。

＊四項―一部改正〔昭二五・五法一四三、昭四四・三法二、平六・六法四八〕、一・四項―一部改正〔平一四・三法四〕、四項―一部改正〔平二三・五法三五〕、一・四項―一部改正〔平二四・九法七二〕

【引用条文】
④【法七四（条例の制定又は改廃の請求とその処置）5・6・7・8・9・七四の二（署名の証明・縦覧・争訟等）・七四の三（署名の無効及び関係人の出頭証言）・七四の四（署名に関する罰則）

【参照条文】
①【選挙権を有する者―法一八＝選挙法九2〜5・一一・二五二　【政令の定―令一一〇・一一2　※則一二　【選挙区―選挙法一二1・4・一五　※【解職請求の制限―法八四
③【解職の投票―法八五
※※憲法一五　法八二1・八三
※法七四〜七四の四の参照条文参照

【実例・判例・注釈】
1）○「その総数の三分の一以上の者の連署」とは、所属選挙区における選挙権名簿に登録されている者の総数を三等分した数（端数が出れば切り上げる。）又はそれを超える数の者の連続した署名を指す。
●県会議員の解職請求の署名収集期間中に、当該議員の選挙区たるA郡中の一村が分割しそれぞれ甲市、乙市に編入合併され消滅することとなつた場合、選挙権を有する者の三分の一の数は、署名審査終了の際に告示されている数による。なお、署名の審査終了前に市町村の廃置分合又は境界変更があつたときは当該処分の日に新たな告示をすべきものである。（昭三一・四・一五行実）
2）●欠員が過半数であり議会が不成立の場合であつても、残留議員に対し解職請求できる。（昭二三・一二・三行実）
●一部事務組合の議員に対する解職請求は、規約に特別の定めがない限り、議員が住民の直接選挙による場合にはできる。（昭二四・一〇・九行実）
3）●普通地方公共団体の議会の議員の解職の投票に関しては、その投票の効力または投票の結果の効力に関してのみ異議、審査の申立てまたは訴訟を提起することができるのであつて、解職の投票前の過程における個々の処分の違法は独立して争訟の対象となるのではなく、ただ投票に関する争訟において投票無効の原因として主張することができるにすぎないものと解するのを相当とする。（昭二六・二・二〇最裁判）

〔長の解職の請求とその処置〕

第八十一条　選挙権を有する者は、政令の定めるところにより、その総数の三分の一（その総数が四十万を超え八十万以下の場合にあつてはその四十万を超える数に六分の一を乗じて得た数と四十万に三分の一を乗じて得た数とを合算して得た数、その総数が八十万を超える場合にあつてはその八十万を超える数に八分の一を乗じて得た数と四十万に六分の一を乗じて得た数と四十万に三分の一を乗じて得た数とを合算して得た数）以上の者の連署をもつて、その代表者から、普通地方公共団体の選挙管理委員会に対し、当該普通地方公共団体の長の解職の請求をすることができる。

②　第七十四条第五項の規定は前項の選挙権を有する者及びその総数の三分の一の数（その総数が四十万を超え八十万以下の場合にあつてはその四十万を超える数に六分の一を乗じて得た数と四十万に三分の一を乗じて得た数とを合算して得た数、その総数が八十万を超える場合にあつてはその八十万を超える数に八分の一を乗じて得た数と四十万に六分の一を乗じて得た数と四十万に三分の一を乗じて得た数とを合算して得た数）について、同条第六項の規定は前項の代表者について、同条第七項から第九項まで及び第七十四条の二から第七十四条の四までの規定は前項の規定による請求者の署名について、第七十六条第二項及び第三項の規定は前項の請求について準用する。

＊二項―一部改正〔昭二五・五法一四三、昭四四・三法二、平六・六法四八〕、一・二項―一部改正〔平一四・三法四〕、二項―一部改正〔平二三・五法三五〕、一・二項―一部改正〔平二四・九法七二〕

【引用条文】
②【法七四（条例の制定又は改廃の請求とその処置）5・6・7・8・9・七四の二（署名の証明・縦覧・争訟等）・七四の三（署名の無効及び関係人の出頭証言）・七四の四（署名に関する罰則）・七六（議会の解散の請求とその処置）2・3

【参照条文】
①【選挙権を有する者―法一八＝選挙法九2〜5・一一・二五二　【政令の定―令一一六　※則一二　※【解職請求の制限―法八四
②【解職の投票―法八五
※憲法一五　法八二2・八三

※ 法七四〜七四の四の参照条文参照

【実例・判例】

※ ●直接請求による賛否投票の期日の告示後、村長が辞職したときは投票中止の措置をとるべきである。（昭二五・六・一二行実）

※ ●解職請求要旨が事実と相違し、虚偽であつても、形式が具備すれば選挙管理委員会としては受理しなければならない。（昭二八・四・一三行実）

※ ●分冊された長の解職請求者署名簿であつても、その各分冊に解職請求書および請求代表者証明書の写を添えたものであれば、これを違法ということはできない。（昭二六・一二・二七高裁判）

〔解職の投票の結果とその処置〕

第八十二条 第八十条第三項の規定による解職の投票の結果が判明したときは、普通地方公共団体の選挙管理委員会は、直ちにこれを同条第一項の代表者並びに当該普通地方公共団体の議会の関係議員及び議長に通知し、かつ、これを公表するとともに、都道府県にあつては都道府県知事に、市町村にあつては市町村長に報告しなければならない。その投票の結果が確定したときも、また、同様とする。

② 前条第二項の規定による解職の投票の結果が判明したときは、委員会は、直ちにこれを同条第一項の代表者並びに当該普通地方公共団体の長及び議会の議長に通知し、かつ、これを公表しなければならない。その投票の結果が確定したときも、また、同様とする。

＊一・二項―一部改正〔昭二二・一二法一六九、昭二五・五法一四三、昭二七・七法二六二、昭三五・六法一一三、平一一・七法八七〕

〔議員又は長の失職〕

第八十三条 普通地方公共団体の議会の議員又は長は、第八十条第三項又は第八十一条第二項の規定による解職の投票において、過半数の同意があつたときは、その職を失う。

※ 法七八の参照条文及び実例・注釈を参照

〔議員又は長の解職請求の制限期間〕

第八十四条 第八十条第一項又は第八十一条第一項の規定による普通地方公共団体の議会の議員又は長の解職の請求は、その就職の日から一年間及び第八十条第三項又は第八十一条第二項の規定による解職の投票の日から一年間は、これをすることができない。ただし、公職選挙法第百条第六項の規定により当選人と定められ普通地方公共団体の議会の議員又は長となつた者に対する解職の請求は、その就職の日から一年以内においても、これをすることができる。

＊本条―一部改正〔昭二二・一二法一六九、昭二五・四法一〇一、昭二七・八法三〇六、昭四一・六法七七、昭四三・五法三九、昭四四・五法三〇、昭四九・六法七一、平六・二法二〕

【参照条文】

【解職の投票―法八五】【就職の日―選挙法一〇二】

〔解散及び解職投票の手続〕

第八十五条 政令で特別の定をするものを除く外、公職選挙法中普通地方公共団体の選挙に関する規定は、第七十六条第三項の規定による解散の投票並びに第八十条第三項及び第八十一条第二項の規定による解職の投票にこれを準用する。

② 前項の投票は、政令の定めるところにより、普通地方公共団体の選挙と同時にこれを行うことができる。

＊一項―一部改正〔昭二五・四法一〇一〕

【引用条文】

【法七六（議会の解散の請求とその処置）３・八〇（議員の解職の請求とその処置）３・八一（長の解職の請求とその処置）２】

【参照条文】

①【特別の定―令一〇〇の二〜一〇九の三・一一一・一一二〜一一五・一一六の二〜一一八】

※②【政令の定―令一二〇】

※ 則一〜八

【実例・判例】

※ ●第八一条第二項の規定による解職投票には、政治資金規正法及び選挙運動の法定費用額の規定は適用がない。（昭二三・一一・一行実）

※ ●村長解職賛否投票の効力に関する訴訟係属中、村長の任期が満了したときは、訴の利益は失われる。（昭二八・一〇・一三最裁判）

※ ●地方公共団体の長の解職賛否投票で有効投票の過半数が解職に賛成であつた場合、右投票の効力について争訟の提起がない以上、解職請求者署名簿の署名の効力に関する訴は、これを維持する利益が失われる。（昭三〇・九・二二最裁判）

※ ●村長解職賛否投票の効力に関する訴は、当該村が吸収合併によつてなくなつた後においては、その利益がなくなつたものと解すべきである。（昭三五・一二・七最裁判）

※ ●特別区の長の任期が満了したときは、解職請求者署名簿の署名の効力を争う訴の利益は、失われる。（昭三六・七・一八最裁判）

〔主要公務員の解職の請求とその処置〕

第八十六条 選挙権を有する者（第二百五十二条の十九第一項に規定する指定都市（以下この項において「指定都

市」という。）の総合区長については当該総合区の区域内において選挙権を有する者、指定都市の区又は総合区の選挙管理委員については当該区又は総合区の区域内において選挙権を有する者、道の方面公安委員会の委員については当該方面公安委員会の管理する方面本部の管轄区域内において選挙権を有する者）は、政令の定めるところにより、その総数の三分の一（その総数が四十万を超え八十万以下の場合にあつてはその四十万を超える数に六分の一を乗じて得た数と四十万に三分の一を乗じて得た数とを合算して得た数、その総数が八十万を超える場合にあつてはその八十万を超える数に八分の一を乗じて得た数と四十万に六分の一を乗じて得た数と四十万に三分の一を乗じて得た数とを合算して得た数）以上の者の連署をもつて、その代表者から、普通地方公共団体の長に対し、副知事若しくは副市町村長、指定都市の総合区長、選挙管理委員若しくは監査委員又は公安委員会の委員の解職の請求をすることができる。

② 前項の請求があつたときは、当該普通地方公共団体の長は、直ちに請求の要旨を公表しなければならない。

③ 第一項の請求があつたときは、当該普通地方公共団体の長は、これを議会に付議し、その結果を同項の代表者及び関係者に通知し、かつ、これを公表しなければならない。

④ 第七十四条第五項の規定は第一項の選挙権を有する者及びその総数の三分の一の数（その総数が四十万を超え八十万以下の場合にあつてはその四十万を超える数に六分の一を乗じて得た数と四十万に三分の一を乗じて得た数とを合算して得た数、その総数が八十万を超える場合にあつてはその八十万を超える数に八分の一を乗じて得た数と四十万に六分の一を乗じて得た数と四十万に三分の一を乗じて得た数とを合算して得た数）について、同条第六項から第九項まで及び第七十四条の二から第七十四条の四までの規定は第一項の規定による請求者の署名について準用する。この場合において、第七十四条第六項第三号中「区域内」とあるのは「区域内（道の方面公安委員会の委員に係る請求については、当該方面公安委員会の管理する方面本部の管轄区域内）」と、「市の区及び総合区」とあるのは「市の区及び総合区（総合区長に係る請求については当該総合区、区又は総合区の選挙管理委員に係る請求については当該区又は総合区に限る。）」と読み替えるものとする。

* 三項―一部改正〔昭二二・一二法一六九〕、一項―一部改正〔昭二三・一二法一九六、昭二三・七法一七九〕、四項―一部改正〔昭二五・五法一四三〕、三項―一部改正〔昭二七・七法二六二〕、一項―一部改正〔昭二九・六法一九三〕、三項―一部改正〔昭三五・六法一一三〕、四項―一部改正〔昭四四・三法二、平六・六法四八〕、三項―一部改正〔平一一・七法八七〕、一・四項―一部改正〔平一四・三法四〕、一項―一部改正〔平一八・六法五三〕、一・四項―一部改正〔平二三・五法三五〕、四項―一部改正〔平二四・九法七二、平二六・五法四二〕

【引用条文】
④【法七四（条例の制定又は改廃の請求とその処置）5・6・7・8・9・七四の二（署名の証明・縦覧・争訟等）・七四の三（署名の無効及び関係人の出頭証言）・七四の四（署名に関する罰則）

【参照条文】
①【選挙権を有する者―法一八＝選挙法九2～5・一一・二五二　【副知事、副市町村長―法一六一～一六七　【選挙管理委員―法一八一～一八六　【監査委員―法一九五～一九九　【公安委員―警察法三八～四二　【方面公安委員及び方面本部―警察法四六・五一　【政令の定―令一二一　※則一二　※【解職請求の制限―法八八
※※憲法一五　法八七・二五二の一〇　地教法八・九
※法七四～七四の四の参照条文参照

【実例・通知】
1）●区選挙管理委員の解職請求における選挙権者の範囲は、その区の選挙権者である。（昭二五・三・一七行実）
●総合区の区域内において選挙権を有する者は、その代表者から、市長に対し、総合区長の解職の請求をすることができるものとされたこと。（平二六・五・三〇通知）

〔請求に基く主要公務員の失職〕

第八十七条　前条第一項に掲げる職に在る者は、同条第三項の場合において、当該普通地方公共団体の議会の議員[1]の三分の二[2]以上の者が出席し、その四分の三以上の者の同意があつたときは、その職を失う。

② 第百十八条第五項の規定は、前条第三項の規定による議決についてこれを準用する。

* 二項―追加〔昭二五・五法一四三〕

【引用条文】
②【法一一八（投票による選挙・指名推選及び投票の効力の異議）5

【参照条文】
①【議会の議員―※法九〇・九一　【表決―法一一六
②※法二五六

【実例・注釈】
1）●「議員」とは、在職議員の意である。（昭二八・六・二五行実）
2）○「三分の二以上の者の出席」とは、在職議員数の三分の二の数（端数が出れば切り上げる。）又はそ

れを超える数の者の出席を指す。例えば、在職議員数が三〇人のときは、二〇人又はそれを超える者の出席である。

〔**主要公務員の解職請求の制限期間**〕

第八十八条 第八十六条第一項の規定による副知事若しくは副市町村長又は第二百五十二条の十九第一項に規定する指定都市の総合区長の解職の請求は、その就職の日から一年間及び第八十六条第三項の規定による議会の議決の日から一年間は、これをすることができない。

② 第八十六条第一項の規定による選挙管理委員若しくは監査委員又は公安委員会の委員の解職の請求は、その就職[1]の日から六箇月間及び同条第三項の規定による議会の議決の日から六箇月間は、これをすることができない。

＊二項一部改正〔昭二二・一二法一九六、昭二三・七法一七九〕、一項一部改正〔平一八・六法五三、平二六・五法四二〕

【引用条文】【法八六（主要公務員の解職の請求とその処置）1】

【参照条文】※ 法七九・八四
※ 法八六の参照条文参照

【注 釈】
1）○「就職の日から六箇月間」とは、就職した日の翌日を第一日とし、六箇月目に当たる日までの期間を指す。

第六章 議会

第一節 組織

〔**議会の設置**〕

第八十九条 普通地方公共団体に、その議事機関として、当該普通地方公共団体の住民が選挙した議員をもつて組織される議会[1]を置く。

② 普通地方公共団体の議会は、この法律の定めるところにより当該普通地方公共団体の重要な意思決定に関する事件を議決し、並びにこの法律に定める検査及び調査その他の権限を行使する。

③ 前項に規定する議会の権限の適切な行使に資するため、普通地方公共団体の議会の議員は、住民の負託を受け、誠実にその職務を行わなければならない。

＊一項一部改正・二・三項追加〔令五・五法一九〕

【参照条文】【議会の設置―憲法九三1 ※【本条の特例―法九四・二八三・二九一の四1Ⅶ・二九五・二九六1

【実例・判例】
1）●町村会は人格を有しない。（明三五・三・五行裁判）
※●議会の名称は、「何々県議会」、「何々市議会」と呼称すべきである。（昭二二・一一・二九行実）
●本条は、議会の役割や責任、議員の職務等の重要性が改めて認識されるよう、全ての議会や議員に共通する一般的な事項を規定するものであり、新たな権限や義務を定めるものではない。（令五・五・八通知）

〔**都道府県議会の議員の定数**〕

第九十条 都道府県の議会の議員の定数[1]は、条例[2]で定める。

② 前項の規定による議員の定数の変更は、一般[3]選挙の場合でなければ、これを行うことができない。

③ 第六条の二第一項の規定による処分により、著しく人口の増加があつた都道府県においては、前項の規定にかかわらず、議員の任期中においても、議員の定数を増加することができる。

④ 第六条の二第一項の規定により都道府県の設置をしようとする場合において、その区域の全部が当該新たに設置される都道府県の区域の一部となる都道府県（以下本条において「設置関係都道府県」という。）は、その協議により、あらかじめ、新たに設置される都道府県の議会の議員の定数を定めなければならない。

⑤ 前項の規定により新たに設置される都道府県の議会の議員の定数を定めたときは、設置関係都道府県は、直ちに当該定数を告示しなければならない。

⑥ 前項の規定により告示された新たに設置される都道府県の議会の議員の定数は、第一項の規定に基づく当該都道府県の条例により定められたものとみなす。

⑦ 第四項の協議については、設置関係都道府県の議会の議決を経なければならない。

＊二項一部改正〔昭二五・四法一〇一〕、二項―全改・三項―追加〔昭二七・八法三〇六〕、二項―追加・旧二・三項―一部改正し一項ずつ繰下〔昭四四・三法二〕、二項―一部改正〔昭五二・五法四六〕、一～四項―一部改正〔平一一・七法八七〕、五～九項―追加〔平一六・五法五七〕、二・三項―削る・旧四・五項―一部改正し二項ずつ繰上・旧六～八項―二項ずつ繰上・旧九項―一部改正し七項に繰上〔平二三・五・法三五〕

【引用条文】③・④【法六の二（申請に基づく都道府県合併）

【参照条文】②【一般選挙―選挙法三三・一一六

【実例・注釈】
1）●定数とは、議会議員の総定数で、各選挙区の定数をさすものではない。（昭二五・一二・一七行実）
2）○議員定数条例の提案権は、長にもある。
3）○「一般選挙」とは、議員の全部についての選挙をいう。議員の任期満了、議会の解散、議員の総辞職による選挙等である。

〔市町村議会の議員の定数〕

第九十一条　市町村の議会の議員の定数は、条例で定める。

② 前項の規定による議員の定数の変更は、一般選挙の場合でなければ、これを行うことができない。

③ 第七条第一項又は第三項の規定による処分により、著[1]しく人口の増減があつた市町村においては、前項の規定にかかわらず、議員の任期中においても、議員の定数を増減することができる。

④ 前項の規定により議員の任期中にその定数を減少した場合において当該市町村の議会の議員の職に在る者の数がその減少した定数を超えているときは、当該議員の任期中は、その数を以て定数とする。但し、議員に欠員を生じたときは、これに応じて、その定数は、当該定数に至るまで減少するものとする。

⑤ 第七条第一項又は第三項の規定により市町村の設置を伴う市町村の廃置分合をしようとする場合において、その区域の全部又は一部が当該廃置分合により新たに設置される市町村の区域の全部又は一部となる市町村（以下本条において「設置関係市町村」という。）は、設置関係市町村が二以上のときは設置関係市町村の協議により、設置関係市町村が一のときは当該設置関係市町村の議会の議決を経て、あらかじめ、新たに設置される市町村の議会の議員の定数を定めなければならない。

⑥ 前項の規定により新たに設置される市町村の議会の議員の定数を定めたときは、設置関係市町村は、直ちに当該定数を告示しなければならない。

⑦ 前項の規定により告示された新たに設置される市町村の議会の議員の定数は、第一項の規定に基づく当該市町村の条例により定められたものとみなす。

⑧ 第五項の協議については、設置関係市町村の議会の議決を経なければならない。

＊二・三項—全改・四・五項—追加〔昭二二・一二法一六九〕、三項—一部改正〔昭二五・四法一〇一〕、四項—一部改正〔昭二七・八法三〇六〕、一・二項—一部改正・三項—追加・旧三・四項—一部改正し一項ずつ繰下・旧五項—六項に繰下・七〜一〇項—追加〔平一一・七法八七〕、七項—一部改正〔平一六・五法五七〕、二・三項—削る・旧四・五項—一部改正し二項ずつ繰上・旧六〜九項—二項ずつ繰上・旧一〇項—一部改正し八項に繰上〔平二三・五法三五〕

【引用条文】③・⑤【法七（市町村の廃置分合及び境界変更）1・3

【参照条文】③【定数の増減をした場合—選挙令八・八の二・九

【実例・通知】

1）●「著しく人口の増加があつた場合」とは、合併による人口の告示又は官報に人口の公示があつたことを前提とする。（昭二二・五・二九通知）

※●町が市となつた場合の補充選挙はできない。（昭二五・五・一二行実）

〔兼職の禁止〕

第九十二条　普通地方公共団体の議会の議員は、衆議院議員又は参議院議員と兼ねることができない。

② 普通地方公共団体の議会の議員は、地方公共団体の議会の議員並びに常勤の職員及び地方公務員法（昭和二十五年法律第二百六十一号）第二十二条の四第一項に規定する短時間勤務の職を占める職員（以下「短時間勤務職員」という。）と兼ねることができない。

＊二項—一部改正〔昭二三・七法一七九、昭二五・四法一〇一、昭二六・六法二〇三、平一一・七法一〇七、平一六・六法八五、令三・六法六三〕

【引用条文】②【地公法二八の五1

【参照条文】①【国会議員との兼職禁止—国会法三九　※【議員との兼職を禁じた他の規定の例—法一四一2・一六六2・一八二7　地教法六　警察法四二2　漁業法一四〇　港湾法一七1Ⅱ　裁判所法五二Ⅰ

※　選挙法八九〜九一・一〇三

【実　例】

1）●消防法第三条にいう「消防長」は、「常勤の職員」に該当する。（昭二三・四・六行実）

●「常勤の職員」とは、地方団体から給料を支給されるべき職員をいい、報酬を受ける職員は含まれない。（昭二四・七・二八法制意見）

●隔日勤務の職員は、その職務の内容の性質から他の常勤の職員の勤務と同一のものとして取り扱われるものについては、「常勤の職員」に該当する。（昭二六・八・一五行実）

●一定の期間を限り臨時的に雇用されその期間中常時勤務している職員は、「常勤の職員」に該当する。（昭二六・八・一五行実）

●失業対策事業のため、期間を定めて雇用する監督者、技術者、技能者、監督補助者及び事務補助者は、常時勤務のものについては、「常勤の職員」に該当する。（昭二六・八・一五行実）

〔議員の兼業禁止〕

第九十二条の二　普通地方公共団体の議会の議員は、当該普通地方公共団体に対し請負[1]（業として行う工事の完成若しくは作業その他の役務の給付又は物件の納入その他の取引で当該普通地方公共団体が対価の支払をすべきものをいう。以下この条、第百四十二条、第百八十条の五第六項及び第二百五十二条の二十八第三項第十二号において同じ。）をする者（各会計年度において支払を受ける当該請負の対価の総額が普通地方公共団体の議会の適正な運営の確保のための環境の整備を図る観点から政令で定める額を超えない者を除く。）及びその支配人又は主[2]として同一の行為をする法人の無限責任社員、取締役、執行役若しくは監査役若しくはこれ[3]らに準ずべき者、支配人及び清算人たることができない。

＊ 本条―追加〔昭三一・六法一四七〕、一部改正〔平一一・七法八七、平一四・五法四五、令四・一二法一〇二〕

【参照条文】
【請負―民法六三二～六四二　建設業法一八～二四の八　【支配人―会社法一〇～一三　【無限責任社員―会社法五八〇～五八四　【取締役―会社法三四八～三六一　【監査役―会社法三八一～三八九　【清算人―会社法四七八～四八八
※【請負に該当するかどうかの決定―法一二七
※ 法一四二・一八〇の五6　選挙法一〇四　地税法四二五2　公有地の拡大の推進に関する法律一六2

【実例・判例・通知】

1）●「請負」とは、民法第六三二条の請負のみならず、普通地方公共団体、その長又はその長から委任を受けた者から一定の報酬を得てその需要を供給することを業とする場合を含むが、単なる一取引と解されるものは含まれない。（昭二七・六・二二行実）

●物品売買又は物品修理等の契約については、その契約が一定の期間にわたり一定の物品を納付し又は修理することを内容とし、又はその契約の履行にあたり事実上必要とされる時期に分割して供給することとする等継続的な供給契約と解される場合は、本条にいう請負契約に該当する。（昭三一・九・二八行実）

●卸売人が中央市場において卸売の業務をするというだけの理由で、中央卸売市場を開設する地方公共団体に対し請負をするものということはできない。（昭三六・一二・一九行実）

●保育所が、児童福祉法第二四条の規定による措置により、市町村長から委託を受けて児童等の保育を行なつている場合、この保育所の責任者が当該市町村の議会の議員であつても、「請負」ではない。（昭三九・一二・七行実）

●建設工事請負契約において原材料等を現物支給した場合には現物支給相当額は請負金額に含まれない。（昭四三・四・一〇行実）

●知事の許可を受けて砂利採取事業を行なう株式会社は、地方自治法第一四二条にいう「請負」をする法人に該当しない。（昭三五・九・二最裁判）

●本条の請負は、ひろく業務としてなされる経済的又は営利的な取引契約を含む一方、一定期間にわたる継続的な取引関係に立つものに限られると解され、法令等の規制があるため当事者が自由に内容を定めることができない取引契約や、継続性がない単なる一取引をなすに止まる取引契約は、同条の請負に該当するものではない。（平三〇・四・二五通知）

●議員又は議員が無限責任社員等を務める企業等が、当該地方公共団体から補助金の交付又は指定管理者の指定を受けることについては、前者は贈与に類するものであり、後者は議会の議決を経た上で地方公共団体に代わって公の施設の管理を行うものであり、特段の事情がある場合を除き、いずれも当該地方公共団体と営利的な取引関係に立つものではなく、同条の請負に該当するものではない。（平三〇・四・二五通知）

2）●「主として同一の行為をする法人」とは、当該地方公共団体に対する請負が当該法人の業務の主要部分を占めるものをいう。（昭二五・六・三〇行実）

●「主として」の意味は、当該会社の業務の主要な部分が団体若しくはその機関との請負によつて占められている場合を指す。（昭三一・五・一一行実）

3）●「これらに準ずべき者」とは、法人の無限責任社員、取締役若しくは監査役と同等程度の執行力と責任とを当該法人に対して有する者の意である。（昭三一・一〇・二二行実）

※●下請負は程度のいかんを問わず本条の請負にはいらないが、形式上下請負であつても、一括請負その他実質上元請負と異ならず、本条の趣旨に適合せず、適当でない場合がありうる。（昭二七・一一・二七行実）

※●議員が国民健康保険医になることは、本条に該当しない。（昭三二・九・二八行実）

※●町有林の立木処分の競争入札にあたり、町会議員が落札者となることは、本条に該当しない。（昭三一・一〇・二二行実）

※●当該普通地方公共団体等に対する請負量が当該法人の全体の業務量の半分を超える場合は、そのこと自体において、当該法人は地方自治法第一四二条の「主として同一の行為をする法人」に当たるというべきであるが、右請負量が当該法人の全体の業務量の半分を超えない場合であつても、当該請負が当該法人の業務の主要部分を占め、その重要度が長の職務執行の公正、適正を損なうおそれが類型的に高いと認められる程度にまで至つているような事情があるときは、当該法人は「主として同一の行為をする法人」に当たるといいうる。（昭六二・一〇・二〇最裁判）

※●議員が、当該地方公共団体に対し請負をする者〔現行では、各会計年度において支払を受ける請負の対価の総額が政令で定める額を超えない者を除く。〕等たることはできないこととされているのは、議会運営の公正を保障するとともに、事務執行の適

性を確保することを趣旨とする。（平三〇・四・二五通知）

※ ●議会の議員に係る請負に関する規制の明確化及び緩和は、近年、地方議会議員選挙において、投票率の低下や無投票当選の増加の傾向が強まっており、議員のなり手不足への対応が喫緊の課題となっていることを踏まえて行われるものであり、議会運営の公正を保障するとともに、事務執行の適正を確保するという本条の規定の趣旨を変更するものではないこと。（令四・一二・一六通知）

※ ●議会の議員に係る請負に関する規制の緩和に伴い、議会運営の公正、事務執行の適正が損なわれることがないよう、例えば、条例等の定めるところにより、地方公共団体に対し請負をする者である議員が、当該請負の対価として各会計年度に支払を受けた金銭の総額や請負の概要など一定の事項を議長に報告し、当該報告の内容を議長が公表することとするなど、各地方公共団体において、議員個人による請負の状況の透明性を確保するための取組を併せて行うことが適当であること。（令四・一二・一六通知）

〔任期〕

第九十三条　普通地方公共団体の議会の議員の任期は、四年とする。

② 前項の任期の起算、補欠議員の在任期間及び議員の定数に異動を生じたためあらたに選挙された議員の在任期間については、公職選挙法第二百五十八条及び第二百六十条の定めるところによる。

＊ 二項…全改・三・四項…削る〔昭二五・四法一〇二〕、二項…一部改正〔昭三〇・一法四、昭三六・一二法一三五〕

【引用条文】

② 【選挙法二五八（地方公共団体の議会の議員の任期の起算）・二六〇（補欠議員の任期）】

【参照条文】

② 【補欠議員―選挙法三四・一一三　【定数の異動―法九〇2・九一2　※ 【任期の特例―法七八・八三・一七八1

※ 旧合併特例法七1　改正前合併特例法九1　合併特例法九1

〔町村総会〕

第九十四条　町村は、条例で、第八十九条第一項の規定にかかわらず、議会を置かず、選挙権を有する者の総会を設けることができる。

＊ 本条…一部改正〔令五・五法一九〕

【引用条文】

【法八九（議会の設置）】

【参照条文】

【選挙権を有する者―法一八＝選挙法九2～5・一一・二五二

※ 憲法九三1　法九五

〔町村総会に対する準用〕

第九十五条　前条の規定による町村総会に関しては、町村の議会に関する規定を準用する。

【参照条文】

※ 憲法九三1　法八九

第二節　権限

〔議決事件〕

第九十六条　普通地方公共団体の議会は、次に掲げる事件を議決しなければならない。

一 条例を設け又は改廃すること。
二 予算を定めること。
三 決算を認定すること。
四 法律又はこれに基づく政令に規定するものを除くほか、地方税の賦課徴収又は分担金、使用料、加入金若しくは手数料の徴収に関すること。
五 その種類及び金額について政令で定める基準[1]に従い条例で定める契約[2]を締結すること。
六 条例[3]で定める場合を除くほか、財産を交換し、出資の目的とし、若しくは支払手段として使用し、又は適正な対価なくしてこれを譲渡[4]し、若しくは貸し付ける[5]こと。
七 不動産を信託すること。
八 前二号に定めるものを除くほか、その種類及び金額について政令で定める基準[1]に従い条例で定める財産[6]の取得又は処分をすること。
九 負担付き[7]の寄附又は贈与を受けること。
十 法律[8]若しくはこれに基づく政令又は条例に特別の定めがある場合を除くほか、権利[9]を放棄すること。
十一 条例で定める重要な公の施設につき条例で定める長期かつ独占的な利用をさせること。
十二 普通地方公共団体がその当事者である審査請求その他の不服申立て、訴え[10]の提起（普通地方公共団体の行政庁の処分又は裁決（行政事件訴訟法第三条第二項に規定する処分又は同条第三項に規定する裁決をいう。以下この号、第百五条の二、第百九十二条及び第百九十九条の三第三項において同じ。）に係る同法第十一条第一項（同法第三十八条第一項（同法第四十三条第二項において準用する場合を含む。）又は同法第四十三条第一項において準用する場合を含む。）の規定による普通地方公共団体を被告とする訴訟（以下この号、第百五十条の二、第百九十二条及び第百九十九条の三第三項において「普通地方公共団体を被告とする訴訟」という。）に係るものを除く。）、和解[11]（普通地方公共団体の行政庁の処分又は裁決に係る普通地方公共団体を被告とする訴訟に係るものを除く。）、あつせん、調停及び仲裁に関すること。

十三　法律上その義務に属する損害賠償の額を定めること。[12]

十四　普通地方公共団体の区域内の公共的団体等の活動の総合調整に関すること。[13]

十五　その他法律又はこれに基づく政令（これらに基づく条例を含む。）により議会の権限に属する事項

②　前項に定めるものを除くほか、普通地方公共団体は、条例で普通地方公共団体に関する事件（法定受託事務に係るものにあつては、国の安全に関することその他の事由により議会の議決すべきものとすることが適当でないものとして政令で定めるものを除く。）につき議会の議決すべきものを定めることができる。

＊一項一部改正〔昭二三・七法一七九〕、一部改正〔昭二二・一二法一六九〕、全改〔昭二七・八法三〇六、昭三一・六法一四七、昭三七・九法一六一、昭三八・六法九九、昭六一・五法七五〕、一・二項一部改正〔平一一・七法八七〕、一項一部改正〔平一六・六法八四、平一八・六法五三〕、二項一部改正〔平二三・五法三五〕

【引用条文】

①【行訴法三（抗告訴訟）2・3・一一（被告適格等）1・三八（取消訴訟に関する規定の準用）1・四三（抗告訴訟又は当事者訴訟に関する規定の準用）1・2

【法一〇五の二（議長の訴訟の代表）・一九二（選挙管理委員会の訴訟の代表）・一九九の三（代表監査委員）3

【参照条文】

①【※議決事件の発案―法一一二・一四九I　【※議決事件の専決処分―法一七九・一八〇　【条例の制定、改廃―法一二1・一四・七四・一七六　【予算―法九七2・一一二1・一七六・一七七・一八〇の六・二一一・二一五・二一八・二一九・二四三の五地財法三　【決算―法二三三・二四三の五　【4号の「法律又は政令」―法二二三～二二七　地税法　【地方税―法二二三　地税法　【使用料―法二二五・二二六　地財法二三　【手数料―法二二七　【分担金―法二二四　【加入金―法二二六　【賦課徴収―法一四九Ⅲ・一八〇の六Ⅲ　【財産の取得、管理、処分―法二三七・二三八の二～二三八の五　地財法八　令一二一の二の二2　【信託―信託法一等　法二三八の五2等　国有財産法二〇　【公の施設の設置、管理、処分―法二四四～二四四の三　【負担附寄附、贈与―民法五五三　【契約―法二三四～二三四の三　令一二一の二の二1　【不服申立て―法二九一　地財法二七3　【訴えの提起―法二四二の三3・二四三の二の八6　【和解―民法六九五　民訴八九・二六七・二七五　【調停―法二五一の二　【公共的団体等―法一五七　【損害賠償―憲法一七　国家賠償法　民法七〇九等　【15号の「法律又は政令」の例―法六4・七6・八六3　令五3等

※　憲法九四　公企法四〇

【実例・通知・判例】

1）●第五号及び第八号に規定する政令で定める基準は、政令別表第三及び第四に定められているが、条例で、同表の種類を増加し、又は同表に掲げる金額を下る条件を定めることはできない。（昭三八・一二・一九通知）

●面積一件五千平方米以上、予定価格二千万円以上として条例で定めた場合において、一件五千平方米未満の土地の取得処分については、その予定価格が二千万円を超えても議会の議決は必要としない。（昭三九・四・三〇行実）

●令別表第四の「動産」には無記名債権を含まない。（昭四〇・一一・四行実）

2）●議会の議決を経た契約について、議会の議決を経た事項の変更については、すべて議会の議決を経なければならない。ただし、軽易な事項については、第一八〇条により措置しておくことが適当である。（昭二六・一一・一五行実）

●議会の議決を経なければならない契約について、議会に修正権はない。（昭二九・六・二二行実）

●議会の議決を経た土地売買契約を解除するには、議会の議決を要しない。（昭三三・九・一九行実）

●入札にあたり単価について予定価格を定めた場合においても契約金額の総額を定めて契約を締結すべきである。（昭三七・五・一五行実）

●議決を経た請負金額の減額変更の結果、条例に規定する金額に達しなくなつたときは、議決を要しない。（昭三七・九・一〇行実）

●市が行うべき工事を県に委託する当該委託契約は、議会の議決を要する。（昭四一・一〇・一行実）

●「工事の設計管理」のみを契約の目的とする場合は、令第一二一条の二の別表中にいう「工事又は製造の請負」には含まれない。（昭四四・二・六行実）

●当初の設計内容について一部変更を要する場合において契約金額内の増減のみで総額に変更がないときの議会の議決の要否については、議決を得た事項について変更がない限り一般的には議会の議決を要しない。（昭四五・六・二二行実）

●航空写真をもとに地図を作成して納入することを一括して委託する契約である限り、「工事又は製造の請負」に該当する。（昭五二・一一・一六行実）

3）●条例を設けて無償譲渡することとしたときは、処

分にあたつて更に議会の議決を要しない。（昭三八・一二・二三行実）

4）●物件の賃貸借契約が実質上所有権留保の条件を付した割賦販売契約と等しいときは、当該物件の無償譲渡につき議決を要しない。（昭四〇・一〇・一一行実）

5）●「貸し付け」の中には、地上権等の用益物権の設定を含む。（昭四〇・一二・二四行実）

6）●土地収用法の規定により、収用委員会が裁決をして土地を収用又は使用する場合は議決を要しない。（昭四〇・一二・一五行実）

●土地収用法第五〇条の和解による土地の取得は土地の収用であり、本条第一項第一二号の和解に関する議決の他に土地取得に関する議決は必要でない。（昭五〇・一二・四行実）

●市町村が土地改良法第五四条の二第五項の規定に基づき土地の取得者となる場合、当該土地の取得に当たつては議会の議決は要しない。（昭五七・八・二八行実）

7）●「負担附寄附（現行法では負担付きの寄附）又は贈与」の意は、寄附又は贈与の契約に付された条件そのものに基づいて、地方公共団体が法的の義務を負い、その義務不履行の場合には、その寄附又は贈与の効果に何らかの影響を与えるようなものをいう。（昭二五・五・三一行実）

●負担附寄附（現行法では負担付きの寄附）以外の寄附については、議会の議決を経る必要はない。（昭二五・六・一行実）

●「負担附寄附（現行法では負担付きの寄附）」の「負担」には、寄附物件の維持管理は含まない。（昭二五・六・八行実）

●図書館を建設することを条件として県が敷地の寄附を受ける場合、当該条件に基づき県が法的義務を負い、その義務の不履行の場合において、当該寄附が解除される等その寄附の効果に影響を与えるものである限り「負担附きの寄附（現行法では負担付きの寄附）」に該当する。（昭四一・二・二行実）

8）●母子福祉法第一二条（現行法では母子及び父子並びに寡婦福祉法第一五条）の規定に基づいて貸付金の償還を免除することは、「権利の放棄」の性質を有するが、本条第一項第一〇号の「法律に特別の定めがあるもの」に該当する。（昭四四・一一・二五行実）

9）●不納欠損は、既に調定された歳入が徴収し得なくなつたことを表示する決算上の取扱いであるから、時効により消滅した債権、放棄した債権等について行うべきである。（昭二七・六・一二行実）

●私法上の契約に基づく収入が納入されないまま、年度繰越となり、その後徴収不可能となつた場合の欠損措置は、「権利の放棄」として議会の議決を要する。（昭二八・三・一九行実）

●負担附寄附（現行法では負担付きの寄附）又は贈与及び権利の放棄についての議会の議決は、歳入歳出予算とは関係がなく、常にこれを要する。（昭三二・一〇・一行実）

●本号の権利放棄に関しては、第一八〇条の規定を根拠にして、条例で金額の限度を定め、長限りで権利の放棄ができる。（昭三八・一二・一九通知）

●県が出資している株式会社において、商法第三七五条（現行法では会社法第四四七条）の規定により資本の減少の決議があつた場合、権利の放棄の議会の議決は要しない。（昭四二・八・八行実）

●権利放棄の議案の提出は、議員提出議案によることができる。（平一八・七・二〇高裁判）

●普通地方公共団体による債権の放棄は、その効力が生ずるには、その長による執行行為としての放棄の意思表示を要する。（平二四・四・二〇最裁判）

●住民訴訟の対象とされている損害賠償請求権又は不当利得返還請求権を放棄する旨の議決がされた場合、このような請求権が認められる場合は様々であり、個々の事案ごとに、当該請求権の発生原因である財務会計行為等の性質、内容、原因、経緯及び影響、当該議決の趣旨及び経緯、当該請求権の放棄又は行使の影響、住民訴訟の係属の有無及び経緯、事後の状況その他の諸般の事情を総合考慮して、これを放棄することが普通地方公共団体の民主的かつ実効的な行政運営の確保を旨とする地方自治法の趣旨等に照らして不合理であつて上記の裁量権の範囲の逸脱又はその濫用に当たると認められるときは、その議決は違法となり、当該放棄は無効となるものと解するのが相当である。（平二四・四・二〇最裁判）

10）●地方公共団体には地方議会が当事者である場合を含まないが、議会自身が当事者である訴訟については、議会がその機関意思を決定するための議決を要する。（昭二五・一一・一〇行実）

●第二四三条の二（現行法では第二四三条の二の二）の規定による損害賠償の不履行に対して民事訴訟を提起する場合（現行法第二四三条の二の二第六項の場合を除く。）は、本条第一項第一二号の議会の議決を要する。（昭二六・三・二七行実）

●「訴えの提起」には、仮処分の申立て及び仮処分の決定に対する債務者の異議申立ては含まれない。（昭三九・一〇・二行実）

●支払命令の申立ては本条第一項第一二号の「訴えの提起」に該当しない。（昭四一・二・二行実）

●地方公共団体が弁護士を訴訟行為の代理人に選任することについては、地方自治法第九六条第一項第一二号の規定による議会の議決は必要でない。（昭四八・二・八行実）

●県を被告とする訴えが提起され、その第一審判決に対し、県が附帯控訴する場合は、議会の議決を要する。（昭五二・一二・一二行実）

●訴訟当事者でない市が、民事訴訟法第三一五条（現行第二二三条）の規定に基づいて行う即時抗告は、地方自治法第九六条第一項第一二号に規定する「審査請求その他の不服申立て」又は「訴えの提起」に該当しない。（昭五四・三・二行実）

●普通地方公共団体の申立てに基づいて発せられた支払命令に対し債務者から適法な異議の申立てがあり、民訴法第四四二条第一項（現行第三九五条）の規定により右支払命令の申立ての時に訴えの提起があつたものとみなされる場合においても、地方自治法第九六条第一項第一二号の規定により訴えの提起に必要とされる議会の議決を経なければならないものと解するのが相当である。（昭五九・五・三一最裁判）

11) ●和解には、民法第六九五条の和解、民事訴訟法第一三六条（現行第八九条）の訴訟上の和解及び同法第三五六条（現行第二七五条）の訴訟提起前の和解のすべてを含む。（昭三〇・三・二二行実）

●土地収用法第五〇条の和解に関する議案について議会は修正できない。（昭五〇・一一・四行実）

12) ●判決により確定した損害賠償の額については、さらに本号の規定により議会の議決を得る必要はない。（昭三六・一一・二七行実）

●判決に基づく連帯損害賠償債務の負担部分の決定については、議会の議決は不要である。（昭四八・四・一二行実）

13) ●公共的団体等とは、農業協同組合、森林組合、漁業会、林業会、生活協同組合、商工会議所等の産業経済団体、養老院、育児院、赤十字社、司法保護等の厚生社会事業団体、青年団、婦人会、教育会、体育会等の文化教育事業団体等いやしくも公共的な活動を営むものはすべて含まれ、法人たるといなとを問わない。（昭二四・一・二七行実）

※ ●町会の権限は、法令に規定する事項に限る。（大三・七・一六行裁判）

※ ●県会はその既に為した選挙又は議決を自ら取り消しえない。（昭八・二・七行実）

※ ●議案中重大な誤謬を看過して議決した場合、一般的には越権違法等の法律上の瑕疵がない限り一事不再議の原則の支配を受ける。（昭二五・六・八行実）

※ ●市議会議員が、市又は市長を被告として市議会議決の不存在又は無効確認を求める訴は、これを認める法律の規定が存在しない以上、不適法として却下を免れない。（昭二八・六・一二最裁判）

※ ●村議会の予算議決の無効確認を求める訴は、不適法である。（昭二九・二・一一最裁判）

〔選挙及び予算の増額修正〕

第九十七条 普通地方公共団体の議会は、法律又はこれに基く政令によりその権限に属する選挙を行わなければならない。

② 議会は、予算[1]について、増額してこれを議決することを妨げない。但し、普通地方公共団体の長の予算の提出[2]の権限を侵[3]すことはできない。

＊ 二項—追加〔昭二二・一二法一六九〕、一項—一部改正〔昭二七・八法三〇六〕、二項—一部改正〔昭三八・六法九九〕

【参照条文】

① 【法令による選挙—法一〇三1・一〇六2・一八二 令一三五2・一三六2 ※【選挙手続—法一一八

② 【予算の提出権—法一一二1・一四九Ⅰ・一八〇の六Ⅱ・二一一1・二一八1・2

※ 憲法六〇・七三Ⅴ 地財法二七 法一七六・一七七・二五六

【通知・注釈】

1) ○「予算」とは、法第二一五条第一号から第七号までに掲げるもの全部を含んだものを意味する。

2) ○「提出の権限」とは、予算案を議会に差し出しその議決を求めることをいい、長に専属する権限であるところから、提案権あるいは発案権と称されている。

3) ●予算の増額修正

1 当該予算の趣旨を損うような増額修正をすることは、長の発案権の侵害になると解する。予算の趣旨を損うような増額修正に当たるかどうかを判定するに当たつては、当該増額修正をしようとする内容、規模、当該予算全体との関連、当該地方公共団体の行財政運営における影響度等を総合的に勘案して、個々の具体の事案に即して判断することが必要である。なお、このことは、歳入歳出予算だけでなく、継続費、債務負担行為等についても、同様である。

2 地方公共団体の議会の予算審議において、議会が予算修正を行おうとするときは、長と議会との間で調整を行い、妥当な結論を見出すことが望ましい。（昭五二・一〇・三通知）

〔検査及び監査の請求〕

第九十八条 普通地方公共団体の議会[1]は、当該普通地方公共団体の事務（自治事務にあつては労働委員会及び収用委員会の権限に属する事務で政令で定めるものを除き、法定受託事務にあつては国の安全を害するおそれがあることその他の事由により議会の検査の対象とすることが適当でないものとして政令で定めるものを除く。）に関する書類[2]及び計算書を検閲し、当該普通地方公共団体の長、教育委員会、選挙管理委員会、人事委員会若しくは公平委員会、公安委員会、労働委員会、農業委員会又は監査委員その他法律に基づく委員会又は委員の報告を請求して、当該事務の管理、議決の執行及び出納を検査[3]することができる。

② 議会は、監査委員に対し、当該普通地方公共団体の事務[4]（自治事務にあつては労働委員会及び収用委員会の権

限に属する事務で政令で定めるものを除き、法定受託事務にあつては国の安全を害するおそれがあることその他の事由により本項の監査の対象とすることが適当でないものとして政令で定めるものを除く。）に関する監査を求め、監査の結果に関する報告を請求することができる。この場合における監査の実施については、第百九十九条第二項後段の規定を準用する。

＊一項…一部改正〔昭二五・五法一四三、昭二七・八法三〇六〕、一・二項…一部改正〔平三・四法二四、平一一・七法八七、平一六・一二法一四〇〕

【引用条文】

②【法一九九（職務権限）2】

【参照条文】

①【普通地方公共団体の事務…法二2～10　※法二五二の一九1・二五二の二二1【政令…令一二一の四1・2【その他法律に基づく委員の例…社教法一五

②【政令…令一二一の四3・4【監査の請求…法一九九6【監査の特例（個別外部監査契約）…法二五二の四〇【監査の実施…令一四〇の六

※　法一〇〇・一四八・一四九・一七〇

【実例・通知】

1）●法第九八条、第一〇〇条第一項の規定は、直接には委員会に適用されないが、あらかじめこれらに関する議会の権限を委員会に委任する旨の議決を経ればよい。ただし、外部に対しては議長名でなすべきである。（昭二四・四・一一行実）

2）●「当該地方公共団体の事務に関する書類及び計算書」には経理関係の支出命令書その他の証憑書類を含む。（昭二六・一二・二五行実）

3）●議会の検査権は、書類及び計算書を検閲し、又は普通地方公共団体の長その他執行機関から報告を徴して行うべきものであつて、実地について事務の検査をすることは許されず、そのような必要があるときには、同条第二項の規定により行うべきものである。（昭二八・四・一行実）

●本条第一項の規定による事務の検査は、必ずしも具体的な事件の発生のあることを要件とするものではなく、一般に必要があると議会が認めるときは、同条同項の規定する方法により市政全般について検査することができる。（昭二八・四・一行実）

●本条第一項の議会の検査権を委任された決算特別委員会は、決算審査に当つて、滞納者又は不納欠損処分対象者の資料を要求できる。ただし、提出された書類、資料の取扱いについては、納税者の利益を不当に損うことのないよう、秘密会において審議する等適切な配慮をすることが望ましい。（昭四四・一二・一〇行実）

4）●「地方公共団体の事務」には、出納及び出納に関連する事務を含む。（昭二九・六・四行実）

●監査委員の監査は従来原則として財務監査とされていたものをいわゆる行政監査にも拡大するものである。（平三・四・二通知）

〔意見書の提出〕

第九十九条　普通地方公共団体の議会は、当該普通地方公共団体の公益に関する事件につき意見書[1]を国会又は関係[2]行政庁に提出することができる。

＊一項…一部改正〔昭二五・五法一四三、昭二七・八法三〇六〕、旧一項…削る・旧二項…一部改正し一項に繰上〔平一一・七法八七〕、一部改正〔平一二・五法八九〕

【実例・注釈】

1）○「意見書」とは、当該普通地方公共団体の公益に関する事件につき議会の機関意思を意見としてまとめた書類をいう。

●本条の意見書原案の発案権は議員にある。なお、議会の議決に基づきそれを外部に提出する場合は議長名を用いる。（昭二五・七・二〇行実）

2）○「関係行政庁」とは、意見書の内容について権限を有する行政機関の意である。行政庁であるから、裁判所等は含まれない。

●指定都市の区の区域の設定変更に関するような事務の処理については、市長は、関係行政庁に該当しない。（昭三三・一一・二二行実）

㊟　次条中、点線の左側は令和四年六月一七日から起算して三年を超えない範囲内において政令で定める日〔令七・六・一〕から、実線の左側は令和四年五月二五日から起算して四年を超えない範囲内において政令で定める日から施行となる。

〔調査権・刊行物の送付・図書室の設置等〕

第百条　普通地方公共団体の議会は、当該普通地方公共団体の事務（自治事務にあつては労働委員会及び収用委員会の権限に属する事務で政令で定めるものを除き、法定受託事務にあつては国の安全を害するおそれがあることその他の事由により議会の調査の対象とすることが適当でないものとして政令で定めるものを除く。次項において同じ。）に関する調査[1]を行うことができる。この場合において、当該調査を行うため特に必要があると認めるときは、選挙人[2]その他の関係人[3]の出頭及び証言並びに記録[4]の提出を請求[5]することができる。

②　民事訴訟に関する法令の規定中証人の訊問に関する規定
尋問に関する規定
定（過料、罰金、拘留又は勾引に関する規定を除く。）は、この法律に特別の定めがあるものを除くほか、前項後段の規定により議会が当該普通地方公共団体の事務に関する調査のため選挙人その他の関係人[6]の証言[7]を請求する場合に、これを準用する。ただし、過料、罰金、拘留又は勾引に関する規定は、この限りでない。この場合において、民事訴訟法第二百五条第二項中「、最高裁判所規則で」とあるのは「、議会が」と、「最高裁判所規則で定める電子情報処理組織を使用してファイルに記録し、又は当該書面に記載すべき事項に係る電磁的記録を記録した記録媒体を提出する」とあるのは「電磁的方法（電子情報処理組織を使用する方法その他の情報通信の技術を利用する方法をいう。）により提供する」と、同条第三項中「ファイルに記録された事項若しくは同項の記録媒体に記録された」とあるのは「提供された」と読み替えるものとする。

③ 第一項後段の規定により出頭又は記録の提出の請求を受けた選挙人その他の関係人が、正当の理由がないのに、議会に出頭せず若しくは記録を提出しないとき又は証言を拒んだときは、六箇月以下の禁錮（拘禁刑）又は十万円以下の罰金に処する。

④ 議会は、選挙人その他の関係人が公務員たる地位において知り得た事実については、その者から職務上の秘密に属するものである旨の申立（申立て）を受けたときは、当該官[8]公署の承認がなければ、当該事実に関する証言又は記録の提出を請求することができない。この場合において当該官公署が承認を拒むときは、その理由を疏明（疎明）[9]しなければならない。

⑤ 議会が前項の規定による疏明（疎明）[10]を理由がないと認めるときは、当該官公署に対し、当該証言又は記録の提出が公の利益を害する旨の声明を要求することができる。

⑥ 当該官公署が前項の規定による要求を受けた日から二十日以内に声明をしないときは、選挙人その他の関係人は、証言又は記録の提出をしなければならない。

⑦ 第二項において準用する民事訴訟に関する法令の規定により宣誓した選挙人その他の関係人が虚偽の陳述をしたときは、これを三箇月以上五年以下の禁錮（拘禁刑）に処する。

⑧ 前項の罪を犯した者が議会において調査が終了した旨の議決がある前に自白したときは、その刑を減軽し又は免除することができる。

⑨ 議会は、選挙人その他の関係人が、第三項又は第七項の罪を犯したものと認めるときは、告発[11]しなければならない。但し（ただし）、虚偽の陳述をした選挙人その他の関係人が、議会の調査が終了した旨の議決がある前に自白したときは、告発しないことができる。

⑩ 議会が第一項の規定による調査を行うため当該普通地方公共団体の区域内の団体等[12]に対し照会をし又は記録の送付を求めたときは、当該団体等は、その求めに応じなければならない。

⑪ 議会は、第一項の規定による調査を行う場合においては、予め（あらかじめ）[13]、予算の定額の範囲内において、当該調査のため要する経費の額を定めて置かなければならない。その額を超えて経費の支出を必要とするときは、更に議決を経なければならない。

⑫ 議会は、会議規則の定めるところにより、議案の審査又は議会の運営に関し協議又は調整[14]を行うための場を設けることができる。

⑬ 議会は、議案の審査又は当該普通地方公共団体の事務に関する調査のためその他議会において必要があると認めるときは、会議規則の定めるところにより、議員を派遣することができる。

⑭ 普通地方公共団体は、条例の定めるところにより、その議会の議員の調査研究その他の活動に資するため必要な経費の一部として、その議会における会派又は議員に対し、政務活動費[15]を交付することができる。この場合において、当該政務活動費の交付の対象、額及び交付の方法並びに当該政務活動費を充てることができる経費の範囲は、条例で定めなければならない。

⑮ 前項の政務活動費の交付を受けた会派又は議員は、条例の定めるところにより、当該政務活動費に係る収入及び支出の状況を書面又は電磁的記録（電子的方式、磁気的方式その他人の知覚によつては認識することができない方式で作られる記録であつて、電子計算機による情報処理の用に供されるものをいう。以下同じ。）をもつて議長

に報告するものとする。

⑯　議長は、第十四項の政務活動費については、その使途の透明性の確保に努めるものとする。

⑰　政府は、都道府県の議会に官報及び政府[16]の刊行物を、市町村の議会に官報及び市町村に特に関係があると認める政府の刊行物を送付しなければならない。

⑱　都道府県は、当該都道府県の区域内の市町村の議会及び他の都道府県の議会に、公報及び適当と認める刊行物を送付しなければならない。

⑲　議会は、議員の調査研究に資するため、図書室を附置し前二項の規定により送付を受けた官報、公報及び刊行物を保管して置かなければならない。

⑳　前項の図書室は、一般にこれを利用させることができる。

＊二・三・四・五・六・七・八・九・一一・一二・一三・一四・一五項―追加・旧二項―一部改正し一〇項に繰下〔昭二三・一二法一六九〕、二項―一部改正〔昭三六・一一法二三五〕、三項―一部改正〔平六・六法四八〕、一項―一部改正〔平一一・七法八七〕、一二・一三項追加以下繰下〔平一二・五法八九〕、一二項追加・旧一二項以下繰下〔平一四・三法四〕、一項―一部改正〔平一六・一一法一四〇〕、一二項追加・旧一二項以下繰下〔平二〇・六法六九〕、一・二・三・一四・一五項―一部改正・一六項追加・旧一六項以下繰下〔平二四・九法七二〕、二項―一部改正〔令四・五法四八〕、三～五・七・九・一一項―一部改正〔令四・六法六八〕、一五項―一部改正〔令五・五法一九〕

【参照条文】

①【普通地方公共団体の事務―法二2～10　※法二五二の一九1・二五二の二二1

②【証人尋問規定―民訴一九〇～二〇六【過料・罰金・勾引―民訴一九二～一九四・二〇一5

④【公務員の秘密を守る義務―地公法三四　国公法一〇〇

※　憲法六二　法九八・二〇七

【実例・通知・判例・注釈】

1）●議会の調査権を概括的に議長に委任するとの議決をし、事務局をして常時理事者につき一般事務の調査をさせることはできない。（昭二三・四・一〇行実）

●地方公共団体の事務の調査とは、第二条第二項の事務であつて、通常は現に議題となつている事項若しくは将来議題に上るべき基礎事項（議案調査）につき調査し、又は世論の焦点となつている事件（政治調査）等につきその実状を明らかならしめ、その他一般的に地方公共団体の重要な事務の執行状況を審査（事務調査）することをいう。（昭二三・一〇・一二行実）

●議会の調査権は実地調査を含み、第九八条第一項の検査は書面検査であり、実地検査の場合は同条第二項の規定により監査委員をして行わせるものであるから、第一〇〇条の調査権には、これらの検査権は含まない。（昭二六・一〇・一〇行実）

●議会は一般的包括的に市政全般について調査する旨の議決はなしえない。当該地方公共団体の事務のうちいかなる範囲のものについて調査権を行使するかを議決すべきである。（昭二九・九・一五行実）

●負担金等が単なる会費的なものである場合は、当該負担金が町村会等の団体の収入として適確に受け入れられているかどうかという点までが調査の対象であり、負担金等が財政的援助の性質をもつものである場合は、当該負担金が特定の目的のために適切に使用されているかどうかという点までが調査の対象となる。（昭四一・六・一五行実）

●決算特別委員会は、本条の調査権の議決に基づいて滞納者及び不納欠損処分者の徴収原簿、課税基礎簿及び滞納整理簿を検査できる。ただし、提出された書類、資料の取扱いについては、納税者の利益を不当に損うことのないよう、秘密会において審議する等適切な配慮をすることが望ましい。（昭四四・一二・一〇行実）

2）○「選挙人」とは、選挙人名簿に記載せられている者の意ではなく、当該地方公共団体に関する選挙について実質的に選挙権を有している者を指す。

3）○「その他の関係人」とは、当該団体の住民に限らず、調査の対象に関係を有する選挙人以外のすべての者を指す。記録の提出については、法人をも含む。

4）●資料、記録の提出要求、議会図書室等の事項であつても議決に基づき、議長、副議長及び議員に特別の委任がない限りその職務権限によつて当然に専決処理することはできない。（昭二四・一二・一四行実）

●地方公共団体が出資した株式会社に対する「出資金の行政効果」を調査するために必要な限度において、すでに株主総会において承認済の貸借対照表等の項目別内容明細等について記録の提出を当該会社に対し、直接、請求することができる。（昭三六・一一・二七行実）

●地方公共団体が構成員となつている県町村会、県町村議長会等で当該団体が負担金等を負担している団体の代表者に対し議会が百条調査権に基づき当該団体の決算書等の記録の提出を請求することは、負担金等に関する事件の調査のために必要な限度においてできる。（昭四一・六・一五行実）

5）●委員会において、関係人に対し証言を求める場合は、委員会の申出に基づき、出頭の日時、場所、証明を求める事項（証人により証すべき事項の要領）並びに出頭しない場合の法律上の制裁を議長名をもつて通知すれば足りる。（昭四四・五・二六行実）

●普通地方公共団体の議会が当該普通地方公共団体の事務に関する調査において選挙人等の出頭等を求めることができるのは、公益上の必要性と選挙人等の負担等を総合的に勘案し、公益が上回る場合であると考えられる。各議会においては、これまで以上に説明責任を果たすことが求められることを踏まえ、適切に運用されたいこと。（平二四・九・五通知）

6）●特別委員会がその付託された団体の事務に関する調査につき、関係人の出頭、証言又は記録の提出を

請求するには、議案付託の議決に際して、これらの権限を委任する旨の議決を経なければならない。(昭二三・一〇・六行実)

7) ●関係人に証言を求める場合、民事訴訟法第二五八条（現行第一八〇条）及び第二七五条（現行民事訴訟規則第一〇六条）の規定は準用されない。(昭四四・五・二六行実)

●特別委員会において証人を訊問する場合、委員長の決定した証言を求める事項について、委員長が主訊問を行わないで、各委員が証人に対し、証言を求めることもできる。(昭四四・五・二六行実)

●普通地方公共団体の議会が地方自治法第一〇〇条第一項の規定により関係人の出頭及び証言を請求する場合の書面の送達については、民事訴訟法の送達に関する規定の準用はなく、相当な方法により行えば足りるものである。(昭五七・七・二三最裁判)

8) ○「当該官公署」とは、当該事実が職務上の秘密に属するか否かを認定し得る官公署であり行政機関のみならず、議会、司法機関、公団等も含まれる。

9) ○「疏明」とは、一応の申しひらきをすることをいう。

10) ○「当該証言」とは、選挙人その他の関係人が公務員たる地位において知り得た事実についての証言である。

●官公署が声明をした場合は、もはやその事実に関する証言又は記録の提出義務は完全になくなる。(昭二九・一一・一八行実)

11) ●第一〇〇条第九項のごとき場合を除く外特定人をある犯罪容疑者として告発する旨の議決をすることはできない。(昭二六・三・三行実)

12) ●団体等には、国の行政機関は含まない。(昭二三・三・二三行実)

13) ○「予め」とは、個々具体的な調査事件について前もつて定めることであつて、概括的に年度初めに議決しておくことではない。

●議会が当該調査のために要する経費に充てるための補正予算案の提出を市長に要求しても市長は、当該補正予算案を提出する法律上の義務はない。(昭三四・六・二三行実)

14) ●普通地方公共団体の議会の議員の活動のうち、議案の審査や議会運営の充実を図る目的で開催されている各派代表者会議、正副委員長会議、全員協議会等について、会議規則に定めることにより、議会活動の範囲に含まれ得ることを明確にしようとするものであること。(平二〇・六・一八通知)

●協議又は調整を行うための場における議会活動については、説明責任の徹底及び透明性の向上を図ることも重要であることから、会議規則に所要の規定を設けるにあたっては、例えば、協議又は調整を行うための場を設ける手続のほか、協議又は調整の目的等その内容が明らかになるよう規定する必要があること。(平二〇・六・一八通知)

15) ●政務調査費（現政務活動費）を交付するか否かは各団体の判断に委ねられたところであるが、その制度化にあたっては、各団体における議員の調査研究活動の実態や議会運営の方法等を勘案の上、政務調査費の交付の必要性やその交付対象について十分検討されたいこと。(平一二・五・三一通知)

●政務調査費（現政務活動費）については、情報公開を促進し、その使途の透明性を確保することも重要であるとされていることから、条例の制定にあたっては、例えば、政務調査費に係る収入及び支出の報告書等の書類を情報公開や閲覧の対象とすることを検討するなど透明性の確保に十分意を用いること。(平一二・五・三一通知)

●政務調査費（現政務活動費）の額を条例で定めるにあたっては、例えば、特別職報酬等審議会等の第三者機関の意見をあらかじめ聞くなど、住民の批判を招くことがないよう配慮すること。(平一二・五・三一通知)

●従来、都道府県等において政務調査費（現政務活動費）と同様の趣旨で支給されていた「県政調査費」等のいわゆる会派交付金については、条例の根拠が必要となること。(平一二・五・三一通知)

●政務活動費を充てることができる経費の範囲を条例で定める際には住民の理解が十分得られるよう配慮するとともに、政務活動費の使途の適正性を確保するためにその透明性を高めることなどにより、適切に運用されたいこと。(平二四・九・五通知)

16) ○「政府の刊行物」とは、国費をもつて発行頒布する各種資料その他の刊行物である。政府の編さんに係るものであつても国費をもつて刊行しないものは含まれない。

〔専門的事項に係る調査〕

第百条の二　普通地方公共団体の議会は、議案の審査又は当該普通地方公共団体の事務に関する調査のために必要な専門的事項に係る調査を学識経験を有する者等にさせることができる。

＊本条…追加〔平一八・六法五三〕

【通知】

1) ●複数の学識経験を有する者等に合同で調査・報告を行わせることも可能であること。(平一八・六・七通知)

第三節　招集及び会期

〔招集〕

第百一条　普通地方公共団体の議会は、普通地方公共団体の長がこれを招集する。

②　議長は、議会運営委員会の議決を経て、当該普通地方公共団体の長に対し、会議に付議すべき事件を示して臨時会の招集を請求することができる。

③ 議員[2]の定数の四分の一以上の者は、当該普通地方公共団体の長に対し、会議[3]に付議すべき事件を示して臨時会の招集を請求[4]することができる。

④ 前二項の規定による請求があつたときは、当該普通地方公共団体の長は、請求のあつた日から二十日以内に臨時会を招集[5]しなければならない。

⑤ 第二項の規定による請求のあつた日から二十日以内に当該普通地方公共団体の長が臨時会を招集しないときは、第一項の規定にかかわらず、議長は、臨時会を招集することができる。

⑥ 第三項の規定による請求のあつた日から二十日以内に当該普通地方公共団体の長が臨時会を招集しないときは、第一項の規定にかかわらず、議長は、第三項の規定による請求をした者の申出に基づき、当該申出のあつた日から、都道府県及び市にあつては十日以内、町村にあつては六日以内に臨時会を招集しなければならない。

⑦ 招集は、開会の日前[6]、都道府県及び市にあつては七日、町村にあつては三日までにこれを告示しなければならない。ただし、緊急[7]を要する場合は、この限りでない。

⑧ 前項の規定による招集の告示をした後に当該招集に係る開会の日に会議を開くことが災害その他やむを得ない事由により困難であると認めるときは、当該告示をした者は、当該招集に係る開会の日の変更をすることができる。この場合においては、変更後の開会の日及び変更の理由を告示しなければならない。

＊一項—一部改正・二～四項—追加・旧二項—一部改正し五項に繰下〔平一八・六法五三〕、五・六項—追加・旧五項—七項に繰下〔平二四・九法七二〕、八項—追加〔令四・一二法一〇一〕

【参照条文】
② 【付議事件—法一〇二3・4　【臨時会—法一〇二1・3・4
③ 【議員定数—法九〇・九一
※ 憲法七Ⅱ・五三

【実例・判例・注釈】
1) ●合併問題等の事情のため、町村会を他町村内に招集することはさしつかえない。（昭六・五・二三行実）
2) ○「議員定数の四分の一以上の者」とは、たとえば、議員定数（法九〇・九一）三〇人の議会の場合は、八人又はそれを超える数を指す。
3) ●議員に発案権がある事件の外は、会議の招集を請求することはできない。（明二八・一二・二二行実）
●第九九条の規定による意見書提出のための臨時会の招集請求はできる。（昭二四・七・一一行実）
●議長の不信任決議案を「付議すべき事件」とし臨時会の招集を請求することはできない。（昭二八・八・二五行実）
●継続審査に付した事件を付議すべき事件として、臨時会招集の請求をなしうる。（昭三二・八・二〇行実）
●議会閉会中に議長が受理した請願を審査するための臨時会招集の請求はできる。（昭四九・二・五行実）
4) ●議会招集後において臨時会の請求の撤回はできない。請求撤回の申立があつた場合及び告示事件付議の必要が消滅した場合においても、既になされた招集の効力に影響はない。（昭二七・一一・二二行実）
5) ●「議会清浄化に関する件」を付議すべき事件として臨時会招集請求があつても、法令に基づく具体的な付議事件に該当しないので、当該案件について、長は臨時会を招集できない。（昭四〇・四・一四行実）
6) ○「開会の日前、……七日、……まで」とは、開会の日の前日を第一日として計算して第七日目にあたる日までである。例えば、一二月一〇日を開会の日として招集するとすれば、一二月三日までに告示をすればよい。
7) ●会議事件が急施（現行法では緊急）事件であるか否かは議案の性質のみにより一般的に定めることはできず、各場合の事情を斟酌して判定すべきである。（昭二・五・三一行裁判）
●「急施（現行法では緊急）を要する場合」とは、同項本文所定の日数の余裕をおくことができない程度に緊急に招集する必要がある場合をさし、その急施（現行法では緊急）を要するか否かの認定は、それが議会の運営に著しく妥当を欠くと認められないかぎり、招集権者の裁量に任かされているものである。（昭三一・七・二四高裁判）
※ ●普通地方公共団体の機関相互間の争いについては、法律に特別の規定のない限り、法律上の争訟として裁判所に訴訟の提起は許されないから、町議会議員が町長に対し、町議会の招集を命ずる旨の判決を求める訴は不適法である。（昭二八・五・二八最裁判）

〔**定例会・臨時会及び会期**〕

第百二条　普通地方公共団体の議会は、定例会[1]及び臨時会[2]とする。

② 定例会は、毎年[3]、条例[4]で定める回数これを招集しなければならない。

③ 臨時会は、必要がある場合において、その事件に限りこれを招集する。

④ 臨時会に付議すべき事件[5]は、普通地方公共団体の長があらかじめこれを告示[6]しなければならない。

⑤ 前条第五項又は第六項の場合においては、前項の規定

にかかわらず、議長が、同条第二項又は第三項の規定による請求において示された会議に付議すべき事件を臨時会に付議すべき事件として、あらかじめ告示しなければならない。

⑥ 臨時会の開会中に緊急[7]を要する事件があるときは、前三項の規定にかかわらず、直ちにこれを会議に付議することができる。

⑦ [10]普通地方公共団体の議会の会期[8]及び[9]その延長並びにその開閉に関する事項は、[11]議会がこれを定める。

＊ 二項―一部改正〔昭二七・八法三〇六、昭三一・六法一四七、平一六・五法五七〕、四・五項―一部改正〔平一八・六法五三〕、五項―追加・旧五項―一部改正し六項に繰下・旧六項―七項に繰下〔平二四・九法七二〕

【引用条文】
⑤【法一〇一（招集）5・6

【参照条文】
③【招集―法一〇一1
⑥【会議―法一一三・一一四

【実例・判例・注釈】

1）○「定例会」とは、付議事件の有無にかかわらず、定例的に招集される会議である。

2）○「臨時会」とは、必要のあるとき、特定の事件に限りこれを審議するために招集される会議である。

3）●「毎年」とは、暦年（一月一日から一二月三一日まで）をいう。（昭二七・九・一九行実）

4）○「条例で定める回数」には、招集をしても応招議員が定足数を欠いて会議を開くに至らなかった場合も含まれる。
●議会の招集権は長に専属するものであるから、条例で規定することはできない。（昭二一・一一・一八行実）

5）●第三項及び第四項の臨時会に付議すべき事件は、必ずしも発案権が長に属する事件及び議員から招集請求があつた事件に限定されるものではない。（昭二六・五・二五行実）
●第四項の「付議すべき事件」とは、議案に限らず選挙、決定その他議会に付議されるべきすべての事件を含む。（昭二六・八・二〇行実）

6）●会議規則の如き会議自体の進行に必要なものは、臨時県会において告示を要せず議しうる。（行実）
●常任委員会の継続審査に付された事件について臨時会を招集しようとする場合、付議すべき事件として告示を必要とする。（昭二八・一・二一行実）

7）●会議の事件が急施（現行法では緊急）を要するか否かは各事件につき決定すべきものであり、同日の村会に付議すべき数事件のうち一事件が急施（現行法では緊急）を要するものとするために、他の事件をも急施（現行法では緊急）を要するものとはいえない。（大六・一・三〇行実）
●急施（現行法では緊急）事件であるかないかの認定は、当該議案の発案者が長である場合は長、議員である場合は議員がするものであるが、議会も当該議案の審議に当たつてその認定をすることができる。（昭二八・四・一三行実）
●臨時会においては、急施（現行法では緊急）を要するものでないかぎり、予め付議事件の告示をしなければ継続審査案件といえども審議することはできない。（昭四三・七・一二行実）

8）○「会期」とは、議会が会議を継続して行う期間であり、議会は会期中に限り活動能力を有する。その定め方は、「何日間」でも「何日まで」でもよい。

9）○「その延長」とは、予定された議案の審議が長引いて、予め定めた会期中に終了しない場合において、審議期間を更に延ばすことである。延長は一回に限らず法律上は何回でも行い得る。
●県議会の会期延長決議の効力に関する紛争は、なんら直接に個人の市民的な権益に関する問題ではなく、また、右紛争につき出訴を許した規定もないから、右決議の無効確認を求める訴えは、許されない。（昭三一・九・五地裁判）

10）○「開閉」とは、開会及び閉会のことである。議会をして会議を開き、活動能力を有する状態におくこと、又はこれを失なわしめることであつて、議会における個々の会議の開閉のことではない。

11）●会議規則で、「議会の会期及びその延長は、議長が議会運営委員会の意見を聴きこれを定め、議会の議決を要しない」旨規定することは、違法である。（昭二六・四・一四行実）

〔通年の会期〕

第百二条の二 普通地方公共団体の議会は、前条の規定にかかわらず、条例で定めるところにより、定例会及び臨時会とせず、毎年、条例で定める日から翌年の当該日の前日までを会期とすることができる。[1]

② 前項の議会は、第四項の規定により招集しなければならないものとされる場合を除き、前項の条例で定める日の到来をもつて、普通地方公共団体の長が当該日にこれを招集したものとみなす。

③ 第一項の会期中において、議員の任期が満了したとき、議会が解散されたとき又は議員が全てなくなつたときは、同項の規定にかかわらず、その任期満了の日、その解散の日又はその議員が全てなくなつた日をもつて、会期は終了するものとする。

④ 前項の規定により会期が終了した場合には、普通地方公共団体の長は、同項に規定する事由により行われた一般選挙により選出された議員の任期が始まる日から三十日以内に議会を招集しなければならない。この場合においては、その招集の日から同日後の最初の第一項の条例

で定める日の前日までを会期とするものとする。

⑤ 第三項の規定は、前項後段に規定する会期について準用する。

⑥ 第一項の議会は、条例で、定期的に会議を開く日（以下「定例日」という。）を定めなければならない。

⑦ 普通地方公共団体の長は、第一項の議会の議長に対し、会議に付議すべき事件を示して定例日以外の日において会議を開くことを請求することができる。この場合において、議長は、当該請求のあつた日から、都道府県及び市にあつては七日以内、町村にあつては三日以内に会議を開かなければならない。

⑧ 第一項の場合における第七十四条第三項、第百二十一条第一項、第二百四十三条の三第二項及び第三項並びに第二百五十二条の三十九第四項の規定の適用については、第七十四条第三項中「二十日以内に議会を招集し、」とあるのは「二十日以内に」と、第百二十一条第一項中「議会の審議」とあるのは「定例日に開かれる会議の審議又は議案の審議」と、第二百四十三条の三第二項及び第三項中「次の議会」とあるのは「次の定例日に開かれる会議」と、第二百五十二条の三十九第四項中「二十日以内に議会を招集し」とあるのは「二十日以内に」とする。

＊ 本条…追加〔平二四・九法七二〕

【引用条文】

①【法一〇二（定例会・臨時会及び会期）

⑧【法七四（条例の制定又は改廃の請求とその処置）3・一二一（長及び委員長等の出席義務）1・二四三の三（財政状況の公表等）2・3・二五二の三九（第七五条の規定による監査の特例）4

【通　知】

1）●会期を通年とする議会においては、その審議の充実及び活性化を図るとともに、本会議や委員会の開催により執行機関や職員の事務処理に支障を及ぼしたり、費用負担が著しく増加することのないよう、適切に運用されたいこと。（平二四・九・五通知）

第四節　議長及び副議長

〔議長及び副議長〕

第百三条　普通地方公共団体の議会は、議員の中から議長及び副議長一人を選挙[1]しなければならない。

② 議長及び副議長の任期は、議員の任期[2]による。

【参照条文】

①①【選挙―法九七1・一一八・一七六4〜8

②【議員の任期―法九三

【実例・注釈】

1）●議長選挙の結果当選したものが、議長の職に就くことを承認しない以上議長ではない。（昭二五・九・二八行実）

●一般選挙後初めての議会においては、他のすべての案件に先行して議長、副議長の選挙を行うべきである。（昭二六・六・一行実）

●正副議長の選挙を記名投票により行つた場合は無効である。（昭二九・八・二六行実）

●議長の選挙事由は、議長が欠けてはじめて生ずるものであつて、欠員が生じない以前に行われた議長の選挙は、選挙事由のないものとして違法である。（昭三三・八・二三行実）

2）○「議員の任期」は、四年（法九三）である。

〔議長の議事整理権・議会代表権〕

第百四条　普通地方公共団体の議会の議長は、議場の秩序を保持し、議事を整理し、議会の事務を統理し、議会を代表[1]する。

＊ 本条…一部改正〔昭三三・一二法一六九〕

【参照条文】

【議長―法一〇三　【秩序保持―法一二九〜一三一　【議事の整理―法一〇五・一一三〜一一六・一二〇・一二一・一三七　【事務の統理―法一二三・一三八

※ 法一〇五の二〜一〇八・一二六

【実　例】

1）●一般選挙後、正副議長が決定されるまでの間は、一般的に議会を代表するものではない。（昭二六・六・一行実）

〔議長の委員会への出席〕

第百五条　普通地方公共団体の議会の議長は、委員会に出席し、発言[1]することができる。

【参照条文】

【委員会―法一〇九

【実　例】

1）●委員会での議長の発言事項については何ら制限がないので、単に議長として議事整理権、議会事務統理権等の立場からのみでなく、議事の内容に立ち入つて質疑し、意見を陳述することもさしつかえない。（昭二七・六・二一行実）

〔議長の訴訟の代表〕

第百五条の二　普通地方公共団体の議会又は議長（第百三十八条の二第一項及び第二項において「議会等」という。）の処分又は裁決に係る普通地方公共団体を被告とする訴訟については、議長が当該普通地方公共団体を代表する。

＊本条—追加〔平一六・六法八四〕、一部改正〔令五・五法一九〕

【引用条文】

【法一三八の二（電子情報処理組織による通知）１・２

【参照条文】

【議長の職務—法一〇四　※法一〇四の参照条文参照

〔議長の代理及び仮議長〕

第百六条　普通地方公共団体の議会の議長に事故[1]があるとき、又は議長が欠けたとき[2]は、副議長[3]が議長の職務を行う。

② 議長及び副議長にともに事故[1]があるときは、仮議長[4]を選挙し、議長の職務を行わせる。

③ 議会は、仮議長の選任を議長に委任[5]することができる。

＊一・二項—一部改正〔昭二二・一二法一六九〕

【参照条文】

①【副議長—法一〇三　【議長の職務—法一〇四　※法一〇四の参照条文参照

②【選挙—法九七1・一一八・一七六4〜8

【実　例】

1）●議長の故障（現行法では事故）とは、法令上又は事実上議長の職務を執り得ない場合及びその職務を執らない事実のある一切の場合を指し、積極的に職務を執り得ない事由ある場合のみに局限すべき理由はない。（大六・二・一三行実）

●議長が海外旅行で長期間不在の場合、長期間病気療養のため転地又は入院した場合、危篤又は精神障害等のため判断能力を失つた場合は、一般的には事故がある場合に該当する。（昭三九・九・一八行実）

2）●議長及び副議長がともに欠けたときは、すみやかに後任者を選挙すべきであり、仮議長により議事を運営すべきでない。（昭二五・六・二六行実）

3）●副議長はその名において議長としての職務を行うのであり、特別の名称を付する必要はない。（昭二七・九・一八行実）

4）●仮議長は、議会の運営に必要な限度をこえて議長の職務の行使をすべきものではない。（昭三二・一二・二四行実）

5）●仮議長の選任を議長に委任された場合、議長の仮議長選任の時期はいつでもよい。また、指名の仕方により同一会期中を通じて仮議長となることも可能であるが、仮議長の性質上必要のつど指名することが適当である。（昭二三・五・二九行実）

〔臨時議長〕

第百七条　第百三条第一項及び前条第二項の規定による選挙を行う場合[1][2]において、議長の職務を行う者がないときは、年長の議員が臨時に議長の職務[3]を行う。

【引用条文】

【法一〇三（議長及び副議長）１・一〇六（議長の代理及び仮議長）２

【参照条文】

【選挙—法九七1・一一八・一七六4〜8

【議長の職務—法一〇四　※法一〇四の参照条文参照

【実　例】

1）●年長の議員とは、選挙の行われるとき議場に出席している議員中最年長者をいい、現任議員中の最年長者の意ではない。（昭二六・九・一〇行実）

2）●議場に出席している年長の議員は、臨時議長の職務を拒むことはできない。（昭三六・六・九行実）

3）●一般選挙後初めて行われた議会の初日に議長、副議長の選挙が行われなかつた場合、年長議員の下に、議長、副議長選挙のため会期を定め又は会期を延長しうる。（昭二八・四・六行実）

※●年長議員の呼称は、通常臨時議長何某と称している。（昭二六・六・一行実）

※●議長、副議長がともに欠けたときは、出席議員中の年長議員が臨時議長となり議長を選挙すべきである。（昭二八・一一・九行実）

〔議長及び副議長の辞職〕

第百八条　普通地方公共団体の議会の議長及び副議長は、議会の許可を得て辞職することができる[1]。但し、副議長は、議会の閉会中においては、議長の許可を得て辞職することができる。

【参照条文】

【議長・副議長—法一〇三　【議会の許可に関する議決—法一一六・一一七　【議員の辞職—法一二六

【実例・判例】

1）●議長及び副議長は、本条により許可を得ない限り絶対に辞職し得ない。（昭二二・一〇・六行実）

※●地方自治法中には、議長又は副議長に対する不信任議決に対して法律上の効果を附与した規定はない。従つて不信任議決を受けた議長又は副議長が自己の意思によつて辞職する場合は格別、しからざる限り、不信任議決によつてその職を失うものではない。また不信任議決に対する訴訟はできない。（昭二三・八・七行実）

※●議長辞職の意思表示の方法が適当であつたかどうかは、辞職の許否を審査する議会が自由裁量によつて決すべき事項であつて、裁判所が判断すべき事項ではない。（昭二五・四・一一地裁判）

※●議長の辞職は要式行為ではないから、議長本人が辞職の意思を決定し、かつ、その意思に基づき議会に辞意が表示されれば足り、その表示が文書による

と口頭によると、直接なると間接なるとを問うものではない。（昭二六・二・一五高裁判）

※　●副議長不信任動議が成立した場合、これを先決問題とするかどうか、また先決問題とする場合にこれを議題とするに当たつて議事日程変更の手続きを必要とするかどうかは、いずれも議会が決定すべきである。（昭四一・六・八行実）

第五節　委員会

（**常任委員会、議会運営委員会及び特別委員会**）

第百九条　普通地方公共団体の議会は、条例[1]で、常任委員会、議会運営委員会及び特別委員会を置くことができる。

②　常任委員会は、その部門[2]に属する当該普通地方公共団体の事務に関する調査を行い、議案[3]、請願等を審査する。

③　議会運営委員会は、次に掲げる事項に関する調査を行い、議案、請願等を審査する。

一　議会の運営に関する事項

二　議会の会議規則、委員会に関する条例等に関する事項

三　議長の諮問に関する事項

④　特別委員会は、議会の議決により付議された事件を審査する。

⑤　第百十五条の二の規定は、委員会について準用[4]する。

⑥　委員会は、議会の議決すべき事件のうちその部門に属する当該普通地方公共団体の事務に関するものにつき、議会に議案を提出することができる。ただし、予算については、この限りでない。

⑦　前項の規定による議案の提出は、文書をもつてしなければならない。

⑧　委員会は、議会の議決により付議[5]された特定の事件については、閉[6]会中も、なお、これ[7]を審査することができる。

⑨　前各項に定めるもののほか、委員の選任その他[8]委員会に関し必要な事項は、条例で定める。

＊　二項―一部改正〔昭二三・七法一七九〕、一・二項―全改・三項―削る・旧六項―一部改正し五項に繰上・旧四・五項―一項ずつ繰上〔昭三一・六法一四七〕、五項―追加・旧五項―六項に繰下〔平三・四法二四〕、一項―一部改正〔平一二・五法八九〕、二項―一部改正・三項―追加・旧三～五項―一項ずつ繰下・七・八項―追加・旧六項―九項に繰下〔平一八・六法五三〕、本条―全改〔平二四・九法七二〕

【引用条文】

⑤【法一一五の二（公聴会及び参考人）】

【参照条文】

②【普通地方公共団体の事務―法二2～17　※法二五二の一九1・二五二の二二1】【議案・請願等―法一一二・一二四・一四九Ⅰ・一八〇の六Ⅱ】

※　国会法四〇～五四・六八

【実例・通知・注釈】

1）●常任委員会に関する条例の発案権は議員に専属する。（昭二二・八・八行実）

●第九八条第一項及び第一〇〇条第一項の職務を行うための常設の特別委員会の設置はできない。（昭二六・九・一〇行実）

●議会において審議されていない事件についても、議会の議決により付議された特定の事件については、特別委員会を設置しうる。（昭二六・一〇・一〇行実）

●前議会で行つた議員の発言について、懲罰事由に該当するか否かを調査する特別委員会を次の会期において設置することはできない。（昭四〇・三・一二行実）

●議会内に会議規則により議会運営委員会と同様の目的をもつ各地区振興特別委員会正副委員長連絡協議会を設定し、その運営に要する経費を市の予算から支出することはできない。（昭四一・一・二一行実）

2）●本条第四項（現行法では第二項）の調査は、条例案その他の議案の立案のための調査で、第六項（現行法では第八項）の審査には第三項（現行法では第二項）の調査を含む。ただし、第六項（現行法では第八項）の規定により特に議会の議決がないときは、閉会中は、議案の審査も第三項（現行法では第二項）の調査もできない。（昭二二・八・一八行実）

●委員個人の自由意思で調査権の行使はできない。（昭二四・二・二一行実）

3）○「請願等」には、請願及び陳情・陳情類似の要望又は意見書のようなものを含む。

4）●公聴会の開催方法は条例中に規定すべきである。（昭二二・八・八行実）

●公聴会を非公開とすることはできない。（昭二二・八・八行実）

5）●付議された特定の事件に関する限り後会に継続するものであり、あらためて提案する必要はない。（昭二五・六・二行実）

6）○「閉会中」とは、議会が本来の活動能力を有しない期間すなわち、定例会及び臨時会の開会中以外の期間を指す。

7）　2参照

●閉会中もなお審査を継続することとなつた事件を、次の会期において更に継続審査の議決はできる。（昭二八・四・六行実）

※　●常任委員会は、本条第六項（現行法では第八項）の規定による以外は、議会閉会中は一切その活動を停止する。閉会中の事実上の自主的会合、審議はさしつかえないが、この場合においては、法律上の効

果を伴わず、費用弁償の支給はできない。（昭二五・五・一二行実）

※ ●会議公開の原則は当然には委員会に適用されないが、委員会においても、委員長の許可を得て傍聴することができる等の取扱をすることはさしつかえない。（昭二六・一〇・一〇行実）

※ ●特に期限を付さない限り、次の会期まで特別委員会は存続するものであるから、次の会期中に更に審査を終わらない場合は、再度審査に付する方法をとるべきである。（昭二七・一〇・三一行実）

※ ●一の条例を数委員会に分割付託することはできず、所管が二以上の委員会の所管にまたがるときは事案の性格により、一の委員会に付託し、関係委員会と協議して連合審査会を開くか、特別委員会を設けこれに付託する方法によるべきである。（昭二八・四・六行実）

※ ●連合審査会に参加した他の委員会の委員は、討論、表決に加わることはできない。（昭二八・四・六行実）

※ ●連合審査会とは、同一事案を同時に付託された二以上の委員会をいうのではなく、ある事件を付託された委員会が当該議案と関係のある委員会を招いてその意見を聞く会議のことである。（昭二八・八・五行実）

※ ●予算は不可分であつて、委員会としての最終的審査は一つの委員会において行うべく、二以上の委員会で分割審査すべきものではない。（昭二九・九・三行実）

※ ●議員の任期が満了した場合、設置されている特別委員会は自然消滅する。（昭三四・三・一七行実）

※ ●議長が、閉会中に受理した請願を継続審査事件を付託されている委員会に付託することはできない。（昭四九・一一・五行実）

8） ●新型コロナウイルス感染症対策のため、委員会をいわゆるオンライン会議により開催することについては、各団体の条例や会議規則等について必要に応じて改正等の措置を講じ、新型コロナウイルス感染症のまん延防止措置の観点等から委員会の開催場所への参集が困難と判断される実情がある場合に、映像と音声の送受信により相手の状態を相互に認識しながら通話をすることができる方法を活用することで委員会を開催することは差し支えない。（令二・四・三〇通知）

●委員会への出席が困難な事情として、例えば、災害の発生や育児・介護等の事由がある場合に、各団体の判断で、映像と音声の送受信により相手の状態を相互に認識しながら通話をすることができる方法で委員会への出席を可能とすることは差し支えない。（令五・二・七通知）

第百十条及び第百十一条　削除　〔平二四・九法七二〕

第六節　会議

〔**議員の議案提出権**〕

第百十二条　普通地方公共団体の議会の[1]議員は、議会の議[2]決すべき事件につき、議会に[3]議案を提出することができる。但し、予算については、この限りでない。

② 前項の規定により議案を提出するに当たつては、議員[4]の定数の[5]十二分の一以上の者の賛成がなければならない。

③ 第一項の規定による議案の提出は、文書を以てこれをしなければならない。

＊ 二項―追加・旧二項―一部改正し三項に繰下〔昭三一・六法一四七〕、一項―一部改正〔昭三八・六法九九〕、二項―一部改正〔平一一・七法八七〕

【参照条文】

① 【議決事件―法九六　【議案提出に関する規定―法九七2但書・一一五・一四九Ⅰ・一二一1・二一八1・2　※法一二〇・一八〇の六Ⅱ　地教法二九

② 【議員定数―法九〇・九一

【実例・判例・注釈】

1） ●議会に議案を提出できるのは議員にのみ認められており、議長として議案を提案することはできない。（昭二四・一〇・二九行実）

2） ●「議会の議決すべき事件」には、「機関意思の決定」は含まれず、「団体意思の決定」（ただし、歳入歳出予算は除く。）の場合のみを意味する。（昭二五・七・一四行実）

3） ●町村会開会前には議員は発案し得ない。（昭四・七・三〇行実）

●「長が議会の議決を経て定める」旨規定してある事項、その他執行機関の執行の有効要件としての議決については、議員に提案権はない。（昭二五・六・八行実）

●市町村の議会事務局設置条例の発案権は議員に専属する。（昭五三・三・二二行実）

●権利放棄の議案の提出は、議員提出議案によることができる。（平一八・七・二〇高裁判）

4） ○「定数の十二分の一以上」とは、たとえば、議員の定数が三〇人の議会であれば三人（端数が生ずれば切り上げて計算する。）又はそれより多くの議員の意である。

5） ●「十二分の一以上の者」には、提出者を含む。（昭三一・九・二八行実）

●十二分の一以上の者の賛成又は発議は、議案の提出又は発議の際の要件であり、審議継続の要件ではない。（昭三一・九・二八行実）

※ ●議会に上程された議案の撤回は、会議規則の定めるところによるが、原則としては提案者の意思のみによつて撤回することはできない。（昭二七・二・六行実）

※ ●動議は、修正の動議、緊急動議、議事進行に関す

る動議等があり、議長があらかじめ議長の議案の提出について連絡をとらず会議においてすることをいい、発議は、議員があらかじめ議案について議長と連絡をとつて会議において陳述することが通常の用例である。（昭二四・八・一五行実）

〔定足数〕

第百十三条　普通地方公共団体の議会は、議員の定数の[1]半数以上の議員が[2]出席しなければ、会議を開く[3]ことができない。但し、第百十七条の規定による除斥[4]のため半数に達しないとき、同一[5]の事件につき再度招集してもなお半数に達しないとき、又は招集に応じても出席議員が定数を欠き議長において出席[6]を催告してもなお[7]半数に達しないとき若しくは半数に達してもその後半数に達しなくなつたときは、この限りでない。

＊本条一部改正〔昭二二・一二法一六九〕

【引用条文】【法一一七（議長及び議員の除斥）】
【参照条文】【議員定数―法九〇・九一　【同一事件―法一〇二3　【招集―法一〇一　※【開議不能の場合の措置―法一七九
※　法一三七
【実例・通知・判例・注釈】

1）○「定数の半数以上」とは、例えば、議員の定数が三〇人の議会では、議長を含めて一五人又はそれより多くの者の意である。

●本条の議員定数中には議員たる議長をも算入すべきものである。（昭四・六・一五行裁判）

2）●本会議への「出席」については、現に議場にいることと解されている。（令二・四・三〇通知）

●表決に対する賛否の意見の開陳として行われる討論や、表決・討論の前提として議題となっている事件の内容を明確にするために行われる質疑は、議員が議場で行う必要がある。他方、団体の事務全般について執行機関の見解をただす趣旨での「質問」は、その形式について法律の定めがないことから、定足数を満たし会議が成立している場合に、各団体において会議規則の改正等の所要の手続を講じた上で、出席が困難な事情により議場にいない欠席議員がオンラインで行うことも差し支えない。（令五・二・七通知）

3）●現議員数が本条の規定による数に満たないときは、補欠選挙をした上でなければ開会できない。（明三一・七・五行実）

4）○「同一の事件」とは、臨時会に付議すべき事件として告示された事件と同じ事件の意である。

●同一の事件について再度招集しても定数の半数に満たなかつたが、ただし書の規定により、会議を開いた場合には、同一の事件でないものを付議することはできない。（大一三・五・一八行実）緊急な事件も付議することができない。（昭二五・九・一六行実）

5）○「再度招集」とは、長が再度、議員に一定の日時に一定の場所へ集合することを要求する行為である。

●再度招集の場合、招集は第一〇一条第二項（現行法では第七項）により、議会開会の一定日前に告示しなければならない。（昭二五・九・一六行実）

●定例会については再度招集はあり得ない。（昭二六・一〇・一〇行実）

6）○「出席を催告」とは、応招議員が定数の半数又はそれより多い場合に、議会の定める適宜の方式によりその応招議員に対して行う出席をうながす行為である。

●出席催告は、開議の時刻を翌日に定め得ず、かつ、その効力はその日の会議を閉じるまでであって翌日に及ばない。（昭二三・六・二九行実）

●会期二日以上の議会において、二日目以後の出席催告は、第一日以降当日までに応招した議員に対して出席催告を行う。（昭二六・一〇・一〇行実）

●催告により開議する時刻は、催告を受けたすべての議員が出席しうると認められる時間の余裕をおかなければならない。（昭二七・一二・二六行実）

●会議規則に議員の会期中の連絡場所及び宿所を議長に届け出る旨を定めている場合、議事堂外に所在する応招議員に対する出席催告は届出の場所にすればよい。（昭二七・一二・二六行実）

7）○「半数に達しないとき」とは、例えば、議員定数三〇人の議会において議長を含めた出席議員が一五人に達しないときである。

〔議員の請求による開議〕

第百十四条　普通地方公共団体の議会の議員の定数の半数[1]以上の者から請求があるときは、議長は、その[2]日の会議を開[3]かなければならない。この場合において議長がなお[4]会議を開かないときは、第百六条第一項又は第二項の例[5]による。

② 前項の規定により会議を開いたとき、又は議員中に異議[6]があるときは、議長は、会議の議決によらない限り、その日の会議[7]を閉じ又は中止することができない。

【引用条文】①【法一〇六（議長の代理及び仮議長）1・2
【参照条文】①②【議員定数―法九〇・九一　②【会議の議決―法一一六
※　法一二九2
【実例・判例・注釈】

1）●会議規則の規定により、休会とされ、又は日曜日

及び休日には会議を開かないとされているときにおいても、本条第一項の規定による開議請求ができる。（昭三四・五・二五行実）

2）○「その日の会議」とは、会期中における一日一日の会議であり、その日の会議の回数は問わない。すなわち、一旦その日の会議が開かれた後休憩、会議の中止等があつた場合、一度開議して散会した後の正規の手続による会議を含む。

3）●会議規則で定めた会議時間経過後においても、開議請求があつたときは、議長は、その日の会議を開かなければならない。（昭三一・一一・一四行実）

4）●「議長がなお会議を開かないとき」とは、議会の開会後においてその日の会議を開かないときを意味し、議会の開会を含まない。（昭二二・一〇・六行実）

5）●議長は時刻を限定した開議請求の時刻には拘束されないが、開議のために要する時間以上に長時間にわたつて開会しないときは、第一項後段の適用がある。（昭二四・九・六行実）

6）　5参照

●会議規則に規定された閉会時刻に閉会しようとするとき、議員中に異議があるときは、会議の議決がなければ会議を閉じることはできない。（昭七・三・三〇行実）

●地方公共団体の議会の会議中、議場が騒然として議長が整理することが困難な場合は、議員中に閉議に異議がある者があつても、議長は職権で閉議することができる。（昭三三・一一・四最裁判）

7）○「会議を閉じ」とは、広い意味での散会であり、閉会とは異なる。

〔議事の公開の原則及び秘密会〕

第百十五条　普通地方公共団体の議会の会議は、これを公開する。但し、議長又は議員[1]三人以上の発議[2]により、出[3]席議員の三分の二以上の多数で議決したときは、秘密会を開くことができる。

②　前項但書の議長又は議員の発議は、討[4]論を行わないでその可否を決しなければならない。

【参照条文】

②【可否の表決―法一一六

※　法一三〇・一三一

【実例・判例・注釈】

1）○「議員三人以上」とは、議員三人又はそれより多くの者の意である。

2）●秘密会については三人以上の発議があつてはじめて、同条第二項によりその可否を決することを要する。（昭二四・二・二二最裁判）

●秘密会を解く場合の議員の発議及び表決数には、秘密会開会の場合のような制限はない。（昭二五・六・八行実）

3）○「出席議員の三分の二以上」とは、たとえば出席議員が一六人の場合は一一人（端数は切り上げて計算する。）又はそれより多くの者の意である。

4）○「討論」とは、議題となつている事件に対し賛成又は反対の意見を述べることである。

※●秘密会の議事は、秘密会の秘密性が存続する限り公表すべきではない。（昭二八・六・二三行実）

※●委員会の秘密会において審議された案件のうち秘密にわたる事項を本会議で審議しようとする場合は、本会議は秘密会とすることが適当である。（昭三三・三・一八行実）

※●会議規則に「委員会の秘密会の議事は、何人も秘密性の継続する限り、他に漏らしてはならない。」と規定されている場合でも、当該議事を当該委員会の委員でない議員に漏らしてもさしつかえないと解するが、当該議員が知りえた秘密会の議事を他に漏らした場合には秘密漏えいとなる。（昭四七・六・二六行実）

〔公聴会及び参考人〕

第百十五条の二　普通地方公共団体の議会は、会議において、予算その他重要な議案、請願等について公聴会を開き、真に利害関係を有する者又は学識経験を有する者等から意見を聴くことができる。

②　普通地方公共団体の議会は、会議において、当該普通地方公共団体の事務に関する調査又は審査のため必要があると認めるときは、参考人の出頭を求め、その意見を聴くことができる。

＊本条―追加〔平二四・九法七二〕

【参照条文】

①【予算―法九七2・一一二1・二一一・二一五・二一八　【公聴会―法二〇七

※　国会法五一

〔修正の動議〕

第百十五条の三　普通地方公共団体の議会が議[1]案に対する修正の動議を議題とするに当たつては、議員[2]の定数の十二分の一以上の者の発[3]議によらなければならない。

＊本条―追加〔昭三一・六法一四七〕、一部改正〔平一一・七法八七〕、旧一一五条の二―繰下〔平二四・九法七二〕

【参照条文】

【議案―法九六・一一二・一四九Ⅰ　【議員定数―法九〇・九一

【実例・注釈】

1）●本条に規定する議案と第一一二条にいう議案とは同意である。（昭三一・九・二八行実）

2）○「議員の定数の十二分の一以上」とは、たとえば、議員の定数が三〇人のときは三人（端数は切り上げて計算する。）又はそれより多くの議員の意である。

3）●修正動議には、少なくとも十二分の一以上の者が発議者として連署しなければならない。（昭三一・一二・二七行実）

※　●委員会が修正案を提出する場合は、本条の適用はない。（昭三一・九・二八行実）

〔表決〕

第百十六条　この法律に特別の定がある場合を除く外、普通地方公共団体の議会の議事[1]は、出席[2]議員の過半数[3]でこれを決し、可否同数[4]のときは、議長の決するところによる。

②　前項の場合においては、議長は、議員として議決に加わる権利を有しない。

【参照条文】

①【特別の定─法四3・八七1・一一五1・一一八3・一二七1・一三五3・一七六3・一七八3・二四四の二2　解散法二2　※地教法一四3・4

※　法一一三

【実例・通知・注釈】

1）○「議事」とは、選挙以外の事件の意である。

2）●本会議への「出席」については、現に議場にいることと解されている。（令二・四・三〇通知）

●表決に対する賛否の意見の開陳として行われる討論や、表決・討論の前提として議題となっている事件の内容を明確にするために行われる質疑は、議員が議場で行う必要がある。他方、団体の事務全般について執行機関の見解をただす趣旨での「質問」は、その形式について法律の定めがないことから、定足数を満たし会議が成立している場合に、各団体において会議規則の改正等の所要の手続を講じた上で、出席が困難な事情により議場にいない欠席議員がオンラインで行うことも差し支えない。（令五・二・七通知）

3）●採決の際議場にある議員で当該事件につき表決権を有する者は、すべて本条にいう出席議員に該当する。（昭二五・六・八行実）

●出席議員数の計算については、本条第一項の場合は議長を入れず、特別多数決の場合は入れる。なお、第一一八条第一項の決定についても、議長は裁決権のみを有する。（昭二六・五・二行実）

○「過半数」とは、半数をこえる数であり、たとえば、出席議員が二〇人のときは、一一人又はそれより多い数、一五人の場合は八人（端数は切り上げて計算する。）又はそれより多い数である。

4）○「可否同数」とは、賛成又は反対の数がおのおの同数の場合、たとえば、出席議員（議長を除く。）が二〇人のときは、賛成、反対がおのおの一〇人の意である。

●投票による採決の場合、可とする者一八名、否とする者一五名、白票三名の場合は、可否同数とはいえない。（昭八・六・二四行実）

●議員の定数の半数（定足数三〇人）での会議において、投票による採決の結果、可一四票、否一四票、白票二票の場合は、本条第一項後段の規定により議長が裁決すべきである。また、可一四票、否一三票、白票三票の場合は、可否のいずれも出席議員の過半数に達せず、当該議案は成立しないこととなり、否決されたと同様の結果になる。（昭二五・五・一二行実）

●採決を行うに当たり、白票は反対として取り扱う旨を宣告して投票採決した結果、出席議員三四名（議長を除く。）のところ賛成一七票、反対一六票、白票一票となつたので、可否同数として議長が裁決をしたのは、適法である。（昭三二・一一・六行実）

〔議長及び議員の除斥〕

第百十七条　普通地方公共団体の議会の議長及び議員は、自己若しくは父母、祖父母、配偶者、子、孫若しくは兄弟姉妹の一身上[1]に関する事件又は自己若しくはこれらの者の従事する業務に直接の利害関係[2]のある事件については、その議事[3]に参与することができない。但し、議会の同意があつたときは、会議に出席[4]し、発言することができる。

＊本条一部改正〔昭三一・六法一四七〕

【参照条文】

※【除斥と定足数との関係─法一一三　※【除斥の例外─法一二七2

※　法八七・九六・一〇八・一一八1・一二六・一二七・一三四・一三七・一四五・一六五1・一七八1・一九六1等　地教法四・七　警察法三九・四一　地公法九の二　地税法四〇四・四二三　農委法八・一一

【実例・注釈】

1）●選挙の全部又は一部に対する異議は議員の一身上に関する事件でないから、その選挙に当選した議員でもその異議に関する議決に加わりうる。（明二二・五・二八行実）

●正副議長の辞職許可に関する議事において、辞表提出中の正副議長は、除斥すべきである。（昭二三・六・二四行実）

●議長不信任案上程の場合、議長は一身上に関する事件としてその議事に参与することはできない。（昭二五・三・二二行実）

2）●議員が代表者である株式会社の行為が陳情事項の対象である場合、同陳情の審議に際しては同議員は除斥される。（昭三一・一〇・三一行実）

●ＰＴＡに対する補助金交付の請願書が提出された

場合にＰＴＡ会長の職にある議員は除斥される。（昭三八・一二・二五行実）

●議会において、商工会議所の所有地と市有地との交換の議案審議に際して、商工会議所法第四一条第二項の議員の身分を有する議会議員は、特段の事情がない限り、単に商工会議所の議員の身分を有することのみをもつては、除斥されない。（昭四五・三・一七行実）

●市が開発公社から土地を買収する場合、当該土地取得に係る議案の審議に際して、当該公社の理事及び監事の職にある議員は、除斥の対象となる。（昭四五・一一・二〇行実）

●当該条例の制定改廃が、一般的・普遍的性格を有するものであれば、それらを審議する過程においては除斥の問題は生じない。（昭五三・七・二六行実）

3）○「議事」とは、選挙以外の事件の意である。

4）●本条但書の場合において、発言を目的としない議場への出席は、法の予想するところでない。（昭三四・一二・二一行実）

※●数人の出席停止の議決については、全員を同時に除斥すべきでなく、一人ごとに除斥すべきである。（昭七・三・一八行実）

※●除名議決に際し、当該議員を除斥しないで行なった議決は違法である。（昭二七・一〇・六行実）

※●常任委員会の委員長の選任が選挙又は指名推選の方法によるものであるとき及び常任委員の選任については、本条の適用はない。（昭二八・四・六行実）

※●議員から選出された監査委員は、監査報告の審議については除斥されない。（昭三〇・一一・一〇行実）

※●議員が当該地方公共団体から補助金を受けている協会の会長あるいは理事等の職にある場合、当該補助金が計上されている予算審議にあたり、当該議員は除斥されない。（昭三一・九・二八行実）

※●除斥の時期は、動議として提出された事件が議題に供されたときである。（昭三三・三・三一行実）

※●土地開発公社の公有水面埋立ての免許について公有水面埋立法に基づき意見を求められた議会が当該意見を審議するにあたつては当該土地開発公社の理事の職にある議員は、除斥の対象となる。（昭四八・七・二五行実）

〔投票による選挙・指名推選及び投票の効力の異議〕

第百十八条　法律又はこれに基づく政令により普通地方公共団体の議会において行う選挙[1]については、公職選挙法第四十六条第一項及び第四項、第四十七条、第四十八条、第六十八条第一項並びに普通地方公共団体の議会の議員の選挙に関する第九十五条の規定を準用する。その投票の効力に関し異議[2]があるときは、議会がこれを決定[3]する。

②　議会は、議員中に異議[4]がないときは、前項の選挙につき指名推選[5]の方法を用いることができる。

③　指名推選の方法を用いる場合においては、被指名人を以て当選人と定めるべきかどうかを会議に諮り、議員の全員の同意があつた者を以て当選人[6]とする。

④　一の選挙を以て二人[7]以上を選挙する場合においては、被指名人を区分して前項の規定を適用してはならない。

⑤　第一項の規定による決定に不服がある者は、決定があつた日から二十一日以内に、都道府県にあつては総務大臣、市町村にあつては都道府県知事に審査を申し立て、その裁決に不服[8]がある者は、裁決のあつた日から二十一日以内に裁判所に出訴することができる。

⑥　第一項の規定による決定は、文書を以てし、その理由を附けてこれを本人に交付しなければならない。

＊一項＝一部改正〔昭二五・四法一〇一〕、五項＝一部改正〔昭二五・五法一四三〕、一項＝一部改正〔昭二七・八法三〇六、昭三〇・一法四〕、五項＝全改・六項＝一部改正〔昭三一・六法一四七〕、五項＝一部改正〔昭三五・六法一一三〕、五・六項＝一部改正〔昭三七・九法一六一〕、一項＝一部改正〔昭五七・八法八一、平六・二法二、平七・一二法一三五〕、五項＝一部改正〔平一一・一二法一六〇〕、一項＝一部改正〔平一四・三法四〕

【引用条文】

①【選挙法四六（投票の記載事項及び投函）1・4・四七（点字投票）・四八（代理投票）・六八（無効投票）1・九五（衆議院比例代表選出議員又は参議院比例代表選出議員の選挙以外の選挙における当選人）】

【参照条文】

①【法律又は政令による選挙＝法一〇三1・一〇六2・一八二　令一三五2・一三六2】

⑤【裁判所＝裁判所法二五】

※法九七1・二五五の四～二五八

【実例・注釈】

1）●本条の選挙については、議長は議員としての投票権を有する。（昭二四・七・二三行実）

●本条による選挙について、連記投票による選挙は無効である。（昭二九・六・三行実）

2）●異議の申立ては、投票直後から次の議題に入るまでに行わなければ効力はない。（昭二五・一一・七行実）

●異議の申立ては議員個々人に与えられた権能であり、これを動議によつて決定すべきものではない。（昭二五・一一・七行実）

●異議の申立ては、口頭ですればよい。（昭三三・六・一八行実）

3）○「決定」とは、議会が疑義ある投票の効力について、一定の内容のものに決めることをいい、その方法は法一一六条の過半数議決による。

4）●議員全部の同意を得て一部を指名推選により一部

を投票により行つた選挙は、違法な選挙である。(昭四・九内務省決定)

5) ○「指名推選」とは、投票の煩を省くために行なうものであり、投票を行なつたのと全く同じ結果が得られる場合に限り認める便法であるから、議員中に一人でもこの方法に異議があれば、これによることはできない。

●指名推選は、指名推選の方法によること、指名の方法、被指名者何某を当選人とすることのいずれにも異議がなかつた場合にのみ当選が決定する。(昭二八・六・二四行実)

6) ●出席議員を被指名者としこれを当選人と定めるについては、本人の同意を要する。(昭四・九内務省決定)

7) ○「二人以上」とは、二人又はそれより多くの者の意である。

8) ●出訴権者は、当時の選挙人全員である。(昭二五・八・一六行実)

●手続上のみならず、その決定の内容についても違法の瑕疵ある場合には、裁判所に出訴できる。(昭二八・二・六行実)

※ ●議会の行う選挙の投票の効力に関し、住民から議会を被告として裁判所に出訴することはできない。(昭二四・五・一〇行実)

〔会期不継続の原則〕

第百十九条　会期中に議決に至らなかつた事件は、後会に継続[1]しない。

【参照条文】
【会期―法一〇二7・一〇二の二1・3〜5　【議決―法一一六　※【本条の例外―法一〇九8　※国会法六八

【実例・判例】

1) ●議会の議決により閉会中の審査に付された議案は、次の会期にあらたに提案するを要しない。(昭二四・一・一〇行実)

※ ●閉会中の審査期間は、必ずしも次の会期までとは限らないが、その継続審査に特に期限を付さない限りは、原則として次の会期までである。(昭二五・五・三行実)

※ ●懲罰事件も委員会の継続審査事件として付託できる。(昭三〇・一一・二二行実)

※ ●次の会期にわたり出席停止の懲罰議決をすることは、違法である。(昭二五・九・一一高裁判)

※ ●議会が前の議会の会期中における議員の行為に関し後の議会において懲罰を科することはできない。(昭二七・二・一五高裁判)

〔会議規則〕

第百二十条　普通地方公共団体の議会は、会議規則を設けなければならない。

【参照条文】
※【会議規則の違反―法一二九1・一三四1・一七六4〜8
※ 憲法五八2

【実　例】

※ ●冗長の発言を制止する権限を議長に付与する旨を会議規則中に設けてもさしつかえない。(行実)

※ ●地方議会の議員が議場で行つた演説、討論又は表決については、憲法第五一条のごとき保障の規定はない。(昭二三・六・一六行実)

※ ●会議規則中に一事不再議に関する規定の有無にかかわりなく、地方公共団体の議会についても、一事不再議の原則の適用があるものと解する。(昭三三・三・二六行実)

※ ●関連質問を一切認めないことは議事運営の実情に即さないが、その場合の発言は最少限度の範囲に限るべきであり、他の通告済議員の質問時間に影響を及ぼすような発言を認めるべきでない。(昭三四・一一・二行実)

※ ●当該団体の会議規則に基づいて委員会が許可する委員外議員の「発言」には、一般に質疑も含まれる。(昭四一・一〇・二二行実)

※ ●会議規則において会議時間が定められている場合、議長が招集日当日の会議時間の繰上げをすることはできる。(昭四一・一一・二六行実)

※ ●委員会に付託した事件以外の委員長報告については、標準都道府県会議規則第四〇条の規定は適用されないが、地方自治法及び標準都道府県会議規則において特に禁止している規定はないので、必要があれば、その手続等については当該議会において適宜定めればよい。(昭四四・一〇・二五行実)

〔長及び委員長等の出席義務〕

第百二十一条　普通地方公共団体の長、教育委員会の教育長、選挙管理委員会の委員長、人事委員会の委員長又は公平委員会の委員長、公安委員会の委員長、労働委員会の委員、農業委員会の会長及び監査委員その他法律に基づく委員会の代表者又は委員並びにその委任又は嘱託[1]を受けた者は、議会の審議に必要な説明のため議長から出席[2]を求められたときは、議場に出席しなければならない。ただし、出席すべき日時に議場に出席できないことについて正当な理由がある場合において、その旨を議長に届け出たときは、この限りでない。

②　第百二条の二第一項の議会の議長は、前項本文の規定により議場への出席を求めるに当たつては、普通地方公共団体の執行機関の事務に支障を及ぼすことのないよう配慮しなければならない。

＊ 本条一部改正〔昭二二・一二法一九六、昭二三・七法一七〇、法一七九、昭二五・五法一四三、昭二七・八法三〇六、昭三一・六法一四七、法一六三、平一一・七法八七、平一六・一一法一四〇、平一八・六法五三〕、一項一部改正・二項追加〔平二四・九法七二〕、一項一部改正〔平二六・六法七六〕

【引用条文】
②【法一〇二の二（通年の会期）1

【参照条文】
【執行機関の長の代表権―法一四七・一八七2　地教法一三1　地公法一〇2　警察法四三3　農委法五3　労組法一九の一二2　※法一九九　【その他法律に基づく委員会の例―収用法五一　地税法四二三　漁業法一四七・一七一

※　法九八・一二二

【実　例】
1）●嘱託すべき者の範囲は、当該地方公共団体の職員に限る。（昭三三・三・三一行実）
2）●府県会が理事者を指名しその出席を要求しても、何人を出席説明させるかは知事の任意であり、その指定に従うことを要しない。（行実）

〔長の説明書提出〕
第百二十二条　普通地方公共団体の長は、議会に、第二百十一条第二項に規定する予算に関する説明書その他当該普通地方公共団体の事務に関する説明書を提出しなければならない。

＊ 本条一部改正〔昭三一・六法一四七、昭三八・六法九九〕

【引用条文】
【法二一一（予算の調製及び議決）2

【参照条文】
※　法一二一・二三三5・二四一5・二四三の三2・3　令一四四・一七三の五

【注　釈】
1）○「予算に関する説明書」とは、ア歳入歳出予算の各項の内容を明らかにした歳入歳出予算事項別明細書及び給与費の内訳を明らかにした給与費明細書、イ継続費についての前々年度末までの支出額、前年度末までの支出額又は支出額の見込み及び当該年度以降の支出予定額並びに事業の進行状況等に関する調書、ウ債務負担行為で翌年度以降にわたるものについての前年度末までの支出額又は支出額の見込み及び当該年度以降の支出予定額等に関する調書、エ地方債の前々年度末における現在高並びに前年度末及び当該年度末における現在高の見込みに関する調書及び、オその他予算の内容を明らかにするため必要な書類をいう。なお、アからエまでの書類の様式は、総務省令で定める様式を基準としなければならないとされている。

〔会議録〕
第百二十三条　議長は、事務局長又は書記長（書記長を置かない町村においては書記）に書面又は電磁的記録により会[1]議録を作成させ、並びに会議の次第及び出席議員の氏名を記載させ、又は記録させなければならない。
②　会議録が書面をもつて作成されているときは、議長及び議会において定めた二人以上の議員が[2]これに署名しなければならない。
③　会議録が電磁的記録をもつて作成されているときは、議長及び議会において定めた二人以上の議員が当該電磁的記録に総務省令で定める署名に代わる措置をとらなければならない。
④　議長は、会議録が書面をもつて作成されているときはその写しを、会議録が電磁的記録をもつて作成されているときは当該電磁的記録を添えて[3]会議の結果を普通地方公共団体の長に報告しなければならない。

＊ 三項一部改正〔昭二二・一二法一六九〕、一項一部改正〔昭二五・五法一四三〕、三項一部改正〔昭二七・七法二六二、昭三五・六法一一三、昭四四・三法二〕、一・二項一部改正・三項追加・旧三項一部改正し四項に繰下〔平一八・六法五三〕、一項一部改正〔令三・三法七〕、一・四項一部改正〔令五・五法一九〕

【参照条文】
①【事務局長、書記長―法一三八　【会議録の調製―法一二〇（会議規則）
②【会議録署名議員―法一二〇（会議規則）
③【総務省令で定―則一二の二の二

【実例・通知・判例】
1）●会議録の調製にあたり、重複した発言を抹消する等発言の内容に修正を加えるべきでない。（昭二八・六・二七行実）
●秘密会の議事及び議長が第一二九条の規定により取消しを命じた発言も、会議録の性質上、原本には記載しておくべきである。（昭三三・三・一〇行実）
●会議録の調製方法は会議規則又は議長の定めるところによる。（昭四八・六・二七行実）
●会議録に会議の一部を記載しないことにより、会議のてん末を偽わつた場合においては、会議録に虚偽の記載をしたものに該当する。（昭二・六・八大審判）
2）●市町村会において定むべき会議録署名議員は、毎日定めても毎会期定めても、市町村会が適宜定めうる。（行実）
●同一会期中一時議長が討論するため副議長と議長席を交替した場合の会議録の署名は、議長、副議長ともに署名するのが適当である。（昭二七・九・一九行実）
●議長及び二名以上の議員が会議録に署名するの

は、会議録の内容の真正を確保する趣旨であり、会議録の作成はこの署名をまつて完了するものと認めるべきものであるから、議長及び署名議員もまた会議録作成者として職務を有する。（大六・六・六大審判）

3）●議会の会議の結果の報告には、議案を添付すべきである。（昭二三・三・二九通知）

※●会議録の閲覧請求があつた場合、特段の事情のない限りその要求に応じなければならない。（昭五〇・一一・六行実）

※●議会活動の透明性向上の観点から、会議録を速やかに作成するとともに、住民が閲覧しやすい環境に置くことが重要であり、音声認識技術の活用により会議録作成作業の効率化が図られている事例等も参考にしつつ、会議録のホームページ上での公開等に積極的に取り組まれたい。（平三〇・四・二五通知）

第七節　請願

（請願の提出）

第百二十四条　普通地方公共団体の議会に請願しようとする者は[1]、議員の紹介[2]により請願書を提出しなければならない。

【参照条文】

※憲法一六　法一二五　請願法　国会法七九～八二　会議規則

【実例・判例・注釈】

1）●「普通地方公共団体の議会に請願しようとする者」とは、当該普通地方公共団体の住民のみならず、他のすべての住民（自然人たると法人たるとを問わない。）を指す。（昭二五・三・一六行実）

●議会には、法律上の権限としては請願権がない。（昭二八・二・一八行実）

●市町村立学校長は、学校の施設、予算等につき、地方公共団体の一機関たる学校長としては請願できないが、個人としては請願しうる。（昭三三・五・七行実）

2）○「紹介」とは、請願の内容に賛意を表し、橋渡しをすることをいう。

●請願の内容に賛意を表するものでなければ、紹介すべきではない。（昭二四・九・五行実）

●請願紹介の取消しは、議会において採択又は不採択の意思決定前で議会の同意が得られればさしつかえない。（昭三〇・三・一八行実）

●正式に受理後、議会において審議中に紹介議員（一名）が死亡した場合、その請願を引き続き審査してさしつかえない。（昭三九・七・二四行実）

●二人以上の紹介議員による請願書が議会で受理された後、その中の一部議員が紹介を取り消す場合は議会の同意を要する。（昭四一・七・二六行実）

●閉会中議長が受理した請願で未だ付議されていないものについて、これを紹介した議員は議長の同意を得ればその紹介の取消しをすることができるが、この場合、取消しの手続を会議規則に規定すべきである。（昭四九・二・五行実）

●議会閉会中に所定の要件を備えた請願が提出され、議長がこれを受理したが、議会に付議する前に紹介議員が紹介を取り消し、死亡し、又は辞職する等によつて当該請願に係る紹介議員が全てなくなつた場合は、新たな紹介議員を付することとすべきである。（昭四九・四・二行実）

※●明らかに当該地方公共団体の事務に関する事項でないと認められる請願も、受理を拒むことはできないが、当該地方公共団体の権限外の事項については、不採択のほかはない。（昭二五・一二・二七行実）

※●請願は、憲法、法律に規定された国民の権利であるから、法定の形式を具備していれば、議長において受理を拒む権限はない。（昭二六・一〇・八行実）

※●請願又は陳情の取下げは、会議規則の定めるところによるべきであるが、原則としては、提案者の意思のみによつて撤回することはできず、議会の同意を必要とする。（昭二八・四・六行実）

※●憲法第一六条の「平穏」とは、示威運動や面会の強要等威迫的手段によることなくの意であり、請願文中の文言のいかんは問わない。（昭二八・九・三〇行実）

※●請願が会期最終日に提出されたため所定の手続きにより審議する時間がない場合でも提出された請願は受理すべきである。（昭四八・三・二六行実）

※●請願は、議会開会中であると閉会中であるとを問わず、所定の様式が整つている限り、議長においてこれを受理してさしつかえない。（昭四八・九・二五行実）

※●請願の採否の決定は、行政処分ではない。（昭三二・一・三一地裁判）

※●議会を被告として請願の採否の議決を命ずる判決を求める訴えは、不適法である。（昭三二・一・三一地裁判）

（採択請願の処置）

第百二十五条　普通地方公共団体の議会は、その採択した請願で当該普通地方公共団体の長、教育委員会、選挙管理委員会、人事委員会若しくは公平委員会、公安委員会、労働委員会、農業委員会又は監査委員その他法律に基づく委員会又は委員において措置することが適当と認めるものは、これらの者にこれを送付し、かつ、その請願の処理の経過及び結果の報告を請求することができる。

＊本条―一部改正〔昭二二・一二法一九六、昭二三・七法一七〇、法一七九、昭二五・五法一四三、昭二七・八法三〇六、平一

一・七法八七、平一六・一一法一四〇）

【参照条文】

【その他法律に基づく委員会の例―収用法五一　地税法四二三　漁業法一四七・一七一

※　法一二四

第八節　議員の辞職及び資格の決定

〔辞職〕

第百二十六条　普通地方公共団体の議会の議員は、議会の許可を得て辞職[1][2]することができる。但し、閉会中においては、議長[3]の許可を得て辞職することができる。

【参照条文】

【議会の許可に関する議決―法一一六・一一七　【議長及び副議長の辞職―法一〇八　※【辞職以外の失職―法七八・八三・九三・一二七・一七八1

【実例・判例】

1）●議会の議員は、本条の規定により許可を得ない限り絶対に辞職し得ない。（昭二二・一〇・六行実）

●議会は正当の理由なくして議員の辞職許可願を拒否することができない。（昭二四・八・九最裁判）

2）●議会の議員が総辞職の議案を議決しても、その効果は生じない。（昭二三・一〇・三〇行実）

3）●議長が閉会中議員の職を辞職するには、副議長の許可を受けるべきであり、副議長がないときは議員として議長に対し辞表を提出しうる。また議員の辞職について、議長、副議長がともにないときは年長の議員の許可を得て辞職できる。（昭二三・六・二一行実）

●議長は、休会中に本条但書の規定により辞職願の許可はできない。（昭二五・五・三一行実）

※●議員が辞職に当たり議長に提出する書類は辞職届ではなく、辞職願である。（昭二五・三・二二行実）

※●議員の辞職は、これについて議会又は議長の許可があるまでは有効に撤回することができる。（昭二四・六・二〇地裁判）

〔失職及び資格決定〕

第百二十七条　普通地方公共団体の議会の議員が被選挙権を有[1]しない者であるとき、又は第九十二条の二（第二百八十七条の二第七項において準用する場合を含む。以下この項において同じ。）の規定に該当するときは、その職を失う[2]。その被選挙権の有無又は第九十二条の二の規定に該当するかどうかは、議員が公職選挙法第十一条、第十一条の二若しくは第二百五十二条又は政治資金規正法第二十八条の規定に該当するため被選挙権を有しない場合を除くほか、議会がこれを決定[3]する。この場合においては、出席[4]議員の三分の二以上の多数によりこれを決定しなければならない。

② 前項の場合においては、議員は、第百十七条の規定にかかわらず、その会議に出席して自己の資格に関し弁明することはできるが決定に加わることができない。

③ 第百十八条第五項及び第六項の規定は、第一項の場合について準用[5]する。

＊ 一項―一部改正〔昭二五・四法一〇一、昭三六・一一法一三五、平六・二法四、平一一・八法一二二、平二四・九法七二、平二八・四法二四〕、一項―一部改正・二項削る・旧三・四項―一部改正し一項ずつ繰上〔平二八・一二法九四〕

【引用条文】

①【法九二の二（議員の兼業禁止）・二八七の二（特例一部事務組合）7　【選挙法一一（選挙権及び被選挙権を有しない者）・一一の二（被選挙権を有しない者）・二五二（選挙犯罪による処刑者に対する選挙権及び被選挙権の停止）　【政資法二八

②【法一一七（議長及び議員の除斥）

③【法一一八（投票による選挙・指名推選及び投票の効力の異議）5・6

【参照条文】

①【被選挙権―法一九1＝選挙法一〇1Ⅲ・Ⅴ

【実例・判例・注釈】

1）●被選挙権を有しない者には、当初よりこれを有しない者、当選の当初のみ有しなかつた者、又は当初はこれを有したがその後これを失つた者の一切を包含する。（行実）

2）●単に禁錮刑の宣告を受けたにとどまり、その確定をしない者は失職しない。（行実）

●議員の資格喪失の時期は、議会において被選挙権なしとの決定があつたときである。なお、決定に不服の出訴をした場合もその職を失い、裁判所において議会の決定の取消し又は無効の判決があつたときは、当初から被選挙権なしとの決定がなかつたと同様の状態に復する。（昭二五・一二・二〇行実）

●議員が第九二条の二の規定に該当したために失職する時期は、議会が決定したときからである。（昭三七・五・一行実）

3）●本条の決定についての発案権は議員に専属する。（昭三七・五・一行実）

4）○「出席議員の三分の二以上の多数」には、議長も議員として決定に加わることができる。

5）●地方公共団体の議会がする議員の資格に関する決定に対する不服申立権者の範囲は、専ら決定によつてその職を失うこととなつた当該議員に限る。（昭五六・五・一四最裁判）

〔失職の時期〕

第百二十八条　普通地方公共団体の議会の議員は、公職選挙法第二百二条第一項若しくは第二百六条第一項の規定による異議の申出、同法第二百二条第二項若しくは第二百六条第二項の規定による審査の申立て、同法第二百三条第一項、第二百七条第一項、第二百十条若しくは第二百十一条の訴訟の提起に対する決定、裁決又は判決が確定するまでの間（同法第二百十条第一項の規定による訴訟を提起することができる場合において、当該訴訟が提起されなかつたとき、当該訴訟についての訴えを却下し若しくは訴状を却下する裁判が確定したとき、又は当該訴訟が取り下げられたときは、それぞれ同項に規定する出訴期間が経過するまで、当該裁判が確定するまで又は当該取下げが行われるまでの間）は、その職を失わない。

＊本条—全改〔昭二五・四法一〇一〕、一部改正〔昭二五・五法一四三、昭二七・八法三〇八、昭三〇・一法四、昭三七・九法一六一、昭五〇・七法六三、平六・二法二〕

【引用条文】
【選挙法二〇二（地方公共団体の議会の議員及び長の選挙の効力に関する異議の申出及び審査の申立て）1・2・二〇六（地方公共団体の議会の議員又は長の当選の効力に関する異議の申出及び審査の申立て）1・2・二〇三（地方公共団体の議会の議員及び長の選挙の効力に関する訴訟）1・二〇七（地方公共団体の議会の議員及び長の当選の効力に関する訴訟）1・二一〇（総括主宰者、出納責任者等の選挙犯罪による公職の候補者であつた者の当選の効力及び立候補の資格に関する訴訟等）・二一一（総括主宰者、出納責任者等の選挙犯罪による公職の候補者等であつた者の当選無効及び立候補の禁止の訴訟）

【参照条文】
※【判決の確定—民訴一一六

【実　例】
※●公職選挙法第二五一条の規定により当選無効となつた議員の失職時期は、第一二八条に該当しないから、当選の日に遡及して失職する。（昭三九・七・一〇行実）

※●公職選挙法第二五一条の規定により当選無効となり失職した議員が当選の日から判決確定の日までの間提供した役務について、地方公共団体が当該失職した議員が提供した勤務により受けた利益と地方公共団体が支給した報酬その他の給付を受けた当該失職議員の利益との間に差があると認められる場合には、その限度において不当利得返還請求権を有することになる。一般的にはその勤務と給付は均衡しているとみられるのが通常であり、その場合は、不当利得返還請求権も生じないことになる。不当利得返還請求権が生じない場合においては、予算措置を講ずる必要はない。（昭四一・五・二〇行実）

※●公職選挙法第一二九条及び第一三八条第一項違反に問われ、当選無効の判決が確定した日から市が同法第二五四条の規定に基づく通知を受けた日までの間に議員が提供した役務の反対給付については、たとえ議員としての活動をした場合であつても支給することができない。（昭四一・五・二三行実）

第九節　紀律

〔議場の秩序維持〕

第百二十九条　普通地方公共団体の議会の会議中この法律又は会議規則に違反しその他議場の秩序を乱す議員があるときは、議長は、これを制止し、又は発言を取り消させ、その命令に従わないときは、その日の会議が終るまで発言[1]を禁止し、又は議場の外に退去させることができる。

② 議長は、議場が[2]騒然として整理することが困難であると認めるときは、その日の会議を閉じ[3]、又は中止することができる。

【参照条文】
①【この法律の規定の例—法一三二【会議規則—法一二〇【秩序維持—法一〇四・一三一 ※【秩序違反—法一三四
②※法一一四2

【実例・判例】
1）●議長から発言を禁止された議員も裁決の際起立し又は投票することはさしつかえない。（行実）
●議長が第二項の閉議を宣言するためには、必ずしもその前提として第一項の措置を講ずる必要はない。（昭三一・七・二四高裁判）
2）●「議場が騒然として」の認定は、社会通念により判定するの外はない。（昭二八・八・一四行実）
3）●議会の会議中、議場が騒然として議長が整理することが困難な場合は、議員中に閉議に異議がある者があつても、議長は職権で閉議しうる。（昭三三・二・四最裁判）

〔会議の傍聴〕

第百三十条　傍聴人[1]が公然と可否を表明し、又は騒ぎ立てる等会議を妨害するときは、普通地方公共団体の議会の議長は、これを制止し、その命令に従わないときは、これを退場させ、必要がある場合においては、これを当該警察官[2]に引き渡すことができる。

② 傍聴席が騒がしいときは、議長は、すべての傍聴人を退場させることができる。

③ 前二項に定めるものを除くほか、議長は、会議の傍聴に関し必要な規則を設けなければならない。

＊一項—一部改正〔昭二三・一二法一九六、昭二九・六法一九三〕、三項—一部改正〔平一八・六法五三〕

【参照条文】
※【秩序維持—法一〇四・一三一 ※【会議の公開—法

一一五

【実　例】

1）●新聞記者についても、傍聴人取締り（現行法では会議の傍聴）の法令が適用される。（昭三一・八・一行実）

2）●開会中傍聴人が喧騒を極め会議の妨害をしても議長の請求がなければ警察官は自ら進んで傍聴人を退場させることができない。（行実）

きる。

（議長の注意の喚起）

第百三十一条　議場[1]の秩序を乱し又は会議を妨害するものがあるときは、議員は、議長の注意を喚起することができる。

【参照条文】

※　法一〇四・一二九・一三〇

【実　例】

1）●議場の秩序を乱し会議を妨害する者の中には傍聴人を含む。（昭二二・八・八行実）

（品位の保持）

第百三十二条　普通地方公共団体の議会の会議又は委員会においては、議員は、無礼の言葉を使用し、又は他人の私生活にわたる言論をしてはならない。

＊　本条一部改正〔昭三一・六法一四七〕

【参照条文】

【委員会―法一〇九】

※　国会法一一九

（侮辱に対する処置）

第百三十三条　普通地方公共団体の議会の会議又は委員会において、侮辱を受けた議員は、これを議会に訴えて[1]処[2]分を求めることができる。

【参照条文】

【委員会―法一〇九】　【侮辱―法一三二】　【処分―法一三四・一三五】

【実例・注釈】

1）○「訴えて」とは、訴訟ではなく、事実を申し立てることをいう。

●侮辱を受けた議員が、議会に訴えて処分を求めるとき、第一三五条第二項の規定の適用はない。（昭三一・九・二八行実）

2）●処分とは、懲罰処分の意である。（昭二二・八・八行実）

第十節　懲罰

（懲罰理由）

第百三十四条　普通地方公共団体の議会は、この法律並びに会議規則及び委員会に関する条例に違反した議員に対し、議決[1]により懲罰を科することができる。

②　懲罰に関し必要な事項は、会議規則[2]中にこれを定めなければならない。

＊　一項一部改正〔昭三一・六法一四七〕

【参照条文】

【法律違反による懲罰―法一二九・一三二・一三三・一三七】　【会議規則―法一二〇】　【委員会に関する条例―法一〇九9】

【実例・判例】

1）●懲罰処分の効力の発生の時期は、議決のときであり、本人に対しその旨の通知がなされたときではない。（昭二五・一〇・九行実）

●数人の議員の懲罰において懲罰の理由が同一である場合、これら議員懲罰に関し一括審議して、懲罰対象議員全員を採決に加えない審議採決の方法はできない。（昭二七・九・一九行実）

2）●会議規則中議員懲罰に関する実体規定を、規則制定前の議員の行為に適用し、懲罰議決をすることは違法である。（昭二六・四・二八最裁判）

※　●会議規則に違反して秘密会の議決をもらした場合、その秘密性が継続する限り次の会期において懲罰を科しうる。（昭二五・三・一八行実）

※　●議場外の行為であっても、秘密会の議事を外部にもらす行為に対しては、懲罰を科することはできる。（昭二五・三・一八行実）

※　●懲罰の種類の選択が著しく客観的妥当性を欠き、はなはだしく条理に反するときは、懲罰の議決は違法である。（昭二五・四・二一地裁判）

※　●地方議会が、その議員を懲罰する場合に、第一三五条所定の懲罰のいずれを科すべきかは、全然議会の自由裁量に属するものとはいえず、議員を第一三二条違反として懲罰した場合、その議員の議会において使用した言葉が同条所定の「無礼の言葉」に該当するかどうかは、法律解釈の問題であるから、その解釈を誤りこれに基づいて議員を除名すれば、その除名は違法である。（昭二七・一二・四最裁判）

※　●議員の会期外の行為でも、議会の開会を阻止し流会に至らしめるような議会運営に関する行為は、懲罰事由となる。（昭二八・一〇・一最裁判）

※　●議会の運営と全く関係のない議員の議場外における個人的行為は、懲罰事由とすることができない。（昭二八・一一・二〇最裁判）

（懲罰の種類及び除名の手続）

第百三十五条　懲罰は、左の通りとする。

一　公開の議場における戒告

二　公開の議場に[1]おける陳謝

三　一定期間の出席停止

自治法

四　除名

②　懲罰の動議を議題とするに当つては、議[2]員の定数の八分の一以上の者の発議によらなければならない。

③　第一項第四号の除名については、当該普通地方公共団体の議会の議員の三分の二以上の者が出席し、その四分の三以上の者の同意がなければならない。

＊二項—追加・旧二項—一部改正し三項に繰下〔昭三一・六法一四七〕

【参照条文】

①※法一三六

②【議員定数—法九〇・九一　※【本項の例外—法一三三・一三七　※【懲罰手続—法一三四２

【実例・判例・通知・注釈】

１）●会議規則により一旦出席停止をした場合は、重ねて同一事件につき出席停止をなし得ない。（昭七・一二・二行実）

●出席停止の効力は、次の会期に及ばない。（昭二三・一〇・三〇行実）

●普通地方公共団体の議会の議員に対する出席停止の懲罰の適否は、司法審査の対象となる。（令二・一一・二五最裁判）

●地方議会における出席停止の懲罰は、その適否が専ら議会の自主的・自律的な解決に委ねられるべきであるということはできず、法第二五五条の四の規定による審決の対象となる。（令二・一二・一七通知）

２）○「議員の定数の八分の一以上」とは、たとえば、議員の定数が八〇人のときは一〇人又はそれをこえる数、六〇人のときは八人又はそれをこえる数を指す。

※●議員の任期の満了したときは、議員除名議決の取消を求める訴の利益は失われる。（昭二七・二・一五、昭三五・三・九、昭三五・一二・七最裁判）

※●陳謝の決議は、当該会期中にかぎり効力を有するものと解すべきであるから、右決議の取消を求める訴えは、当該会期の終了により訴えの利益を欠くに至る。（昭二九・一一・二地裁判）

※●議長が職権により懲罰案件を提出することは、第一三七条の規定に該当する場合を除き、許されない。（昭三一・九・二八行実）

※●議会における懲罰の議決にあたり、特定の懲罰につき否決された場合において、他の懲罰を科する場合の動議の取扱は、

一　懲罰の動議が単に某議員に対し懲罰を科されたいとするものであつた場合においては、その懲罰の内容につき否決されたにとどまり、未だ先に提出された懲罰の動議そのものが否決されたものではないと解されるので、改めて他の懲罰を科されたいとする動議は、法第一三五条第二項の懲罰の動議ではない。

二　懲罰の動議が某議員に対し特定の懲罰を科されたいとするものであつた場合においては、更に他の懲罰を科されたいとする動議は、法第一三五条第二項の懲罰の動議に該当する。（昭三三・四・三行実）

〔除名議員の再当選〕

第百三十六条　普通地方公共団体の議会は、除名された議員で再び当選した議員を拒むことができない。

【参照条文】

【除名された議員—法一三五１Ⅳ

※法一三四１

〔欠席議員の懲罰〕

第百三十七条　普通地方公共団体の議会の議員が正当な理由がなくて招集に応じないため、又は正当な理由がなくて会議に欠席したため、議長が、特に招状を発しても、なお故なく出席しない者は、議長において、議会の議決を経て、これ[1]に懲罰を科することができる。

【参照条文】

【招集—法一〇一　【懲罰—法一三四・一三五　※【出席催告—法一一三

【実　例】

１）●本条の懲罰については、会議規則に関係なく、議長が提案して議決をすればよい。（昭二九・五・一二行実）

第十一節　議会の事務局及び事務局長、書記長、書記その他の職員

＊節名—改正〔昭二五・五法一四三、昭二六・六法二〇三〕

〔事務局の設置及び議会の職員〕

第百三十八条　都道府県の議会に事務局を置く。

②　市町村の議会に条[1]例の定めるところにより、事務局を置くことができる。

③　事務局に事務局長、書記その他の職員を置く。

④　事務局を置かない市町村の議会に書記長、書記その他の職員を置く。ただし、町村においては、書記長を置かないことができる。

⑤　事務局長、書記長、書記その他の職員は、議長がこれを任[2]免する。

⑥　事務局長、書記長、書記その他の常勤の職員の定数は、条例でこれを定める。ただし、臨時の職については、この限りでない。

⑦　事[3]務局長及び書記長は議長の命を受け、書記その他の

職員は上司[4]の指揮を受けて、議会に関する事務に従事する。

⑧ 事務局長、書記長、書記その他の職員に関する任用、人事評価、給与、勤務時間その他の勤務条件、分限及び懲戒、服務、退職管理、研修、福祉及び利益の保護その他身分取扱いに関しては、この法律に定めるものを除くほか、地方公務員法の定めるところによる。

＊ 本条―全改〔昭二五・五法一四三〕、三・四項―一部改正・五項―全改・六・九項―追加・旧六項―七項に繰下・旧七項―一部改正し八項に繰下〔昭二六・六法二〇三〕、六項―一部改正〔昭二七・八法三〇六〕、二・四項―一部改正〔昭三三・四法五三〕、九項―一部改正〔平一一・七法一〇七〕、四・六・七項―一部改正・八項―削る・旧九項―一項繰上〔平一八・六法五三〕、八項―一部改正〔平二六・五法三四〕

【参照条文】
⑤【議長の任免権―地公法六1
⑧【この法律の定―法二〇四～二〇六

【実例・注釈】
1）●市町村の議会事務局設置条例の発案権は議員に専属する。（昭五三・三・二二行実）
2）●事務局長の選任に、議会の同意を要する旨を条例で規定することはできない。（昭二五・七・六行実）
●書記の任免辞令は、「書記を命ずる」でさしつかえない。（昭二五・九・四行実）
●事務局長等は、議長又はその任免権の委任を受けた者の承認がない限り、辞職することができない。（昭三六・七・二四行実）
●職員の任免について、議長が欠けたときは副議長が代行することができる。（昭三九・九・一八行実）
3）●事務局長に長の部局の職員を選任兼務させることはさしつかえない。（昭三四・七・九行実）
4）○「上司」とは、職務上の上級者をいい、たとえば、書記の上司は議長又は事務局長若しくは書記長その他組織上当該職員の上位にある職員をいう。
※ ●議長の権限（職員の任免権を除く。）を事務局長に委任し、又は代理させるようなことを条例で規定することはできない。（昭二六・三・一九行実）

第十二節　雑則

＊ 本節―追加〔令五・五法一九〕

〔電子情報処理組織による通知〕

第百三十八条の二 議会等に対して行われる通知のうちこの章（第百条第十五項を除く。）の規定において文書その他の人の知覚によつて認識することができる情報が記載された紙その他の有体物（次項において「文書等」という。）により行うことが規定されているもの（情報通信技術を活用した行政の推進等に関する法律（平成十四年法律第百五十一号）第七条第一項の規定が適用されるものを除く。）については、当該通知に関するこの章の規定にかかわらず、総務省令で定めるところにより、総務省令で定める電子情報処理組織（議会等の使用に係る電子計算機（入出力装置を含む。以下この項及び第四項において同じ。）とその通知の相手方の使用に係る電子計算機とを電気通信回線で接続した電子情報処理組織をいう。以下この条において同じ。）を使用する方法により行うことができる。[1]

② 議会等が行う通知のうちこの章（第百二十三条第四項を除く。）の規定において文書等により行うことが規定されているもの（情報通信技術を活用した行政の推進等に関する法律第六条第一項の規定が適用されるものを除く。）については、当該通知に関するこの章の規定にかかわらず、総務省令で定めるところにより、総務省令で定める電子情報処理組織を使用する方法により行うことができる。[2] ただし、当該通知のうち第九十九条の規定によるもの以外のものにあつては、当該通知を受ける者が[3]当該電子情報処理組織を使用する方法により受ける旨の総務省令で定める方式による表示をする場合に限る。

③ 前二項の電子情報処理組織を使用する方法により行われた通知については、当該通知に関するこの章の規定に規定する方法により行われたものとみなして、この法律その他の当該通知に関する法令の規定を適用する。

④ 第一項又は第二項の電子情報処理組織を使用する方法により行われた通知は、当該通知を受ける者の使用に係る電子計算機に備えられたファイルへの記録がされた時に当該者に到達したものとみなす。

＊ 本条―追加〔令五・五法一九〕

【参照条文】
①【当該通知―法一〇九6・7・一一二1・3・一二四
【総務省令で定―則一二の二の四・一二の二の九
【総務省令で定める電子情報処理組織―則一二の二の三
②【当該通知―法九九・一一八1・6・一二七1・3・一三七
【総務省令で定―則一二の二の六・一二の二の八・一二の二の九
【総務省令で定める電子情報処理組織―則一二の二の五
【総務省令で定める方式―則一二の二の七

【通　知】
1・2）●本条第一項及び第二項の規定は、議会等に対して行われる通知や議会等が行う通知の規定において文書等で行うことが求められていたものについて、各議会の判断により、オンラインにより行うことを可能とするものであることから、従前のとおり、文書等により手続を行うことを妨げるものではない。（令五・五・八通知）

3）●第二項ただし書きは、デジタル化に対応できない者等がいることを前提に、通知を受ける者がオンラインによる通知に同意することを求めるものであるが、法第九九条のうち国会への意見書の提出については、国会に同意を求める必要はない。（令五・五・八通知）

※●地方自治法施行規則（昭和二二年内務省令第二九号）第一二条の二の四第二項ただし書きに規定する通知を行った者を確認するための措置は、主体認証（※1）による確認のほか、アクセスログ、電子メール送付等のプロセスの記録を活用した確認（※2）なども考えられるが、各通知の主体や性質等を総合的に勘案し、本人からの通知であることを確認することができる方法とすること。

（※1）主体認証とは、本人しか知り得ない情報（パスワード等）、本人のみが所有する機器等（ICカード等）、本人の生体的な特徴（指紋等）により当人認証を行う手法の総称のこと（「行政手続におけるオンラインによる本人確認の手法に関するガイドライン」（平成三一年二月二五日各府省情報化統括責任者（CIO）連絡会議決定）より）。

（※2）アクセスログ、電子メール送付等のプロセスの記録を活用する間接的な確認方法とは、システムやネットワークなどのアクセスログを確認することや、メールアドレスのドメインを確認すること、電子メールのやりとりの中で特定の者しか知り得ないことを確認すること、継続したやりとりの内容に矛盾がないことを確認すること等を指す。（令六・一一・二九通知）

※●国会への意見書の提出を電子情報処理組織を使用する方法により行う場合の衆議院事務局又は参議院事務局がそれぞれ指定する方法。（令六・三・二六通知）

第七章　執行機関

第一節　通則

＊本節―追加〔昭二七・八法三〇六〕

（執行機関の義務）

第百三十八条の二　普通地方公共団体の執行機関は、当該普通地方公共団体の条例、予算その他の議会の議決に基づく事務及び法令、規則[1]その他の規程に基づく当該普通地方公共団体の事務を、自らの判断と責任において、誠実に管理し及び執行する義務を負う。

＊本条―追加〔昭二七・八法三〇六〕、一部改正〔昭三八・六法九九、平一一・七法八七、旧一三八条の二―繰下〔令五・五法一九〕

【参照条文】

【執行機関―法一三八の四1・一三九・一八〇の五1～3】【条例―法一四】【予算―法二一一・二一五・二一八】【議会の議決―法九六・一一六】【規則・規程等―法一五・一三八の四2・一九四　地公法八5　地教法一五　警察法三八5　収用法五九　農委法三四　※法一三八の四の参照条文参照

【実例】

1）●明確に一定の形式及び名称が定められていなくても、たとえば、選挙管理委員会が選挙管理委員会に関し必要な事項を定めることができることとされているものについて定めたもの（第一九四条）、同様に、収用委員会（土地収用法第五九条）等が一定の所掌事務につきなした法的規制は、この「その他の規程」に該当する。（昭二七・八行政資料）

（執行機関の組織の原則）

第百三十八条の三　普通地方公共団体の執行機関の組織は、普通地方公共団体の長の所轄[1]の下に、それぞれ明確な範囲の所掌事務と権限を有する執行機関によつて、系統的にこれを構成しなければならない。

②　普通地方公共団体の執行機関は、普通地方公共団体の長の所轄の下に、執行機関相互の連絡を図り、すべて、一体として、行政機能を発揮するようにしなければならない。

③　普通地方公共団体の長は、当該普通地方公共団体の執行機関相互の間にその権限につき疑義が生じたときは、これを調整するように努めなければならない。

＊本条―追加〔昭二七・八法三〇六〕

【参照条文】

①・②【執行機関―法一三八の四1・一三九・一八〇の五1～3】【長の所轄―※収用法五一　警察法三八　労組法一九の一二　※法一八〇の二・一八〇の三・一八〇の七

③【権限の疑義―法二五一

※法一四七・一八〇の四・一八〇の五4・二二一・二三八の二

【注釈】

1）○「所轄」とは、上級の行政機関対下級の行政機関の間の関係を表す意味の用語であり、通常二つの機関の間において、一方が上級の機関であることを認めながらも、他方は相当程度当該上級機関から独立した機関であることを表す意味に用いられている。

〔委員会・委員及び附属機関の設置〕

第百三十八条の四　普通地方公共団体にその執行機関として普通地方公共団体の長の外、法律の定めるところにより、委員会又は委員を置く。

②　普通地方公共団体の委員会は、法律の定めるところにより、法令又は普通地方公共団体の条例若しくは規則に違反しない限りにおいて、その権限に属する事務に関し、規則[1]その他の規程を定めることができる。

③　普通地方公共団体は、法律又は条例の定めるところにより、執行機関の附属機関として自治紛争処理委員、審査会、審議会、調査会その他の調停、審査、諮問又は調査のための機関[2]を置くことができる。ただし、政令で定める執行機関については、この限りでない。

＊本条―追加〔昭二七・八法三〇六〕、三項―一部改正〔平一一・七法八七〕

【参照条文】

①【法律の定める委員会又は委員―法一八〇の五1～3

②【規則の制定権―地公法八5　地教法一五　警察法三八5　【規程の制定権―法一九四　収用法五九　農委法三四　【※規則・規程等制定上の注意―法一八〇の四2・二二二2

③【自治紛争処理委員―法二五一　【政令の定―現在なし　【※附属機関の職務等―法二〇二の三　※法二五二の七～二五二の一三

【実　例】

1）●委員会がその権限に属する事務に関して必要な規則を制定する場合、長はこれに積極的に干渉することは事前においても事後においてもできない。（昭二八・六・一六行実）

2）●附属機関たる性格を有するものは、名称のいかんを問わず、臨時的、速急を要する機関であっても、条例によらなければ設置できない。（昭二七・一一・一九行実）

●地方公共団体に設置される附属機関は、第一三八条の四第三項の規定により、「調停、審査又は調査のための機関」に限られる。（昭三〇・三・一八行実）

●一の執行機関の附属機関として設けられた審議会等の権限として、他の執行機関の諮問に応じ調査審議し又は建議できる旨を規定することはできる。（昭三三・一二・八行実）

※●執行機関の長が、当該執行機関の附属機関の長又は委員となることは、さしつかえない。（昭三三・三・一二行実）

第二節　普通地方公共団体の長

＊旧一節―繰下〔昭二七・八法三〇六〕

第一款　地位

〔知事及び市町村長〕

第百三十九条　都道府県に知事を置く。

②　市町村に市町村長を置く。

【参照条文】

※憲法九三2　法一七・一九2・3・一四七～一五九

〔任期〕

第百四十条　普通地方公共団体の長の任期は、四年とする。

②　前項の任期の起算については、公職選挙法第二百五十九条及び第二百五十九条の二の定めるところによる。

＊二項―全改〔昭二五・四法一〇一〕、一部改正〔昭三七・五法一一二〕

【引用条文】

②【選挙法二五九（地方公共団体の長の任期の起算）・二五九の二（地方公共団体の長の任期の起算の特例）

【参照条文】

【※任期満了以外の離職―法八三・一四三・一四五・一七八2　【※長の交代の場合の措置―法一五九　令一二三・一二四・一二八～一三一　【※期間計算―民法一四三

〔兼職の禁止〕

第百四十一条　普通地方公共団体の長は、衆議院議員又は参議院議員と兼ねることができない。

②　普通地方公共団体の長は、地方公共団体の議会の議員並びに常勤の職員及び短時間勤務職員[1]と兼ねることができない。

＊二項―一部改正〔昭二三・七法一七九、昭二六・六法二〇三、平一一・七法一〇七、平一六・六法八五〕

【参照条文】

【※国会議員との兼職禁止―国会法三九　【長との兼職を禁じた他の規定の例―地教法六

※法九二　選挙法八九～九一・一〇三

【実　例】

1）●市町村長は、市町村の消防長を兼職することはできない。（昭三一・一〇・一行実）

※●弁護士が弁護士の登録を取り消さないで町村長に就任しても、町村長たる地位に影響はない。（昭二六・一二・二六行実）

※●県が株式を所有し、且つ、地方住民の福祉と密接な関連をもつ電力会社及び民間放送会社等の会社役員を普通地方公共団体の長が兼職することは法律的にはさしつかえない。（昭二八・六・三〇行実）

〔長の兼業禁止〕

第百四十二条　普通地方公共団体の長は、当該普通地方公共団体に対し請負をする者及びその支配人又は主として同一の行為をする法人（当該普通地方公共団体が出資している法人で政令で定めるものを除く。）の無限責任社員、取締役、執行役若しくは監査役若しくはこれらに準ずべき者、支配人及び清算人たることができない。

＊本条―一部改正〔昭三一・六法一四七、平三・四法二四、平一一・七法八七、平一四・五法四五〕

【参照条文】

【請負―民法六三二～六四二　建設業法一八・二四】【支配人―会社法一〇～一三】【政令の定―令一二二】

【無限責任社員―会社法五八〇～五八四】【取締役―会社法三二九～三三二・三四八～三六一】【執行役―会社法四〇二・四〇三・四一六～四二二】【監査役―会社法三二九・三三〇・三三五・三三六・三八一～三八九】【清算人―会社法四七八・四七九・四八一～四八八】

※　法九二の二・一八〇の五6　地税法四二五2　公有地の拡大の推進に関する法律二六2

【実例・判例・通知】

※　●当該会社が第一四二条の規定に該当しない限り、普通地方公共団体の長が公費を出資した会社の社長となることはさしつかえない。（昭二九・六・一七行実）

※　●市が公有水面埋立権を取得し埋立事業を株式会社に委託する場合において、当該会社にはその委託料の支払いをしないかわりに資本参加するとともに市が取得した埋立地の一部を無償譲渡する場合において、この株式会社の事業量のうち九〇パーセントが市から委託を受けた埋立事業で占めるときは、市長が当該株式会社の取締役に就任することは地方自治法第一四二条の兼業に該当する。（昭四七・七・一五行実）

㊟　平成三年法律第二四号改正により、当該普通地方公共団体が資本金の二分の一以上を出資している場合は、本条の適用が除外される。

※　●市長がモーターボート競走会会長理事の地位に就くことは地方自治法第一四二条に違反し、許されない。（昭三二・一二・三最裁判）

※　法九二条の二の実例、判例及び平三〇・四・二五の通知を参照

〔失職〕

第百四十三条　普通地方公共団体の長が、被選挙権を有しなくなつたとき又は前条の規定に該当するときは、その職を失う。その被選挙権の有無又は同条の規定に該当するかどうかは、普通地方公共団体の長が公職選挙法第十一条、第十一条の二若しくは第二百五十二条又は政治資金規正法第二十八条の規定に該当するため被選挙権を有しない場合を除くほか、当該普通地方公共団体の選挙管理委員会がこれを決定しなければならない。

②　前項の規定による決定は、文書をもつてし、その理由をつけてこれを本人に交付しなければならない。

③　第一項の規定による決定についての審査請求は、都道府県にあつては総務大臣、市町村にあつては都道府県知事に対してするものとする。

④　前項の審査請求に関する行政不服審査法（平成二十六年法律第六十八号）第十八条第一項本文の期間は、第一項の決定があつた日の翌日から起算して二十一日とする。

＊一項―一部改正〔昭二五・四法一〇一、昭三六・一一法二三五〕、二項―全改・三・四項―追加〔昭三七・九法一六一〕、一項―一部改正〔平六・二法四、平一一・八法一二一〕、三項―一部改正〔平一一・一二法一六〇〕、三・四項―一部改正〔平二六・六法六九〕

【引用条文】

①【選挙法一一（選挙権及び被選挙権を有しない者）・一一の二（被選挙権を有しない者）・二五二（選挙犯罪による処刑者に対する選挙権及び被選挙権の停止）】【政資法二八】

④【行政不服審査法一八（審査請求期間）1】

【参照条文】

①【被選挙権―法一九2・3＝選挙法一〇1Ⅳ・Ⅵ】

※　【長の失職の場合の措置―法一五九　令一二三・一二四・一二八～一三一】

※　法一二七　地教法九

【実　例】

1）●選挙管理委員会において、当該普通地方公共団体の長が、第一四二条後段（主として同一の行為をする法人の…）に該当するかどうかを決定する場合、当該法人に対しその業務に関する書類等を検閲し、必要な報告を求めることは、法律上の権限としては、できない。（昭三八・四・一八行実）

〔失職の時期〕

第百四十四条　普通地方公共団体の長は、公職選挙法第二百二条第一項若しくは第二百六条第一項の規定による異議の申出、同法第二百二条第二項若しくは第二百六条第二項の規定による審査の申立て、同法第二百三条第一項、第二百七条第一項、第二百十条若しくは第二百十一条の訴訟の提起に対する決定、裁決又は判決が確定するまでの間（同法第二百十条第一項の規定による訴訟を提起することができる場合において、当該訴訟が提起されなかつたとき、当該訴訟についての訴えを却下し若しく

は訴状を却下する裁判が確定したとき、又は当該訴訟が取り下げられたときは、それぞれ同項に規定する出訴期間が経過するまで、当該裁判が確定するまで又は当該取下げが行われるまでの間）は、その職を失わない。

＊本条―全改〔昭二五・四法一〇一〕、一部改正〔昭二五・四法一四三、昭二七・八法三〇八、昭三〇・一法四、昭三七・九法一六一、昭五〇・七法六三、平六・二法二〕

【引用条文】

【選挙法二〇二（地方公共団体の議会の議員及び長の選挙の効力に関する異議の申出及び審査の申立て）1・2・二〇六（地方公共団体の議会の議員又は長の当選の効力に関する異議の申出及び審査の申立て）1・2・二〇三（地方公共団体の議会の議員及び長の選挙の効力に関する訴訟）1・二〇七（地方公共団体の議会の議員及び長の当選の効力に関する訴訟）1・二一〇（総括主宰者、出納責任者等の選挙犯罪による公職の候補者であつた者の当選の効力及び立候補の資格に関する訴訟等）・二一一（総括主宰者、出納責任者等の選挙犯罪による公職の候補者等であつた者の当選無効及び立候補の禁止の訴訟）

【参照条文】

【※判決の確定―民訴一一六

※ 法一二八

〔退職〕

第百四十五条 普通地方公共団体の長は、退職しようとするときは、その退職しようとする日前[1]、都道府県知事にあつては三十日[2]、市町村長にあつては二十日までに、当該普通地方公共団体の議会の議長に[3]申し出なければならない。但し、議会の同意[4]を得たときは、その期日前[5]に退職することができる。

【参照条文】

【議会の同意―法一一六 【※本条の特例―選挙法九〇 【※本条以外の離職―法八三・一四〇・一四三・一七八2 【※長の退職の場合の措置―法一五九 令一二三・一二四・一二八～一三一

【実例・判例・注釈】

1）○「日前」とは、退職しようとする日の前日を第一日として前に遡つて計算する意である。

2）○「三十日」又は「二十日」までとは、退職をしようとする日の前日を第一日として、前に遡つて計算して三〇日目又は二〇日目にあたる日までを指す。

3）●町村長の辞表は、議長がないときは副議長、議長及び副議長がともにないときはあらかじめ選任した仮議長又は議会の書記長（書記長がないときは書記）に提出すべきである。（昭二一・一二・二七行実）

4）●退職申出に対する議会の同意はその期日のみであり、退職期日の明記してない辞表につき議会が同意の議決を行つた場合、議決の日をもつて退職の期日と解する。（昭二三・六・一二行実）

●長の辞表に退職期日が指定してあつた場合、議会はその期日を修正して同意を与えることはできない。（昭二五・一一・一六行実）

5）○「その期日前」とは、本条本文で定める退職しようとする日よりも前、すなわち、退職の申出の日の翌日を第一日目として三〇日目又は二〇日目にあたる日よりも前という意である。

●市長が次期市長立候補の目的で本月二四日退職したい旨を明記して退職の申出をし、二八日に議会を開き同意した場合、市長の退職日は同意議決の日である。（昭三〇・一・二八行実）

※ ●町長が辞職を撤回した後、議会が「辞職撤回を認めず、辞職を受理する」との決議をした場合、議会の町長退職承認の決議は、不能の議決であつて無効であり、その議決を町長が再議に付した行為もまた無効である。（昭二二・六・一二行実）

※ ●町長退職届に退職期日の指定のないものは、退職申立の翌日から起算して二〇日目に当然退職する。（昭二四・一一・二六行実）

※ ●任期満了による市長選挙の告示の日に現市長が立候補し、同時に現職を辞任する場合にも本条の適用がある。（昭三三・二・一二行実）

※ ●地方公共団体の長の退職申出は、地方自治法第一四五条所定の期日前に退職するため議会の同意を得た後であつても、まだ後任者の選挙の期日の告示などその効果をみだりに動かしがたい行為が行われず、長個人にも信義則上咎むべき事情の認められない原判決判示の事情のもとにおいては、これを撤回することが許されると解すべきである。（昭三九・九・一八最裁判）

※ ●法第一四五条の規定による退職申出に退職期日の指定がない場合の退職の時点は、退職申出の日の翌日から起算して二〇日目に当る日の午前〇時と解する。（昭四六・三・一二行実）

第百四十六条 削除〔平三・四法二四〕

第二款 権限

〔長の統轄代表権〕

第百四十七条 普通地方公共団体の長は、当該普通地方公共団体を統轄し[1]、これを代表する[2]。

【参照条文】

※ 法一三八の三・二二一・二三八の二・二五二の二〇の二8 地教法二八

【実例・注釈】

1）○「統轄」とは、当該普通地方公共団体の事務の全般について、当該普通地方公共団体の長が総合的統一を確保する権限を有することを意味する。

●「統轄」権は、普通地方公共団体の事務の全般につき当該普通地方公共団体の長が総合的統一を確保する権限を有することを意味するものであつて、普通地方公共団体の長が法令上選挙管理委員会の権限に属する事務を処理執行する権能を有しないことはいうまでもないが、委員会及び選挙事務に必要な予算を調製する権限は、なお、普通地方公共団体の長に属しているのであり、選挙に関する事務も普通地方公共団体の事務の一であるから、「統轄」の対象となるものと解すべきである。（昭二二・八・八行実）

2）○「代表」とは、普通地方公共団体の長が外部に対して、当該普通地方公共団体の行為となるべき各般の行為をなしうる権限をいい、長のなした行為そのものが、法律上直ちに当該普通地方公共団体の行為となることを意味する。

（事務の管理及び執行権）

第百四十八条　普通地方公共団体の長[1]は、当該普通地方公共団体の事務を管理し及びこれを執行する。

＊本条—全改〔昭二二・一二法一六九〕、一項—一部改正・二・三項—追加〔昭二七・八法三〇六〕、一項—一部改正・二・三項—削る〔平一一・七法八七〕

【参照条文】

【普通地方公共団体の事務—法二2〜17　※二五二の二〇の二8

【判　例】

1）●市長の権限は、市長が自らこれを制限できない。（昭二・六・二六大審判）

（担任事務）

第百四十九条　普通地方公共団体の長は、概ね左に掲げる事務を担任する。

一　普通地方公共団体の議会の議決[1]を経べき事件につきその議案を提出すること。

二　予算を調製し、及びこれを執行すること[2]。

三　地方税を賦課徴収し、分担金、使用料、加入金又は手数料を徴収し[3]、及び過料を科すること。

四　決算を普通地方公共団体の議会の認定に付すること。

五　会計を監督すること[4]。

六　財産を取得し、管理し[5]、及び処分すること。

七　公の施設を設置し、管理し、及び廃止すること。

八　証書[6]及び公文書類[7]を保管すること。

九　前各号に定めるものを除く外[8]、当該普通地方公共団体の事務を執行すること。

＊本条—一部改正〔昭二七・八法三〇六、昭三八・六法九九〕

【参照条文】

【議会の議決事件—法九六　【予算の調製—法二一一・二一八　【予算の執行—法二二〇　【地方税—法二二三・地税法　【分担金—法二二四　【使用料—法二二五・二二六　【加入金—法二二六　【手数料—法二二七　地方公共団体の手数料の標準に関する政令　【過料—法一五2・一五九2・二二八2・3　【決算—法二三三　【会計事務—法一七〇・二三五　【財産—法二三七〜二四一　【公の施設—法二四四〜二四四の四　【長の権限事項の例—法一五・一〇一・一五二〜一五八・一六二・一六八・一七一・一七二・一七四・一七六〜一八〇

【実例・判例・注釈】

1）●市町村行政事務に係る市町村会の議事については本条第一号の規定に基づき市町村長が発案すべきであるが、第九八条、第九九条及び第一二〇条の規定に係る事項は市町村長が発案すべきものでない。（行実）

2）○「執行」には、歳入の調定及び納入の通知並びに支出負担行為、支出命令及び収入命令を含む。

●収入支出の権限は、普通地方公共団体の長にあるから、選挙管理委員会の委員長が支出を受けようとするときは、当該団体の長に収入役（現行法では会計管理者）に対する支出命令を求めなければならない。（昭二二・一二・一七行実）

●金銭出納の権限を有しない町長が、収入役（現行法では会計管理者）名義の金員受領書を偽造し、町を借主とする消費貸借名下に他人より金銭を詐取し、これにより他人に加えた損害は、民法第四四条の町長が職務を行うにつき加えた損害にはあたらない。（昭三七・二・一六最裁判）

3）●授業料の減免措置は、教育委員会の権限でなく、知事の権限である。（昭二六・九・二一行実）

4）●収入役（現行法では会計管理者）が、公金の保管方法として銀行に預金する場合には、町村長は常にその銀行の選択に注意し、収入役（現行法では会計管理者）を監督して適当な処置をとらしむべき職務を有する。（大三大審判）

5）●議事堂の管理権は、普通地方公共団体の長又はその委任により当該普通地方公共団体の吏員（現行法では職員）にあり、議長にはないと解されるから、議長は建造物不法侵入不退去の罪の容疑者を告訴することはできない。（昭三九・一・八行実）

6・7）●証書には貸金、預金、小作等の証書又は契約書のごときを含み公債証書のごときは含まず、また公文書類とは府県の行政に関する一切の帳簿類書類を指し法令全書のごときはこれに該当しない。（行実）

●村長の職務上保管する帳簿は、村民たりといえども自由に披閲謄写する権利はなく、その披閲謄写の許可は公法上村長の職権に属する。（明二七大審判）

8）●町村民から願出のあつたときは、町村長は自己の

関知しうる範囲で証明を行うことは法律上別にさしつかえない。（行実）

※ ●選挙は議決とその性質を異にするから本条にいう議決を経べき事件中に包含されない。（行実）

〔財務に関する事務等の適正な管理及び執行を確保するための方針の策定等〕

第百五十条 都道府県知事及び第二百五十二条の十九第一項に規定する指定都市（以下この条において「指定都市」という。）の市長は、その担任する事務のうち次に掲げるものの管理及び執行が法令に適合し、かつ、適正に行われることを確保するための方針を定め、及びこれに基づき必要な体制を整備しなければならない。

一 財務[1]に関する事務その他総務省令で定める事務

二 前号に掲げるもののほか、その管理及び執行が法令に適合し、かつ、適正に行われることを特に確保する必要がある事務として当該都道府県知事又は指定都市の市長が認めるもの

② 市町村長（指定都市の市長を除く。第二号及び第四項において同じ。）は、その担任する事務のうち次に掲げるものの管理及び執行が法令に適合し、かつ、適正に行われることを確保するための方針を定め、及びこれに基づき必要な体制を整備するよう努めなければならない。

一 前項第一号に掲げる事務

二 前号に掲げるもののほか、その管理及び執行が法令に適合し、かつ、適正に行われることを特に確保する必要がある事務として当該市町村長が認めるもの

③ 都道府県知事又は市町村長は、第一項若しくは前項の方針を定め、又はこれを変更したときは、遅滞なく、これを公表しなければならない。

④ 都道府県知事、指定都市の市長及び第二項の方針を定めた市町村長（以下この条において「都道府県知事等」という。）は、毎会計年度少なくとも一回以上、総務省令で定めるところにより、第一項又は第二項の方針及びこれに基づき整備した体制について評価した報告書を作成しなければならない。

⑤ 都道府県知事等は、前項の報告書を監査委員の審査に付さなければならない。

⑥ 都道府県知事等は、前項の規定により監査委員の審査に付した報告書を監査委員の意見を付けて議会に提出しなければならない。

⑦ 前項の規定による意見の決定は、監査委員の合議によるものとする。

⑧ 都道府県知事等は、第六項の規定により議会に提出した報告書を公表しなければならない。

⑨ 前各項に定めるもののほか、第一項又は第二項の方針及びこれに基づき整備する体制に関し必要な事項は、総務省令で定める。

＊本条—全改〔平二九・六法五四〕

【引用条文】
①【法二五二の一九（指定都市の権能）1

【参照条文】
①【財務に関する事務—法一九九1
④【総務省令の定—則一二の二の一〇
⑤【監査委員の審査—法二三三・二四一

【通　知】
1）●「財務に関する事務」とは、第一九九条第一項の「財務に関する事務」と同義であり、第二編第九章（「財務」）の予算の執行、収入、支出、契約、現金及び有価証券の出納保管、財産管理等の事務の全てを包含する。（平二九・六・九通知）

※ 本規定は、地方公共団体の長以外の執行機関や地方公営企業の管理者に係る地方自治法第一五〇条第一項又は第二項に規定する方針及びこれに基づき整備する体制に関し規定するものではないが、地方公共団体の長は、これらの機関に対し、予算の執行に関する調査権（第二二一条）等の一定の権限を有しており、これらを適切に行使することも含めて、第一五〇条第一項又は第二項に規定する方針を定め、及びこれに基づき必要な体制を整備することが求められる。（平二九・六・九通知）

第百五十一条 削除〔平二九・六法五四〕

〔長の職務の代理〕

第百五十二条 普通地方公共団体の長に事故があるとき、又は長が欠けたときは、副知事又は副市町村長がその職務を代理[1]する。この場合において副知事又は副市町村長が二人以上あるときは、あらかじめ当該普通地方公共団体の長が定めた順序[2]、又はその定めがないときは席次の上下により、席次[3]の上下が明らかでないときは年齢の多少により、年齢が同じであるときはくじにより定めた順序で、その職務を代理する。

② 副知事若しくは副市町村長にも事故があるとき若しくは副知事若しくは副市町村長も欠けたとき又は副知事若しくは副市町村長を置かない普通地方公共団体において当該普通地方公共団体の長に事故があるとき若しくは当該普通地方公共団体の長が欠けたときは、その補助機関である職員のうちから当該普通地方公共団体の長の指定する職員がその職務を代理する。

③ 前項の場合において、同項の規定により普通地方公共団体の長の職務を代理する者がないときは、その補助機

自治法

関である職員のうちから当該普通地方公共団体の規則で定めた上席[4]の職員がその職務を代理する。

＊一・二項―一部改正〔昭二二・一二法一六九〕、二項―一部改正〔昭二七・八法三〇六〕、三項―追加〔昭三八・六法九九〕、一～三項―一部改正〔平一八・六法五三〕

【参照条文】
【副知事、副市町村長―法一六一　【副知事、副市町村長の長の代理―法一六七　【※副知事、副市町村長を置かない団体―法一六一1但書

※　法二五二の一七の八・二五二の二〇の二6

【実例・通知・注釈】
1)●町村に関する民事訴訟については、町村長が欠員又は故障ある場合においては助役（現行法では副市町村長）が町村長に代つて当事者となる。（明二四・六・二二行実）
●指定する吏員（現行法では職員）は長が更迭した場合当然新たに指定替を要するものではないが、指定の変更はさしつかえない。（昭二二・八・八通知）
●臨時代理者又は職務執行者はすべての長の職務権限を全部行うものであるから、必要な限度で補助機関の選任ができる。（昭二三・一〇・三〇行実）
●本条の職務代理者及び第二四七条の職務代行者（現行法では第二五二条の一七の八の臨時代理者）は、原則としては長の職務の全部を代行するものであるが、事の性質上他の代行を許さない事件（たとえば議会の解散、助役（現行法では副市町村長）、収入役（現行法では会計管理者）の選任）は除外すべきである。（昭三〇・九・二行実）
●職務代理者は、法第一八〇条の五第一項から第三項までに規定する委員会の委員又は委員のうち長が選任権者であるものについて、当該委員の任期満了等により当該委員の職務を行う者がいない場合において、同条同項に規定する委員会の委員又は委員を選任することができる。（昭五五・七・二二行実）
2)●「順序」は、規則で定めればよい。（昭二二・八・八通知）
3)○「席次の上下」とは、給料の多寡、在職年数の長短等による序列の上下をいう。
4)○「上席の職員」とは、当該地方公共団体の規則で定めた上席の者をいう。例えば、通常は長の直近下位の内部組織の職の順等によって適宜決めておく。
※●本条の規定による長の職務代理者に対する不信任議決は法律上の効力を有せず、従つて右代理者に議会を解散する権限はない。（昭二三・九・一四行実）
※●知事職務代理者は、知事の当選の効力が生じ知事がその身分を取得した日（そのとき知事に事故ある場合は事故のやんだ日）に代理権を失う。（昭二五・一一・一一行実）
※●本条の長の職務代理の名称は、〇〇県知事職務代理者、〇〇県副知事氏名が適当である。（昭二五・一二・五行実）

〔長の事務の委任・臨時代理〕
第百五十三条　普通地方公共団体の長は、その権限に属する事務の一部をその補助機関である職員[1]に委任し、又はこれに臨時に代理させること[2]ができる。
②　普通地方公共団体の長は、その権限に属する事務の一部をその管理に属する行政庁[3]に委任すること[4]ができる。

＊二項―一部改正・三項―削る〔平一一・七法八七〕、一項―一部改正〔平一八・六法五三〕

【参照条文】
①【長の権限に属する事務―法一四八・一四九　【職員―法一七二1
②【管理に属する行政庁―法一五五1

【実例・判例】
1)●A県の一般職に属する常勤の職員を、B市において吏員（現行法では職員）相当の職である非常勤職員に任用した場合、この職員をして右市長の指定代理人として訴訟行為を行なわせることができる。（昭三七・五・一五行実）
2)●臨時代理者として町村長の事務を執行する場合の名義は、町村長某代理某とすべきである。（行裁判）
3)●保健所は、法第一五三条第二項の行政庁とはならない。（昭二三・八・二七行実）
●家畜保健衛生所は、本条項にいう行政庁に該当しない。（昭二五・九・一八行実）
4)●普通地方公共団体の長はその権限に属する事務を国の出先機関に委任執行させることはできない。（昭二三・八・九行実）
●本条第二項の規定に基づく委任は、普通文書の形式をもつて地域、事件を限定してすることも法的には支障なく、委任の形式には何ら定めがないが、住民に直接関係ある事務を委任する場合は、住民に周知させるよう公示等の措置を講ずることが適当である。（昭二八・一二・一行実）

〔職員の指揮監督〕
第百五十四条　普通地方公共団体の長は、その補助機関である職員を指揮監督する。

＊本条―全改〔昭二二・一二法一六九〕、一部改正〔平一八・六法五三〕

【参照条文】
【補助機関―法一六一～一七五

〔処分の取消及び停止〕
第百五十四条の二　普通地方公共団体の長は、その管理に

属する行政庁の処分が法令、条例又は規則に違反すると認めるときは、その処分を取り消し、又は停止することができる。

* 本条…追加〔平一一・七法八七〕

【参照条文】

【所管行政庁…法一五五1 ※法一五六1】

〔支庁・地方事務所・支所等の設置〕

第百五十五条 普通地方公共団体の長は、その権限に属する事務を分掌させるため、条例で、必要な地に、都道府県にあつては支庁（道にあつては支庁出張所を含む。以下これに同じ。）及び地方事務所、市町村にあつては支[1]所又は[2]出張所を設[3]けることができる。

② 支庁若しくは地方事務所又は支所若しくは出張所の位置、名称及び[4]所管区域は、条例でこれを定めなければならない。

③ 第四条第二項の規定は、前項の支庁若しくは地方事務所又は支所若しくは出張所の位置及び所管区域にこれを準用する。

* 一・二・四項…一部改正〔昭二五・五法一四三〕、三項…一部改正・五項…追加〔昭二七・八法三〇六〕、二・三項…削る・旧四・五項…一部改正し二項ずつ繰上〔昭三一・六法一四七〕

【引用条文】

③【法四（地方公共団体の事務所の設定又は変更）2】

【参照条文】

①【長の権限に属する事務…法一四八・一四九】【事務の分掌…法一五八1】【※支庁・地方事務所・支所の長…法一七五】

※ 法一五六

【実例・通知・注釈】

1）●本法において支所と称するのは、市区町村内の特定区域を限り主として市町村の事務の全般にわたつて事務を掌る事務所を意味し、土木、勧業その他特定の事務のみを分掌させる事務所は、法にいう支所ではない。（昭二二・五・二九通知）

●法に規定する支所である限り出張所等の他の名称を使用することは適当でない。（昭二二・一一・一九通知）

2）●支所は市町村内の特定区域を限り主として市町村の事務の全般にわたつて事務を掌る事務所であり、出張所は住民の便宜のために市役所又は町村役場まで出向かなくてもすむ程度の簡単な事務を処理するために設置するものである。（昭三三・二・二六行実）

3）●支所の設置は、交通不便の地あるいは市町村の廃置分合等により従前の市町村役場を廃止せず支所とする場合等であり、その組織は相当の職員が常時勤務することを要件とする。（昭二三・一一・二〇行実）

4）○「所管区域」とは、各地方事務所等の分掌事務行使のために割り当てられた地域をいう。

●総合出先機関が、特定の事務を処理する他の出先機関の事務を除き、出先において処理すべきその他の事務をとりまとめて所掌するものであるときは、本条の規定に基づく機関である。（昭三二・二・一一行実）

※

〔行政機関の設置・国の地方行政機関の設置の条件〕

第百五十六条 普通地方公共団体の長は、前条第一項に定めるものを除くほか、法律又は条[1]例で定めるところにより、保健所、警察署その他の[2]行政機関を設けるものとする。

② 前項の行政機関の位置、名称及び所管区域は、条例で定める。

③ 第四条第二項の規定は、第一項の行政機関の位置及び所管区域について準用する。

④ 国の地方行政機関（駐在機関を含む。以下この項において同じ。）は、国会の承認を経なければ、設けてはならない。国の地方行政機関の設置及び運営に要する経費は、国において負担しなければならない。

⑤ 前項前段の規定は、司法行政及び懲戒機関、地方出入国在留管理局の支局及び出張所並びに支局の出張所、警察機関、官民人材交流センターの支所、検疫機関、防衛省の機関、税関の出張所及び監視署、税関支署並びにその出張所及び監視署、税務署及びその支署、国税不服審判所の支部、地方航空局の事務所その他の航空現業官署、総合通信局の出張所、電波観測所、文教施設、国立の病院及び療養施設、気象官署、海上警備救難機関、航路標識及び水路官署、森林管理署並びに専ら国費をもつて行う工事の施行機関については、適用しない。

* 一・三項…一部改正・四・五項…追加〔昭二二・一二法一六九〕、五項…一部改正〔昭二三・六法五二、昭二四・五法一六二、昭二五・五法一三三〕、一項…一部改正〔昭二五・五法一四三〕、五項…一部改正〔昭二七・七法二五一、法二六五、法二七八、法二八〇〕、三・四項…追加・旧三・四項…二項ずつ繰下・旧五項…一部改正し七項に繰下〔昭二七・八法三〇六〕、七項…一部改正〔昭二八・八法二一二、昭二九・六法一六四〕、一・五項…一部改正〔昭二九・六法一九三〕、七項…一部改正〔昭三三・四法七八、昭三七・五法一三三、昭四二・七法五三、昭四四・三法二、昭四五・三法八、昭五五・三法一三、昭五五・一一法八五、昭五九・六法五一、昭五九・一二法八七、昭六一・一二法九三、平一〇・一〇法一三五〕、二項…一部改正・四・五項…削る・旧六・七項…二項ずつ繰上〔平一一・七法八七〕、五項…一部改正〔平一一・一二法一六〇、平一四・七法九八、平一八・一二法一一八、平一九・七法一〇八〕、本条…一部改正〔平三〇・一二法一〇二〕

【引用条文】

①〔法一五五（支庁・地方事務所・支所等の設置）１
③〔法四（地方公共団体の事務所の設定又は変更）２

【参照条文】
①①〔保健所―地域保健法五　〔警察署―警察法五三
④〔経費の国家負担―地財法一〇　※法二三二

【実例】
１）●「条例の定めるところにより」とは、行政機関の設置はすべて条例事項であり、同時に議会の議決事項となる意である。（昭二五・七・二五行実）
●行政機関の設置に関する条例の発案は、長の専権に属するにかんがみ、第二条第九項及び第一〇項（現行法では第一四項及び第一五項）にのつとる提案に対しては、議会においてはこれらの規定に反するような修正をすべきでない。（昭三〇・一二・二三行実）
２）●行政機関とは、普通の意味におけるそれと別段異なるものではなく、ある特定の行政部門につき設置されるものである。（昭二五・七・二五行実）
●ばい煙の排出の規制等に関する法律（現行大気汚染防止法）に規定する常時監視、緊急時の措置等を主たる業務とする公害監視センターは、行政機関として条例で設置できる。（昭四三・五・七行実）

〔公共的団体等の監督〕

第百五十七条　普通地方公共団体の長は、当該普通地方公共団体の区域内の公共的団体等の活動の綜合調整[2]を図るため、これを指揮監督する[3]ことができる。

② 前項の場合において必要があるときは、普通地方公共団体の長は、当該普通地方公共団体の区域内の公共的団体等をして事務の報告をさせ、書類及び帳簿を提出させ及び実地について事務を視察することができる。

③ 普通地方公共団体の長は、当該普通地方公共団体の区域内の公共的団体等の監督上必要な処分をし又は当該公共的団体等の監督官庁[4]の措置を申請することができる。

④ 前項の監督官庁は、普通地方公共団体の長の処分を取り消すことができる。

【参照条文】
①①〔地方公共団体の区域―法五　〔公共的団体の活動の綜合調整―法九六１XIV

【実例・注釈】
１）●公共的団体等とは、農業協同組合、森林組合、漁業会、林業会、生活協同組合、商工会議所等の産業経済団体、養老院、育児院、赤十字社、司法保護等の厚生社会事業団体、青年団、婦人会、教育会、体育会等の文化教育事業団体等いやしくも公共的な活動を営むものはすべて含まれ、法人たるといなとを問わない。（昭二四・一・一七行実）
●民法第三四条（現行三三条）の規定に基づく公益法人についても、その具体的活動が公共的活動に及ぶ限りにおいては本条の公共的団体等に包含される。（昭三四・一二・一六行実）
２）●綜合調整とは、公共的団体等の行動に関し勧告等の適当な措置はとれるが、取消はできない。（昭二四・八・一五行実）
３）●部内の団体の指揮監督については議会の議決に基づかなければならないが、議決による委任により長の裁量により行うこともできる。（昭二二・五・二九行実）
●本条の規定によつては、市町村長は当該市町村の区域内にある農業協同組合の役員の選挙が役員選挙規定に違反したことを理由に役員選挙の取消処分を行うことはできないものと解する。（昭二九・七・二六行実）
４）○「監督官庁」とは、法令の規定により、当該公共的団体等に対し監督権を有する官庁をいう。

〔内部組織〕

第百五十八条　普通地方公共団体の長は、その権限に属する事務を分掌させるため、必要な内部組織を設けることができる。この場合において、当該普通地方公共団体の長の直近下位の内部組織の設置及びその分掌する事務については、条例[1]で定めるものとする。

② 普通地方公共団体の長は、前項の内部組織の編成に当たつては、当該普通地方公共団体の事務及び事業の運営が簡素かつ効率的なものとなるよう十分配慮[2]しなければならない。

＊一項―全改・二項―追加・旧二項―一部改正し三項に繰下・旧三項―四項に繰下〔昭二二・一二法一六九〕、一項―一部改正〔昭二二・一二法一九六、昭二三・七法一七〇〕、一項―一部改正・二項―追加・旧二項―一部改正し三項に繰下・旧三・四項―一項ずつ繰下〔昭二三・七法一八〇〕、一・三項―一部改正・四項―追加・旧四・五項―一項ずつ繰下〔昭二五・五法一四三〕、二項―一部改正〔昭二六・五法一六〇〕、一・三項―一部改正〔昭二六・六法二〇八〕、一・二・三項―全改・六項―一部改正〔昭二七・八法三〇六〕、一・二項―一部改正・三項―追加・旧三・六項―一部改正し一項ずつ繰下・旧四・五項―一項ずつ繰下〔昭三一・六法一四七〕、三・四項―一部改正〔昭三五・六法一一三〕、一項―一部改正〔昭三八・六法九九〕、二・七項―一部改正〔昭四四・三法二〕、一項―全改〔平三・五法七九〕、三・四項―一部改正〔平九・六法六七〕、二・七項―一部改正〔平一一・七法八七〕、三・四項―一部改正〔平一一・一二法一六〇〕、本条―全改〔平一五・六法八一〕、三項―削る〔平二三・五法三五〕

【参照条文】
①〔長の権限に属する事務―法一四八・一四九　〔事務の分掌―法一五五

【実例・通知】
１）●局部（現行法では長の直近下位の内部組織）設置条例の発案権は、知事のみこれを有する。（昭二八・一・七行実）
●議会は、部（現行法では長の直近下位の内部組織）の設置に関する条例を修正しうるが、その範囲は、本条第一項及び第二項後段（現行法では第二項）の趣旨を逸脱できない。（昭二八・一・二一行実）

●議会は、改正条例案に含まれていない既存の部（現行法では長の直近下位の内部組織）の名称又は所掌事務を変更する修正をすることはできない。（昭四九・一・二九行実）

●本条第一項の地方公共団体の長の直近下位の内部組織とは、地方公共団体の長の権限に属する事務を分掌するために設けられる最上位の組織を意味するものであり、局又は部若しくはこれに準ずる組織の名称如何にかかわらず、条例で定めることが必要となるものであること。（平一五・七・一七通知）

2）●地方公共団体の内部組織の編成に当たっては、その事務及び事業の運営が簡素かつ効率的なものとなるよう十分配慮しなければならないものであること。すなわち、組織の改編を行うに当たっては、社会経済情勢の変化に対応し、新たな行政課題や住民の多様なニーズに即応した施策を総合的かつ機動的に展開できるような見直しを行うとともに、既存の組織についても従来のあり方にとらわれることなく、スクラップ・アンド・ビルドを徹底することとされたいこと。（平一五・七・一七通知）

〔事務引継〕

第百五十九条 普通地方公共団体の長の事務の引継ぎに関する規定は、政令[1]でこれを定める。

② 前項の政令には、正当の理由がなくて事務の引継ぎを拒んだ者に対し、十万円以下の過料を科する規定を設けることができる。

＊二項—一部改正〔昭二二・一二法一六九、平六・六法四八〕、一項—一部改正〔平一八・六法五三〕

【参照条文】
①【政令の定—令一二三・一二四・一二八〜一三一】
※法二五五の三

【実　例】
1）●任期満了の日前に行われた町長選挙において、町長が現職のまま立候補の上当選し、引き続き町長となつた場合は、事務引継の必要はない。（昭三三・八・七行実）

〔一部事務組合等に関する特例〕

第百六十条 一部事務組合の管理者（第二百八十七条の三第二項の規定により管理者に代えて理事会を置く第二百八十五条の一部事務組合にあつては、理事会）又は広域連合の長（第二百九十一条の十三において準用する第二百八十七条の三第二項の規定により長に代えて理事会を置く広域連合にあつては、理事会）に係る第百五十条第一項又は第二項の方針及びこれに基づき整備する体制については、これらの者を市町村長（第二百五十二条の十九第一項に規定する指定都市の市長を除く。）とみなして、第百五十条第二項から第九項までの規定を準用する。

＊本条—全改〔平二九・六法五四〕

【引用条文】
【法二八七の三（議決方法の特例及び理事会の設置）2・二八五（複合的一部組合の設置）・二九一の一三（一部事務組合に関する規定の準用）・一五〇（財務に関する事務等の適正な管理及び執行を確保するための方針の策定等）・二五二の一九（指定都市の権能）1

第三款　補助機関

〔副知事・副市町村長の設置及びその定数〕

第百六十一条 都道府県に副知事を、市町村に副市町村長[1]を置く。ただし、条例で置かないことができる。

② 副知事及び副市町村長の定数は、条例[2]で定める。

＊一項—一部改正・二項—削る・旧三・四項—一部改正し一項ずつ繰上〔昭二七・八法三〇六〕、本条—全改〔平一八・六法五三〕

【参照条文】
※法一六二・一六三・二五二の二〇の二3

【実　例】
1）●副知事又は助役（現行法では副市町村長）を置かない場合は、必ず条例の制定を必要とする。（昭三四・一一・五行実）

2）●助役（現行法では副市町村長）の定数を二人とする条例を廃止し、一人とする条例を議員発案により決定した場合、一般的には現存の条例を廃止する条例において、現任助役（現行法では副市町村長）の残任期間等に関し特別な措置を講ずべきであるが、かかる規定のない場合は、市長はいずれか一人の助役（現行法では副市町村長）を解職しなければならない。（昭三一・八・二〇行実）

※●助役（現行法では副市町村長）及び収入役（現行法では廃止）は、労働基準法第一〇条のいわゆる使用者に該当し、同法第二〇条の適用に関してはこれを労働者とみるべきではない。（昭二五・七・三一行実）

〔副知事及び副市町村長の選任〕

第百六十二条 副知事及び副市町村長は、普通地方公共団体の長[1]が議会の同意を得てこれを選任[2]する。

＊本条—一部改正〔平一八・六法五三〕

自治法

【参照条文】

【議会の同意―法九六1XV・一一六　【※選任上の注意―法一六四・一六六　【※長の専決処分の禁止―法一七九1　※法二五二の二〇の二4

【実　例】

1）●助役（現行法では副市町村長）の選任にあたり議会の同意を求める場合の発案権は、市長に専属する。（昭二五・九・五行実）

2）●市長から提示された助役（現行法では副市町村長）を議会が同意しなかつた場合、議会の同意なくして市長は助役（現行法では副市町村長）を選任できない。（昭二九・一一・二五行実）

〔副知事及び副市町村長の任期〕

第百六十三条　副知事及び副市町村長の任期[1]は、四年とする。ただし、普通地方公共団体の長は、任期中においてもこれを解職することができる。

＊本条―一部改正〔平一八・六法五三〕

【参照条文】

【※更迭の場合の措置―法一六六2　令一二七・一三〇・一三一　【※任期満了以外の離職―法八七・一六四2・一六六3　【※期間計算―民法一四三　※法二五二の二〇の二5

【実　例】

1）●助役（現行法では副市町村長）の任期の起算日は、事前に就任承諾があれば発令の日であり、なければ就任承諾の日である。（昭二五・五・四行実）

●助役（現行法では副市町村長）を選任する場合、村長の任期限をもつて助役（現行法では副市町村長）の任期限とすることは、助役（現行法では副市町村長）の同意があつても違法である。（昭二七・一〇・七行実）

〔副知事及び副市町村長の欠格事由〕

第百六十四条　公職選挙法第十一条第一項又は第十一条の二の規定に該当する者は、副知事又は副市町村長となることができない。

② 副知事又は副市町村長は、公職選挙法第十一条第一項の規定に該当するに至つたときは、その職を失う。

＊一・二項―一部改正〔昭二五・四法一〇一〕、一項―一部改正〔平一一・八法一二二〕、一・二項―一部改正〔平一八・六法五三〕

【引用条文】

① 【選挙法一一（選挙権及び被選挙権を有しない者）1・一一の二（被選挙権を有しない者）

② 【選挙法一一（選挙権及び被選挙権を有しない者）1

〔副知事及び副市町村長の退職〕

第百六十五条　普通地方公共団体の長の職務を代理する副知事又は副市町村長は、退職しようとするときは、その退職しようとする日前二十日[1]までに、当該普通地方公共団体の議会の議長に申し出なければならない。ただし、議会の承認を得たときは、その期日前[2]に退職することができる。

② 前項に規定する場合を除くほか、副知事又は副市町村長[3]は、その退職しようとする日前二十日までに、当該普通地方公共団体の長に申し出なければならない。ただし、当該普通地方公共団体の長の承認を得たときは、その期日前に退職することができる。

＊一・二項―一部改正〔平一八・六法五三〕

【参照条文】

① 【長の職務代理―法一五二1　【※退職の場合の措置―法一六六2　令一二七・一三〇・一三一

※法一四五・二五二の一七の八　令一の二

【実例・注釈】

1）○「日前二十日まで」とは、退職予定日の前日を第一日として前に遡つて計算し二〇日までを指す。○退職予定日と申出の日との間に少なくとも一九日の期間を置く意である。

2）○「期日前」とは、本項本文で定める退職しうる日よりも前すなわち、退職の申出の日の翌日を第一日目として二〇日目に当たる日よりも前にという意である。

3）●副知事を二人以上置く場合一人の副知事が知事の職務を代理し、知事の職務を代理しない他の副知事が退職しようとするときは、本条第二項により当該知事の職務を代理する副知事に申し出て退職の手続をするものである。（昭二二・五・二九行実）

〔副知事及び副市町村長の兼職・兼業禁止及び事務引継〕

第百六十六条　副知事及び副市町村長は、検察官、警察官若しくは収税官吏又は普通地方公共団体における公安委員会の委員と兼ねることができない。

② 第百四十一条[1]、第百四十二条及び第百五十九条の規定は、副知事及び副市町村長にこれを準用する。

③ 普通地方公共団体の長は、副知事又は副市町村長が前項において準用する第百四十二条の規定に該当するときは、これを解職しなければならない。

＊一項―一部改正〔昭二五・四法一〇一、昭二六・六法二〇三〕、三項―追加〔昭三六・一一法二三五〕、一～三項―一部改正〔平一八・六法五三〕

【引用条文】

② 【法一四一（兼職の禁止）・一四二（長の兼業禁止）・

一五九（事務引継）
③【法一四二（長の兼業禁止）

【参照条文】
※ 法一四一・一四二の参照条文参照

【実　例】
1）●助役（現行法では副市町村長）に一般事務職員の職務を行わせる必要が臨時に生じた場合に、いわゆるその職務の事務取扱を命ずることはできる。（昭二七・九・二行実）

〔副知事及び副市町村長の職務〕

第百六十七条　副知事及び副市町村長は、普通地方公共団体の長を補佐し、普通地方公共団体の長の命を受け政策及び企画をつかさどり、その補助機関である職員の担任する事務を監督し、別に定めるところにより、普通地方公共団体の長の職務を代理する。

② 前項に定めるもののほか、副知事及び副市町村長は、普通地方公共団体の長の権限に属する事務の一部について、第百五十三条第一項の規定により委任を受け、その事務を執行する。

③ 前項の場合においては、普通地方公共団体の長は、直ちに、その旨を告示しなければならない。

＊本条―一部改正〔昭二六・六法二〇三〕、一項―一部改正・二・三項―追加〔平一八・六法五三〕

【引用条文】
②【法一五三（長の事務の委任・臨時代理）1

【参照条文】
①【別の定め―法一五二1
※ 法一五三・二五二の一七の八

【実　例】
1）●町村（現行では市町村）に関する民事訴訟については、町村長（現行では市町村長）欠員又は故障ある場合においては助役（現行法では副市町村長）が町村長（現行では市町村長）に代つて当事者となる。（明二四・六・二二行実）

〔会計管理者〕

第百六十八条　普通地方公共団体に会計管理者一人を置く。

② 会計管理者は、普通地方公共団体の長の補助機関である職員のうちから、普通地方公共団体の長が命ずる。

＊五項―一部改正〔昭二五・四法一〇一、昭二六・六法二〇三〕、一項―一部改正・三項―全改・五項―追加・旧五・六項―一部改正し一項ずつ繰下〔昭二七・八法三〇六〕、八・九項―追加〔昭三六・一一法二三五〕、九項―一部改正〔昭三七・九法一六二〕、二項―一部改正〔平一六・五法五七〕、本条―全改〔平一八・六法五三〕

【参照条文】
②【職員―法一七二

【実　例】
※ ●地方自治法上収入役（現行法では会計管理者）は常勤の職員であって非常勤の職務とすることは許されない。（昭二九・九・一〇行実）

〔親族の就職禁止〕

第百六十九条　普通地方公共団体の長、副知事若しくは副市町村長又は監査委員と親子、夫婦又は兄弟姉妹の関係にある者は、会計管理者となることができない。

② 会計管理者は、前項に規定する関係が生じたときは、その職を失う。

＊一・二項―一部改正・三・四項―削る〔平一八・六法五三〕

【参照条文】
①【地方公共団体の長―法一三九　【副知事、副市町村長―法一六一　【監査委員―法一九五

【実例・通知】
※ ●兄弟たる関係とは養実の兄弟たる関係あるものをいい、配偶者の兄弟たる関係あるものを含まない。（大七・四・二六行実）
※ ●本条第一項には、血族関係及び法律上血族関係と同一視される養父、義兄弟等を含むが、姻族関係は含まない。（昭二二・八・八通知）

〔会計管理者等の職務権限〕

第百七十条　法律又はこれに基づく政令に特別の定めがあるものを除くほか、会計管理者は、当該普通地方公共団体の会計事務をつかさどる。

② 前項の会計事務を例示すると、おおむね次のとおりである。

一 現金（現金に代えて納付される証券及び基金に属する現金を含む。）の出納及び保管を行うこと。
二 小切手を振り出すこと。
三 有価証券（公有財産又は基金に属するものを含む。）の出納及び保管を行うこと。
四 物品（基金に属する動産を含む。）の出納及び保管（使用中の物品に係る保管を除く。）を行うこと。
五 現金及び財産の記録管理を行うこと。
六 支出負担行為に関する確認を行うこと。
七 決算を調製し、これを普通地方公共団体の長に提出すること。

③ 普通地方公共団体の長は、会計管理者に事故がある場合において必要があるときは、当該普通地方公共団体の長の補助機関である職員にその事務を代理させることができる。

＊二・四項―一部改正〔昭二三・一二法一六九〕、一・三項―一部改正・四項―全改〔昭二七・八法三〇六〕、一項―一部改正〔昭三一・六法一四七〕、一項―全改・二項―追加・旧二・三・四項―一項ずつ繰下・六項―追加〔昭三八・六法九九〕、二項―一部改正〔昭四九・六法七二〕、一項―一部改正・三項―全改・四～六項―削る〔平一八・六法五三〕

【参照条文】

①【特別の定―法一七一4・二三二の五2・二三五・二四三・二四三の五　令一七七の二・一六一・一六四・一六五の二・一六八～一六八の五　公企法二七・二八　遺失物法一五　地税法三二一の五4

②【現金―法二三五の四　令一六八の六・一六八の七　【代用納付証券―法二三一の二3～5　令一五六・一五七　【基金―法二四一　【小切手―法二三二の六　令一六五の三　【公有財産―法二三八　【物品―法二三九　令一七〇・一七〇の五　【財産―法二三七1　【支出負担行為―法二三二の三・二三二の四2　【決算―法二三三1

※法二四三の二の七

【実例・通知・判例・注釈】

1）○「会計事務」とは、収入・支出のうちの現実の収支の執行手続・決算・現金及び有価証券並びに物品に関する事務を総称する。

●「出納その他の会計事務」には歳入歳出外の現金の出納及び保管並びにこれらに関連する事務を含む。従つて収入役（現行法では会計管理者）が職務上保管するものである限り歳入歳出外の現金も公金である。（昭二八・四・一三行実）

2）●基金に属する現金の預金名義は、地方公共団体であり、その取扱責任者が出納長又は収入役（現行法では会計管理者）である。（昭三八・一二・一九通知）

●基金および公有財産に属する株券の名義は地方公共団体名義とし、その取扱いは長の通知により収入役（現行法では会計管理者）が出納および保管をすることになる。（昭四〇・一一・三〇行実）

●使用中の物品については、使用職員が保管責任を有するものである。（昭三八・一二・一九通知）

●本条第二項第四号の物品には、占有動産（令一七〇の五）は含まれない。（昭三八・一二・一九通知）

3）●使用に供し得る状態にある物品も使用中の物品に含まれ、使用中の物品については、その責任者を定めておくことが適当である。（昭三八・一二・一九通知）

●使用中の物品の最終的な責任者は、使用職員を指定した場合を除き、知事である。（昭三八・一二・一九通知）

●使用中の物品も財産であるから、出納長（現行法では会計管理者）が記録管理するものである。（昭三八・一二・一九通知）

●購入した物品を直ちに使用させる場合又は使用中の物品を不用と決定して直ちに売却するときも出納長（現行法では会計管理者）の出納を通じて行なうべきである。（昭三八・一二・一九通知）

4）○記録管理の内容は、決算に添付する「財産に関する調書」の最終的作成ができる程度であればよい。

※●町村の収入は、本条により収入役（現行法では会計管理者）においてこれを受領し及び支出の責務を有す。従つてその間における保管は収入役（現行法では会計管理者）の責任に属す。（明三二・一二・一八行裁判）

※●町村の収入を受領する権限は収入役（現行法では会計管理者）に一任されているから借入金の受領のごとき収入の受領にすぎない事項は、町村収入役（現行法では会計管理者）がこれをなすべきもので町村長の職務権限に属するものでない。（明三六大審判）

※●国庫から市町村へ交付する補助金の受領につき当該市町村の収入役（現行法では会計管理者）が銀行に委任した場合においても、その支出官が被委任の銀行へ直接支払を行うことはできない。（昭二六・九・二〇行実）

〔**出納員及び会計職員**〕

第百七十一条　会計管理者の事務を補助させるため出納員[1]その他の会計職員を置く。ただし、町村においては、出納員を置かないことができる。

②　出納員その他の会計職員は、普通地方公共団体の長の補助機関である職員のうちから、普通地方公共団体の長がこれを命ずる。[2]

③　出納員は、会計管理者の命を受けて現金の出納（小切手の振出しを含む。）若しくは保管又は物品の出納若しくは保管の事務をつかさどり、[3]その他の会計職員は、上司の命を受けて当該普通地方公共団体の会計事務をつかさどる。[4]

④　普通地方公共団体の長は、会計管理者をしてその事務の一部を出納員に委任させ、[5]又は当該出納員をしてさらに当該委任を受けた事務の一部を出納員以外の会計職員[6]に委任させることができる。この場合においては、普通地方公共団体の長は、直ちに、その旨を告示しなければならない。

⑤　普通地方公共団体の長は、会計管理者の権限に属する事務を処理させるため、規則で、必要な組織[7]を設けることができる。

＊本条―全改〔昭三八・六法九九〕、一～四項―一部改正・五項―削る・旧六項―一部改正し五項に繰上〔平一八・六法五三〕

【参照条文】

②【職員―法一七二　※法一七〇・二四三の二の二　公企法二八

【実例・通知・注釈】

1）●「その他の会計職員」については地方公共団体が自主的に規定することはさしつかえないが、この場合できうれば分任出納員、現金取扱員及び物品取扱員とすることが適当である。（昭三八・一二・一九通知）

2）●出納員その他の会計職員は、個々に任命するのがたてまえである。（昭三八・一二・一九通知）

●教育委員会の事務職員及び警察職員を出納員に任命するには従前通り事務吏員（現行法では長の補助機関である職員）に併任しなければならない。（昭三八・一二・一九通知）

3）●出納員に「その他の会計事務」を取り扱わせることはさしつかえない。（昭三八・一二・一九通知）

●市役所の支所、出張所等が、指定金融機関から遠隔地にある場合、支所、出張所の出納員をして、将来不特定の小口の支払いに充てさせるため収入役（現行法では会計管理者）独自の権限で、収入役（現行法では会計管理者）の保管する現金の一部を保管させることはさしつかえない。（昭三九・九・二五行実）

4）○「上司」には、会計管理者のほか、出納員及び出納員以外の上席の会計職員が含まれる。

5）●本条第四項の規定により出納長（現行法では会計管理者）をしてその事務の一部を出納員又は分任出納員に委任させる場合に、知事において委任すべき事務の範囲を限定することはさしつかえない。（昭三四・三・三〇行実）

6）○出納員以外の会計職員に対する委任は、会計管理者から、まず出納員に対して委任させ、当該出納員から再委任させることを要する。

7）●本条第六項（現行法では本条第五項）にいう必要な組織とは長の補助組織の一としてではなく、収入役（出納長）（現行法では会計管理者）独自の組織である。（昭三八・一二・一九通知）

●本条第六項（現行法では本条第五項）の規定により設けられた出納長、又は収入役（現行法では会計管理者）の権限に属する事務を処理するための補助組織に、長の権限に属する事務を分掌させるためには、同組織中の長の権限を補助する職員に、長からの委任により、又は長の権限の補助執行としての専決、代決により行う。（昭三八・一二・一九通知）

●収入役（現行法では会計管理者）の権限に属する事務を処理させるための組織に市長の権限に属する事務を分掌させる場合は、本項の規則中に含めて規定することが適当である。（昭三九・四・二八行実）

〔職員〕

第百七十二条　前十一条に定める者を除くほか、普通地方公共団体に職員を置く。

②　前項の職員は、普通地方公共団体の長がこれを任免する。

③　第一項の職員の定数は、条例[1]でこれを定める。ただし、臨時又は非常勤の職については、この限りでない。

④　第一項の職員に関する任用、人事評価、給与、勤務時間その他の勤務条件、分限及び懲戒、服務、退職管理、研修、福祉及び利益の保護その他身分取扱いに関しては、この法律に定めるものを除くほか、地方公務員法の定めるところによる。

＊四項—追加〔昭二二・一二法一六九〕、一・二・三項—一部改正・四項—全改〔昭二六・六法二〇三〕、三項—一部改正〔昭二七・八法三〇六〕、一・三・四項—一部改正〔平一八・六法五三〕、四項—一部改正〔平二六・五法三四〕

【参照条文】

②【長の任免権—地公法六　※法二五二の一七の八2

④【この法律の定め—法二〇四～二〇六

※法一五四・一六七・二五二の二〇の二9

【実例】

1）●地方公営企業の職員定数は、本条第三項の規定により条例で定めるべきである。（昭二七・一二・一行実）

●財産区である事務所の職員は、市長の事務部局に属する職員であり、その定数条例は、財産区の議会が議決すべきでなく、市議会が議決すべきである。（昭二九・四・一六行実）

●財産区議会の専任の書記は、市町村の職員であり、その定数は、当該市町村職員定数条例中に規定すべきものである。（昭三一・二・一一行実）

●職員定数条例の制定にあたり、総数何人とある原案を議会が職員団体の業務専従者何人その他の職員何人という形に修正することは違法である。（昭三二・九・二五行実）

●消防吏員（現行法では職員）は、特別法である消防組織法に基づく市町村長の補助機関たる職員であつて、その定数条例の根拠は、同法第一一条第四項（現行法では第一一条第二項）である。（昭三六・二・七行実）

※

●町村吏員（現行法では職員）の資格で町村に損害を与えた以上、たとえその職を去つた後でも町村に対し賠償する責を免れることはできない。（明二七・一一・二八行実）

第百七十三条　削除　〔平一八・六法五三〕

〔専門委員〕

第百七十四条　普通地方公共団体は、常設[1]又は臨時[2]の専門[3]委員を置くことができる。

②　専門委員は、専門の学識経験を有する者の中から、普通地方公共団体の長がこれを選任する。

③　専門委員は、普通地方公共団体の長の委託[4]を受け、その権限に属する事務に関し必要な事項を調査[5]する。

④　専門委員は、非常勤とする。

＊　四項―追加〔昭二七・八法三〇六〕

【参照条文】

③【長の権限に属する事務―法一四八・一四九

④【非常勤―地公法三3Ⅲ　【※専門委員の身分取扱等―程一二～一五・一八

※　法一八〇の七・二〇三の二・二五二の七　漁業法一三七4・5・一七三

【実例・注釈】

1）○「常設」とは、常時継続して置くことの意である。

2）○「臨時」とは、必要に応じてその都度置くことの意である。

3）●専門委員は、執行機関たる長の補助機関である。（昭二八・七・一行実）

●専門委員の設置は、規則ですることが適当である。（昭二八・七・一行実）

4）●本条の専門委員は、全くの独任制の補助機関であるから、調査の委託は個々の委員に対し個別的に行うべきである。（昭二六・九・二二行実）

5）●必要な事項を調査することには、いわゆる調査のみではなくて「諮問に対する答申」なども含まれる。（昭二三・二・二六行実）

※　●議決機関の構成員である議員が、専門委員の職につくことは適当でない。（昭二八・七・一行実）

〔支庁及び地方事務所等の長〕

第百七十五条　都道府県の支庁若しくは地方事務所又は市町村の支所の長は、当該普通地方公共団体の長の補助機関である職員をもつて充てる。

②　前項に規定する機関の長は、普通地方公共団体の長の定めるところにより、上司の指揮を受け、その主管の事務を掌理し部下の職員を指揮監督する。

＊　二項―削る・旧三項―一部改正し二項に繰上〔昭二二・一二法一六九〕、二項―一部改正〔昭二六・六法二〇三〕、一項―一部改正〔昭二七・八法三〇六〕、一・二項―一部改正〔平一八・六法五三〕

【参照条文】

①【支庁、地方事務所、支所―法一五五　【職員―法一七二

②【職員―法一七二

第四款　議会との関係

〔議会の瑕疵ある議決又は選挙に対する長の処置〕

第百七十六条　普通地方公共団体の議会の議決について異議があるときは、当該普通地方公共団体の長は、この法律に特別の定めがあるものを除くほか、その議決の日（条例の制定若しくは改廃又は予算に関する議決については、その送付[1]を受けた日）から十日[2]以内に理由を示してこれを再議[3]に付することができる。

②　前項の規定による議会の議決が再議に付された議決[4]と同じ議決であるときは、その議決は、確定[5]する。

③　前項の規定による議決のうち条例の制定若しくは改廃又は予算に関するものについては、出席[6]議員の三分の二以上の者の同意がなければならない。

④　普通地方公共団体の議会の議決又は選挙がその権限を超え又は法令若しくは会議規則に違反すると認める[7]ときは、当該普通地方公共団体の長は、理由を示してこれを再議[8]に付し又は再選挙を行わせなければならない。

⑤　前項の規定による議会の議決又は選挙がなおその権限を超え又は法令若しくは会議規則に違反すると認めるときは、都道府県知事にあつては総務大臣、市町村長にあつては都道府県知事に対し、当該議決又は選挙があつた日から二十一日以内に、審査を申し立てることができる。

⑥　前項の規定による申立てがあつた場合において、総務大臣又は都道府県知事は、審査の結果、議会の議決又は選挙がその権限を超え又は法令若しくは会議規則に違反すると認めるときは、当該議決又は選挙を取り消す旨の裁定をすることができる。

⑦　前項の裁定に不服があるときは、普通地方公共団体の議会又は長は、裁定のあつた日から六十日以内に、裁判所に出訴[9]することができる。

⑧　前項の訴えのうち第四項の規定による議会の議決又は選挙の取消しを求めるものは、当該議会を被告として提起しなければならない。

＊　一・二・三項―追加・旧一・二項―三項ずつ繰下〔昭二三・七法一七九〕、一・二項―一部改正〔昭二五・五法一四三〕、五項―全改・六・七項―追加〔昭三一・六法一四七〕、五・六項―一部改正〔昭三五・六法一一三〕、五・六・七項―一部改正〔昭三七・九法一六一〕、一項―一部改正〔昭三八・六法九九〕、五・六項―一部改正〔平一一・一二法一六〇〕、八項―追加〔平一六・六法八四〕、一・三項―一部改正〔平二四・九法七二〕

【参照条文】

①【条例の制定改廃の議決―法七四3・九六1Ⅰ・一一六　【予算の議決―法九六1Ⅱ・一一六　【特別の定―法一七六4～7・一七七　【※再議に付さないときの措置―法一六2・二一九2

④【議会の議決―法九六・一一六　【議会の選挙―法九七1・一一八　【会議規則―法一二〇

⑥【※審査の請求に伴う措置―法二五五の五・二五七・二五八

※　健全化法一七

【実例・通知・注釈】

1 ○「送付を受けた日」とは、条例の制定若しくは改廃の議決又は予算を定める議決があり、議長から法第一六条第一項又は法第二一九条第一項の規定により当該条例又は予算の送付を当該普通地方公共団体の長が受けた日を指す。

2 ○「十日以内」とは、送付を受けた日の翌日を第一日とし一〇日目にあたる日までを指す。

3 ●議会の議決が、再議に付された議決と異なる議決であるときは、その議決について少なくとも過半数の同意があれば、あらたな議決があつたものである。従つてこの議決に異議あるときは、あらたに再議に付しうる。（昭二三・九・一七行実）

●条例にあつては、異議ある条文のみならず、条例全体を再議に付するが、審議の対象は異議のある部分に限られる。（昭二三・一〇・三〇通知、昭三九・四・九行実）

●本条第一項の再議に付しうる議決は、当該議決が効力を生ずることについて又はその執行に関して異議若しくは支障のある議決をいうのであつて、否決されたものについては、効力又は執行上の問題は生じないので再議の対象にならない。（昭二六・一〇・一二行実）

4 ○「議決と同じ議決」とは、長がその議決について異議があるため議会の再議に付した当該議決と同一内容の議決を指す。

5 ○「確定」とは、当該議決により条例又は予算が成立し、再議に付することができない効果を持つ意味である。

6 ○「出席議員の三分の二以上」とは、たとえば、出席議員三〇人のときは、二〇人又は二〇人をこえる数を指す。この場合は、議長は、議員として議決に加わることができる。

●本条第一項の規定により再議に付した場合三分の二以上の者の同意が得られなかつたときは、原案が承認されたものとみなすことはできない。なお、第一七九条の専決処分は、これをすることができない。（昭二三・八・二五行実）

●議会の議決が再議に付された議決と同じ議決であるときは、出席議員の三分の二以上の者の同意を得ない限り再議に付された議決は成立しない。従つて、この場合原案が成立するということはない。（昭二三・九・一七行実）

●議員提出の条例案について修正議決し知事が再議に付した場合、三分の二の同意が得られないときは、再議に付された条例案は、廃案となる。（昭三九・四・九行実）

7 ●越権又は違法については、その客観的事実があると認められる範囲において長に認定権がある。（昭二八・九・二九行実）

8 ●議会の議決の手続に違法がある場合も、本条第四項の規定により再議に付しうる。（昭二四・四・一八行実）

●本条第四項の再議についても、再議に付しうべき時間的余裕がない等特別の事情のない限りは、当該会期中に付すべきである。（昭二八・九・二九行実）

9 ●特に規定のない限り、民事訴訟の一般原則に従い、地方裁判所が第一審の管轄裁判所である。（昭二二・一一・二九通知）

※ ●再議に付しても議会がその審議を延期し議決しなかつた場合は、第一七九条第一項の規定により措置する。（昭二三・七・七行実）

※ ●第一項の場合においては執行後においては再議に付し得ないが、第四項の場合においては執行後でも再議に付しうる。（昭二三・九・二二行実）

※ ●「再議に付したとき」とは、長が議会を招集し再議に必要な長としての手続一切を終つたときであり、再議に付したときは、当該議決の効果の発生は停止される。（昭二八・九・二九行実）

※ ●再議の撤回はできない。（昭四三・一一・二八行実）

〔収入又は支出に関する議決に対する長の処置〕

第百七十七条[1] 普通地方公共団体の議会において次に掲げる経費を削除し又は減額[2]する議決をしたときは、その経費及びこれに伴う収入について、当該普通地方公共団体の長は、理由を示してこれを再議に付さなければならない[3]。

一 法令により負担する経費、法律の規定に基づき当該行政庁の職権により命ずる経費その他の普通地方公共団体の義務[4]に属する経費

二 非常[5]の災害による応急若しくは復旧の施設のために必要な経費又は感染症予防のために必要な経費

② 前項第一号の場合において、議会の議決がなお同号に掲げる経費を削除し又は減額したときは、当該普通地方公共団体の長は、その経費及びこれに伴う収入を予算に計上してその経費を支出することができる。

③ 第一項第二号の場合において、議会の議決がなお同号に掲げる経費を削除し又は減額[6]したときは、当該普通地方公共団体の長は、その議決を不信任の議決とみなすことができる。

＊ 二項―一部改正〔平一〇・一〇法一一四〕、旧一項―削る・旧二項―一部改正し一項に繰上・旧三項―二項に繰上・旧四項―一部改正し三項に繰上〔平二四・九法七二〕

【参照条文】

① 【法令により負担する経費―河川法六〇 道路法五〇 水防法四一～四三 生活保護法七三 【行政庁の職権により命ずる経費―道路法五二 土地改良法九〇1 【義務費―法九六1XIII 地財法九・一〇 選

挙法二六四　【感染症予防費―感染症予防法五七・五八
②【経費の支出―法一四九Ⅱ・二三二の四　地財法四1
③【不信任議決―法一七八1
※　健全化法一七

【実例・判例・注釈】

1）○「削除」とは、当該経費の全部を予算から除去することの意である。

2）○「減額」とは、当該費用の一部を予算から除去することの意である。

3）●本条第二項（現行法では第一項）の規定に基づいて再議に付するのは、当該予算案全体であるが、再議の対象となるのは減額された義務費及びこれに伴う収入である。（昭二七・一二・八行実）

●第一七六条第一項の規定は、否決された議決については適用することはできないが、本条第二項（現行法では第一項）及び第三項（現行法では第二項）の規定は、義務費等特殊の経費に関する特別規定であつて、否決は経費の削除と解すべく、この場合は再議に付しうる。（昭三〇・三・一九行実）

●本条第二項（現行法では第一項）に掲げる経費を主とする当初予算案及び関連議案が否決されたときは、予算案については本条第二項（現行法では第一項）の規定により再議に、予算に関連するその他の議案は新議案として提出すべきものである。（昭三〇・三・一九行実）

4）●給与が義務費となるのは、現に吏員（現行法では職員）としての身分を取得している者に対する給与に限る。（昭二三・九・一五行実）

●超過勤務手当を現実に支払う義務が生じている場合は義務費であるが、そうでない場合は、その費用は直ちに義務費に該当するといえない。（昭二四・八・二五行実）

●退職金が義務費になるときは、任命権者が退職願を受理したときである。（昭二七・一二・八行実）

5）●地方事務所が失火等により焼失した場合、これを再建しあるいは他の建物に移転するに要する経費は、第一七七条第二項第二号（現行法では第一項第二号）の経費に該当しない。（昭二九・五・一一行実）

●「非常の災害」とは、震災、水害およびこれに準ずる災害を指称するのであるから、通常程度の降雪により惹起されたと認められる貯水槽等の破損復旧のためにする経費は該当しない。（昭三三・二・二七地裁判）

6）●本条第四項（現行法では第三項）の規定により不信任議決とみなす場合は、その議決がなお議員数の三分の二以上の出席とその四分の三以上の者の同意により決せられることを要件としない。（昭二三・六・一六行実）

〔不信任議決と長の処置〕

第百七十八条　普通地方公共団体の議会[1]において、当該普通地方公共団体の長の不信任の議決をしたときは[2]、直ちに議長からその旨を当該普通地方公共団体の長に通知[3]しなければならない。この場合においては、普通地方公共団体の長は、その通知[4]を受けた日から十日以内[5]に議会を[6]解散することができる。

② 議会において当該普通地方公共団体の長の不信任の議決をした場合において、前項の期間内に議会を解散しないとき、又はその[7]解散後初めて招集された議会において[8]再び不信任の議決があり、議長から当該普通地方公共団体の長に対しその旨の通知があつたときは、普通地方公[10]共団体の長は、同項の期間[9]が経過した日又は議長から通知があつた日においてその職を失う。

③ 前二項の規定による不信任の議決については、議員数の[11]三分の二以上の者が出席[12]し、第一項の場合においてはその四分の三以上の者の、前項の場合においてはその過[13]半数の者の同意がなければならない。

＊　一項―一部改正・二・三項―全改（昭二五・五法一四三）

【参照条文】
【不信任議決―法一七七3　【※本条以外の議会の解散―法七八　【※本条以外の長の失職―法八三・一四三　【※長の退職の場合の措置―法一五九　令一二三・一二四・一二八～一三一

【実例・判例・注釈】

1）●町村の役場事務組合（現行法では廃止）の長の不信任議決は、その役場事務組合の議会のみが適法になしうるものであつて、関係町村の議会の行いうるものでない。（昭二六・一〇・五行実）

2）●第一七八条第一項の長には、長の職務代理（執行）者は含まれない。（昭二三・六・一六行実）

3）●不信任議決の通知の撤回及び議決による不信任の撤回は、いずれもできない。（昭二九・四・九行実）

4）○「通知を受けた日」とは、普通地方公共団体の長が、不信任の議決をされた旨の通知を議長から受けた日を指す。

5）○「十日以内」とは、不信任の通知を受けた日の翌日を第一日として一〇日目にあたる日までを指す。

●長が議長から不信任議決の通知を受けたとき既に議員が総辞職しており又は不信任議決の通知を受けた日から一〇日以内に、議員が総辞職したことのために、長が議会を解散することができない場合は、長は失職しない。（昭二五・一一・三〇行実）

●長の不信任議決後一〇日を過ぎる前に不信任議決をした議員の任期が終わるときは、長は解散を行うことを要せず、また一〇日を過ぎても長は失職しない。（昭三〇・四・一二行実）

6）●議会解散は、文書でするのが適当であり、文書が到達すれば受理しなくても効力を生ずる。（昭二三・九・一四行実）

7）●解散後初めて招集された議会において不信任議決をなさず二回目以降の議会で不信任議決した場合は、あらたなる不信任議決である。（昭二三・三・六行実）

●解散後初めて招集された議会における長の不信任議決は、先ず議長及び副議長を選挙し、議席決定等の後新議長主宰のもとに本条第一項の規定により長の不信任を議決し、その旨長に通知すればよい。なお、長に対する再度の不信任議決は、当該会期中であればいつでも行いうる。（昭二七・一一・二二行実）

8）●議員の任期満了による選挙が行われた後議員の任期満了前一〇日以前に、議会が本条第一項の不信任議決を行つた場合、任期満了による選挙において選挙された議員が構成する議会においてされた不信任議決は、本条第一項のあらたな不信任議決で、本条第二項後段に該当しない。（昭三三・八・二一行実）

●長が不信任の議決を受けて議会を解散し、その改選後の初議会が開かれるまでの間に長の任期が満了し、その選挙の結果議会を解散した長が再選された場合、議会が改選後の初議会において当該長を再び不信任議決したとしても、当該議決は、あらたな不信任議決である。（昭三八・三・一八行実）

9）○「期間が経過した日」とは、通知を受けた日の翌日を第一日として一〇日目にあたる日の翌日を指す。

10）○「通知があつた日」とは、普通地方公共団体の長が、再び不信任の議決をされた旨の通知を議長から受けた日を指す。

11）○「三分の二以上」とは、たとえば、現に在任する議員総数が四〇人のときは、二七人又はそれより多い数を指す。

12）●不信任議決の定足数については、第一一三条ただし書の適用はない。（昭二六・一一・一六行実）

13）○「過半数の者の同意」とは、議長を含む出席議員の半数をこえる者の同意、たとえば、三〇人の出席のときは、一五人をこえる者の同意を指す。

※ ●解散後初めて招集された議会において不信任議決があり、その議決について第一七六条第四項の規定による再議に付した際の議会の議決についても、解散後初めての議会とみなし、本条第三項後段の規定が適用される。（昭二八・四・一三行実）

※ ●長の不信任議決の無効確認を求める訴は、あらたな長が選挙されその効力が確定した後は、その利益を失う。（昭三二・一〇・二三最裁判）

〔長の専決処分〕

第百七十九条 普通地方公共団体の議会が成立しない[1]とき、第百十三条ただし書の場合においてなお会議を開くことができないとき、普通地方公共団体の長において議会の議決すべき事件について特に緊急を要するため議[2]会を招集する時間的余裕がないことが明らかであると認めるとき、又は議会において議決[3]すべき事件を議決しない[4]ときは、当該普通地方公共団体の長は、その議決すべき事件を処分することができる。ただし、第百六十二条の規定による副知事又は副市町村長の選任の同意及び第二百五十二条の二十の二第四項の規定による第二百五十二条の十九第一項に規定する指定都市の総合区長の選任の同意については、この限りでない。

② 議会の決定すべき事件に関しては、前項の例による。

③ 前二項の規定による処置については、普通地方公共団体の長は、次の会議においてこれを議会に報告し、その承[5]認を求めなければならない。

④ 前項の場合において、条例の制定若しくは改廃又は予算に関する処置について承認を求める議案が否決されたときは、普通地方公共団体の長は、速やかに、当該処置に関して必要と認める措置を講ずるとともに、その旨を議会に報告しなければならない。

＊一項―一部改正〔平一八・六法五三〕、一項―一部改正・四項―追加〔平二四・九法七二〕、一項―一部改正〔平二六・五法四二〕

【引用条文】
①【法一一三（定足数）ただし書・一六二（副知事及び副市町村長の選任）・二五二の一九（指定都市の権能）1・二五二の二〇の二（総合区の設置）4

【参照条文】
①【招集―法一〇一】【議決すべき事件―法九六
②【議会の決定すべき事件―法一一八1・一二七1
※ 法一八〇 令一三七

【実例・通知】

1）●市町村議会が成立しないときとは、現に在任する市町村会議員の数が会議を開くに足るべき数に満たない場合をいう。（行実）

2）●「議会を招集する暇がない」（現行法では「議会の議決すべき事件について特に緊急を要するため議会を招集する時間的余裕がないことが明らかである」）か否かは、長の裁量によつて決定すべきであるが、長の認定には客観性がなければならない。（昭二六・八・一五行実）

3）●本条の議決の中には、選挙は含まない。（行実）

●「議決すべき事件」とは、第九六条各号の事項を指す。（昭二二・一一・二九通知）

4）●否決は議決の一種であるから、否決した場合は、本条に該当しない。（行実）

●議会が故意に議事を遅延してその議決すべき事件を議決しないものと明らかに認められるときには、長において専決処分することができる。（昭二五・

六・一行実）

●長が本条第一項の規定を適用しうるためには、具体的事情の下に客観的根拠に基づいて「議会において議決すべき事件を議決しないとき」が認定されるべきものである。（昭二六・五・三一行実）

●土地収用法第五〇条の和解についても本条第一項の要件に該当する場合は、長は専決処分をすることができる。（昭五〇・一一・四行実）

5）●長の専決処分が議会の承認を得られなかつた場合においても、法律上処分の効力には影響はない。（昭二六・八・一五行実）

〔議会の委任による専決処分〕

第百八十条　普通地方公共団体の議会の権限に属する軽易な事項で、その議決により特に指定したもの[1]は、普通地方公共団体の長において、これを専決処分にすることができる。

② 前項の規定により専決処分をしたときは、普通地方公共団体の長は、これを議会に報告[2]しなければならない。

【参照条文】

①【議会の権限に属する事項―法九六　【議決―法一一六　【専決処分―法一七九

【実　例】

1）●議決により知事が専決処分をするのは軽易な議決事件に限るのが妥当であり、条例の設置廃止のごとき事項を委任するのは性質上適当でない。（昭五・二行実）

●条例により権限を市長に包括委任することは、違法ではないが適当ではないから、具体的基準を示して委任すべきである。（昭二五・九・一六行実）

●条例により議会の議決事項とされているものを、更に議会の議決により長の専決処分とするのは、一般的には適当でないが、個別的事件について、やむを得ない事情があればさしつかえない。（昭二六・一〇・二四行実）

●長は、議長に対して事件を指定して本条の議決を依頼することができる。（昭三〇・一二・一七行実）

●専決処分指定事項につき、議会は、将来に向つて指定を廃止する旨の議決をすることができる。（昭三五・七・八行実）

●本条の規定により既に議会で指定された事項について、あらたな条件を付し、又は長において必要があると認め、議会の議決に再び付するがごときは許されない。（昭三七・七・四行実）

●法律の規定に基づき長が議会に対して行う諮問に対する議決について、議会は、その範囲を限定して、長の専決処分事項として指定することはできない。（昭三八・一一・一二行実）

2）●本条の専決処分についても次の会議において議会に報告することが法意と解される。（昭三一・四・二行実）

第五款　他の執行機関との関係

＊本款―追加〔昭二七・八法三〇六〕

〔長の事務の委員会等への委任及び補助執行〕

第百八十条の二　普通地方公共団体の長は、その権限に属する事務の一部を、当該普通地方公共団体の委員会又は委員と協議して、普通地方公共団体の委員会[1]、委員会の委員長（教育委員会にあつては、教育長）、委員若しくはこれらの執行機関の事務を補助する職員若しくはこれらの執行機関の管理に属する機関の職員に委任し、又はこれらの執行機関の事務を補助する職員若しくはこれらの執行機関の管理に属する機関の職員をして補助執行させることができる。ただし、政令で定める普通地方公共団体の委員会又は委員については、この限りでない。

＊本条―追加〔昭二七・八法三〇六〕、一部改正〔昭三一・六法一四七、平二六・六法七六〕

【参照条文】

【長の権限に属する事務―法一四八・一四九　【執行機関（長を除く）の事務を補助する職員―法一九一・二〇〇　地公法一二　地教法一八　警察法五五　農委法二六　漁業法一三七6　【執行機関の管理に属する機関―地教法三〇1・三二　警察法三八3・四七2　【政令の定―現在なし

※法二14・15・一三八の三・一五三・一八〇の三〜一八〇の七　健全化法一六

【実　例】

1）●港湾法第三五条の規定に基づく委員会は本条の委員会に含まれる。（昭三六・七・二五行実）

〔長の補助職員の他の執行機関の職員の兼職・事務の従事等〕

第百八十条の三　普通地方公共団体の長は、当該普通地方公共団体の委員会又は委員と協議して、その補助機関である職員を、当該執行機関の事務を補助する職員若しくはこれらの執行機関の管理に属する機関の職員と兼ね[1]させ、若しくは当該執行機関の事務を補助する職員若しくはこれらの執行機関の管理に属する機関の職員に充て[2]、又は当該執行機関の事務に従事[3]させることができる。

＊本条―追加〔昭二七・八法三〇六〕、一部改正〔昭三一・六法一四七、平一八・六法五三〕

【参照条文】

【執行機関（長を除く）の事務を補助する職員―法一

九一・二〇〇　地公法一二　地教法一八　警察法五五　農委法二六　漁業法一三七6　【外部監査人の監査への協力―法二五二の三三2

※

法二14・15・一三八の三・一五三・一八〇の二・一八〇の四～一八〇の七　健全化法一六

【実　例】

1）●兼職には辞令が必要であり、発令権者は当該委員会又は委員である。また発令形式は

〇〇市町村事務吏員（現行法では〇〇市町村職員）

〇〇委員会事務職員（書記）に兼ねて任命する。

年　月　日　〇〇委員会　何　某

でよい。（昭二八・七・一行実）

1～3）●「兼ねさせる」とは、当該吏員等（現行法では長の補助機関である職員）に対して委員会又は委員が兼務を命ずる旨の辞令を本人に交付することを要し、「充てる」とは、委員会又は委員の具体的任命行為がなくても、委員会又は委員の補助職員の組織を定める条例、規則、規程等によって当該委員会又は委員の補助職員には長の補助職員たる吏員等（現行法では長の補助機関である職員）をもって充てる旨の規定をし、長が特定の職員に対し、当該委員会又は委員の事務を行うよう職務命令をすればよく、「事務に従事させる」とは、単に当該吏員等（現行法では長の補助機関である職員）に対して委員会又は委員の事務に従事すべき旨の職務命令をすれば足りる。（昭二九・五・一一行実）

●長以外の執行機関の補助職相互の間の兼職や議会の事務局の職と長以外の執行機関の補助職との間の兼職の運用については、当該職員の職務遂行に著しい支障がないと認められる場合等には、本条の手続に準じて兼職あるいは事務従事させることはさしつかえない。（昭四一・一〇・二六行実）

〔組織等に関する長の総合調整権〕

第百八十条の四　普通地方公共団体の長は、各執行機関を通じて組織及び運営の合理化を図り、その相互の間に権衡を保持するため、必要があると認めるときは、当該普通地方公共団体の委員会若しくは委員の事務局又は委員会若しくは委員の管理に属する事務を掌る機関（以下本条中「事務局等」という。）の組織、事務局等に属する職員の定数又はこれらの職員の身分取扱について、委員会又は委員に必要な措置を講ずべきことを勧告することができる。

② 普通地方公共団体の委員会又は委員は、事務局等の組織、事務局等に属する職員の定数又はこれらの職員の身分取扱で当該委員会又は委員の権限に属する事項の中政令で定めるものについて、当該委員会又は委員の規則その他の規程を定め、又は変更しようとする場合においては、予め当該普通地方公共団体の長に協議しなければならない。

＊本条―追加〔昭三一・六法一四七〕

【参照条文】

【執行機関―法一八〇の五1～3　【組織及び運営の合理化―法二15　【事務局等―法一九一・二〇〇　地公法一二　地教法一七　警察法四四　農委法二六　労組法一九の一二　【職員の定数、身分取扱―法一九三・二〇一　地公法一二　地教法一九・二〇　警察法五六2・五七2

②【政令の定―令一三二　【規則・規程の制定―法一三八の四2

※

法一三八の三・一五六・二二一・二三八の二

【実　例】

1）●委員会の地方駐在機関の組織等について、法令に基づく規則で定めることなく内規的な規程や要綱で定めるような場合についても協議を必要とする。（昭三一・九・二八行実）

第三節　委員会及び委員

＊節名―改正・旧二節―繰下〔昭二七・八法三〇六〕

第一款　通則

＊本款―追加〔昭二七・八法三〇六〕

〔委員会及び委員の設置・委員の兼業禁止等〕

第百八十条の五　執行機関として法律の定めるところにより普通地方公共団体に置かなければならない委員会及び委員は、左の通りである。

一　教育委員会
二　選挙管理委員会
三　人事委員会又は人事委員会を置かない普通地方公共団体にあつては公平委員会
四　監査委員

② 前項に掲げるもののほか、執行機関として法律の定めるところにより都道府県に置かなければならない委員会は、次のとおりである。

一　公安委員会
二　労働委員会
三　収用委員会
四　海区漁業調整委員会
五　内水面漁場管理委員会

③ 第一項に掲げるものの外、執行機関として法律の定めるところにより市町村に置かなければならない委員会は、左の通りである。

一　農業委員会

二　固定資産評価審査委員会

④　前三項の委員会若しくは委員の事務局又は委員会の管理に属する事務を掌る機関で法律により設けられなければならないものとされているものの組織を定めるに当たつては、当該普通地方公共団体の長が第百五十八条第一項の規定により設けるその内部組織との間に権衡を失しないようにしなければならない。

⑤　普通地方公共団体の委員会の委員又は委員は、法律に特別の定があるものを除く外、非常勤とする。

⑥　普通地方公共団体の委員会の委員（教育委員会にあつては、教育長及び委員）又は委員は、当該普通地方公共団体に対しその職務に関し請負をする者及びその支配人又は主として同一の行為をする法人（当該普通地方公共団体が出資している法人で政令で定めるものを除く。）の無限責任社員、取締役、執行役若しくは監査役若しくはこれらに準ずべき者、支配人及び清算人たることができない。

⑦　法律に特別の定めがあるものを除くほか、普通地方公共団体の委員会の委員（教育委員会にあつては、教育長及び委員）又は委員が前項の規定に該当するときは、その職を失う。その同項の規定に該当するかどうかは、その選任権者がこれを決定しなければならない。

⑧　第百四十三条第二項から第四項までの規定は、前項の場合にこれを準用する。

＊　本条―追加〔昭二七・八法三〇六〕、四項―追加・旧四項―一部改正し五項に繰下・旧五項―六項に繰下〔昭二八・八法二一二〕、一項―一部改正・四項―追加・旧四項―五項に繰下〔昭二九・六法一八五〕、二項―一部改正・三・五項―削る・旧四項―三項に繰上・旧六項―四項に繰上〔昭二九・六法一九三〕、三・四項―全改・五・七項―追加・旧五項―六項に繰下・旧一八〇条の四―繰下〔昭三一・六法一四七〕、四項―削る・旧五項―一部改正し四項に繰上・旧六・七項―一項ずつ繰上〔昭三三・四法五三〕、七・八項―追加〔昭三六・一一法二三五〕、八項―一部改正〔昭三七・九法一六一〕、一・二・四項―一部改正〔昭三八・六法九九〕、六項―一部改正〔平三・四法二四、平一一・七法八七、平一四・五法四五〕、四項―一部改正〔平一五・六法八二〕、二項―一部改正〔平一六・一一法一四〇〕、六・七項―一部改正〔平二六・六法七六〕

【引用条文】

④【法一五八（内部組織）1

⑧【法一四三（失職）2～4

【参照条文】

①・②・③【法律の定め―教育委員会―地教法二　選挙管理委員会―法一八一・二五二の二〇5・二五二の二〇の二11　人事委員会、公平委員会―地公法七　公安委員会―警察法三八・四六　労働委員会―労組法一九の一二　収用委員会―収用法五一　海区漁業調整委員会―漁業法一三六　内水面漁場管理委員会―漁業法一七一　監査委員―法一九五　農業委員会―農委法三　固定資産評価審査委員会―地税法四二三

④【法律により設ける事務局等―地公法一二　地教法一七　警察法四四・四七　労組法一九の一二

⑤【特別の定―法一九六4・5　地公法九の二11

⑥【請負―民法六三二～六四二　【支配人―会社法一〇～一三　【政令の定―令一三三　【無限責任社員―会社法五七六・五八〇　【取締役―会社法三二九～三三二・三四八～三六一　【執行役―会社法四〇二・四〇四・四一八～四二二　【監査役―会社法三二九・三三〇・三三五・三三六・三八一～三八九

【清算人―会社法四七八～四八八

※　法九二の二・一四二　地税法四二五2　公有地の拡大の推進に関する法律一六2

⑦【特別の定め―法一八四　漁業法一四二

※　法二14・15・一八〇の四

【実例・判例・通知】

※　本条第六項に関しては、法九二条の二の実例、判例及び平三〇・四・二五の通知を参照

〔委員会及び委員の権限に属しない事項〕

第百八十条の六　普通地方公共団体の委員会又は委員は、左に掲げる権限を有しない。但し、法律に特別の定があるものは、この限りでない。

一　普通地方公共団体の予算を調製し、及びこれを執行[1]すること。

二　普通地方公共団体の議会の議決を経べき事件につきその議案を提出すること。

三　地方税を賦課徴収し、分担金若しくは加入金を徴収し、又は過料を科すること。

四　普通地方公共団体の決算を議会の認定に付すること。

＊　本条―追加〔昭二七・八法三〇六〕、旧一八〇条の五―繰下〔昭三一・六法一四七〕、本条―一部改正〔昭三八・六法九九〕

【参照条文】

【法律の特別の定―現在なし　※法一八〇の二　地教法二九　【予算の調製権―法一一二1但書・一四九II　※地教法二九　【議決事件―法九六　【議案提出権―法一一二1・一四九I　【収入支出命令―法一四九II　※法一八〇の二　【地方税―法二二三　※地税法　【分担金―法二二四　※地財法二七　【加入金―法二二六　【過料―法一四・一五・一五九・二二八・二三一の三・二五五の三　令一三一　地税法三一・三〇二等　【決算の認定―法二三三3

【通　知】

1）●高等学校授業料、運転免許手数料等その管理に属する公の施設の使用料及び所掌事務に係る手数料は、法第一八〇条の二の規定による委任があれば徴

収することができる。（昭三八・一二・一九通知）

〔委員会等の事務の委任・補助執行・委託等〕

第百八十条の七　普通地方公共団体の委員会又は委員は、その権限に属する事務の一部を、当該普通地方公共団体の長と協議して、普通地方公共団体の長の補助機関である職員若しくはその管理に属する支庁若しくは地方事務所、支所若しくは出張所、第二百二条の四第二項に規定する地域自治区の事務所、第二百五十二条の十九第一項に規定する指定都市の区若しくは総合区の事務所若しくはその出張所、保健所その他の行政機関の長に委任し、若しくは普通地方公共団体の長の補助機関である職員若しくはその管理に属する行政機関に属する職員をして補助執行させ、又は専門委員に委託して必要な事項を調査させることができる。ただし、政令で定める事務については、この限りではない。

＊本条―追加〔昭二七・八法三〇六〕、一部改正・旧一八〇条の六―繰下〔昭三一・六法一四七〕、本条―一部改正〔平一六・五法五七、平一八・六法五三、平二六・五法四二〕

【引用条文】【法二〇二の四（地域自治区の設置）2　【法二五二の一九（指定都市の権能）1

【参照条文】【長の補助機関―法一六一～一七五　【支庁、地方事務所、支所、出張所―法一五五・二五二の二〇1～4・二五二の二〇の二1～4　【地域自治区の事務所―法二〇二の四2　【※指定都市の区―法二五二の二〇1　【※指定都市の総合区―法二五二の二〇の二1　【保健所その他の行政機関―法一五六1～3　【専門委員―法一七四　【政令の定―令一三三の二

※法一八〇の二　地公法八3　地教法二五・五七

第二款　教育委員会

＊本款―追加〔昭二七・八法三〇六〕

〔教育委員会の職務権限等〕

第百八十条の八　教育委員会は、別に法律の定めるところにより、学校その他の教育機関を管理し、学校の組織編制、教育課程、教科書その他の教材の取扱及び教育職員の身分取扱に関する事務を行い、並びに社会教育その他教育、学術及び文化に関する事務を管理し及びこれを執行する。

＊本条―追加〔昭二七・八法三〇六〕、旧一八〇条の七―繰下〔昭三一・六法一四七〕、一項―一部改正〔昭三一・六法一六三〕、二・三項―削る〔平一一・七法八七〕

【参照条文】①【別の法律―地教法　学校教育法　教特法　教育職員免許法　社教法　文化財保護法等

※法一三八の二の二～一三八の四・一八〇の五

第三款　公安委員会

＊本款―追加〔昭二九・六法一九三〕

〔公安委員会の職務権限等〕

第百八十条の九　公安委員会は、別に法律の定めるところにより、都道府県警察を管理する。

②　都道府県警察に、別に法律の定めるところにより、地方警務官、地方警務官以外の警察官その他の職員を置く。

＊本条―追加〔昭二九・六法一九三〕、旧一八〇条の八―繰下〔昭三一・六法一四七〕、三・四項―削る〔平一一・七法八七〕、二項―一部改正〔平一八・六法五三〕

【参照条文】①【別の法律―警察法　【警察の管理―警察法三八3　②【警察職員―警察法五五～五七・六〇

※法一三八の二の二～一三八の四・一八〇の五

第四款　選挙管理委員会

＊款名―追加〔昭二七・八法三〇六〕、旧三款―繰下〔昭二九・六法一九三〕

〔選挙管理委員会の設置及び組織〕

第百八十一条　普通地方公共団体に選挙管理委員会を置く。

②　選挙管理委員会は、四人の選挙管理委員を以てこれを組織する。

＊二項―一部改正〔昭二七・八法三〇六、昭三一・六法一四七、昭三三・四法七五〕

【参照条文】【委員会が成立していない場合―法二五二の一七の九　令一三七　【※地方公共団体の廃置分合のあった場合―令四　【※指定都市の区―法二五二の二〇5・6　【※指定都市の総合区―法二五二の二〇の二11

※法一三八の二の二～一三八の四・一八〇の五　地公法三3

〔選挙管理委員及び補充員の選挙〕

第百八十二条　選挙管理委員は、選挙権[1]を有する者で、人格が高潔で、政治及び選挙に関し公正な識見を有するもののうちから、普通地方公共団体の議会においてこれを選挙[2]する。

② 議会は、前項の規定による選挙を行う場合においては、同時に、同項に規定する者のうちから委員と同数の補[3]充員を選挙しなければならない。[4]補充員がすべてなくなつたときも、また、同様とする。

③ 委員中に欠員があるときは、選挙管理委員会の委員長は、補充員の中からこれを補欠する。[5]その順序は、選挙の時が異なるときは選挙の前後により、選挙の時が同時であるときは得票数により、得票数が同じであるときはくじにより、これを定める。[6]

④ 法律の定めるところにより行なわれる選挙、投票又は国民審査に関する罪を犯し刑に処せられた者は、委員又は補充員となることができない。

⑤ 委員又は補充員は、それぞれその中の二人が同時に同一の政党その他の政治団体に属する者となること[7]となつてはならない。

⑥ 第一項又は第二項の規定による選挙において、同一の政党その他の政治団体に属する者が前項の制限を超えて選挙された場合及び第三項の規定により委員の補欠を行えば同一の政党その他の政治団体に属する委員の数が前項の制限を超える場合等に関し必要な事項は、政令でこれを定める。

⑦ 委員[8]は、地方公共団体の議会の議員及び長と兼ねることができない。

⑧ 委員又は補充員の選挙を行うべき事由が生じたときは、選挙管理委員会の委員長は、直ちにその旨を当該普通地方公共団体の議会及び長に通知しなければならない。

＊四項―全改〔昭二七・八法三〇六〕、六項―追加〔昭三一・六法一四七〕、一・二項―一部改正・四・七項―追加・旧四・五項―一項ずつ繰下・旧六項―八項に繰下〔昭三七・五法一一二〕、五・六項―一部改正〔昭五〇・七法六四〕

【参照条文】

①【選挙権を有する者―法一八＝選挙法九2～4・一一・二五二　【議会における選挙―法九七1・一一八　令一七四の四五

③【委員長―法一八七

⑥【政令―令一三四～一三六の二

※法一八〇の五6・一九三・二五二の一七の九　令四

【実例・判例・注釈】

1）●選挙管理委員の被選挙権は、実質上それを有していれば名簿に登載されていないでもよい。（昭二一・一二・二七行実）

2）○「選挙」とは、投票又は指名推選の方法による選挙をいう。

●選挙管理委員の選任については、本人の承諾を必要とする。（昭二一・一二・二七行実）

●選挙管理委員の承諾書は、議長あてとするのが正当である。（昭二一・一二・二七行実）

●選挙管理委員の選挙については、全員一回の投票により決定すべきであり、個々に投票を行うことはできない。（昭二六・一一・二三行実）

●選挙管理委員および同補充員の選任について指名推選の方法を用いても違法ではない。（昭三五・二・九最裁判）

3）●選挙管理委員の選挙に指名推選の方法を用いてもよいが、補充員を指名推選する際は補充の順序を定めておく必要がある。（昭二一・一二・二七行実）

●指名推せんによる当選人が既に死亡していた場合は、その数だけ選挙する。（昭三九・三・六行実）

●選挙管理委員の再選挙を行う場合において現在補充員となつている者を委員として選挙することは差支えない。（昭三九・三・一七行実）

4）●選挙管理委員二人となり補充員がない場合は、補充員四人のみの選挙を行なうべきである。（昭二六・三・六行実）

5）●選挙管理委員の補充員は、委員長の補欠により当然に選挙管理委員の身分を取得するから、補欠されることを望まない補充員は補欠前に補充員を辞するか、補欠後に選挙管理委員として辞職の手続をとるべきである。（昭二五・一二・一一行実）

6）●補充の順序を定める具体的な事務は、選挙管理委員会の委員長が執行すべきである。（昭四四・四・三行実）

7）●選挙管理委員の所属政党又は団体は、原則として本人に申し出させ議会が認定する。ただし、委員となつて後政党に加入したような場合は、委員会が認定する。（昭三一・五・二九行実）

8）●補充員は現職のまま公職の候補者となりうる。（昭二六・三・二七行実）

※●選挙管理委員及び補充員が同時にすべて辞職した場合は、議会は補充員のみを選挙すべきではなく、あらたに委員及び補充員を選挙すべきである。（昭二四・八・八行実）

※●選挙管理委員及び補充員の選挙後、その任期の起算日前に、当選人が死亡し又は辞退した場合は、さらに選挙を行なわなければならない。（昭三五・九・一二行実）

〔任期〕

第百八十三条　選挙管理委員の任期は、四年とする。[1]但し、[2]後任者が就任する時まで在任する。

② 補欠委員の任期は、前任者の残任期間とする。

③ 補充員の任期は、委員の任期による。

④ 委員及び補充員は、その選挙に関し第百十八条第五項の規定による裁決又は判決が確定するまでは、その職を失わない。

＊四項―一部改正〔昭二二・一二法一六九〕、一項―一部改正〔昭二三・一二法二六〕、四項―一部改正〔昭二五・五法一四三、昭三一・六法一四七〕、一項―一部改正〔昭三七・五法一三三〕

【引用条文】
④【法一一八（投票による選挙・指名推選及び投票の効力の異議）５

【参照条文】
【期間計算―民法一四三】【※任期満了以外の離職―法八七・一八四〜一八五】【※委員長の離職の場合の措置―法一九三（法一五九の準用に関する部分）令一四〇】【判決の確定―民訴一一六
※法一八二・二五六

【実　例】
１）●選挙管理委員の任期は、選挙の日から起算する。（昭二四・一一・二八行実）
●再選挙で選任された選挙管理委員の任期は、最初に行われた選挙の日から起算する。ただし、前任者の任期満了の日前に選挙を行つた場合は、前任者の任期満了の日の翌日とする。（昭四一・五・一一行実）
２）●選挙管理委員の任期満了の日前に行われた後任の委員の選挙において当選した者のうち、一名はその当選を承諾したが、他の三名の承諾の意思が明らかでない場合、前任の委員の任期満了日後に開催される委員会は、法第一八三条第一項ただし書の規定により前任の委員が、在任しているものと解し、当該委員をもつて構成される。（昭四七・三・一四行実）

〔失職〕
第百八十四条　選挙管理委員は、選挙権を有しなくなつたとき、第百八十条の五第六項の規定に該当するとき又は第百八十二条第四項に規定する者に該当するときは、その職を失う。その選挙権の有無又は第百八十条の五第六項の規定に該当するかどうかは、選挙管理委員が公職選挙法第十一条若しくは同法第二百五十二条又は政治資金規正法第二十八条の規定に該当するため選挙権を有しない場合を除くほか、選挙管理委員会がこれを決定する。
②　第百四十三条第二項から第四項までの規定は、前項の場合にこれを準用する。

＊一項―一部改正〔昭二五・四法一〇一、昭三六・一一法一三五、昭三七・五法一三三〕、二項―一部改正〔昭三七・九法一六一〕、一項―一部改正〔平六・二法四〕

【引用条文】
①【法一八〇の五（委員会及び委員の設置・委員の兼業禁止等）６・一八二（選挙管理委員及び補充員の選挙）４】【選挙法一一（選挙権及び被選挙権を有しない者）・二五二（選挙犯罪による処刑者に対する選挙権及び被選挙権の停止）】【政資法二八
②【法一四三（失職）２〜４

【参照条文】
【選挙権―法一八＝選挙法九２〜４
※法一二七・一八〇の五・一九三・二五五の五

〔罷免〕
第百八十四条の二　普通地方公共団体の議会は、選挙管理委員が心身の故障のため職務の遂行に堪えないと認めるとき、又は選挙管理委員に職務上の義務違反その他選挙管理委員たるに適しない非行があると認めるときは、議決によりこれを罷免することができる。この場合においては、議会の常任委員会又は特別委員会において公聴会を開かなければならない。
②　委員は、前項の規定による場合を除くほか、その意に反して罷免されることがない。

＊本条―追加〔平三・四法二四〕

【参照条文】
【常任委員会・特別委員会―法一〇九１
【公聴会―法一〇九５・一一五の二１

〔退職〕
第百八十五条　選挙管理委員会の委員長が退職しようとするときは、当該選挙管理委員会の承認を得なければならない。
②　委員が退職しようとするときは、委員長の承認を得なければならない。

【参照条文】
【委員長―法一八七】【※委員長が退職した場合の措置―法一九三（法一五九の準用に関する部分）令一四〇

【実　例】
※●選挙管理委員の補充員は委員長に届け出て退職することができる。（昭二六・三・二七行実）

〔守秘義務〕
第百八十五条の二　選挙管理委員は、職務上知り得た秘密を漏らしてはならない。その職を退いた後も、同様とする。

＊本条―追加〔平三・四法二四〕

【参照条文】
※地公法三四

〔職務権限〕
第百八十六条　選挙管理委員会は、法律又はこれに基づく政令の定めるところにより、当該普通地方公共団体が処理する選挙に関する事務及びこれに関係のある事務を管理する。

＊一項—一部改正・三項—追加〔昭二七・八法三〇六〕、一項—一部改正・二・三項—削る〔平一一・七法八七〕

【参照条文】

【選挙管理委員会の職務権限を規定した法令—法七四～七四の三・七五～七七・八〇～八二・八六・一四三・二六一等　令　選挙法五・六等　同令　土地改良法二三　最高裁判所裁判官国民審査法　政資法等

〔委員長〕

第百八十七条　選挙管理委員会は、委員の中から委員長を選挙しなければならない。

② 委員長は、委員会に関する事務を処理し、委員会を代表する。

③ 委員長に事故があるとき、又は委員長が欠けたときは、委員長の指定する委員がその職務を代理する。

＊三項—一部改正〔昭三二・一二法一六九〕

【参照条文】

【委員長の職務—法一二二・一八五2・一八八～一九一・一九三　令一三七・一四〇

【判　例】

※●選挙管理委員会の委員は、委員長の委任があれば、当該選挙管理委員会を訴訟当事者とする訴訟で委員会を代理することができる。（昭二九・六・一五最裁判）

〔招集〕

第百八十八条　選挙管理委員会は、委員長がこれを招集する。委員から委員会の招集の請求があるときは、委員長は、これを招集しなければならない。

【参照条文】

※法一〇一

〔会議〕

第百八十九条　選挙管理委員会は、三人以上[1]の委員が出席しなければ、会議を開く[2]ことができない。

② 委員長及び委員は、自己若しくは父母、祖父母、配偶者、子、孫若しくは兄弟姉妹の一身上[3]に関する事件又は自己若しくはこれらの者の従事する業務に直接の利害関係のある事件については、その議事に参与することができない。但し、委員会の同意を得たときは、会議に出席し、発言することができる。

③ 前項の規定により委員の数が減少して第一項の数に達しないときは、委員長は、補充員でその事件に関係のないものを以て第百八十二条第三項の順序により、臨時にこれに充てなければならない。委員の事故[4]に因り委員の数が第一項の数に達しないときも、また、同様とする。

＊三項—一部改正〔昭三二・一二法一六九〕、一項—一部改正〔昭二七・八法三〇六〕、一・二項—一部改正〔昭三一・六法一四七〕、一項—一部改正〔昭三三・四法七五〕

【引用条文】

③【法一八二（選挙管理委員及び補充員の選挙）3

【参照条文】

【※除斥の場合の措置—令一三六　【※開議不能の場合の措置—令一三七

※法一一七・一七九

【実例・通知・判例・注釈】

1）○「三人以上」とは、三人又は三人をこえる数を指す。

2）●選挙管理委員の選挙において当選を承諾しない者がある場合でもその再選挙執行前に委員会を招集し、その委員会において定足数を充足すれば委員会は組織されたものとして会議を運営してさしつかえない。（昭二八・三・一三行実）

3）●選挙管理委員会の委員長が、その父が立候補しようとしている選挙につき、一般的に投票管理者、投票立会人、選挙長などの選任、あるいはその選任を委員長に一任する旨の決議に参与することはさしつかえない。（昭三一・六・一二高裁判）

●選挙管理委員長の退職の承認は、当該退職委員長にとって「一身上に関する事件」である。（昭三三・三・二七地裁判）

4）●選挙管理委員が旅行、私用等により会議に出席できなかつた場合も、委員に故障ある場合とみなして補充員をこれに充てることができる。（昭二一・一二・二七通知）

〔表決〕

第百九十条　選挙管理委員会の議事は、出席委員の過半数[1]を以てこれを決する。可否同数のときは、委員長の決するところによる。

＊二項—削る〔昭二七・八法三〇六〕

【参照条文】

※法一一六

【注　釈】

1）○「過半数」とは、委員長を含む出席委員の半数をこえる数、たとえば四人のときは、二人をこえる数、すなわち三人以上を指す。

〔書記その他の職員〕

第百九十一条　都道府県及び市の選挙管理委員会に書記[1]

長、書記その他の職員を置き、町村の選挙管理委員会に書記その他の職員を置く。

② 書記長、書記その他の常勤の職員の定数は、条例でこれを定める。但し、臨時の職については、この限りでない。

③ 書記長は委員長の命を受け、書記その他の職員又は第百八十条の三の規定による職員は上司の指揮を受け、それぞれ委員会に関する事務に従事する。

＊ 一・二・三項―一部改正〔昭二六・六法二〇三、昭二七・八法三〇六〕、一項―一部改正〔昭三六・一二法二三五〕、一・三項―全改・二項―一部改正〔昭三七・五法一三三〕

【引用条文】
③【法一八〇の三（長の補助職員の他の執行機関の職員の兼職・事務の従事等）】

【参照条文】
※ 法一七二・一九三・二〇〇　選挙法二七三

【実　例】
1）●選挙管理委員会規程により、書記長その他の職員の職の名称として事務局長等を定めることは差し支えない。（昭四三・六・一八行実）

〔選挙管理委員会の訴訟の代表〕

第百九十二条　選挙管理委員会の処分又は裁決に係る普通地方公共団体を被告とする訴訟については、選挙管理委員会が当該普通地方公共団体を代表する。

＊ 本条―全改〔平一六・六法八四〕

〔準用規定〕

第百九十三条　第百四十一条第一項及び第百六十六条第一項の規定は選挙管理委員について、第百五十三条第一項、第百五十四条及び第百五十九条の規定は選挙管理委員会の委員長について、第百七十二条第二項及び第四項の規定は選挙管理委員会の書記長、書記その他の職員について、それぞれ準用する。

＊ 本条―一部改正〔昭二二・一二法一六九、昭二三・七法一七九〕、全改〔昭二六・六法二〇三〕、一部改正〔昭三一・六法一四七、昭三七・五法一三三、平一八・一二法九四〕

【引用条文】
【法一四一（兼職の禁止）1・一六六（副知事及び副市町村長の兼職・兼業禁止及び事務引継）1・一五三（長の事務の委任・臨時代理）1・一五四（職員の指揮監督）・一五九（事務引継）・一七二（職員）2・4

【参照条文】
※【委員長―令一四〇】

〔委員会の規程〕

第百九十四条　この法律及びこれに基く政令に規定するものを除く外、選挙管理委員会に関し必要な事項は、委員会がこれを定める。

【参照条文】
【この法律―法一八一～一九三・二〇三の二～二〇六・二五二の一七の九・二五二の一七の一〇　【政令―令一三四～一四〇　程一八・一九　【※必要事項制定上の注意―法一八〇の四
※ 法一八〇の五4

【実　例】
※●選挙後初めて招集する委員会の招集方法は、委員会の規程に定めるべきである。（昭二一・一二・二七行実）
※●市選挙管理委員会が区選挙管理委員会にポスターの検印等を内部委任することはさしつかえない。（昭二三・六・二三行実）

第五款　監査委員

＊ 旧三節―四款に改正〔昭二七・八法三〇六〕、旧四款―繰下〔昭二九・六法一九三〕

〔監査委員の設置及び定数〕

第百九十五条　普通地方公共団体に監査委員を置く。

② 監査委員の定数は、都道府県及び政令で定める市にあつては四人とし、その他の市及び町村にあつては二人とする。ただし、条例でその定数を増加することができる。

＊ 本条―全改〔昭三八・六法九九〕、二項―一部改正〔平九・六法六七、平一八・六法五三〕

【参照条文】
②【政令―令一四〇の二】
※ 法一三八の二・一八〇の五1

〔選任及び兼職の禁止〕

第百九十六条　監査委員は、普通地方公共団体の長が、議会の同意を得て、人格が高潔で、普通地方公共団体の財務管理、事業の経営管理その他行政運営に関し優れた識見を有する者（議員である者を除く。以下この款において「識見を有する者」という。）及び議員のうちから、これを選任する。ただし、条例で議員のうちから監査委員を選任しないことができる。

② 識見を有する者のうちから選任される監査委員の数が二人以上である普通地方公共団体にあつては、少なくともその数から一を減じた人数以上は、当該普通地方公共団体の職員で政令で定めるものでなかつた者でなければならない。

③ 監査委員は、地方公共団体の常勤の職員及び短時間勤

務職員と兼ねることができない。

④　識見を有する者のうちから選任される監査委員は、常勤とすることができる。

⑤　都道府県及び政令で定める市にあつては、識見を有する者のうちから選任される監査委員のうち少なくとも一人以上は、常勤としなければならない。

⑥　議員のうちから選任される監査委員の数は、都道府県及び前条第二項の政令で定める市にあつては二人又は一人、その他の市及び町村にあつては一人とする。

＊　二項―一部改正〔昭二六・六法二〇三〕、三項―追加〔昭二七・八法三〇六〕、全改〔昭三一・六法一四七〕、一・三項―全改〔昭三八・六法九九〕、一項―一部改正・二項―追加・旧二項―三項に繰下・旧三項―一部改正し四項に繰下・五項―追加〔平三・四法二四〕、二項―一部改正〔平九・六法六七〕、三項―一部改正〔平一一・七法一〇七、平一六・六法八五〕、一・二項―一部改正〔平一八・六法五三〕、一・四項―一部改正・六項―追加〔平二九・六法五四〕

【参照条文】

①【※選任上の注意―法一九八の二・二〇一《法一四一1・一六四・一六六1準用に関する部分》

②【政令―令一四〇の三

⑤【政令―令一四〇の四

※　法一八〇の五6

【実例・通知】

1）●監査委員について任期満了前に後任者を選任することはできないが、準備手続をすすめることはさしつかえない。（昭二四・八・一九行実）

●二以上の市町村を廃止して、その区域をもつて新たに一つの市町村の設置があつた場合は、長の職務執行者が議会の同意を得て監査委員を選任すべきものではない。（昭四二・一・一〇行実）

●条例で議員のうちから監査委員を選任しないことができるものとされているが、当該条例の提出権は、長並びに議員及び委員会の双方に存するものであるが、当該条例を制定するかどうかは、監査委員と議会の監視機能における役割分担の観点等を踏まえ検討されたい。（平二九・六・九通知）

〔任期〕

第百九十七条　監査委員の任期は、識見を有する者のうちから選任される者にあつては四年とし、議員のうちから選任される者にあつては議員の任期による。ただし、後任者が選任されるまでの間は、その職務を行うことを妨げない。

＊　本条―全改〔昭三一・六法一四七〕、一部改正〔昭三八・六法九九、昭四九・六法七一、平三・四法二四〕

【参照条文】

【議員の任期―法九三　【期間計算―民法一四三　【※任期満了以外の離職―法八七・一九七の二～一九八の二　【※監査委員離職の場合の措置―法二〇一《法一五九の準用に関する部分》　令一四一

※　法一九六

【実　例】

1）●後任者が選任されるまでの間における監査職務の執行は、監査委員たる身分で執行するものでなく、その延長であるとの観念に基づく執行である。（昭二四・五・一三行実）

●任期満了後における監査委員の職務を執行する者の名称は、監査委員職務執行者何某とするのが適当である。（昭二六・四・一六行実）

●任期満了者の職務執行については、法律上特別の手続を必要とするものではない。（昭三二・五・一六行実）

●任期満了者は、監査事務運営上必要があると認められる場合には、職務を行うべきである。（昭三二・六・一〇行実）

●議会選出監査委員の任期満了後においても、後任者が選任されるまで職務を行うことはさしつかえない。（昭三二・八・一行実）

●二以上の市町村を廃止して、その区域をもつて新たに一つの市町村の設置があつた場合は、ただし書の規定の適用はない。（昭四二・一・一〇行実）

〔罷免〕

第百九十七条の二　普通地方公共団体の長は、監査委員が心身の故障のため職務の遂行に堪えないと認めるとき、又は監査委員に職務上の義務違反その他監査委員たるに適しない非行があると認めるときは、議会の同意を得て、これを罷免することができる。この場合においては、議会の常任委員会又は特別委員会において公聴会を開かなければならない。

②　監査委員は、前項の規定による場合を除くほか、その意に反して罷免されることがない。

＊　本条―追加〔平三・四法二四〕

【参照条文】

【常任委員会・特別委員会―法一〇九1

【公聴会―法一〇九5・一一五の二1

〔退職〕

第百九十八条　監査委員は、退職しようとするときは、普通地方公共団体の長の承認を得なければならない。

【参照条文】

【※退職の場合の措置―法二〇一《法一五九の準用に関する部分》　令一四一

〔**親族の就職禁止**〕

第百九十八条の二　普通地方公共団体の長又は副知事若しくは副市町村長と親子、夫婦又は兄弟姉妹の関係にある者は、監査委員となることができない。

② 監査委員は、前項に規定する関係が生じたときは、その職を失う。

＊本条—追加〔昭三一・六法一四七〕、一項—一部改正〔平一八・六法五三〕

【参照条文】

【団体の長—法一三九　【副知事、副市町村長—法一六一　【※監査委員の就職を禁じた他の規定—法一六九1　地教法六

〔服務〕

第百九十八条の三　監査委員は、その職務を遂行するに当たつては、法令に特別の定めがある場合を除くほか、監査基準（法令の規定により監査委員が行うこととされている監査、検査、審査その他の行為（以下この項において「監査等」という。）の適切かつ有効な実施を図るための基準をいう。次条において同じ。）に従い、常に公正不偏の態度を保持して、監査等をしなければならない。

② 監査委員は、職務上知り得た秘密を漏らしてはならない。その職を退いた後も、同様とする。

＊本条—追加〔平三・四法二四〕、一項—一部改正〔平二九・六法五四〕

【参照条文】

①【監査基準—法一九八の四　【特別の定め—法一九九3　令一四〇の六　公企法三〇3

〔監査基準の策定等及び指針〕

第百九十八条の四　監査基準は、監査委員が定めるものとする。

② 前項の規定による監査基準の策定は、監査委員の合議によるものとする。

③ 監査委員は、監査基準を定めたときは、直ちに、これを普通地方公共団体の議会、長、教育委員会、選挙管理委員会、人事委員会又は公平委員会、公安委員会、労働委員会、農業委員会その他法律に基づく委員会及び委員に通知するとともに、これを公表しなければならない。

④ 前二項の規定は、監査基準の変更について準用する。

⑤ 総務大臣は、普通地方公共団体に対し、監査基準の策定又は変更について、指針[1]を示すとともに、必要な助言を行うものとする。

＊本条—追加〔平二九・六法五四〕

【参照条文】

①【監査基準—法一九八の三

⑤ 法二四五の四・二四七・二五二の一七の五

【通　知】

1）●監査委員は、総務大臣が示す指針を踏まえて監査基準を策定又は変更されたい。また、既に自主的に監査の実施に関する基準を定めている普通地方公共団体においては、当該基準が法第一九八条の三第一項の監査基準と同様の性質・内容であれば、当該基準を監査基準として位置付けることも可能であるが、当該指針を踏まえ、必要な検討を行うことが求められる。（平二九・六・九通知）

●地方公共団体に共通する、監査等を行うに当たって必要な基本原則と考えられる事項を規定した「監査基準（案）」を策定した。併せて、監査等を監査基準（案）に沿って行うために、監査基準（案）に規定する項目のうち、特に留意を要する事項に係る実務のあり方について、詳細な説明、具体例、望ましい実務を記載した「実施要領」についても策定したので、これらを併せて通知する。（平三一・三・二九通知）

〔職務権限〕

第百九十九条　監査委員は、普通地方公共団体の財務[1]に関する事務の執行及び普通地方公共団体の経営に係る事業の管理を監査する。

② 監査委員は、前項に定めるもののほか、必要があると認めるときは、普通地方公共団体の事務[2]（自治事務にあつては労働委員会及び収用委員会の権限に属する事務で政令で定めるものを除き、法定受託事務にあつては国の安全を害するおそれがあることその他の事由により監査委員の監査の対象とすることが適当でないものとして政令で定めるものを除く。）の執行について監査をすることができる。この場合において、当該監査[3]の実施に関し必要な事項は、政令で定める。

③ 監査委員は、第一項又は前項の規定による監査をするに当たつては、当該普通地方公共団体の財務に関する事務の執行及び当該普通地方公共団体の経営に係る事業の管理又は同項に規定する事務の執行が第二条第十四項及び第十五項の規定の趣旨にのつとつてなされているかどうかについて、特に、意を用いなければならない。

④ 監査委員は、毎会計年度少なくとも一回[4]以上期日を定めて第一項の規定による監査[5]をしなければならない。

⑤ 監査委員は、前項に定める場合のほか、必要があると認めるときは、いつでも第一項の規定による監査をすることができる。

⑥ 監査委員は、当該普通地方公共団体の長から当該普通地方公共団体の事務の執行に関し監査の要求があつたと

きは、その要求に係る事項について監査をしなければならない。

⑦　監査委員は、必要があると認めるとき、又は普通地方公共団体の長の要求があるときは、当該普通地方公共団体が補助金、交付金、負担金、貸付金、損失補償、利子補給その他の[6]財政的援助を与えているものの出納その他の事務の執行で当該財政的援助に係るものを監査することができる。当該普通地方公共団体が出資しているもので[7]政令で定めるもの、当該普通地方公共団体が借入金の元金又は利子の支払を保証しているもの、当該普通地方公共団体が受益権を有する信託で政令で定めるものの受託者及び[8]当該普通地方公共団体が第二百四十四条の二第三項の規定に基づき公の施設の管理を行わせているものについても、同様とする。

⑧　監査委員は、[9]監査のため必要があると認めるときは、関係人の出頭を求め、若しくは関係人について調査し、若しくは関係人に対し帳簿、書類その他の記録の提出を求め、又は学識経験を有する者等から意見を聴くことができる。

⑨　監査委員は、第九十八条第二項の請求若しくは第六項の要求に係る事項についての監査又は第一項、第二項若しくは第七項の規定による監査について、監査の結果に関する報告を決定し、これを普通地方公共団体の議会及び長並びに関係のある教育委員会、選挙管理委員会、人事委員会若しくは公平委員会、公安委員会、労働委員会、農業委員会その他法律に基づく委員会又は委員に提出するとともに、これを[10]公表しなければならない。

⑩　監査委員は、監査の結果に基づいて必要があると認めるときは、当該普通地方公共団体の組織及び運営の合理化に資するため、第七十五条第三項又は前項の規定による監査の結果に関する報告に添えてその[11]意見を提出することができる。この場合において、監査委員は、当該意見の内容を公表しなければならない。

⑪　監査委員は、第七十五条第三項の規定又は第九項の規定による監査の結果に関する報告のうち、普通地方公共団体の議会、長、教育委員会、選挙管理委員会、人事委員会若しくは公平委員会、公安委員会、労働委員会、農業委員会その他法律に基づく委員会又は委員において特に措置を講ずる必要があると認める事項については、その者に対し、理由を付して、必要な措置を講ずべきことを勧告することができる。この場合において、監査委員は、当該勧告の内容を公表しなければならない。

⑫　第九項の規定による監査の結果に関する報告の決定、第十項の規定による意見の決定又は前項の規定による勧告の決定は、監査委員の合議によるものとする。

⑬　監査委員は、第九項の規定による監査の結果に関する報告の決定について、各監査委員の意見が一致しないことにより、前項の合議により決定することができない事項がある場合には、その旨及び当該事項についての各監査委員の意見を普通地方公共団体の議会及び長並びに関係のある教育委員会、選挙管理委員会、人事委員会若しくは公平委員会、公安委員会、労働委員会、農業委員会その他法律に基づく委員会又は委員に提出するとともに、これらを公表しなければならない。

⑭　監査委員から第七十五条第三項の規定又は第九項の規定による監査の結果に関する報告の提出があつた場合において、当該監査の結果に関する報告の提出を受けた普通地方公共団体の議会、長、教育委員会、選挙管理委員会、人事委員会若しくは公平委員会、公安委員会、労働委員会、農業委員会その他法律に基づく委員会又は委員は、当該監査の結果に基づき、又は当該監査の結果を参考として措置（次項に規定する措置を除く。以下この項において同じ。）を講じたときは、当該措置の内容を監査委員に[12]通知しなければならない。この場合において、監査委員は、当該措置の内容を[13]公表しなければならない。

⑮　監査委員から第十一項の規定による勧告を受けた普通地方公共団体の議会、長、教育委員会、選挙管理委員会、人事委員会若しくは公平委員会、公安委員会、労働委員会、農業委員会その他法律に基づく委員会又は委員は、当該勧告に基づき必要な措置を講ずるとともに、当該措置の内容を監査委員に通知しなければならない。この場合において、監査委員は、当該措置の内容を公表しなければならない。

＊　五項―追加・旧五項―一部改正し六項に繰下〔昭二五・五法一四三〕、二・八項―追加・旧二・六項―一部改正し一項ずつ繰下・旧三～五項―一項ずつ繰下〔昭二七・八法三〇六〕、二・四・六項―一部改正・七項―追加・旧七項―一部改正し八項に繰下・旧八項―九項に繰下〔昭三一・六法一四七〕、四・八項―一部改正〔昭三五・六法一一三〕、一・二・六・八項―一部改正・四項―追加・旧四項―一部改正し五項に繰下・旧五項―削る〔昭三八・六法九九〕、二・八項―一部改正〔昭四四・三法二〕、六項―一部改正〔昭六一・五法七五〕、二項―追加・旧二項―一部改正し三項に繰下・旧三～五項―一項ずつ繰下・旧六項―一部改正し七項に繰下・旧七項―八項に繰下・旧八・九項―一部改正し一項ずつ繰下・一一項―追加〔平三・四法二四〕、一一項―一部改正・一二項―追加〔平九・六法六七〕、二・三・六・九・一二項―一部改正〔平一一・七法八七〕、八項―一部改正〔平一四・三法四〕、七項―一部改正〔平一五・六法八一〕、二・九・一二項―一部改正〔平一六・一一法一四〇〕、三・四・七・九・一〇項―一部改正・一一項―追加・旧一一項―一部改正し一二項に繰下・一三項―追加・旧一二項―一部改正し一四項に繰下・一五項―追加〔平二九・六法五四〕

【引用条文】

③【法二（地方公共団体の法人格とその事務）14・15

⑦【法二四四の二（公の施設の設置、管理及び廃止）3
⑨【法九八（検査及び監査の請求）2
⑩・⑪・⑭【法七五（監査の請求とその処置）3

【参照条文】

①【監査委員の職務―法七五・九八2・一二一・一二三・2・二三五の二・二四二・二四三の二の七2・二四三の二の八3　公企法三〇等
②【政令―令一四〇の五・一四〇の六　【外部監査人への配慮―法二五二の三〇2
④【会計年度―法二〇八1　※財政法一一
⑥【議会の要求―法九八2　【監査の特例（個別外部監査契約）―法二五二の四一
⑦【政令の定―令一四〇の七　【受益権―信託法二7等　【信託―信託法二1等　法二三八の五2　国有財産法二〇1　【受託者―信託法二5等　信託業法二等　金融機関の信託業務の兼営等に関する法律一　【監査の特例（個別外部監査契約）―法二五二の四二
⑧【関係人の出頭等―法二〇七
⑨【法律に基づく委員の例―社教法一五
⑫【監査委員の定数―法一九五2
※法一三八の二の二・一三八の三

【実例・通知・判例・注釈】

1）●条例そのもの（第一項の）監査はできない。（昭二六・九・一一行実）

●（第一項の監査においては）進行中の土木工事についても、財務に関する事務の執行に関する限り監査することができる。（昭二八・四・一三行実）

●（第一項の監査においては）職員の出勤状況を財政経理的見地から監査することができる。（昭二八・四・一三行実）

●（第一項の監査においては）生活保護費にかかる出納その他出納に関連する事務の執行の適否の観点を離れて保護決定の適否自体を監査することはできない。（昭三七・五・七行実）

●「財務に関する事務の執行」には、予算の執行、収入、支出、契約、現金及び有価証券の出納保管、財産管理等の事務の執行を包含する。（昭三八・一二・一九通知）

●特別昇給に関する実施基準及び具体的実施対象それ自体については一般的に（第一項の）監査の対象とはならない。（昭四三・一一・七行実）

●補償費の監査にあたつては、補償費の出納その他出納に関連する事務の執行の適否の観点を離れて補償基準又は補償費の算定方法そのものを（第一項の監査において）監査することはできない。（昭四四・四・三行実）

2）●これは監査委員の監査は従来原則として財務監査とされていたものをいわゆる行政監査にも拡大するものである。（平三・四・二通知）

3）●令第一四〇条の六において「法令の定めるところに従つて適正に行われているかどうかについて、適時に監査を行わなければならない」とされているが、これは、法律及び政省令のほか訓令通達等に従つて適正に行われているかどうかについても監査しなければならないこと及び監査の時期はその監査を受ける事務の執行にも支障が生じないように配慮することなど、最も適切な時期としなければならないことを定めたものである。（平三・四・二通知）

4）○「一回以上期日を定めて」とは、毎会計年度において一回又はそれより多い回数定例的にという意である。

●定例監査の期日は条例で一定しておくのが適当である。（昭三三・九・二九行実）

5）●いわゆる破壊検査も、一般監査の範囲を逸脱せず、かつ、他に当該監査の目的を達する方法がない場合に限りすることができる。（昭四四・四・三行実）

6）●地方教職員共済組合に対して監査することはできない。（昭二七・四・一〇行実）

●交付金又は貸付金の使途が会館建設費に限られている場合は、事業経理の監査まではできない。（昭二七・八・二〇行実）

●市立学校のＰＴＡ、学校後援会などの経理につき、補助金その他の財政的援助がある場合は、本条第六項（現行法では第七項）の規定に基づく監査はできるが、他の場合は監査できない。（昭二八・四・二四行実）

●モーターボート競走会に対する交付金は、競走の実施の委任に対する対価として交付するものであるから、「財政的援助」ではないから、法一九九条第六項（現行法では第七項）の適用はない。（昭三一・一〇・三行実）

●財政的援助を与えているものの監査とは、金銭をもつて援助している場合のみであり、人的援助はこの項の援助に該当しない。（昭三一・一一・二八行実）

●調査研究委託料は、財政的援助にあたらない。（昭三一・一〇・二四行実）

●行政目的をもつて金融機関に対してする預託は、予算に計上して支出すべきものであるが、実質上財政的援助と認められる預託金については、本条第六項（現行法では第七項）の規定により監査できる。（昭三四・四・三行実）

●間接補助事業者（補助を受ける者からさらに補助を受ける者）を本条第六項（現行法では第七項）の規定により監査することはできない。（昭三四・一一・九行実）

●物的援助は、財政的援助ではない。（昭三八・一一・一二行実）

●地方職員共済組合の事務のうち、地方公務員等共済組合法第一三条の規定に基づき県が交付した負担金に係る出納その他の事務の執行については監査できないが、法定の負担金以外の負担金を交付している場合は監査できる。（昭四一・五・一二行実）

●児童福祉法第二四条の規定により乳幼児を入所せしめている私立保育所に対し市が同法第五一条の規定により措置費を支出している場合、監査委員は、これを私立保育所に対する財政援助とみなして当該保育所の出納について監査することはできない。（昭四六・八・一一行実）

7　○「政令で定めるもの」とは、当該普通地方公共団体が資本金、基本金その他これに準ずるものの四分の一以上を出資している法人を指す。（令一四〇の七参照）

8　●監査委員は、公の施設の管理を受託している団体の当該受託に係る出納その他の事務の執行について監査できる。（平三・四・二通知）

9　●市の特定の事務または特定の事業の経営を私人に委託した場合、委託を受けた私人の事務そのものは、監査の対象とすることはできないが、委託した地方公共団体の事務を監査するのに必要があれば、当該委託を受けた者に対して出頭を求め、調査し、または帳簿書類その他の記録の提出を求めることはできる。（昭四四・五・八行実）

10　●監査結果の公表は、所定機関に対する報告（現行法では提出）より先にすべきではない。（昭三二・四・一七行実）

11　●（第一項の監査において）提出する意見の範囲は、必ずしも監査対象内に限られるべきものではない。（昭二七・八行実）

●意見の公表は必要でない。（昭二七・一〇・六行実）

●（第一項の監査において）地方公共団体の組織及び運営の合理化に資するために必要があると認めるときには、条例の改正又は廃止の意見を監査の結果に添えて提出することはさしつかえない。（昭二七・一二・二五行実）

12　●長等が監査委員の監査結果の報告に基づく改善策を講じない場合は、監査委員に対する報告義務はないものである。したがって監査委員の監査結果の報告・公表後相当期間経過しても改善策が公表されなければ、長等が改善策を講じていないことが明らかになるものである。（平一〇・四・一通知）

13　●長等からの監査委員の監査結果の報告に基づく改善策の報告については、その公表方法、公表時期等は、報告を受けた監査委員において判断されるものであるが、通常監査結果を公表している方法と同様の方法により、報告後できるだけ速やかに公表することが望ましい。（平一〇・四・一通知）

※　●交際費の内容まで監査することは経費の性質上適当でないが、収支の経理手続についてこれを行うことはさしつかえなく、また、議会又は住民の直接請求による場合は監査できるが、結果の公表については適当な配慮が必要である。（昭二四・一・二六行実）

※　●公立病院で保管している麻薬の管理状況についての監査に当たり麻薬取締官の立会いを求める必要はない。（昭二六・一〇・二四行実）

※　●監査委員が教育委員会を被告として監査拒否の無効確認を求める訴は不適法である。（昭三〇・三・一四地裁判）

※　●他人の管理に属する場所に立ち入つて調査するためには、管理者の承諾がなければならない。（昭三五・一・六行実）

※　●市町村の監査委員が直接請求による監査、議会の要求による監査及び定期監査等を行うについて、当該監査の性質上、土木、建築等の専門的知識が必要な場合は民間団体に対し、当該工事等の調査を依頼し、その調査結果を参考として監査を行つて差し支えない。（昭四三・四・一〇行実）

※　●監査の基礎となる調査を委託した場合は、監査結果の報告において委託した旨及びその結果を明示することとされたい。（平一〇・四・一通知）

〔監査執行上の除斥〕

第百九十九条の二　監査委員は、自己若しくは父母、祖父母、配偶者、子、孫若しくは兄弟姉妹の一身上に関する事件又は自己若しくはこれらの者の従事する業務に直接の利害関係のある事件については、監査することができない。

＊本条―追加〔昭三一・六法一四七〕

【参照条文】

※　法二一七　【外部監査人についての除斥―法二五二の二九】

【実　例】

1　●県議会開会中の費用弁償の支給につき第二四三条の二（現行法では第二四二条）第一項により監査委員に対し当該違法、不当行為の禁止の措置請求があつた場合には、議会選出の監査委員は監査できない。（昭三一・一一・一三行実）

●監査委員の実弟が校長として勤務する高等学校の監査については、当該監査委員は監査できない。（昭三三・八・四行実）

●実兄が課長をしている課の監査を行うことは違法である。（昭三四・一一・四行実）

●財団法人の監事を兼ねている監査委員は、当該財団法人の監査にあたつては除斥される。（昭三八・一一・二〇行実）

●労働委員会の委員を兼ねている監査委員は、当該労働委員会の監査を執行する場合は除斥される。（昭四三・六・一八行実）

●衛生民生部次長であつた監査委員は、当該監査委員が次長として在任していた期間を対象として衛生民生部の監査を執行する場合は除斥される。（昭四三・六・一八行実）

※　●監査委員の定数二人の団体において、そのうち一人が除斥された場合における監査（合議）は、除斥

されない監査委員一人で行う。（昭四八・四・一三行実）

〔代表監査委員〕

第百九十九条の三　監査委員は、識見を有する者のうちから選任される監査委員の一人（監査委員の定数が二人の場合において、そのうち一人が議員のうちから選任される監査委員であるときは、識見を有する者のうちから選任される監査委員）を代表監査委員としなければならない。

② 代表監査委員は、監査委員に関する庶務及び次項又は第二百四十二条の三第五項に規定する訴訟に関する事務を処理する。

③ 代表監査委員又は監査委員の処分又は裁決に係る普通地方公共団体を被告とする訴訟については、代表監査委員が当該普通地方公共団体を代表する。

④ 代表監査委員に事故があるとき、又は代表監査委員が欠けたときは、監査委員の定数が三人以上の場合には代表監査委員の指定する監査委員が、二人の場合には他の監査委員がその職務を代理する。

＊本条―追加〔昭三八・六法九九〕、一項―一部改正〔平三・四法二四〕、二項―一部改正〔平一四・三法四〕、二項―一部改正・三項―追加・旧三項―一項繰下〔平一六・六法八四〕、一・四項―一部改正〔平一八・六法五三、平二九・六法五四〕

【引用条文】

② 【法二四二の三（訴訟の提起）5

【参照条文】

【監査委員の定数―法一九五2　【識見を有する者―法一九六1

〔事務局の設置等〕

第二百条　都道府県の監査委員に事務局を置く。

② 市町村[1]の監査委員に条例の定めるところにより、事務局を置くことができる。

③ 事務局に事務局長、書記[2]その他の職員を置く。

④ 事務局を置かない市町村の監査委員の事務を補助させるため書記その他の職員を置く。

⑤ 事務局長、書記その他の職員は、代表監査委員がこれを任免する。

⑥ 事務局長、書記その他の常勤の職員の定数[3]は、条例でこれを定める。ただし、臨時の職については、この限りでない。

⑦ 事務局長は監査委員の命を受け、書記その他の職員又は第百八十条の三の規定による職員[4]は上司[5]の指揮を受け、それぞれ監査委員に関する事務に従事[6]する。

＊本条―全改〔昭三八・六法九九〕、二・四・五項―一部改正〔平九・六法六七〕

【引用条文】

⑦ 【法一八〇の三（長の補助職員の他の執行機関の職員の兼職・事務の従事等）

【参照条文】

※ 法一七二・一九一・一九九の三・二〇一　地公法六1

⑦ 【外部監査人の監査への協力―法二五二の三三2

【実例・通知・注釈】

1) ●規模の小さな町村においては、監査委員事務局を設置するに当たつては、組織・機構の簡素化という観点から、地方自治法第二五二条の七第一項の規定による共同設置を行うことが望ましい。（平一〇・四・一通知）

2) ●監査委員の事務を補助する職員のうち吏員相当の職員（現行法では「吏員」と「その他の職員」の区分は廃止されて「職員」に一本化されている。）の身分は法律上書記であり、これを主事に改めることはできない。（昭三二・六・一〇行実）

3) ●職員の定数は、原則として専任者の定数を定めるものであるが、兼任者の定数もあわせて定めることはさしつかえない。（昭二七・一・七行実）

4) ○「上司」とは、監査委員、事務局長、職制上の上席職員を指す。

5・6) ●指揮し又は従事させる方法は文書又は口頭のいずれでもよい。（昭三八・一二・六行実）

〔監査専門委員〕

第二百条の二　監査委員に常設又は臨時の監査専門委員を置くことができる。

② 監査専門委員は、専門の学識経験を有する者の中から、代表監査委員が、代表監査委員以外の監査委員の意見を聴いて、これを選任する。

③ 監査専門委員は、監査委員の委託を受け、その権限に属する事務に関し必要な事項を調査する。

④ 監査専門委員は、非常勤とする。

＊本条―追加〔平二九・六法五四〕

【参照条文】

③ 【監査委員の職務―法七五・九八2・一二一・一九九・二三三2・二三五の二・二四二・二四三の二2・二四三の二の二3　公企法三〇等

【通　知】

●監査専門委員に対する報酬及び費用弁償の額並びにその支給方法は、法第二〇三条の二第四項の規定に基づき、条例で定めなければならない。（平二九・六・九通知）

〔準用規定〕

第二百一条　第百四十一条第一項、第百五十四条、第百五十九条、第百六十四条及び第百六十六条第一項の規定は監査委員に、第百五十三条第一項の規定は代表監査委員に、第百七十二条第四項の規定は監査委員の事務局長、書記その他の職員にこれを準用する。

＊本条…一部改正〔昭二二・一二法一六九、昭二三・七法一七九、昭二六・六法二〇三、昭三一・六法一四七、昭三八・六法九九〕

【引用条文】

【法一四一（兼職の禁止）】1・一五四（職員の指揮監督）・一五九（事務引継）・一六四（副知事及び副市町村長の欠格事由）・一六六（副知事及び副市町村長の兼職）1・一五三（長の事務の委任・臨時代理）1・一七二（職員）4

【参照条文】

※令一四一

【実例・判例】

●監査委員は、長の任免権（選任権）の及ぶ限度で長の命を受けるべきものである。（昭二六・七・三〇行実）

●兼職禁止に違反してなされた監査委員の選任は当然無効である。（昭三〇・一二・一三地裁判）

〔条例への委任〕

第二百二条　法令に特別の定めがあるものを除くほか、監査委員に関し必要な事項は、条例でこれを定める。

＊本条…一部改正〔平一九・六法五四〕

【参照条文】

【特別の定め…法一九五～二〇一・二〇三の二～二〇六等　【政令…令九九・一四〇の二～一四一　程二〇・二一】

※法一八〇の四2・一八〇の五4

【実例】

※●条例で、議長に対し、議会の議事の結果を監査委員に報告することを義務づけることはできない。（昭二六・八・二〇行実）

第六款　人事委員会、公平委員会、労働委員会、農業委員会その他の委員会

＊本款…追加〔昭二七・八法三〇六〕、款名…改正・旧五款…繰下〔昭二九・六法一九三〕、款名…改正〔平一六・一一法一四〇〕

〔その他の委員会の職務権限等〕

第二百二条の二　人事委員会は、別に法律の定めるところにより、人事行政に関する調査、研究、企画、立案、勧告等を行い、職員の競争試験及び選考を実施し、並びに職員の勤務条件に関する措置の要求及び職員に対する不利益処分を審査し、並びにこれについて必要な措置を講ずる。

② 公平委員会は、別に法律の定めるところにより、職員の勤務条件に関する措置の要求及び職員に対する不利益処分を審査し、並びにこれについて必要な措置を講ずる。

③ 労働委員会は、別に法律の定めるところにより、労働組合の資格の立証を受け及び証明を行い、並びに不当労働行為に関し調査し、審問し、命令を発し及び和解を勧め、労働争議のあつせん、調停及び仲裁を行い、その他労働関係に関する事務を執行する。

④ 農業委員会は、別に法律の定めるところにより、農地等の利用関係の調整、農地の交換分合その他農地に関する事務を執行する。

⑤ 収用委員会は別に法律の定めるところにより土地の収用に関する裁決その他の事務を行い、海区漁業調整委員会又は内水面漁場管理委員会は別に法律の定めるところにより漁業調整のため必要な指示その他の事務を行い、固定資産評価審査委員会は別に法律の定めるところにより固定資産課税台帳に登録された価格に関する不服の審査決定その他の事務を行う。

＊本条…追加〔昭二七・八法三〇六〕、六項…一部改正〔昭二八・八法二一二、昭二九・六法一八五〕、三・八項…削る・旧七項…一部改正し六項に繰上・旧四～六項…一項ずつ繰上〔昭二九・六法一九三〕、六項…一部改正〔昭三一・六法一四七〕、七項…追加〔昭三三・四法五三〕、五項…一部改正〔平一一・三法一五〕、六・七項…削る〔平一一・七法八七〕、三項…一部改正〔平一六・一二法一四〇〕、四項…一部改正〔平二一・六法五七〕

【参照条文】

①・②【人事委員会、公平委員会の職務権限…地公法八】③【労働委員会の職務権限…労組法二〇】④【農業委員会の職務権限…農委法六　農地法】⑤【収用委員会の職務権限…収用法五一】【海区漁業調整委員会の職務権限…漁業法一三五】【内水面漁場管理委員会の職務権限…漁業法一七一】【固定資産評価審査委員会の職務権限…地税法四二三】

※法一三八の二の二～一三八の四・一八〇の二～一八〇の七

第七款　附属機関

＊本款…追加〔昭二七・八法三〇六〕、旧六款…繰下〔昭二九・六法一九三〕

〔附属機関の職務権限・組織等〕

第二百二条の三　普通地方公共団体の執行機関の附属機関は、法律若しくはこれに基く政令又は条例の定めるところにより、その担任する事項について調停、審査、審議又は調査等を行う機関とする。

② 附属機関を組織する委員その他の構成員は、非常勤とする。

③ 附属機関の庶務は、法律又はこれに基く政令に特別の定があるものを除く外、その属する執行機関において掌るものとする。

＊ 本条—追加〔昭二七・八法三〇六〕、四項—削る〔平一一・七法八七〕

【参照条文】【附属機関—法一三八の四３

【実　例】

１）●漁港法（現行法では漁港及び漁場の整備等に関する法律）の規定による漁港管理会は附属機関である。漁港管理規程は条例で規定すべきである。（昭二九・三・六行実）

第四節　地域自治区

＊ 本節—追加〔平一六・五法五七〕

（地域自治区の設置）

第二百二条の四　市町村は、市町村長の権限に属する事務を分掌させ、及び地域の住民の意見を反映させつつこれを処理させるため、条例で、その区域を分けて定める区域ごとに地域自治区を設けることができる。

２　地域自治区に事務所を置くものとし、事務所の位置、名称及び所管区域は、条例で定める。

３　地域自治区の事務所の長は、当該普通地方公共団体の長の補助機関である職員をもつて充てる。

４　第四条第二項の規定は第二項の地域自治区の事務所の位置及び所管区域について、第百七十五条第二項の規定は前項の事務所の長について準用する。

＊ 本条—追加〔平一六・五法五七〕、三項—一部改正〔平一八・六法五三〕

【引用条文】

④【法四（地方公共団体の事務所の設定又は変更）２・法一七五（支庁及び地方事務所等の長）２

【参照条文】

【地方自治区の設置手続等の特例—合併特例法二三】【地域自治区の区長—合併特例法二四】【合併特例区が設けられている場合の地域自治区の特例—合併特例法五六

（地域協議会の設置及び構成員）

第二百二条の五　地域自治区に、地域協議会を置く。

２　地域協議会の構成員は、地域自治区の区域内に住所を有する者のうちから、市町村長が選任する。

３　市町村長は、前項の規定による地域協議会の構成員の選任に当たつては、地域協議会の構成員の構成が、地域自治区の区域内に住所を有する者の多様な意見が適切に反映されるものとなるよう配慮しなければならない。

４　地域協議会の構成員の任期は、四年以内において条例で定める期間とする。

５　第二百三条の二第一項の規定にかかわらず、地域協議会の構成員には報酬を支給しないこととすることができる。

＊ 本条—追加〔平一六・五法五七〕、五項—一部改正〔平二〇・六法六九〕

【引用条文】

⑤【法二〇三の二（報酬及び費用弁償）１

【参照条文】

②【地域自治区の区域—法二〇二の四１・２】【住所を有する者—法一〇

【通　知】

●市町村長は、地域協議会の構成員の選任に当たっては、地域協議会の構成員の構成が、地域自治区の区域内に住所を有する者の多様な意見が適切に反映されるものとなるよう配慮しなければならないものとされたこと。この場合において、公平性、手続の透明性及び住民の実質的参画に十分配慮する必要があること。（平一六・五・二六通知）

●地域自治区に置かれる地域協議会は、住民の主体的な参加を期待するものであることにかんがみ、その構成員は、原則として無報酬とすることを基本とされたい。（平一六・五・二六通知）

（地域協議会の会長及び副会長）

第二百二条の六　地域協議会に、会長及び副会長を置く。

２　地域協議会の会長及び副会長の選任及び解任の方法は、条例で定める。

３　地域協議会の会長及び副会長の任期は、地域協議会の構成員の任期による。

４　地域協議会の会長は、地域協議会の事務を掌理し、地域協議会を代表する。

５　地域協議会の副会長は、地域協議会の会長に事故があるとき又は地域協議会の会長が欠けたときは、その職務を代理する。

＊ 本条—追加〔平一六・五法五七〕

【参照条文】

①【地域協議会の構成員の任期—法二〇二の五４

（地域協議会の権限）

第二百二条の七　地域協議会は、次に掲げる事項のうち、市町村長その他の市町村の機関により諮問されたもの又は必要と認めるものについて、審議し、市町村長その他の市町村の機関に意見を述べることができる。
一　地域自治区の事務所が所掌する事務に関する事項
二　前号に掲げるもののほか、市町村が処理する地域自治区の区域に係る事務に関する事項
三　市町村の事務処理に当たつての地域自治区の区域内に住所を有する者との連携の強化に関する事項

2　市町村長は、条例で定める市町村の施策に関する重要事項であつて地域自治区の区域に係るものを決定し、又は変更しようとする場合においては、あらかじめ、地域協議会の意見を聴かなければならない。

3　市町村長その他の市町村の機関は、前二項の意見を勘案し、必要があると認めるときは、適切な措置を講じなければならない。

＊本条―追加〔平一六・五法五七〕

【参照条文】
①【地域自治区の事務所―法二〇二の四2　【地域自治区の区域―法二〇二の四1・2　【住所を有する者―法一〇

（地域協議会の組織及び運営）

第二百二条の八　この法律に定めるもののほか、地域協議会の構成員の定数その他の地域協議会の組織及び運営に関し必要な事項は、条例で定める。

＊本条―追加〔平一六・五法五七〕

【参照条文】
【地域協議会の構成員―法二〇二の五2・3　【地域協議会の組織―法二〇二の六

（政令への委任）

第二百二条の九　この法律に規定するものを除くほか、地域自治区に関し必要な事項は、政令で定める。

＊本条―追加〔平一六・五法五七〕

第八章　給与その他の給付

＊章名―改正〔昭二七・八法三〇六〕

（議員報酬及び費用弁償）

第二百三条　普通地方公共団体は、その議会の議員に対し、議[1]員報酬を支給しなければならない。

② 普通地方公共団体の議会の議員は、職務を行うため要する費用の弁償を受けることができる。

③ 普通地方公共団体は、条例で、その議会の議員に対し、期末手当を支給することができる。

④ 議員報酬、費用弁償及び期末手当の額並びにその支給方法は、条例でこれを定めなければならない。

＊本条―追加〔平二〇・六法六九〕

【参照条文】
※法二〇三の二・二〇四の二・二〇六

【実例】
1）●議会欠席議員に対し報酬を減額する旨を条例に規定することはさしつかえない。（昭二四・八・二五行実）
●懲罰議員に対して報酬を減額する旨を条例で規定することはさしつかえない。（昭三一・五・一六行実）
●議員報酬は、民事訴訟法第六〇四条（現行の民事執行法第一五二条）の規定により全額これを差し押えることができる。（昭三一・一一・一行実）
●繰上補充により当選した議員の報酬は、当選人の告示があつた日から支給すべきである。（昭二八・一〇・二八行実）
●議員の報酬、費用弁償の支給起算日は、当選の効力を発生する日（当選人の告示の日）である。（昭二六・四・二六行実）
●議員に対し記念品料を贈ることは、名目上記念品料として支出されたものであつても、当該支出が実質的に退職手当に類するものと認められる限り違法である。（昭三一・一・三〇行実）

※

（報酬及び費用弁償）

第二百三条の二　普通地方公共団体は、その委員会の非常勤の委員、非常勤の監査委員、自治紛争処理委員、審査会、審議会及び調査会等の委員その他の構成員、専門委員、監査専門委員、投票管理者、開票管理者、選挙長、投票立会人、開票立会人及び選挙立会人その他普通地方公共団体の非常勤の職員（短時間勤務職員及び地方公務員法第二十二条の二第一項第二号に掲げる職員を除く。）に対し、報[1-4]酬を支給しなければならない。

② 前項の者に対する報酬は、その勤務[2]日数に応じてこれを支給する。ただし、条例で特別の定めをした場合は、この限りでない。

③ 第一項の者は、職務を行うため要する費用の弁[3]償を受けることができる。

④ 普通地方公共団体は、条例で、第一項の者のうち地方公務員法第二十二条の二第一項第一号に掲げる職員に対し、期末手当又は勤勉手当を支給することができる。

⑤ 報[4]酬、費[5]用弁償、期末手当及び勤勉手当の額並びにその支給方法は、条例でこれを定めなければならない。

＊一項―一部改正〔昭二七・八法三〇六〕、二・四項―追加・旧二項―一部改正し三項に繰下・旧三項―一部改正し五項に繰下〔昭三一・六法一四七〕、一項―一部改正〔平一一・七法八七、平一一・七法一〇七、平一六・六法八五〕、一・二・三項―一部改正・四項―削る・旧五項―一部改正し四項に繰上・旧二〇三条―繰下〔平二〇・六法六九〕、一～三項―一部改正・四項―追加・旧四項―一部改正し五項に繰下〔平二九・五法二九〕、一項―一部改正〔平二九・六法五四〕、四・五項―一部改正〔令五・五法一九〕

【引用条文】

①・④【地公法二二の二（会計年度職員）１Ⅰ】

【参照条文】

①【※報酬に関する他の規定―農委法一五　消組法二三】

※　法二〇四の二・二〇六

【実例・通知・判例・注釈】

1）●私立学校法は私立学校審議会の委員について費用弁償の支給のみ規定しているが、本条の規定により報酬を支給することはさしつかえない。（昭二八・五・二一行実）

●非常勤職員に対する報酬の額につき、期末手当を考慮して、六月、一二月に支給する額を他の月に比して多くするような規定はなすべきでない。（昭三一・九・二八通知）

2）○「勤務日数」とは、公務のために、現に勤務した日数をいう。

3）●費用弁償について、〔名誉職員〕協同の決議によつて予めその利益を不行使又は放棄することはできない。（大七・一二・一九大審判）

●費用弁償について執務のいかんにかかわらず一月ないし一年の期間を通じて定額を支給するような取扱いは適当でない。（昭二七・六・二一行実）

●費用弁償は重複して支給することはできない。なお、額が異なるときは高額の方を支給すべきである。（昭二七・一二・二五行実）

●議員についてはその性質上定額旅費又は定額通信費を支給すべきでない。（昭三一・七・一八行実）

4）○「報酬」とは、非常勤職員の勤務に対する反対給付として支給される金銭である。

5）○「費用弁償」とは、非常勤職員の職務の執行に要した経費を償うため支給される金銭である。

〔**給料、手当及び旅費**〕

第二百四条　普通地方公共団体は、普通地方公共団体の長及びその補助機関たる常勤の職員、委員会の常勤の委員（教育委員会にあつては、教育長）、常勤の監査委員、議会の事務局長又は書記長、書記その他の常勤の職員、委員会の事務局長若しくは書記長、委員の事務局長又は委員会若しくは委員の事務を補助する書記その他の常勤の職員その他普通地方公共団体の常勤の職員並びに短時間勤務職員及び地方公務員法第二十二条の二第一項第二号に掲げる職員に対し、給料及び旅費を支給しなければならない。

②　普通地方公共団体は、条例で、前項の者に対し、扶養手当、地域手当、住居手当、初任給調整手当、通勤手当、単身赴任手当、在宅勤務等手当、特殊勤務手当、特地勤務手当（これに準ずる手当を含む。）、へき地手当（これに準ずる手当を含む。）、時間外勤務手当、宿日直手当、管理職員特別勤務手当、夜間勤務手当、休日勤務手当、管理職手当、期末手当、勤勉手当、寒冷地手当、特定任期付職員業績手当、任期付研究員業績手当、義務教育等教員特別手当、定時制通信教育手当、産業教育手当、農林漁業普及指導手当、災害派遣手当（武力攻撃災害等派遣手当及び特定新型インフルエンザ等対策派遣手当を含む。）又は退職手当を支給することができる。

③　給料、手当及び旅費の額並びにその支給方法は、条例でこれを定めなければならない。

＊一項―一部改正〔昭二二・一二法一六九、昭二五・五法一四三、昭二六・六法二〇三、昭二七・八法三〇六〕、二項―追加・旧二項―一部改正し三項に繰下〔昭三一・六法一四七〕、二項―一部改正〔昭三二・五法一四五、昭三一・六法一五四、昭三三・四法八七、昭三五・三法四二、昭三五・六法九三、昭三五・一二法一五〇、昭三七・五法一〇九、昭三八・三法五四〕、一項―一部改正〔昭三八・六法九九〕、二項―一部改正〔昭三九・七法一三三、昭三九・七法一六九、昭四五・一二法一一九、昭五〇・三法九、平元・一二法七三、平三・一二法一〇二、平九・一二法一一二〕、一項―一部改正〔平一一・七法一〇七〕、二項―一部改正〔平一二・四法五一、平一四・五法四八、平一六・五法五三、平一六・六法八五、平一六・六法一一二、平一七・一一法一一三、平二一・五法四一、平二四・五法三一〕、一項―一部改正〔平二六・六法七六〕、一・二項―一部改正〔平二九・五法二九〕、二項―一部改正〔令五・四法一四、令五・一一法七三〕

【参照条文】

①【※給料支給に関する他の規定―地公法二四～二六　公企法三八　地公労法七Ⅰ　収用法五七　消組法二三】

②【手当支給―法二五二の一八の二　地公法二五３Ⅳ・Ⅴ】

※　法二〇四の二・二〇六

【実例・通知・判例】

1）●兼職の場合の給与の支給関係は、公務員給与の性質上、同一勤務に対して重複して給与を支給することにならないよう措置することが適当である。（昭二八・一・七行実）

●被服の現物支給は、給料の一部又は特殊勤務手当の一種として条例で規定すればできる。なお、現物支給が職務遂行上の特別な必要に基づくものであれば給与その他の給付とは解されないので、条例に基づかないで支給することができる。（昭三一・九・二八通知）

※●企業職員の給与については、本条の特例規定とし

て公企法第三八条の規定が適用される。（昭三一・九・二八通知）

※ ●地公法第五七条に規定する単純な労務に雇用される一般職に属する地方公務員については、本条の規定は適用されない。（昭三一・九・二八通知）

※ ●職員が講演等を依頼された場合の謝礼金は、給与とは認められない。（昭三四・五・一三行実）

※ ●市長が条例に基づくものとして、休憩時間を繰り下げて午後零時から午後一時までの時間に窓口業務に従事した職員に対し継続して特殊勤務手当を支給したことは条例の規定によって市長に許容された範囲を超え、違法な公金の支出にあたる。（平七・四・一七最裁判）

〔給与等の支給制限〕

第二百四条の二　普通地方公共団体は、いかなる給与[1]その他の給付も法律[2]又はこれに基づく条例に基づかずには、これをその議会の議員、第二百三条の二第一項の者及び前条第一項の者に支給することができない。

＊本条―追加〔昭三一・六法一四七〕、一部改正〔平二〇・六法六九、平二九・五法二九〕

【引用条文】【法二〇三の二（報酬及び費用弁償）1・二〇四（給料、手当及び旅費）1

【参照条文】【支給根拠規定の例―法二〇三・二〇三の二・二〇四・二〇五・二五二の一七の一〇　地公法二四・二五1　市町村立学校職員給与負担法　教特法一七　地教法四二　警察法五六2　公企法三八　地公労法一七等

【通知・判例・注釈】

1）●「給与その他の給付」には、公務災害補償は含まれない。（昭三一・九・二八通知）

2）○「法律又はこれに基く条例」とは、法律は、法律自体をいい命令を含まない。これに基く条例は、法律に給与その他の給付支給の条例制定の根拠が明定されていることを意味する。

※ ●地方公共団体の記念行事等に際して、当該地方公共団体の関係議員に記念品等を一律に贈呈することは、その趣旨、態様等からみて社会通念上儀礼の範囲を超えると認められる限り地方自治法第二〇四条の二に違反するものである。（昭三九・七・一四最裁判）

〔退職年金又は退職一時金〕

第二百五条　第二百四条第一項の者は、退職年金又は退職一時金を受けることができる。

＊本条―一部改正〔昭二三・一二法一六九、昭二六・六法二〇三、昭三一・六法一四七、平二九・五法二九〕

【引用条文】【法二〇四（給料、手当及び旅費）1

【参照条文】【退職年金、退職一時金―法二五二の一八　令一七四の五〇～一七四の六五　地方公務員等共済組合法七四

※ 法二〇六

【実　例】

※ ●本条の規定による知事の恩給在任年の起算の日は、公職選挙法第一〇二条の規定による告示の日である。（昭二九・一〇・二九行実）

〔給与その他の給付に関する処分についての審査請求〕

第二百六条　普通地方公共団体の長以外の機関がした第二百三条から第二百四条まで又は前条の規定による給与その他の給付に関する処分についての審査請求は、法律に特別の定めがある場合を除くほか、普通地方公共団体の長が当該機関の最上級行政庁でない場合においても、当該普通地方公共団体の長に対してするものとする。

②　普通地方公共団体の長は、第二百三条から第二百四条まで又は前条の規定による給与その他の給付に関する処分についての審査請求がされた場合には、当該審査請求が不適法であり、却下するときを除き、議会に諮問した上、当該審査請求に対する裁決をしなければならない。

③　議会は、前項の規定による諮問を受けた日から二十日以内に意見[1]を述べなければならない。

④　普通地方公共団体の長は、第二項の規定による諮問をしないで同項の審査請求を却下したときは、その旨を議会に報告しなければならない。

＊一項―一部改正〔昭二六・六法二〇三、昭二七・八法三〇六〕、一項―一部改正・四項―追加〔昭三一・六法一四七〕、四項―一部改正〔昭三五・六法一一三〕、本条―全改〔昭三七・九法一六一〕、一・六項―一部改正〔平一一・一二法一六〇〕、一項―一部改正〔平二〇・六法六九〕、一・二・六項―削る・旧三項―一部改正し一項に繰上・旧四項―一部改正し二項に繰上・旧五項―三項に繰上〔平二六・六法六九〕、二・三項―一部改正・四項―追加〔平二九・四法二五〕

【引用条文】

①【法二〇三（議員報酬及び費用弁償）・二〇三の二（報酬及び費用弁償）・二〇四（給料、手当及び旅費）・二〇五（退職年金又は退職一時金）

【参照条文】【特別の定め―地公法四六～五一の二等

※ 行政不服審査法

【実　例】

1）●議会の答申意見は、尊重されるべきであるが、必ずしも常に長はそれに絶対的に拘束されるものでは

ない。（昭二六・七・一七行実）

〔**実費弁償**〕

第二百七条　普通地方公共団体は、条例の定めるところにより、第七十四条の三第三項及び第百条第一項後段（第二百八十七条の二第七項において準用する場合を含む。）の規定により出頭した選挙人その他の関係人、第百十五条の二第二項（第百九条第五項において準用する場合を含む。）の規定により出頭した参考人、第百九十九条第八項の規定により出頭した関係人、第二百五十一条の二第九項の規定により出頭した当事者及び関係人並びに第百十五条の二第一項（第百九条第五項において準用する場合を含む。）の規定による公聴会に参加した者の要した実費を弁償しなければならない。

＊本条―一部改正〔昭二三・七法一七九、昭二五・五法一四三、昭二七・八法三〇六、昭三一・六法一四七、昭三三・四法五三、昭三八・六法九九、平三・四法二四、平一一・七法八七、平一八・六法五三、平二四・九法七二〕

【引用条文】

【法七四の三（署名の無効及び関係人の出頭証言）3・一〇〇（調査権・刊行物の送付・図書室の設置等）1・一〇九（常任委員会・議会運営委員会及び特別委員会）5・一一五の二（公聴会及び参考人の出頭）・一九九（職務権限）8・二五一の二（調停）9・二八七の二（特例一部事務組合）7

【通　知】

1）●実費の弁償とは、事実要した経費の意味であり、費用の弁償よりやや厳格な意味であるが、定額でもさしつかえない。（昭二二・八・八通知）

※●本条に規定していないもので明文の規定のないものについて、実費弁償を支払うことはさしつかえない。（昭三一・九・二八通知）

地方自治法

第九章　財務

本章―全改〔昭三八・六法九九〕

第一節　会計年度及び会計の区分

＊本節―全改〔昭三八・六法九九〕

（**会計年度及びその独立の原則**）

第二百八条　普通地方公共団体の会計年度は、毎年四月一日に始まり、翌年三月三十一日に終わるものとする。

2　各会計年度における歳出は、その年度の歳入をもつて、これに充てなければならない。

＊本条―全改〔昭三八・六法九九〕

【参照条文】

①【国の会計年度―財政法一一

②【会計年度所属区分―令一四二・一四三

※　法二三三の二・二四三の五

地方自治法施行令

第五章　財務

（**歳入の会計年度所属区分**）

第百四十二条　歳入の会計年度所属は、次の区分による。

一　納期[1]の一定している収入は、その納期の末日[2]（民法（明治二十九年法律第八十九号）第百四十二条、地方自治法第四条の二第四項、地方税法（昭和二十五年法律第二百二十六号）第二十条の五又は当該期日が土曜日に当たる場合にその翌日をもつて納期の末日とする旨の法令、条例若しくは規則の規定の適用がないものとしたときの納期の末日をいう。次項において同じ。）の属する年度。ただし、地方税法第三百二十一条の三の規定により特別徴収の方法によつて徴収する市町村民税及び同法第四十一条第一項の規定によりこれとあわせて徴収する道府県民税（同法第三百二十一条の五の二の規定により納入するものを除く。）は、特別徴収義務者が同法第三百二十一条の五第一項又は第二項ただし書の規定による徴収をすべき月の属する年度

二　随時[3]の収入で、納入通知書又は納税の告知に関する文書[4]（以下本条において「通知書等」という。）を発するものは、当該通知書等を発した日の属する年度

三　随時の収入で、通知書等を発しないものは、これを領収[5]した日の属する年度。ただし、地方交付税、地方譲与税、交付金、負担金、補助金、地方債その他これらに類する収入及び他の会計から繰り入れるべき収入[6]

行政実例・通知・判例・注釈

❖令一四二条関係

1）○「納期の一定している収入」とは、現実に納入すべき期日が法令又は契約によつてあらかじめ定められている収入のことである。

2）○「納期の末日」が、祭日・日曜日等の休日であつても、会計年度所属区分上は、考慮されない。

3）○「随時の収入」とは、収入の性質が随時性を有し、納入通知書又は納税の告知に関する文書により徴収するものをいう。

4）○「納税の告知に関する文書」とは、地方税法第一三条に基づいて発する文書をいう。

5）●本号の「領収」には、法第二三一条の二第三項の規定による口座振替の方法による預金の受入及び証券の受領、法第二三二条の六の規定によつて発せられる公金振替書による振替収入等を含む。（昭三八・一二・一九通知）

6）●この「収入」の調定は、年度内にしなければならない。（昭三八・一二・一九通知）

7）○「納期の末日の属する会計年度の末日」とは、納期の末日の属する会計年度の三月三一日のことである。

❖令一四三条関係

1）●三月分の通勤手当、特殊勤務手当等は旧年度より支出しなければならない。（昭三八・一二・一九通知）

2）●退職金の年度区分は、事実の生じた時、すなわち退職の日によつて決定される。（昭三八・一二・一九通知）

は、その収入を計上した予算の属する年度

2　前項第一号の収入について、[7]納期の末日の属する会計年度の末日（民法第百四十二条、地方自治法第四条の二第四項、地方税法第二十条の五又は納期の末日が土曜日に当たる場合にその翌日をもつて納期の末日とする旨の法令、条例若しくは規則の規定の適用があるときは、当該延長された日）までに申告がなかつたとき、又は通知書等を発しなかつたときは、当該収入は、申告があつた日又は通知書等を発した日の属する会計年度の歳入に組み入れるものとする。

3　普通地方公共団体の歳入に係る督促手数料、延滞金及び滞納処分費は、第一項の規定にかかわらず、当該歳入の属する会計年度の歳入に組み入れるものとする。

（歳出の会計年度所属区分）

第百四十三条　歳出の会計年度所属は、次の区分による。

一　地方債の元利償還金、年金、恩給の類は、その支払期日の属する年度

二　給与その他[1]の給付（前号に掲げるものを除く。）は、[2]これを支給すべき事実の生じた時の属する年度

三　地方公務員共済組合負担金及び社会保険料（労働保険料を除く。）並びに賃借料、光熱水費、[3]電信電話料の類は、その支出の原因である[4]事実の存した期間の属する年度。ただし、賃借料、光熱水費、電信電話料の類で、その支出の原因である事実の存した期間が二年度にわたるものについては、[5]支払期限の属する年度

四　[6][7]工事請負費、物件購入費、運賃の類及び[8]補助費の類で相手方の行為の完了があつた後支出するものは、[9]当該行為の履行があつた日の属する年度

五　前各号に掲げる[10]経費以外の経費は、その支出負担行為をした日の属する年度

●退職手当は、本条第一項第二号中の給与に該当し、その支給すべき事実の生じた時の属する年度とは、退職（死亡を含む。）の日の属する年度である。（昭三五・一・六行実）

（3）●電信電話料の四月分（三月分（一日～三一日）通話料及び四月分（一日～三〇日）使用料）の所属年度は、三月分の通話料は旧年度の、四月分の使用料は新年度の所属とすべきである。（昭四〇・九・二九行実）

（4）○これは、支出負担行為を新年度の四月一日以降に行つてもよいという特例まで定めたものではない。

（5）○ここで、「支払期限の属する年度」とは、新年度のことである。

（6）●工事請負費等は履行確認（検査）の日によつて所属年度が左右されるのが原則である。（昭三八・一二・一九通知）

（7）●三月三一日に行為が終らないで繰越明許費の取扱いをした工事の三月三一日現在までの出来高払又は部分払の支払は三月三一日の属する年度からすべきものである。（昭三九・三・三行実）

●債務負担行為に基づく災害土木復旧工事等の請負契約において、支払期日を翌年度に定め、年度内に工事が完成した場合の支出年度は、本条第一項第四号の規定の適用を受けるが、翌年度において過年度支出とすること自体は、別段違法でない。（昭三九・一二・九行実）

（8）●「補助費の類」とは、補助金、負担金等をいい、寄附金は含まない。（昭三八・一二・一九通知）

（9）●「当該行為の履行があつた日」とは、履行確認の日をいう。（昭三八・一二・一九通知）

●「当該行為の履行」の範囲に所有権移転登記の履行も含まれる。（昭四四・一・八行実）

（10）●損害保険料の所属年度区分は、本条第一項第五号による。（昭三八・一二・一九通知）

●私設の郵便差出箱の取集料の所属年度区分は、本条

地方自治法

（会計の区分）

第二百九条　普通地方公共団体の会計は、一般会計及び特別会計とする。

2　特別会計は、普通地方公共団体が特定の事業を行なう場合その他特定[1]の歳入をもつて特定の歳出に充て一般の歳入歳出と区分して経理する必要がある場合において、条例[2]でこれを設置することができる。

＊本条―全改〔昭三八・六法九九〕

【参照条文】
【特別会計―地財法六　公企法一七　母子及び父子並びに寡婦福祉法三六1　農業保険法二一〇1　社教法三四等】

第二節　予算

＊本節―全改〔昭三八・六法九九〕

地方自治法施行令

2　旅行の期間（外国旅行にあつては、その準備期間を含む。）が二年度にわたる場合における旅費は、当該二年度のうち前の年度の歳出予算から概算で支出することができるものとし、[11]当該旅費の精算によつて生ずる返納金又は追給金は、その精算を行なつた日の属する年度の歳入又は歳出とするものとする。

行政実例・通知・判例・注釈

第一項第五号による。（昭四二・一一・二二行実）

11）●旅行期間が二年度にわたる場合で旅費を概算払せず旅行終了後精算払した場合の年度区分は、本条第一項第二号により、旧年度分と新年度分とに分けて支出すべきである。（昭三八・一二・一九通知）

※●支出命令は出納整理期間中においてもなし得る。（昭三八・一二・一九通知）

✤法二〇九条関係

1）●「特定の歳入」には、一般会計からの繰出による歳入も含まれる。（昭三八・一二・一九通知）

2）●特別会計の設定は、設定の議案（現行法では条例案）と当該特別会計予算案を同時に議決すればよい。（昭三一・一〇・一八行実）

●地方公営企業法第二条第一項の規定の適用のあるものについては、特に条例で設置する必要はない。（昭三八・一二・一九通知）

●特別会計設置条例は、特別会計を全部一条例にまとめて規定しても、特別会計ごとに条例を制定しても、いずれでもよい。（昭三八・一二・一九通知）

●地方財政法第六条に規定する公営企業にかかる特別会計の設置は条例が必要である。（昭四一・六・三〇行実）

※●一般会計と特別会計相互間において歳計現金の過不足する場合、その支出に充てるため、他会計の歳計現金を使用することはさしつかえない。（昭二八・四・一六行実）

（総計予算主義の原則）

第二百十条　一会計年度における一切の収入及び支出は、[1]すべてこれを歳入歳出予算に編入しなければならない。

＊本条―全改〔昭三八・六法九九〕

【参照条文】

【会計年度―法二〇八】

【歳入歳出予算の区分―法二一六】【収入支出の意義―財政法二１・２・３】

（予算の調製及び議決）

第二百十一条　普通地方公共団体の長は、[1]毎会計年度予算を調製し、[2][3]年度開始前に、議会の[4]議決を経なければならない。この場合において、普通地方公共団体の長は、遅くとも年度開始前、都道府県及び第二百五十二条の十九第一項に規定する指定都市にあつては三十日、その他の市及び町村にあつては二十日までに当該予算を[5]議会に提出するようにしなければならない。

2　普通地方公共団体の長は、予算を議会に提出するときは、政令で定める予算に関する説明書をあわせて提出しなければならない。

＊本条―全改〔昭三八・六法九九〕

【引用条文】

①【法二五二の一九（指定都市の権能）１】

（予算に関する説明書）

第百四十四条　地方自治法第二百十一条第二項に規定する政令で定める予算に関する説明書は、次のとおりとする。

一　歳入歳出予算の各項の内容を明らかにした歳入歳出予算事項別明細書及び給与費の内訳を明らかにした給与費明細書

二　継続費についての前前年度末までの支出額、前年度末までの支出額又は支出額の見込み及び当該年度以降の支出予定額並びに事業の進行状況等に関する調書

三　債務負担行為で翌年度以降にわたるものについての前年度末までの支出額又は支出額の見込み及び当該年度以降の支出予定額等に関する調書

四　地方債の前前年度末における現在高並びに前年度末及び当該年度末における現在高の見込みに関する調書

五　その他予算の内容を明らかにするため必要な書類

❦ 法二一〇条関係

1）○「すべて歳入歳出予算に編入する」とは、収入予定額の全額を歳入予算に計上し、支出予定額の全額を歳出予算に計上することである。

※　●競輪事業の経理については、勝者投票券売上金額から施行者収得金額を控除した残額から勝者投票の的中者中払戻の請求を受け現実に払戻をした金額のみを支出とするべきである。（昭二七・一〇・一〇行実）

※　●用途廃止をした県有建物の除却工事を請負に付する場合において、当該建物から生ずる残存物件を請負業者に引き取らせることを条件とし、除却工事費から残存物件の見積価格を控除する方式によつても総計予算主義の原則に反しない。また除却工事費よりも残存物件の見積価格の方が大で解体撤去を条件とする建物の売払契約を締結することもさしつかえない。（昭四三・一一・六行実）

❦ 法二一一条関係

1）○「毎会計年度」とは、四月一日から翌年三月三一日までの間を指す。

2）○「年度開始前」は、新しく始まる会計年度を前提に、前の会計年度の終わる三月三一日までの時限を指す。

3）○「年度開始前……三十日（二十日）まで」とは、三月三十一日を第一日として逆に数えて第三十日まで遡つたその日まで（中二十九日（十九日））、すなわち、三月二日（十二日）までの意である。

4）●三月中に翌年度予算を議決せず、四月にこれを議決した予算といえども無効でない。（昭六・三・二〇行実）

5）●法定期限経過後予算を議会に提出しても当該予算の効力には影響がない。（昭二八・二・二五行実）

自治法

地方自治法

【参照条文】
①【会計年度―法二〇八　【予算の調製―法一四九Ⅱ・二一五〜二一八・二四三の五・二五二の二〇の二10　令一四七・一五〇1Ⅲ・2　則一四・一五　地財法三・四　公企法八1Ⅰ・九Ⅲ・二四　地教法二九　【議会の議決―法九六1Ⅱ・九七2　【※予算の提出権―法一二一1但書・九七2但書・一四九Ⅱ・一八〇の六Ⅰ
②【予算に関する説明書―令一四四1　則一五の二　公企法九Ⅳ・二五　【※予算の提出権―法一二一1但書・九七2但書・一四九Ⅱ・一八〇の六Ⅰ
※　法一七六・一七七

（継続費）
第二百十二条　普通地方公共団体の経費をもつて支弁する事件でその履行に数年度を要するものについては、予算の定めるところにより、その経費の総額及び[2]年割額を定め、数年度にわたつて支出することができる。
2　前項の規定により支出することができる経費は、これを継続費という。

＊　本条―全改〔昭三八・六法九九〕

【参照条文】
【予算の定め―法二一五　【継続費―令一四五　則一四・一五の三
※　法二二〇3　公企令一八の二

地方自治法施行令

2　前項第一号から第四号までに規定する書類の様式は、総務省令で定める様式を基準としなければならない。

（歳入歳出予算の款項の区分及び予算の調製の様式）
第百四十七条　歳入歳出予算の款項の区分は、総務省令で定める区分を基準としてこれを定めなければならない。
2　予算の調製の様式は、総務省令で定める様式を基準としなければならない。

（継続費）
第百四十五条　継続費の毎会計年度の年割額に係る歳出予算の経費の金額のうち、その年度内に支出を終わらなかつたものは、当該継続費の継続年度の終わりまで逓次繰り越して使用することができる。この場合においては、普通地方公共団体の長は、翌年度の五月三十一日までに継続費繰越計算書を調製し、次の会議においてこれを議会に報告しなければならない。
2　普通地方公共団体の長は、継続費に係る継続年度（継続費に係る歳出予算の金額のうち法第二百二十条第三項ただし書の規定により翌年度に繰り越したものがある場合には、その繰り越された年度）が終了したときは、継続費精算報告書を調製し、地方自治法第二百三十三条第五項の書類の提出と併せてこれを議会に報告しなければならない。

行政実例・通知・判例・注釈

❖法二一二条関係
1）○「数年度」とは、二年度以上一定の年期間をいう。
2）●継続年期間及び各年度の支出額を定めることを必要とする。（大二・一一・八行裁判）
※　●継続費の予算定額を繰り越す場合は、令第一五六条（現行令では第一四五条）による繰越計算書（現行令では継続費繰越計算書）の報告のみで、別に翌年度分として繰越予算としての議決は要しない。（昭二五・七・六行実）
※　●継続費の逓次繰越額を継続年度中途の年度における更正予算（現行法では補正予算）で減額することはできない。（昭二六・一一・一五行実）

（繰越明許費）

第二百十三条　歳出予算の経費のうちその性質上又は予算成立後の事由に基づき年度内にその支出を終わらない見込みのあるものについては、予算の定めるところにより、翌年度に繰り越して使用することができる。

2　前項の規定により翌年度に繰り越して使用することができる経費は、これを繰越明許費という。

＊本条―全改〔昭三八・六法九九〕

【参照条文】

【予算の成立―法二一一　【年度―法二〇八1　【予算の定め―法二一五　【繰越明許費―令一四六　則一四・一五の四

※　法二一二・二二〇3　財政法一四の三　公企法二六

（債務負担行為）

第二百十四条　歳出予算の金額[1]、継続費の総額又は繰越明許費の金額の範囲内におけるものを除くほか、普通地方公共団体が債務を負担する行為をするには、予算で債務負担行為として定めておかなければならない。

＊本条―全改〔昭三八・六法九九〕

3　継続費繰越計算書及び継続費精算報告書の様式は、総務省令で定める様式を基準としなければならない。

（繰越明許費）

第百四十六条　地方自治法第二百十三条の規定により翌年度に繰り越して使用しようとする歳出予算の経費については[1]、当該経費に係る歳出に充てるために必要な金額を当該年度から翌年度に繰り越さなければならない。

2　普通地方公共団体の長は、繰越明許費に係る歳出予算の経費を翌年度に繰り越したときは、翌年度の五月三十一日までに繰越計算書を調製し、次の会議においてこれを議会に報告しなければならない。

3　繰越計算書の様式は、総務省令で定める様式を基準としなければならない。

✤法二一三条関係

※●予算の繰越使用の議決が当該年度経過後に行われたときは当該議決は無効であり、この繰越予算に基づき行つた事業及び経費の支出は追加予算（現行法では補正予算）を編成して措置するほかはない。（昭三二・一二・二四行実）

※●繰り越した予算は一般予算と区別して整理するが、その執行及び会計事務の手続は、翌年度一般予算と同様に処理してよい。また繰り越した予算の執行は翌年度限りである。なお、繰越予算についても出納整理期間はある。（昭三三・六・一六行実）

※●繰越明許費をさらに翌年度に事故繰越しすることは、法律上は可能と思われるが、運用にあたつては特に慎重を期する必要がある。（昭三八・一二・一九通知）

※●繰越明許費の場合も、財源に拘束される。（昭三八・一二・一九通知）

✤令一四六条関係

1）○財源が用意されている事業について翌年度に繰越しを行うため、当然翌年度において執行するために必要な金額をつけて繰り越すべきことを明示したものである。

✤法二一四条関係

1）○「歳出予算の金額」とは、経費の支出の権能であり、歳出予算に基づく場合は当該年度において債務を負担することができるので、債務負担行為として予算で定める必要はないという意で除外されたものである。

※●予算措置としては一割昇給の財源しかないが、欠員の関係から五割程度の昇給発令が可能である場合、当

地方自治法

【参照条文】
【歳入歳出予算—法二一〇】【継続費—法二一二】
【繰越明許費—法二一三】【予算の定め—法二一五】
※　法一四九Ⅱ・二三四・二三四の三　財政法一五

地方自治法施行令

行政実例・通知・判例・注釈

該昇給の発令は、当該年度の予算について追加更正（現行法では補正）を必要としないと見込まれる範囲において行つてさしつかえない。（昭三一・九・二八通知）

※　●「目」に予算がある場合に「節」の予算額を超過する請負工事契約を締結するには費目流用の手続を経た後に締結しなければならない。（昭三四・六・一九行実）

※　●一般会計より特別会計又は基金に対し、数ケ年度にわたつて繰出すことは単なる内部意思の決定であるから、債務負担行為として定める必要はない。（昭三九・六・二五行実）

※　●私人の所有に属する土地を借り上げる場合に、借上料が無料であつても土地に属する公課等を市町村が負担するとする契約を締結することは、債務負担行為となる。（行実）

※　●建物を県が賃借し、その賃借料は年額により定め毎年定期に定額を支払い（支払年額は同額）、二五回分の賃借料を支払つた場合には、県に所有権を無償で譲渡するという内容の建物賃貸借契約を締結するには、債務負担行為として議会の議決を経ておくべきである。（昭三九・一一・三〇行実）

※　●賃借料年額一〇万円で五年間建物を賃借する契約は、債務負担行為として予算に定めておく必要があるが、当該契約条項中に、翌年度以降において歳入歳出予算の金額について減額又は削除があつた場合は、当該契約は解除する旨の条件を附した場合は債務負担行為とする必要はない。（昭四〇・九・一行実）

※　●県が都市計画法第六条第二項（現行法では第七五条）の規定によつて負担金を納付する場合、三ケ年分を一括して納入の通知がなされ、それぞれ各年度毎に分割して納付することとなるが、この場合は債務負担行為として予算で定める必要はない。（昭四〇・九・

（予算の内容）

第二百十五条　予算は、次の各号に掲げる事項に関する定[1]めから成るものとする。

一　歳入歳出予算
二　継続費
三　繰越明許費
四　債務負担行為
五　地方債
六　一時借入金
七　歳出予算の各項の経費の金額の流用

＊　本条―全改〔昭三八・六法九九〕

【参照条文】

【歳入歳出予算―法二一〇・二一六・二一七　【継続費―法二一二　【繰越明許費―法二一三　【債務負担行為―法二一四　【地方債―法二三〇　【一時借入金―法二三五の三　【歳出予算の各項の経費の金額の流用―法二二〇2

※　法二〇九・二一一・二一八1・2・二四三の五　令一四七2　則一四　財政法一六　公企法二四

（歳入歳出予算の区分）

第二百十六条　歳入歳出予算は、歳入にあつては、その性質に従つて款に大別し、かつ、各款中においてはこれを項に区分し、歳出にあつては、その目的に従つてこれを

（歳入歳出予算の款項の区分及び予算の調製の様式）

第百四十七条　歳入歳出予算の款項の区分は、総務省令で定める区分を基準としてこれを定めなければならない。

2　予算の調製の様式は、総務省令で定める様式を基準と

一三行実）

※　●請負工事金の支払が歳出予算の執行行為にあたる場合でも、請負人に当該工事資金の融通を受けさせるため、村が請負人と共同で約束手形を振出すことは、債務負担行為にあたる。（昭三五・七・一最裁判）

✤　法二一五条関係

1）○「定めから成る」とは、予算を構成し、予算の内容の一事項であるという意である。

※　●予算の内容をなす継続費の設定又は債務負担行為の必要のない場合において、過年度に継続費を設定し又は債務負担行為をしているものについては、予算の内容として提出する必要はない。ただし、予算に関する説明書のうち、継続費、債務負担行為に関する調書の提出は必要である。（昭三八・一二・一九通知）

✤　法二一六条関係

※　●村立の保育所及び幼稚園の保育料の予算計上科目は、保育所については児童福祉法第五六条の規定による措置費の徴収金を除き、（款）使用料及び手数料（項）使用料中に適宜な目を設けて計上し、幼稚園に

地方自治法

款項に区分しなければならない。

＊本条—全改（昭三八・六法九九）

【参照条文】
【歳入歳出予算の款項の区分—令一四七　則一五
【目節の区分—法二二〇1　令一五〇1Ⅲ・2　則一五
※法二二〇

（**予備費**）

第二百十七条　[1]予算外の支出又は予算超過の支出に充てるため、歳入歳出予算に予備費を計上しなければならない。ただし、特別会計にあつては、予備費を計上しないことができる。

2　[2]予備費は、議会の否決した費途に充てることができない。

＊本条—全改（昭三八・六法九九）

【参照条文】
【歳入歳出予算—法二一〇・二一五　【特別会計—法二〇九
※令一五一　憲法八七　財政法二四

地方自治法施行令

しなければならない。

行政実例・通知・判例・注釈

ついては（款）使用料及び手数料（項）使用料（目）授業料として計上するのが適当である。（昭三三・八・二九行実）

※●財団法人の設立行為たる寄附行為として市費を支出する場合の予算計上科目は、その性質上第三六節　出資金（現行法では第二三節　投資及び出資金）とすべきである。（昭三〇・一・六行実）

※●県の予算を通じて市町村に交付された国庫支出金は、すべて県支出金として計上すべきである。（昭三三・四・一六行実）

※●荷馬車の借上料は、契約の内容により第一六節　通信運搬費（現行法では第一一節　役務費）又は第二〇節　借料及び損料（現行法では第一三節　使用料及び賃借料）に計上すべきである。（昭三三・五・一二行実）

❖法二一七条関係

1）●予算外の支出とは予算に科目のない支出はもちろん、科目はあつても予算で全然見積られていない支出をいう。（行実）

2）●議会の否決した費途でも更に追加予算（現行法では補正予算）として議決を経て支出することは妨げない。（行実）

※●議会で予算金額を減じた費途は、本条にいう否決した費途ではないから、予算金額に不足を生じた場合予備費より支出しても違法でない。（行実）

※●いつたん予備費から充用支出した金額を、後日関係科目に予算を追加（補正）し、これを予備費に繰り戻すことはできない。（昭二四・三・一〇通知）

※●予備費を予算外の支出として一般工事費に支出することは、充用の手続をとつている限りさしつかえない。（昭二九・三・九行実）

※●予備費の充用による予算執行後当該充用額に残額が

（補正予算、暫定予算等）

第二百十八条　普通地方公共団体の長は、予算の調製後に生じた事由に基づいて、[1]既定の予算に追加その他の変更を加える必要が生じたときは、補正予算を調製し、これを議会に提出することができる。

2　普通地方公共団体の長は、必要に応じて、一会計年度のうちの[2]一定期間に係る暫定予算を調製し、これを議会に提出することができる。

3　前項の暫定予算は、当該会計年度の予算が成立したときは、[3]その効力を失うものとし、その暫定予算に基づく支出又は債務の負担があるときは、その支出又は債務の負担は、これを当該会計年度の予算に基づく支出又は債務の負担とみなす。

4　普通地方公共団体の長は、特別会計のうちその事業の経費を主として当該事業の経営に伴う収入をもつて充てるもので条例で定めるものについて、[4]業務量の増加により業務のため直接必要な経費に不足を生じたときは、当該業務量の増加により増加する収入に相当する金額を当該経費（政令で定める経費を除く。）に使用することができる。この場合においては、普通地方公共団体の長は、次の会議においてその旨を議会に報告しなければならな

（会計年度経過後の予算の補正の禁止）

第百四十八条　予算は、[1]会計年度経過後においては、これを補正することができない。

（弾力条項の適用できない経費）

第百四十九条　地方自治法第二百十八条第四項に規定する政令で定める経費は、職員の給料とする。

生じても、予備費に繰り戻すことはできない。（昭三〇・一一・八行実）

※●歳入歳出予算を議する場合、他日追加予算（現行法では補正予算）の必要に際し、歳出更正の見込をもつて著しく予備費を増額議決することは適当でない。（行実）

※●予算中項の金額に不足を生じた場合は、予備費より支出しても又同一款内において剰余を生ずると認められる他の項の予算中より流用してもよい。（行実）

❖法二一八条関係

1）●当初予算成立前に追加予算（現行法では補正予算）案の提出はできるが、議決は当初予算の議決後でなければならない。（昭二八・七・一行実）

●当該年度経過後は一切予算の追加又は更正（現行法では補正）はできない。（行実）

●議会が追加更正予算（現行法では補正予算）につき、会計年度経過後に会計年度内に議決したこととすることの取扱いをした場合、当該予算は無効である。（昭三一・七・二四地裁判）

●同一年度において、否決した費用を追加予算（現行法では補正予算）として提出することはさしつかえない。（行実）

2）○「一定期間」とは、本予算が成立すると見込まれるときまでの期間及び本予算が成立すると見込まれたときに成立しない場合において、さきの暫定予算に係る期間を経過したときから本予算が成立すると見込まれるときまでの期間をいう。

3）●本予算成立後は暫定予算の残額からは支出できない。（昭二二・一・三一行実）

4）●予算措置の手続については、法第一七九条の規定による長の専決処分の例により措置すればよい。（昭三八・一二・一九通知）

●弾力条項の適用は、議会の開会中でも行なうことができる。議会開会中に弾力条項を適用した場合は当該

地方自治法

い。

＊　本条―全改〔昭三八・六法九九〕

【参照条文】
①【予算の調製―法二一一　公企法八１Ⅰ・九Ⅲ・二四　地教法二九　【予算の補正―令一四八
【※予算の提出権―法一一二１但書・九七２但書・一四九Ⅱ・一八〇の六Ⅰ・二二一１
②【会計年度―法二〇八１　【暫定予算―令二
【※予算の提出権―法一一二１但書・九七２但書・一四九Ⅱ・一八〇の六Ⅰ・二二一１
③【支出負担行為―法二三二の三　【債務負担行為―法二一四
④【特別会計―法二〇九　【政令の定め―令一四九
【※公企法二四３

（**予算の送付及び公表**）

第二百十九条　普通地方公共団体の議会の議長は、予算を定める議決があつたときは、その日から三日以内[1]にこれを当該普通地方公共団体の長に送付しなければならない。

２　普通地方公共団体の長は、前項の規定により予算の送付を受けた場合において、再議その他の措置[2]を講ずる必要がないと認めるときは、直ちに、その要領を住民に公表しなければならない。

＊　本条―全改〔昭三八・六法九九〕、二項―一部改正〔平一一・一二法一六〇〕、見出し・二項―一部改正〔平二三・五法三五〕

【参照条文】
①【予算を定める議決―法九六１Ⅱ・一一六・二一一

地方自治法施行令

（**予算が成立したとき等の通知**）

第百五十一条　普通地方公共団体の長は、予算が成立した[1]とき、歳出予算を配当したとき[1]、予備費を充当したとき、又は地方自治法第二百二十条第二項ただし書の規定により歳出予算の各項の経費の金額を流用したときは、直ちにこれを会計管理者に通知しなければならない。

行政実例・通知・判例・注釈

会議で報告することもさしつかえない。（昭四二・一・三一行実）

❖令一四八条関係

1）○「会計年度経過後」とは、次の会計年度の始まる四月一日以後を指す。

※●目以下の流用は、予算の執行に属するものにつき理事者限り（規則の定めるところによる。）で適宜行うことができる。（行実）

※●当該年度経過後は、たとえ出納閉鎖期以前でも費目の流用はできない。（行実）

❖法二一九条関係

1）○「三日以内」とは、予算を定める議決のあつた日の翌日を第一日として三日目にあたる日までを指す。

2）○「その他の措置」とは、いわゆる原案執行、不信任議決としての解散（法一七七２・３）等の措置を指す。

❖令一五一条関係

1）○「予算が成立したとき」とは、予算を定める議会の議決があつたときを指す。

②　1・二一八1・2　※令一五一
【再議その他の措置—法一七六・一七七

（予算の執行及び事故繰越し）

第二百二十条　普通地方公共団体の長は、政令で定める基準に従つて予算の執行に関する手続を定め、これに従つて予算を執行しなければならない。

2　歳出予算の経費の金額は、各款の間又は各項の間において相互にこれを流用することができない。ただし、歳出予算の各項の経費の金額は、予算の執行上必要がある場合に限り、予算の定めるところにより、これを流[1]用することができる。

3　繰越明許費の金額を除くほか、毎会計年度の歳出予算の経費の金額は、これを翌年度において使用することができない。ただし、歳出予算の経費の金額のうち、年度内に支出負担行為をし、避けがたい事故のため年度内に支出を終わらなかつたもの（当該支出負担行為に係る工事その他の事業の遂行上の必要に基づきこ[2]れに関連して支出を要する経費の金額を含む。）は、これを翌年度に繰り越して使用することができる。

＊　本条—全改〔昭三八・六法九九〕

【参照条文】
①【政令の定め—令一五〇　則一五　【※予算の執行権—法一四九Ⅱ・一八〇の六Ⅰ　公企法八1　※令一五一
②【予算の定め—法二一五　※令一五一
③【繰越明許費—法二一三　【会計年度—法二〇八1　【支出負担行為—法二三二の三
※　令一四六　則一五の五

（予算の執行に関する長の調査権等）

（予算の執行及び事故繰越し）

第百五十条　普通地方公共団体の長は、次の各号に掲げる事項を予算の執行に関する手続として定めなければならない。

一　予算の計画的かつ効率的な執行を確保するため必要な計画を定めること。

二　定期又は臨時に歳出予算の配当を行なうこと。

三　歳入歳出予算の各項を目節に区分するとともに、当該目節の区分に従つて歳入歳出予算を執行すること。

2　前項第三号の目節の区分は、総務省令で定める区分を基準としてこれを定めなければならない。

3　第百四十六条の規定は、地方自治法第二百二十条第三項ただし書の規定による予算の繰越しについてこれを準用する。

（普通地方公共団体の長の調査等の対象となる法人等の

⚜　法二二〇条関係

1）●予算各項の金額は、会計年度経過後は、出納閉鎖前でも流用の議決をすることはできない。（大八・九・二七行実）

2）○「これに関連して支出を要する経費」とは、例えば、工事費等において、その工事の遂行に関連して必要な竣功検査に要する経費又はその他の事務経費をいう。

※　●予算執行に当たり予算の配当は、必ず行うべきものである。（昭三八・一二・一九通知）

⚜　法二二一条関係

地方自治法

第二百二十一条　普通地方公共団体の長は、予算の執行の適正を期するため、委員会若しくは委員又はこれらの管理に属する機関で権限を有するものに対して、収入及び支出の実績若しくは見込みについて報告を徴し、予算の執行状況を実地について調査し、又はその結果に基づいて必要な措置を講ずべきことを求めることができる。

2　普通地方公共団体の長は、予算の執行の適正を期するため、工事の請負契約者、物品の納入者、補助金、交付金、貸付金等の交付若しくは貸付けを受けた者[1]（補助金、交付金、貸付金等の終局の受領者を含む。[2]）又は調査、試験、研究等の委託を受けた者に対して、その状況を調査し、又は報告を徴することができる。

3　前二項の規定は、普通地方公共団体が出資している法人で政令で定めるもの、普通地方公共団体が借入金の元金若しくは利子の支払を保証し、又は損失補償を行う等その者のために債務を負担している法人で政令で定めるもの及び普通地方公共団体が受益権を有する信託で政令で定めるものの受託者にこれを準用する。

＊本条―全改〔昭三八・六法九九〕、三項―一部改正〔昭六一・五法七五〕

【参照条文】

①【予算執行の適正―地財法四　※法二14　【予算の執行権を有する委員会、委員等―※法一八〇の二　※法一四九Ⅴ・一八〇の六Ⅰ

②【工事の請負契約者、物品の納入者―法二三四～二三四の三　【補助金―法二三二の二　※法一九九1・7・一八〇の四・二三八の二

③【政令の定―令一五二　【受益権―信託法二7等

地方自治法施行令

（範囲）

第百五十二条　地方自治法第二百二十一条第三項に規定する普通地方公共団体が出資している法人で政令で定めるものは、次に掲げる法人とする。

一　当該普通地方公共団体が設立した地方住宅供給公社、地方道路公社、土地開発公社及び地方独立行政法人

二　当該普通地方公共団体が資本金、基本金その他これらに準ずるものの二分の一[1]以上を出資している一般社団法人及び一般財団法人並びに株式会社

三　当該普通地方公共団体が資本金、基本金その他これらに準ずるものの四分の一以上二分の一未満を出資している一般社団法人及び一般財団法人並びに株式会社のうち条例で定めるもの

2　当該普通地方公共団体及び一又は二以上の前項第二号に掲げる法人（この項の規定により同号に掲げる法人とみなされる法人を含む。）が資本金、基本金その他これらに準ずるものの二分の一以上を出資している一般社団法人及び一般財団法人並びに株式会社は、同号に掲げる法人とみなす。

3　当該普通地方公共団体及び一又は二以上の第一項第二号に掲げる法人（前項の規定により同号に掲げる法人とみなされる法人を含む。）が資本金、基本金その他これらに準ずるものの四分の一以上二分の一未満を出資している一般社団法人及び一般財団法人並びに株式会社は、第一項第三号に規定する一般社団法人及び一般財団法人並びに株式会社とみなす。

4　地方自治法第二百二十一条第三項に規定する普通地方公共団体がその者のために債務を負担している法人で政

行政実例・通知・判例・注釈

1）●地方公務員等共済組合法第一一三条の規定により地方公共団体が交付する負担金についても、本条第二項の規定が適用される。（昭四五・八・一三行実）

2）○「等」には、分担金、負担金があり、「終局の受領者」は府県が市町村を通じて一定の住民に補助金を交付するような場合においてその一定の住民を指す。

❖令一五二条関係

1）●出資金の比率は、各事業年度の書類を提出すべきときの比率をいう。（昭三八・五・二二行実）

2）●不動産の信託とは、土地又はその定着物を信託財産とし、その管理又は処分を目的とする信託（自ら設定した信託以外のものを含む。）をいう。（昭六一・五・三〇通知）

※●予算執行の適正化等を図る観点から、公金をもって資本金等の四分の一以上二分の一未満という高い割合の出資等をしている法人等のうち必要性があると判断したものについて長の調査権の対象とするものであるので、条例の制定にあたっては当該法人等の事業内容、出資経緯、出資目的等を個別に検討し判断されたい。（平二三・一一・二六通知）

※●条例を制定することに伴い、法第二四三条の三第二項の規定に基づき長が経営状況に関する書類の作成及び議会への提出を行う法人等も連動して追加されることとなる。（平二三・一一・二六通知）

【信託―信託法一等　法二三八の五2等　国有財産法二〇等　【受託者―信託法二5等　信託業法三等　金融機関の信託業務の兼営等に関する法律一等

（予算を伴う条例、規則等についての制限）

第二百二十二条　普通地方公共団体の長は、条例その他議会の議決を要すべき案件があらたに[1]予算を伴うこととなるものであるときは、必要な予算上の措置[2]が適確に講ぜられる見込みが得られるまでの間は、これを議会に提出してはならない。

2　普通地方公共団体の長、委員会若しくは委員又はこれらの管理に属する機関は、その権限に属する事務に関する規則その他の規程の制定又は改正があらたに予算を伴うこととなるものであるときは、必要な予算上の措置が適確に講ぜられることとなるまでの間は、これを制定し、又は改正してはならない。

＊　本条―全改〔昭三八・六法九九〕

【参照条文】

令で定めるものは、次に掲げる法人とする。

一　当該普通地方公共団体がその者のためにその資本金、基本金その他これらに準ずるものの二分の一に相当する額以上の額の債務を負担している一般社団法人及び一般財団法人並びに株式会社

二　当該普通地方公共団体がその者のためにその資本金、基本金その他これらに準ずるものの四分の一に相当する額以上二分の一に相当する額未満の額の債務を負担している一般社団法人及び一般財団法人並びに株式会社のうち条例で定めるもの

5　地方自治法第二百二十一条第三項に規定する普通地方公共団体が受益権を有する信託で政令で定めるもの[2]は、当該普通地方公共団体が受益権を有する不動産の信託とする。

⚜　法二二二条関係

1）●職員を増加させるための職員定数条例の改正は本条でいう「あらたに予算を伴うこととなるもの」には該当しない。（昭五五・一二・二五行実）

2）●「予算上の措置が適確に講ぜられる見込み」とは、関係予算案が議会に提出されたときをいう。（昭三一・九・二八通知）

※　●議員の提案する事項には本条の制限はないが、本条の趣旨を尊重して運営されるべきである。（昭三一・九・二八通知、昭三一・九・二五行実）

地方自治法

①【予算―法二一一1・二一八1・2　【長の議案提出権―法一四九Ⅰ　※法一一二・一一五の三
②【規則・規程の制定―法一五・一三八の四2＝法一九四　地教法一五　公企法一〇　警察法五八　収用法五九

第三節　収入

＊本節―全改〔昭三八・六法九九〕

（地方税）

第二百二十三条　普通地方公共団体は、法律の定めるところにより、地方税を賦課徴収することができる。

＊本条―全改〔昭三八・六法九九〕

【参照条文】
【法律の定―地税法
※憲法三〇・八四　【地方税の賦課徴収―法九六1Ⅳ・一四九Ⅲ

（分担金）

第二百二十四条　普通地方公共団体は、政令で定める場合を除くほか、[1]数人又は[2]普通地方公共団体の一部に対し[3]利益のある事件に関し、[4]その必要な費用に充てるため、[5]当該事件により特に利益を受ける者から、[6]その受益の限度において、分担金を徴収することができる。

＊本条―全改〔昭三八・六法九九〕

【参照条文】
【分担金の徴収―法九六1Ⅳ・一四九Ⅲ・二二八・二

地方自治法施行令

（分担金を徴収することができない場合）

第百五十三条　地方税法第七条の規定により不均一の課税をし、若しくは普通地方公共団体の一部に課税をし、又は同法第七百三条の規定により水利地益税を課し、若しくは同法第七百三条の二の規定により共同施設税を課するときは、同一の事件に関し分担金を徴収することができない。

行政実例・通知・判例・注釈

❖法二二四条関係

1）○「数人」とは、地域的に関係のない特定多数人をいう。

2）○「普通地方公共団体の一部」とは、当該普通地方公共団体の地域的な一部をいう。

3）●「利益のある」とは、その営造物（現行法では公の施設）のため単に積極的利益を受けるのみでなく消極的に利益を受ける場合を含む。（行実）
○「利益のある事件」には、例えば、防疫、防風、防火、防水若しくは防潮等の措置であつても、数人又は当該普通地方公共団体の一定地域が利益を受ける限り、含まれる。

二九・二三二の三 【政令―令一五三

●市の一部区域において、農道、用排水路、溜池等の農業土木を行う場合、これは「地方公共団体の一部に対し利益のある事件」と解される。（昭二七・一二・二六行実）

4）●「必要な費用」とは、新築費、改築費及び修繕費のほかその管理に要する一切の費用をいう。（行実）

5）●市域に編入された農村部中の「大字」若しくは「小字」を事業区域とし、農道等の農業土木を行う場合、「当該事件により特に利益を受ける者」とは、必ずしもその区域内の住民に限らない。（昭二七・一二・二六行実）

6）●事業に要した費用の総額がそのまま「受益の限度」と解することは一般的にはできない。あくまで具体的に受益の限度を定めるべきである。（昭二七・一二・二六行実）

※●学校教育のような一般的受益の性質を有するものについては、分担金を徴収できない。（昭二三・四・五行実）

※●保険料は、分担金ではない。（昭二五・九・一六行実）

※●一般的に自動車等の所有者から、その自動車等が地方公共団体の道路を通行することを理由として、分担金を徴収することはできないが、個々の道路が事実上もっぱら自動車等の所有者を利すると認められる場合においては、その受益の範囲内において分担金を徴収しうる。（昭二八・四・二八行実）

※●市町村は地方財政法第二七条第一項に基づき当該市町村が負担した負担金の一部にあてるため、特に利益を受ける者から分担金を徴収することができる。また、港湾法第四三条の四の規定に基づき港湾管理者が市町村から受益者負担金を徴収した場合にも、市町村は当該市町村が負担した負担金の一部にあてるため、特に利益を受ける者から本条に基づく分担金を徴収することができる。（昭五三・九・二九行実）

※●法第二一一条（現行法では第二四四条の三）の規定

地方自治法

（使用料）

第二百二十五条　普通地方公共団体は、第二百三十八条の四第七項の規定による許可を受けてする行政財産の使用又は公の施設の利用につき使用料を徴収することができる。

＊本条―全改〔昭三八・六法九九〕、一部改正〔昭四九・六法七一、平一八・六法五三〕

【引用条文】

【法二三八の四（行政財産の管理及び処分）7

【参照条文】

【使用料の徴収―法九六1Ⅳ・一四九Ⅲ・二二六・二二八・二二九・二三一の三・二四四の二8・9

※　地財法二三・二四　公企法九Ⅸ・二一・三三3

地方自治法施行令

行政実例・通知・判例・注釈

による協議により、甲町が設置する水道施設の建設費用の一部を乙村が負担する場合、当該負担金にかかる水道施設が乙村の一部に利用されるものであれば、乙村はそれにより特に利益を受ける者から分担金を徴収することができる。（昭三四・一二・五行実）

※●簡易水道事業の費用にあてるため、その事業によって特に利益を受ける者から、その受益の限度において分担金を徴収することができる。（昭三九・二・二八行実）

⚜法二二五条関係

※●府県立病院の入院料、診察料等その料金に区別があっても、すべて営造物（現行法では公の施設）の使用料に属する。（行実）

※●公立学校は地方公共団体の営造物（現行法では公の施設）であるから、授業料も使用料の一であると解してさしつかえない。（昭二三・八・一八行実）

※●公営住宅法による公営住宅は営造物（現行法では公の施設）であり、家賃の金額は条例で定めることを要する。（昭二六・一二・九行実）

※●公営住宅法による市営住宅の家賃の決定を条例で市長に委任することはできない。公営住宅法によらず市費単独で建設した市営住宅も、それが営造物（現行法では公の施設）たる性質をもつものであれば、その家賃は条例で定めなければならない。（昭二七・一〇・六行実）

※●道路法第三九条の占用料は営造物（現行法では公の施設）の特別使用と解し、地方自治法の適用がある。なお、国道についても地方財政法第二三条の適用がある。（昭二八・七・二行実）

※●水道料金領収書の裏面に業者の広告を掲載し、広告料を徴収することはさしつかえないが、これは私法上

の契約によるものであつて本条の使用料ではない。（昭二二・九・一〇行実）

※●国営土地改良事業により造成された溜池につき県が管理の委託を受けた場合は、地方財政法第二三条によりかんがい水の使用料を徴収できる。この場合受益者がその地域の土地改良区の組合員であつても、その者から徴収する使用料に代えて土地改良区から使用料に相当する金額を徴収することはできない。（昭三二・三・七行実）

※●病院に入院中の患者の私物の洗濯料は、使用料である。（昭三二・一二・一一行実）

※●市町村道として認定された林道について使用料の徴収はできない。市町村道以外の林道について、所定の分担金をとることはさしつかえないが使用料を徴収することは適当でない。（昭三三・八・二五行実）

※●病院及び公園の土地又は建物の一部を売店として使用させる場合は、行政財産の目的外使用による使用料を徴収することができる。競輪場の場合は、普通財産の利用にかかる料金として措置すべきである。（昭三八・一二・一九通知）

※●職員住宅家賃は、一般的には、普通財産の貸付料として措置すべきである。（昭三八・一二・一九通知）

※●保健所における診療料、集団検診料（強制健康診断の場合を含む。）及び予防接種料は使用料である。（昭三八・一二・一九通知）

※●高等学校通信教育受講料は使用料である。（昭三八・一二・一九通知）

※●行政財産の目的外の使用料につき条例で規定すべき事項は、納入義務者、金額、徴収の時期及び方法等であつて、条例で定めることが適当でない技術的細目を除き、すべて条例で具体的に規定することが法意である。（昭三八・一二・一九通知）

※●自主興業の入場料は、公の施設の使用料ではないので条例の規定によることを要しない。（昭四一・一一・二一行実）

地方自治法

（旧慣使用の使用料及び加入金）

第二百二十六条　市町村は、第二百三十八条の六の規定による公有財産の使用につき使用料を徴収することができるほか、同条第二項の規定により使用の許可を受けた者から加入金[1]を徴収することができる。

＊本条―全改〔昭三八・六法九九〕

【引用条文】

【法二三八の六（旧慣による公有財産の使用）】

【参照条文】

【旧慣使用の使用料、加入金の徴収―法九六1Ⅳ・一四九Ⅲ・二二八・二二九・二三一の三】

（手数料）

第二百二十七条　普通地方公共団体は、当該普通地方公共団体の事務[1]で特定の者のためにするもの[2]につき、手数料を徴収することができる。

＊本条―全改〔昭三八・六法九九〕、二・三項―削る〔平一一・七法八七〕

【参照条文】

【手数料の徴収―法九六1Ⅳ・一四九Ⅲ・二二八・二二九・二三一の三】

地方自治法施行令

行政実例・通知・判例・注釈

✤法二二六条関係

1）○「加入金」とは、旧慣の使用を新たに許される者から、その特権的な使用の対価として徴収する金銭をいう。

●「加入金」は敷金ではないから、返還の規定は設けることができない。（行実）

●分担金を徴収して簡易水道を布設した場合において、当該施設の区域内の未加入者から新たに加入の申込みがあつたときに、その者を加入させるに際し、本条の加入金を徴収することはできない。（昭三七・五・一一行実）

✤法二二七条関係

1）●「普通地方公共団体の事務」の範囲は、公権力の行使に当たる事務に限定されない。（昭四四・二・六行実）

2）●印鑑証明事務のうち印鑑簿への登録及びその保管の事務のみを取り出して特定の者のための事務とはいえないが、印鑑証明手数料の額を定めるに当たり、登録に要する費用を考慮することはさしつかえない。（昭三四・三・九通知）

●特定の者のためにする事務とは、一個人の要求に基づき主としてその者の利益のため行う事務（身分証明、印鑑証明、公簿閲覧等）の意で、もつぱら地方公共団体自身の行政上の必要のためにする事務については手数料を徴収できない。（昭二四・三・一四行実）

●国民健康保険受診証（現行法では国民健康保険被保険者証）の再交付に関する事務は、「特定の者のためにする」事務に該当しない。（昭三三・五・一〇行実）

●戸籍法第四九条第三項及び第八六条第一項にもとづ

く市町村長への届出書に添付する医師の出産証明及び死亡診断書（死体検案書を含む。）について、手数料を徴収してさしつかえない。（昭四三・一一・五行実）

●（一般廃棄物である家庭系可燃ごみ及び不燃ごみの収集、運搬及び処分の事務は）大多数の者が利益を受けるとしても、それが間接的なものではなく、直接的なものであり、また、指定収集袋を介在させることにより、ごみの排出者とその収集運搬行為との間に対応関係が生じ、指定収集袋を用いたごみ排出者に対してのみ負担を課することが可能となるのであるから、指定収集袋を用いた排出者のためのごみの収集運搬行為は、「特定の者」のために提供する役務ということができ、排出者の指定収集袋に係る料金の負担をもって手数料の概念に当てはめると解釈することは可能である。そうすると、本件における被告のごみ処理有料化が、地方自治法二二七条の「特定の者」のためにするとの文言に反するとまではいうことができない。（平二二・四・二七東京高判）

※

●第一四条第二項の規定により条例で業者の登録制度又は許可制度を規定した場合は、登録又は許可手数料を徴収することができる。（昭二四・八・一九行実）

※

●国又は他の地方公共団体が私人と同様の地位にある場合においては、これらから手数料を徴収できる。（昭二四・一二・一五行実）

※

●職員の採用試験には試験手数料を徴収できない。（昭三〇・九・一四行実）

※

●単に印鑑簿に印鑑を登録し、それを保管する事務は、特定の者のためにする事務とは解されない。（昭三一・九・一七、昭三四・二・一三行実）

※

●公立学校在学の生徒等に対し学校長が成績、通学等の各種証明書を発行する場合、本条第一項の手数料を徴収することはできない。（昭三五・一〇・四行実）

※

●地方公共団体の長が当該地方公共団体の職員に対して、使用者たる地位に基づいてする給与証明事務又は履歴証明事務については、手数料を徴収できない。

地方自治法

（分担金等に関する規制及び罰則）

第二百二十八条　分担金、使用料、加入金及び手数料に関する事項については、条例[1]でこれを定めなければならない。この場合において、手数料について全国的に統一して定めることが特に必要と認められるものとして政令で定める事務（以下本項において「標準事務」という。）について手数料を徴収する場合においては、当該標準事務に係る事務のうち政令で定めるものにつき、政令で定める金額の手数料を徴収することを標準として条例を定めなければならない。

2　分担金、使用料、加入金及び手数料の徴収に関しては、次項に定めるものを除くほか、条例で五万円以下の過料を科する規定を設けることができる。

3　詐欺その他不正の行為により、分担金、使用料、加入金又は手数料の徴収を免れた者については、条例でその徴収を免れた金額[2]の五倍[3]に相当する金額（当該五倍に相当する金額が五万円を超えないときは、五万円とする。）以下の過料を科する規定を設けることができる。

＊ 本条―全改〔昭三八・六法九九〕、三項―一部改正〔平六・六法四八〕、一項―一部改正、二・三項―全改〔平一一・七法八七〕

【参照条文】
① 【政令―地方公共団体の手数料の標準に関する政令
※ 【委員会、委員と本条の関係―法一八〇の六Ⅲ
② 【過料―法二五五の三
※ 法一四・一五・九六1Ⅳ・一四九Ⅲ・二二四～二二

地方自治法施行令

行政実例・通知・判例・注釈

（昭三七・一〇・三行実）

✤ 法二二八条関係

1）●民間団体又は個人の委託を受けて県が工事等をした場合の委託料については条例の根拠を要しない。（昭二五・一一・二二行実）

●使用料に関する事項は議会の権限であり条例事項であるから、使用料の額の決定を全面的に市長に委任することは違法である。（昭二八・四・三〇行実）

●分担金の徴収条例には、分担金を徴収すべき事件ごとに徴収すべき分担金の種類、受益者の範囲及びこれを各受益者に分賦する方法を具体的かつ明確に規定すべきである。（昭二七・九・一一行実）

●公の施設の使用料を徴収する場合において、一定額の使用料を、使用開始前（又は使用中）に徴収し、使用の終了後に精算することを条例で規定して実施することはできる。（昭四〇・六・二四行実）

2）●町営上水道の配水管に無断で分水管を接続して料金を支払わないまま水道水を使用していた者は、「詐偽（現行法では詐欺）その他不正の行為により…使用料…の徴収を免れた者」に該当する。（昭五四・一一・九行実）

●過料を科すときから遡つて五年を超える部分は過料の算定基礎たる「その徴収を免れた金額」には含まれない。（昭五五・三・二五行実）

3）○「五倍に相当する金額以下」とは、五倍に当たる金額又は五倍に当たる金額に満たない金額をいう。

※ ●過料のほか免れた料金を別に徴収することができる。（昭三六・三・一七行実）

※ ●分担金条例中に減免規定を設けることはできる。（昭二七・一二・二六行実）

※ ●教育委員会において管理している球場の使用料の減

七・二二九・二三二の三　公企法八1Ⅳ・九Ⅸ・二一・二三3

（分担金等の徴収に関する処分についての審査請求）

第二百二十九条　普通地方公共団体の長以外の機関がした分担金、使用料、加入金又は手数料の徴収に関する処分についての審査請求は、普通地方公共団体の長が当該機関の最上級行政庁でない場合においても、当該普通地方公共団体の長に対してするものとする。

2　普通地方公共団体の長は、分担金、使用料、加入金又は手数料の徴収に関する処分についての審査請求がされた場合には、当該審査請求が不適法であり、却下するときを除き、議会に諮問した上、当該審査請求に対する裁決をしなければならない。

3　議会は、前項の規定による諮問を受けた日から二十日以内に意見を述べなければならない。

4　普通地方公共団体の長は、第二項の規定による諮問をしないで同項の審査請求を却下したときは、その旨を議会に報告しなければならない。

5　第二項の審査請求に対する裁決を経た後でなければ、同項の処分については、裁判所に出訴することができない。

＊本条―全改〔昭三八・六法九九〕、一・三項―削る・旧二項―一部改正し一項に繰上・旧四項―一部改正し二項に繰上・旧五項―三項に繰上・旧六項―一部改正し四項に繰上〔平二六・六法六九〕、二・三項―一部改正・四項―追加・旧四項―一部改正し五項に繰下〔平二九・四法二五〕

【参照条文】

①【長以外の執行機関―法一三八の四1

免措置は、長の権限である。（昭三六・五・二九行実）

❦ 法二二九条関係

1）●議会の答申意見は、尊重されるべきであるが、必ずしも常に長はそれに絶対的に拘束されるものではない。（昭二六・七・一七行実）

※●公営住宅法第一二条の二第二項（現行法では第二八条第二項）の規定による公営住宅の割増賃料の徴収に不服がある者は、行政不服審査法に基づき不服申立てができる。この場合本条が手続上の特例規定として適用される。（昭四〇・一・二一行実）

※●都市計画法第七五条第一項及び第二項に基づく条例による下水道受益者負担金の賦課処分に対する異議申立てについては、地方自治法第二二九条第三項以下（現行法では第三項及び第五項）の規定の適用はない。（昭四七・一二・一三行実）

地方自治法

①〜③　※行政不服審査法　行政事件訴訟法八

（地方債）

第二百三十条　普通地方公共団体は、別に法律で定める場合において、予算の定めるところにより、地方債を起こすことができる。

2　前項の場合において、地方債の起債の目的、限度額、起債の方法、利率及び償還の方法は、予算でこれを定めなければならない。

＊本条…全改〔昭三八・六法九九〕

【参照条文】

①【法律―地財法五〜五の八　公企法二二・二三　健全化法一一・一二　【予算―法九六1Ⅱ・二一五

②【償還―地財法七1　健全化法一二2

（歳入の収入の方法）

第二百三十一条　普通地方公共団体の歳入を収入するときは、政令の定めるところにより、これを調定し[1]、納入義務者に対して納入の通知をしなければならない。

＊本条…全改〔昭三八・六法九九〕

【参照条文】

【政令の定―令一五四

地方自治法施行令

（歳入の調定及び納入の通知）

第百五十四条　地方自治法第二百三十一条の規定による歳入の調定[1]は、当該歳入について、所属年度、歳入科目、納入すべき金額、納入義務者等を誤つていないかどうかその他法令又は契約に違反する事実がないかどうかを調査してこれをしなければならない。

2　普通地方公共団体の歳入を収入するときは、地方交付税、地方譲与税、補助金、地方債、滞納処分費[2]その他その性質上納入の通知を必要としない歳入を除き、納入の通知をしなければならない。

3　前項の規定による納入の通知[3]は、所属年度、歳入科目、納入すべき金額、納期限、納入場所及び納入の請求の事由を記載した納入通知書でこれをしなければならない。

行政実例・通知・判例・注釈

⚜ 法二三〇条関係

※●地方公共団体がその経営する地方公営企業について起す地方債に関する権限は、長にある。（昭三七・二・二六行実）

※●オーバー・パー発行に係る会計処理の取扱い等については、「地方債のオーバー・パー発行に関する取扱いについて（通知）」（平成二九年三月三一日付け総財地第一一七号、総財公第五一号、総財務第五一号各都道府県総務部長、各指定指市総務部長あて総務省自治財政局地方債課長、総務省自治財政局公営企業課長、総務省自治財政局財務調査課長通知）により通知された事項について十分留意されたいこと。

⚜ 法二三一条関係

1）○「調定」とは、地方公共団体の歳入を徴収しようとする場合において、長が本条の規定に基づきその歳入の内容を調査して収入金額等を決定する行為、すなわち、徴収に関する地方公共団体の内部的意思決定の行為をいう。

※●法令により納期の一定した収入の納期末日が日曜日又は休日に当たる場合の納入通知書の納期限は、当該法令に民法第一四二条の規定を適用しない旨の定めがない限り、法定の期限を告知すべきである。（昭三八・一二・九行実）

⚜ 令一五四条関係

1）●税収入、税外収入を問わず、繰り越された過年度未収金で、繰り越された年度の末日までに収入できなかつたものをさらに繰越しをする場合は、その繰り越す

（証紙による収入の方法等）

第二百三十一条の二　普通地方公共団体は、使用料又は手数料の徴収については、条例[1]の定めるところにより、証紙による収入の方法によることができる。

2　証紙による収入の方法による場合においては、証紙の売りさばき代金をもつて歳入[2]とする。

3　証紙による収入の方法によるものを除くほか、普通地方公共団体の歳入は、第二百三十五条の規定により金融機関が指定されている場合においては、政令の定めるところにより、口座振替の方法により、又は証券をもつて納付することができる。

4　前項の規定により納付された証券を支払の提示期間内又は有効期間内に提示し、支払の請求をした場合において、支払の拒絶があつたときは、当該歳入は、はじめから納付がなかつたものとみなす。この場合における当該証券の処分に関し必要な事項は、政令で定める。

5　証紙による収入の方法によるものを除くほか、普通地方公共団体の歳入については、第二百三十五条の規定により金融機関を指定していない市町村においては、政令の定めるところにより、納入義務者から証券の提供を受

ただし、その性質上納入通知書によりがたい歳入については、口頭、掲示その他の方法によつてこれをすることができる。

（口座振替の方法による歳入の納付）

第百五十五条　普通地方公共団体の歳入の納入義務者は、当該普通地方公共団体の指定金融機関若しくは指定代理金融機関又は収納代理金融機関若しくは収納事務取扱金融機関に預金口座を設けているときは、当該金融機関に請求[1]して口座振替の方法により当該歳入を納付することができる。

（証券をもつてする歳入の納付）

第百五十六条　地方自治法第二百三十一条の二第三項の規定により普通地方公共団体の歳入の納付に使用することができる証券は、次に掲げる証券で納付金額[1]を超えないものに限る。

一　持参人払式の小切手等（小切手その他金銭の支払を目的とする有価証券であつて小切手と同程度の支払の確実性があるものとして総務大臣が指定するものをいう。以下この号において同じ。）又は会計管理者若しくは指定金融機関、指定代理金融機関、収納代理金融機関若しくは収納事務取扱金融機関（以下この条において「会計管理者等」という。）を受取人とする小切手等で、手形交換所に加入している金融機関又は当該金融

年度の滞納繰越調定額から当該繰越しをする金額を減額しないものである。（昭四一・一一・二四行実）

2）○「その他その性質上納入の通知を必要としない歳入」には、たとえば、申告納付に係る地方税、地方税の延滞金、会計管理者等が行う窓口収納の歳入、出納員をおいていない出張所その他の小規模な出先機関で即納させる単純な歳入等がある。

3）●証紙売さばき代金の収入の方法は、納入通知書によることが適当であるが、口頭、掲示その他の方法によつてもさしつかえない。（昭三九・三・三行実）

⚜法二三一条の二関係

1）●条例で、収入の方法として証紙によるべき旨定めた場合は、証紙収入の方法によらなければならない。（昭三八・一二・一九通知）

2）○「証紙の売りさばき代金をもつて歳入とする」とは、証紙の売りさばき代金を歳入金とする時期について定めたもので、証紙の売りさばき代金を地方公共団体が収納したとき直ちに収入として歳入にすることを意味する。

※●競輪場、水泳場、美術館等において入場券、利用券等を発行することはさしつかえない。（昭三八・一二・一九通知）

※●県の収入証紙が遺失物法第一五条（現行法では第三七条第一項）の規定により県に帰属した場合は、物品として県に帰属させるべきものである。（昭四〇・五・二五行実）

⚜令一五五条関係

1）●口座振替の方法による歳入の納付又は支出を行う場合、納入義務者又は債権者からそのつど口座振替請求書又は依頼書を徴すること又は会計年度ごとにこれを徴することいずれの方法によることもさしつかえないが、定期的に収納又は支払する収入又は支出については、会計年度ごとにこれを徴することとし、特別の事情のない限り更新する取扱いとすればよい。（昭三

地方自治法

け、その証券の取立て及びその取り立てた金銭による納付の委託を受けることができる。

＊ 本条…全改〔昭三八・六法九九〕、三・四項…一部改正・六・七項…追加〔平一八・六法五三〕、六・七項…削る〔令三・三法七〕

【引用条文】
③・⑤【法二三五（金融機関の指定）】

【参照条文】
③・④【口座振替—令一五五】【証券納付—令一五六】
⑤【取立て・納付の委託—令一五七】
※ 地税法一 1 XIII

地方自治法施行令

機関に手形交換を委託している金融機関を支払人とし、支払地[2]が当該普通地方公共団体の長が定める区域内であつて、その権利の行使のため定められた期間内に支払のための提示又は支払の請求をすることができるもの

二　無記名式の国債若しくは地方債又は無記名式の国債若しくは地方債の利札で、支払期日の到来したもの

2　会計管理者等は、前項第一号に掲げる証券であつてもその支払が確実でないと認めるときは、その受領を拒絶することができる。

3　地方自治法第二百三十一条の二第四項前段に規定する場合においては、会計管理者等は、当該証券をもつて納付した者に対し、速やかに、当該証券について支払がなかつた旨及びその者の請求により当該証券を還付する旨を書面で[3]通知しなければならない。

（取立て及び納付の委託）

第百五十七条　地方自治法第二百三十一条の二第五項の規定により取立て及び納付の委託を受けることができる証[1]券は、前条第一項に規定する証券とする。

2　地方自治法第二百三十一条の二第五項の規定により取立て及び納付の委託を受ける場合において、その証券の取立てにつき費用を要するときは、会計管理者は、当該取立て及び納付の委託をしようとする者に、その費用の額に相当する金額をあわせて提供させなければならない。

3　地方自治法第二百三十一条の二第五項の規定により取立て及び納付の委託を受けた場合において、必要があると認めるときは、会計管理者は、確実と認める金融機関

行政実例・通知・判例・注釈

八・一二・一九通知）

※ ●口座振替の方法による場合の領収書の発行は、指定金融機関、指定代理金融機関又は収納代理金融機関（現行令では指定金融機関、指定代理金融機関、収納代理金融機関又は収納事務取扱金融機関）が行うことになる。（昭三八・一二・一九通知）

※ ●口座振替の方法による歳入の納付は、指定金融機関、指定代理金融機関又は収納代理金融機関（現行令では指定金融機関、指定代理金融機関、収納代理金融機関又は収納事務取扱金融機関）に預金口座を設けている納入義務者に限り行うことができる。（昭三八・一二・一九通知）

※ ●県が補助金等を市町村に交付する場合、当該市町村が指定金融機関等を指定していない限り、口座振替によることができない。（昭三九・一〇・二七通知）

令一五六条関係

1）○「総務大臣が指定するもの」とは、①郵政民営化法第九四条に規定する郵便貯金銀行が発行する振替払出証書及び②郵政民営化法第九四条に規定する郵便貯金銀行が発行する為替証書とする。（平一九・九・二八告示五四四号）

2）○「納付金額を超えない」とは、納付金額に等しいか又はそれより少額をいう。納付金額より少額の場合は、その差額を現金又は歳入代用納付証券でもつて納付しなければならないことは当然である。

●手形交換所において行われている業務については、令和四年一一月四日から電子交換所において行われることとなるが、電子交換所においては、交換対象地域を限定している既存の手形交換所と異なり、全国を交換対象としていることから、地方公共団体の規則において、地方自治法施行令第一五六条第一項第一号に基づき、持参人払式の小切手等の支払地についての普通

（指定納付受託者に対する納付の委託）

第二百三十一条の二の二　普通地方公共団体の歳入（第二百三十五条の四第三項に規定する歳入歳出外現金を含む。以下「歳入等」という。）を納付しようとする者は、次の各号のいずれかに該当するときは、指定納付受託者（次条第一項に規定する指定納付受託者をいう。第二号において同じ。）に納付を委託することができる。

一　歳入等の納付の通知に係る書面で総務省令で定めるものに基づき納付しようとするとき。

二　電子情報処理組織を使用して行う指定納付受託者に対する通知で総務省令で定めるものに基づき納付しようとするとき。

＊本条―追加〔令三・三法七〕

にその取立てを再委託することができる。

地方公共団体の長が定める区域に関する規定等、規則その他の規程における手形交換所の所管区域を前提とする規定については、これを全国の区域とする等の改正を施行する必要がある。（令三・七・二一通知）

3）●小切手をもつて納付された歳入金で、当該小切手が不渡りになつた場合、納付した者に対する当該証券について支払がなかつた旨等の通知は、本条の規定に基づき、出納長（現行法では会計管理者）等が行うものである。（昭三八・一二・一九通知）

❖令一五七条関係

1）●取立て及び納付の委託を受けることができる証券は、令第一五六条第一項に規定する証券に限られるので、約束手形及び為替手形は含まれない。なお、約束手形及び為替手形は、地方税法第一六条の二の規定により納付の委託を受けることができる。（昭三八・一二・一九通知）

❖法二三一条の二の二関係

※●法二三一条の二の二第一号はコンビニエンスストア等における納付を、同条第二号はクレジットカード決済による納付及びスマートフォンアプリ等を利用した決済方法による納付を主に想定したものである。（令三・四・一通知）

※●指定納付受託者が取り扱うことができる歳入等の種類については、地方公共団体が住民のニーズ等を踏まえて決定することが適当であり、制度上その範囲を限定していないことから、指定納付受託者と締結する契約等においてその対象を具体的に定めるとともに、これを広く住民に周知することが適当である。（令三・四・一通知）

地方自治法

【引用条文】
【法二三五の四（現金及び有価証券の保管）3・法二三一の二の三（指定納付受託者）

【参照条文】
【総務省令で定―則一二の二の一

（指定納付受託者）

第二百三十一条の二の三　歳入等の納付に関する事務（以下「納付事務」という。）を適切かつ確実に遂行することができる者として政令で定める者のうち普通地方公共団体の長が総務省令で定めるところにより指定するもの[1]（以下「指定納付受託者」という。）は、総務省令で定めるところにより、歳入等を納付しようとする者の委託を受けて、納付事務を行うことができる。

2　普通地方公共団体の長は、前項の規定による指定をしたときは、指定納付受託者の名称、住所又は事務所の所在地、指定納付受託者が行う納付事務に係る歳入等その他総務省令で定める事項を告示しなければならない。

3　指定納付受託者は、その名称、住所又は事務所の所在地を変更しようとするときは、総務省令で定めるところにより、あらかじめ、その旨を普通地方公共団体の長に届け出なければならない。

4　普通地方公共団体の長は、前項の規定による届出があつたときは、当該届出に係る事項を告示しなければならない。

＊　本条―追加〔令三・三法七〕、二項―一部改正〔令五・五法一九〕

【参照条文】

地方自治法施行令

（指定納付受託者等の要件）

第百五十八条　地方自治法第二百三十一条の二の三第一項及び第二百三十一条の二の四に規定する政令で定める者は、次の各号に掲げる要件のいずれにも該当する者とする。

一　地方自治法第二百三十一条の二の三第一項に規定する納付事務[1]（次号において「納付事務」という。）を適切かつ確実に遂行することができる財産的基礎を有すること。

二[2]　その人的構成等に照らして、納付事務を適切かつ確実に遂行することができる知識及び経験を有し、かつ、十分な社会的信用を有すること。

行政実例・通知・判例・注釈

✤　法二三一条の二の三関係

●地方公共団体が指定納付受託者を指定するに当たっては、歳入等の納付を委託した者に係る個人情報の取扱いについて十分に留意し、個人情報の保護に関する法律に基づいた適切な措置が講じられるよう、指定納付受託者と締結する契約等において、秘密の保持、個人情報の漏えい防止措置、個人情報の目的外利用の制限等、個人情報の保護のために必要な措置について具体的に定めることが適当である。（令三・四・一通知）

✤　令一五八条関係

1）●「納付事務を適切かつ確実に遂行することができる財産的基礎を有すること」とは、概ね次のような要件を満たすことが求められるものであること。

①　資本金の額、資産又は負債の状況等から財政的基盤が十分に整っていること。

②　累積欠損がなく、かつ、経営状態が良好であること。（令三・四・一通知）

2）●「その人的構成等に照らして、納付事務を適切かつ確実に遂行することができる知識及び経験を有し、かつ、十分な社会的信用を有すること」とは、概ね次のような要件を満たすことが求められるものと考えられるものであること。

①　経営陣の体制、業務に対する十分な知識及び経験を有する業務精通者の確保が十分であると認められること。

②　コンプライアンス体制等の業務執行体制が十分に整備されていること。（令三・四・一通知）

① 【政令で定―令一五八 【総務省令で定―則一二の二の一二・一二の二の一三
② 【総務省令で定―則一二の二の一四
③ 【総務省令で定―則一二の二の一五

（**納付事務の委託**）

第二百三十一条の二の四 第二百三十一条の二の二の規定により歳入等を納付しようとする者の委託[1]を受けた指定納付受託者は、当該委託を受けた納付事務の一部を、納付事務を適切かつ確実に遂行することができる者として政令で定める者に委託することができる。

＊ 本条―追加〔令三・三法七〕

【引用条文】
【法二三一の二の二（指定納付受託者に対する納付の委託）
【参照条文】
【政令で定―令一五八

（**指定納付受託者の納付**）

第二百三十一条の二の五 指定納付受託者は、第二百三十一条の二の二の規定により歳入等を納付しようとする者の委託を受けたときは、普通地方公共団体が指定する日[1]までに当該委託を受けた歳入等を納付[2]しなければならない。

2 指定納付受託者は、第二百三十一条の二の二の規定により歳入等を納付しようとする者の委託を受けたときは、遅滞なく、総務省令で定めるところにより、その旨及び当該委託を受けた年月日を普通地方公共団体の長に報告しなければならない。

3 第一項の場合において、当該指定納付受託者が同項の

❧ 法二三一条の二の四関係

1）●複数の主体が納付事務に関わる場合においては、指定納付受託者以外の者は、法二三一条の二の四の納付事務の委託を受けた者として当該納付事務に関わることとなる。（令三・四・一通知）

❧ 法二三一条の二の五関係

1）●「地方公共団体が指定する日」については、歳入等に係る納期限、指定納付受託者の事務処理に要する日数等を踏まえて適切に設定するとともに、指定納付受託者と締結する契約等においてあらかじめ定めておくことが適当である。（令三・四・一通知）

●地方公共団体が指定納付受託者と締結する契約等において、当該指定納付受託者が分担金等以外の歳入等を地方公共団体が指定する日までに納付しない場合においても、当該指定納付受託者に当該歳入等及び延滞金を負担させることをあらかじめ定めておくことが考えられる。（令三・四・一通知）

2）●指定金融機関への口座振替の方法により納付する等、指定納付受託者が納付の委託を受けた歳入等を地

地方自治法

指定する日までに当該歳入等を納付したときは、当該委託を受けた日に当該歳入等の納付がされたものとみなす。

＊本条―追加〔令三・三法七〕

【引用条文】
①・②【法二三一の二の二（指定納付受託者に対する納付の委託

【参照条文】
②【総務省令で定―則一二の二の一六

（指定納付受託者の帳簿保存等の義務）

第二百三十一条の二の六　指定納付受託者は、総務省令で定めるところにより、帳簿を備え付け、これに納付事務に関する事項を記載し、及びこれを保存しなければならない。

2　普通地方公共団体の長は、前三条、この条及び第二百三十一条の四の規定を施行するため必要があると認めるときは、その必要な限度で、総務省令で定めるところにより、指定納付受託者に対し、報告をさせることができる。

3　普通地方公共団体の長は、前三条、この条及び第二百三十一条の四の規定を施行するため必要があると認める

地方自治法施行令

行政実例・通知・判例・注釈

方公共団体に対してどのように納付すべきかについては、指定納付受託者と締結する契約等においてあらかじめ定めておくことが適当である。（令三・四・一通知）

※

●指定納付受託者が行う納付事務に要する費用に充てるための手数料等の取扱いについては、地方公共団体と住民のいずれが当該手数料等を負担するかを含め、それぞれの地方公共団体において、指定納付受託者制度の活用の効果と経費を比較検討する等の上、適切に決定し、指定納付受託者と締結する契約等において定めることが適当である。具体的には、指定納付受託者が取り扱うこととなる歳入等の件数、事務量、地方公共団体における収納事務の効率化の効果、住民が享受することとなる利便性、口座振替や私人委託制度等の他の方法による場合における手数料等の取扱い等を踏まえ検討することが適当である。（令三・四・一通知）

❦ 法二三一条の二の六関係

1）●立入検査については、その目的や対象、場所等を踏まえて、効果的かつ適切な方法で行うことが適当であり、デジタル技術を活用することが効果的かつ適切である場合には、例えば、オンライン会議システムを活用することなどにより、遠隔地から行うことも可能である。（令五・五・八通知）

ときは、その必要な限度で、その職員に、指定納付受託者の事務所に立ち入り、指定納付受託者の帳簿書類（その作成又は保存に代えて電磁的記録の作成又は保存がされている場合における当該電磁的記録を含む。第二百四十三条の二の二第三項において同じ。）その他必要な物件を検査させ、又は関係者に質問させることができる。

4　前項の規定により立入検査を行う職員は、その身分を示す証明書を携帯し、かつ、関係者の請求があるときは、これを提示しなければならない。

5　第三項に規定する権限は、犯罪捜査のために認められたものと解してはならない。

＊ 本条―追加〔令三・三法七〕、三項―一部改正〔令五・五法一九〕

【引用条文】

②・③【法二三一の二の三（指定納付受託者）・二三一の二の四（納付事務の委託）・二三一の二の五（指定納付受託者の納付）・二三一の四（指定納付受託者からの歳入等の徴収等）・二四三の二の二（指定公金事務取扱者の帳簿保存等の義務）3

【参照条文】

①【総務省令で定―地方自治法に係る民間事業者等が行う書面の保存等における情報通信の技術の利用に関する法律施行規則

②【総務省令で定―則一二の二の一七

（指定納付受託者の指定の取消し）

第二百三十一条の二の七　普通地方公共団体の長は、指定納付受託者が次の各号のいずれかに該当するときは、総務省令で定めるところにより、第二百三十一条の二の三第一項の規定による指定を取り消すことができる。

地方自治法

一　第二百三十一条の二の三第一項に規定する政令で定める者に該当しなくなつたとき。
二　第二百三十一条の二の五第二項又は前条第二項の規定による報告をせず、又は虚偽の報告をしたとき。
三　前条第一項の規定に違反して、帳簿を備え付けず、帳簿に記載せず、若しくは帳簿に虚偽の記載をし、又は帳簿を保存しなかつたとき。
四　前条第三項の規定による立入り若しくは検査を拒み、妨げ、若しくは忌避し、又は同項の規定による質問に対して陳述をせず、若しくは虚偽の陳述をしたとき。

2　普通地方公共団体の長は、前項の規定により指定を取り消したときは、その旨を告示しなければならない。

＊本条―追加〔令三・三法七〕

【引用条文】
①【法二三一の二の三（指定納付受託者）1・二三一の二の五（指定納付受託者の納付）2・二三一の二の六（指定納付受託者の帳簿保存等の義務）1・2・3

【参照条文】
①【総務省令で定―則一二の二の一八

（**督促、滞納処分等**）
第二百三十一条の三　分担金、使用料、加入金、手数料、過料その他の普通地方公共団体の歳入を納期限までに納付しない者があるときは、普通地方公共団体の長は、期限を指定してこれを督促[1]しなければならない。

2　普通地方公共団体の長は、前項の歳入について同項の規定による督促をした場合には、条例[2]で定めるところに

地方自治法施行令

行政実例・通知・判例・注釈

❧法二三一条の三関係

1）●指定期限経過後に滞納者に交付された督促状は無効である。（昭二一・一一・五行裁判）

2）●「条例」とは、個々の手数料条例、使用料条例等のみをさすものではなく、督促手数料及び延滞金に関してのみ規定した条例を含む。（昭二八・一二・一〇行実）

●督促状に指定した納入の期限内に納入した場合と、

より、手数料及び延滞金[3]を徴収することができる。

3 普通地方公共団体の長は、分担金、加入金、過料又は法律で定める[4]使用料その他の普通地方公共団体の歳入（以下この項及び次条第一項において「分担金等」という。）につき第一項の規定による督促を受けた者が同項の規定により指定された期限までにその納付すべき金額を納付しないときは、当該分担金等並びに当該分担金等に係る前項の手数料及び延滞金について、地方税の滞納処分の例[5]により処分することができる。この場合におけるこれらの徴収金の先取特権の順位は、国税及び地方税に次ぐものとする。

4 第一項の歳入並びに第二項の手数料及び延滞金の還付[6]並びにこれらの徴収金の徴収又は還付に関する書類の送達及び公示送達については、地方税の例による。

5 普通地方公共団体の長以外の機関がした前各項の規定による処分についての審査請求は、普通地方公共団体の長が当該機関の最上級行政庁でない場合においても、当該普通地方公共団体の長に対してするものとする。

6 第三項の規定により普通地方公共団体の長が地方税の滞納処分の例によりした処分についての審査請求については、地方税法（昭和二十五年法律第二百二十六号）第十九条の四の規定を準用する。

7 普通地方公共団体の長は、第一項から第四項までの規定による処分についての審査請求がされた場合には、当該審査請求が不適法であり、却下するときを除き、議会に諮問した上、当該審査請求に対する裁決をしなければならない。

8 議会は、前項の規定による諮問を受けた日から二十日以内に意見を述べなければならない。

それ以後との場合を条例の規定により延滞金の額に軽重の差を設けることはさしつかえないが、地方税法の規定による税の延滞金及び延滞加算金の額との均衡を失しないよう措置することが適当である。（昭三五・一二・二七行実）

3）●延滞金の徴収は、第一項による督促をしなければできない。（昭三五・一二・二七行実）

4）●「法律で定める」の字句は、「使用料」と「その他の普通地方公共団体の歳入」の両方にかかっているものである。（昭三九・三・三行実）

5）○「地方税の滞納処分の例により」とは、地方税の滞納処分と同一の手続によって処分すべきことを意味し、滞納処分に関する限り、地方税法及び同法施行令の規定が包括的に適用される。

6）●第一項の歳入を還付する場合は、第四項の規定により当然地方税法第一七条の四の規定の例によって計算した金額を加算しなければならない。（昭三八・一二・一九通知）

※●町村職員退職手当組合に納入した負担金に誤納があった場合、この誤納金の還付については本条第四項の規定が準用され、消滅時効については法第二三六条の規定が適用される。（昭四一・六・八行実）

※●寄附金贈与契約による収入は公法上の収入でないから、その滞納者に対しては民事訴訟によるほか滞納処分をなし得ない。（行実）

※●滞納処分のため出張した吏員の旅費は、滞納処分費として徴収することはできない。（行実）

●地方交付税は差押の対象にならない。（昭三一・九・三行実）

地方自治法

9　普通地方公共団体の長は、第七項の規定による諮問をしないで同項の審査請求を却下したときは、その旨を議会に報告しなければならない。

10　第七項の審査請求に対する裁決を経た後でなければ、第一項から第四項までの規定による処分については、裁判所に出訴することができない。

11　第三項の規定による処分中差押物件の公売は、その処分が確定するまで執行を停止する。

12　第三項の規定による処分は、当該普通地方公共団体の区域外においても、することができる。

＊　本条―全改〔昭三八・六法九九〕、五項―一部改正・六項―全改・七・九項―一部改正〔平二六・六法六九〕、一～三・六～八項―一部改正・九項―追加・旧九項―一部改正し一〇項に繰下・旧一〇項―一一項に繰下・旧一一項―一部改正し一二項に繰下〔平二九・四法二五〕、三項―一部改正〔令三・三法七〕

【引用条文】

③【法二三一の四（指定納付受託者からの歳入等の徴収等）1

⑥【地税法一九の四（審査請求期間の特例）

【参照条文】

①【分担金―法二二四　【使用料、加入金―法二二五・二二六　【手数料―法二二七　【過料―法一五2・一四九Ⅲ・一五九2・二二八2・3　地税法七二の一一等

③【法律で定める収入―法附則六　児童福祉法五七の二6　国民健康保険法七九の二　道路法七三　河川法七四　土地区画整理法一一〇等　【地方税の滞納処分―※国税徴収法五章　【先取特権―民法三〇三※地税法一四～一四の二〇

④【地方税の還付―地税法一七～一七の四

地方自治法施行令

行政実例・通知・判例・注釈

⑤〜⑧　※行政不服審査法
⑪【執行停止】※行政不服審査法二五　行政事件訴訟法二五
⑫【区域】法五
※　法九六１Ⅳ・一四九Ⅲ・二二四〜二二九・二三六・二五八　令一五四　地税法一八〜一八の三

㊟　次条中、点線の左側は、令和六年六月二六日から起算して二年六月を超えない範囲内において政令で定める日から施行となる。

（指定納付受託者等からの歳入等の徴収等）

第二百三十一条の四　指定納付受託者が第二百三十一条の二の五第一項の歳入等（分担金等であるものに限る。以下この項において同じ。）を同条第一項の指定する日までに納付しない場合における当該歳入等の徴収又は第二百四十三条の二の七第四項において準用する地方税法第七百四十七条の八第一項に規定する機構指定納付受託者が第二百四十三条の二の七第四項において準用する同法第七百四十七条の十第一項の規定により納付すべき第二百四十三条の二の七第二項に規定する特定歳入等（分担金等であるものに限る。以下この項において「特定歳入等」という。）を同条第四項において準用する同法第七百四

地方自治法

十七条の十第一項の指定する日までに納付しない場合における当該特定歳入等の徴収については、地方税法第十三条の四の規定を準用する。この場合における当該歳入等又は当該特定歳入等に係る徴収金の先取特権の順位は、国税及び地方税に次ぐものとする。

（同法）
（等に係る）

2　普通地方公共団体の長以外の機関がした前項前段において準用する地方税法第十三条の四第一項の規定による処分についての審査請求は、普通地方公共団体の長が当該機関の最上級行政庁でない場合においても、当該普通地方公共団体の長に対してするものとする。

3　第一項前段において準用する地方税法第十三条の四第一項の規定により普通地方公共団体の長がした処分についての審査請求については、同法第十九条の四の規定を準用する。

4　普通地方公共団体の長は、第一項前段において準用する地方税法第十三条の四第一項の規定による処分についての審査請求がされた場合には、当該審査請求が不適法であり、却下するときを除き、議会に諮問した上、当該審査請求に対する裁決をしなければならない。

5　議会は、前項の規定による諮問を受けた日から二十日以内に意見を述べなければならない。

6　普通地方公共団体の長は、第四項の規定による諮問をしないで同項の審査請求を却下したときは、その旨を議会に報告しなければならない。

7　第四項の審査請求に対する裁決を経た後でなければ、

地方自治法施行令

行政実例・通知・判例・注釈

第一項前段において準用する地方税法第十三条の四第一項の規定による処分については、裁判所に出訴することができない。

8 第一項前段において準用する地方税法第十三条の四第一項の規定による処分中差押物件の公売は、その処分が確定するまで執行を停止する。

9 第一項前段において準用する地方税法第十三条の四第一項の規定による処分は、当該普通地方公共団体の区域外においても、することができる。

＊ 本条―追加〔令三・三法七〕、一項―一部改正〔令六・六・法六五〕

【引用条文】

①【法二三一の二の五（指定納付受託者の納付）1 地税法一三の四（指定納付受託者等が委託を受けた場合の徴収の特例）

②【地税法一三の四（指定納付受託者等が委託を受けた場合の徴収の特例）1

③【地税法一三の四（指定納付受託者等が委託を受けた場合の徴収の特例）1・一九の四（審査請求期間の特例）

④・⑦・⑧・⑨【地税法一三の四（指定納付受託者等が委託を受けた場合の徴収の特例）1

第四節 支出

＊ 本節―全改〔昭三八・六法九九〕

（**経費の支弁等**）

第二百三十二条 普通地方公共団体は、当該普通地方公共団体の事務を処理するために必要な経費その他法律又はこれに基づく政令により当該普通地方公共団体の負担に

地方自治法

属する経費を支弁するものとする。

2　法律又はこれに基づく政令により普通地方公共団体に対し事務の処理を義務付ける場合においては、国は、そのために要する経費の財源につき必要な措置を講じなければならない。

＊本条―全改〔昭三八・六法九九〕、一・二項―一部改正〔平一一・七法八七〕

【参照条文】

①【普通地方公共団体の事務―法二2～6　※法二五二の一九1・二五二の二二1　【法令により地方公共団体の負担に属する経費の例―児童手当法一八　市町村立学校職員給与負担法一・二　生活保護法七三　※地財法九～一〇の三

※　法一五六4　地財法一二・一三・二八等

②【法令による地方公共団体の事務―法二9・10・別表一・二参照　【財源措置―地財法一三・二八等

（寄附又は補助）

第二百三十二条の二　普通地方公共団体は、その公益上必要がある場合においては、寄附又は補助をすることができる。

＊本条―全改〔昭三八・六法九九〕

【参照条文】

※　法一九九7・二二一2

地方自治法施行令

行政実例・通知・判例・注釈

❖法二三二条の二関係

1）●公益上必要かどうかを一応認定するのは長及び議会であるが、この認定は全くの自由裁量行為ではないから、客観的にも公益上必要であると認められなければならない。（昭二八・六・二九行実）

●予備費の充用により補助金を支出することについての議会の適否の認定は、決算認定等にあたり行なわれるべきものと解する。（昭四五・九・二五行実）

●予算計上の範囲内において、執行の際に対象事業、金額等が具体的に決定される補助金についての議会の認定は、予算審議の段階において包括的になされるべきものと解する。（昭四五・九・二五行実）

●営利会社に対する町村の補助は、特別の事由がある

（**支出負担行為**）

第二百三十二条の三　普通地方公共団体の支出の原因となるべき契約[1]その他の行為（これを支出負担行為という。）は、法令又は予算の定めるところに従い、これをしなければならない。

場合のほか公益上必要があるものと認められない。（昭六・一二・二六行裁判）

※

●法人に対する政府の財政援助の制限に関する法律第三条で、地方公共団体は農業協同組合に対して債務保証はできない。（昭二五・六・七行実）

※

●憲法第八九条、法人に対する政府の財政援助の制限に関する法律等の禁止規定に反しない限り、市は公共事務に関連して債務保証をなしうる。（昭二五・一一・一五行実）

※

●財団法人○○県信用保証協会が保証する特別小口融資について損失補償をすることは、法人に対する政府の財政援助の制限に関する法律第三条の規制するところでない。（昭二九・五・一二行実）

※

●補助を受ける者は法令による団体であると否とを問わない。（明三七・五・二〇行裁判）

※

●府県その他の公共団体が他に対して寄附又は補助をなす権能は、自己に財政上余裕がある場合に限らるべく、その場合でも公益の程度、弊害の有無等につき慎重に調査すべきである。（明三四・三・四通知）

※

●町が地区交通安全協会を経由して県に対してしたミニパトカーの寄附は、法令の規定に基づき経費の負担区分が定められている事務について、地方公共団体相互の間における経費の負担区分を乱すことに当たり、地方財政法第二八条の二に違反するものであって、そのためにされたミニパトカーの購入及び購入代金の支出も違法なものである。（平八・四・二六最裁判）

⚜ 法二三二条の三関係

1）○「その他の行為」とは、補助金の交付の決定のような公法上の債務を負担する行政行為、地方公共団体の不法行為に基づく損害賠償金の支出の決定行為、給与その他の給付の支出の決定、地方公共団体内の会計間の繰入れの決定行為等をいう。

※

●支出負担行為としての事務は行なわず直ちに支出手続を行なうことはできない。（昭三八・一二・一九通

地方自治法

＊本条…全改〔昭三八・六法九九〕

【参照条文】
【契約―法二三四　【予算の執行―法二二〇1　令一五〇1　【支出負担行為の確認―法一七〇2Ⅵ・二三二の四2　【支出負担行為と歳出の会計年度所属区分―令一四三1Ⅴ　【支出負担行為と職員の賠償責任―法二四三の二の八

（支出の方法）

第二百三十二条の四　会計管理者は、普通地方公共団体の長の政令で定めるところによる命令[1]がなければ、支出をすることができない。

2　会計管理者は、前項の命令を受けた場合においても、当該支出負担行為が法令又は予算に違反していないこと及び当該支出負担行為に係る債務が確定していることを確認[2]したうえでなければ、支出をすることができない。

＊本条…全改〔昭三八・六法九九〕、一項…一部改正〔平一六・五法五七〕、一・二項…一部改正〔平一八・六法五三〕

【参照条文】

地方自治法施行令

（支出命令）

第百六十条の二　地方自治法第二百三十二条の四第一項に規定する政令で定めるところによる命令は、次のとおりとする。

一　当該支出負担行為に係る債務が確定した時以後に行う命令

二　当該支出負担行為に係る債務が確定する前に行う次に掲げる経費の支出に係る命令[1]

イ　電気、ガス又は水の供給を受ける契約に基づき支払をする経費

ロ　電気通信役務の提供を受ける契約に基づき支払をする経費

行政実例・通知・判例・注釈

知〕

※●職員が債務者の金銭消費貸借上の保証人となつている場合において、債務者が債務不履行のため裁判所からその保証人である職員の第三債務者（当該地方公共団体）に対して有する債権（給料）につき仮差押または差押命令があつた場合、その差押に係る部分の給料の取扱いについては、移付命令（現行では転付命令）が差押命令と同時になされたときは、仕訳して支出負担行為することとし、事後になされたときは、仮差押または差押命令に表示された債権者から請求があつたときに支払うこととすべきである。（昭四〇・五・二五行実）

※●本条の規定に違反して予算がないのに業者と締結した請負契約は無効であるが、予算議決によつて追認された場合は当事者間においては契約時にさかのぼつて有効となるものと解される。（昭四一・六・一四行実）

❖法二三二条の四関係

1）●支出命令は、支出負担行為が法定されたので、当該会計年度経過後（出納整理期間中）も発することができる。（昭三八・一二・一九通知）

2）○「確認」とは、契約書等の書類確認、物品等の現物確認、実地調査等による確認等をいう。

❖令一六〇の二関係

1）●（令第一六〇条の二第二号に掲げる経費についても、）法第二三二条の四第二項の規定により、出納長又は収入役（現行法では会計管理者）が支払をするときは、当該支出負担行為が法令又は予算に違反していないこと及び当該支出負担行為に係る債務が確定していることを確認する必要があることに留意すること。（平一六・一一・一〇通知）

①【支出命令―法一四九Ⅱ　※法一八〇の六Ⅰ　地財法四1　【政令の定―令一六〇の二
②【支出負担行為―法二三二の三　【法令―法一四九Ⅱ・二〇八～二一〇・二一四・二一七・二二〇・二三二の三・二三二の五・二三二の六　令一四三・一四九・一六一～一六五の七　憲法八九　健全化法一一等　【予算―法二一〇～二一八・二二〇　令一四四～一五〇等　【確認と職員の賠償責任―法二四三の二の八

第二百三十二条の五　普通地方公共団体の支出は、債権者のためでなければ、これをすることができない。

２　普通地方公共団体の支出は、政令の定めるところにより、資金前渡、概算払、前金払、繰替払、隔地払又は口[1]座振替の方法によつてこれをすることができる。

＊本条―全改（昭三八・六法九九）

【参照条文】
②【資金前渡―令一六一　【概算払―令一六二　【前金払―令一六三・附七・則附三　【繰替払―令一六四　【隔地払―令一六五　【口座振替の方法―令一六五の二

ハ　イ及びロに掲げる経費のほか、二月以上の期間にわたり、物品を買い入れ若しくは借り入れ、役務の提供を受け、又は不動産を借り入れる契約で、単価又は一月当たりの対価の額が定められているもののうち普通地方公共団体の規則で定めるものに基[2]づき支払をする経費

（資金前渡）
第百六十一条　次に掲げる経費については、当該普通地方公共団体の職員[1]をして現金支払をさせるため、その資金を当該職員に前渡[2]することができる。
一　外国において支払をする経費
二　遠[3]隔の地又は交通不便の地域において支払をする経費
三　船舶に属する経費
四　給[4]与その他の給付
五　地方債の元利償還金
六　諸払戻金及びこれに係る還付加算金
七　報償金[5]その他これに類する経費
八　社[6]会保険料
九　官[7]公署に対して支払う経費
十　生活扶助費、生業扶助費その他これら[8]に類する経費
十一　事業現場その他[9]これに類する場所において支払を必要とする事務経費
十二　非[10]常災害のため即時支払を必要とする経費
十三　電気、ガス又は水の供給を受ける契約に基づき支払をする経費
十四　電気通信役務の提供を受ける契約に基づき支払を

2）●（令第一六〇条の二第二号ハの普通地方公共団体の規則で定めるものに基づき支払をする経費としては、）後納郵便、コピー用紙又はガソリンの購入、新聞購読に係る契約に基づき支払をする経費等が想定されるものであること。（平一六・一一・一〇通知）

❖法二三二条の五関係
1）●インターネットバンキングによる口座振替は、本項の「口座振替の方法」に該当するものである。（令四・三・二九通知、令五・六・一三通知）
※●給与を委任状により受任者に一括して支払った後、受任者が中途において拐帯逃亡し委任者が給与の支給を受けていない場合は、その月の給与を更に支払わねばならない。（昭二七・一一・二六行実）
※●給与についての債権の差押については、法律に特別の定がある場合（国税徴収法第一六条第二項（現行法では第七六条第一項）及び民事訴訟法第六一八条第二項（現行法では民事執行法第一五二条））以外はできない。（昭二七・一一・二六行実）
※●移転料、旅費等の実費弁償的なものを除き、本給に加算し支給される諸手当は賃金に含まれる。（昭二九・五・一二行実）
※●国民健康保険法第四五条第五項の規定により保険者が保険給付費の支払事務を国民健康保険団体連合会に委託した場合、連合会が正当債権者である療養取扱機関に支払いを完了しない限り、保険者の債務は消滅しない。（昭三五・九・八行実）
※●交際費の支出については、一般の経費と同様、支出負担行為に基づき、正当債権者に支払をすることが建前である。（昭四〇・五・二六通知）
※●交際費といえども正当債権者の領収書を受けておく

地方自治法

地方自治法施行令

する経費

十五　前二号に掲げる経費のほか、二月以上の期間にわたり、物品を買い入れ若しくは借り入れ、役務の提供を受け、又は不動産を借り入れる契約で、単価又は一月当たりの対価の額が定められているもののうち普通地方公共団体の規則[11]で定めるものに基づき支払をする経費

十六　犯罪の捜査若しくは犯則の調査又は被収容者若し[12]くは被疑者の護送に要する経費

十七　前各号に掲げるもののほか、経費の性質上現金支払をさせなければ事務の取扱いに支障を及ぼすような経費で普通地方公共団体の規則で定めるもの

2　歳入の誤納又は過納となつた金額を払い戻すため必要があるときは、前項の例により、その資金（当該払戻金に係る還付加算金を含む。）を前渡することができる。

3　前二項の規定による資金の前渡は、特に必要があるときは、他の普通地方公共団体の職員[1]に対してもこれをすることができる。

（概算払）

第百六十二条　次の各号に掲げる経費については、概算払をすることができる。

一　旅費

二　官公署に対して支払う経費

三　補助金、負担金及び交付金

四　社会保険診療報酬支払基金又は国民健康保険団体連合会に対し支払う診療報酬

五　訴訟[1]に要する経費

六　前各号に掲げるもののほか、経費の性質上概算をも

行政実例・通知・判例・注釈

ことが建前であるが、香典等社会通念上相手方から領収書を徴することができにくいものは、支出額、相手方等の収支の経理を明らかにする方法によることも、やむをえない。（昭四〇・五・二六通知）

※●職員をして店舗等においてクレジットカードを提示するとともに、その支払方法をクレジットカードサービスによることとすることについては、地方自治法及びその関係法令の規定に抵触するものではない（令三・二・二四通知）

♣令一六一条関係

1）●資金前渡を受ける職員の範囲には、別段の制限はなく、吏員以外の職員も、さらに、特別職の職員も含まれる。（昭四〇・六・二三行実）

2）●年度開始前の資金前渡は認められない。（昭三八・一二・一九通知）

●資金前渡を受けた金額の範囲においては、資金前渡の中には支出負担行為の事務をも含む。（昭三八・一二・一九通知）

3）●「遠隔の地」とは地理的、距離的に遠隔した辺ぴな地域をいい、「交通不便の地域」とは距離的には遠隔でなくても交通の便に欠けることが多大である地域をいう。（昭二五・五・一五行実）

●遠隔の地又は交通不便の地域において支払をする経費には交際費を含む。（昭二七・五・一九行実）

4）●「給与その他の給付」とは、法第二編中の第八章給与その他の給付を指す。（昭三八・一二・一九通知）

5）○「その他これに類する経費」とは、謝礼金、賞賜金などをいう。

6）○「社会保険料」とは、健康保険法、船員保険法、厚生年金保険法、雇用保険法等の規定により地方公共団体が事業主として納付すべきものをいう。

7）○「官公署」とは、国の各省庁、国会、裁判所、地方

つて支払をしなければ事務の取扱いに支障を及ぼすような経費で普通地方公共団体の規則で定めるもの

（**前金払**）

第百六十三条　次の各号に掲げる経費については、前金払をすることができる。

一　官公署に対して支払う経費

二　補助金、負担金、交付金及び委託費

三　前金で支払をしなければ契約しがたい請負、買入れ又は借入れに要する経費

四　土地又は家屋の買収又は収用によりその移転を必要とすることとなつた家屋又は物件の移転料

五　定期刊行物の代価、定額制供給に係る電燈電力料及び日本放送協会に対し支払う受信料

六　外国で研究又は調査に従事する者に支払う経費

七　運賃

八　前各号に掲げるもののほか、経費の性質上前金をもつて支払をしなければ事務の取扱いに支障を及ぼすような経費で普通地方公共団体の規則で定めるもの

（**繰替払**）

第百六十四条　次の各号に掲げる経費の支払については、会計管理者又は指定金融機関、指定代理金融機関、収納代理金融機関若しくは収納事務取扱金融機関をしてその収納に係る当該各号に掲げる現金を繰り替えて使用させることができる。

一　地方税の報奨金　当該地方税の収入金

二　競輪、競馬等の開催地において支払う報償金、勝者、勝馬等の的中投票券の払戻金及び投票券の買戻金　当該競輪、競馬等の投票券の発売代金

三　証紙取扱手数料　当該証紙の売りさばき代金

四　歳入の徴収又は収納の委託手数料　当該委託により

公共団体等を指し、独立行政法人等は当然には含まれない。

8　○「これらに類する経費」とは、葬祭扶助費、医療費、助産費、葬祭費、移送費をいう。

9　○「これに類する場所」とは、測量、土木、営繕、水利等の事業その他各種の試験等を行うに当たって設けられる事務所等をいう。

10　●地方公共団体又は指定金融機関等が被災したことにより、その支払いに必要となる前渡金の用意が困難である場合における資金前渡の事務処理については、次の流れを参考とし適切に対処されたい。①当該支出の相手方が正当な債権者となりうるかを確認する、②現場職員は所属長等（支出命令者）へ契約内容及び支出予定額を連絡し、支出の事前承諾を得る、③現場職員は、支払相手方から現場職員を宛名とする領収書を受領する、④後日、速やかに資金前渡について支出負担行為及び支出命令を実施する、資金前渡職員は、現場職員（債権者）が支出した③の経費を当該前渡金により精算する。（令二・三・三一通知）

11　●（令第一六一条第一項第一五号の普通地方公共団体の規則で定めるものに基づき支払をする経費としては、）後納郵便、コピー用紙又はガソリンの購入、新聞購読に係る契約に基づき支払をする経費等が想定されるものであること。（平一六・一一・一〇通知）

12　●他府県の警察において逮捕した被疑者の所轄府県警察署までの護送に要する経要の取扱いは、毎年度一定金額を被疑者の所轄府県警察署の職員に資金前渡し、その経費から他府県の当該警察職員の立替分を精算することが適当である。（昭四〇・五・二五行実）

※　●交際費は、一定金額を定めて定例的に資金前渡する支出の方法は適当でないが、必要がある場合には、所定の手続により資金前渡の方法によるべきである。（昭四〇・五・二六通知）

⚜ 令一六二条関係

1　○「訴訟」とは、民事訴訟法の規定による民事訴訟及

地方自治法

地方自治法施行令

徴収又は収納した収入金

五　前各号に掲げるもののほか、経費[2]の性質上繰り替えて使用しなければ事務の取扱いに支障を及ぼすような経費で普通地方公共団体の規則で定めるもの　当該普通地方公共団体の規則で定める収入金

（隔地払）

第百六十五条　地方自治法第二百三十五条の規定により金融機関を指定している普通地方公共団体において、隔地[1]の債権者に支払をするため必要があるときは、会計管理者は、支払場所[2]を指定し、指定金融機関又は指定代理金融機関に必要な資金を交付して送金の手続をさせることができる。この場合においては、その旨[3]を債権者に通知しなければならない。

2　指定金融機関又は指定代理金融機関は、前項の規定により資金の交付を受けた場合において、当該資金の交付[4]の日から一年を経過した後は、債権者に対し支払をすることができない。この場合において、会計管理者は、債権者から支払の請求を受けたときは、その支払をしなければならない。

（口座振替の方法による支出）

第百六十五条の二　地方自治法第二百三十五条の規定により金融機関を指定している普通地方公共団体において、指定金融機関、指定代理金融機関その他普通地方公共団体の長が定める金融機関に預金口座を設けている債権者[2]から申出[1]があつたときは、会計管理者は、指定金融機関又は指定代理金融機関に通知して、口座振替の方法により支出[3]をすることができる。

行政実例・通知・判例・注釈

び行政事件訴訟法の規定による行政事件訴訟（抗告訴訟、当事者訴訟、民衆訴訟及び機関訴訟）をいい、和解、あつ旋、調停、仲裁等は含まれない。

✤令一六三条関係

1）●「前金で支払をしなければ契約しがたい………」とは、その性質上前金払をしなければ契約をすることが困難であるものの意であり、ただ単に相手方が前金払を強く要望し、これを契約の条件としているだけでは本号に該当しない。（昭二九・九・一〇行実）

※●本条第三号の経費であつても後年度に属するものは、当該年度において前金払することはできない。たとえある経費を継続費としたとしても、当該年度の支出額に計上されていない限りできない。（昭二九・六・二行実）

※●令附則第七条の「三割」とは、前金払をする時点における前払金額の工事金額に対する割合をいうが、前金払をした後著しく工事金額に減額があつたときは、前払金のうち相当額を返還させる旨の特約をしておくのが適当である。（昭三九・一〇・六行実）

※●令附則第七条に規定する「当該経費」とは、保証事業会社の保証にかかる公共工事の契約総額である。（昭四七・二・二八行実）

✤令一六四条関係

1）●地方税の報奨金の支払については、資金前渡、繰替払のいずれによることもできる。（昭三八・一二・一九通知）

2）●地方税の還付加算金は繰替払できる。（昭四二・一一・一〇行実）

✤令一六五条関係

1）●隔地以外の者に対してはたとえ本人が隔地払（送金払）を希望した場合でも、隔地払によることはできない。（昭三八・一二・一九通知）

（小切手の振出し及び公金振替書の交付）

第二百三十二条の六　第二百三十五条の規定により金融機関を指定している普通地方公共団体における支出は、政令の定めるところにより、[1]現金の交付に代え、当該金融機関を支払人とする小切手を振り出し、又は[2]公金振替書を当該金融機関に交付してこれをするものとする。ただし、小切手を振り出すべき場合において、債権者から申出があるときは、会計管理者は、自ら現金で[3]小口の支払をし、又は当該金融機関をして現金で支払をさせることができる。

2　前項の金融機関は、会計管理者の振り出した小切手の提示を受けた場合において、その小切手が振出日付から十日以上を経過しているものであつても[4]一年を経過しな

（小切手の振出し及び公金振替書の交付）

第百六十五条の三　地方自治法第二百三十二条の六第一項本文の規定による小切手の[1]振出しは、各会計ごとに、受取人の氏名、支払金額、会計年度、番号その他必要な事項を記載してこれをしなければならない。ただし、受取人の氏名の記載は、[2]普通地方公共団体の長が特に定める場合を除くほか、これを省略することができる。

2　会計管理者は、小切手を振り出したときは、これを指定金融機関又は指定代理金融機関に[3]通知しなければならない。

3　[4]職員に支給する給与（退職手当を除く。）に係る支出については、地方自治法第二百三十二条の六第一項本文の規定により小切手を振り出すことができない。

2）○「支払場所を指定し」とは、支払場所として支払がなされるべき金融機関の名称と所在地とを指定することである。

3）●隔地払をしたときの債権者への通知を指定金融機関等へ委任することはできない。（昭三八・一二・一九通知）

4）○「交付の日から一年を経過した後」とは、当該交付の日の翌日から起算して一年を経過した後をいい、例えば交付の日が五月一〇日であれば、翌年の五月一一日以後をいう。

❖令一六五条の二関係

1）●長が金融機関を定める場合は、指定金融機関又は指定代理金融機関と為替取引のある金融機関のうちから適宜定める。（昭三八・一二・一九通知）

2）●債権者からの申出は、一般的には単なる振込先金融機関の通知で足りる。（昭三八・一二・一九通知）

3）●口座振替の方法により支出した場合の領収書は、指定金融機関の領収書でよい。（昭三八・一二・一九通知）

❖法二三二条の六関係

1）○「現金の交付に代え」とは、小切手の振出しが代物弁済となることを意味する。

2）●公金振替書は、当該地方公共団体の会計相互間の経費の支出について使用すべきである。（昭三八・一二・一九通知）

3）○「小口」とは、少額を意味し、その具体的内容は、各地方公共団体が実情に応じて定める。

4）○「一年を経過」とは、振出日付の翌日から起算して一年を経過することをいい、例えば振出日付が五月一〇日であれば、翌年の五月一一日以後は一年を経過したことになる。

※●小切手を債権者に交付する場合は、引換に領収書を徴すべきである。（昭三八・一二・一九通知）

※●小切手振出済通知書は、地方公共団体が調製するも

地方自治法

いものであるときは、その支払をしなければならない。

＊本条…全改〔昭三八・六法九九〕、一・二項…一部改正〔平一八・六法五三〕

【引用条文】

①【法二三五（金融機関の指定）】

【参照条文】

①【金融機関の指定―法二三五　【小切手の振出権限―法一七〇２Ⅱ　【小切手の振出し及び公金振替書の交付―令一六五の三

②【小切手の償還―令一六五の四　【支払を終わらない資金の歳入への組入れ又は納付―令一六五の五

地方自治法施行令

4　第一項の規定は、地方自治法第二百三十二条の六第一項本文の規定による公金振替書の交付についてこれを準用する。

5　指定金融機関を指定していない市町村の支出については、地方自治法第二百三十二条の六の規定は、これを適用しない。

（小切手の償還）

第百六十五条の四　会計管理者は、小切手の所持人から償[1]還の請求を受けたときは、これを調査し、償還すべきものと認めるときは、その償還をしなければならない。

（支払を終わらない資金の歳入への組入れ又は納付）

第百六十五条の五　毎会計年度の小切手振出済金額のうち、翌年度の五月三十一日までに支払を終わらない金額に相当する資金は、決算上の剰余金とせず、これを繰り越して整理しなければならない。

2　前項の規定により繰り越した資金のうち、小切手[1]の振出日付から一年を経過しまだ支払を終わらない金額に相当するものは、これを当該一年を経過した日の属する年度の歳入に組み入れなければならない。

3　第百六十五条第一項の規定により交付を受けた資金のうち、資金交付の日から一年を経過しまだ支払を終わらない金額に相当するものは、指定金融機関又は指定代理金融機関においてその送金を取り消し、これを当該取り消した日の属する年度の歳入に納付しなければならない。

行政実例・通知・判例・注釈

のである。（昭三八・一二・一九通知）

※

●地方公共団体振出しの小切手を持つて現金を受け取りに来た際、小切手の振出済通知書がおくれて未着の場合であつても、支払うことができる。（昭三八・一二・一九通知）

❖令一六五条の三関係

1）○「各会計ごとに」とは、各会計を区分すべきことを意味するから、各会計ごとに小切手の種類を変えることは必要でなく、小切手に会計名を記載することをもつて足りる。

2）●「普通地方公共団体の長が特に定める場合」とは、官公庁、出納員等を受取人として小切手を振り出す場合である。（昭三八・一二・一九通知）

3）●小切手振出済通知書は、振出小切手一枚ごとに行つても、又数枚のものを連記して行つてもよい。（昭三八・一二・一九通知）

4）●本条本項の規定は、労働基準法第二四条の規定による賃金の直接払の原則に従つたものである。（昭三八・一二・一九通知）

❖令一六五条の四関係

1）●「償還」とは、小切手の所持人は、小切手の振出日付から一年を経過しない場合はいつでもその支払を受けることができるが、一年を経過すると金融機関において支払を受けることができなくなり、また、遡求権を行使することもできないので、出納長又は収入役（現行法では会計管理者）は、その受けた利益を限度として償還（支払い）するということである。（昭三八・一二・一九通知）

※

●小切手亡失者が、当該小切手の振出日から一年未満の期間内に除権判決を得て請求の権利を申し立てる場合は、利得返還請求には該当しない。（昭三九・一〇・二七通知）

第五節　決算

＊本節―全改〔昭三八・六法九九〕

（決算）

第二百三十三条　会計管理者は、毎会計年度、政令で定めるところにより、決算を調製し、出納の閉鎖後三箇月以内[1]に、証書類その他政令で定める書類と併せて、普通地方公共団体の長に提出しなければならない。

2　普通地方公共団体の長は、決算及び前項の書類を監査委員の審査[2]に付さなければならない。

3　普通地方公共団体の長は、前項の規定により監査委員の審査に付した決算を監査委員の意見を付けて次の通常予算を議する会議[3]までに議会の認定[4]に付さなければならない。

4　前項の規定による意見の決定は、監査委員の合議によるものとする。

5　普通地方公共団体の長は、第三項の規定により決算を

（決算）

第百六十六条　普通地方公共団体の決算は、歳入歳出予算についてこれを調製しなければならない。

2　地方自治法第二百三十三条第一項及び第五項に規定する政令[1]で定める書類は、歳入歳出決算事項別明細書、実質収支に関する調書及び財産に関する調書とする。

3　決算の調製の様式及び前項に規定する書類の様式は、総務省令で定める様式を基準としなければならない。

（翌年度歳入の繰上充用）

第百六十六条の二　会計年度経過後にいたつて歳入が歳出に不足するときは、翌年度の歳入を繰り上げて[1]これに充てることができる。この場合においては、そのために必要な額を翌年度の歳入歳出予算に編入しなければならな

※●小切手喪失者が小切手振出日付から一年経過後において償還請求をする場合も、原則として除権判決は必要である。（昭三九・一〇・二七通知）

※●小切手喪失者が小切手振出日付から一年経過後において償還請求をする場合は、除権判決は必要でない旨を会計規則等で規定することはできない。（昭四〇・一一・二六行実）

❖令一六五条の五関係

1）●小切手が一年を経過して未払であることの確認は指定金融機関等において小切手振出済通知書と小切手支払済通知書の写と照合して確認すればよい。（昭三八・一二・一九通知）

❖法二三三条関係

1）○「三箇月以内」とは、三箇月の期間の最終日までを指す。すなわち、六月一日から八月三一日までの間である。

●本条の期限を遅延したことは職務怠慢でありその責を免れない。（明三三・七・一〇行裁判）

2）●決算報告の審査は、主として計算に過誤がないか、実際の収支が収支命令に符合するか、収支が違法でないか等の点に注意すべきである。（行実）

●主要施策の成果の報告は、当然には監査委員の決算審査の対象とならない。（昭三一・九・二八行実）

3）○「次の通常予算を議する会議」とは、当該決算を調製した次回の通常予算を審議する議会を指す。

●決算の議案を通常予算を審議する議会に同時に提出することは、違法ではない。（昭二九・三・九行実）

4）●議会は決算の認定をしないことができる。認定され

地方自治法

議会の認定に付するに当たつては、当該決算に係る会計年度における主要な施策の成果を説明する書類その他政令で定める書類を併せて提出しなければならない。

6　普通地方公共団体の長は、第三項の規定により議会の認定に付した決算の要領を住民に公表しなければならない。

7　普通地方公共団体の長は、第三項の規定による決算の認定に関する議案が否決された場合において、当該議決を踏まえて必要と認める措置を講じたときは、速やかに、当該措置の内容を議会に報告するとともに、これを公表しなければならない。

＊　本条—全改〔昭三八・六法九九〕、四項—追加・旧四・五項—一部改正し一項ずつ繰下〔平三・四法二四〕、四項—一部改正〔平九・六法六七〕、六項—一部改正〔平一一・一二法一六〇〕、一項—一部改正〔平一八・六法五三〕、六項—一部改正〔平二三・五法三五〕、一項—一部改正・七項—追加〔平二九・六法五四〕

【参照条文】

①【会計年度—法二〇八1　【政令への委任—法二四三の五　【政令の定—令一六六　則一六・一六の二　【決算の調製—法一七〇2Ⅶ　【出納の閉鎖—法二三五の五

③【通常予算を議する会議—法二一一1　【議会の認定—法九六1Ⅲ・一四九Ⅳ

⑤【政令の定—令一六六　則一六の二

※　法一九九　令一六六の二　公企法三〇　健全化法三

地方自治法施行令

い。

行政実例・通知・判例・注釈

なくても決算の効力に影響はない。（昭三一・二・一行実）

●決算認定後誤りを発見し決算金額に異動を生ずる場合は、市町村長は、決算報告の内容を修正した上再認定に付することができる。（昭二八・七・七行実）

●議会において支出が不当として決算を認定しない場合でも市町村長は、当該決算を知事に報告し（現行法では報告を要しない）、あわせてその要領を住民に公表すべきである。（行実）

5）

※●出納員が公金を横領費消した場合の決算上の処理は、決算の支出額には横領金を含まない額を計上し、歳入歳出差引剰余金何程と記入した後に横領事故による金何程現金不足と記し、次年度以降に弁償があつたとき又は欠損処分が決定したときそれぞれ処置するものとする。（昭三〇・四・二七行実）

※●決算審査にあたり証拠書類の検閲が必要となつた場合でも、第九八条、第一〇〇条による議決がなければ議会はその提出を求め得ない。（昭三一・二・一行実）

※●決算の認定にあたりその審査は概括的審査にとどまつてもよいが、個々の収入支出の適否について具体的に審査することが適当である。（昭三一・二・一行実）

※●市税を錯誤により賦課し、当該賦課額を未納のまま繰り越した場合には、納税義務者に対する賦課処分を取り消し又は更正するとともに、前年度滞納分として処置された調定額及び現年度歳入予算に計上された当該税目の滞納繰越分を減額更正すべきである。（昭三二・一〇・一五行実）

※●証書類を検察庁に押収されている場合の決算審査は、検察庁に対し閲覧を請求する等監査委員としてとりうる限りの手段を講じて審査し、なお明らかでない事項は審査意見中にその旨記しておくべきである。（昭三五・三・一行実）

（歳計剰余金の処分）

第二百三十三条の二　各会計年度において決算上[1]剰余金を生じたときは、翌年度の歳入に編入しなければならない。ただし、条例の定めるところにより、又は普通地方公共団体の議会の議決により、剰余金の全部又は一部を翌年度に[2]繰り越さないで基金に編入することができる。

＊本条―全改〔昭三八・六法九九〕

【参照条文】【会計年度及びその独立の原則―法二〇八　【条例の制定―法一二1・一四・七四・九六1Ⅰ・一七六　【議会の議決―法九六1XV　【基金―法二四一

※　地財法七　公企法三二

第六節　契約

＊本節―全改〔昭三八・六法九九〕

（契約の締結）

第二百三十四条　売買、貸借、請負[1]その他の契約は、[2]一般競争入札、[3]指名競争入札、[4]随意契約又は[5]せり売りの方法により締結するものとする。

（指名競争入札）

第百六十七条　地方自治法第二百三十四条第二項の規定により指名競争入札によることができる場合[1]は、次の各号に掲げる場合とする。

❖令一六六条関係

1）●令第一六六条第二項の「政令で定める書類」は、すべて出納長又は収入役（現行法では会計管理者）が調製するものである。（昭三八・一二・一九通知）

❖令一六六条の二関係

1）●繰上充用は、出納閉鎖期前に行うべきであつて、出納閉鎖後の繰上充用は、時期を失し違法である。（昭二八・五・二五行実）

❖法二三三条の二関係

1）●決算上の剰余金の二分の一を下らない金額は、地方財政法第七条の規定によつて積み立て又は償還期限を繰り上げて行なう地方債の償還の財源に充てなければならない。なお、この場合の積み立ては、本条ただし書の規定によつて処理することはさしつかえない。（昭四一・六・三〇行実）

●決算剰余金は、地方財政法施行令第一三条（現行令では第四七条）に規定する実質収支による剰余金であり、累年度収支による剰余金（歳入歳出決算書における歳入歳出差引残額）である。（同右）

2）○「繰り越さないで編入する」とは、翌年度の歳入に編入することなく、ただちに基金に編入することをいう。

❖法二三四条関係

1）○「その他の契約」とは、保管、運送等の契約をいう。

2）○「一般競争入札」とは、契約に関する公告をし、一

地方自治法

2　前項の指名競争入札、随意契約又はせり売りは、政令[6]で定める場合に該当するときに限り、これによることができる。

3　普通地方公共団体は、一般競争入札又は指名競争入札（以下この条において「競争入札」という。）に付する場合においては、政令の定めるところにより、契約の目的に応じ、予定価格[7]の制限の範囲内で最高[8]又は最低の価格をもつて申込みをした者を契約の相手方とするものとする。ただし、普通地方公共団体の支出の原因となる契約については、政令の定めるところにより、予定価格の制限の範囲内の価格をもつて申込みをした者のうち最低の価格をもつて申込みをした者以外の者を契約の相手方とすることができる。

4　普通地方公共団体が競争入札につき入札保証金[9]を納付させた場合において、落札者が契約を締結しないときは、その者の納付に係る入札保証金（政令の定めるところによりその納付に代えて提供された担保を含む。）は、当該普通地方公共団体に帰属するものとする。

5　普通地方公共団体が契約につき契約書又は契約内容を記録した電磁的記録を作成する場合においては、当該普通地方公共団体の長又はその委任を受けた者が契約の相手方とともに、契約書に記名押印し、又は契約内容を記録した電磁的記録に当該普通地方公共団体の長若しくはその委任を受けた者及び契約の相手方の作成に係るものであることを示すために講ずる措置であつて、当該電磁的記録が改変されているかどうかを確認することができる等これらの者の作成に係るものであることを確実に示

地方自治法施行令

一　工事又は製造の請負、物件の売買その他の契約でその性質又は目的が一般競争入札に適しないものをするとき。

二　その性質又は目的により競争に加わるべき者の数が一般競争入札に付する必要がないと認められる程度に少数である契約をするとき。

三　一般競争入札に付することが不利と認められるとき。

（随意契約）

第百六十七条の二　地方自治法第二百三十四条第二項の規定により随意契約によることができる場合は、次に掲げる場合とする。

一　売買、貸借、請負その他の契約でその予定価格（貸借の契約にあつては、予定賃貸借料の年額又は総額）が別表第五上欄に掲げる契約の種類に応じ同表下欄に定める額の範囲内において普通地方公共団体の規則で定める額を超えないものをするとき。

二　不動産[1]の買入れ又は借入れ、普通地方公共団体が必要とする物品の製造、修理、加工又は納入に使用させるため必要な物品の売払いその他の契約でその性質又は目的が競争入札に適しないものをするとき。

三　障害者の日常生活及び社会生活を総合的に支援するための法律（平成十七年法律第百二十三号）第五条第十一項に規定する障害者支援施設（以下この号において「障害者支援施設」という。）、同条第二十七項に規定する地域活動支援センター（以下この号において「地域活動支援センター」という。）、同条第一項に規定する障害福祉サービス事業（同条第七項に規定する生活介護、同条第十三項に規定する就労移行支援又は同

行政実例・通知・判例・注釈

定の資格を有する不特定多数の者をして入札の方法によつて競争させ、最も有利な条件を提供した者との間に契約を締結する契約方式をいう。

●市の山林の処分について一般競争入札による落札者と売買契約締結後当該契約を解除し、これを再処分する場合は、令第一六七条の規定による指名競争入札によることができる場合及び令第一六七条の二の規定により随意契約によることができる場合を除き、新たな一般競争入札によらなければならない。（昭四一・五・二三行実）

3）○「指名競争入札」とは、資力信用その他について適当である特定多数の競争参加者を選んで入札の方法によつて競争させ、最も有利な条件を提供した者との間に契約を締結する契約方式をいう。

4）○「随意契約」とは、競争の方法によることなく、任意に特定の者を選んで契約を締結する契約方式をいう。

5）○「せり売り」とは、契約価格等について多数の者を口頭（挙動）で競争させ、最も有利な価格を申し出た者との間に契約を締結する契約方式をいう。

6）●「指名競争入札」は、令第一六七条第一号から第三号までに掲げる要件に該当する場合に限り認められ、その要件に該当するかどうかは、個々の事例につき地方公共団体が客観的な判断により認定するものであつて、指名競争入札によれる場合を条例又は規則で一般的に規定することはできない。（昭三八・一二・一九通知）

7）●予定価格の設定の方法、基準等を規則で規定することはさしつかえない。（昭三八・一二・一九通知）

8）●普通地方公共団体が、収入の原因となる契約を締結するため一般競争入札を行う場合、最低制限価格のほか最高制限価格をも設定し、最低制限価格以上最高制

すことができるものとして総務省令で定めるものを講じ[10]なければ、当該契約は、確定しないものとする。

6　競争入札に加わろうとする者に必要な資格、競争入札における公告又は指名の方法、随意契約及びせり売りの手続その他契約の締結の方法に関し必要な事項は、政令でこれを定める。

＊本条—全改〔昭三八・六法九九〕、五項—一部改正〔平一四・一二法一五二〕、三・五項—一部改正〔平一八・六法五三〕

【参照条文】

①【契約】—民法三編二章（契約）

②【政令の定】—令一六七〜一六七の三　特例政令一一　則一二の二の二・一二の三

③【政令の定】—令一六七の九〜一六七の一〇の二・一六七の一三　特例政令九　則一二の二の一一　【予定価格】—特例政令三

④【政令の定】—令一六七の七・一六七の一三

⑤【省令の定】—則一二の四の二

⑥【政令の定】—令一六七の四〜一六七の六・一六七の八・一六七の一一〜一六七の一四　特例政令四〜八・一二

※法九六1Ⅴ・二三七2・二三八の五　入札契約適正化法　公共工事品質確保法

条第十四項に規定する就労継続支援を行う事業に限る。以下この号において「障害福祉サービス事業」という。）を行う施設若しくは小規模作業所（障害者基本法（昭和四十五年法律第八十四号）第二条第一号に規定する障害者の地域社会における作業活動の場として同法第十八条第三項の規定により必要な費用の助成を受けている施設をいう。以下この号において同じ。）若しくは[2]これらに準ずる者として総務省令で定めるところにより普通地方公共団体の長の認定を受けた者若しくは生活困窮者自立支援法（平成二十五年法律第百五号）第十六条第三項に規定する認定生活困窮者就労訓練事業（以下この号において「認定生活困窮者就労訓練事業」という。）を行う施設でその施設に使用される者が主として同法第三条第一項に規定する生活困窮者（以下この号において「生活困窮者」という。）であるもの（当該施設において製作された物品を買い入れることが生活困窮者の自立の促進に資することにつき総務省令で定めるところにより普通地方公共団体の長の認定を受けたものに限る。）（以下この号において「障害者支援施設等」という。）において製作された物品を当該障害者支援施設等から普通地方公共団体の規則で定める手続により買い入れる契約、障害者支援施設、地域活動支援センター、障害福祉サービス事業を行う施設、小規模作業所、高年齢者等の雇用の安定等に関する法律（昭和四十六年法律第六十八号）第三十七条第一項に規定するシルバー人材センター連合若しくは同条第二項に規定するシルバー人材センター若しくは[3]これらに準ずる者として総務省令で定めるところにより普通地方公共団体の長の認定を受けた者から普通地方公共団体の規則で定める手続により役務の提供を受ける契

限価格以下の範囲の価格をもって申込みをした者のうち最高の価格の申込者を落札者とする方法を採ることは許されない。（平六・一二・二二最裁判）

9　●入札保証金を契約保証金の一部又は全部に充当することを規則で規定することはさしつかえない。（昭三八・一二・一九通知）

10　●改正前の地方自治法施行規則第一二条の四の二第二項に掲げる電子証明書を同条第一項に掲げる電子署名の措置とともに送付するとの事務処理の方法についての定めを単に廃止することとしたものではなく、電子契約記録について電子署名とともに講ずべき電子証明書等の種類、内容等については、改正後の地方自治法施行規則第一二条の四の二に規定する総務省関係法令に係る情報通信技術を活用した行政の推進等に関する法律施行規則第二条第二項第一号に掲げる電子署名、すなわち、電子署名等に係る地方公共団体情報システム機構の認証業務に関する法律第二条第一項又は電子署名及び認証業務に関する法律第二条第一項に規定する電子署名の解釈として、これらの電子署名として成立するために必要な条件となり得るものかとの観点から判断することとしたものである。（令三・二・八通知）

●電子契約記録における電子証明書等の種類、内容等については、当該電子署名の成立条件となるものかとの観点から判断されるものであるが、電子契約記録に講じられる電子署名が地方自治法施行規則第一二条の四の二に掲げる電子署名であることを証明することができる電子証明書は、改正前の地方自治法施行規則第一二条の四の二第二項に規定されていた次に掲げる電子証明書であり、改正省令の施行後においてもなお有効に活用できるものである。

①　電子署名等に係る地方公共団体情報システム機構の認証業務に関する法律第三条第一項に規定する署名用電子証明書

②　電子署名法第八条に規定する認定認証事業者が作

地方自治法

地方自治法施行令

約、母子及び父子並びに寡婦福祉法（昭和三十九年法律第百二十九号）第六条第六項に規定する母子・父子福祉団体若しくは[4]これに準ずる者として総務省令で定めるところにより普通地方公共団体の長の認定を受けた者（以下この号において「母子・父子福祉団体等」という。）が行う事業でその事業に使用される者が主として同項に規定する配偶者のない者で現に児童を扶養しているもの及び同条第四項に規定する寡婦であるものに係る役務の提供を当該母子・父子福祉団体等から普通地方公共団体の規則で[5]定める手続により受ける契約又は認定生活困窮者就労訓練事業を行う施設（当該施設から役務の提供を受けることが生活困窮者の自立の促進に資することにつき総務省令で定めるところにより普通地方公共団体の長の認定を受けたものに限る。）が行う事業でその事業に使用される者が主として生活困窮者であるものに係る役務の提供を当該施設から普通地方公共団体の規則で定める手続により受ける契約をするとき。

四　新商品の生産により新たな事業分野の開拓を図る者として総務省令で定めるところにより普通地方公共団体の長の認定を受けた者が新商品として生産する物品を当該認定を受けた者から普通地方公共団体の規則で[5]定める手続により買い入れ若しくは借り入れる契約又は新役務の提供により新たな事業分野の開拓を図る者として総務省令で定めるところにより普通地方公共団体の長の認定を受けた者から普通地方公共団体の規則で定める手続により新役務の提供を受ける契約をするとき。

行政実例・通知・判例・注釈

成する電子証明書で、電子署名及び認証業務に関する法律施行規則第四条第一号に規定するもの

③　商業登記法第一二条の二第一項及び第三項の規定に基づき登記官が作成した電子証明書

④　地方公共団体情報システム機構が地方公共団体認証基盤において作成する職責証明書

一方、①から④に掲げる電子証明書以外の電子証明書等については、個別の電子証明書等の種類、内容等を踏まえて個々に電子署名法第二条第一項に規定する電子署名等の成立要件となりうるものかどうかを判断する必要があるが、特に、立会人型電子契約サービスについて電子署名法第二条第一項に規定する電子署名に該当するか判断する際には、「利用者の指示に基づきサービス提供事業者自身の署名鍵により暗号化等を行う電子契約サービスに関するQ＆A」（令和二年七月一七日　総務省・法務省・経済産業省）を参照されたい。

●インターネット上のなりすましの防止や契約の確定の実効性の確保等の電子契約記録における契約実務の円滑な運用を図る観点からは、電子署名法第三条の規定に基づき真正に成立したものと推定することができる電子契約記録とすることが望ましいものであり、そのためには、

①　電子署名等に係る地方公共団体情報システム機構の認証業務に関する法律第三条第一項に規定する署名用電子証明書

②　電子署名法第八条に規定する認定認証事業者が作成する電子証明書で、電子署名及び認証業務に関する法律施行規則第四条第一号に規定するもの

③　商業登記法第一二条の二第一項及び第三項の規定に基づき登記官が作成した電子証明書

④　地方公共団体情報システム機構が地方公共団体認

五　緊急の必要により競争入札に付することができないとき。
六　競争入札に付することが不利と認められるとき。
七　時価に比して著しく有利な価格で契約を締結することができる見込みのあるとき。
八　競争入札に付し入札者がないとき、又は再度の入札に付し落札者がないとき。
九　落札者が契約を締結しないとき。

2　前項第八号の規定により随意契約による場合は、契約保証金及び履行期限を除くほか、最初競争入札に付するときに定めた予定価格その他の条件を変更することができない。

3　第一項第九号の規定により随意契約による場合は、落札金額の制限内でこれを行うものとし、かつ、履行期限を除くほか、最初競争入札に付するときに定めた条件を変更することができない。

4　前二項の場合においては、予定価格又は落札金額を分割して計算することができるときに限り、当該価格又は金額の制限内で数人に分割して契約を締結することができる。

（せり売り）

第百六十七条の三　地方自治法第二百三十四条第二項の規定によりせり売りによることができる場合は、動産の売払いで当該契約の性質がせり売りに適しているものをする場合とする。

（一般競争入札の参加者の資格）

第百六十七条の四　普通地方公共団体は、特別の理由がある場合を除くほか、一般競争入札に次の各号のいずれかに該当する者を参加させることができない。
一　当該入札に係る契約を締結する能力を有しない者

証基盤において作成する職責証明書を併せて送信する方法はなお有効なものである。
①から④までの電子証明書以外のものについては、個々の電子証明書等の種類、内容等を踏まえてその有効性が判断されるものであるが、特に、立会人型電子契約サービスにおける電子証明書等の具体的な種類、内容等については、「利用者の指示に基づきサービス提供事業者自身の署名鍵により暗号化等を行う電子契約サービスに関するQ&A（電子署名法第三条関係）」（令和二年九月四日　総務省・法務省・経済産業省）を参照されたい。

※●議会に提出する工事請負契約に関する議案には、契約の目的・方法・金額・相手方等を明記すればよい。（昭二五・一二・六行実）

※●仮契約の締結により、相手方は、議会の同意があつたときに同意を得た事項を内容とする本契約を締結する旨の債権を有するものである。（昭二七・六・九行実）

※●県の行なうべき工事を特定の市町村に行なわせる場合には、本条の規定による契約で行なつても、または第二五二条の一四の事務委託の規定によつても、そのいずれの方法でもさしつかえない。（昭二八・九・一六行実）

※●公正な入札事務の執行が阻害されるおそれのある場合においては、必要な限度において、あらかじめ、入札関係者以外の立会いを排除する等の措置をとることも差し支えない。（昭四三・七・一二行実）

※●競争入札の執行は長の権限に属するから議員が入札に立ち会う権能はない。（昭三二・八・一行実）

※●随意契約において見積書を徴する旨を規則で定めることができる。（昭三八・一二・一九通知）

※●郵便による場合は、公告において入札条件として明示すべきである。（昭三八・一二・一九通知）

※●入札手続の電子化については、現行の法令の範囲内において実施可能である。（平一三・一二・一七通知）

地方自治法

地方自治法施行令

二　破産手続開始の決定を受けて復権を得ない者

三　暴力団員による不当な行為の防止等に関する法律（平成三年法律第七十七号）第三十二条第一項各号に掲げる者

2　普通地方公共団体は、一般競争入札に参加しようとする者が次の各号のいずれかに該当すると認められるとき[1]は、その者について三年以内の期間を定めて一般競争入札[2]に参加させないことができる。その者を代理人、支配人その他の使用人又は入札代理人として使用する者についても、また同様とする。

一　契約の履行に当たり、故意に工事、製造その他の役務を粗雑に行い、又は物件の品質若しくは数量に関して不正の行為をしたとき。

二　競争入札又はせり売りにおいて、その公正な執行を妨げたとき又は公正な価格の成立を害し、若しくは不正の利益を得るために連合したとき。

三　落札者が契約を締結すること又は契約者が契約を履行することを妨げたとき。

四　地方自治法第二百三十四条の二第一項の規定による監督又は検査の実施に当たり職員の職務の執行を妨げたとき。

五[3]　正当な理由がなくて契約を履行しなかつたとき。

六　契約により、契約の後に代価の額を確定する場合において、当該代価の請求を故意に虚偽の事実に基づき過大な額で行つたとき。

七　この項（この号を除く。）の規定により一般競争入札に参加できないこととされている者を契約の締結又は契約の履行に当たり代理人、支配人その他の使用人と

行政実例・通知・判例・注釈

※●普通地方公共団体が公共事業に係る工事を実施するにあたり、複数の工区に分割してそれぞれの工区ごとに請負契約を締結することは、当該工事に係る請負契約の締結につき地方自治法第九六条第一項第五号を潜脱する目的でされたものと認められる場合には違法であると解するのが相当である。（平一六・六・一最裁判）

❖令一六七条関係

1）●土木建築工事についても、本条第一号から第三号までに掲げる要件に該当する場合には指名競争入札によることができるが、それ以外の場合にはできない。（昭三八・一二・一九通知）

●指名競争入札の執行につき、本条各号の要件に該当するかどうかは、各地方公共団体において個々具体的・客観的に判断すべきものであり、条例又は規則で一般的に指名競争入札又は随意契約によることができる旨規定することはできない。（昭三八・一二・一九通知）

❖令一六七条の二関係

1）●本条第一項第一号（現行第二号）の「不動産の買入れ又は借入れ…物品の売払い」は、「その他の契約でその性質又は目的が競争入札に適しないもの」の例示である。また「その他の契約」を条例規則等で定めることはできない。（昭三八・一二・一九通知）

●地方住宅供給公社に対し、業務の用に供する財産として財産を譲渡し、又は貸し付ける場合は、本条第一項第一号（現行第二号）の規定により、随意契約によることができる。（昭四〇・六・三〇行実）

2）●令第一六七条の二第一項第三号に規定する障害者支援施設、地域活動支援センター、障害福祉サービス事業を行う施設又は小規模作業所には該当しないが、実態としてこれらの施設等と同様に障害者の就労機会の

して使用したとき。

第百六十七条の五　普通地方公共団体の長は、前条に定めるもののほか、必要があるときは、一般競争入札に参加する者に必要な資格として、あらかじめ、契約の種類[1]及び金額に応じ、工事、製造又は販売等の実績、従業員の数、資本の額その他の経営[2]の規模及び状況を要件とする資格を定めることができる。

2　普通地方公共団体の長は、前項の規定により一般競争入札に参加する者に必要な資格を定めたときは、これを公示しなければならない。

第百六十七条の五の二　普通地方公共団体の長は、一般競争入札により契約を締結しようとする場合において、契[1]約の性質又は目的により、当該入札を適正かつ合理的に行うため特に必要があると認めるときは、前条第一項の資格を有する者につき、更に、当該入札に参加する者の事業所の所在地又はその者の当該契約に係る工事等についての経験若しくは技術的適性の有無等に関する必要な資格を定め、当該資格を有する者により当該入札を行わせることができる。

（一般競争入札の公告）

第百六十七条の六　普通地方公共団体の長は、一般競争入札により契約[1]を締結しようとするときは、入札に参加する者に必要な資格、入札の場所及び日時[2]その他入札について必要な事項を公告しなければならない。

2　普通地方公共団体の長は、前項の公告において、入札に参加する者に必要な資格のない者のした入札及び入札に関する条件に違反した入札は無効とする旨を明らかにしておかなければならない。

（一般競争入札の入札保証金）

第百六十七条の七　普通地方公共団体は、一般競争入札に

確保等の活動・事業を行っている者が想定される。（平二三・一二・二六通知）

3）●令第一六七条の二第一項第三号に規定された高年齢者等の雇用の安定等に関する法律（昭和四六年法律第六八号）第四一条第一項（現行第三七条第一項）に規定するシルバー人材センター連合又は同条二項に規定するシルバー人材センターとして指定されていないが、実態としてこれらと同様に高年齢者等の就労機会の確保等の活動・事業を行っている者が想定される。（平二三・一二・二六通知）

4）●令第一六七条の二第一項第三号に規定された母子及び寡婦福祉法（現行母子及び父子並びに寡婦福祉法）（昭和三九年法律第一二九号）第六条第六項に規定する母子福祉団体（現行母子・父子福祉団体）には該当しないが、実態としてこれと同様に母子及び寡婦の就労機会の確保等の活動・事業を行っている者が想定される。（平二三・一二・二六通知）

5）●（令第一六七条の二第一項第三号及び第四号で）物品等を調達する手続を定める普通地方公共団体の規則においては、地方公共団体の契約方法の原則である機会均等、透明性及び公正性を確保するための手続を規定する必要があり、具体的にはおおむね次のような内容が想定されるものであること。

①　あらかじめ契約の発注見通しを公表すること。

②　契約を締結する前において、契約内容、契約の相手方の決定方法や選定基準、申請方法等を公表すること。

③　契約を締結した後において、契約の相手方となった者の名称、契約の相手方とした理由等の契約の締結状況について公表すること。（平一六・一一・一〇通知）

6）○「その他の条件」とは、たとえば品質を落とす等、契約の要素となつている事項をいう。

❖令一六七条の四関係

1）●本条第二項に該当することとなる者について、入札

地方自治法

地方自治法施行令

より契約を締結しようとするときは、入札に参加しようとする者をして当該普通地方公共団体の規則で定める率[1]又は額の入札保証金[2]を納めさせなければならない。

2　前項の規定による入札保証金の納付は、国債、地方債その他普通地方公共団体の長が確実と認める担保の提供をもつて代えることができる。

（一般競争入札の開札及び再度入札）

第百六十七条の八　一般競争入札の開札は、第百六十七条の六第一項の規定により公告した入札の場所において、入札の終了後直ちに、入札者を立ち会わせて[1]しなければならない。この場合において、入札者が立ち会わないときは、当該入札事務に関係のない職員[2]を立ち会わせなければならない。

2　前項の規定にかかわらず、一般競争入札において、入[3]札書に記載すべき事項を記録した電磁的記録（電子的方式、磁気的方式その他人の知覚によつては認識することができない方式で作られる記録であつて、電子計算機による情報処理の用に供されるものをいう。以下同じ。）を提出することにより行われる場合であつて、普通地方公共団体の長が入札事務の公正かつ適正な執行の確保に支障がないと認めるときは、入札者及び当該入札事務に関係のない職員を立ち会わせないことができる。

3　入札者は、その提出した入札書（当該入札書に記載すべき事項を記録した電磁的記録を含む。）の書換え、引換え又は撤回をすることができない。

4　普通地方公共団体の長は、第一項の規定により開札をした場合において、各人の入札のうち予定価格の制限の範囲内の価格の入札がないとき（第百六十七条の十第二

行政実例・通知・判例・注釈

の参加制限を受けた者のなした入札は無効である。（昭四三・一一・七行実）

2）○「その他の使用人」とは、たとえば主任の技術者のように一定の範囲の責任を与えられている者をいい、単なる労務者は含まない。

3）●落札者が契約を締結しない場合は、事後の入札に参加させないことができる。（昭三九・一〇・二七通知）

※●本条の規定により参加を制限した場合は、その者に対してその旨を通知すべきである。（昭四三・一一・七行実）

●地方公共団体の契約担当部局においては、あらかじめ当該地方公共団体の区域を管轄する警察当局と調整の上、一般競争入札に参加しようとする者が本号に該当するか否かを照会する手続を定めるなどにより不適格者の確実な排除を行うこと。（平二六・一〇・二九通知）

❖令一六七条の五関係

1）○「種類及び金額に応じ」とは、たとえば、土木工事を請負う場合、二百万円から五百万円の工事を履行するために必要な能力は、資本金百万円以上の者であるとするがごときである。

2）●国税及び地方税を二カ年にわたり引き続き完納していることを参加資格の要件として規則で定めることは可能であるがこれを条例で規定することはできない。（昭五七・一一・七行実）

❖令一六七条の五の二関係

1）●消費税法第二条第一項第七号の二に規定する適格請求書発行事業者でない者が契約の相手方となった場合に当該地方公共団体に課せられる消費税の負担が増加すること等の地方公共団体にとって不利益になることを理由として適格請求書発行事業者でない者を競争入札に参加させないこととするような資格を定めること

項の規定により最低制限価格を設けた場合にあつては、予定価格の制限の範囲内の価格で最低制限価格以上の価格の入札がないとき）は、直ちに、[4]再度の入札をすることができる。

は、「契約の性質又は目的により、当該入札を適正かつ合理的に行うため特に必要があると認めるとき」との要件に直ちに該当するものではないことから、適当ではない。（令四・一〇・七通知）

✤令一六七条の六関係

1）●法第九六条第一項第五号及び第七号（現行第八号）の規定により契約の締結等に関し、議会の議決を要するものを一般競争入札に付する場合には、公告においてその旨を明らかにする必要がある。（昭三八・一二・一九通知）

2）○「その他入札について必要な事項」とは、一般競争入札に付する事項、契約条項を示す場所、入札保証金に関する事項等をいう。

✤令一六七条の七関係

1）○「率又は額」とは、たとえば、率については入札に参加する者が見積る契約金額の百分の三以上とするとか、額については財産の売却契約の場合、長が定める額とするがごときである。

2）●国の取組に沿って入札ボンド制度の導入を検討する場合の地方自治法令との関係についての留意点は下記のとおりである。

(1) 実際の導入に当たっては、地方自治法第二三四条第四項に規定する入札保証制度の体系（入札保証金及び各地方公共団体の財務規則において位置付けられた保険会社の入札保証保険、金融機関の入札保証等）を活用することとし、同法施行令第一六七条の五及び第一六七条の一一に規定する資格を有する者で過去二カ年の間に契約不履行等の事実がない場合において入札保証金の全部又は一部を納付させないことができる取扱を改め、入札保証金の納付を原則化した上で、入札ボンドの提出があれば、入札保証金（現金）の納付を求めない運用とすること。

(2) 国と同様、金融機関又は保証事業会社の契約保証の予約を入札ボンドとして取扱うことができるものであること。

地方自治法

地方自治法施行令

行政実例・通知・判例・注釈

(3) 入札保証保険及び入札保証の付保割合については、地方公共団体の財務規則で定める最低の付保割合を基本とすること。

(4) 納付された入札保証金、入札保証保険、入札保証の保管、落札したにもかかわらず契約を締結しない場合における入札保証金の地方公共団体への帰属等の取扱いについては、地方自治法令、地方公共団体の財務規則等に従うこととすること。(平一八・九・一三通知)

❖令一六七条の八関係

1) ●開札に当たつては、原則として、入札者全員を立ち会わせることが法の趣旨である。(昭三八・一二・一九通知)

2) ●入札者が立ち会わないとき立会する職員は、入札事務について公正を確保できる限り、入札者一人につき一人でなくてもさしつかえない。(昭三八・一二・一九通知)

3) ●電子入札システムを導入して競争入札を実施している普通地方公共団体において、当該システムにより開札事務を行う場合に、不正行為が行われる余地がないと判断されるときなどが想定される。(平一三・一二・二六通知)

4) ○「再度の入札」とは、開札の結果、入札者の入札価格がいずれも予定価格に達しないとき、開札後直ちに行う再度の入札をいう。

●令第一六七条の一〇第二項の規定により最低制限価格を設けた一般競争入札において、予定価格の制限の範囲内の価格で最低制限価格以上の価格の入札がなかつたとき、最低制限価格より低い価格の入札をした者の再度の入札への参加については、入札条項に特別の定めをし、参加させない旨を公告していない限り参加

（一般競争入札のくじによる落札者の決定）

第百六十七条の九　普通地方公共団体の長は、落札となるべき同価の入札をした者が二人以上あるときは、直ちに、当該入札者にくじを引かせて落札者を定めなければならない。この場合において、当該入札者のうちくじを引かない者があるときは、これに代えて、当該入札事務に関係のない職員にくじを引かせるものとする。

（一般競争入札において最低価格の入札者以外の者を落札者とすることができる場合）

第百六十七条の十　普通地方公共団体の長は、一般競争入札により工事又は製造その他についての請負の契約を締結しようとする場合において、予定価格の制限の範囲内で最低の価格をもつて申込みをした者の当該申込みに係る価格によつてはその者により当該契約の内容に適合した履行がされないおそれがあると認めるとき、又はその者と契約を締結することが公正な取引の秩序を乱すこととなるおそれがあつて著しく不適当であると認めるときは、その者を落札者とせず、予定価格の制限の範囲内の価格をもつて申込みをした他の者のうち、最低の価格をもつて申込みをした者を落札者とすることができる。

2　普通地方公共団体の長は、一般競争入札により工事又は製造その他についての請負の契約を締結しようとする場合において、当該契約の内容に適合した履行を確保するため特に必要があると認めるときは、あらかじめ最低制限価格を設けて、予定価格の制限の範囲内で最低の価格をもつて申込みをした者を落札者とせず、予定価格の制限の範囲内の価格で最低制限価格以上の価格をもつて申込みをした者のうち最低の価格をもつて申込みをした

させないことはできない。（昭四〇・三・三〇行実）

❖令一六七条の九関係

1）●落札者の決定において、入札者はくじを引くことを辞退することはできない。（昭三八・一二・一九通知）

❖令一六七条の一〇関係

1）●本条第一項の規定により契約締結の権限を有する者が、契約の相手方を決定する場合、次順位者とすることができるかどうかの判断については、専門の補助職員に審査させたうえですることが適当である。（昭三八・一二・一九通知）

地方自治法

地方自治法施行令

者を落札者とすることができる。

第百六十七条の十の二　普通地方公共団体の長は、一般競争入札により当該普通地方公共団体の支出の原因となる契約を締結しようとする場合において、当該契約がその性質又は目的から地方自治法第二百三十四条第三項本文又は前条の規定により難いものであるときは、これらの規定にかかわらず、予定価格の制限の範囲内の価格をもつて申込みをした者のうち、価格その他の条件が当該普通地方公共団体にとつて最も有利なものをもつて申込みをした者を落札者とすることができる。

2　普通地方公共団体の長は、前項の規定により工事[1]又は製造その他についての請負の契約を締結しようとする場合において、落札者となるべき者の当該申込みに係る価格によつてはその者により当該契約の内容に適合した履行がされないおそれがあると認めるとき、又はその者と契約を締結することが公正な取引の秩序を乱すこととなるおそれがあつて著しく不適当であると認めるときは、同項の規定にかかわらず、その者を落札者とせず、予定価格の制限の範囲内の価格をもつて申込みをした他の者のうち、価格その他の条件が当該普通地方公共団体にとつて最も有利なものをもつて申込みをした者を落札者とすることができる。

3　普通地方公共団体の長は、前二項の規定により落札者を決定する一般競争入札（以下「総合評価一般競争入札」という。）を行おうとするときは、あらかじめ、当該総合評価一般競争入札に係る申込みのうち価格その他の条件が当該普通地方公共団体にとつて最も有利なものを決定するための基準（以下「落札者決定基準」という。）を定

行政実例・通知・判例・注釈

⚜

※　令一六七条の一〇の二関係

●公共工事の入札及び契約の適正化については、従来より一般競争入札及び総合評価方式の導入・拡充について要請してきたが、より一層の導入・拡大を図られたい。（平二〇・二・一四通知）

1）●公共工事以外の請負の契約についても、技術的要素等の評価を行うことが重要であるものについては、総合評価方式による一般競争入札の導入・拡充を図ることが求められていることに留意が必要である。（平二〇・二・一四通知）

めなければならない。

4　普通地方公共団体の長は、落札者決定基準を定めようとするときは、総務省令で定めるところにより、あらかじめ、学識経験を有する者（次項において「学識経験者」という。）の意見を聴かなければならない。

5　普通地方公共団体の長は、前項の規定による意見の聴取において、併せて、当該落札者決定基準に基づいて落札者を決定しようとするときに改めて意見を聴く必要があるかどうかについて意見を聴くものとし、改めて意見を聴く必要があるとの意見が述べられた場合には、当該落札者を決定しようとするときに、あらかじめ、学識経験者の意見を聴かなければならない。

6　普通地方公共団体の長は、総合評価一般競争入札を行おうとする場合において、当該契約について第百六十七条の六第一項の規定により公告をするときは、同項の規定により公告をしなければならない事項及び同条第二項の規定により明らかにしておかなければならない事項のほか、総合評価一般競争入札の方法による旨及び当該総合評価一般競争入札に係る落札者決定基準についても、公告をしなければならない。

（**指名競争入札の参加者の資格**）

第百六十七条の十一　第百六十七条の四の規定は、指名競争入札の参加者の資格についてこれを準用する。

2　普通地方公共団体の長は、前項に定めるもののほか、指名競争入札に参加する者に必要な資格として、工事又は製造の請負、物件の買入れその他当該普通地方公共団体の長が定める契約について、あらかじめ、契約の種類及び金額に応じ、第百六十七条の五第一項に規定する事項を要件とする資格を定めなければならない。

3　第百六十七条の五第二項の規定は、前項の場合にこれ

地方自治法

地方自治法施行令

を準用する。

（指名競争入札の参加者の指名等）

第百六十七条の十二　普通地方公共団体の長は、指名競争入札により契約を締結しようとするときは、当該入札に参加することができる資格を有する者のうちから、当該入札に参加させようとする者を指名しなければならない。

２　前項の場合においては、普通地方公共団体の長は、入札の場所及び日時その他入札について必要な事項をその指名する者に通知しなければならない。

３　第百六十七条の六第二項の規定は、前項の場合にこれを準用する。

４　普通地方公共団体の長は、次条において準用する第百六十七条の十の二第一項及び第二項の規定により落札者を決定する指名競争入札（以下「総合評価指名競争入札」という。）を行おうとする場合において、当該契約について第二項の規定により通知をするときは、同項の規定により通知をしなければならない事項及び前項において準用する第百六十七条の六第二項の規定により明らかにしておかなければならない事項のほか、総合評価指名競争入札の方法による旨及び当該総合評価指名競争入札に係る落札者決定基準についても、通知をしなければならない。

（指名競争入札の入札保証金等）

第百六十七条の十三　第百六十七条の七から第百六十七条の十まで及び第百六十七条の十の二（第六項を除く。）の規定は、指名競争入札の場合について準用する。

（せり売りの手続）

第百六十七条の十四　第百六十七条の四から第百六十七条

行政実例・通知・判例・注釈

（契約の履行の確保）

第二百三十四条の二　普通地方公共団体が工事若しくは製造その他についての請負契約又は物件の買入れその他の契約を締結した場合においては、当該普通地方公共団体の職員は、政令の定めるところにより、契約の適正な履行を確保するため又はその受ける給付の完了の確認（給付の完了前に代価の一部を支払う必要がある場合において行なう工事若しくは製造の既済部分又は物件の既納部分の確認を含む。）をするため必要な監督又は検査[1]をしなければならない。

2　普通地方公共団体が契約の相手方をして契約保証金を納付させた場合において、契約の相手方が契約上の義務を履行しないときは、その契約保証金（政令の定めるところによりその納付に代えて[2]提供された担保を含む。）は、当該普通地方公共団体に帰属するものとする。ただし、損害の賠償又は違約金について契約で別段の定めをしたときは、その定めたところによるものとする。

＊本条…全改〔昭三八・六法九九〕

【参照条文】
①①【政令の定―令一六七の一五
②【政令の定―令一六七の一六　【損害の賠償又は違約金―民法四一五～四二〇の二

の七までの規定は、せり売りの場合にこれを準用する。

（監督又は検査の方法）

第百六十七条の十五　地方自治法第二百三十四条の二第一項の規定による監督は、立会い、指示その他の方法によつて行なわなければならない。

2　地方自治法第二百三十四条の二第一項の規定による検査は、契約書、仕様書及び設計書その他の関係書類[1]（当該関係書類に記載すべき事項を記録した電磁的記録を含む。）に基づいて行わなければならない。

3　普通地方公共団体の長は、地方自治法第二百三十四条の二第一項に規定する契約について、契約の目的たる物件の給付の完了後相当の期間内に当該物件につき破損、変質、性能の低下その他の事故が生じたときは、取替え、補修その他必要な措置を講ずる旨の特約があり、当該給付の内容が担保されると認められるときは、同項の規定による検査の一部を省略することができる。

4　普通地方公共団体の長は、地方自治法第二百三十四条の二第一項に規定する契約について、特に専門的な知識又は技能を必要とすることその他の理由により当該普通地方公共団体の職員によつて監督又は検査を行なうことが困難であり、又は適当でないと認められるときは、当該普通地方公共団体の職員以外の者に委託して当該監督又は検査を行なわせることができる。

（契約保証金）

第百六十七条の十六　普通地方公共団体は、当該普通地方公共団体と契約を締結する者をして当該普通地方公共団体の規則で定める率又は額の契約保証金[1]を納めさせなければならない。

❖法二三四条の二関係

1）●物品の検収は、契約担当機関が行うものである。（昭三八・一二・一九通知）

●地方公共団体が施行する公共事業等について、当該事業の監督又は検査を行なうに必要な知識又は技能を有する職員を確保することが困難であり、かつ、当該地方公共団体の職員以外の者に監督又は検査を委託することが技術的にも、財政的にも有利であると認められる場合においては、当該事業の監督又は検査を当該地方公共団体以外の者に委託することができる。（昭四一・一・一一行実）

●市の特定の事務または事業の経営を私人に委託した場合、契約履行の確保のための監督、検査の責任は市長にある。（昭四四・五・八行実）

2）●契約保証金は、損害の賠償又は違約金について契約に別段の定めがない限り、当然に地方公共団体に帰属する。（昭三八・一二・一九通知）

●契約保証金を納付した相手方が契約上の義務を履行しないときは、その返還請求権の差押があつても当該契約保証金は地方公共団体に帰属する。（昭四八・一〇・三一行実）

❖令一六七条の一五関係

1）○「その他の関係書類」とは、検査に必要な細部設計図、原寸図等をいう。

❖令一六七条の一六関係

1）●次のような場合は、契約保証金の全部又は一部を納付させないことができる。

(1)　契約の相手方が保険会社との間に当該地方公共団体を被保険者とする履行保証保険契約を締結したとき。

自治法

地方自治法

（長期継続契約）

第二百三十四条の三　普通地方公共団体は、第[1]二百十四条の規定にかかわらず、翌年度以降にわたり、電気、ガス若しくは水の供給若しくは電気通信役務の提供を受ける契約又は不動産を借りる契約その他政令で定める契約を締結することができる。この場合においては、各年度におけるこれらの経費の予算の範囲内においてその給付を受けなければならない。

＊本条―全改〔昭三八・六法九九〕、一部改正〔昭五九・一二

地方自治法施行令

2　第百六十七条の七第二項の規定は、前項の規定による契約保証金の納付についてこれを準用する。

（長期継続契約を締結することができる契約）

第百六十七条の十七　地方自治法第二百三十四条の三に規定する政令で定める契約は、翌年度以降にわたり物品を借り入れ又は[1]役務の提供を受ける契約で、その契約の性質上翌年度以降にわたり契約を締結しなければ当該契約に係る事務の取扱いに支障を及ぼすようなもののうち、条[2]例で定めるものとする。

行政実例・通知・判例・注釈

(2)　契約の相手方から委託を受けた保険会社、銀行、農林中央金庫その他予算決算及び会計令（昭和二二年勅令第一六五号）第一〇〇条の三第二号の規定に基づき財務大臣が指定する金融機関と工事履行保証契約を締結したとき。

(3)　令第一六七条の五及び第一六七条の一一に規定する資格を有する者と契約を締結する場合において、その者が過去二カ年の間に国（公社・公団を含む。）又は地方公共団体と種類及び規模をほぼ同じくする契約を数回以上にわたつて締結し、これらをすべて誠実に履行し、かつ、契約を履行しないこととなるおそれがないと認められるとき。

(4)　法令に基づき延納が認められる場合において確実な担保が提供されたとき。

(5)　物品を売り払う契約を締結する場合において、売却代金が即納されるとき。

(6)　随意契約を締結する場合において、契約金額が少額であり、かつ、契約の相手方が契約を履行しないこととなるおそれがないとき。（平一二・四・一八通知）

❖　法二三四条の三関係

1）●法第二三四条の三の長期継続契約締結の場合、法第二一四条の債務負担行為として議会の議決を経る必要はない。（昭三八・一二・一九通知）

●賃借料年額一〇万円で五年間建物を賃借する契約は、一般的には債務負担行為として予算に定めておく必要があるが、当該契約条項中に、翌年度以降において歳入歳出予算の当該金額について減額又は削除があつた場合は、当該契約は解除する旨の条件を附した場合は債務負担行為とする必要はない。（昭四〇・九・一行実）

法八七、平一六・五法五七）

【引用条文】【法二一四（債務負担行為）】

【参照条文】【政令の定】令一六七の一七

❖令一六七の一七

1）ソフトウェアの提供を受け、地方公共団体の利用に供されることを内容とする使用許諾契約は、令第一六七条の一七に規定する役務の提供に該当すると考えられるものであるが、具体的な契約の内容を踏まえ、当該契約がその性質上翌年度以降にわたり契約を締結しなければ当該契約に係る事務の取扱いに支障を及ぼすようなものと判断した上で、同条の規定に基づき必要な条例が制定されている場合においては、法第二三四条の三に規定する長期継続契約を締結することができると考えられる。

なお、ソフトウェアの使用許諾契約について長期継続契約とするための条例の制定又は改正を検討するに当たっては、複数年度にわたる契約については、本来であれば、議会の議決による法第二一四条の債務負担行為に基づくものであり、その例外として、法第二三四条の三の規定により長期継続契約として複数年度にわたる契約が限定的に認められている趣旨を十分に留意されたい。（令二・一二・二二通知）

2）●商慣習上複数年にわたり契約を締結することが一般的であるもの、毎年四月一日から役務の提供を受ける必要があるもの等に係る契約が対象になるものであること。例えば、OA機器を借り入れるための契約、庁舎管理業務委託契約等が想定されるものであること。（平一六・一一・一〇通知）

●契約の締結に当たっては、更なる経費の削減やより良質なサービスを提供する者と契約を締結する必要性にかんがみ、定期的に契約の相手方を見直す機会を確保するため、適切な契約期間を設定する必要があることに留意すべきものであること。（平一六・一一・一〇通知）

地方自治法

第七節　現金及び有価証券

＊本節―全改〔昭三八・六法九九〕

（金融機関の指定）

第二百三十五条　都道府県は、政令の定めるところにより、金[1]融機関を指[2]定して、都道府県の公[3]金の収納又は支払の事務を取り扱わせなければならない。

2　市町村は、政令の定めるところ[3]により、金融機関を指定して、市町村の公金の収納又は支払の事務を取り扱わせることができる。

＊本条―全改〔昭三八・六法九九〕

【参照条文】

①・②【政令の定】令一六八～一六八の五

地方自治法施行令

（指定金融機関等）

第百六十八条　都道府県は、地方自治法第二百三十五条第一項の規定により、議[1]会の議決を経て、一[2]の金融機関を指[3]定して、当該都道府県の公[4]金の収納及び支払の事務を取り扱わせなければならない。

2　市町村は、地方自治法第二百三十五条第二項の規定により、議会の議[4]決を経て、一[2]の金融機関を指[3]定して、当該市町村の公金の収納及び支払の事務を取り扱わせることができる。

3　普通地方公共団体の長は、必要があると認めるときは、指[5]定金融機関をして、その取り扱う収納及び支払の事務の一部を、当該普通地方公共団体の長が指[6][7]定する金融機関に取り扱わせることができる。

4　普通地方公共団体の長は、必要があると認めるときは、指[5]定金融機関をして、その取り扱う収納の事務の一[8]部を、当該普通地方公共団体の長が指[7]定する金融機関に取り扱わせることができる。

5　指定金融機関を指定していない市町村の長は、必要があると認めるときは、会計管理者をして、その取り扱う収納の事務の一部を、当該市町村の長が指定する金融機関に取り扱わせることができる。

6　第一項又は第二項の金融機関を指定金融機関と、第三項の金融機関を指定代理金融機関と、第四項の金融機関を収納代理金融機関と、前項の金融機関を収納事務取扱

行政実例・通知・判例・注釈

❖法二三五条関係

1）●金融機関とは、法令によつて金融機関と称せられるもののすべてを指すが、指定金融機関は、地方公共団体の公金の収納又は支払の事務を取り扱うのであるから、金融機関はそれぞれの法令により種々の制約を受け地方公共団体の公金の収納又は支払の事務を取り扱うことができないものは含まれない。（昭三八・一二・一九通知）

2）○「指定」とは、指定金融機関・指定代理金融機関及び収納代理金融機関の指定をいう。

●府県知事が府県金庫事務（現行法では公金の収納及び支払の事務）の取扱を命ずるのは法令に基づく命令作用ではなく、府県知事と府県の金庫事務（現行法では公金の収納及び支払の事務）を取り扱う銀行との関係は私法上の契約に属する。（行実）

3）○「公金の収納又は支払」とは、現金のほか、証券による納付、隔地払及び公金振替又は口座振替の方法によるものを含む。

❖令一六八条関係

1）●指定金融機関の指定について、議会の議決が得られなかつた場合においては、法第一七六条及び第一七七条を適用する余地はなく、改めて議会を招集して、新たに指定金融機関指定の議案を提出し、又はその暇がないときは、長において専決処分をする外はない。（昭二五・八・一〇行実）

2）●「一の金融機関」とは、一地方公共団体を通じて指定金融機関たる法人が一つでなければならないということで、店舗の数を指すものではない。（昭三八・一

金融機関という。

7 普通地方公共団体の長は、指定代理金融機関又は収納代理金融機関を指定し、又はその取消しをしようとするときは、あらかじめ、指定金融機関の意見[9]を聴かなければならない。

8 普通地方公共団体の長は、指定金融機関、指定代理金融機関、収納代理金融機関又は収納事務取扱金融機関を定め、又は変更したときは、これを告示[10]しなければならない。

(指定金融機関の責務)

第百六十八条の二 指定金融機関は、指定代理金融機関及び収納代理金融機関の公金の収納又は支払の事務を総括[1]する。

2 指定金融機関は、公金の収納又は支払の事務(指定代理金融機関及び収納代理金融機関において取り扱う事務を含む。)につき当該普通地方公共団体に対して責任を有する。

3 指定金融機関は、普通地方公共団体の長の定めるところにより[2]担保を提供しなければならない。

(指定金融機関等における公金の取扱い)

第百六十八条の三 指定金融機関、指定代理金融機関、収納代理金融機関及び収納事務取扱金融機関は、納税通知書、納入通知書[1]その他の納入に関する書類(当該書類に記載すべき事項を記録した電磁的記録を含む。)に基づかなければ、公金の収納をすることができない。

2 指定金融機関及び指定代理金融機関は、会計管理者の振り出した小切手又は会計管理者の通知[2]に基づかなければ、公金の支払をすることができない。

3 指定金融機関、指定代理金融機関及び収納代理金融機関は、公金を収納したとき、又は公金の払込みを受けた

二・一九通知)

●指定金融機関は、半永久的に一つの金融機関であることを要しない。いわゆる交替制によることもさしつかえないが、半年毎のごとき短期交替制は認められない。(昭三八・一二・一九通知)

(3) ●金融機関の指定は、住民の利便等の点から当該地方公共団体の事務所の所在地に本(支)店を有する金融機関を指定することが適当であるが、事務所の所在地に確実な金融機関がない場合は、必ずしもこれによることを要しない。(昭三八・一二・一九通知)

(4) ●公金には、歳入歳出外現金を含む。(昭二八・四・一三行実)

(5) ●指定代理及び収納代理金融機関の契約は、指定金融機関が代表して地方公共団体と締結する。(昭三八・一二・一九通知)

(6) ●指定金融機関のある市町村に、数箇の指定代理金融機関を置くことはさしつかえない。(昭三八・一二・一九通知)

(7) ●指定代理、収納代理又は収納事務取扱金融機関以外に歳入代理店等を設置することはできないが、地方税法第三二一条の五第四項の規定に基づき当該地方公共団体において地方税の特別徴収義務者が納入する金融機関を指定することはさしつかえない。(昭二六・七・一二行実)

(8) ●収納代理金融機関は、県税のみの収納のように限定して取り扱わせることができる。(昭三八・一二・一九通知)

(9) ○意見を聴かなければならないというのは、長に対する義務づけではあるが、その意見に拘束されるものではない。

(10) ○告示は、単に金融機関名のみでなく、位置、名称、取扱事務の範囲をその内容に含ましめるのが適当である。

※ ○市町村の収入に関する事項は、会計管理者の職務権限に属し、地方自治法所定の手続によらない限りその

地方自治法

地方自治法施行令

ときは、これを当該普通地方公共団体の預金口座に受け入れなければならない。この場合において、指定代理金融機関及び収納代理金融機関にあつては、会計管理者の定めるところにより、当該受け入れた公金を指定金融機関の当該普通地方公共団体の預金口座に振り替えなければならない。

4　収納事務取扱金融機関は、公金を収納したとき、又は公金の払込みを受けたときは、これを当該市町村の預金口座に受け入れなければならない。この場合において、収納事務取扱金融機関は、会計管理者の定めるところにより、当該受け入れた公金を会計管理者の定める収納事務取扱金融機関の当該市町村の預金口座に振り替えなければならない。

（指定金融機関等の検査）

第百六十八条の四　会計管理者は、指定金融機関、指定代理金融機関、収納代理金融機関及び収納事務取扱金融機関について、定期及び臨時に公金の収納又は支払の事務及び公金の預金の状況を検査しなければならない。

2　会計管理者は、前項の検査をしたときは、その結果に基づき、指定金融機関、指定代理金融機関、収納代理金融機関及び収納事務取扱金融機関に対して必要な措置を講ずべきことを求めることができる。

3　監査委員は、第一項の検査の結果について、会計管理者に対し報告を求めることができる。

（指定金融機関等に対する現金の払込み）

第百六十八条の五　指定金融機関を定めている普通地方公共団体において、会計管理者が現金（現金に代えて納付される証券を含む。）を直接収納したときは、速やかに、

行政実例・通知・判例・注釈

権限を委任することはできない。

❖令一六八条の二関係

1）○「総括」とは、公金の取扱いに関する限り、指定金融機関が、指定代理金融機関、収納代理金融機関を代表して地方公共団体とその公金の収納及び支払の事務を取り扱う契約（指定契約）を締結する権限を有するということであり、かつ、指定代理金融機関、収納代理金融機関をも含めて一切の事務処理の総括にあたるということである。

●指定金融機関における総括事務を取り扱う店舗は、地方公共団体の事務所の所在地にある店舗とするのが適当である。（昭三八・一二・一九通知）

2）●普通地方公共団体の長の定める担保には、現金も含まれる。（昭四一・四・一二行実）

❖令一六八条の三関係

1）○「その他の納入に関する書類」とは、納税通知書又は納入通知書に代わるこれに相当する書類をいい、会計管理者から発せられる収納の通知書をいう。

2）○「通知」とは、たとえば令第一六五条の二に規定する通知のごとく、小切手に代わる支払の通知をいう。

●会計管理者が指定金融機関又は指定代理金融機関に対してインターネットを経由してインターネットバンキングによる口座振替の方法により支出することを指示することは、本項の「会計管理者の通知」に該当する。（令五・六・一三通知）

3）●指定代理金融機関又は収納代理金融機関に明らかにする方法で定めるべきである。（昭三九・三・三行実）

❖令一六八条の四関係

1）●検査については、その目的や対象、場所等を踏まえて、効果的かつ適切な方法で行うことが適当であり、デジタル技術を活用することが効果的かつ適切である場合には、例えば、オンライン会議システムを活用す

(現金出納の検査及び公金の収納等の監査)

第二百三十五条の二 普通地方公共団体の現金の出納[1]は、毎月例日[2]を定めて監査委員がこれを検査[3][4][5]しなければならない。

2 監査委員は、必要があると認めるとき、又は普通地方公共団体の長の要求があるときは、前条の規定により指定された金融機関が取り扱う当該普通地方公共団体の公金の収納又は支払の事務について監査[4]することができる。

3 監査委員は、第一項の規定による検査の結果に関する報告又は前項の規定による監査の結果に関する報告を普通地方公共団体の議会及び長に提出しなければならない。

＊ 本条―全改〔昭三八・六法九九〕、三項―一部改正〔平三・四法二四〕

【参照条文】

①【出納―法一七〇2Ⅰ】【現金―法二三五の四】

②【公金の収納又は支払の事務を取り扱う金融機関―法二三五 令一六八～一六八の五】

(一時借入金)

第二百三十五条の三 普通地方公共団体の長は、歳出予算

これを指定金融機関、指定代理金融機関又は収納代理金融機関に払い込まなければならない。

ることなどにより、遠隔地から行うことも可能である。(令五・五・八通知)

✤ 令一六八条の五関係

1) ○「速やかに」とは、原則としてその日中にという意である。

✤ 法二三五条の二関係

1) ●「現金の出納」には、法第一七〇条第二項第三号に規定する有価証券(公有財産又は基金に属するものを含む。)の出納は含まれない。(昭四〇・九・一三行実)

●「現金の出納」には、基金に属する現金の出納を含む。(昭四〇・一〇・九行実)

2) ○「毎月例日」とは、毎月たとえば一五日又は二〇日というように定められた日を指す。

●例月出納検査の例日は、条例(法二〇二)で定めておくのが適当である。(昭三四・一二・一三行実)

3) ●議会又は委員会が出納検査をすることはできない。(昭二六・八・二〇行実)

4) ●検査(監査)は、厳正かつ公平中立の立場で行なわれるべきであり、その執行に当たつては主観的判断を加えるべきではないが、監査委員がその事務執行の必要から、そのときまでの検査(監査)に当たつて、その対象を限定して行なうことは何らさしつかえない。(昭二七・一〇・六行実)

5) ●検査については、その目的や対象、場所等を踏まえて、効果的かつ適切な方法で行うことが適当であり、デジタル技術を活用することが効果的かつ適切である場合には、例えば、オンライン会議システムを活用することなどにより、遠隔地から行うことも可能である。(令五・五・八通知)

✤ 法二三五条の三関係

1) ●「最高額」とは、ある時点における一時借入金の現在高の最高額をいう。(昭二六・一二・二五行実)

地方自治法

内の支出をするため、一時借入金を借り入れることができる。

2　前項の規定による一時借入金の借入れの最高額[1]は、予算でこれを定めなければならない。

3　第一項の規定による一時借入金は、その[2]会計年度の歳入をもつて償還しなければならない。

＊　本条…全改（昭三八・六法九九）

【参照条文】
①【歳出予算内の支出】法二一一～二一四・二一八
②【予算】法二一五
③【会計年度内の収入】法二〇八　令一四二

（現金及び有価証券の保管）

第二百三十五条の四　普通地方公共団体の歳入歳出に属する現金（以下「歳計現金[1]」という。）は、政令の定めるところにより、最[2]も確実かつ有利な方法によりこれを保管しなければならない。

2　債権の担保として徴するもののほか、普通地方公共団体の所有に属しない現金又は有価証券は、法律又は政令[3]の規定によるのでなければ、これを保管することができない。

3　法令又は契約に特別の定めがあるものを除くほか、普通地方公共団体が保管する前項の現金[4]（以下「歳入歳出外現金」という。）には、利子を付さない。

＊　本条…全改（昭三八・六法九九）

【参照条文】

地方自治法施行令

（歳計現金の保管）

第百六十八条の六　会計管理者は、歳計現金を指定金融機関その他の確実な金融機関への預金その他の最も確実かつ有利な方法によつて保管しなければならない。

（歳入歳出外現金及び保管有価証券）

第百六十八条の七　会計管理者は、普通地方公共団体が債権者として債務者に属する権利を代位して行うことにより受領すべき現金又は有価証券その他の現金又は有価証券で総務省令で定めるものを保管することができる。

2　会計管理者は、普通地方公共団体の長の通知がなければ、歳入歳出外現金又は普通地方公共団体が保管する有価証券で当該普通地方公共団体の所有に属しないものの出納をすることができない。

3　前項に定めるもののほか、歳入歳出外現金の出納及び保管は、歳計現金の出納及び保管の例により、これを行

＊　本条…全改

行政実例・通知・判例・注釈

2）●「その会計年度の歳入」とは、出納閉鎖期日（五月三一日）までに収入された歳入をいう。（昭三八・一二・一九通知）

●利子は翌年度から支払つても違法ではない。（大四・七・七行裁判、昭二四・三・一〇通知）

✤　法二三五条の四関係

1）●一般会計、特別会計相互間の歳計現金の流用は、出納長（現行法では会計管理者）の責任においてできる。この場合公営企業会計の歳計現金を一般会計に流用する手続は、長及び出納長又は収入役（現行法では会計管理者）と企業管理者との協議がととのうことが必要である。（昭二八・四・一六、昭二九・四・一六行実）

●たとえば中小企業、農林水産業等に対する対策として金融の円滑を図る目的をもつて、出納長（現行法では会計管理者）等の責任において、その保管する現金の預託をする、いわゆる政策預託は、歳入歳出予算に貸付金、償還金として計上することを建前とする。（昭三三・三・一四通知）

2）●「最も確実かつ有利な方法」とは、通常は金融機関に預金して安全に保管することであり、かつ、支払準備金に支障のないかぎり適時適正に預金による運用の利益を図ることであり、これを基本的な原則とする意

①【政令の定】令一六八の六

②【債権の担保の例】令一六七の七・一六七の一六・一六八の二3・一六九の七2・一七一の四2　地税法一六　公営住宅法一八　【法律又は政令の規定の例】令一六八の七1　則一二の五　地方公務員等共済組合法一一五　所得税法一八三　地税法一六の二・二〇の四・四二・三二一の五　生活保護法七六　児福法三三の二・三三の三等　遺失物法

なわなければならない。

味である。（昭三八・一二・一九通知）

3　●遺失物法による遺失金は警察署長の出納保管に属する歳入歳出外現金である。（昭四〇・九・三〇行実）

●公営住宅法第一四条但書（現行法では第一八条）の規定により徴収する敷金は、市に属する収入と解し、予算に編入しても、又は市の収入とはならないものと解し、歳入歳出外現金として保管しても、いずれによるもさしつかえない。（昭三〇・一二・一三行実）

●児童福祉法第三三条の二（現行法では第三三条の二の二）の規定により児童相談所長が保管する一時保護児童の所持する現金は、歳入歳出外現金である。（昭四四・四・三行実）

4　○「利子を付さない」とは、利子を生じても、相手方に帰属させないという意味である。

❦　令一六八条の六関係

※　●出納長又は収入役（現行法では会計管理者）が歳計現金を指定金融機関以外の金融機関に預金して保管する場合、運用面において長の承認あるいは協議を経るようにすることはさしつかえない。（昭三九・六・一五行実）

※　●出納長等（現行法では会計管理者）が行う公金の保管の形式のうち最も適当と認められるのは確実な金融機関に対する預金の方法によることである。また、特定の政策目的を達成するための預託等は、出納長等（現行法では会計管理者）の権限としての現金の保管とは、その性質上明らかに区分して取り扱われるべきものであるから、歳入歳出予算に貸付金として計上支出するようにすべきである。（昭三三・三・一四通知）

※　●中小企業金融対策等行政目的のために歳計金を金融機関に預託する場合の取扱いについては、昭三三・三・一四付の通知により歳入歳出予算に貸付金として計上支出し、受入側の金融機関は、借入金で処理することが適当と認められるが、この場合、県の財務規則等に預金証書をもつて借用証書にかえる旨の規定を設け、金融機関から借用証書を徴する代りに預金証書を

地方自治法

（出納の閉鎖）

第二百三十五条の五　普通地方公共団体の出納は、翌年度の五月三十一日をもつて[1]閉鎖する。

＊　本条…全改〔昭三八・六法九九〕

第八節　時効

＊　本節…全改〔昭三八・六法九九〕

（金銭債権の消滅時効）

第二百三十六条　金銭の給付を目的とする普通地方公共団体の権利は、時効に関し他の法律[1]に定めがあるものを除くほか、これを行使することができる時から五年間行使しないときは、時効によつて消滅する。普通地方公共団体に対する権利で、金銭の給付を目的とするものについても、また同様とする。

2　金銭の給付を目的とする普通地方公共団体の権利の時効による消滅については、法律[2]に特別の定めがある場合を除くほか、時効の援用を要せず、また、その利益を放

地方自治法施行令

行政実例・通知・判例・注釈

※　徴してもさしつかえない。（昭三五・六・二七行実）

●出納長又は収入役（現行法では会計管理者）は、支払準備に支障のない範囲内で、かつ、金融機関への預金にくらべて有利な場合には、「債券の条件付売買の取扱いについて」（昭五一・三・一〇付蔵証第二八七号）の定めるところに従い、証券会社の行う国債証券、地方債証券、政府保証債券等の元本の償還及び利息の支払いが確実な証券を対象としたいわゆる買い現先の方法により歳計現金の保管を行うことも差し支えない。（昭五七・七・二〇行実）

✤　法二三五条の五関係

1）●出納閉鎖期日前にかいいの出納を締め切ることはさしつかえない。（昭三八・一二・一九通知）

✤　法二三六条関係

1）●本条第一項の「他の法律」には民法を含む。（昭三八・一二・一九通知）

●私法上の債権について年賦償還することにした場合、民法第一六七条第一項（現行法では第一六六条第一項第二号）の規定による消滅時効の完成時期は、年次償還表による各年度の償還金毎に督促の指定期限の翌日から起算し、一〇年を経過した日である。（昭四〇・五・二五行実）

2）●国家賠償法に基づく普通地方公共団体に対する損害賠償請求権は、私法上の金銭債権であつて、公法上の

棄することができないものとする。普通地方公共団体に対する権利で、金銭の給付を目的とするものについても、また同様とする。

3 金銭の給付を目的とする普通地方公共団体の権利について、消滅時効の完成猶予、更新その他の事項（前項に規定する事項を除く。）に関し、適用すべき法律の規定がないときは、民法（明治二十九年法律第八十九号）の規定を準用する。普通地方公共団体に対する権利で、金銭の給付を目的とするものについても、また同様とする。

4 法令の規定により普通地方公共団体がする納入の通知[3]及び督促[4]は、時効の更新の効力を有する。

＊ 本条―全改〔昭三八・六法九九〕、一・三・四項―一部改正〔平二九・六法四五〕

【引用条文】

③【民法一五〇（催告による時効の完成猶予）

【参照条文】

①【他の法律の定め―民法一六六～一六九・七二四・七二四の二 会社法七〇一・七〇五 手形法七〇・七七 小切手法五一・五八 地税法一八・一八の三 労基法一一五 地方公務員等共済組合法一四四の二三 土地区画整理法四二1 国民健康保険法一一〇1 道路法七三5 海岸法三五5 労働保険の保険料の徴収等に関する法律四一1等

②【時効の援用―民法一四五 【時効の利益の放棄―民法一四六 【法律の特別の定め―地税法一八2

③【適用すべき法律の規定―民法一四四・一四七～一五四・一五八～一六一 地税法一八2・3・一八の二・一八の三2 労働保険の保険料の徴収等に関する法律四一2 土地区画整理法四二2・一一〇8 刑法三四2 地方公務員等共済組合法一四四の二三

④【納入の通知―法二三一 令一五四 【督促―法二三

金銭債権ではなく、その消滅時効については、民法第一四五条の規定は「法律に特別の定めがある場合」に該当するので、時効の援用が必要である。（昭四六・一一・三〇最裁判）

3）○「納入の通知」とは、法第二三一条及び令第一五四条第二項の規定によりするものをいう。

4）●本条第四項の「督促」には、法令の規定によりする私法上の債権に係る督促を含む。（昭三八・一二・一九通知）

●法令の規定により普通地方公共団体がする督促は、最初のものに限り時効中断（現行法では「更新」）の効力を有すると解される。督促後相当の期間を経過しても、なお、履行がないときは強制執行等の措置をとるべきである。（昭四四・二・六行実）

※ ●附則（昭三八法九九）第九条にいう「地方公共団体の徴収金」は、本条にいう「金銭の給付を目的とする普通地方公共団体の権利」を指す。（昭四〇・八・六行実）

地方自治法

一の三1　令一七一

※　法附則（昭三八法九九）九

第九節　財産

＊　本節―全改（昭三八・六法九九）

（財産の管理及び処分）

第二百三十七条　この法律において「財産」とは、公有財産、物品及び債権並びに基金をいう。

2　第二百三十八条の四第一項の規定の適用がある場合を除き、普通地方公共団体の財産は、条例又は議会の議決による場合でなければ、これを交換し、出資の目的とし、若しくは支払手段[1]として使用し、又は適正な対価なくしてこれを譲渡[2]し、若しくは貸し付け[3]てはならない。

3　普通地方公共団体の財産は、第二百三十八条の五第二項の規定の適用がある場合で議会の議決によるとき又は同条第三項の規定の適用がある場合でなければ、これを信託してはならない。

＊　本条―全改（昭三八・六法九九）、三項―追加（昭六一・五法七五）、三項―一部改正（平一八・六法五三）

【引用条文】
②【法二三八の四（行政財産の管理及び処分）1
③【法二三八の五（普通財産の管理及び処分）2

【参照条文】
②【議会の議決―法九六1Ⅵ
③【議会の議決―法九六1Ⅶ　【信託―信託法一等　法二三八の五2等　国有財産法二〇等
※　公企法三三2・四〇1

地方自治法施行令

行政実例・通知・判例・注釈

✤法二三七条関係

1）○「支払手段として使用」するとは、予算上の措置を講じないで財産により債権債務の関係を消滅させることをいい、たとえば代物弁済等をいう。

2）○「譲渡」には、有償譲渡のほか、無償譲渡を含む。
●賃貸借の期間の満了のときに賃貸物件を賃借人に無償譲渡する条件が付されている賃貸借契約が実質上所有権留保の条件を付した割賦販売契約と等しいものであるときは、議会の議決は必要ない。（昭四〇・一〇・一二行実）

3）●「貸し付け」には、地上権等の用益物権の設定による使用を含む。（昭四〇・一二・二四行実）

第一款　公有財産

＊本款…全改〔昭三八・六法九九〕

（公有財産の範囲及び分類）

第二百三十八条　この法律において「公有財産」とは、普通地方公共団体の所有に属する財産のうち次に掲げるもの（基金に属するものを除く。）をいう。

一　不動産[1]
二　船舶[2]、浮標、浮桟橋及び浮ドック並びに航空機
三　前二号に掲げる不動産及び動産の従物
四　地上権、地役権、鉱業権[3]その他これらに準ずる権利
五　特許権、著作権、商標権、実用新案権[4]その他これらに準ずる権利
六　株式、社債[5]（特別の法律により設立された法人の発行する債券に表示されるべき権利を含み、短期社債等を除く。）、地方債及び国債[6]その他これらに準ずる権利
七　出資[7]による権利
八　財産の信託の受益権[8]

2　前項第六号の「短期社債等」とは、次に掲げるものをいう。

一　社債、株式等の振替に関する法律（平成十三年法律第七十五号）第六十六条第一号に規定する短期社債
二　投資信託及び投資法人に関する法律（昭和二十六年法律第百九十八号）第百三十九条の十二第一項に規定する短期投資法人債
三　信用金庫法（昭和二十六年法律第二百三十八号）第五十四条の四第一項に規定する短期債
四　保険業法（平成七年法律第百五号）第六十一条の十第一項に規定する短期社債

✤法二三八条関係

1）●立木は、仮植中のものを除き、土地の定着物として不動産である。（昭三八・一二・一九通知）

2）●船舶について、船舶法、商法の規定を参考にして基準を設けることはさしつかえない。（昭三八・一二・一九通知）

3）○「その他これらに準ずる権利」とは、永小作権・入会権・漁業権・入漁権・租鉱権・採石権等をいい、占有権・担保物権等は含まない。
●道路法施行法第五条第一項に基づく使用貸借による権利は、地方自治法第二三八条第一項第四号にいう「地上権、地役権、鉱業権その他これらに準ずる権利」に当たらない。（平二・一〇・二五最裁判）

4）○「その他これらに準ずる権利」とは、意匠権等の無体財産権をいう。
●電話加入権は本号に含まれない。（昭三八・一二・一九通知）

5）●電信電話債券は、社債券（特別の法律により設立された法人の発行する債券を含む。）である。なお、登録機関へ登録して保護預けしてさしつかえない。（昭四一・二・一四行実）

6）○「その他これらに準ずる権利」とは、投資信託の受益証券・貸付信託の受益証券等にかかる権利をいう。

7）●出捐金は、本条第一項第七号に該当し、公有財産である。（昭三八・一二・一九通知）

8）●不動産の信託とは、土地又はその定着物を信託財産とし、その管理又は処分を目的とする信託（自ら設定した信託以外のものを含む。）をいう。（昭六一・五・三〇通知）

9）●行政財産を公用財産、公共用財産等に、普通財産を第一種、第二種普通財産等に細分類することはさしつ

地方自治法

五　資産の流動化に関する法律（平成十年法律第百五号）第二条第八項に規定する特定短期社債

六　農林中央金庫法（平成十三年法律第九十三号）第六十二条の二第一項に規定する短期農林債

3　公有財産は、これを行政財産と普通財産とに分類する。[9]

4　行政財産とは、普通地方公共団体において公用又は公共用に供し、又は供することと決定した財産をいい、普通財産とは、行政財産以外の一切の公有財産をいう。

＊本条―全改〔昭三八・六法九九〕、一項―一部改正〔昭六一・五法七五、平一三・六法七五〕、一項―一部改正・二項―追加・旧二・三項―一項繰下〔平一四・六法六五〕、二項―一部改正〔平一六・六法八八、平一七・七法八七〕、一項―一部改正〔平一八・六法五三〕、二項―一部改正〔平一八・六法六六、平一九・六法七四〕

【参照条文】

①【基金―法二四一　【不動産・動産―民法八六　【従物―民法八七　【地上権―民法二六五～二六九の二　【地役権―民法二八〇～二九四　【鉱業権―鉱業法　【特許権―特許法　【著作権―著作権法　【商標権―商標法　【実用新案権―実用新案法　【特別の法律―地方公共団体金融機構法四〇等　【信託―信託法一等　法二三八の五2等　国有財産法二〇等　【受益権―信託法二7等

※　国有財産法二

（公有財産に関する長の総合調整権）

第二百三十八条の二　普通地方公共団体の長は、公有財産の効率的運用を図るため必要があると認めるときは、委員会若しくは委員又はこれらの管理に属する機関で権限

地方自治法施行令

行政実例・通知・判例・注釈

かえない。（昭三八・一二・一九通知）

○普通財産を行政財産に、行政財産を普通財産に用途変更するのは、法令の規定に基づいて他の機関が権限を有することとされている場合を除いて長の権限である。

※

●本条第一項各号に掲げられたもの以外のものを公有財産の範囲に含めることはできない。（昭三八・一二・一九通知）

を有するものに対し、公有財産の取得又は管理について、報告を求め、実地について調査し、又はその結果に基づいて必要な措置を講ずべきことを求めることができる。

2 普通地方公共団体の委員会若しくは委員又はこれらの管理に属する機関で権限を有するものは、公有財産を取得し、又は行政財産の用途を変更し、若しくは第二百三十八条の四第二項若しくは第三項（同条第四項において準用する場合を含む。）の規定による行政財産である土地の貸付け若しくはこれに対する地上権若しくは地役権の設定若しくは同条第七項の規定による行政財産の使用の許可で当該普通地方公共団体の長が指定するものをしようとするときは、あらかじめ当該普通地方公共団体の長に協議しなければならない。

3 普通地方公共団体の委員会若しくは委員又はこれらの管理に属する機関で権限を有するものは、その管理に属する行政財産の用途を廃止したときは、直ちにこれを当該普通地方公共団体の長に引き継がなければならない。

＊ 本条―全改〔昭三八・六法九九〕、二項―一部改正〔昭四九・六法七一、平一八・六法五三〕

【引用条文】
②【法二三八の四（行政財産の管理及び処分）2・3・4・7

【参照条文】
①【財産の効率的運用―地財法八
②【権限を有するもの―法一八〇の二 地教法二一Ⅱ・二八
※ 法二三八の三・一四九Ⅵ・一八〇の四・二二一

（**職員の行為の制限**）
第二百三十八条の三 公有財産に関する事務に従事する職[1]

✤ 法二三八条の三関係
1) ● 「公有財産の事務に従事する職員」とは、現に公有財産の管理又は処分に関する事務に従事する職員のほ

地方自治法

員は、その取扱いに係る公有財産を譲り受け、又は自己の所有物と交換することができない。

2　前項の規定に違反する行為は、これを無効とする。

＊　本条…全改〔昭三八・六法九九〕

【参照条文】

※　法二三八・二三九2・3　国有財産法一六

（行政財産の管理及び処分）

第二百三十八条の四　行政財産は、次項から第四項までに定めるものを除くほか、これを貸し付け、交換し、売り払い、譲与し、出資の目的とし、若しくは信託し、又はこれに私権を設定することができない。

2　行政財産は、次に掲げる場合には、その用途又は目的を妨げない限度において、貸し付け、又は私権を設定することができる。

一　当該普通地方公共団体以外の者が行政財産である土地の上に政令で定める堅固な建物その他の土地に定着する工作物であつて当該行政財産である土地の供用の目的を効果的に達成することに資すると認められるものを所有し、又は所有しようとする場合（当該普通地方公共団体と一棟の建物を区分して所有する場合を除く。）において、その者（当該行政財産を管理する普通地方公共団体が当該行政財産の適正な方法による管理

地方自治法施行令

（行政財産である土地を貸し付けることができる堅固な工作物）

第百六十九条　地方自治法第二百三十八条の四第二項第一号に規定する政令で定める堅固な建物その他の土地に定着する工作物は、鉄骨造、コンクリート造、石造、れんが造その他これらに類する構造の土地に定着する工作物とする。

（行政財産である土地を貸し付けることができる法人）

第百六十九条の二　地方自治法第二百三十八条の四第二項第二号に規定する政令で定める法人は、次に掲げる法人とする。

一　特別の法律により設立された法人で国又は普通地方公共団体において出資しているもののうち、総務大臣が指定するもの

二　港務局、地方住宅供給公社、地方道路公社、土地開発公社及び地方独立行政法人並びに普通地方公共団体

行政実例・通知・判例・注釈

か、公有財産の管理処分の総合調整に当たる職員を含み、また、組織上の補助職員及び監督職員を含む。（昭三八・一二・一九通知）

●管財課の職員が、公有財産の管理処分の総合調整に係る事務を含む当該事務に従事しない場合に限り、本条の職員には該当しない。（昭五二・七・一三行実）

●本条の規定は、処分の方法（例えば、公募抽せんの方法）を問わず適用される。（昭五二・七・一三行実）

2）○処分の制限を受ける公有財産は、公有財産に関する事務に従事する職員が現に取り扱い、又は取り扱い得る状態にあるものに限られ、既往において取り扱つていたものは含まれない。

❖法二三八条の四関係

1）●行政財産の管理及び処分については、公共施設の集約化に当たっての効率的かつ効果的な施設整備や余剰地の利活用の促進等に資するよう、将来における行政財産としての用途廃止後に普通財産に切り替えた上で売り払う内容の契約であって、契約締結後の事情変更等にも支障なく対応できる限り、行政財産として供用している間に契約を締結することが可能である。（平三〇・三・二六通知）

2）○行政処分により使用させる趣旨であり、契約により貸し付けるものではない。

3）●許可するに当り、取消によつて生じた損失を補償しない旨の条件を附しておくことが適当である。（昭三八・一二・一九通知）

●行政財産である港湾施設の船室待合所に広告物を掲示する場合は、目的外使用の許可事項である。（昭三九・七・一行実）

●行政財産の目的外使用の許可について、相手方に不

を行う上で適当と認める者に限る。）に当該土地を貸し付けるとき。

二　普通地方公共団体が国、他の地方公共団体又は政令で定める法人と行政財産である土地の上に一棟の建物を区分して所有するためその者に当該土地を貸し付ける場合

三　普通地方公共団体が行政財産である土地及びその隣接地の上に当該普通地方公共団体以外の者と一棟の建物を区分して所有するためその者（当該建物のうち行政財産である部分を管理する普通地方公共団体が当該行政財産の適正な方法による管理を行う上で適当と認める者に限る。）に当該土地を貸し付ける場合

四　行政財産のうち庁舎その他の建物及びその附帯施設並びにこれらの敷地（以下この号において「庁舎等」という。）についてその床面積又は敷地に余裕がある場合として政令で定める場合において、当該普通地方公共団体以外の者（当該庁舎等を管理する普通地方公共団体が当該庁舎等の適正な方法による管理を行う上で適当と認める者に限る。）に当該余裕がある部分を貸し付けるとき（前三号に掲げる場合に該当する場合を除く。）。

五　行政財産である土地を国、他の地方公共団体又は政令で定める法人の経営する鉄道、道路その他政令で定める施設の用に供する場合において、その者のために当該土地に地上権を設定するとき。

六　行政財産である土地を国、他の地方公共団体又は政令で定める法人の使用する電線路その他政令で定める施設の用に供する場合において、その者のために当該土地に地役権を設定するとき。

3　前項第二号に掲げる場合において、当該行政財産であ

が資本金、基本金その他これらに準ずるものの二分の一以上を出資している一般社団法人及び一般財団法人並びに株式会社

三　公共団体又は公共的団体で法人格を有するもののうち、当該普通地方公共団体が行う事務と密接な関係を有する事業を行うもの

四　国家公務員共済組合及び国家公務員共済組合連合会並びに地方公務員共済組合、全国市町村職員共済組合連合会及び地方公務員共済組合連合会

（行政財産である庁舎等を貸し付けることができる場合）

第百六十九条の三　地方自治法第二百三十八条の四第二項第四号に規定する政令で定める場合は、同号に規定する庁舎等の床面積又は敷地のうち、当該普通地方公共団体の事務又は事業の遂行に関し現に使用され、又は使用されることが確実であると見込まれる部分以外の部分がある場合とする。

（行政財産である土地に地上権を設定することができる法人等）

第百六十九条の四　地方自治法第二百三十八条の四第二項第五号に規定する政令で定める法人は、次に掲げる法人とする。

一　独立行政法人鉄道建設・運輸施設整備支援機構、鉄道事業法（昭和六十一年法律第九十二号）第三条第一項の許可を受けた鉄道事業者及び軌道法（大正十年法律第七十六号）第三条の特許を受けた軌道経営者

二　独立行政法人日本高速道路保有・債務返済機構、高速道路株式会社法（平成十六年法律第九十九号）第一条に規定する会社及び地方道路公社

三　電気事業法（昭和三十九年法律第百七十号）第二条第一項第十七号に規定する電気事業者

利益な条件を付したときは、不服申立ての教示が必要である。（昭三九・一〇・二七通知）

●行政財産の目的外使用の許可を受けた者が他の者に当該行政財産の全部又は一部を転貸することは、許可処分の性質上認められない。（昭四〇・一・二二行実）

●県の指定金融機関が県庁内の一室に事務所を設置する場合は許可を要する。（昭四二・八・一四行実）

●行政財産の目的外使用許可に係る許可期間については、将来当該財産を本来の目的に使用したとき、直ちに原状回復又は使用関係の是正が困難となり、ひいては行政財産の本来の用途又は目的を妨げる結果ともなるような長期継続的使用の許可ができないものであるとされているが、どのような場合が、用途又は目的を妨げない限度であるかは、具体的事例により個別的に判断することとされている。

このことを踏まえ、太陽光発電用のソーラーパネルを設置するため行政財産である庁舎等の屋根の使用を許可することについては、建物の構造や耐震性、耐用年数等態様上の問題がなく、将来にわたって屋根を公用又は公共用に使用する予定がない場合には、適切な期間設定による長期継続的使用の許可をすることも可能である。（平二五・六・二六通知）

（4）

●屋外用通信基地局を設置するため行政財産の使用を許可することについても、行政財産の構造や耐震性、耐用年数等態様上の問題がなく、かつ、将来にわたって行政財産を公用又は公共用に使用する予定がない等の場合には、適切な期間設定による長期継続的使用の許可をすることが可能である。（令六・七・一通知）

●地方公共団体の庁舎等において、専ら地方公共団体の事務、事業の遂行のために使用させる場合には、行政財産の目的外使用には当たらず、よって同項の許可は必要とならない。したがって、例えば、地方公共団体の事務、事業の遂行のために屋内用通信基地局の整備を行う場合（公用端末の通信の用に供する場合のほか、職員及び来庁者が地方公共団体の事務、事業の遂

地方自治法

る土地の貸付けを受けた者が当該土地の上に所有する一棟の建物の一部（以下この項及び次項において「特定施設」という。）を当該普通地方公共団体以外の者に譲渡しようとするときは、当該特定施設を譲り受けようとする者（当該行政財産を管理する普通地方公共団体が当該行政財産の適正な方法による管理を行う上で適当と認める者に限る。）に当該土地を貸し付けることができる。

4　前項の規定は、同項（この項において準用する場合を含む。）の規定により行政財産である土地の貸付けを受けた者が当該特定施設を譲渡しようとする場合について準用する。

5　前三項の場合においては、次条第四項及び第五項の規定を準用する。

6　第一項の規定に違反する行為は、これを無効とする。

7　行政財産は、その用途又は目的を妨げない限度においてその[2]使用を[3]許可することができる。

8　前項の規定による許可を受けてする行政財産の使用については、[4]借地借家法（平成三年法律第九十号）の規定は、これを適用しない。

9　第七項の規定により行政財産の使用を許可した場合において、公用若しくは公共用に供するため必要を生じたとき、又は許可の条件に違反する行為があると認めるときは、普通地方公共団体の長又は委員会は、その許可を取り消すことができる。

＊本条—追加〔昭三八・六法九九〕、一項—一部改正・二項—追加・旧二・五項—一部改正し一項ずつ繰下・旧三・四項—一項ずつ繰下〔昭四九・六法七一〕、一・二項—一部改正〔昭六一・五法七五〕、五項—一部改正〔平三・一〇法九〇〕、一項—

地方自治法施行令

四　ガス事業法（昭和二十九年法律第五十一号）第二条第十二項に規定するガス事業者

五　水道法（昭和三十二年法律第百七十七号）第三条第五項に規定する水道事業者

六　電気通信事業法（昭和五十九年法律第八十六号）第百二十条第一項に規定する認定電気通信事業者

2　地方自治法第二百三十八条の四第二項第五号に規定する政令で定める施設は、次に掲げる施設とする。

一　軌道

二　電線路

三　ガスの導管

四　水道（工業用水道を含む。）の導管

五　下水道の排水管及び排水渠

六　電気通信線路

七　鉄道、道路及び前各号に掲げる施設の附属設備

（行政財産である土地に地役権を設定することができる法人等）

第百六十九条の五　地方自治法第二百三十八条の四第二項第六号に規定する政令で定める法人は、電気事業法第二条第一項第十七号に規定する電気事業者とする。

2　地方自治法第二百三十八条の四第二項第六号に規定する政令で定める施設は、電線路の附属設備とする。

行政実例・通知・判例・注釈

行のために必要な通信の用に供する場合を含む。）については、行政財産の目的外使用には当たらない。他方、例えば、地方公共団体の事務、事業の遂行以外の目的で屋外用通信基地局を整備する場合等については、行政財産の目的外使用に当たる。（令六・七・一通知）

●行政財産の目的外使用には、農地法に規定する土地の利用関係の規制（賃貸借の更新、小作料の定額、小作料の減額請求権等）の適用はない。（昭三九・一〇・二七通知）

※

●庁舎管理規則において、一定の目的のための庁舎への出入について許可を要する旨及び庁舎内において一定の行為を禁ずる旨を規定することができる。（昭三七・八・二〇行実）

※

●県営土地改良事業によって生じた土地改良施設を当該所在の地方公共団体（または土地改良区）に本来の目的をもって移譲する場合には、行政財産たる当該財産をいったん普通財産に用途変更した後に譲渡し、譲渡を受けた地方公共団体は、これを直ちに行政財産として管理することが適当である。（昭四五・七・一四行実）

⚜　令一六九条の二関係

1）○「総務大臣が指定するもの」とは、特殊法人登記令（昭和三九年政令第二八号、現行では独立行政法人等登記令）別表の名称の欄に掲げる法人（国又は普通地方公共団体において出資しているものに限る。）とする。（昭四九・六・一〇告示一二七号）

一部改正・二項―全改・三～五項―追加・旧三～五項―三項ずつ繰下・旧六項―一部改正し九項に繰下〔平一八・六法五三〕

【参照条文】
①【信託―信託法一等　国有財産法二〇等
②【政令―令一六九～一六九の五
※　法一四九Ⅵ・二二五・二三八　公企法六・九Ⅶ・三三　地教法二一Ⅱ・二八　法附則（昭三八法九九）一〇1　国有財産法一八

（普通財産の管理及び処分）

第二百三十八条の五　普通財産は、これを貸し付け[1]、交換し、売り払い、譲与し、若しくは出資の目的とし、又はこれに私権を設定することができる。

２　普通財産である土地（その土地の定着物を含む。）は、当該普通地方公共団体を受益者として政令で定める信託の目的により、これを信託することができる[2]。

３　普通財産のうち国債その他の政令で定める有価証券（以下この項において「国債等」という。）は、当該普通地方公共団体を受益者として、指定金融機関その他の確実な金融機関に国債等をその価額に相当する担保の提供を受けて貸し付ける方法により当該国債等を運用することを信託の目的とする場合に限り、信託することができる。

４　普通財産を貸し付けた場合において、その貸付期間中に国、地方公共団体その他公共団体において公用又は公共用に供するため必要を生じたときは、普通地方公共団体の長は、その契約を解除することができる[3]。

５　前項の規定により契約を解除した場合においては、借受人は、これによつて生じた損失につきその補償を求めることができる。

（普通財産の信託）

第百六十九条の六　地方自治法第二百三十八条の五第二項に規定する政令で定める信託の目的は、次に掲げるものとする。

一　信託された土地に建物を建設し、又は信託された土地を造成し、かつ、当該土地（その土地の定着物を含む。以下この項において同じ。）の管理又は処分を行うこと。

二　前号に掲げる信託の目的により信託された土地の信託の期間の終了後に、当該土地の管理又は処分を行うこと。

三　信託された土地の処分を行うこと。

２　地方自治法第二百三十八条の五第三項に規定する政令で定める有価証券は、国債、地方債及び同法第二百三十八条第一項第六号に規定する社債とする。

（売払代金等の納付）

第百六十九条の七　普通財産の売払代金又は交換差金[1]は、当該財産の引渡前にこれを納付させなければならない[2]。

２　前項の規定にかかわらず、普通地方公共団体の長は、普通財産を譲渡する場合において、当該財産の譲渡を受ける者が当該売払代金又は交換差金を一時に納付するこ

❖ 法二三八条の五関係

1）●本条第一項の規定により普通財産はこれを貸し付け、交換すること等ができるのであるが、この場合においても法第二三七条第二項の適用を受けるものである。（昭三八・一二・一九通知）

2）●主たる部分が公用・公共用施設であっても、その他の施設が併設され、その収益により信託配当を受けることによって、地方公共団体が負担する費用が他の手法（直接施行する場合やPFIで行う場合等）と比較して安価となる場合には、地方公共団体が土地信託制度を活用する合理性がある。（平一四・五・一通知）

3）●本条第二項（現行第四項）の規定は、地方公共団体に対し、公益的な目的のために一般私法上の解除権とは別個の特別な解除権を認めたものであるから、本項に基づく解除については民法第五四〇条の規定が当然に適用されるものではないが、類推適用される。本条第二項（現行第四項）の規定と第三項（現行第五項）の損失補償請求権の規定とは、その保護する法益目的がちがうので、損失補償とは別に解除の効力は発生し、損失補償をもつて同時履行の抗弁権を行使することはできない。（昭三九・一一・一〇行実）
●本条第二項（現行第四項）の解除権は、契約中に解除権を留保していない場合においても本条文を根拠として行使することができる。（昭四〇・一一・二六行実）

自治法

地方自治法

６　普通地方公共団体の長が一定の用途並びにその用途に供しなければならない期日及び期間を指定して普通財産を貸し付けた場合において、借受人が指定された期日を経過してもなおこれをその用途に供せず、又はこれをその用途に供した後指定された期間内にその用途を廃止したときは、当該普通地方公共団体の長は、その契約を解除することができる。

７　第四項及び第五項の規定は貸付け[4]以外の方法により普通財産を使用させる場合に、前項の規定は普通財産を売り払い、又は譲与する場合に準用する。

８　第四項から第六項までの規定は、普通財産である土地（その土地の定着物を含む。）を信託する場合に準用する。

９　第七項に定めるもののほか普通財産の売払いに関し必要な事項及び普通財産の交換に関し必要な事項は、政令でこれを定める。

＊本条―追加〔昭三八・六法九九〕、二項―追加・旧二～四項―一項ずつ繰下・旧五項―一部改正し六項に繰下・七項―追加・旧六項―一部改正し八項に繰下〔昭六一・五法七五〕、三項―追加・旧三～五項―一項ずつ繰下・旧六～八項―一部改正し一項ずつ繰下〔平一八・六法五三〕

【参照条文】
②・③【信託―信託法一等　【受益者―信託法八八等
【政令―令一六九の六
⑨【政令―令一六九の七
※法九六１Ⅵ・Ⅷ・一四九Ⅵ・一九九７・二二一３・二三七２・３・二三八　地財法八　公企法六・九Ⅶ・三三　地教法二一Ⅱ　法附則〔昭三八法九九〕一〇２　国有財産法二〇・二八の二

地方自治法施行令

とが困難であると認められるときは、確実な担保を徴し、かつ、利息を付して、五年以内の延納の特約をすることができる。ただし、次の各号に掲げる場合においては、延納期限を当該各号に掲げる期間以内とすることができる。

一　他の地方公共団体その他公共団体に譲渡する場合　十年

二　住宅又は宅地[3]を現に使用している者に譲渡する場合　十年

三　分譲することを目的として取得し、造成し、又は建設した土地又は建物を譲渡する場合　二十年

四　公営住宅法（昭和二十六年法律第百九十三号）第四十四条第一項の規定により公営住宅又はその共同施設（これらの敷地を含む。）を譲渡する場合　三十年

３　前項の規定により延納の特約をしようとする場合において、普通財産の譲渡を受けた者が国又は他の地方公共団体であるときは、担保を徴しないことができる。

（有価証券の出納）

第百六十九条の八　第百六十八条の七第二項の規定は、公有財産に属する有価証券の出納についてこれを準用する。

行政実例・通知・判例・注釈

４）○「貸付け以外の方法」とは、地上権、地役権等の用益物権を設定すること等をいう。

※●町長が地方自治法所定の町議会の同意を得て町有財産である廃道敷を売却した行為は、私法行為であって、行政事件訴訟特例法第一条（現行法では行政事件訴訟法第三条）にいう「行政庁の処分」ではないから、その取消を求める訴は不適法である。（昭三〇・七・二〇地裁判）

※●都道府県が実施する施設譲渡事業において、譲渡対象施設たる建物については、当該建物の建設完了後直ちに譲渡が行なわれるものである限り、都道府県は所有権の保存の登記を行なうことなく、譲受人が直接所有権の保存の登記をすることもさしつかえない。（昭四四・二・六行実）

✤令一六九条の七関係

１）○「交換差金」とは、等価でない財産を交換する場合において価格の差額を補填するために支払う金銭をいう。

２）●売払代金又は交換差金は、登記又は登録完了前に納付させなければならない。（昭三九・一〇・二七通知）

３）●宅地とは、一般に建物敷地としての宅地であり、住宅敷地、工場敷地、倉庫敷地、病院敷地、事務所敷地等が含まれる。（昭四一・五・一三行実）

（旧慣による公有財産の使用）

第二百三十八条の六 旧来の慣行により市町村の住民中特に公有財産を使用する権利を有する者があるときは、その旧慣による。その旧慣を変更し、又は廃止しようとするときは、市町村の議会の議決を経なければならない。

2 前項の公有財産をあらたに使用しようとする者があるときは、市町村長は、議会の議決を経て、これを許可することができる。

＊ 本条―追加〔昭三八・六法九九〕

【参照条文】
①【住民―法一〇1】【議決―法九六1XV・一一六】
※ 法二二六・二二九

（行政財産を使用する権利に関する処分についての審査請求）

第二百三十八条の七 第二百三十八条の四の規定により普通地方公共団体の長以外の機関がした行政財産を使用する権利に関する処分についての審査請求は、普通地方公共団体の長が当該機関の最上級行政庁でない場合においても、当該普通地方公共団体の長に対してするものとする。

2 普通地方公共団体の長は、行政財産を使用する権利に関する処分についての審査請求がされた場合には、当該審査請求が不適法であり、却下するときを除き、議会に諮問した上、当該審査請求に対する裁決をしなければな

❖ 法二三八条の六関係

1）○「旧来の慣行」とは、通常旧慣といわれ、市制、町村制の施行以前から続いている慣行の意である。

●部落と村との協定により各部落民の有する利用権等は「旧慣」に該当する。（昭二四・五・一六行実）

2）●いわゆる「慣行の使用権」とは、溜池の用水、柴草山の肥料、山林の下草の採取等のため慣行がある区域に限り使用するようなものをいう。（行実）

※ ●旧慣の変更廃止は議会の議決で行ないうるが、当該財産を市町村と各部落との間に一定の条件の下に市町村有に統合したものである場合、当該統一条件は尊重し不当に旧慣による権利を侵さないようにすべきである。（昭二四・五・一六行実）

※ ●旧部落有財産の管理処分に関し新たに当該部落民会の同意を要する旨の条例を設けることはさしつかえない。（昭二四・五・一六行実）

※ ●旧慣による財産が、関係町村を異にする三部落に係る財産区の所有である場合には、当該財産の管理処分については、関係町村の一部事務組合を設けるのが適当である。（昭二八・一一・九行実）

❖ 法二三八条の七関係

1）○「諮問があつた日から二十日以内」とは、諮問があつた日の翌日を第一日として二〇日目に当たる日までを指す。

○「二十日」の期限は訓示的規定であつて、それより遅れて意見を述べた場合でも効力には影響がない。

2）●議会の答申意見は尊重されるべきであるが、必ずしも常に長はそれに絶対的に拘束されるということはない。（昭二六・七・一七行実）

地方自治法

らない。

3　議会は、前項の規定による諮問[1]を受けた日から二十日以内に意見[2]を述べなければならない。

4　普通地方公共団体の長は、第二項の規定による諮問をしないで同項の審査請求を却下したときは、その旨を議会に報告しなければならない。

＊本条―追加〔昭三八・六法九九〕、一・六項―一部改正〔平一一・一二法一六〇〕、一・二・六項―削る・旧三・四項―一部改正し二項ずつ繰上・旧五項―三項に繰上〔平二六・六法六九〕、二・三項―一部改正・四項―追加〔平二九・四法二五〕

【引用条文】

①・②・③【法二三八の四（行政財産の管理及び処分）

【参照条文】

※　法二五五の三・二五六・二五七2・二五八・附則（昭三八法九九）一四　行政不服審査法

第二款　物品

＊款名―追加〔昭三八・六法九九〕

（**物品**）

第二百三十九条　この法律において「物品」とは、普通地方公共団体の所有に属する動産で次の各号に掲げるもの以外のもの及び普通地方公共団体が使用のために保管する動産（政令で定める動産を除く。）をいう。

一　現金（現金に代えて納付される証券を含む。）

二　公有財産に属するもの

三　基金に属するもの

2　物品に関する事務に従事する職員は、その取扱いに係

地方自治法施行令

（**物品の範囲から除かれる動産**）

第百七十条　地方自治法第二百三十九条第一項に規定する政令で定める動産は、警察法第七十八条第一項の規定により都道府県警察が使用している国有財産及び国有の物品とする。

（**関係職員の譲受けを制限しない物品**）

第百七十条の二　地方自治法第二百三十九条第二項に規定する政令で定める物品は、次の各号に掲げる物品とする。

一　証紙その他その価格が法令の規定により一定してい

行政実例・通知・判例・注釈

⚜

※　法二三九条関係

●物品の分類（備品、消耗品等）は、地方公共団体において適宜分類してさしつかえない。（昭三八・一二・一九通知）

●県の収入証紙が遺失物法第一五条（現行法では第三七条第一項）の規定により県に帰属した場合の取扱は、物品として県に帰属させるべきである。（昭四〇・五・二五行実）

●災害救助法による応急仮設住宅は物品として取扱うのが適当である。（昭四二・一二・一四行実）

る物品（政令で定める物品を除く。）を普通地方公共団体から譲り受けることができない。

3 前項の規定に違反する行為は、これを無効とする。

4 前二項に定めるもののほか、物品の管理及び処分に関し必要な事項は、政令でこれを定める。

5 普通地方公共団体の所有に属しない動産で普通地方公共団体が保管するもの（使用のために保管するものを除く。）のうち政令で定めるもの（以下「占有動産」という。）の管理に関し必要な事項は、政令でこれを定める。

＊ 本条―全改〔昭三八・六法九九〕

【参照条文】

① 【動産―民法八六】【政令の定め―令一七〇】【公有財産―法二三八】【基金―法二四一】

② 【公有財産に関する規定―法二三八の三】【政令の定め―令一七〇の二】

④ 【政令―令一七〇の三・一七〇の四】

⑤ 【政令―令一七〇の五】

第三款 債権

＊ 款名―追加〔昭三八・六法九九〕

（債権）

第二百四十条 この章において「債権」とは、金銭の給付

る物品

二 売払いを目的とする物品又は不用の決定をした物品で普通地方公共団体の長が指定するもの

（物品の出納）

第百七十条の三 第百六十八条の七第二項の規定は、物品（基金に属する動産を含む。）の出納についてこれを準用する。

（物品の売払い）

第百七十条の四 物品は、売払いを目的とするもののほか、不用の決定をしたものでなければ、売り払うことができない。

（占有動産）

第百七十条の五 地方自治法第二百三十九条第五項に規定する政令で定める動産は、次の各号に掲げる動産とする。

一 普通地方公共団体が寄託[1]を受けた動産

二 遺失物法（平成十八年法律第七十三号）第四条第一項若しくは第十三条第一項若しくは児童福祉法（昭和二十二年法律第百六十四号）第三十三条の二の二若しくは第三十三条の三の規定により保管する動産[2]又は生活保護法（昭和二十五年法律第百四十四号）第七十六条第一項に規定する遺留動産

2 占有動産は、法令に特別の定めがある場合を除くほか、会計管理者がこれを管理する。この場合においては、第百六十八条の七第二項の規定を準用する。

（督促）

第百七十一条 普通地方公共団体の長は、債権（地方自治

⚜ 令一七〇条の五関係

1）○「寄託」とは、受寄者が寄託者のために受寄物の原状を維持・保全することを約し、ある物を受け取ることをいう。

●公の施設として条例の定めるところによって設置した県営放牧場が一定期間所有者から預かって飼育している家畜は、占有動産である。（昭四〇・二・二六行実）

2）●本条第一項第二号の「動産」には現金・有価証券は含まれない。（昭三八・一二・一九通知）

地方自治法

を目的とする普通地方公共団体の権利をいう。

2　普通地方公共団体の長は、債権について、政令の定めるところにより、その督促、強制執行その他その保全及び取立てに関し必要な措置をとらなければならない。

3　普通地方公共団体の長は、債権について、政令の定めるところにより、その徴収停止、履行期限の延長又は当該債権に係る債務の免除をすることができる。

4　前二項の規定は、次の各号に掲げる債権については、これを適用しない。

一　地方税法の規定に基づく徴収金に係る債権

二　過料に係る債権

三　証券に化体されている債権（国債に関する法律（明治三十九年法律第三十四号）の規定により登録されたもの及び社債、株式等の振替に関する法律の規定により振替口座簿に記載され、又は記録されたものを含む。）

四　電子記録債権法（平成十九年法律第百二号）第二条第一項に規定する電子記録債権

五　預金に係る債権

六　歳入歳出外現金となるべき金銭の給付を目的とする債権

七　寄附金に係る債権

八　基金に属する債権

＊本条―全改〔昭三八・六法九九〕、四項―一部改正〔平一三・六法七五、平一四・六法六五、平一六・六法八八、平一九・六法一〇二、平二六・六法六九〕

【参照条文】

地方自治法施行令

法第二百三十一条の三第一項に規定する歳入に係る債権を除く。）について、履行期限までに履行しない者があるときは、期限を指定してこれを督促しなければならない。

（強制執行等）

第百七十一条の二　普通地方公共団体の長は、債権（地方自治法第二百三十一条の三第三項に規定する分担金等に係る債権（第百七十一条の五及び第百七十一条の六第一項において「強制徴収により徴収する債権」という。）を除く。）について、同法第二百三十一条の三第一項又は前条の規定による督促をした後相当の期間を経過してもなお履行されないときは、次に掲げる措置をとらなければならない。ただし、第百七十一条の五の措置をとる場合又は第百七十一条の六の規定により履行期限を延長する場合その他特別の事情があると認める場合は、この限りでない。

一　担保の付されている債権（保証人の保証がある債権を含む。）については、当該債権の内容に従い、その担保を処分し、若しくは競売その他の担保権の実行の手続をとり、又は保証人に対して履行を請求すること。

二　債務名義のある債権（次号の措置により債務名義を取得したものを含む。）については、強制執行の手続をとること。

三　前二号に該当しない債権（第一号に該当する債権で同号の措置をとつてなお履行されないものを含む。）については、訴訟手続（非訟事件の手続を含む。）により履行を請求すること。

（履行期限の繰上げ）

第百七十一条の三　普通地方公共団体の長は、債権につい

行政実例・通知・判例・注釈

※②・③【政令】令一七一〜一七一の七
※法二三一の三1・4・二三五の四1・2・二四一7
※民法一編五章・六章・三編　商法　会社法　民訴
非訟事件手続法等

て履行期限を繰り上げることができる理由が生じたときは、遅滞なく、債務者に対し、履行期限を繰り上げる旨の通知をしなければならない。ただし、第百七十一条の六第一項各号の一に該当する場合その他特に支障があると認める場合は、この限りでない。

（**債権の申出等**）

第百七十一条の四　普通地方公共団体の長は、債権について、債務者が強制執行又は破産手続開始の決定を受けたこと等を知つた場合において、法令の規定により当該普通地方公共団体が債権者として配当の要求その他債権の申出をすることができるときは、直ちに、そのための措置をとらなければならない。

2　前項に規定するもののほか、普通地方公共団体の長は、債権を保全するため必要があると認めるときは、債務者に対し、担保の提供（保証人の保証を含む。）を求め、又は仮差押え若しくは仮処分の手続をとる等必要な措置をとらなければならない。

（**徴収停止**）

第百七十一条の五　普通地方公共団体の長は、債権（強制徴収により徴収する債権を除く。）で履行期限後相当の期間を経過してもなお完全に履行されていないものについて、次の各号の一に該当し、これを履行させることが著しく困難又は不適当であると認めるときは、以後その保全及び取立てをしないことができる。

一　法人である債務者がその事業を休止し、将来その事業を再開する見込みが全くなく、かつ、差し押えることができる財産の価額が強制執行の費用をこえないと認められるとき。

二　債務者の所在が不明であり、かつ、差し押えることができる財産の価額が強制執行の費用をこえないと認

⚜令一七一条の五関係

○徴収停止後一定期間経過後当該徴収停止に係る債権が当然に消滅するという制度を条例により設けることはできず、権利放棄（法第九六条第一項第一〇号）の措置をとるか、時効（法第二三六条）により債権が消滅するのを待つほかない。

※●本条は、債権の保全及び取立てをしないことができる場合を定めたにすぎず、地方税法第一五条の七第四項の徴収金納付義務の消滅というような効果はない。
（昭三九・一〇・一五行実）

自治法

地方自治法

地方自治法施行令

められるときその他これに類するとき。

三　債権金額が少額で、取立てに要する費用に満たないと認められるとき。

（履行延期の特約等）

第百七十一条の六　普通地方公共団体の長は、債権（強制徴収により徴収する債権を除く。）について、次の各号の一に該当する場合においては、その履行期限を延長する特約[1]又は処分をすることができる。この場合において、当該債権の金額を適宜分割して履行期限を定めることを妨げない。

一　債務者が無資力又はこれに近い状態にあるとき。

二　債務者が当該債務の全部を一時に履行することが困難であり、かつ、その現に有する資産の状況により、履行期限を延長することが徴収上有利であると認められるとき。

三　債務者について災害、盗難その他の事故が生じたことにより、債務者が当該債務の全部を一時に履行することが困難であるため、履行期限を延長することがやむを得ないと認められるとき。

四　損害賠償金又は不当利得による返還金に係る債権について、債務者が当該債務の全部を一時に履行することが困難であり、かつ、弁済につき特に誠意を有すると認められるとき。

五　貸付金に係る債権について、債務者が当該貸付金の使途に従つて第三者に貸付けを行なつた場合において、当該第三者に対する貸付金に関し、第一号から第三号までの一に該当する理由があることその他特別の事情により、当該第三者に対する貸付金の回収が著しく困

行政実例・通知・判例・注釈

❖令一七一条の六関係

1）●債務者に連帯保証人がある場合においても、本条の規定に基づき、履行期限の延長の特約をすることはさしつかえない。（昭四四・二・六行実）

難であるため、当該債務者がその債務の全部を一時に履行することが困難であるとき。

2　普通地方公共団体の長は、履行期限後においても、前項の規定により履行期限を延長する特約又は処分をすることができる。この場合においては、既に発生した履行の遅滞に係る損害賠償金その他の徴収金（次条において「損害賠償金等」という。）に係る債権は、徴収すべきものとする。

（免除）

第百七十一条の七　普通地方公共団体の長は、前条の規定により債務者が無資力又はこれに近い状態にあるため履行延期の特約又は処分をした債権について、当初の履行期限（当初の履行期限後に履行延期の特約又は処分をした場合は、最初に履行延期の特約又は処分をした日）から十年を経過した後において、なお、債務者が無資力又はこれに近い状態にあり、かつ、弁済することができる見込みがないと認められるときは、当該債権及びこれに係る損害賠償金等を免除することができる。

2　前項の規定は、前条第一項第五号に掲げる理由により履行延期の特約をした貸付金に係る債権で、同号に規定する第三者が無資力又はこれに近い状態にあることに基づいて当該履行延期の特約をしたものについて準用する。この場合における免除については、債務者が当該第三者に対する貸付金について免除することを条件としなければならない。

3　前二項の免除をする場合については、普通地方公共団体の議会の議決は、これを要しない。

地方自治法

第四款　基金

＊本款―全改〔昭三八・六法九九〕

（基金）

第二百四十一条　普通地方公共団体は、条例の定めるところにより、特定の目的のために財産[1]を維持し、資金[2]を積み立て、又は定額[3]の資金を運用するための基金を設けることができる。

2　基金は、これを前項の条例で定める特定の目的に応じ、及び確実かつ効率的に運用しなければならない。

3　第一項の規定により特定の目的のために財産を取得し、又は資金を積み立てるための基金を設けた場合においては、当該目的のためでなければこれを処分[4]することができない。

4　基金の運用から生ずる収益及び基金の管理に要する経費は、それぞれ毎会計年度の歳入歳出予算に計上しなければならない。

5　第一項の規定により特定の目的のために定額の資金を運用するための基金を設けた場合においては、普通地方公共団体の長は、毎会計年度、その運用の状況を示す書類を作成し、これを監査委員の審査に付し、その意見を付けて、第二百三十三条第五項の書類と併せて議会に提出しなければならない。

6　前項の規定による意見の決定は、監査委員の合議によるものとする。

7　基金の管理については、基金に属する財産の種類に応じ、収入若しくは支出の手続、歳計現金の出納若しくは保管、公有財産若しくは物品の管理若しくは処分又は債

地方自治法施行令

行政実例・通知・判例・注釈

◆法二四一条関係

1）○従前の基本財産に相当するがその目的のためならそれから生ずる収益はもちろん元本をも処分し使用してさしつかえない。

2）○従前の積立金穀に相当するもので、減債基金・財政調整積立金等がこれに相当する。

●公営住宅敷金を本条に基づき条例を設け、基金として管理することは差支えない。（昭四〇・七・二一行実）

●地財法第四条の三及び同法第七条の規定による積み立ては、基金としての設置条例を必要とする。（昭四一・六・三〇行実）

3）●土地開発基金により用地等を先行取得する場合に要する測量・杭打並びに旅費及び通信費等の経費は、別途予算に計上して支出すべきである。（昭四五・一・二二行実）

4）●災害救助基金に属する現金を処分して同基金の設置目的のために使用する場合には歳入歳出予算に計上しなければならない。（昭三九・一二・二四行実）

5）○財産の種類に応じて、そのそれぞれに対応する処理又は管理若しくは処分に関する規定をそのまま適用して基金に属する財産の処理又は管理若しくは処分を行なうことである。

●基金に属する現金を金融機関に預金する場合の取扱いは、出納長（現行法では会計管理者）が預金先、預金の種別（定期・普通等）を決め、預金の手続をする。この場合において、指定金融機関以外の金融機関に預金するものについては、知事に協議する。（昭三九・一二・九行実）

権の管理の例[5]による。

8　第二項から前項までに定めるもののほか、基金の管理及び処分に関し必要な事項は、条例でこれを定めなければならない。

＊　本条…全改〔昭三八・六法九九〕、五項…一部改正・六項…追加・旧六項…七項に繰下・旧七項…一部改正し八項に繰下〔平三・四法二四〕、六項…一部改正〔平九・六法六七〕

【引用条文】
⑤【法二三三（決算）５

【参照条文】
①※法二三三の二　地財法七１
④・⑤【会計年度…法二〇八１　【歳入歳出予算…法二一五　※法二一〇
⑦【財産の種類…法二三七１　【収入の手続…法二三一・二三一の二　【支出の手続…法二三二の三～二三二の五　【歳計現金の出納保管…法一七〇２Ⅰ・二三五の四　【財産の管理・処分…法一四九Ⅵ・二三八の四・二三八の五・二三九・二四〇２・３　公企法九Ⅶ　地教法二一Ⅱ
⑧※法九六１Ⅰ

第十節　住民による監査請求及び訴訟

＊　本節…全改〔昭三八・六法九九〕

（住民監査請求）

第二百四十二条　普通地方公共団体の住民[1]は、当該普通地方公共団体の長若しくは委員会若しくは委員又は当該普通地方公共団体の職員[2]について、違法若しくは不当[3]な公金の支出、財産の取得、管理若しくは処分、契約の締結若しくは履行若しくは債務その他の義務の負担がある（当該行為がなされることが相当の確実さをもつて予測さ[4]

（住民による監査請求）

第百七十二条　地方自治法第二百四十二条第一項の規定による必要な措置の請求は、その要旨を記載した文書をもつてこれをしなければならない。

2　前項の規定による請求書は、総務省令で定める様式によりこれを調製しなければならない。

●基金に属する現金を定期預金しているもので、その預金が満期になつた場合の取扱いは、知事から別段の指示がない限り、出納長（現行法では会計管理者）が切替の手続を行ない、同時に当該利子額、利子計算期日等を知事に通知して知事が調定の手続をする。（昭三九・一二・九行実）

●定額の資金を運用するための基金については、法第二三五条の五（出納の閉鎖）の規定の適用はない。歳入歳出予算に計上した収益金の基金からの当該会計への振替は収益額が確定し、現金が確保された段階で振替すればよい。（昭四一・二・一四行実）

❖法二四二条関係

1）●「住民」の範囲は、法律上の行為能力の認められている限り法人たると個人たるとを問わない。（昭二三・一〇・三〇行実）

●一部事務組合を構成する普通地方公共団体の住民は、当該一部事務組合の監査委員に対し、住民監査請求ができる。（昭四五・七・一四行実）

●請求人四名のうち一名が当該団体の住民でない場合

自治法

地方自治法

れる場合を含む。）と認めるとき、又は違法若しくは不当に公金の賦課若しくは徴収若しくは[5]財産の管理を怠る事実（以下「怠る事実」という。）があると認めるときは、[6]これらを証する書面を添え、監査委員に対し、監査を求め、当該行為を防止し、若しくは是正し、若しくは当該怠る事実を改め、又は当該行為若しくは怠る事実によつて当該普通地方公共団体の被つた損害を補塡するために必要な措置を講ずべきことを[7]請求することができる。

2　前項の規定による請求は、当該[8]行為のあつた日又は終[9]わつた日から一年を経過したときは、これをすることができない。ただし、正[10]当な理由があるときは、この限りでない。

3　第一項の規定による請求があつたときは、監査委員は、直ちに当該請求の要旨を当該普通地方公共団体の議会及び長に通知しなければならない。

4　第一項の規定による請求があつた場合において、当該行為が違法であると思料するに足りる相当な理由があり、当該行為により当該普通地方公共団体に生ずる回復の困難な損害を避けるため緊急の必要があり、かつ、当該行為を停止することによつて人の生命又は身体に対する重大な危害の発生の防止その他公共の福祉を著しく阻害するおそれがないと認めるときは、監査委員は、当該普通地方公共団体の長その他の執行機関又は職員に対し、理由を付して次項の手続が終了するまでの間当該行為を停止すべきことを勧告することができる。この場合において、監査委員は、当該勧告の内容を第一項の規定による請求人（以下この条において「請求人」という。）に通知するとともに、これを公表しなければならない。

地方自治法施行令

行政実例・通知・判例・注釈

においても、住所要件を有する三名につき住民監査請求は有効に成立しているものであるから受理すべきである。（昭五七・一〇・二六行実）

2）

○「職員」とは、形式的には普通地方公共団体の議会の議員を除き一般職たると特別職たるとを問わず、また、長の補助部局だけに限らず委員会等のすべての職員を包含するが、実際には支出又は契約等の事務に関係がある職員が主体となる。

●「普通地方公共団体の職員」には消防分団長及び団員を含む。（昭三三・七・二五行実）

●議長交際費の使途等に関し当該議長を対象とした本条に基く監査請求は受理すべきである。（昭四〇・五・一二行実）

●「公有地の拡大の推進に関する法律」により設立された土地開発公社が行う現金の支出、財産の取得、管理又は処分、契約の締結等について住民監査請求をすることはできない。（昭五〇・一〇・一行実）

3）

●「不当な（公金の）支出」とは、一般的には時価により購入しうる物品について額のいかんにかかわらず当該支出が不適当な場合をいう。（昭二三・一〇・一二行実）

●公金とは、法令上当該普通地方公共団体又はその機関の管理に属する現金、有価証券をいう。（昭二三・一〇・一二行実）

●県立高校に対する土地、物品、金銭等の寄附は、県が損害をこうむるおそれがないので、本条の監査請求の対象とはならない。（昭四五・四・二一行実）

●土地区画整理事業の施行者としての知事が行なう保留地の処分は、本条第一項の「財産の処分」に該当するが、換地処分については該当しない。（昭四五・四・二一行実）

4）

●職員の昇給決定が違法あるいは不当に行われたとし

5 第一項の規定による請求があつた場合には、監査委員は、監査を行い、当該請求に理由がないと認めるときは、理由を付してその旨を書面により請求人に通知するとともに、これを公表し、当該請求に理由があると認めるときは、当該普通地方公共団体の議会、長その他の執行機関又は職員に対し期間を示して必要な措置を講ずべきことを勧告するとともに、当該勧告の内容を請求人に通知し、かつ、これを公表しなければならない。

6 前項の規定による監査委員の監査及び勧告は、第一項の規定による請求[11]があつた日から六十日以内に行わなければならない。

7 監査委員は、第五項の規定による監査を行うに当たつては、請求人に証拠の提出及び陳述[12]の機会を与えなければならない。

8 監査委員は、前項の規定による陳述の聴取を行う場合又は関係のある当該普通地方公共団体の長その他の執行機関若しくは職員の陳述の聴取を行う場合において、必要があると認めるときは、関係のある当該普通地方公共団体の長その他の執行機関若しくは職員又は請求人を立ち会わせることができる。

9 第五項の規定による監査委員の勧告があつたときは、当該勧告を受けた議会、長その他の執行機関又は職員は、当該勧告に示された期間内に必要な措置を講ずるとともに、その旨を監査委員に通知しなければならない。この場合において、監査委員は、当該通知に係る事項を請求人に通知するとともに、これを公表しなければならない。

10 普通地方公共団体の議会は、第一項の規定による請求があつた後に、当該請求に係る行為又は怠る事実に関する損害賠償又は不当利得返還の請求権その他の権利の放棄に関する議決をしようとするときは、あらかじめ監査

たならば、そのことにより将来当該職員が退職するにあたり不当な額の退職金の支給がなされることが退職手当に関する条例上予測される場合もその是正措置の住民監査請求をなしうる。（昭四九・七・一一行実）

5）

●「財産の管理を怠る事実」とは、公有財産を不法に占用されているにもかかわらず何らの是正措置を講じない場合等をいう。（昭三八・一二・一九通知）

●一級河川の堤防（国有河川堤防敷地）上に兼用工作物として設置された県道は、本条の財産には該当しない。（昭四一・五・二一行実）

●普通地方公共団体の長その他の財務会計職員の財務会計上の行為を違法、不当としてその是正措置を求める住民監査請求は、特段の事情がない限り、当該行為が違法、無効であることに基づいて発生する実体法上の請求権の不行使を違法、不当とする財産の管理を怠る事実についての監査請求をもその対象として含むものと解すべきである。（昭六二・二・二〇最裁判）

●道路法施行法第五条第一項に基づく使用貸借による権利は、地方自治法第二四二条第一項にいう「財産」に含まれない。（平二・一〇・二五最裁判）

6）

●「これらを証する書面」は、事実を証するような形式を備えておれば一応受付けなければならない。それが事実であるかどうかは、監査委員の監査によつてはじめて明らかになるものである。（昭二三・一〇・三〇行実）

7）

●監査委員の監査終了前においては、請求の撤回ができる。（昭二四・一二・二八行実）

●私立保育所で定員を超えて保育し児童福祉法で示された最低基準の保育がなされていないとして、法第二四二条の監査請求があつた場合、この監査請求は長、職員等の行為または事実に対するものではないので受理すべき限りでない。（昭四六・八・一一行実）

●同一住民が同一の財務会計上の行為又は怠る事実を対象として再度の住民監査請求をすることは許されない。（昭六二・二・二〇最裁判）

地方自治法

委員の意見を聴かなければならない。

11　第四項の規定による勧告、第五項の規定による監査及び勧告並びに[13]前項の規定による意見についての決定は、監査委員の合議によるものとする。

＊　本条―全改〔昭三八・六法九九〕、六項―一部改正〔平九・六法六七〕、三項―追加・旧三・五項―一部改正し一項ずつ繰下・旧四項―一項繰下・七項―追加・旧六・七項―一部改正し二項ずつ繰下〔平一四・三法四〕、一項―一部改正・三項―追加・旧三～六項―一部改正し一項ずつ繰下・旧七項―八項に繰下・旧八項―削る・九項―一部改正・一〇・一一項―追加〔平二九・六法五四〕

【参照条文】

①【住民―法一〇1　【公金の支出―法二三二の四・二三二の五　令一六一等　地財法四1　【財産の取得、管理又は処分―法九六1Ⅵ・Ⅶ・Ⅷ・一四九Ⅵ・二三七～二四一　令一二一の二の二2　【契約の締結―法九六1Ⅴ　令一二一の二の二1　【債務その他の義務負担―法九六1Ⅸ・二一四・二三〇・二三五の三　地財法五　【公金の賦課又は徴収―法九六1Ⅳ・二二三～二三一の三　【本条の請求―令一七二　則一三　【住民監査請求の特例（個別外部監査契約）―法二五二の四三

地方自治法施行令

行政実例・通知・判例・注釈

8　○「当該行為」とは、第一項に規定されている四種類の行為を指す。

●普通地方公共団体の長その他の財務会計職員の財務会計上の行為が違法、無効であることに基づいて発生する実体法上の請求権の不行使をもつて財産の管理を怠る事実とする住民監査請求については、右財務会計上の行為のあつた日又は終わつた日を基準として地方自治法第二四二条第二項の規定を適用すべきである。（昭六二・二・二〇最裁判）

●概算払による公金の支出についての監査請求は、当該公金の支出がされた日から一年を経過したときはできない。（平七・二・二一最裁判）

9　○「終わつた日」とは、当該行為又はその効力が相当の期間継続性を有するものについて、当該行為又はその効力が終了した日（例えば、財産の貸付については、貸付期間の満了した日又は貸付契約の解除された日）を指す。

10　●「正当な理由」の有無は、普通地方公共団体の住民が相当の注意力をもつて調査した時に客観的にみて当該行為を知ることができたかどうか、また、当該行為を知ることができたと解されるときから相当の期間内に監査請求をしたかどうかによつて判断すべきものである。（昭六三・四・二二最裁判）

11　○「請求があつた日から六十日以内」とは、監査請求のあつた日の翌日を第一日とし、六〇日目にあたる日までを指す。

●「請求があつた日」とは、監査請求書が当該行政機関に到達した日、すなわち当該監査請求書に当該都道府県の文書取扱規程等に定める収受印を押印した日である。なお、六〇日の期間計算については、当該日の翌日から起算される。（昭四一・一一・二四行実）

12　●住民監査請求については、法律上代理に関する規定

㊟ 次条中、点線の左側は、令和六年六月二六日から起算して二年六月を超えない範囲内において政令で定める日から施行となる。

（**住民訴訟**）

第二百四十二条の二 普通地方公共団体の住民は、前条第一項の規定による請求をした場合において、同条第五項

はないが、請求人の陳述については、代理が許される。（昭四一・四・一三行実）

13）○「合議」とは、全監査委員が協議し、最終的には意見が一致する意である。

※ ●監査委員の定数二人の町において、そのうち一人が除斥された場合における監査は、除斥されない監査委員一人で行う。（昭四八・四・一三行実）

※ ●監査の結果を不服として監査委員に対し異議の申立てがあつた場合、監査委員は、これを受理すべきでない。（昭三三・七・一四行実）

※ ●同一人が同一事件について同一内容の再監査を請求することはできないが、あらたに追加された内容を含むときは、その請求が別個の監査請求と認められる限り監査しなければならない。（昭三三・七・一四行実）

※ ●刑事訴訟が提起され係属中の事件について本条による監査請求があつた場合、これを受理して監査を行なつてよい。（昭三三・七・二五行実）

※ ●同一事件について、二箇以上の請求がなされた場合でも、請求者が異なる以上一事不再議の適用はないが、一箇の請求について行なつた監査の結果に基づいて、請求に係る事実がないと認めるときは、他の請求について改めて監査を行なうことなく、その旨を請求者に通知すれば足りる。（昭三四・三・一九行実）

※ ●農地法により知事が買収し、売り渡す農地等については、本条の財産に該当しない。（昭三四・一〇・二一行実）

✤ 法二四二条の二関係

1）●地方自治法第二四二条の二に規定する住民訴訟は、原告が死亡した場合においては、その訴訟を承継する

地方自治法

の規定による監査委員の監査の結果若しくは勧告若しくは同条第九項の規定による普通地方公共団体の議会、長その他の執行機関若しくは職員の措置に不服があるとき、又は監査委員が同条第五項の規定による監査若しくは勧告を同条第六項の期間内に行わないとき、若しくは議会、長その他の執行機関若しくは職員が同条第九項の規定による措置を講じないときは、裁判所に対し、同条第一項の請求に係る違法な行為又は怠る事実[1]につき、訴えをもつて次に掲げる請求をすることができる。

一　当該執行機関又は職員に対する当該行為の全部又は一部の差止めの請求

二　行政処分たる当該行為の取消し又は無効確認の請求

三　当該執行機関又は職員に対する当該怠る事実の違法確認の請求

四　当該職員[2]又は当該行為若しくは怠る事実に係る相手方[3]に損害賠償[4]又は不当利得返還の請求をすることを当該普通地方公共団体の執行機関又は職員に対して求める請求。ただし、当該職員又は当該行為若しくは怠る事実に係る相手方が第二百四十三条の二の八第三項（第二百四十三条の二の九第三項）の規定による賠償の命令の対象となる者である場合には、当該賠償の命令をすることを求める請求

2　前項の規定による訴訟は、次の各号に掲げる場合の区分に応じ、当該各号に定める期間内に提起しなければならない。

一　監査委員の監査の結果又は勧告に不服がある場合　当該監査の結果又は当該勧告の内容の通知があつた日から三十日以内

地方自治法施行令

行政実例・通知・判例・注釈

に由なく、当然に終了するものと解すべきである。（昭五五・二・二二最裁判）

●地方自治法第二四二条の二第一項第二号の訴において、その被告とされるのは当該行政処分をなした行政庁または行政機関であるが、右行政庁あるいは行政機関は本来行政処分の効果の帰属する主体ではなく、その帰属主体である国または公共団体の一機関にすぎないのであるが、訴を提起する者の便宜と、攻撃防禦方法を尽させ、裁判の適正・迅速を期するうえで望ましいといつた観点から、被告適格を認められたものであること、同第二号で訴えられている行政庁または行政機関を構成する者が交替したときは、新構成員が当然にその訴訟を承継すべきものであること、右訴に応訴することもその職務執行の一部と考えうること等の点から考えて、同号に基づき訴えられている町長の応訴費用は当該町において負担すべきものと解するのが相当である。（昭四七・三・二八地裁判）

●市の指導要綱に基づき給水契約留保の措置をとり水道法違反により起訴された市長個人のため市がその弁護士費用（手数料・着手金）を支出したことが違法な公金の支出に当たる。（平一・三・二三最裁判）

●町が地区交通安全協会を経由して県に対してしたミニパトカーの寄附は、法令の規定に基づき経費の負担区分が定められている事務について、地方公共団体相互の間における経費の負担区分を乱すことに当たり、地方財政法第二八条の二に違反するものであつて、そのためにされたミニパトカーの購入及び購入代金の支出も違法なものである。（平八・四・二六最裁判）

2）

●法第二四二条の二第一項第四号にいう「当該職員」とは、当該訴訟において適否が問題とされている財務会計上の行為を行う権限を法令上本来的に有するとされている者及びその者から権限の委任を受けるなどし

二　監査委員の勧告を受けた議会、長その他の執行機関又は職員の措置に不服がある場合　当該措置に係る監査委員の通知があつた日から三十日以内
三　監査委員が請求をした日から六十日を経過しても監査又は勧告を行わない場合　当該六十日を経過した日から三十日以内
四　監査委員の勧告を受けた議会、長その他の執行機関又は職員が措置を講じない場合　当該勧告に示された期間を経過した日から三十日以内

3　前項の期間は、不変期間とする。[5]

4　第一項の規定による訴訟が係属しているときは、当該普通地方公共団体の他の住民は、別訴をもつて同一の請求をすることができない。[6]

5　第一項の規定による訴訟は、当該普通地方公共団体の事務所の所在地を管轄する地方裁判所の管轄に専属する。

6　第一項第一号の規定による請求に基づく差止めは、当該行為を差し止めることによつて人の生命又は身体に対する重大な危害の発生の防止その他公共の福祉を著しく阻害するおそれがあるときは、することができない。[7]

7　第一項第四号の規定による訴訟が提起された場合には、当該職員又は当該行為若しくは怠る事実の相手方に対して、当該普通地方公共団体の執行機関又は職員は、遅滞なく、その訴訟の告知をしなければならない。

8　前項の訴訟告知があつたときは、第一項第四号の規定による訴訟が終了した日から六月を経過するまでの間は、当該訴訟に係る損害賠償又は不当利得返還の請求権の時効は、完成しない。

9　民法第百五十三条第二項の規定は、前項の規定による時効の完成猶予について準用する。

10　第一項に規定する違法な行為又は怠る事実については、

て右権限を有するに至つた者をいう。（昭六二・四・一〇最裁判）

●地方公営企業の管理者が、訓令等により、その権限に属する財務会計上の行為をあらかじめ特定の補助職員に専決させることとしている場合には、右専決により処理した財務会計上の行為の適否が問題とされている代位請求住民訴訟において、管理者及び補助職員は本条第一項第四号にいう「当該職員」に該当する。（平三・一二・二〇最裁判）

3）●土地開発公社の理事の違法な行為につき、その設立者である普通地方公共団体の住民は、地方自治法第二四二条の二第一項第四号の規定による訴訟を提起することができない。（平三・一一・二八最裁判）

●普通地方公共団体の長の権限に属する財務会計上の行為を、委任を受けた吏員（現行法では職員）が処理した場合は、長は、右吏員（現行法では職員）が財務会計上の違法行為をすることを阻止すべき指揮監督上の義務に違反し、故意又は過失により右吏員（現行法では職員）が財務会計上の違法行為をすることを阻止しなかつたときに限り、普通地方公共団体が被つた損害につき賠償責任を負う。（平五・二・一六最裁判）

4）●住民訴訟の対象とされている損害賠償請求権又は不当利得返還請求権を放棄する旨の議決がされた場合、このような請求権が認められる場合は様々であり、個々の事案ごとに、当該請求権の発生原因である財務会計行為等の性質、内容、原因、経緯及び影響、当該議決の趣旨及び経緯、当該請求権の放棄又は行使の影響、住民訴訟の係属の有無及び経緯、事後の状況その他の諸般の事情を総合考慮して、これを放棄することが普通地方公共団体の民主的かつ実効的な行政運営の確保を旨とする地方自治法の趣旨等に照らして不合理であつて上記の裁量権の範囲の逸脱又はその濫用に当たると認められるときは、その議決は違法となり、当該放棄は無効となるものと解するのが相当である。（平二四・四・二〇最裁判）

地方自治法

民事保全法（平成元年法律第九十一号）に規定する仮処分をすることができない。

11　第二項から前項までに定めるもののほか、第一項の規定による訴訟については、行政事件訴訟法第四十三条の規定の適用があるものとする。

12　第一項の規定による訴訟を提起した者が勝訴[8]（一部勝訴を含む。）した場合において、弁護士、弁護士法人又は弁護士・外国法事務弁護士共同法人に報酬を支払うべきときは、当該普通地方公共団体に対し、その報酬額の範囲内で相当と認められる額の支払を請求することができる。

＊　本条―全改〔昭三八・六法九九〕、八項―追加〔平六・六法四八〕、七項―一部改正〔平一三・六法四二〕、一項―一部改正・六～一〇項―追加・旧六・七項―一部改正し五項ずつ繰下・旧八項―削る〔平一四・三法四〕、八・九項―全改〔平二九・六法四五〕、一・二項―一部改正〔平二九・六法五四〕、一二項―一部改正〔令二・五法三三〕、一項―一部改正〔令五・五法一九、令六・六法六五〕

【引用条文】
①【法二四二（住民監査請求）1・5・6・9・二四三の二の八（職員の賠償責任）3
⑨【民法一五三（時効の完成猶予又は更新の効力が及ぶ者の範囲）2
⑩【民事保全法
⑪【行訴法四三（抗告訴訟又は当事者訴訟に関する規定の準用）

（訴訟の提起）
第二百四十二条の三　前条第一項第四号本文の規定による

地方自治法施行令

行政実例・通知・判例・注釈

5）○「不変期間」とは、法定期間の一種であるが、裁判所がこれを伸縮できないこと及び当事者の責任のない理由によつてこれを守れなかつた場合は、一週間内に限つて追完ができることに特色がある。

6）○「別訴」とは、訴訟係属中、それについて別個独立の訴を起こすことをいう。

7）●「人の生命又は身体に対する重大な危害の発生の防止その他公共の福祉を著しく阻害するおそれがあるとき」とは、当該財務会計行為を差し止めた場合、人の生命に危険が及ぶおそれがある場合、身体に重大な危害が生ずるおそれがある場合ないしは、それに匹敵するような重大な利益が害されるおそれがある場合という極めて限定的な場合を指すことになるものであり、当該財務会計行為を適法な手続に従ってやり直す時間的余裕がある場合や当該危害の発生を防止する他の手段があり、かつ、当該代替手段を行う時間的余裕がある場合は、前記の重大な利益が害されるおそれはないとして、本項の例外要件を充足しない。（平一四・三・三〇通知）

8）●「勝訴」には、被告が請求を認諾したことにより訴訟手続きが終了した場合も含まれる。（平一〇・六・一六最裁判）

❖　法二四二条の三関係

1）●法第二四二条の三第二項（又は法第二四三条の二

訴訟について、損害賠償又は不当利得返還の請求を命ずる判決が確定した場合においては、普通地方公共団体の長は、当該判決が確定した日から六十日以内の日を期限として、当該請求に係る損害賠償金又は不当利得の返還金の支払を請求しなければならない。

2　前項に規定する場合において、当該判決が確定した日から六十日以内に当該請求に係る損害賠償金又は不当利得による返還金が支払われないときは、当該普通地方公共団体は、当該損害賠償又は不当利得返還の請求を目的とする訴訟を提起しなければならない。

3　前項の訴訟の提起については、第九十六条第一項第十二号の規定にかかわらず、当該普通地方公共団体の議会の議決を要しない。

4　前条第一項第四号本文の規定による訴訟の裁判が同条第七項の訴訟告知を受けた者に対してもその効力を有するときは、当該訴訟の裁判は、当該普通地方公共団体と当該訴訟告知を受けた者との間においてもその効力を有する。

5　前条第一項第四号本文の規定による訴訟について、普通地方公共団体の執行機関又は職員に損害賠償又は不当利得返還の請求を命ずる判決が確定した場合において、当該普通地方公共団体がその長に対し当該損害賠償又は不当利得返還の請求を目的とする訴訟を提起するときは、当該訴訟については、代表監査委員が当該普通地方公共団体を代表する。

＊　本条…追加（平一四・三法四）

【引用条文】
①・⑤【法二四二の二（住民訴訟）1Ⅳ
③【法九六（議決事件）1Ⅻ

（現行法では法第二四三条の二の八）第五項）の規定により訴訟を提起するにあたっては、民事訴訟規則第五三条及び第五五条の規定の趣旨を踏まえ、訴状において、当該訴訟が、法第二四二条の二第一項第四号の規定に基づく住民訴訟の判決の結果提起されたものであることを明記するとともに、訴状に、当該住民訴訟の判決の写しを添付する。（平一四・三・三〇通知）

地方自治法

④【法二四二の二（住民訴訟）1Ⅳ・7

【参照条文】

⑤【代表監査委員―法一九九の三

第十一節　雑則

＊本節―全改〔昭三八・六法九九〕

㊟ 次条中、点線の左側は、令和六年六月二六日から起算して二年六月を超えない範囲内において政令で定める日から施行となる。

（私人の公金取扱いの制限）

第二百四十三条　普通地方公共団体は、法律若しくはこれに基づく政令に特別の定めがある場合又は次条第一項の規定により委託する場合　若しくは第二百四十三条の二の七第二項の規定により地方税共同機構に行わせる場合　を除くほか、公金の徴収若しくは収納又は支出の権限を私[1]人に委任し、又は私人をして行わせてはならない。

＊本条―全改〔昭三八・六法九九〕、一部改正〔令五・五法一九、令六・六法六五〕

【引用条文】

【法二四三の二（指定公金事務取扱者）1、二四三の二の七（特定歳入等の収納）2

【参照条文】

①【公金の徴収、支出の権限―法一四九Ⅱ・Ⅲ・一七〇・二三二の四　【法律の定―地税法　公企法三三の二　国保法八〇の二　高齢者の医療の確保に関す

地方自治法施行令

行政実例・通知・判例・注釈

✤ 法二四三条関係

1）○「私人」には、自然人ばかりでなく、法人も法人格のない団体（この場合は委託の相手は、代表者である。）も含まれる。

る法律一一四

※　令一七三の二・一七三の三

（指定公金事務取扱者）

第二百四十三条の二　普通地方公共団体の長は、公金の徴[1]収若しくは収納[2]又は支出に関する事務（以下この条及び次条第一項において「公金事務」という。）を適切かつ確実に遂行することができる者として政令で定める者のうち当該普通地方公共団体の長が総務省令で定めるところにより指定するものに、この条から第二百四十三条の二の六までの規定の定めるところにより、公金事務を委託[3]することができる。

２　普通地方公共団体の長は、前項の規定による委託をしたときは、当該委託を受けた者（以下「指定公金事務取扱者」という。）の名称、住所又は事務所の所在地、指定公金事務取扱者に委託した公金事務に係る歳入等又は歳出その他総務省令で定める事項を告示しなければならない。

３　指定公金事務取扱者は、その名称、住所又は事務所の所在地を変更しようとするときは、総務省令で定めるところにより、あらかじめ、その旨を普通地方公共団体の長に届け出なければならない。

４　普通地方公共団体の長は、前項の規定による届出があつたときは、当該届出に係る事項を告示しなければならない。

５　指定公金事務取扱者は、第一項の規定により委託を受けた公金事務の一部について、公金事務を適切かつ確実に遂行することができる者として政令で定める者に委託をすることができる。この場合において、指定公金事務取扱者は、あらかじめ、当該委託について普通地方公共

（指定公金事務取扱者等の要件）

第百七十三条　地方自治法第二百四十三条の二第一項、第五項及び第六項（同条第七項の規定により適用する場合を含む。）に規定する政令で定める者は、次の各号に掲げる要件のいずれにも該当する者とする。

一　地方自治法第二百四十三条の二第一項に規定する公[1]金事務（次号において「公金事務」という。）を適切かつ確実に遂行することができる財産的基礎を有すること。

二[2]　その人的構成等に照らして、公金事務を適切かつ確実に遂行することができる知識及び経験を有し、かつ、十分な社会的信用を有すること。

✤　法二四三条の二関係

１）○「徴収」とは、地方公共団体の歳入を調定し、納入の通知をし、収入を受け入れる行為をいう。

●私人に歳入の徴収を委託した場合は、私人が納入通知書を発行することとなる。（昭三八・一二・一九通知）

２）○「収納」とは、調定及び納入の通知のあった地方公共団体の収入を受け入れる行為をいう。

３）●滞納処分のできる使用料及び手数料について、私人に督促状の発行、延滞金の徴収及び滞納処分の委託をすることはできない。（昭三八・一二・一九通知）

●都道府県営住宅の管理を市町村に委託する（現行法では「管理を行わせる。」）場合、家賃徴収事務を法第二四四条の二第三項の規定により委託することはできないが、令第一五八条（現行法では法第二四三条の二）の規定により委託することが適当である。（昭四五・一・一七行実）

※

●歳入の徴収を委託された私人は、法第二四三条の二（現行法では法第二四三条の二の八）の賠償責任は負わないが、民法上の賠償義務は負うものである。（昭三八・一二・一九通知）

●社会保険診療報酬支払基金に対する診療報酬支払事務の委託は、新令第一六五条の三（現行法では法第二四三条の二）の規定による「私人」に対する支出事務の委託ではない。（昭三八・一二・一九通知）

●指定公金事務取扱者及び当該者から公金事務の一部の委託を受けた者等において、個人情報の保護に係る適切な措置が講じられるよう、指定公金事務取扱者と締結する契約等において、秘密の保持、個人情報の漏えい防止措置、個人情報の目的外利用の制限等、個人情報の保護のために必要な措置について定めることが適当である。（令五・五・八通知）

自治法

地方自治法

団体の長の承認を受けなければならない。

6　前項の規定により公金事務の一部の委託を受けた者は、当該委託をした指定公金事務取扱者の許諾を得た場合であつて、かつ、公金事務を適切かつ確実に遂行することができる者として政令で定める者に対してするときに限り、その一部の再委託をすることができる。この場合において、指定公金事務取扱者は、あらかじめ、当該再委託について普通地方公共団体の長の承認を受けなければならない。

7　前項の規定により公金事務の一部の再委託を受けた者は、当該公金事務の一部の委託を受けた者とみなして、同項の規定を適用する。

8　会計管理者は、指定公金事務取扱者について、定期及び臨時に公金事務の状況を検査しなければならない。

9　会計管理者は、前項の規定による検査をしたときは、その結果に基づき、指定公金事務取扱者に対して必要な措置を講ずべきことを求めることができる。

10　監査委員は、第八項の規定による検査について、会計管理者に対し報告を求めることができる。

＊本条―追加〔令五・五法一九〕

【引用条文】

①【法二四三の二の二（指定公金事務取扱者の帳簿保存等の義務）1・二四三の二の三（指定公金事務取扱者の指定の取消し）・二四三の二の四（公金の徴収の委託）・二四三の二の五（公金の収納の委託）・二四三の二の六（公金の支出の委託）

【参照条文】

①【政令で定め―令一七三　【総務省令で定め―則一二

地方自治法施行令

行政実例・通知・判例・注釈

4）●検査については、その目的や対象、場所等を踏まえて、効果的かつ適切な方法で行うことが適当であり、デジタル技術を活用することが効果的かつ適切である場合には、例えば、オンライン会議システムを活用することなどにより、遠隔地から行うことも可能である。（令五・五・八通知）

✤令一七三条関係

1）●「公金事務を適切かつ確実に遂行することができる財産的基礎を有すること」とは、概ね次のような要件を満たすことが求められるものであること。

①資本金の額、資産又は負債の状況等から財政的基盤が十分に整っていること。

②累積欠損がなく、かつ、経営状態が良好であること。（令六・一・一九通知）

2）●「その人的構成等に照らして、公金事務を適切かつ確実に遂行することができる知識及び経験を有し、かつ、十分な社会的信用を有すること」とは、概ね次のような要件を満たすことが求められるものと考えられるものであること。

①経営陣の体制、業務に対する十分な知識及び経験を有する業務精通者の確保が十分であると認められること。

②コンプライアンス体制等の業務執行体制が十分に整備されていること。（令六・一・一九通知）

の二の一二3
②【総務省令で定め―則一二の二の一四2
③【総務省令で定め―則一二の二の一五2
⑤・⑥【政令で定め―令一七三

（指定公金事務取扱者の帳簿保存等の義務）

第二百四十三条の二の二　指定公金事務取扱者は、総務省令で定めるところにより、帳簿を備え付け、これに公金事務に関する事項を記載し、及びこれを保存しなければならない。

2　普通地方公共団体の長は、前条、この条及び第二百四十三条の二の四から第二百四十三条の二の六までの規定を施行するため必要があると認めるときは、その必要な限度で、総務省令で定めるところにより、指定公金事務取扱者に対し、報告をさせることができる。

3　普通地方公共団体の長は、前条、この条及び第二百四十三条の二の四から第二百四十三条の二の六までの規定を施行するため必要があると認めるときは、その必要な限度で、その職員に、指定公金事務取扱者の事務所に立ち入り、指定公金事務取扱者の帳簿書類その他必要な物件を検査[1]させ、又は関係者に質問させることができる。

4　前項の規定により立入検査を行う職員は、その身分を示す証明書を携帯し、かつ、関係者の請求があるときは、これを提示しなければならない。

5　第三項に規定する権限は、犯罪捜査のために認められたものと解してはならない。

＊本条―追加〔令五・五法一九〕

【引用条文】
②・③【法二四三の二（指定公金事務取扱者）・二四三の二の四（公金の徴収の委託）・二四三の二の

⚜法二四三条の二の二関係

1）●立入検査については、その目的や対象、場所等を踏まえて、効果的かつ適切な方法で行うことが適当であり、デジタル技術を活用することが効果的かつ適切である場合には、例えば、オンライン会議システムを活用することなどにより、遠隔地から行うことも可能である。（令五・五・八通知）

地方自治法

五　（公金の収納の委託）・二四三の二の六（公金の支出の委託）

【参照条文】

①【総務省令で定め―地方自治法に係る民間事業者等が行う書面の保存等における情報通信の技術の利用に関する法律施行規則

②【総務省令で定め―則一二の二の一七2

（指定公金事務取扱者の指定の取消し）

第二百四十三条の二の三　普通地方公共団体の長は、指定公金事務取扱者が次の各号のいずれかに該当するときは、総務省令で定めるところにより、第二百四十三条の二第一項の規定による指定を取り消すことができる。

一　第二百四十三条の二第一項に規定する政令で定める者に該当しなくなつたとき。

二　前条第一項の規定に違反して、帳簿を備え付けず、帳簿に記載せず、若しくは帳簿に虚偽の記載をし、又は帳簿を保存しなかつたとき。

三　前条第二項又は第二百四十三条の二の六第三項の規定による報告をせず、又は虚偽の報告をしたとき。

四　前条第三項の規定による立入り若しくは検査を拒み、妨げ、若しくは忌避し、又は同項の規定による質問に対して陳述をせず、若しくは虚偽の陳述をしたとき。

2　普通地方公共団体の長は、前項の規定により指定を取り消したときは、その旨を告示しなければならない。

＊　本条―追加〔令五・五法一九〕

【引用条文】

①【法二四三の二（指定公金事務取扱者）1・二四三の

地方自治法施行令

行政実例・通知・判例・注釈

二の二（指定公金事務取扱者の帳簿保存等の義務）
1・2・3・二四三の二の六（公金の支出の委託）
3
【参照条文】
①【総務省令で定め―則一二の二の一八2　【政令で定め―令一七三

（公金の徴収の委託）

第二百四十三条の二の四　普通地方公共団体の長が第二百四十三条の二第一項の規定によりその徴収に関する事務を委託することができる歳入は、他の法律又はこれに基づく政令に特別の定めがあるものを除くほか、政令で定めるものとする。

2　指定公金事務取扱者（歳入の徴収に関する事務の委託を受けた者に限る。以下この条において同じ。）は、現金の納付その他総務省令で定める方法により納入義務者から歳入の納付を受けるものとする。

3　前項の場合において、普通地方公共団体の歳入の納入義務者は、納入義務者が指定公金事務取扱者に当該歳入を納付したときに履行されたものとする。

4　指定公金事務取扱者は、政令の定めるところにより、その徴収した歳入を普通地方公共団体に払い込まなければならない。

＊　本条―追加〔令五・五法一九〕

【引用条文】
①【法二四三の二（指定公金事務取扱者）1

【参照条文】
①【他の法律に特別の定め―地税法　公企法三三の二　国保法八〇の二　高齢者の医療の確保に関する法律一一四　【政令で定め―令一七三の二1
②【総務省令で定め―則一二の二の一九

（公金の徴収又は収納の委託）

第百七十三条の二　地方自治法第二百四十三条の二の四第一項に規定する政令で定めるものは、次に掲げる普通地方公共団体の歳入のうち、同法第二百四十三条の二第一項に規定する指定公金事務取扱者（次項において「指定公金事務取扱者」という。）が徴収することにより、その収入の確保及び住民の便益の増進に寄与すると普通地方公共団体の長が認めるものとする。

一　使用料[1]
二　手数料
三　賃貸料
四　物品売払代金[2]
五　寄附金[3]
六　貸付金の元利償還金
七　第一号及び第二号に掲げる歳入に係る延滞金並びに第三号から前号までに掲げる歳入に係る遅延損害金

2　指定公金事務取扱者（歳入の徴収又は歳入等（地方自治法第二百三十一条の二の二に規定する歳入等をいう。以下この項において同じ。）の収納に関する事務の委託を受けた者に限る。）は、普通地方公共団体の規則の定めるところにより、その徴収した歳入又はその収納した歳入等を、その内容を示す計算書（当該計算書に記載すべき事項を記録した電磁的記録を含む。）を添えて、会計管理者又は指定金融機関、指定代理金融機関、収納代理金融

⚜ 法二四三条の二の四関係

1）●私人が三月中に徴収した現金を地方公共団体において四月に領収した場合、当該収入金の所属年度は旧年度である。（昭三八・一二・一九通知）

⚜ 令一七三条の二関係

1）●児童福祉法第五六条の規定により徴収する入所措置費は使用料でないから、私人にその徴収事務を委託することはできない。（昭四一・一・一三行実）

2）●物品売払代金には、地方公共団体が編纂する図書、地方公共団体が生産する農産品等の売却に係る歳入が含まれる。（平一六・一一・一〇通知）

3）●「ふるさと寄附金」（地方税法（昭和二五年法律第二二六号）第三七条の二第一項第一号及び第三一四条の七第一項第一号に規定する都道府県、市町村又は特別区に対する寄附金をいう。）の徴収又は収納の事務についても私人に委託することができる。（平二三・一二・二六通知）

地方自治法

④【政令の定め】令一七三の二2

（公金の収納の委託）

第二百四十三条の二の五　普通地方公共団体の長が第二百四十三条の二第一項の規定によりその収納に関する事務を委託することができる歳入等は、次の各号のいずれにも該当するものとして当該普通地方公共団体の長が定めるものとする。

一　指定公金事務取扱者が収納することにより、その収入の確保及び住民の便益の増進に寄与すると認められるもの

二　その性質上その収納に関する事務を委託することが適当でないものとして総務省令で定めるもの以外のもの

2　指定公金事務取扱者（歳入等の収納に関する事務の委託を受けた者に限る。次項において同じ。）は、第二百三十一条の規定による納入の通知（その性質上納入の通知を必要としない歳入等にあつては、普通地方公共団体の長が定める方法）に基づかなければ、歳入等の収納をすることができない。

3　前条第二項から第四項までの規定は、指定公金事務取扱者が歳入等の収納をする場合について準用する。

＊本条―追加〔令五・五法一九〕

【引用条文】

①①【法二四三の二（指定公金事務取扱者）1

②【法二三一（歳入の収入の方法）

地方自治法施行令

機関若しくは収納事務取扱金融機関に払い込まなければならない。

行政実例・通知・判例・注釈

③【法二四三の二の四（公金の徴収の委託）2・3・4

【参照条文】
①【総務省令で定め―則一二の二の二〇
②【性質上納入の通知を必要としない歳入―令一五四2

（公金の支出の委託）

第二百四十三条の二の六　普通地方公共団体の長が第二百四十三条の二第一項の規定によりその支出に関する事務を委託することができる歳出は、他の法律又はこれに基づく政令に特別の定めがあるものを除くほか、政令で定めるものとする。

2　普通地方公共団体の長は、指定公金事務取扱者（歳出の支出に関する事務の委託を受けた者に限る。次項において同じ。）に対し、当該支出に必要な資金を交付するものとする。

3　指定公金事務取扱者は、普通地方公共団体の規則の定めるところにより、その支出の結果を会計管理者に報告しなければならない。

＊本条…追加〔令五・五法一九〕

【引用条文】
①【法二四三の二（指定公金事務取扱者）1

㊟次条は、令和六年六月二六日から起算して二年六月を超えない範囲内において政令で定める日から施行となる。

（特定歳入等の収納）

第二百四十三条の二の七　地方税共同機構（以下この条において「機構」という。）は、歳入等（地方税（当該地方税に係る地方税法第一条第一項第十四号に

（公金の支出の委託）

第百七十三条の三　地方自治法第二百四十三条の二の六第一項に規定する政令で定めるものは、第百六十一条第一項第一号から第十五号までに掲げる経費、貸付金及び同条第二項の規定によりその資金を前渡することができる払戻金（当該払戻金に係る還付加算金を含む。）とする。

2　第百五十九条の規定は、地方自治法第二百四十三条の二第一項の規定により歳出の支出に関する事務を委託した場合の精算残金を返納させるときについて準用する。

⚜
※令一七三条の三関係
●支出事務を委託した場合の精算残金は、戻入の手続によるものである。（昭四一・四・二七行実）

地方自治法

規定する督促手数料、延滞金、過少申告加算金、不申告加算金、重加算金及び滞納処分費を含む。）その他の政令で定めるものを除く。次項及び第六項において同じ。）の収納に関する事務の合理化及び納入義務者の利便の向上に寄与するため、次項に規定する特定収納事務に関する業務を行う。

2　普通地方公共団体の長は、歳入等のうち、納入義務者が総務省令で定める方法により納付するものであつて、次の各号のいずれにも該当するものとして当該普通地方公共団体の長が定めるもの（以下この条において「特定歳入等」という。）の収納に関する事務（次項及び第四項において「特定収納事務」という。）については、政令で定めるところにより、機構に行わせるものとする。

一　機構が収納することにより、その収入の確保及び住民の便益の増進に寄与すると認められるもの

二　その性質上その収納に関する事務を機構に行わせることが適当でないものとして総務省令で定めるもの以外のもの

3　普通地方公共団体の長は、前項の規定により機構に特定収納事務を行わせるときは、当該特定収納事務に係る特定歳入等その他総務省令で定める事項を告示しなければならない。

4　地方税法第七百四十七条の六第三項及び第七百四十七条の七から第七百四十七条の十二までの規定は、第二項の規定により機構に特定収納事務を行わせる場合について準用する。この場合において、同法第七百四十七条の六第三項中「第一項の規定により行

地方自治法施行令

行政実例・通知・判例・注釈

う前項に規定する特定徴収金（以下この章において「特定徴収金」という。）の収納の事務」とあるのは「地方自治法第二百四十三条の二の七第二項の規定により行う同項に規定する特定収納事務（以下この項において「特定収納事務」という。）」と、「特定徴収金の収納の事務」とあるのは「特定収納事務」と、同法第七百四十七条の七中「特定徴収金」とあるのは「地方自治法第二百四十三条の二の七第二項に規定する特定歳入等（以下この章において「特定歳入等」という。）」と、「納付し、又は納入しよう」とあるのは「納付しよう」と、「納付又は納入」とあるのは「納付」と、同法第七百四十七条の八第一項中「特定徴収金の納付又は納入」とあるのは「特定歳入等の納付」と、同項並びに同法第七百四十七条の九及び第七百四十七条の十第一項中「特定徴収金を納付し、又は納入しよう」とあるのは「特定歳入等を納付しよう」と、同項中「特定徴収金を機構に納付し、又は納入しなければ」とあるのは「特定歳入等を機構に納付しなければ」と、同条第二項中「特定徴収金を納付し、又は納入しよう」とあるのは「特定歳入等を納付しよう」と、同条第三項中「特定徴収金を納付し、又は納入すべき」とあるのは「特定歳入等を納付すべき」と、同条第四項中「特定徴収金」とあるのは「特定歳入等」と、「納付し、又は納入した」とあるのは「納付した」と、「納付又は納入」とあるのは「納付」と読み替えるものとする。

5　第一項の規定により機構が同項に規定する業務を行う場合には、地方税法第七百八十五条第一項中「機構処理税務事務の」とあるのは「機構処理税務事務及び地方自治法第二百四十三条の二の七第二項に

地方自治法

規定する特定収納事務（以下この節及び第六節において「機構処理税務事務等」という。）の」と、同条第二項中「機構処理税務事務の」とあるのは「機構処理税務事務等の」と、同法第七百八十六条第一項中「機構」は、機構処理税務情報」とあるのは「機構は、機構処理税務情報及び機構が地方自治法第二百四十三条の二の七第二項に規定する特定収納事務において取り扱う情報（以下この節において「機構処理税務情報等」という。）」と、「機構処理税務情報の漏えい」とあるのは「機構処理税務情報等の漏えい」と、「その他の機構処理税務情報」とあるのは「その他の機構処理税務情報等」と、同条第二項中「機構処理税務情報」とあるのは「機構処理税務情報等」と、「の規定による」とあるのは「（地方自治法第二百四十三条の二の七第四項において準用する場合を含む。第七百八十八条第二項及び第七百九十条の二において同じ。）の規定による」と、同法第七百八十七条第二項中「機構処理税務情報の」とあるのは「機構処理税務情報等の」と、同法第七百八十八条第一項中「機構処理税務事務」とあるのは「機構処理税務事務等」と、同条第二項中「機構処理税務情報」とあるのは「機構処理税務情報等」と、同法第七百八十九条及び第七百九十条中「機構処理税務事務」とあるのは「機構処理税務事務等」と、同法第七百九十条の二中「の事務」とあるのは「の事務又は地方自治法第二百四十三条の二の七第二項に規定する特定収納事務」と、「及び特定徴収金」とあるのは「及び特定徴収金又は同法第二百四十三条の二の七第

地方自治法施行令

行政実例・通知・判例・注釈

二項に規定する特定歳入等（以下この条において「特定徴収金等」という。）」と、「又は特別徴収義務者」とあるのは「若しくは特別徴収義務者又は納入義務者」と、「（第七百四十七条の八第一項」とあるのは「（第七百四十七条の八第一項（同法第二百四十三条の二の七第四項において準用する場合を含む。以下この条において同じ。）」と、「第七百四十七条の九の」とあるのは「第七百四十七条の九（同法第二百四十三条の二の七第四項において準用する場合を含む。以下この条において同じ。）の」と、「特定徴収金の」とあるのは「特定徴収金等の」と、同法第七百九十六条第一項中「この法律に」とあるのは「地方自治法若しくはこれらの法律に」と、「機構処理税務事務」とあるのは「機構処理税務事務等」と、同法第七百九十七条第一項中「この法律に」とあるのは「地方自治法若しくはこれらの法律に」と、同法第七百九十八条中「機構処理税務事務」とあるのは「機構処理税務事務等」と、同法第八百条及び第八百一条第一号中「の規定」とあるのは「（地方自治法第二百四十三条の二の七第五項の規定により読み替えて適用する場合を含む。）の規定」と、同条第二号中「の規定による報告」とあるのは「（地方自治法第二百四十三条の二の七第五項の規定により読み替えて適用する場合を含む。以下この号において同じ。）の規定による報告」と、「同項」とあるのは「第七百九十六条第一項」とする。

6　総務大臣は、前項の規定により読み替えて適用する地方税法第七百九十条の二の規定による報告があつた場合において、特定徴収金手続用電子情報処理組織（同条に規定する特定徴収金手続用電子情報処

地方自治法

理組織をいう。以下この項において同じ。）の故障その他やむを得ない理由により、納期限までに歳入等の納付をすべき者であつて、当該納期限までに当該納付のうち、特定徴収金手続用電子情報処理組織を使用して行う特定歳入等の納付の全部又は一部を行うことができないと認める者が多数に上ると認めるときは、この法律又は他の法令（条例を含む。）の規定にかかわらず、対象となる特定歳入等の納付、対象者の範囲及び期日を指定して当該納期限を延長することができる。この場合において、延長後の納期限は、当該理由がなくなつた日から六月を超えてはならない。

7　総務大臣は、前項の規定による指定をしようとするときは、あらかじめ、当該指定に係る特定歳入等に係る法令を所管する大臣に協議しなければならない。

8　総務大臣は、第六項の規定による指定をしたときは、直ちに、その旨を告示するとともに、前項の大臣、普通地方公共団体の長及び機構に通知しなければならない。

9　前各項に定めるもののほか、特定歳入等の収納に関し必要な事項は、政令で定める。

＊　本条＝追加〔令六・六法六五〕

【引用条文】
①【地税法一
④【地税法第六章
⑤【地税法第九章第四節・六節・八節

地方自治法施行令

行政実例・通知・判例・注釈

⑥【地税法七九〇の二

㊟ 次条中、点線の左側は、令和六年六月二六日から起算して二年六月を超えない範囲内において政令で定める日から施行となる。

（普通地方公共団体の長等の損害賠償責任の一部免責）

第二百四十三条の二の七
第二百四十三条の二の八　普通地方公共団体は、条例で、当該普通地方公共団体の長若しくは委員会の委員若しくは委員又は当該普通地方公共団体の職員（次条第三項の規定による賠償の命令の対象となる者を除く。以下この項において「普通地方公共団体の長等」という。）の当該普通地方公共団体に対する損害を賠償する責任を、普通地方公共団体の長等が職務[1]を行うにつき善意でかつ重大な過失がないときは、普通地方公共団体の長等が賠償の責任を負う額から、普通地方公共団体の長等の職責[2]その他の事情を考慮して政令で定める基準を参酌して、政令で定める額以上で当該条例で定める額を控除して得た額について免れさせる旨を定めることができる。

2　普通地方公共団体の議会は、前項の条例の制定又は改廃に関する議決をしようとするときは、あらかじめ監査委員の意見を聴かなければならない。

3　前項の規定による意見の決定は、監査委員の合議によるものとする。

＊本条…追加〔平二九・六法五四〕、旧二四三条の二…繰下〔令五・五法一九〕、旧二四三条の二の七…繰下〔令六・六法六五〕

【引用条文】

（普通地方公共団体の長等の損害賠償責任の一部免責の基準等）

第百七十三条の四　地方自治法第二百四十三条の二の七第一項に規定する政令で定める基準は、次の各号に掲げる普通地方公共団体の長等（以下この条において「普通地方公共団体の長等」という。）の区分に応じ、当該各号に定める額とする。

一　地方警務官（警察法第五十六条第一項に規定する地方警務官をいう。以下この項及び次項各号において同じ。）以外の普通地方公共団体の長等　普通地方公共団体から地方自治法第二百四十三条の二の七第一項の損害を賠償する責任（以下この条において「普通地方公共団体の長等の損害賠償責任」という。）の原因となつた行為を行つた日を含む会計年度において在職中に支給され、又は支給されるべき同法第二百三条の二第一項若しくは第四項又は第二百四条第一項若しくは第二項の規定による給与（扶養手当、住居手当、通勤手当、単身赴任手当、在宅勤務等手当又は寒冷地手当が支給されている場合には、これらの手当を除く。）の一会計年度当たりの額に相当する額として総務省令で定める方法により算定される額（次項第一号において「普通地方公共団体の長等の基準給与年額」という。）に、次に掲げる地方警務官以外の普通地方公共団体の長等の

❖法二四三条の二の七関係

1）●「職務を行うにつき善意でかつ重大な過失がない」とは、一般的には、普通地方公共団体の長等が違法な職務行為によって、当該普通地方公共団体に損害を及ぼすことを認識しておらず、かつ、認識しなかったことについて著しい不注意がない場合を指すものである。（平二九・六・九通知）

2）●地方自治法第二四三条の二の七（現行法では第二四三条の二）第一項が「職責その他の事情」を考慮して参酌基準を定めるとしている趣旨に鑑み、普通地方公共団体の長等や地方警務官の基準給与年額を、普通地方公共団体の長等や地方警務官の損害賠償責任の原因となった事実が生じた時点の職責に応じて定めるため、地方自治法施行令新第一七三条（現行令では第一七三条の四）第一項においては、普通地方公共団体の長等や地方警務官の損害賠償責任の原因となった行為を行った日を基準に判断することとされており、退職手当は普通地方公共団体の長等や地方警務官が退職した後に、その者又はその遺族に対して支給されるものであることから、普通地方公共団体の長等や地方警務官の基準給与年額に含まれない。（令元・一一・八通知）

❖令一七三条の四関係

1）●「普通地方公共団体の長等の損害賠償責任の原因となった事実」の内容には、当該長等が職務を行うにつき善意でかつ重大な過失がないという判断の基礎となった事実が含まれる。（令元・一一・八通知）

地方自治法

①【法二四三の二の九（職員の賠償責任）3

【参照条文】
①【政令で定め】令一七三の四

地方自治法施行令

区分に応じ、それぞれ次に定める数を乗じて得た額
イ　普通地方公共団体の長　六
ロ　副知事若しくは副市町村長、指定都市の総合区長、教育委員会の教育長若しくは委員、公安委員会の委員、選挙管理委員会の委員又は監査委員　四
ハ　人事委員会の委員若しくは公平委員会の委員、労働委員会の委員、農業委員会の委員、収用委員会の委員、海区漁業調整委員会の委員、内水面漁場管理委員会の委員、固定資産評価審査委員会の委員、消防長又は地方公営企業の管理者　二
ニ　普通地方公共団体の職員（地方警務官並びにロ及びハに掲げる普通地方公共団体の職員を除く。）　一
二　地方警務官　国から普通地方公共団体の長等の損害賠償責任の原因となつた行為を行つた日を含む会計年度において在職中に支給され、又は支給されるべき一般職の職員の給与に関する法律（昭和二十五年法律第九十五号）その他の法律による給与（扶養手当、住居手当、通勤手当、単身赴任手当、在宅勤務等手当又は寒冷地手当が支給されている場合には、これらの手当を除く。）の一会計年度当たりの額に相当する額として総務省令で定める方法により算定される額（次項第二号において「地方警務官の基準給与年額」という。）に、次に掲げる地方警務官の区分に応じ、それぞれ次に定める数を乗じて得た額
イ　警視総監又は道府県警察本部長　二
ロ　イに掲げる地方警務官以外の地方警務官　一
2　地方自治法第二百四十三条の二の七第一項に規定する政令で定める額は、次の各号に掲げる普通地方公共団体

行政実例・通知・判例・注釈

※●（現行則では第一三条の二第二項の）「その職責に関係する他の職」を兼ねている場合とは、兼ねている他の職も合わせて、一体とした職責が認められる場合を指し、例えば、固定資産評価委員会の委員を税務課長が兼ねている場合や人事委員会の委員を人事委員会の事務局長が兼ねている場合、また、地方自治法第二九二条の規定により普通地方公共団体に関する規定が準用される一部事務組合の管理者を構成団体の長が兼ねている場合等が想定される。（現行則では第一三条の二第五項の）「その職責に関係する他の職」を兼ねている場合とは、兼ねている他の職も合わせて、一体とした職責が認められる場合を指す。（令二・三・二七通知）

㊟ 次条中、点線の左側は、令和六年六月二十六日から起算して二年六月を超えない範囲内において政令で定める日から施行となる。

の長等の区分に応じ、当該各号に定める額とする。
一 地方警務官以外の普通地方公共団体の長等　普通地方公共団体の長等の基準給与年額
二 地方警務官　地方警務官の基準給与年額

3 地方自治法第二百四十三条の二の七第一項の条例（第二号において「一部免責条例」という。）を定めている普通地方公共団体の長は、当該普通地方公共団体における普通地方公共団体の長等が同項の規定により普通地方公共団体の長等の損害賠償責任を免れたことを知つたときは、速やかに、次に掲げる事項を当該普通地方公共団体の議会に報告するとともに、当該事項を公表しなければならない。
一 当該普通地方公共団体の長等の損害賠償責任の原因となつた事実及び当該普通地方公共団体の長等が賠償の責任を負う額
二 当該普通地方公共団体の長等が賠償の責任を負う額から一部免責条例に基づき控除する額及びその算定の根拠
三 地方自治法第二百四十三条の二の七第一項の規定により当該普通地方公共団体の長等が賠償の責任を免れた額

4 前三項に定めるもののほか、地方自治法第二百四十三条の二の七第一項の規定による普通地方公共団体の長等の損害賠償責任の一部の免責に関し必要な事項は、総務省令で定める。

地方自治法

（職員の賠償責任）

第二百四十三条の二の八
第二百四十三条の二の九　会計管理者若しくは[1]会計管理者の事務を補助する職員、資金前渡を受けた職員、占有動産を保管している職員又は物品を使用している職員が[2]故意又は重大な過失（現金については、故意又は過失）により、[3]その保管に係る現金、有価証券、物品（基金に属する動産を含む。）若しくは占有動産又はその使用に係る物品を亡失し、又は損傷したときは、これによつて生じた損害を賠償しなければならない。次に掲げる行為をする権限を有する職員又はその[4]権限に属する事務を直接補助する職員で普通地方公共団体の規則で指定したものが[5]故意又は重大な過失により法令の[6]規定に違反して当該行為をしたこと又は怠つたことにより普通地方公共団体に損害を与えたときも、同様とする。

一　支出負担行為
二　第二百三十二条の四第一項の命令又は同条第二項の確認
三　[7]支出又は支払
四　第二百三十四条の二第一項の監督又は検査

2　前項の場合において、その損害が二人以上の職員の行為により生じたものであるときは、当該職員は、それぞれの職分に応じ、かつ、当該行為が当該損害の発生の原因となつた程度に応じて賠償の責めに任ずるものとする。

3　普通地方公共団体の長は、第一項の職員が同項に規定する行為により当該普通地方公共団体に損害を与えたと認めるときは、[8]監査委員に対し、その事実があるかどうかを監査し、賠償責任の有無及び[9]賠償額を決定すること

地方自治法施行令

行政実例・通知・判例・注釈

❖

1）法二四三条の二の八関係

●職員とは、現金又は物品を亡失又はき損した当時に職員であれば足りる。したがつて、退職後又は死亡後といえども賠償責任は免れ得ない。（昭二五・一〇・一二行実）

●「出納長若しくは収入役（現行法では会計管理者）の事務を補助する職員」は、出納員その他の会計職員としてすべてこれを任命しなければならない。単に宿日直中の職員は、含まれない。（昭三八・一二・一九通知）

●地方公営企業の料金徴収を行なつている企業出納員が故意または重大な過失により公金を亡失した場合は、管理者の事務を補助する職員として本条の適用がある。（昭三九・一二・九行実）

●物品管理規則に基づき供用者とされた職員がつねに「物品を使用している職員」に該当するとは限らない。（昭四五・七・一四行実）

●財務規則において自動車を配している事務所の所長を物品管理者と定めていても、自動車を運転している者が運転中に起こした事故についての賠償責任は、原則として当該運転者が負う。（昭四五・一二・二行実）

●地方公共団体の職員に対する損害賠償請求権は、本条一項所定の要件を充たす事実があればこれによつて実体法上直ちに発生するものと解するのが相当であり、本条三項に規定する長の賠償命令をまつて初めてその請求権が発生するとされたものと解すべきではない。（昭六一・二・二七最裁判）

●普通地方公共団体の長の職責並びに法二四三条の二（現行法では法二四三条の二の八）の規定の趣旨及び内容に照らせば、同条一項所定の職員には当該地方公共団体の長は含まれず、長の当該地方公共団体に対する賠償責任については民法の規定による。（昭六一・

を求め、その決定に基づき、期限を定めて賠償を命じなければならない。

4　第二百四十二条の二第一項第四号ただし書の規定による訴訟について、賠償の命令を命ずる判決が確定した場合には、普通地方公共団体の長は、当該判決が確定した日から六十日以内の日を期限として、賠償を命じなければならない。この場合においては、前項の規定による監査委員の監査及び決定を求めることを要しない。

5　前項の規定により賠償を命じた場合において、当該判決が確定した日から六十日以内に当該賠償の命令に係る損害賠償金が支払われないときは、当該普通地方公共団体は、当該損害賠償の請求を目的とする訴訟[10]を提起しなければならない。

6　前項の訴訟の提起については、第九十六条第一項第十二号の規定にかかわらず、当該普通地方公共団体の議会の議決を要しない。

7　第二百四十二条の二第一項第四号ただし書の規定による訴訟の判決に従いなされた賠償の命令について取消訴訟が提起されているときは、裁判所は、当該取消訴訟の判決が確定するまで、当該賠償の命令に係る損害賠償の請求を目的とする訴訟の訴訟手続を中止しなければならない。

8　第三項の規定により監査委員が賠償責任があると決定した場合において、普通地方公共団体の長は、当該職員からなされた当該損害が避けることのできない事故その他やむを得ない事情によるものであることの証明[11]を相当と認めるときは、議会の同意を得て、賠償[12]責任の全部又は一部を免除することができる。この場合においては、あらかじめ監査委員の意見を聴き、その意見を付けて議[13]会に付議しなければならない。

二・二七最裁判）

2）●故意又は過失があつたかどうかの事実の認定は、長が行なう。（昭二五・九・二二行実）

●県教育委員会の指導主事に充てられている市立小学校の教員が指導主事の職務執行中、県の自動車を損傷し県に損害を与えた場合においては、当該損害賠償に関する本条の適用については、県の監査委員において措置すべきものである。（昭四三・八・一〇行実）

3）●給与の源泉徴収にかかる税金を出納員が消費した場合も、本条にいう現金の亡失にあたる。（昭二五・一〇・一二行実）

●「その保管に係る現金」の「保管」には、「出納」を含まない。（昭三八・一二・一九通知）

4）●「その権限に属する事務を直接補助する職員で規則で指定」するものの範囲としては、予算執行職員等の権限を実質的に補佐する直接下級者で、たとえば、課長が予算執行権限を有する場合には、その直接下級者である課長補佐等を指定するのが適当である。（昭三八・一二・一九通知）

●「権限」とは、法律上の権限及び法律上権限を有する者からの委任に基づく権限をいい、単なる内部的な専決（代決）権限を含まない。（昭三九・一〇・一五行実）

5）●知事が自己の権限に属する支出を補助職員に委任し、知事の指揮監督の下で支出をした補助職員については、自治法二四三条の二（現行法では法二四三条の二の八）第一項後段により損害賠償責任の発生要件が限定されており、支出行為をするにつき故意又は重大な過失があつた場合に限り当該地方公共団体に対して損害賠償責任を負う。（平九・四・二最裁判）

6）●「法令」には、条例、規則を含む。（昭三八・一二・一九通知）

7）●「支出」とは、予算執行行為としての歳出金の払渡しをいい、「支払」とは、出納長又は収入役（現行法では会計管理者）が自ら現金で小口の支払をする場

地方自治法

9　第三項の規定による決定又は前項後段の規定による意見の決定は、監査委員の合議によるものとする。

10　第二百四十二条の二第一項第四号ただし書の規定による訴訟の判決に従い第三項の規定による処分がなされた場合には、当該処分については、審査請求をすることができない。

11　普通地方公共団体の長は、第三項の規定による処分についての審査請求がされた場合には、当該審査請求が不適法であり、却下するときを除き、議会に諮問した上、当該審査請求に対する裁決をしなければならない。

12　議会は、前項の規定による諮問を受けた日から二十日以内に意見を述べなければならない。

13　普通地方公共団体の長は、第十一項の規定による諮問をしないで同項の審査請求を却下したときは、その旨を議会に報告しなければならない。

14　第一項の規定により損害を賠償しなければならない場合には、同項の職員の賠償責任については、賠償責任に関する民法の規定は、適用しない。

＊本条―全改〔昭三八・六法九九〕、一項―一部改正〔昭四九・六法七二〕、五項―一部改正〔平九・六法六七〕、六項―一部改正〔平一一・一二法一六〇〕、三項―一部改正・四〜七項―追加・旧四・五項―一部改正し四項ずつ繰下・旧六項―四項繰下・一一項―追加・旧七〜九項―一部改正し五項ずつ繰下〔平一四・三法四〕、一項―一部改正〔平一八・六法五三〕、一〇項―削る・旧一一・一二項―一部改正し一項ずつ繰上・旧一三・一四項―一項ずつ繰上〔平二六・六法六九〕、一〜四・一〇〜一二項―一部改正・一三項―追加・旧一三項―一部改正し一四項に繰下〔平二九・四法二五〕、旧二四三条の二の二―繰下〔平二九・六法五四〕、旧二四三条の二の二―繰下〔令五・五法一九〕、旧二四三条の二の八―繰下〔令六・六法六五〕

地方自治法施行令

行政実例・通知・判例・注釈

合、資金前渡を受けた職員が債権者に支払う場合、繰替払をする場合等をいう。（昭三八・一二・一九通知）

●地方公営企業の管理者の権限に属する財務会計上の行為を補助職員が専決により処理した場合は、管理者は、右補助職員が財務会計上の違法行為をすることを阻止すべき指揮監督上の義務に違反し、故意又は過失により右補助職員が財務会計上の違法行為をすることを阻止しなかったときに限り、普通地方公共団体が被った損害につき賠償責任を負うものと解するのが相当である。（平三・一二・二〇最裁判）

●普通地方公共団体の長の権限に属する財務会計上の行為を、委任を受けた吏員（現行法では職員）が処理した場合は、長は、右吏員（現行法では職員）が財務会計上の違法行為をすることを阻止すべき指揮監督上の義務に違反し、故意又は過失により右吏員（現行法では職員）が財務会計上の違法行為をすることを阻止しなかったときに限り、普通地方公共団体が被った損害につき賠償責任を負う。（平五・二・一六最裁判）

8）●「監査」には、法第一九九条にいう定期又は臨時の監査を含む。（昭二五・九・二八行実）

●刑事判決が確定した後でも監査委員の監査は省略できない。（昭二五・一〇・一七行実）

9）●監査委員は監査により確認した損害金額から過失の程度により一部を減額し、賠償額を決定することはできない。（昭四五・一〇・五行実）

10）●（法第二四二条の三第二項又は）法第二四三条の二（現行法では法第二四三条の二の八）第五項の規定により訴訟を提起するにあたっては、民事訴訟規則第五三条及び第五五条の規定の趣旨を踏まえ、訴状において、当該訴訟が、法第二四二条の二第一項第四号の規定に基づく住民訴訟の判決の結果提起されたものであることを明記するとともに、訴状に、当該住民訴訟の

【引用条文】
①【法二三二の四（支出の方法）１・２・二三四の二（契約の履行の確保）１
④【法二四二の二（住民訴訟）１Ⅳ
⑥【法九六（議決事件）１Ⅻ
⑦・⑩【法二四二の二（住民訴訟）１Ⅳ

【参照条文】
①【出納関係職員―法一六八～一七一・二三二の四　令一六一　法二三九１・５　【故意又は過失―民法七〇九　【予算関係職員―法二三二の三～二三二の五・二三四の二
※　法一九九　公企法三四　民法

判決の写しを添付する。（平一四・三・三〇通知）

11）●出納職員のなすべき証明は文書によるべきである。（昭二九・五・二六行実）

12）●賠償責任の全部又は一部の免除は、監査委員の賠償決定後に当該職員から挙証があり市長がこれを相当と認めたときに行なわれる。（昭三八・一二・一九通知）

13）●法第一八〇条の規定により、一定金額までのものを長が専決処分できるものとすることはさしつかえない。（昭二五・八・一七行実）

●賠償責任を免除する場合、監査委員の意見と異なるときは、監査委員の審査の結果は、必ずしも長を拘束するものではないので、長としては、審査の結果の意見をつけて議会に付議し、議会の議決により処理できる。（昭二九・五・二六行実）

※●町村吏員（現行法では職員）の資格で町村に損害を与えたときは、離職後でも町村に対する賠償責任を免れ得ない。（明二七・一一・二八行裁判）

※●吏員（現行法では職員）の賠償義務は財産上の義務であり、相続開始により相続人が当然継承する。（大一一・五・二九行裁判）

※●条例、規則で内部的に賠償責任規定を設けることはできない。（昭二五・一一・一三行実）

※●損害賠償させる物品の価格は、原則として帳簿価格によるべきであるが、物価の変動が著しく、帳簿価格のみによることが不適当であると考えられるときは、行為時若しくは賠償時の時価により、又は帳簿価格と時価を適宜考慮して決定することもさしつかえない。（昭二六・四・一七行実）

※●小学校教員が出納員から渡された職員の給与を拐帯逃亡した場合、各教員は、直接給与の支給を受けていないので、その月の給与を更に支払わなければならない。（昭二六・八・一行実）

※●出納員が不正手段（勝手に徴税令書を発行し、領収書を交付の上収受）により横領費消した場合は、地方公共団体は、当該収入金を受領したことにはならない

地方自治法

（財政状況の公表等）

第二百四十三条の三　普通地方公共団体の長は、条例の定めるところにより、毎年二回以上[1]歳入歳出予算の執行状況並びに財産、地方債及び一時借入金の現在高[2]その他財政に関する事項を住民に公表しなければならない。

2　普通地方公共団体の長は、第二百二十一条第三項の法人[3]について、毎事業年度、政令で定めるその経営状況を説明する書類を作成し、これを次の議会に提出しなければならない。

3　普通地方公共団体の長は、第二百二十一条第三項の信託について、信託契約に定める計算期ごとに、当該信託に係る事務の処理状況を説明する政令で定める書類を作成し、これを次の議会に提出しなければならない。

＊　本条―全改〔昭三八・六法九九〕、三項―追加〔昭六一・五

地方自治法施行令

（法人の経営状況等を説明する書類）

第百七十三条の五　地方自治法第二百四十三条の三第二項に規定する政令で定めるその経営状況を説明する書類は、当該法人の毎事業年度の事業の計画[1]及び決算[2]に関する書類とする。

2　地方自治法第二百四十三条の三第三項に規定する政令で定める書類は、信託契約で定める計算期ごとの事業の計画及び実績に関する書類とする。

行政実例・通知・判例・注釈

が、対外的には、当該出納員の不法行為に対する賠償責任を負い、地方公共団体は、当該出納員に対して求償できる。（昭二八・一一・一六行実）

※

●横領金の決算上の措置は、当該年度の決算においては横領金額を収入済額として当該収入科目備考欄に盗難の旨明示する。また、翌年度以降においては補塡された賠償金を歳入の諸収入として収入し、過年度分として当該横領金相当額を歳出の諸支出金（款）補塡金（現行法は「21　補償、補塡及び賠償金」）の科目から当該収入科目に振替補塡して収入済として処理すべきである。（昭二八・四・二八行実）

※

●火災により物品が焼失した場合、保管責任者の故意又は重大な過失により物品が亡失し又は損傷したときは、その損害を賠償しなければならない。（昭二八・一〇・一三行実）

❖法二四三条の三関係

1）○「毎年二回以上」とは、毎会計年度二回又はそれより多い回を指す。

2）○「現在高」とは、財政事情説明書の作成時の現在有高を指す。

3）●「法人」とは次のものをいう。

①　当該普通地方公共団体が設立した地方住宅供給公社、地方道路公社、土地開発公社及び地方独立行政法人

②　当該普通地方公共団体が資本金、基本金その他これらに準ずるものの二分の一以上を出資している一般社団法人及び一般財団法人並びに株式会社

③　当該普通地方公共団体が資本金、基本金その他これらに準ずるものの四分の一以上二分の一未満を出資している一般社団法人及び一般財団法人並びに株式会社のうち条例で定めるもの

法七五）

【引用条文】
②・③【法二二一（予算の執行に関する長の調査権等）

【参照条文】
①【予算—法二一一1・二一五　【財産—法二三七～二四一　【地方債—法二一五・二三〇　地財法五～五の七　公企法二二・二三　健全化法一二　【一時借入金—法二一五・二三五の三　【地方財政の状況に関する報告—地財法三〇の二
②【政令—令一七三の五
③【信託—信託法一等　法二三八の五2等　国有財産法二〇等　【政令—令一七三の五
※　公企法四〇の二

（**普通地方公共団体の財政の運営に関する事項等**）

第二百四十三条の四　普通地方公共団体の財政の運営、普通地方公共団体の財政と国の財政との関係等に関する基本原則については、この法律に定めるもののほか、別に法律でこれを定める。

＊　本条—全改〔昭三八・六法九九〕

【参照条文】
【法律—地財法　※交付税法　健全化法

（**政令への委任**）

第二百四十三条の五　歳入及び歳出の会計年度所属区分、予算及び決算の調製の様式、過年度収入及び過年度支出並びに翌年度歳入の繰上充用その他財務に関し必要な事項は、この法律に定めるもののほか、政令でこれを定め

（**誤払金等の戻入**）

第百五十九条　歳出の誤払い[1]又は過渡し[2]となつた金額及び資金前渡又は概算払をした場合の精算残金を返納させるときは、収入の手続の例により[3]、これを当該支出した経費に戻入[4][5]しなければならない。

（**過年度収入**）

---

④　当該普通地方公共団体及び一又は二以上の②の法人（④により②の法人とみなされる法人を含む。）が資本金、基本金その他これらに準ずるものの二分の一以上を出資している一般社団法人及び一般財団法人並びに株式会社は、②の法人とみなす。

⑤　当該普通地方公共団体及び一又は二以上の②の法人（④により②の法人とみなされる法人を含む。）が資本金、基本金その他これらに準ずるものの四分の一以上二分の一未満を出資している一般社団法人及び一般財団法人並びに株式会社は、③の一般社団法人及び一般財団法人並びに株式会社とみなす。

⑥　当該普通地方公共団体がその者のためにその資本金、基本金その他これらに準ずるものの二分の一に相当する額以上の額の債務を負担している一般社団法人及び一般財団法人並びに株式会社

⑦　当該普通地方公共団体がその者のためにその資本金、基本金その他これらに準ずるものの四分の一に相当する額以上二分の一に相当する額未満の額の債務を負担している一般社団法人及び一般財団法人並びに株式会社のうち条例で定めるもの（平二三・一二・二六通知）

❖令一七三条の五関係

1）○「事業の計画に関する書類」とは、当該法人の事業計画、予算等に相当する書類をいう。

2）○「決算に関する書類」とは、当該法人の貸借対照表、損益計算書、事業の実績報告書等に相当する書類をいう。

❖令一五九条関係

1）○「誤払い」とは、金額の多少を問わず、支出の原因がないにかかわらず誤つて支出されたことをいう。

2）○「過渡し」とは、計算違い等により正当な債務金額を超えて支出されたことをいう。

3）○「収入の手続の例による」とは、調定に相当する戻入の決定をし、納入の通知に相当する戻入の通知をし

地方自治法

る。

＊本条―全改〔昭三八・六法九九〕

【参照条文】

【政令の定―令一四二～一七三の六　※則一四～一六の二

地方自治法施行令

第百六十条　出納閉鎖後の収入は、これを現年度の歳入としなければならない。前条（第百七十三条の三第二項において準用する場合を含む。）の規定による戻入金で出納閉鎖後に係るものについても、また同様とする。

（**誤納金又は過納金の戻出**）

第百六十五条の六　歳入の誤納又は過納となつた金額を払い戻すときは、[1]支出の手続の例により、これを当該収入した歳入から[2]戻出しなければならない。

（**過年度支出**）

第百六十五条の七　出納閉鎖後の支出は、これを現年度の歳出としなければならない。前条の規定による戻出金で出納閉鎖後に係るものについても、また同様とする。

（**普通地方公共団体の規則への委任**）

第百七十三条の六　この政令及びこの政令に基づく総務省令に規定するものを除くほか、普通地方公共団体の財務に関し必要な事項は、当該普通地方公共団体の規則で定める。

行政実例・通知・判例・注釈

て誤払金等を戻入することをいう。

4）○「戻入」とは、本来支出の必要がなかつたものについては、予算使用の目的が達成されていないものであるから、再び使用する道を開くのが適当であるとの趣旨から、予算使用権を復活して歳出の経費に戻し入れることをいう。

5）●過誤払金等の戻入は、法律で明定されていないかぎり強制執行できない。（昭三八・一二・一九通知）

●出納整理期間中に誤払金等を発見した場合においては、当該期間中に支出負担行為を減額のうえ返納通知をすれば当該支出した経費に戻入することができる。（昭四一・四・一二行実）

❖令一六〇条関係

※●前年度中に納税通知書・納入通知書等を発しなかつたものでその収入原因が前年度以前にあるようなものについても、本条の収入とすべきである。（昭三・七・二〇行実）

❖令一六五条の六関係

1）○「支出の手続の例により」とは、支出負担行為に相当する戻出の決定をし、支出命令に相当する戻出の通知をして誤納又は過納を戻出することをいう。

2）●出納整理期間中に誤納金又は過納金を発見した場合において、当該期間中に調定額を減額のうえ戻出命令をすれば、当該収入した歳入から戻出することができる。（昭四一・四・一二行実）

※●過年度における過誤納金は相当の支出科目（償還金利子及び割引料）により支出することを要するが、当該年度における過誤納金は当該科目より直ちに支払うことを要する。（行実）

※●決算書の調製に当たつて還付未了となつた過誤納金は、歳入中の収入済額として取り扱い、その旨付記しておけばよい。（昭三六・六・一二行実）

⚜ 令一七三条の六関係

※ ●市長が収入役（現行法では会計管理者）の補助部課として物品の出納保管を所掌する用度課を設けた場合、市の教育委員会に要する物品の出納保管は当然用度課が行うべきである。また、市長が物品会計規則を定めた場合、この規則は、市の教育委員会をも拘束する。（昭二八・八・五行実）

※ ●現金出納簿は、各会計ごとに調製し当該年度の出納閉鎖期日で閉止するのが適当である。（昭三二・八・二三行実）

第十章　公の施設

＊章名―追加〔昭三八・六法九九〕

（公の施設）

第二百四十四条　普通地方公共団体は、住民[1]の福祉を増進する目的をもつてその利用に供するための施設（これを公の施設という。）を設けるものとする。

2　普通地方公共団体（次条第三項に規定する指定管理者を含む。次項において同じ。）は、正当[2]な理由がない限り、住民が公の施設を利用することを拒んではならない。

3　普通地方公共団体は、住民が公の施設を利用することについて、不当[3]な差別的取扱いをしてはならない。

＊本条―全改〔昭三八・六法九九〕、二項―一部改正〔平一五・六法八一〕

【参照条文】

①【住民―法一〇1　【設置―法一四九Ⅶ・二四四の二1　地教法二一Ⅰ

②・③【※憲法一四1　法一〇2・一四九Ⅶ・二三八の四7　地教法二一Ⅰ・Ⅱ

【実例・通知・判例】

1）●主として中小企業労働者とその家族の福利の向上に資することを目的として設置した県立中小企業労働者保養所は、公の施設である。（昭三九・九・一八行実）

●准看護婦（現行法では准看護師）養成所は、公の施設である。（昭三九・一〇・一五行実）

●厚生年金還元融資により建築し、中小企業事業主に、貸付期間満了後は無償譲渡することを条件として一定期間貸し付ける住宅は、公の施設ではない。（昭三九・一〇・二七通知）

●下水道法第二条第四号に規定する流域下水道は、公の施設である。（昭四七・一・二〇行実）

2）●公共施設の管理者が施設の利用を拒否できるのは、その集会によつて他の基本的人権が侵害され、公共の福祉が損なわれる危険がある場合に限られる。（平七・三・七最裁判）

●市条例が市民会館の使用不許可理由とする「公の秩序を乱すおそれがある場合」とは、集会の自由を保障することの重要性よりも会館で集会が開かれることによつて人の生命、身体又は財産が侵害され、公共の安全が損なわれる危険を回避・防止する必要性が優越する場合をいうものと限定して解釈すべきである。（平七・三・七最裁判）

●公務の中核を担う庁舎等において、政治的な対立がみられる論点について集会等が開催され、威力又は気勢を他に示すなどして特定の政策等を訴える示威行為が行われると、市長が庁舎等をそうした示威行為のための利用に供したという外形的な状況を通じて、あたかも被上告人が特定の立場の者を利しているかのような外観が生じ、これにより外見上の政治的中立性に疑義が生じて行政に対する住民の信頼が損なわれ、ひいては公務の円滑な遂行が確保されなくなるという支障が生じ得る。本件規定（庁舎等において特定の政策、主義又は意見に賛成し、又は反対する目的で個人又は団体で威力又は気勢を他に示す等の示威行為をしてはならない旨の規則の規定）は、上記支障を生じさせないことを目的とするものであって、その目的は合理的であり正当である。（本庁舎に係る建物の付近に位置してこれと一体的に管理ないし利用されている）本件広場における集会に係る行為に対し本件規定を適用することが憲法二一条一項に違反するものということはできない。（令五・二・二一最裁判）

3）●公の施設の利用について、集団的に又は常習的に暴力的不法行為を行うおそれがある組織の利益になると認めるときは、使用を許可しない旨を条例で定めることは差し支えない。（昭四〇・一二・二五行実）

●会館利用申立人の行う集会が、その思想、行動を敵視する団体の妨害行動により会館の周辺の混乱が予想され、その規制の困難性や出費を理由にその使用を制限することは表現の自由ないし集会の自由の趣旨に反し、法第二四四条第二項の公の施設の利用を拒むことができる正当な理由に当たらない。（平二・二・二六高裁判）

●普通地方公共団体の住民ではないが、その区域内に事務所、事業所、家屋敷等を有し、当該普通地方公共団体に対し地方税を納付する義務を負う者など住民に準ずる地位にある者による公の施設の利用について、当該公の施設の性質やこれらの者と当該普通地方公共団体との結び付きの程度等に照らし合理的な理由なく差別的取扱いをすることは、地方自治法二四四条三項に違反する。

普通地方公共団体が営む水道事業の水道料金を定めた条例の改正により、当該普通地方公共団体の住民基本台帳に記録されていない別荘に係る給水契約者の基本料金を別荘以外の給水契約者の基本料金の三・五七倍を超える金額とすることなどを内容とする水道料金の増額改定が行われた場合において、上記の別荘に係る給水契約者の基本料金が、当該給水に要する個別原価に基づいて定められたものではなく、給水契約者の水道使用量に大きな格差があるにもかかわらず、別荘以外の給水契約者（ホテル等の大規模施設に係る給水契約者を含む。）の一件当たりの年間水道料金の平均額と別荘に係る給水契約者の一件当たりの年間水道料金の負担額がほぼ同一水準になるようにするとの考え方に基づいて定められたものであることなど判示の事情の下では、上記の水道料金の改定をした条例のうち別荘に係る給水契

約者の基本料金を改定した部分は、地方自治法二四四条三項に違反するものとして無効である。（平一八・七・一四最裁判）

（公の施設の設置、管理及び廃止）

第二百四十四条の二　普通地方公共団体は、法律又はこれに基づく政令に特別の定めがあるものを除くほか、公の施設の設置及びその管理に関する事項は、[1]条例でこれを定めなければならない。

２　普通地方公共団体は、条例で定める重要な公の施設のうち条例で定める特に重要なものについて、これを[2]廃止し、又は条例で[3]定める長期かつ独占的な利用をさせようとするときは、議会において出席議員の三分の二以上の者の同意を得なければならない。

３　普通地方公共団体は、公の施設の設置の目的を効果的に達成するため必要があると認めるときは、[4]条例の定めるところにより、[5]法人その他の団体であつて当該普通地方公共団体が指定するもの（以下本条及び第二百四十四条の四において「指定管理者」という。）に、当該公の施設の管理を行わせることができる。

４　前項の[6]条例には、指定管理者の指定の手続、指定管理者が行う管理の基準及び業務の範囲その他必要な事項を定めるものとする。

５　指定管理者の[7]指定は、期間を定めて行うものとする。

６　普通地方公共団体は、指定管理者の指定をしようとするときは、あらかじめ、当該普通地方公共団体の議会の[8]議決を経なければならない。

７　指定管理者は、毎年度終了後、その管理する公の施設の管理の業務に関し[9]事業報告書を作成し、当該公の施設を設置する普通地方公共団体に提出しなければならない。

８　普通地方公共団体は、[10]適当と認めるときは、指定管理者にその管理する[11]公の施設の利用に係る料金（次項において「利用料金」という。）を当該指定管理者の収入として収受させることができる。

９　前項の場合における利用料金は、公益上必要があると認める場合を除くほか、[12]条例の定めるところにより、指定管理者が定めるものとする。この場合において、指定管理者は、あらかじめ当該利用料金について当該普通地方公共団体の承認を受けなければならない。

10　普通地方公共団体の長又は委員会は、指定管理者の管理する公の施設の管理の適正を期するため、指定管理者に対して、当該管理の業務又は経理の状況に関し報告を求め、実地について調査し、又は必要な指示をすることができる。

11　普通地方公共団体は、指定管理者が前項の指示に従わないときその他当該指定管理者による管理を継続することが適当でないと認めるときは、その指定を取り消し、又は期間を定めて管理の業務の全部又は一部の停止を命ずることができる。

＊　本条―全改〔昭三八・六法九九〕、三項―一部改正・四～六項―追加・旧四項―七項に繰下〔平三・四法二四〕、七項―一部改正〔平六・六法四八〕、七項―削る〔平一一・七法八七〕、三項―一部改正・四～七項―追加・旧四～六項―一部改正し四項ずつ繰下・一一項―追加〔平一五・六法八一〕

【参照条文】

①【特別の定め―社教法二四　生活保護法四〇4　都市公園法一八　下水道法二五　【設置・管理―法九六1Ⅺ・一四九Ⅶ・二四四・二四四の三・二四四の四　公企法九Ⅶ・三三　地教法二一Ⅰ・Ⅱ・二八

②【廃止―法一四九Ⅶ　地教法二一Ⅰ　【長期かつ独占的な利用―法九六1Ⅺ　※法附則（昭三八法九九）一三

③【公共的団体―法一五七

【実例・通知・注釈】

１）○公の施設の設置は、個別的な条例でも統一条例で定めることも差しつかえない。

●本条第一項の条例中に、公の施設の使用により生じた損害は、その原因をとわずすべて使用者がその責に任ずる旨を規定することは国家賠償法第二条第一項に違反し、無効である。（昭四〇・九・一行実）

２）●条例で定める特に重要な公の施設である水道事業施設の一部廃止であっても、条例の改廃を伴わない限り、本条第二項の議会の議決は要しない。（昭四五・三・一九行実）

３）●墓地はその性質上一定の区域を分割的に、かつ、永代的に使用させることになるが、墓地をその本来の目的に従つて使用させる場合、条例の定めるところにより住民に対し一般的に解放したものであれば、本条第二項の「長期かつ独占的な利用」には該当しない。（昭二六・一〇・二四行実）

●「独占的な利用」とは、当該処分により従前住民が有していた利用関係を失わしめ、相手方に他の介入を排除するような利益を与えられると認められる場合をいう。（昭三一・一〇・四行実）

●公の施設の利用が、当該公の施設の機能、効用を増進することとなり、かつ、住民の一般利用が妨げられないものについては、独占的利用に該当しない。（昭四一・一二・二六行実）

４）●地方公共団体の長は、条例の定めるところにより、指定管理者に使用許可を行わせることができるものであるが、使用料の強制徴収（第二三一条の三）、不服申立てに対する決定（第二四四条の四）、行政財産の目的外使用許可（第二三八条の四第四項（現行法では同条第七項））等法令により地方公共団体の長のみが行うことができる権限については、これらを指定管理者に行わせることはできないものである。（平一五・七・一七通知）

5）●指定管理者制度は、地方公共団体が指定する法人その他の団体に公の施設の管理を行わせようとする制度であり、その対象は民間事業者等が幅広く含まれる。（平一五・七・一七通知）

6）●指定管理者の指定の手続、指定管理者が行う管理の基準及び業務の範囲その他必要な事項は条例で定めることとされており、その具体的な内容は以下のとおりである。

①「指定の手続」としては、申請の方法や選定基準等を定めるものであること。なお、指定の申請に当たっては、複数の申請者に事業計画書を提出させることとし、選定する際の基準としては例えば次のような事項を定めておく方法が望ましいものである。

ア　住民の平等利用が確保されること。

イ　事業計画書の内容が、施設の効用を最大限に発揮するとともに管理経費の縮減が図られるものであること。

ウ　事業計画書に沿った管理を安定して行う物的能力、人的能力を有していること。

②「管理の基準」としては、住民が当該公の施設を利用するに当たっての基本的な条件（休館日、開館時間、使用制限の要件等）のほか、管理を通じて取得した個人に関する情報の取扱いなど当該公の施設の適正な管理の観点から必要不可欠である業務運営の基本的事項を定めるものである。

③「業務の範囲」としては、指定管理者が行う管理の業務について、その具体的範囲を規定するものであり、使用の許可まで含めるかどうかを含め、施設の維持管理等の範囲を各施設の目的や態様等に応じて設定するものである。（平一五・七・一七通知）

●指定管理者に支出する委託費の額等、細目的事項については、地方公共団体と指定管理者の間の協議により定めることとし、別途両者の間で協定等を締結することが適当である。（平一五・七・一七通知）

7）●指定管理者による管理が適切に行われているかどうかを定期的に見直す機会を設けるため、指定管理者の指定は、期間を定めて行うものとすることとされている。この期間については、法令上具体の定めはないものであり、公の施設の適切かつ安定的な運営の要請も勘案し、各地方公共団体において、施設の設置目的や実情等を踏まえて指定期間を定めること。（平二二・一二・二八通知）

●指定管理者の指定の申請にあたっては、住民サービスを効果的、効率的に提供するため、サービスの提供者を民間事業者等から幅広く求めることに意義があり、複数の申請者に事業計画書を提出させることが望ましい。一方で、利用者や住民からの評価等を踏まえ同一事業者を再び指定している例もあり、各地方公共団体において施設の態様等に応じて適切に選定を行うこと。（平二二・一二・二八通知）

8）●指定に当たって議決すべき事項は、指定管理者に管理を行わせようとする公の施設の名称、指定管理者となる団体の名称、指定の期間等である。（平一五・七・一七通知）

9）●「事業報告書」においては、管理業務の実施状況や利用状況、料金収入の実績や管理経費等の収支状況等、指定管理者による管理の実態を把握するために必要な事項が記載されるものである。（平一五・七・一七通知）

10）●適当と認めるときに当たるかどうかは、当該公の施設の有効な活用及び適正な運営等の観点から総合的に判断すべきものである。（平三・四・二通知）

11）●利用料金は、公の施設の使用料に相応するものである。（平三・四・二通知）

●旧法第二四四条の二第四項及び第五項と同様、指定管理者制度においても、利用料金を当該指定管理者の収入として収受させることができることとし、当該利用料金は、公益上必要があると認める場合を除くほか、条例の定めるところにより、指定管理者が定めるものとしている。（平一五・七・一七通知）

12）●条例において、利用料金に関し、その基本的枠組み（利用料金の金額の範囲、算定方法等）を定めるべきものである。（平三・四・二通知）

※●使用料未納による市営住宅の居住者の退去は、行政処分として退去の強制執行はできない。退去の強制執行は訴訟によらなければならない。（昭二五・五・一六行実）

※●地方公共団体の経営する墓地は、営造物（公の施設）として、その使用関係には、一般私法の規定は一般的には排除される。（昭二六・一〇・二四行実）

●県物産館が行なう事務のうち、1出品物の展示、2出品物保全のための看視と保清、3出品物の説明・カタログ等の配布、4出品物についての引合相談を社団法人物産協会に委託できる。（昭三八・六・一九行実）

※●清掃、警備といった個々の具体的業務を指定管理者から第三者へ委託することは差し支えないが、法律の規定に基づいて指定管理者を指定することとした今回の制度の趣旨にかんがみれば、管理に係る業務を一括してさらに第三者へ委託することはできないものである。（平一五・七・一七通知）

●指定管理者が管理を通じて取得した個人情報については、その取扱いについて十分留意し、「管理の基準」として必要な事項を定めるほか、個人情報保護条例において個人情報の保護に関して必要な事項を指定管理者との間で締結する協定に盛り込むことを規定する等、必要な措置を講ずべきものであること。また、指定管理者の選定の際に情報管理体制のチェックを行うこと等により、個人情報が適切に保護されるよう配慮されたい。

その際、「地方公共団体における個人情報保護対策について」（平成一五年六月一六日付け総行情第九一号総務省政策統括官通知）の内容を十分に踏まえて対応されたい。（平一五・七・一七通知）

●指定管理者の選定の際に情報管理体制のチェックを行うこと等により、個人情報が適切に保護されるよう配慮すること。（平二二・一二・二八通知）

●道路法、河川法、学校教育法等個別の法律において公の施設の管理主体が限定される場合には、指定管理者制度を採ることができないものである。（平一五・七・一七通知）

●公の施設の管理及び指定管理者制度の運用にあたっては、引き続き、下記の点に留意の上、運用されたい。

※

①　公の施設の管理については、既に指定管理者制度を導入している施設も含め、引き続き、そのあり方について検証及び見直しを行い、より効果的、効率的な運営に努めること。

②　指定管理者の選定手続については、透明性の高い手続きが求められることから、指定管理者の指定の申請に当たっては、複数の申請者に事業計画書を提出させることとし、選定する際の基準、手続等について適時に必要な情報開示を行うこと等に努めること。（平一九・一・三一通知）

●指定管理者制度を活用した場合でも、住民の安全確保に十分に配慮するとともに、指定管理者との協定等には、施設の種別に応じた必要な体制に関する事項、リスク分担に関する事項、損害賠償責任保険等の加入に関する事項等の具体的事項をあらかじめ盛り込むことが望ましい。（平二二・一二・二八通知）

●指定管理者が労働法令を遵守することは当然であり、指定管理者の選定にあたっても、指定管理者において労働法令の遵守や雇用・労働条件への適切な配慮がなされるよう、留意すること。（平二二・一二・二八通知）

●指定期間が複数年度にわたり、かつ、地方公共団体から指定管理者に対して委託料を支出することが確実に見込まれる場合には、債務負担行為を設定すること。（平二二・一二・二八通知）

（公の施設の区域外設置及び他の団体の公の施設の利用）

第二百四十四条の三　普通地方公共団体は、その区域外においても、また、関係普通地方公共団体との協議[1]により、[2]公の施設を設けることができる。

2　普通地方公共団体は、他の普通地方公共団体との協議[3]により、当該他の普通地方公共団体の公の施設を自己の住民[4]の利用に供させることができる。

3　前二項の協議については、関係普通地方公共団体の議会の議決を経なければならない。

＊本条―追加〔昭三八・六法九九〕

【参照条文】

①【区域―法五】

②【住民―法一〇1】

※　法一〇2・一四九Ⅶ・二四四・二四四の二・二四四の四

【実　例】

1）●区域外に営造物（公の施設）を設置する場合、設置される地域の住民との間に使用関係を生じないときは協議を要しない。（昭二五・八・二行実）

●一般乗合旅客自動車運送事業の路線が地方公共団体の区域外にわたる場合は、一般的には本条の協議を要する。（昭二七・六・二九行実）

2）●協議の手続は、営造物（公の施設）の設置に関する協議に応ずる旨の文書に議会の議決書を添えて通知する扱とすべきである。（昭三〇・一・六行実）

●区域外に延長された路線についてバスを運行する場合、これに必要な営業所、車庫等は、当該延長されたバス路線に必要な施設として本条の営造物（公の施設）を形成する要素となる。（昭二八・六・二七行実）

3）●市内に一時に多数の伝染病患者が発生し市立伝染病院のみでは収容しきれず、余剰患者を市長が伝染病予防法〔現―感染症の予防及び感染症の患者に対する医療に関する法律〕に規定するその他適当な場所として他市町村立伝染病院に入院させる場合は協議は要しない。（昭四一・一・一三行実）

●A県が隣接のB県の一町二村に水道用水供給事業を行う場合には、A県とB県との間において協議を行うべきであり、B県内の町村との間の協議は必要がない。（昭五七・一二・二行実）

4）●市が隣町に水道を敷設した場合、当該町と私法上の契約を締結することにより市が町から直接水道使用料をとることはできない。条例の定めるところにより個々の使用者から使用料を徴収すべきである。（昭二九・一〇・九行実）

※●市の水道事業の一環として隣接町村住民の利用を目的とする上水道を敷設することは、本条第一項の協議を経れば可能であるが、この場合には、第二項の協議は不要である。なお、当該市の条例をそのまま隣接町村の水道利用者に適用することはできる。（昭三一・五・二二行実）

（公の施設を利用する権利に関する処分についての審査

請求）

第二百四十四条の四　普通地方公共団体の長以外の機関（指定管理者を含む。）がした公の施設を利用する権利に関する処分についての審査請求は、普通地方公共団体の長が当該機関の最上級行政庁でない場合においても、当該普通地方公共団体の長に対してするものとする。

2　普通地方公共団体の長は、公の施設を利用する権利に関する処分についての審査請求がされた場合には、当該審査請求が不適法であり、却下するときを除き、議会に諮問した上、当該審査請求に対する裁決をしなければならない。

3　議会は、前項の規定による諮問[1]を受けた日から二十日以内[2]に意見を述べなければならない。

4　普通地方公共団体の長は、第二項の規定による諮問をしないで同項の審査請求を却下したときは、その旨を議会に報告しなければならない。

＊本条―追加〔昭三八・六法九九〕、一・六項―一部改正〔平一一・一二法一六〇〕、三項―一部改正〔平一五・六法八一〕、一・二・六項―削る・旧三・四項―一部改正し二項ずつ繰上・旧五項―三項に繰上〔平二六・六法六九〕、二・三項―一部改正・四項―追加〔平二九・四法二五〕

【参照条文】
※【公の施設の利用―法一〇2・二四四2・3・二四四の二2・二四四の三2　【普通地方公共団体の長以外の機関―法一三八の四
※　行政不服審査法　法二五五の四・二五七2・二五八

【実例・注釈】
1）○「諮問があつた日から二十日以内」とは、諮問があつた日の翌日を第一日として二〇日目に当たる日までを指す。

2）●議会の答申意見は尊重されるべきであるが、必ずしも常に長はそれに絶対的に拘束されるものではない。（昭二六・七・一七行実）

※●公営住宅の入居者の選考が不当又は違法に行なわれた場合、入居申込みをして入居できなかつた者は、本条（平二六法六九による改正前の二四四の四）に基づき不服の申立てをすることができる。（昭三五・二・一五行実）

第十一章　情報システム

＊本章―追加〔令六・六法六五〕

（情報システムの利用に係る基本原則）

第二百四十四条の五　普通地方公共団体は、その事務を処理するに当たつて、事務の種類及び内容に応じ、第二条第十四項及び第十五項の規定の趣旨を達成するため必要があると認めるときは、情報システムを有効に利用するとともに、他の普通地方公共団体又は国と協力して当該事務の処理に係る情報システムの利用の最適化を図るよう努めなければならない。

2　普通地方公共団体は、その事務の処理に係る情報システムの利用に当たつて、サイバーセキュリティ（サイバーセキュリティ基本法（平成二十六年法律第百四号）第二条に規定するサイバーセキュリティをいう。次条第一項において同じ。）の確保、個人情報の保護その他の当該情報システムの適正な利用を図るために必要な措置を講じなければならない。

＊本条―追加〔令六・六法六五〕

㊟　次条は、令和八年四月一日から施行となる。

（サイバーセキュリティを確保するための方針等）

第二百四十四条の六　普通地方公共団体の議会及び長その他の執行機関は、それぞれその管理する情報システムの利用に当たつてのサイバーセキュリティを確保するための方針を定め、及びこれに基づき必要な措置を講じなければならない。

2　普通地方公共団体の議会及び長その他の執行機関は、前項の方針を定め、又はこれを変更したときは、遅滞なく、これを公表しなければならない。

3　総務大臣は、普通地方公共団体に対し、第一項の方針（政令で定める執行機関が定めるものを除く。）の策定又は変更について、指針を示すとともに、必要な助言を行うものとする。

4　総務大臣は、前項の指針を定め、又は変更しようとするときは、国の関係行政機関の長に協議しなければならない。

＊本条―追加〔令六・六法六五〕

第十二章　国と普通地方公共団体との関係及び普通地方公共団体相互間の関係

＊章名―改正〔昭二七・八法三〇六〕、旧一〇章―一一章に繰下〔昭三八・六法九九〕、旧一一章―一二章に繰下〔令六・六法六五〕

第一節 普通地方公共団体に対する国又は都道府県の関与等

＊節名―追加〔平一一・七法八七〕

第一款 普通地方公共団体に対する国又は都道府県の関与等

＊款名―追加〔平一一・七法八七〕

（関与の意義）

第二百四十五条 この章並びに第二百五十二条の二十六の三第一項及び第二項において「普通地方公共団体に対する国又は都道府県の関与」とは、普通地方公共団体の事務の処理に関し、国の行政機関（内閣府設置法（平成十一年法律第八十九号）第四条第三項に規定する事務をつかさどる機関たる内閣府、宮内庁、同法第四十九条第一項若しくは第二項に規定する機関、デジタル庁設置法（令和三年法律第三十六号）第四条第二項に規定する事務をつかさどる機関たるデジタル庁、国家行政組織法（昭和二十三年法律第百二十号）第三条第二項に規定する機関、法律の規定に基づき内閣の所轄の下に置かれる機関又はこれらに置かれる機関をいう。以下この章において同じ。）又は都道府県の機関が行う次に掲げる行為（普通地方公共団体がその固有の資格において当該行為の名宛人となるものに限り、国又は都道府県の普通地方公共団体に対する支出金の交付及び返還に係るものを除く。）をいう。

一 普通地方公共団体に対する次に掲げる行為

イ 助言又は勧告

ロ 資料の提出の要求

ハ 是正の要求（普通地方公共団体の事務の処理が法令の規定に違反しているとき又は著しく適正を欠き、かつ、明らかに公益を害しているときに当該普通地方公共団体に対して行われる当該違反の是正又は改善のため必要な措置を講ずべきことの求めであつて、当該求めを受けた普通地方公共団体がその違反の是正又は改善のため必要な措置を講じなければならないものをいう。）

ニ 同意

ホ 許可、認可又は承認

ヘ 指示

ト 代執行（普通地方公共団体の事務の処理が法令の規定に違反しているとき又は当該普通地方公共団体がその事務の処理を怠つているときに、その是正のための措置を当該普通地方公共団体に代わつて行うことをいう。）

二 普通地方公共団体との協議

三 前二号に掲げる行為のほか、一定の行政目的を実現するため普通地方公共団体に対して具体的かつ個別的に関わる行為（相反する利害を有する者の間の利害の調整を目的としてされる裁定その他の行為（その双方を名宛人とするものに限る。）及び審査請求その他の不服申立てに対する裁決、決定その他の行為を除く。）

＊本条―全改〔平一一・七法八七〕、一部改正〔平一一・一二法一六〇、平二六・六法六九、令三・五法三六、令六・六法六五〕

【引用条文】

【法二五二の二六の三（資料及び意見の提出の要求）】1・2 【内閣府設置法四（所掌事務）3・四九（設置）1・2 【デジタル庁設置法四（所掌事務）2 【国家行政組織法三（行政機関の設置、廃止、任務及び所掌事務）2

【参照条文】

【法律の規定に基づき内閣の所轄の下に置かれる機関―国公法三 【その固有の資格―行政不服審査法七2

※ 法二四五の二～二五二・二五二の一七の五～二五二の一七の七・二五二の二六の三～二五二の二六の一〇

（関与の法定主義）

第二百四十五条の二 普通地方公共団体は、その事務の処理に関し、法律又はこれに基づく政令によらなければ、普通地方公共団体に対する国又は都道府県の関与を受け、又は要することとされることはない。

＊本条―追加〔平一一・七法八七〕

【参照条文】

※ 法二四五

（関与の基本原則）

第二百四十五条の三 国は、普通地方公共団体が、その事務の処理に関し、普通地方公共団体に対する国又は都道府県の関与を受け、又は要することとする場合には、その目的を達成するために必要な最小限度のものとするとともに、普通地方公共団体の自主性及び自立性に配慮しなければならない。

2 国は、できる限り、普通地方公共団体が、自治事務の処理に関しては普通地方公共団体に対する国又は都道府県の関与のうち第二百四十五条第一号ト及び第三号に規定する行為を、法定受託事務の処理に関しては普通地方公共団体に対する国又は都道府県の関与のうち同号に規定する行為を受け、又は要することとすることのないようにしなければならない。

3　国は、国又は都道府県の計画と普通地方公共団体の計画との調和を保つ必要がある場合等国又は都道府県の施策と普通地方公共団体の施策との間の調整が必要な場合を除き、普通地方公共団体の事務の処理に関し、普通地方公共団体が、普通地方公共団体に対する国又は都道府県の関与のうち第二百四十五条第二号に規定する行為を要することとすることのないようにしなければならない。

4　国は、法令に基づき国がその内容について財政上又は税制上の特例措置を講ずるものとされている計画を普通地方公共団体が作成する場合等国又は都道府県の施策と普通地方公共団体の施策との整合性を確保しなければこれらの施策の実施に著しく支障が生ずると認められる場合を除き、自治事務の処理に関し、普通地方公共団体が、普通地方公共団体に対する国又は都道府県の関与のうち第二百四十五条第一号ニに規定する行為を要することとすることのないようにしなければならない。

5　国は、普通地方公共団体が特別の法律により法人を設立する場合等自治事務の処理について国の行政機関又は都道府県の機関の許可、認可又は承認を要することとすること以外の方法によつてその処理の適正を確保することが困難であると認められる場合を除き、自治事務の処理に関し、普通地方公共団体が、普通地方公共団体に対する国又は都道府県の関与のうち第二百四十五条第一号ホに規定する行為を要することとすることのないようにしなければならない。

6　国は、国民の生命、身体又は財産の保護のため緊急に自治事務の的確な処理を確保する必要がある場合等特に必要と認められる場合を除き、自治事務の処理に関し、普通地方公共団体が、普通地方公共団体に対する国又は都道府県の関与のうち第二百四十五条第一号ヘに規定する行為に従わなければならないこととすることのないようにしなければならない。

＊本条―追加〔平一一・七法八七〕

【引用条文】
②【法二四五（関与の意義）Ⅰト・Ⅲ
③【法二四五（関与の意義）Ⅱ
④【法二四五（関与の意義）Ⅰニ
⑤【法二四五（関与の意義）Ⅰホ
⑥【法二四五（関与の意義）Ⅰヘ

（技術的な助言及び勧告並びに資料の提出の要求）

第二百四十五条の四　各大臣（内閣府設置法第四条第三項若しくはデジタル庁設置法第四条第二項に規定する事務を分担管理する大臣たる内閣総理大臣又は国家行政組織法第五条第一項に規定する各省大臣をいう。以下この章から第十四章まで及び第十六章において同じ。）又は都道府県知事その他の都道府県の執行機関は、その担任する事務に関し、普通地方公共団体に対し、普通地方公共団体の事務の運営その他の事項について適切と認める技術的な助言若しくは勧告をし、又は当該助言若しくは勧告をするため若しくは普通地方公共団体の事務の適正な処理に関する情報を提供するため必要な資料の提出を求めることができる。

2　各大臣は、その担任する事務に関し、都道府県知事その他の都道府県の執行機関に対し、前項の規定による市町村に対する助言若しくは勧告又は資料の提出の求めに関し、必要な指示をすることができる。

3　普通地方公共団体の長その他の執行機関は、各大臣又は都道府県知事その他の都道府県の執行機関に対し、その担任する事務の管理及び執行について技術的な助言若しくは勧告又は必要な情報の提供を求めることができる。

＊本条―追加〔平一一・七法八七〕、一項―一部改正〔平一一・一二法一六〇、令三・五法三六、令六・六法六五〕

【引用条文】
①【内閣府設置法四（所掌事務）3】【デジタル庁設置法四（所掌事務）2】【国家行政組織法五（行政機関の長）1】

【参照条文】
【助言・勧告―法二四五Ⅰイ】【資料の提出の求め―法二四五Ⅰロ】【指示―法二四五Ⅰヘ】
※法二四七・二四八・二五二の一七の五・二五二の二六の三・二五二の二六の四

（是正の要求）

第二百四十五条の五　各大臣は、その担任する事務に関し、都道府県の自治事務の処理が法令の規定に違反していると認めるとき、又は著しく適正を欠き、かつ、明らかに公益を害していると認めるときは、当該都道府県に対し、当該自治事務の処理について違反の是正又は改善のため必要な措置を講ずべきことを求めることができる。

2　各大臣は、その担任する事務に関し、市町村の次の各号に掲げる事務の処理が法令の規定に違反していると認めるとき、又は著しく適正を欠き、かつ、明らかに公益を害していると認めるときは、当該各号に定める都道府県の執行機関に対し、当該事務の処理について違反の是正又は改善のため必要な措置を講ずべきことを当該市町村に求めるよう指示をすることができる。

一　市町村長その他の市町村の執行機関（教育委員会及び選挙管理委員会を除く。）の担任する事務（第一号法定受託事務を除く。次号及び第三号において同じ。）　都道府県知事

二　市町村教育委員会の担任する事務　都道府県教育委員会

三　市町村選挙管理委員会の担任する事務　都道府県選挙管理委員会

3　前項の指示を受けた都道府県の執行機関は、当該市町村に対し、当該事務の処理について違反の是正又は改善のため必要な措置を講ずべきことを求めなければならない。

4　各大臣は、第二項の規定によるほか、その担任する事務に関し、市町村の事務（第一号法定受託事務を除く。）の処理が法令の規定に違反していると認める場合、又は著しく適正を欠き、かつ、明らかに公益を害していると認める場合において、緊急を要するときその他特に必要があると認めるときは、自ら当該市町村に対し、当該事務の処理について違反の是正又は改善のため必要な措置を講ずべきことを求めることができる。

5　普通地方公共団体は、第一項、第三項又は前項の規定による求めを受けたときは、当該事務の処理について違反の是正又は改善のための必要な措置を講じなければならない。

＊本条―追加〔平一一・七法八七〕

【参照条文】

【是正の要求―法二四五Ⅰ八　【指示―法二四五Ⅰヘ

※　法二四九・二五〇の一三・二五一の三

（是正の勧告）

第二百四十五条の六　次の各号に掲げる都道府県の執行機関は、市町村の当該各号に定める自治事務の処理が法令の規定に違反していると認めるとき、又は著しく適正を欠き、かつ、明らかに公益を害していると認めるときは、当該市町村に対し、当該自治事務の処理について違反の是正又は改善のため必要な措置を講ずべきことを勧告することができる。

一　都道府県知事　市町村長その他の市町村の執行機関（教育委員会及び選挙管理委員会を除く。）の担任する自治事務

二　都道府県教育委員会　市町村教育委員会の担任する自治事務

三　都道府県選挙管理委員会　市町村選挙管理委員会の担任する自治事務

＊本条―追加〔平一一・七法八七〕

【参照条文】

【勧告―法二四五Ⅰイ

※　法二四七

（是正の指示）

第二百四十五条の七　各大臣は、その所管する法律又はこれに基づく政令に係る都道府県の法定受託事務の処理が法令の規定に違反していると認めるとき、又は著しく適正を欠き、かつ、明らかに公益を害していると認めるときは、当該都道府県に対し、当該法定受託事務の処理について違反の是正又は改善のため講ずべき措置に関し、必要な指示をすることができる。

2　次の各号に掲げる都道府県の執行機関は、市町村の当該各号に定める法定受託事務の処理が法令の規定に違反していると認めるとき、又は著しく適正を欠き、かつ、明らかに公益を害していると認めるときは、当該市町村に対し、当該法定受託事務の処理について違反の是正又は改善のため講ずべき措置に関し、必要な指示をすることができる。

一　都道府県知事　市町村長その他の市町村の執行機関（教育委員会及び選挙管理委員会を除く。）の担任する法定受託事務

二　都道府県教育委員会　市町村教育委員会の担任する法定受託事務

三　都道府県選挙管理委員会　市町村選挙管理委員会の担任する法定受託事務

3　各大臣は、その所管する法律又はこれに基づく政令に係る市町村の第一号法定受託事務の処理について、前項各号に掲げる都道府県の執行機関に対し、同項の規定による市町村に対する指示に関し、必要な指示をすることができる。

4　各大臣は、前項の規定によるほか、その所管する法律又はこれに基づく政令に係る市町村の第一号法定受託事務の処理が法令の規定に違反していると認める場合、又は著しく適正を欠き、かつ、明らかに公益を害していると認める場合において、緊急を要するときその他特に必要があると認めるときは、自ら当該市町村に対し、当該第一号法定受託事務の処理について違反の是正又は改善のため講ずべき措置に関し、必要な指示をすることができる。

＊ 本条…追加〔平一一・七法八七〕

【参照条文】

【指示―法二四五Ⅰへ

※ 法二四九・二五〇の一三・二五一の三

（代執行等）

第二百四十五条の八 各大臣は、その所管する法律若しくはこれに基づく政令に係る都道府県知事の法定受託事務の管理若しくは執行が法令の規定若しくは当該各大臣の処分に違反するものがある場合又は当該法定受託事務の管理若しくは執行を怠るものがある場合において、本項から第八項までに規定する措置以外の方法によつてその是正を図ることが困難であり、かつ、それを放置することにより著しく公益を害することが明らかであるときは、文書により、当該都道府県知事に対して、その旨を指摘し、期限を定めて、当該違反を是正し、又は当該怠る法定受託事務の管理若しくは執行を改めるべきことを勧告することができる。

2 各大臣は、都道府県知事が前項の期限までに同項の規定による勧告に係る事項を行わないときは、文書により、当該都道府県知事に対し、期限を定めて当該事項を行うべきことを指示することができる。

3 各大臣は、都道府県知事が前項の期限までに当該事項を行わないときは、高等裁判所に対し、訴えをもつて、当該事項を行うべきことを命ずる旨の裁判を請求することができる。

4 各大臣は、高等裁判所に対し前項の規定により訴えを提起したときは、直ちに、文書により、その旨を当該都道府県知事に通告するとともに、当該高等裁判所に対し、その通告をした日時、場所及び方法を通知しなければならない。

5 当該高等裁判所は、第三項の規定により訴えが提起されたときは、速やかに口頭弁論の期日を定め、当事者を呼び出さなければならない。その期日は、同項の訴えの提起があつた日から十五日以内の日とする。

6 当該高等裁判所は、各大臣の請求に理由があると認めるときは、当該都道府県知事に対し、期限を定めて当該事項を行うべきことを命ずる旨の裁判をしなければならない。

7 第三項の訴えは、当該都道府県の区域を管轄する高等裁判所の専属管轄とする。

8 各大臣は、都道府県知事が第六項の裁判に従い同項の期限までに、なお、当該事項を行わないときは、当該都道府県知事に代わつて当該事項を行うことができる。この場合においては、各大臣は、あらかじめ当該都道府県知事に対し、当該事項を行う日時、場所及び方法を通知しなければならない。

9 第三項の訴えに係る高等裁判所の判決に対する上告の期間は、一週間とする。

10 前項の上告は、執行停止の効力を有しない。

11 各大臣の請求に理由がない旨の判決が確定した場合において、既に第八項の規定に基づき第二項の規定による指示に係る事項が行われているときは、都道府県知事は、当該判決の確定後三月以内にその処分を取り消し、又は原状の回復その他必要な措置を執ることができる。

12 前各項の規定は、市町村長の法定受託事務の管理若しくは執行が法令の規定若しくは各大臣若しくは都道府県知事の処分に違反するものがある場合又は当該法定受託事務の管理若しくは執行を怠るものがある場合において、本項に規定する措置以外の方法によつてその是正を図ることが困難であり、かつ、それを放置することにより著しく公益を害することが明らかであるときについて準用する。この場合においては、前各項の規定中「各大臣」とあるのは「都道府県知事」と、「都道府県知事」とあるのは「市町村長」と、「当該都道府県の区域」とあるのは「当該市町村の区域」と読み替えるものとする。

13 各大臣は、その所管する法律又はこれに基づく政令に係る市町村長の第一号法定受託事務の管理又は執行について、都道府県知事に対し、前項において準用する第一項から第八項までの規定による措置に関し、必要な指示をすることができる。

14 第三項（第十二項において準用する場合を含む。次項において同じ。）の訴えについては、行政事件訴訟法第四十三条第三項の規定にかかわらず、同法第四十一条第二項の規定は、準用しない。

15 前各項に定めるもののほか、第三項の訴えについては、主張及び証拠の申出の時期の制限その他審理の促進に関し必要な事項は、最高裁判所規則で定める。

＊ 本条…追加〔平一一・七法八七〕

【引用条文】

⑭【行訴法四三（抗告訴訟又は当事者訴訟に関する規定の準用）3・四一（抗告訴訟に関する規定の準用）

2

【参照条文】

【代執行―法二四五Ⅰト

⑮【最高裁判所規則の定―普通地方公共団体に対する国の関与等に関する訴訟規則（平一二最高裁判所規則四）

※ 法二五〇の一三Ⅰ各号・二五一の三Ⅰ各号

【判例】

※　●民事訴訟法の補助参加に関する規定は、その性質上、機関訴訟である地方自治法第一五一条の二（現行第二四五条の八）第三項に基づく職務執行命令訴訟（現行代執行に関する訴訟）には準用されないものと解しても憲法第三二条に違反するものではない。（平八・二・二六最裁判）

※　●職務執行命令訴訟（現行代執行に関する訴訟）においては、主務大臣が発した職務執行命令（現行各大臣の指示）がその適法要件を充足しているか否かを客観的に審理判断すべきものと解するのが相当である。（平八・八・二八最裁判）

※　●争点1（法令違反等の要件の該当性の有無）について、公有水面埋立法の規定に基づく変更承認の申請について、変更承認をすることを求める是正の指示が違法な国の関与に当たるとして、当該指示の取消しを求める裁判に関する最高裁の判決において法令（公有水面埋立法）に違反することが確定したにもかかわらず、その後も何ら対応していないことから、被告の事務の管理等については、地方自治法第二四五条の八第一項にいう「法令の規定（中略）に違反するものがある場合」に該当する。争点2（補充性の要件の該当性の有無）について、最高裁の判決において敗訴が確定した後も何ら対応していないことから、被告において不承認とする意思は明確かつ強固であるというほかなく、被告の事務の管理等については、同条第一項から第八項に規定する措置以外の方法によってその是正を図ることが困難であるとの要件（補充性の要件）に該当する。争点3（公益侵害の要件の該当性の有無）について、人の生命や身体に大きく関わる危険性があることに加え、変更申請・裁決以降も変更申請に係る事務を放置し、最高裁の判決において法令違反との判断を受けた後もこれを放置していることは、社会公益の利益を害するものといわざるを得ず、被告の事務の管理等については、甚だしく社会公益の利益を害するものと認められるから、「著しく公益を害することが明らかであるとき」として、公益侵害の要件に該当する。（令五・一二・二〇高裁判）

（処理基準）

第二百四十五条の九　各大臣は、その所管する法律又はこれに基づく政令に係る都道府県の法定受託事務の処理について、都道府県が当該法定受託事務を処理するに当たりよるべき基準を定めることができる。

2　次の各号に掲げる都道府県の執行機関は、市町村の当該各号に定める法定受託事務の処理について、市町村が当該法定受託事務を処理するに当たりよるべき基準を定めることができる。この場合において、都道府県の執行機関の定める基準は、次項の規定により各大臣の定める基準に抵触するものであつてはならない。

一　都道府県知事　市町村長その他の市町村の執行機関（教育委員会及び選挙管理委員会を除く。）の担任する法定受託事務

二　都道府県教育委員会　市町村教育委員会の担任する法定受託事務

三　都道府県選挙管理委員会　市町村選挙管理委員会の担任する法定受託事務

3　各大臣は、特に必要があると認めるときは、その所管する法律又はこれに基づく政令に係る市町村の第一号法定受託事務の処理について、市町村が当該第一号法定受託事務を処理するに当たりよるべき基準を定めることができる。

4　各大臣は、その所管する法律又はこれに基づく政令に係る市町村の第一号法定受託事務の処理について、第二項各号に掲げる都道府県の執行機関に対し、同項の規定により定める基準に関し、必要な指示をすることができる。

5　第一項から第三項までの規定により定める基準は、その目的を達成するために必要な最小限度のものでなければならない。

＊本条—追加〔平一一・七法八七〕

【参照条文】

④【指示】—法二四五Ⅰへ

※　法二四五の三1・6

第二款　普通地方公共団体に対する国又は都道府県の関与等の手続

＊款名—追加〔平一一・七法八七〕

（普通地方公共団体に対する国又は都道府県の関与の手続の適用）

第二百四十六条　次条から第二百五十条の五までの規定は、普通地方公共団体に対する国又は都道府県の関与について適用する。ただし、他の法律に特別の定めがある場合は、この限りでない。

＊本条—全改〔平一一・七法八七〕

【引用条文】

【法二四七～二五〇の五

【参照条文】

※　法二四五

（助言等の方式等）

第二百四十七条　国の行政機関又は都道府県の機関は、普

通地方公共団体に対し、助言、勧告その他これらに類する行為（以下本条及び第二百五十二条の十七の三第二項において「助言等」という。）を書面によらないで行つた場合において、当該普通地方公共団体から当該助言等の趣旨及び内容を記載した書面の交付を求められたときは、これを交付しなければならない。

2　前項の規定は、次に掲げる助言等については、適用しない。

一　普通地方公共団体に対しその場において完了する行為を求めるもの

二　既に書面により当該普通地方公共団体に通知されている事項と同一の内容であるもの

3　国又は都道府県の職員は、普通地方公共団体が国の行政機関又は都道府県の機関が行つた助言等に従わなかつたことを理由として、不利益な取扱いをしてはならない。

＊本条全改〔平一一・七法八七〕

【引用条文】
①【法二五二の一七の三（条例による事務処理の特例の効果）】2

【参照条文】
※　法二四五

（資料の提出の要求等の方式）

第二百四十八条　国の行政機関又は都道府県の機関は、普通地方公共団体に対し、資料の提出の要求その他これに類する行為（以下本条及び第二百五十二条の十七の三第二項において「資料の提出の要求等」という。）を書面によらないで行つた場合において、当該普通地方公共団体から当該資料の提出の要求等の趣旨及び内容を記載した書面の交付を求められたときは、これを交付しなければならない。

＊本条全改〔平一一・七法八七〕

【引用条文】
【法二五二の一七の三（条例による事務処理の特例の効果）】2

【参照条文】
※　法二四五

（是正の要求等の方式）

第二百四十九条　国の行政機関又は都道府県の機関は、普通地方公共団体に対し、是正の要求、指示その他これらに類する行為（以下本条及び第二百五十二条の十七の三第二項において「是正の要求等」という。）をするときは、同時に、当該是正の要求等の内容及び理由を記載した書面を交付しなければならない。ただし、当該書面を交付しないで是正の要求等をすべき差し迫つた必要がある場合は、この限りでない。

2　前項ただし書の場合においては、国の行政機関又は都道府県の機関は、是正の要求等をした後相当の期間内に、同項の書面を交付しなければならない。

＊本条全改〔平一一・七法八七〕

【引用条文】
①【法二五二の一七の三（条例による事務処理の特例の効果）】2

【参照条文】
※　法二四五

（協議の方式）

第二百五十条　普通地方公共団体から国の行政機関又は都道府県の機関に対して協議の申出があつたときは、国の行政機関又は都道府県の機関及び普通地方公共団体は、誠実に協議を行うとともに、相当の期間内に当該協議が調うよう努めなければならない。

2　国の行政機関又は都道府県の機関は、普通地方公共団体の申出に基づく協議について意見を述べた場合において、当該普通地方公共団体から当該協議に関する意見の趣旨及び内容を記載した書面の交付を求められたときは、これを交付しなければならない。

＊本条全改〔平一一・七法八七〕

【参照条文】
※　法二四五

（許認可等の基準）

第二百五十条の二　国の行政機関又は都道府県の機関は、普通地方公共団体からの法令に基づく申請又は協議の申出（以下この款、第二百五十条の十三第二項、第二百五十一条の三第二項、第二百五十一条の五第一項、第二百五十一条の六第一項及び第二百五十二条の十七の三第三項において「申請等」という。）があつた場合において、許可、認可、承認、同意その他これらに類する行為（以下この款及び第二百五十二条の十七の三第三項において「許認可等」という。）をするかどうかを法令の定めに従つて判断するために必要とされる基準を定め、かつ、行政上特別の支障があるときを除き、これを公表しなければならない。

2　国の行政機関又は都道府県の機関は、普通地方公共団体に対し、許認可等の取消しその他これに類する行為（以下本条及び第二百五十条の四において「許認可等の取消し等」という。）をするかどうかを法令の定めに従つて判断するために必要とされる基準を定め、かつ、これを公表するよう努めなければならない。

3　国の行政機関又は都道府県の機関は、第一項又は前項に規定する基準を定めるに当たつては、当該許認可等又は許認可等の取消し等の性質に照らしてできる限り具体的なものとしなければならない。

＊本条―追加〔平一一・七法八七〕、一項―一部改正〔平一六・六法八四、平二四・九法七二〕

【引用条文】

①【法二五〇の一三（国の関与に関する審査の申出）2・二五一の三（審査及び勧告）2・二五一の五（国の関与に関する訴えの提起）1・二五一の六（都道府県の関与に関する訴えの提起）1・二五二の一七の三（条例による事務処理の特例の効果）3

②【法二五〇の四（許認可等の取消し等の方式）

【参照条文】

※　法二四五・二五〇の三・二五〇の四

（許認可等の標準処理期間）

第二百五十条の三　国の行政機関又は都道府県の機関は、申請等が当該国の行政機関又は都道府県の機関の事務所に到達してから当該申請等に係る許認可等をするまでに通常要すべき標準的な期間（法令により当該国の行政機関又は都道府県の機関と異なる機関が当該申請等の提出先とされている場合は、併せて、当該申請等が当該提出先とされている機関の事務所に到達してから当該国の行政機関又は都道府県の機関の事務所に到達するまでに通常要すべき標準的な期間）を定め、かつ、これを公表するよう努めなければならない。

2　国の行政機関又は都道府県の機関は、申請等が法令により当該申請等の提出先とされている機関の事務所に到達したときは、遅滞なく当該申請等に係る許認可等をするための事務を開始しなければならない。

＊本条―追加〔平一一・七法八七〕

【参照条文】

※　法二四五・二五〇の二・二五〇の四

（許認可等の取消し等の方式）

第二百五十条の四　国の行政機関又は都道府県の機関は、普通地方公共団体に対し、申請等に係る許認可等を拒否する処分をするとき又は許認可等の取消し等をするときは、当該許認可等を拒否する処分又は許認可等の取消し等の内容及び理由を記載した書面を交付しなければならない。

＊本条―追加〔平一一・七法八七〕

【参照条文】

※　法二四五・二五〇の二・二五〇の三

（届出）

第二百五十条の五　普通地方公共団体から国の行政機関又は都道府県の機関への届出が届出書の記載事項に不備がないこと、届出書に必要な書類が添付されていることその他の法令に定められた届出の形式上の要件に適合している場合は、当該届出が法令により当該届出の提出先とされている機関の事務所に到達したときに、当該届出をすべき手続上の義務が履行されたものとする。

＊本条―追加〔平一一・七法八七〕

【参照条文】

※　法二四五

（国の行政機関が自治事務と同一の事務を自らの権限に属する事務として処理する場合の方式）

第二百五十条の六　国の行政機関は、自治事務として普通地方公共団体が処理している事務と同一の内容の事務を法令の定めるところにより自らの権限に属する事務として処理するときは、あらかじめ当該普通地方公共団体に対し、当該事務の処理の内容及び理由を記載した書面により通知しなければならない。ただし、当該通知をしないで当該事務を処理すべき差し迫つた必要がある場合は、この限りでない。

2　前項ただし書の場合においては、国の行政機関は、自ら当該事務を処理した後相当の期間内に、同項の通知をしなければならない。

＊本条―追加〔平一一・七法八七〕

第二節　国と普通地方公共団体との間並びに普通地方公共団体相互間及び普通地方公共団体の機関相互間の紛争処理

＊本節―追加〔平一一・七法八七〕

第一款　国地方係争処理委員会

＊本款―追加〔平一一・七法八七〕

（設置及び権限）

第二百五十条の七　総務省に、国地方係争処理委員会（以下本節において「委員会」という。）を置く。

2　委員会は、普通地方公共団体に対する国又は都道府県の関与のうち国の行政機関が行うもの（以下本節において「国の関与」という。）に関する審査の申出につき、この法律の規定によりその権限に属させられた事項を処理する。

＊本条―追加〔平一一・七法八七〕、一項―一部改正〔平一一・七法一〇二〕

【参照条文】

※　法二四五　総務省設置法八（審議会等）２

（組織）

第二百五十条の八　委員会は、委員五人をもつて組織する。

２　委員は、非常勤とする。ただし、そのうち二人以内は、常勤とすることができる。

＊本条―追加〔平一一・七法八七〕

㊟　次条中、点線の左側は、令和四年六月一七日から起算して三年を超えない範囲内において政令で定める日〔令七・六・一〕から施行となる。

（委員）

第二百五十条の九　委員は、優れた識見を有する者のうちから、両議院の同意を得て、総務大臣が任命する。

２　委員の任命については、そのうち三人以上が同一の政党その他の政治団体に属することとなつてはならない。

３　委員の任期が満了し、又は欠員を生じた場合において、国会の閉会又は衆議院の解散のために両議院の同意を得ることができないときは、総務大臣は、第一項の規定にかかわらず、同項に定める資格を有する者のうちから、委員を任命することができる。

４　前項の場合においては、任命後最初の国会において両議院の事後の承認を得なければならない。この場合において、両議院の事後の承認が得られないときは、総務大臣は、直ちにその委員を罷免しなければならない。

５　委員の任期は、三年とする。ただし、補欠の委員の任期は、前任者の残任期間とする。

６　委員は、再任されることができる。

７　委員の任期が満了したときは、当該委員は、後任者が任命されるまで引き続きその職務を行うものとする。

８　総務大臣は、委員が破産手続開始の決定を受け、又は禁錮（拘禁刑）以上の刑に処せられたときは、その委員を罷免しなければならない。

９　総務大臣は、両議院の同意を得て、次に掲げる委員を罷免するものとする。

一　委員のうち何人も属していなかつた同一の政党その他の政治団体に新たに三人以上の委員が属するに至つた場合においては、これらの者のうち二人を超える員数の委員

二　委員のうち一人が既に属している政党その他の政治団体に新たに二人以上の委員が属するに至つた場合においては、これらの者のうち一人を超える員数の委員

10　総務大臣は、委員のうち二人が既に属している政党その他の政治団体に新たに属するに至つた委員を直ちに罷免するものとする。

11　総務大臣は、委員が心身の故障のため職務の執行ができないと認めるとき、又は委員に職務上の義務違反その他委員たるに適しない非行があると認めるときは、両議院の同意を得て、その委員を罷免することができる。

12　委員は、第四項後段及び第八項から前項までの規定による場合を除くほか、その意に反して罷免されることがない。

13　委員は、職務上知り得た秘密を漏らしてはならない。その職を退いた後も、同様とする。

14　委員は、在任中、政党その他の政治団体の役員となり、又は積極的に政治運動をしてはならない。

15　常勤の委員は、在任中、総務大臣の許可がある場合を除き、報酬を得て他の職務に従事し、又は営利事業を営み、その他金銭上の利益を目的とする業務を行つてはならない。

16　委員は、自己に直接利害関係のある事件については、その議事に参与することができない。

17　委員の給与は、別に法律で定める。

＊本条―追加〔平一一・七法八七〕、一・三・四・八・九・一〇・一一・一五項―一部改正〔平一一・七法一〇二〕、八項―一部改正〔平一六・六法七六、令四・六法六八〕

【参照条文】

⑧【禁錮以上の刑―刑法九・一一～一三

⑰【法律―特別職の職員の給与に関する法律

※　国公法一〇〇（秘密を守る義務）

（委員長）

第二百五十条の十　委員会に、委員長を置き、委員の互選によりこれを定める。

２　委員長は、会務を総理し、委員会を代表する。

３　委員長に事故があるときは、あらかじめその指名する委員が、その職務を代理する。

＊本条―追加〔平一一・七法八七〕

（会議）

第二百五十条の十一　委員会は、委員長が招集する。

２　委員会は、委員長及び二人以上の委員の出席がなければ、会議を開き、議決をすることができない。

3　委員会の議事は、出席者の過半数でこれを決し、可否同数のときは、委員長の決するところによる。

4　委員長に事故がある場合の第二項の規定の適用については、前条第三項に規定する委員は、委員長とみなす。

＊本条―追加〔平一一・七法八七〕

【引用条文】
④【法二五〇の一〇（委員長）3

【参照条文】
※法二五〇の一〇（委員長）

（政令への委任）

第二百五十条の十二　この法律に規定するもののほか、委員会に関し必要な事項は、政令で定める。

＊本条―追加〔平一一・七法八七〕

【参照条文】
【政令の定―令一七四・一七四の二

第二款　国地方係争処理委員会による審査の手続

＊本款―追加〔平一一・七法八七〕

（国の関与に関する審査の申出）

第二百五十条の十三　普通地方公共団体の長その他の執行機関は、その担任する事務に関する国の関与のうち是正の要求、許可の拒否その他の処分その他公権力の行使に当たるもの（次に掲げるものを除く。）に不服があるときは、委員会に対し、当該国の関与を行つた国の行政庁を相手方として、文書で、審査の申出をすることができる。

一　第二百四十五条の八第二項及び第十三項の規定による指示

二　第二百四十五条の八第八項の規定に基づき都道府県知事に代わつて同条第二項の規定による指示に係る事項を行うこと。

三　第二百五十二条の十七の四第二項の規定により読み替えて適用する第二百四十五条の八第十二項において準用する同条第二項の規定による指示

四　第二百五十二条の十七の四第二項の規定により読み替えて適用する第二百四十五条の八第十二項において準用する同条第八項の規定に基づき市町村長に代わつて前号の指示に係る事項を行うこと。

2　普通地方公共団体の長その他の執行機関は、その担任する事務に関する国の不作為（国の行政庁が、申請等が行われた場合において、相当の期間内に何らかの国の関与のうち許可その他の処分その他公権力の行使に当たるものをすべきにかかわらず、これをしないことをいう。以下本節において同じ。）に不服があるときは、委員会に対し、当該国の不作為に係る国の行政庁を相手方として、文書で、審査の申出をすることができる。

3　普通地方公共団体の長その他の執行機関は、その担任する事務に関する当該普通地方公共団体の法令に基づく協議の申出が国の行政庁に対して行われた場合において、当該協議に係る当該普通地方公共団体の義務を果たしたと認めるにもかかわらず当該協議が調わないときは、委員会に対し、当該協議の相手方である国の行政庁を相手方として、文書で、審査の申出をすることができる。

4　第一項の規定による審査の申出は、当該国の関与があつた日から三十日以内にしなければならない。ただし、天災その他同項の規定による審査の申出をしなかつたことについてやむを得ない理由があるときは、この限りでない。

5　前項ただし書の場合における第一項の規定による審査の申出は、その理由がやんだ日から一週間以内にしなければならない。

6　第一項の規定による審査の申出に係る文書を郵便又は民間事業者による信書の送達に関する法律（平成十四年法律第九十九号）第二条第六項に規定する一般信書便事業者若しくは同条第九項に規定する特定信書便事業者による同条第二項に規定する信書便（第二百六十条の二第十二項において「信書便」という。）で提出した場合における前二項の期間の計算については、送付に要した日数は、算入しない。

7　普通地方公共団体の長その他の執行機関は、第一項から第三項までの規定による審査の申出（以下本款において「国の関与に関する審査の申出」という。）をしようとするときは、相手方となるべき国の行政庁に対し、その旨をあらかじめ通知しなければならない。

＊本条―追加〔平一一・七法八七〕、六項―一部改正〔平一四・七法一〇〇〕

【引用条文】
①【法二四五の八（代執行等）2・8・12・13・二五二の一七の四（是正の要求等の特則）2
⑥【民間事業者による信書の送達に関する法律二2・6・9

【参照条文】
①【国の関与―法二四五・二五〇の七2　【是正の要求―法二四五Ⅰハ・二四五の五　【許可―法二四五Ⅰホ
③【協議―法二四五Ⅱ　【協議の方式―法二五〇1

自治法

※ 令一七四の三

（審査及び勧告）

第二百五十条の十四　委員会は、自治事務に関する国の関与について前条第一項の規定による審査の申出があつた場合においては、審査を行い、相手方である国の行政庁の行つた国の関与が違法でなく、かつ、普通地方公共団体の自主性及び自立性を尊重する観点から不当でないと認めるときは、理由を付してその旨を当該審査の申出をした普通地方公共団体の長その他の執行機関及び当該国の行政庁に通知するとともに、これを公表し、当該国の行政庁の行つた国の関与が違法又は普通地方公共団体の自主性及び自立性を尊重する観点から不当であると認めるときは、当該国の行政庁に対し、理由を付し、かつ、期間を示して、必要な措置を講ずべきことを勧告するとともに、当該勧告の内容を当該普通地方公共団体の長その他の執行機関に通知し、かつ、これを公表しなければならない。

2　委員会は、法定受託事務に関する国の関与について前条第一項の規定による審査の申出があつた場合においては、審査を行い、相手方である国の行政庁の行つた国の関与が違法でないと認めるときは、理由を付してその旨を当該審査の申出をした普通地方公共団体の長その他の執行機関及び当該国の行政庁に通知するとともに、これを公表し、当該国の行政庁の行つた国の関与が違法であると認めるときは、当該国の行政庁に対し、理由を付し、かつ、期間を示して、必要な措置を講ずべきことを勧告するとともに、当該勧告の内容を当該普通地方公共団体の長その他の執行機関に通知し、かつ、これを公表しなければならない。

3　委員会は、前条第二項の規定による審査の申出があつた場合においては、審査を行い、当該審査の申出に理由がないと認めるときは、理由を付してその旨を当該審査の申出をした普通地方公共団体の長その他の執行機関及び相手方である国の行政庁に通知するとともに、これを公表し、当該審査の申出に理由があると認めるときは、当該国の行政庁に対し、理由を付し、かつ、期間を示して、必要な措置を講ずべきことを勧告するとともに、当該勧告の内容を当該普通地方公共団体の長その他の執行機関に通知し、かつ、これを公表しなければならない。

4　委員会は、前条第三項の規定による審査の申出があつたときは、当該審査の申出に係る協議について当該協議に係る普通地方公共団体がその義務を果たしているかどうかを審査し、理由を付してその結果を当該審査の申出をした普通地方公共団体の長その他の執行機関及び相手方である国の行政庁に通知するとともに、これを公表しなければならない。

5　前各項の規定による審査及び勧告は、審査の申出があつた日から九十日以内に行わなければならない。

＊本条―追加〔平一一・七法八七〕

【引用条文】
①～④【法二五〇の一三（国の関与に関する審査の申出）1～3】

【参照条文】
※ 法二五〇の七・二五〇の一三

（関係行政機関の参加）

第二百五十条の十五　委員会は、関係行政機関を審査の手続に参加させる必要があると認めるときは、国の関与に関する審査の申出をした普通地方公共団体の長その他の執行機関、相手方である国の行政庁若しくは当該関係行政機関の申立てにより又は職権で、当該関係行政機関を審査の手続に参加させることができる。

2　委員会は、前項の規定により関係行政機関を審査の手続に参加させるときは、あらかじめ、当該国の関与に関する審査の申出をした普通地方公共団体の長その他の執行機関及び相手方である国の行政庁並びに当該関係行政機関の意見を聴かなければならない。

＊本条―追加〔平一一・七法八七〕

（証拠調べ）

第二百五十条の十六　委員会は、審査を行うため必要があると認めるときは、国の関与に関する審査の申出をした普通地方公共団体の長その他の執行機関、相手方である国の行政庁若しくは前条第一項の規定により当該審査の手続に参加した関係行政機関（以下本条において「参加行政機関」という。）の申立てにより又は職権で、次に掲げる証拠調べをすることができる。

一　適当と認める者に、参考人としてその知つている事実を陳述させ、又は鑑定を求めること。

二　書類その他の物件の所持人に対し、その物件の提出を求め、又はその提出された物件を留め置くこと。

三　必要な場所につき検証をすること。

四　国の関与に関する審査の申出をした普通地方公共団体の長その他の執行機関、相手方である国の行政庁若しくは参加行政機関又はこれらの職員を審尋すること。

2　委員会は、審査を行うに当たつては、国の関与に関する審査の申出をした普通地方公共団体の長その他の執行機関、相手方である国の行政庁及び参加行政機関に証拠の提出及び陳述の機会を与えなければならない。

＊本条—追加〔平一一・七法八七〕

【引用条文】
①【法二五〇の一五（関係行政機関の参加）1
【参照条文】
【令一七四の四

（国の関与に関する審査の申出の取下げ）
第二百五十条の十七 国の関与に関する審査の申出をした普通地方公共団体の長その他の執行機関は、第二百五十条の十四第一項から第四項までの規定による審査の結果の通知若しくは勧告があるまで又は第二百五十条の十九第二項の規定により調停が成立するまでは、いつでも当該国の関与に関する審査の申出を取り下げることができる。
2 国の関与に関する審査の申出の取下げは、文書でしなければならない。

＊本条—追加〔平一一・七法八七〕

【引用条文】
①【法二五〇の一四（審査及び勧告）1～4・二五〇の一九（調停）2

（国の行政庁の措置等）
第二百五十条の十八 第二百五十条の十四第一項から第三項までの規定による委員会の勧告があつたときは、当該勧告を受けた国の行政庁は、当該勧告に示された期間内に、当該勧告に即して必要な措置を講ずるとともに、その旨を委員会に通知しなければならない。この場合においては、委員会は、当該通知に係る事項を当該勧告に係る審査の申出をした普通地方公共団体の長その他の執行機関に通知し、かつ、これを公表しなければならない。
2 委員会は、前項の勧告を受けた国の行政庁に対し、同項の規定により講じた措置についての説明を求めることができる。

＊本条—追加〔平一一・七法八七〕

【引用条文】
①【法二五〇の一四（審査及び勧告）1～3

（調停）
第二百五十条の十九 委員会は、国の関与に関する審査の申出があつた場合において、相当であると認めるときは、職権により、調停案を作成して、これを当該国の関与に関する審査の申出をした普通地方公共団体の長その他の執行機関及び相手方である国の行政庁に示し、その受諾を勧告するとともに、理由を付してその要旨を公表することができる。
2 前項の調停案に係る調停は、調停案を示された普通地方公共団体の長その他の執行機関及び国の行政庁から、これを受諾した旨を記載した文書が委員会に提出されたときに成立するものとする。この場合においては、委員会は、直ちにその旨及び調停の要旨を公表するとともに、当該普通地方公共団体の長その他の執行機関及び国の行政庁にその旨を通知しなければならない。

＊本条—追加〔平一一・七法八七〕

（政令への委任）
第二百五十条の二十 この法律に規定するもののほか、委員会の審査及び勧告並びに調停に関し必要な事項は、政令で定める。

＊本条—追加〔平一一・七法八七〕

【参照条文】
【政令の定—令一七四の三～一七四の五 国地方係争処理委員会の審査の手続に関する規則

第三款 自治紛争処理委員

＊款名—追加〔平一一・七法八七〕

（自治紛争処理委員）
第二百五十一条 自治紛争処理委員は、この法律の定めるところにより、普通地方公共団体相互の間又は普通地方公共団体の機関相互の間の紛争の調停、普通地方公共団体に対する国又は都道府県の関与のうち都道府県の機関が行うもの（以下この節において「都道府県の関与」という。）に関する審査、第二百五十二条の二第一項に規定する連携協約に係る紛争を処理するための方策の提示及び第百四十三条第三項（第百八十条の五第八項及び第百八十四条第二項において準用する場合を含む。）の審査請求又はこの法律の規定による審査の申立て若しくは審決の申請に係る審理を処理する。
2 自治紛争処理委員は、三人とし、事件ごとに、優れた識見を有する者のうちから、総務大臣又は都道府県知事がそれぞれ任命する。この場合においては、総務大臣又は都道府県知事は、あらかじめ当該事件に関係のある事務を担任する各大臣又は都道府県の委員会若しくは委員に協議するものとする。
3 自治紛争処理委員は、非常勤とする。

4　自治紛争処理委員は、次の各号のいずれかに該当するときは、その職を失う。

一　当事者が次条第二項の規定により調停の申請を取り下げたとき。

二　自治紛争処理委員が次条第六項の規定により当事者に調停を打ち切つた旨を通知したとき。

三　総務大臣又は都道府県知事が次条第七項又は第二百五十一条の三第十三項の規定により調停が成立した旨を当事者に通知したとき。

四　市町村長その他の市町村の執行機関が第二百五十一条の三第五項から第七項までにおいて準用する第二百五十条の十七の規定により自治紛争処理委員の審査に付することを求める旨の申出を取り下げたとき。

五　自治紛争処理委員が第二百五十一条の三第五項において準用する第二百五十条の十四第一項若しくは第二項若しくは第二百五十一条の三第六項において準用する第二百五十条の十四第三項の規定による審査の結果の通知若しくは勧告及び勧告の内容の通知又は第二百五十一条の三第七項において準用する第二百五十条の十四第四項の規定による審査の結果の通知をし、かつ、これらを公表したとき。

六　普通地方公共団体が第二百五十一条の三の二第二項の規定により同条第一項の処理方策の提示を求める旨の申請を取り下げたとき。

七　自治紛争処理委員が第二百五十一条の三の二第三項の規定により当事者である普通地方公共団体に同条第一項に規定する処理方策を提示するとともに、総務大臣又は都道府県知事にその旨及び当該処理方策を通知し、かつ、公表したとき。

八　第二百五十五条の五第一項の規定による審理に係る審査請求、審査の申立て又は審決の申請をした者が、当該審査請求、審査の申立て又は審決の申請を取り下げたとき。

九　第二百五十五条の五第一項の規定による審理を経て、総務大臣又は都道府県知事が審査請求に対する裁決をし、審査の申立てに対する裁決若しくは裁定をし、又は審決をしたとき。

5　総務大臣又は都道府県知事は、自治紛争処理委員が当該事件に直接利害関係を有することとなつたときは、当該自治紛争処理委員を罷免しなければならない。

6　第二百五十条の九第二項、第八項、第九項（第二号を除く。）及び第十項から第十四項までの規定は、自治紛争処理委員に準用する。この場合において、同条第二項中「三人以上」とあるのは「二人以上」と、同条第八項中「総務大臣」とあるのは「総務大臣又は都道府県知事」と、同条第九項中「総務大臣は、両議院の同意を得て」とあるのは「総務大臣又は都道府県知事は」と、「三人以上」とあるのは「二人以上」と、「二人」とあるのは「一人」と、同条第十項中「総務大臣」とあるのは「総務大臣又は都道府県知事」と、「二人」とあるのは「一人」と、同条第十一項中「総務大臣」とあるのは「総務大臣又は都道府県知事」と、「両議院の同意を得て、その委員を」とあるのは「その自治紛争処理委員を」と、同条第十二項中「第四項後段及び第八項から前項まで」とあるのは「第八項、第九項（第二号を除く。）、第十項及び前項並びに第二百五十一条第五項」と読み替えるものとする。

＊　本条―削除〔昭二二・一二法一六九〕、追加〔昭二七・八法三〇六〕、一・二・五項―一部改正〔昭三五・六法一一三〕、七項―一部改正〔昭三八・六法九九〕、見出し―追加・一項―全改・二項―一部改正・三～五項―全改・六～八項―削る〔平一一・七法八七〕、二・三・四・五項―一部改正〔平一一・七法一〇二〕、一項―一部改正・三項―追加・旧三項―一部改正し四項に繰下・旧四項―五項に繰下・旧五項―一部改正し六項に繰下〔平二六・五法四二〕、一・四項―一部改正〔平二六・六法六九〕

【引用条文】

①【法一四三（失職）3・一八〇の五（委員会及び委員の設置・委員の兼業禁止等）8・一八四（失職）2・二五二の二（連携協約）1

④【法二五一の二（調停）2・6・7・二五一の三（審査及び勧告）5～7・13・二五〇の一七（国の関与に関する審査の申出の取下げ）・二五〇の一四（審査及び勧告）1～4・二五一の三の二（処理方策の提示）1～3・二五五の五（審査請求等の裁決等の手続）1

⑥【法二五〇の九（委員）2・8・9（2号を除く）・10～14

【参照条文】

①【自治紛争処理委員―法一三八の四3・二〇二の三・二〇三の二

※　法二四五

【注　釈】

1）○「事件ごとに」とは、紛争事件一件一件についてという意である。

第四款　自治紛争処理委員による調停、審査及び処理方策の提示の手続

＊　款名―追加〔平一一・七法八七〕、改正〔平二六・五法四二〕

（調停）

第二百五十一条の二　普通地方公共団体相互の間又は普通地方公共団体の機関相互の間に紛争があるときは、この法律に特別の定めがあるものを除くほか、都道府県又は都道府県の機関が当事者となるものにあつては総務大

臣、その他のものにあつては都道府県知事は、当事者の文書による申請に基づき又は職権により、紛争の解決のため、前条第二項の規定により自治紛争処理委員を任命し、その調停に付することができる。

2　当事者の申請に基づき開始された調停においては、当事者は、総務大臣又は都道府県知事の同意を得て、当該申請を取り下げることができる。

3　自治紛争処理委員は、調停案を作成して、これを当事者に示し、その受諾を勧告するとともに、理由を付してその要旨を公表することができる。

4　自治紛争処理委員は、前項の規定により調停案を当事者に示し、その受諾を勧告したときは、直ちに調停案の写しを添えてその旨及び調停の経過を総務大臣又は都道府県知事に報告しなければならない。

5　自治紛争処理委員は、調停による解決の見込みがないと認めるときは、総務大臣又は都道府県知事の同意を得て、調停を打ち切り、事件の要点及び調停の経過を公表することができる。

6　自治紛争処理委員は、前項の規定により調停を打ち切つたときは、その旨を当事者に通知しなければならない。

7　第一項の調停は、当事者のすべてから、調停案を受諾した旨を記載した文書が総務大臣又は都道府県知事に提出されたときに成立するものとする。この場合においては、総務大臣又は都道府県知事は、直ちにその旨及び調停の要旨を公表するとともに、当事者に調停が成立した旨を通知しなければならない。

8　総務大臣又は都道府県知事は、前項の規定により当事者から文書の提出があつたときは、その旨を自治紛争処理委員に通知するものとする。

9　自治紛争処理委員は、第三項に規定する調停案を作成するため必要があると認めるときは、当事者及び関係人の出頭及び陳述を求め、又は当事者及び関係人並びに紛争に係る事件に関係のある者に対し、紛争の調停のため必要な記録の提出を求めることができる。

10　第三項の規定による調停案の作成及びその要旨の公表についての決定、第五項の規定による調停の打切りについての決定並びに事件の要点及び調停の経過の公表についての決定並びに前項の規定による出頭、陳述及び記録の提出の求めについての決定は、自治紛争処理委員の合議によるものとする。

＊本条―追加〔平一一・七法八七〕、一・二・四・五・七・八項―一部改正〔平一一・一二法一六〇〕

【引用条文】①【法二五一（自治紛争処理委員）2

【参照条文】①【特別の定め―法九・九の三3・一七六5～7等

※　令一七四の六

（審査及び勧告）

第二百五十一条の三　総務大臣は、市町村長その他の市町村の執行機関が、その担任する事務に関する都道府県の関与のうち是正の要求、許可の拒否その他の処分その他公権力の行使に当たるもの（次に掲げるものを除く。）に不服があり、文書により、自治紛争処理委員の審査に付することを求める旨の申出をしたときは、速やかに、第二百五十一条第二項の規定により自治紛争処理委員を任命し、当該申出に係る事件をその審査に付さなければならない。

一　第二百四十五条の八第十二項において準用する同条第二項の規定による指示

二　第二百四十五条の八第十二項において準用する同条第八項の規定に基づき市町村長に代わつて前号の指示に係る事項を行うこと。

2　総務大臣は、市町村長その他の市町村の執行機関が、その担任する事務に関する都道府県の不作為（都道府県の行政庁が、申請等が行われた場合において、相当の期間内に何らかの都道府県の関与のうち許可その他の処分その他公権力の行使に当たるものをすべきにかかわらず、これをしないことをいう。以下本節において同じ。）に不服があり、文書により、自治紛争処理委員の審査に付することを求める旨の申出をしたときは、速やかに、第二百五十一条第二項の規定により自治紛争処理委員を任命し、当該申出に係る事件をその審査に付さなければならない。

3　総務大臣は、市町村長その他の市町村の執行機関が、その担任する事務に関する当該市町村の法令に基づく協議の申出が都道府県の行政庁に対して行われた場合において、当該協議に係る当該市町村の義務を果たしたと認めるにもかかわらず当該協議が調わないことについて、文書により、自治紛争処理委員の審査に付することを求める旨の申出をしたときは、速やかに、第二百五十一条第二項の規定により自治紛争処理委員を任命し、当該申出に係る事件をその審査に付さなければならない。

4　前三項の規定による申出においては、次に掲げる者を相手方としなければならない。

一　第一項の規定による申出の場合は、当該申出に係る都道府県の関与を行つた都道府県の行政庁

二　第二項の規定による申出の場合は、当該申出に係る都道府県の不作為に係る都道府県の行政庁

三　前項の規定による申出の場合は、当該申出に係る協議の相手方である都道府県の行政庁

5　第二百五十条の十三第四項から第七項まで、第二百五十条の十四第一項、第二項及び第五項並びに第二百五十条の十五から第二百五十条の十七までの規定は、第一項の規定による申出について準用する。この場合において、これらの規定中「普通地方公共団体の長その他の執行機関」とあるのは「市町村長その他の市町村の執行機関」と、「国の行政庁」とあるのは「都道府県の行政庁」と、「委員会」とあるのは「自治紛争処理委員」と、第二百五十条の十三第四項並びに第二百五十条の十四第一項及び第二項中「国の関与」とあるのは「都道府県の関与」と、第二百五十条の十七第一項中「第二百五十条の十九第二項」とあるのは「第二百五十一条の三第十三項」と読み替えるものとする。

6　第二百五十条の十三第七項、第二百五十条の十四第三項及び第五項並びに第二百五十条の十五から第二百五十条の十七までの規定は、第二項の規定による申出について準用する。この場合において、これらの規定中「普通地方公共団体の長その他の執行機関」とあるのは「市町村長その他の市町村の執行機関」と、「国の行政庁」とあるのは「都道府県の行政庁」と、「委員会」とあるのは「自治紛争処理委員」と、第二百五十条の十七第一項中「第二百五十条の十九第二項」とあるのは「第二百五十一条の三第十三項」と読み替えるものとする。

7　第二百五十条の十三第七項、第二百五十条の十四第四項及び第五項並びに第二百五十条の十五から第二百五十条の十七までの規定は、第三項の規定による申出について準用する。この場合において、これらの規定中「普通地方公共団体の長その他の執行機関」とあるのは「市町村長その他の市町村の執行機関」と、「国の行政庁」とあるのは「都道府県の行政庁」と、「委員会」とあるのは「自治紛争処理委員」と、第二百五十条の十四第四項中「当該協議に係る普通地方公共団体」とあるのは「当該協議に係る市町村」と、第二百五十条の十七第一項中「第二百五十条の十九第二項」とあるのは「第二百五十一条の三第十三項」と読み替えるものとする。

8　自治紛争処理委員は、第五項において準用する第二百五十条の十四第一項若しくは第二項若しくは第六項において準用する第二百五十条の十四第三項の規定による審査の結果の通知若しくは勧告及び勧告の内容の通知又は前項において準用する第二百五十条の十四第四項の規定による審査の結果の通知をしたときは、直ちにその旨及び審査の結果又は勧告の内容を総務大臣に報告しなければならない。

9　第五項において準用する第二百五十条の十四第一項若しくは第二項又は第六項において準用する第二百五十条の十四第三項の規定による自治紛争処理委員の勧告があつたときは、当該勧告を受けた都道府県の行政庁は、当該勧告に示された期間内に、当該勧告に即して必要な措置を講ずるとともに、その旨を総務大臣に通知しなければならない。この場合においては、総務大臣は、当該通知に係る事項を当該勧告に係る第一項又は第二項の規定による申出をした市町村長その他の市町村の執行機関に通知し、かつ、これを公表しなければならない。

10　総務大臣は、前項の勧告を受けた都道府県の行政庁に対し、同項の規定により講じた措置についての説明を求めることができる。

11　自治紛争処理委員は、第五項において準用する第二百五十条の十四第一項若しくは第二項、第六項において準用する第二百五十条の十四第三項又は第七項において準用する第二百五十条の十四第四項の規定により審査をする場合において、相当であると認めるときは、職権により、調停案を作成して、これを第一項から第三項までの規定による申出をした市町村長その他の市町村の執行機関及び相手方である都道府県の行政庁に示し、その受諾を勧告するとともに、理由を付してその要旨を公表することができる。

12　自治紛争処理委員は、前項の規定により調停案を第一項から第三項までの規定による申出をした市町村長その他の市町村の執行機関及び相手方である都道府県の行政庁に示し、その受諾を勧告したときは、直ちに調停案の写しを添えてその旨及び調停の経過を総務大臣に報告しなければならない。

13　第十一項の調停案に係る調停は、調停案を示された市町村長その他の市町村の執行機関及び都道府県の行政庁から、これを受諾した旨を記載した文書が総務大臣に提出されたときに成立するものとする。この場合においては、総務大臣は、直ちにその旨及び調停の要旨を公表するとともに、当該市町村長その他の市町村の執行機関及び都道府県の行政庁にその旨を通知しなければならない。

14　総務大臣は、前項の規定により市町村長その他の市町村の執行機関及び都道府県の行政庁から文書の提出があつたときは、その旨を自治紛争処理委員に通知するものとする。

15　次に掲げる事項は、自治紛争処理委員の合議によるものとする。

一　第五項において準用する第二百五十条の十四第一項の規定による都道府県の関与が違法又は普通地方公共

団体の自主性及び自立性を尊重する観点から不当であるかどうかについての決定及び同項の規定による勧告の決定

二　第五項において準用する第二百五十条の十四第二項の規定による都道府県の関与が違法であるかどうかについての決定及び同項の規定による勧告の決定

三　第六項において準用する第二百五十条の十四第三項の規定による第二項の申出に理由があるかどうかについての決定及び第六項において準用する第二百五十条の十四第三項の規定による勧告の決定

四　第七項において準用する第二百五十条の十四第四項の規定による第三項の申出に係る協議について当該協議に係る市町村がその義務を果たしているかどうかについての決定

五　第五項から第七項までにおいて準用する第二百五十条の十五第一項の規定による関係行政機関の参加についての決定

六　第五項から第七項までにおいて準用する第二百五十条の十六第一項の規定による証拠調べの実施についての決定

七　第十一項の規定による調停案の作成及びその要旨の公表についての決定

＊本条—追加〔平一一・七法八七〕、一・二・三・八・九・一〇・一二・一三・一四項一部改正〔平一一・一二法一六〇〕

【引用条文】
①【法二四五の八（代執行等）2・8・12
①～③【法二五一（自治紛争処理委員）2
⑤～⑦【法二五〇の一三（国の関与に関する審査の申出）4～7・二五〇の一四～二五〇の一七
⑧・⑨・⑪【法二五〇の一四（審査及び勧告）1～4
⑮【法二五〇の一四（審査及び勧告）1～4・二五〇の一五（関係行政機関の参加）1・二五〇の一六（証拠調べ）1

【参照条文】
①【都道府県の関与—法二五一1　【是正の要求—法二四五Ⅰハ・二四五の五　【許可—法二四五Ⅰホ
③【協議—法二四五Ⅱ　【協議の方式—法二五〇1
※令一七四の七

（処理方策の提示）

第二百五十一条の三の二　総務大臣又は都道府県知事は、第二百五十二条の二第七項の規定により普通地方公共団体から自治紛争処理委員による同条第一項に規定する連携協約に係る紛争を処理するための方策（以下この条において「処理方策」という。）の提示を求める旨の申請があつたときは、第二百五十一条第二項の規定により自治紛争処理委員を任命し、処理方策を定めさせなければならない。

2　前項の申請をした普通地方公共団体は、総務大臣又は都道府県知事の同意を得て、当該申請を取り下げることができる。

3　自治紛争処理委員は、処理方策を定めたときは、これを当事者である普通地方公共団体に提示するとともに、その旨及び当該処理方策を総務大臣又は都道府県知事に通知し、かつ、これらを公表しなければならない。

4　自治紛争処理委員は、処理方策を定めるため必要があると認めるときは、当事者及び関係人の出頭及び陳述を求め、又は当事者及び関係人並びに紛争に係る事件に関係のある者に対し、処理方策を定めるため必要な記録の提出を求めることができる。

5　第三項の規定による処理方策の決定並びに前項の規定による出頭、陳述及び記録の提出の求めについての決定は、自治紛争処理委員の合議によるものとする。

6　第三項の規定により処理方策の提示を受けたときは、当事者である普通地方公共団体は、これを尊重して必要な措置を執るようにしなければならない。

＊本条—追加〔平二六・五法四二〕

【引用条文】
①【法二五一（自治紛争処理委員）2・二五二の二（連携協約）1・7

【参照条文】
【令一七四の八

【通　知】
●処理方策の提示を受けた普通地方公共団体は、その内容に従う法的な義務を負うものではないが、これを尊重して必要な措置を執るようにしなければならないこととされていることを踏まえ、当該普通地方公共団体においては、当該処理方策の内容を尊重し、適切に紛争の解決を図られたいこと。（平二六・五・三〇通知）

（政令への委任）

第二百五十一条の四　この法律に規定するもののほか、自治紛争処理委員の調停、審査及び勧告並びに処理方策の提示に関し必要な事項は、政令で定める。

＊本条—追加〔平一一・七法八七〕、一部改正〔平二六・五法四二〕

【参照条文】
【令一七四の六～一七四の九　自治紛争処理委員の調停、審査及び処理方策の提示の手続に関する省令

第五款　普通地方公共団体に対する国又は都道府県の関与に関する訴え

＊款名＝追加〔平一一・七法八七〕

（国の関与に関する訴えの提起）

第二百五十一条の五　第二百五十条の十三第一項又は第二項の規定による審査の申出をした普通地方公共団体の長その他の執行機関は、次の各号のいずれかに該当するときは、高等裁判所に対し、当該審査の申出の相手方となつた国の行政庁（国の関与があつた後又は申請等が行われた後に当該行政庁の権限が他の行政庁に承継されたときは、当該他の行政庁）を被告として、訴えをもつて当該審査の申出に係る違法な国の関与の取消し又は当該審査の申出に係る国の不作為の違法の確認を求めることができる。ただし、違法な国の関与の取消しを求める訴えを提起する場合において、被告とすべき行政庁がないときは、当該訴えは、国を被告として提起しなければならない。

一　第二百五十条の十四第一項から第三項までの規定による委員会の審査の結果又は勧告に不服があるとき。

二　第二百五十条の十八第一項の規定による国の行政庁の措置に不服があるとき。

三　当該審査の申出をした日から九十日を経過しても、委員会が第二百五十条の十四第一項から第三項までの規定による審査又は勧告を行わないとき。

四　国の行政庁が第二百五十条の十八第一項の規定による措置を講じないとき。

2　前項の訴えは、次に掲げる期間内に提起しなければならない。

一　前項第一号の場合は、第二百五十条の十四第一項から第三項までの規定による委員会の審査の結果又は勧告の内容の通知があつた日から三十日以内

二　前項第二号の場合は、第二百五十条の十八第一項の規定による委員会の通知があつた日から三十日以内

三　前項第三号の場合は、当該審査の申出をした日から九十日を経過した日から三十日以内

四　前項第四号の場合は、第二百五十条の十四第一項から第三項までの規定による委員会の勧告に示された期間を経過した日から三十日以内

3　第一項の訴えは、当該普通地方公共団体の区域を管轄する高等裁判所の管轄に専属する。

4　原告は、第一項の訴えを提起したときは、直ちに、文書により、その旨を被告に通知するとともに、当該高等裁判所に対し、その通知をした日時、場所及び方法を通知しなければならない。

5　当該高等裁判所は、第一項の訴えが提起されたときは、速やかに口頭弁論の期日を指定し、当事者を呼び出さなければならない。その期日は、同項の訴えの提起があつた日から十五日以内の日とする。

6　第一項の訴えに係る高等裁判所の判決に対する上告の期間は、一週間とする。

7　国の関与を取り消す判決は、関係行政機関に対しても効力を有する。

8　第一項の訴えのうち違法な国の関与の取消しを求めるものについては、行政事件訴訟法第四十三条第一項の規定にかかわらず、同法第八条第二項、第十一条から第二十二条まで、第二十五条から第二十九条まで、第三十一条、第三十二条及び第三十四条の規定は、準用しない。

9　第一項の訴えのうち国の不作為の違法の確認を求めるものについては、行政事件訴訟法第四十三条第三項の規定にかかわらず、同法第四十条第二項及び第四十一条第二項の規定は、準用しない。

10　前各項に定めるもののほか、第一項の訴えについては、主張及び証拠の申出の時期の制限その他審理の促進に関し必要な事項は、最高裁判所規則で定める。

＊本条＝追加〔平一一・七法八七〕、一一・八項＝一部改正・一〇項＝削る・旧一一項＝一〇項に繰上〔平一六・六法八四〕

【引用条文】

①【法二五〇の一三（国の関与に関する審査の申出）1・2・二五〇の一四（審査及び勧告）1〜3・二五〇の一八（国の行政庁の措置等）1

②【法二五〇の一四（審査及び勧告）1〜3・二五〇の一八（国の行政庁の措置等）1

⑧【行訴法八2・一一〜二二・二五〜二九・三一・三二・三四・四三1

⑨【行訴法四〇2・四一2・四三3

【参照条文】

⑩【最高裁判所規則の定＝普通地方公共団体に対する国の関与等に関する訴訟規則

（都道府県の関与に関する訴えの提起）

第二百五十一条の六　第二百五十一条の三第一項又は第二項の規定による申出をした市町村長その他の市町村の執行機関は、次の各号のいずれかに該当するときは、高等裁判所に対し、当該申出の相手方となつた都道府県の行政庁（都道府県の関与があつた後又は申請等が行われた後に当該行政庁の権限が他の行政庁に承継されたときは、当該他の行政庁）を被告として、訴えをもつて当該申出に係る違法な都道府県の関与の取消し又は当該申出に係る都道府県の不作為の違法の確認を求めることができる。ただし、違法な都道府県の関与の取消しを求める

訴えを提起する場合において、被告とすべき行政庁がないときは、当該訴えは、当該都道府県を被告として提起しなければならない。

一　第二百五十一条の三第五項において準用する第二百五十条の十四第一項若しくは第二項又は第二百五十一条の三第六項において準用する第二百五十条の十四第三項の規定による自治紛争処理委員の審査の結果又は勧告に不服があるとき。

二　第二百五十一条の三第九項の規定による都道府県の行政庁の措置に不服があるとき。

三　当該申出をした日から九十日を経過しても、自治紛争処理委員が第二百五十一条の三第五項において準用する第二百五十条の十四第一項若しくは第二項又は第二百五十一条の三第六項において準用する第二百五十条の十四第三項の規定による審査又は勧告を行わないとき。

四　都道府県の行政庁が第二百五十一条の三第九項の規定による措置を講じないとき。

2　前項の訴えは、次に掲げる期間内に提起しなければならない。

一　前項第一号の場合は、第二百五十一条の三第五項において準用する第二百五十条の十四第一項若しくは第二項又は第二百五十一条の三第六項において準用する第二百五十条の十四第三項の規定による自治紛争処理委員の審査の結果又は勧告の内容の通知があつた日から三十日以内

二　前項第二号の場合は、第二百五十一条の三第九項の規定による総務大臣の通知があつた日から三十日以内

三　前項第三号の場合は、当該申出をした日から九十日を経過した日から三十日以内

四　前項第四号の場合は、第二百五十一条の三第五項において準用する第二百五十条の十四第一項若しくは第二項又は第二百五十一条の三第六項において準用する第二百五十条の十四第三項の規定による自治紛争処理委員の勧告に示された期間を経過した日から三十日以内

3　前条第三項から第七項までの規定は、第一項の訴えに準用する。この場合において、同条第三項中「当該普通地方公共団体の区域」とあるのは「当該市町村の区域」と、同条第七項中「国の関与」とあるのは「都道府県の関与」と読み替えるものとする。

4　第一項の訴えのうち違法な都道府県の関与の取消しを求めるものについては、行政事件訴訟法第四十三条第一項の規定にかかわらず、同法第八条第二項、第十一条から第二十二条まで、第二十五条から第二十九条まで、第三十一条、第三十二条及び第三十四条の規定は、準用しない。

5　第一項の訴えのうち都道府県の不作為の違法の確認を求めるものについては、行政事件訴訟法第四十三条第三項の規定にかかわらず、同法第四十条第二項及び第四十一条第二項の規定は、準用しない。

6　前各項に定めるもののほか、第一項の訴えについては、主張及び証拠の申出の時期の制限その他審理の促進に関し必要な事項は、最高裁判所規則で定める。

＊本条…全改〔平一一・七法八七〕、二項…一部改正〔平一一・一二法一六〇〕、一・四項…一部改正・六項…削る・旧七項…六項に繰上〔平一六・六法八四〕、旧二五二条…繰上〔平二四・九法七二〕

【引用条文】
①・②【法二五〇の一四（審査及び勧告）1〜3・二五一の三（審査及び勧告）1・2・5・6・9
③【法二五一の五（国の関与に関する訴えの提起）3〜7
④【行訴法八2・一一〜二二・二五〜二九・三一・三二・三四・四三1
⑤【行訴法四〇2・四一2・四三3

【参照条文】
⑥【最高裁判所規則の定…普通地方公共団体に対する国の関与等に関する訴訟規則

（普通地方公共団体の不作為に関する国の訴えの提起）

第二百五十一条の七　第二百四十五条の五第一項若しくは第四項の規定による是正の要求又は第二百四十五条の七第一項若しくは第四項の規定による指示を行つた各大臣は、次の各号のいずれかに該当するときは、高等裁判所に対し、当該是正の要求又は指示を受けた普通地方公共団体の不作為（是正の要求又は指示を受けた普通地方公共団体の行政庁が、相当の期間内に是正の要求に応じた措置又は指示に係る措置を講じなければならないにもかかわらず、これを講じないことをいう。以下この項、次条及び第二百五十二条の十七の四第三項において同じ。）に係る普通地方公共団体の行政庁（当該是正の要求又は指示があつた後に当該行政庁の権限が他の行政庁に承継されたときは、当該他の行政庁）を被告として、訴えをもつて当該普通地方公共団体の不作為の違法の確認を求めることができる。

一　普通地方公共団体の長その他の執行機関が当該是正の要求又は指示に関する第二百五十条の十三第一項の規定による審査の申出をせず（審査の申出後に第二百五十条の十七第一項の規定により当該審査の申出が取り下げられた場合を含む。）、かつ、当該是正の要求に

応じた措置又は指示に係る措置を講じないとき。

二　普通地方公共団体の長その他の執行機関が当該是正の要求又は指示に関する第二百五十条の十三第一項の規定による審査の申出をした場合において、次に掲げるとき。

イ　委員会が第二百五十条の十四第一項又は第二項の規定による審査の結果又は勧告の内容の通知をした場合において、当該普通地方公共団体の長その他の執行機関が第二百五十一条の五第一項の規定による当該是正の要求又は指示の取消しを求める訴えの提起をせず（訴えの提起後に当該訴えが取り下げられた場合を含む。ロにおいて同じ。）、かつ、当該是正の要求に応じた措置又は指示に係る措置を講じないとき。

ロ　委員会が当該審査の申出をした日から九十日を経過しても第二百五十条の十四第一項又は第二項の規定による審査又は勧告を行わない場合において、当該普通地方公共団体の長その他の執行機関が第二百五十一条の五第一項の規定による当該是正の要求又は指示の取消しを求める訴えの提起をせず、かつ、当該是正の要求に応じた措置又は指示に係る措置を講じないとき。

2　前項の訴えは、次に掲げる期間が経過するまでは、提起することができない。

一　前項第一号の場合は、第二百五十条の十三第四項本文の期間

二　前項第二号イの場合は、第二百五十一条の五第二項第一号、第二号又は第四号に掲げる期間

三　前項第二号ロの場合は、第二百五十一条の五第二項第三号に掲げる期間

3　第二百五十一条の五第三項から第六項までの規定は、第一項の訴えについて準用する。

4　第一項の訴えについては、行政事件訴訟法第四十三条第三項の規定にかかわらず、同法第四十条第二項及び第四十一条第二項の規定は、準用しない。

5　前各項に定めるもののほか、第一項の訴えについては、主張及び証拠の申出の時期の制限その他審理の促進に関し必要な事項は、最高裁判所規則で定める。

＊本条＝追加（平二四・九法七二）

【引用条文】

①【法二四五の五（是正の要求）1・4・二四五の七（是正の指示）1・4・二五〇の一三（国の関与に関する審査の申出）1・二五〇の一四（審査及び勧告）1・2・二五〇の一七（国の関与に関する審査の申出の取下げ）1・二五一の五（国の関与に関する訴えの提起）1

②【法二五〇の一三（国の関与に関する審査の申出）4・二五一の五（国の関与に関する訴えの提起）2

③【法二五一の五（国の関与に関する訴えの提起）3〜6

④【行訴法四〇2・四一2・四三3

【参照条文】

⑤【最高裁判所規則の定＝普通地方公共団体に対する国の関与等に関する訴訟規則

（市町村の不作為に関する都道府県の訴えの提起）

第二百五十二条　第二百四十五条の五第二項の指示を行つた各大臣は、次の各号のいずれかに該当するときは、同条第三項の規定による是正の要求を行つた都道府県の執行機関に対し、高等裁判所に対し、当該是正の要求を受けた市町村の不作為に係る市町村の行政庁（当該是正の要求があつた後に当該行政庁の権限が他の行政庁に承継されたときは、当該他の行政庁。次項において同じ。）を被告として、訴えをもつて当該市町村の不作為の違法の確認を求めるよう指示をすることができる。

一　市町村長その他の市町村の執行機関が当該是正の要求に関する第二百五十一条の三第一項の規定による申出をせず（申出後に同条第五項において準用する第二百五十条の十七第一項の規定により当該申出が取り下げられた場合を含む。）、かつ、当該是正の要求に応じた措置を講じないとき。

二　市町村長その他の市町村の執行機関が当該是正の要求に関する第二百五十一条の三第一項の規定による申出をした場合において、次に掲げるとき。

イ　自治紛争処理委員が第二百五十一条の三第五項において準用する第二百五十条の十四第一項の規定による審査の結果又は勧告の内容の通知をした場合において、当該市町村長その他の市町村の執行機関が第二百五十一条の六第一項の規定による当該是正の要求の取消しを求める訴えの提起をせず（訴えの提起後に当該訴えが取り下げられた場合を含む。ロにおいて同じ。）、かつ、当該是正の要求に応じた措置を講じないとき。

ロ　自治紛争処理委員が当該申出をした日から九十日を経過しても第二百五十一条の三第五項において準用する第二百五十条の十四第一項の規定による審査又は勧告を行わない場合において、当該市町村長その他の市町村の執行機関が第二百五十一条の六第一項の規定による当該是正の要求の取消しを求める訴えの提起をせず、かつ、当該是正の要求に応じた措置を講じないとき。

2 前項の指示を受けた都道府県の執行機関は、高等裁判所に対し、当該市町村の不作為に係る市町村の行政庁を被告として、訴えをもつて当該市町村の不作為の違法の確認を求めなければならない。

3 第二百四十五条の七第二項の規定による指示を行つた都道府県の執行機関は、次の各号のいずれかに該当するときは、高等裁判所に対し、当該指示を受けた市町村の不作為に係る市町村の行政庁（当該指示があつた後に当該行政庁の権限が他の行政庁に承継されたときは、当該他の行政庁）を被告として、訴えをもつて当該市町村の不作為の違法の確認を求めることができる。

一 市町村長その他の市町村の執行機関が当該指示に関する第二百五十一条の三第一項の規定による申出をせず（申出後に同条第五項において準用する第二百五十条の十七第一項の規定により当該申出が取り下げられた場合を含む。）、かつ、当該指示に係る措置を講じないとき。

二 市町村長その他の市町村の執行機関が当該指示に関する第二百五十一条の三第一項の規定による申出をした場合において、次に掲げるとき。

イ 自治紛争処理委員が第二百五十一条の三第五項において準用する第二百五十条の十四第二項の規定による審査の結果又は勧告の内容の通知をした場合において、当該市町村長その他の市町村の執行機関が第二百五十一条の六第一項の規定による当該指示の取消しを求める訴えの提起をせず（訴えの提起後に当該訴えが取り下げられた場合を含む。ロにおいて同じ。）、かつ、当該指示に係る措置を講じないとき。

ロ 自治紛争処理委員が当該申出をした日から九十日を経過しても第二百五十一条の三第五項において準用する第二百五十条の十四第二項の規定による審査又は勧告を行わない場合において、当該市町村長その他の市町村の執行機関が第二百五十一条の六第一項の規定による当該指示の取消しを求める訴えの提起をせず、かつ、当該指示に係る措置を講じないとき。

4 第二百四十五条の七第三項の指示を行つた各大臣は、前項の都道府県の執行機関に対し、同項の規定による訴えの提起に関し、必要な指示をすることができる。

5 第二項及び第三項の訴えは、次に掲げる期間が経過するまでは、提起することができない。

一 第一項第一号及び第三項第一号の場合は、第二百五十一条の三第五項において準用する第二百五十条の十三第四項本文の期間

二 第一項第二号イ及び第三項第二号イの場合は、第二百五十一条の六第二項第一号、第二号又は第四号に掲げる期間

三 第一項第二号ロ及び第三項第二号ロの場合は、第二百五十一条の六第二項第三号に掲げる期間

6 第二百五十一条の五第三項から第六項までの規定は、第二項及び第三項の訴えについて準用する。この場合において、同条第三項中「当該普通地方公共団体の区域」とあるのは、「当該市町村の区域」と読み替えるものとする。

7 第二項及び第三項の訴えについては、行政事件訴訟法第四十三条第三項の規定にかかわらず、同法第四十条第二項及び第四十一条第二項の規定は、準用しない。

8 前各項に定めるもののほか、第二項及び第三項の訴えについては、主張及び証拠の申出の時期の制限その他審理の促進に関し必要な事項は、最高裁判所規則で定める。

＊本条―追加〔平二四・九法七二〕

【引用条文】

① 【法二四五の五（是正の要求）2・3・二五〇の一四（審査及び勧告）1・二五〇の一七（国の関与に関する審査の申出の取下げ）1・二五一の三（審査及び勧告）1・5・二五一の六（都道府県の関与に関する訴えの提起）1

③ 【法二四五の七（是正の指示）2・二五〇の一四（審査及び勧告）2・二五〇の一七（国の関与に関する審査の申出の取下げ）1・二五一の三（審査及び勧告）1・5・二五一の六（都道府県の関与に関する訴えの提起）1

④ 【法二四五の七（是正の指示）3

⑤ 【法二五〇の一三（国の関与に関する審査の申出）4・二五一の三（審査及び勧告）5・二五一の六（都道府県の関与に関する訴えの提起）2

⑥ 【法二五一の五（国の関与に関する訴えの提起）3〜6

⑦ 【行訴法四〇2・四一2・四三3

【参照条文】

⑧ 【最高裁判所規則の定―普通地方公共団体に対する国の関与等に関する訴訟規則

第三節 普通地方公共団体相互間の協力

＊節名―追加〔平一一・七法八七〕

第一款 連携協約

＊款名―追加〔平二六・五法四二〕

（連携協約）

第二百五十二条の二　普通地方公共団体は、当該普通地方公共団体及び他の普通地方公共団体の区域における当該普通地方公共団体及び当該他の普通地方公共団体の事務の処理に当たつての当該他の普通地方公共団体との連携を図るため、協議により、当該普通地方公共団体及び当該他の普通地方公共団体が連携して事務を処理するに当たつての基本的な方針及び役割分担を定める協約（以下「連携協約」という。）を当該他の普通地方公共団体と締結することができる。

2　普通地方公共団体は、連携協約を締結したときは、その旨及び当該連携協約を告示するとともに、都道府県が締結したものにあつては総務大臣、その他のものにあつては都道府県知事に届け出なければならない。

3　第一項の協議については、関係普通地方公共団体の議会の議決を経なければならない。

4　普通地方公共団体は、連携協約を変更し、又は連携協約を廃止しようとするときは、前三項の例によりこれを行わなければならない。

5　公益上必要がある場合においては、都道府県が締結するものについては総務大臣、その他のものについては都道府県知事は、関係のある普通地方公共団体に対し、連携協約を締結すべきことを勧告することができる。

6　連携協約を締結した普通地方公共団体は、当該連携協約に基づいて、当該連携協約を締結した他の普通地方公共団体と連携して事務を処理するに当たつて当該普通地方公共団体が分担すべき役割を果たすため必要な措置を執るようにしなければならない。

7　連携協約を締結した普通地方公共団体相互の間に連携協約に係る紛争があるときは、当事者である普通地方公共団体は、都道府県が当事者となる紛争にあつては総務大臣、その他の紛争にあつては都道府県知事に対し、文書により、自治紛争処理委員による当該紛争を処理するための方策の提示を求める旨の申請をすることができる。

＊本条—追加〔平二六・五法四二〕

【通　知】

●連携協約は、都道府県と市町村の間や異なる都道府県の区域に所在する市町村の間など、いかなる地方公共団体の間においても締結することが可能であることから、地方中枢拠点都市圏において圏域の中心都市が、経済、社会、文化又は住民生活等において密接な関係を有する異なる都道府県の区域に所在する市町村との間で締結することや、条件不利地域の市町村が都道府県との間で締結することなど、地域の実情に応じて有効に活用されたいこと。（平二六・五・三〇通知）

●連携協約に基づき、事務の委託等により事務の共同処理を行う場合は、地方自治法等に定められるそれぞれの事務の共同処理制度の規定に基づき規約を定める必要があるが、連携協約とその他の規約を一体的に協議し、これらについて併せて議会の議決を経るなど、運用上の工夫を行うことが可能であること。（平二六・五・三〇通知）

第二款　協議会

＊款名—追加〔平一一・七法八七〕、旧一款—繰下〔平二六・五法四二〕

（協議会の設置）

第二百五十二条の二の二　普通地方公共団体は、普通地方公共団体の事務の一部を共同して管理し及び執行し、若しくは普通地方公共団体の事務の管理及び執行について連絡調整を図り、又は広域にわたる総合的な計画を共同して作成するため、協議により規約を定め、普通地方公共団体の協議会を設けることができる。

2　普通地方公共団体は、協議会を設けたときは、その旨及び規約を告示するとともに、都道府県の加入するものにあつては総務大臣、その他のものにあつては都道府県知事に届け出なければならない。

3　第一項の協議については、関係普通地方公共団体の議会の議決を経なければならない。ただし、普通地方公共団体の事務の管理及び執行について連絡調整を図るため普通地方公共団体の協議会を設ける場合は、この限りでない。

4　公益上必要がある場合においては、都道府県の加入するものについては総務大臣、その他のものについては都道府県知事は、関係のある普通地方公共団体に対し、普通地方公共団体の協議会を設けるべきことを勧告することができる。

5　普通地方公共団体の協議会が広域にわたる総合的な計画を作成したときは、関係普通地方公共団体は、当該計画に基づいて、その事務を処理するようにしなければならない。

6　普通地方公共団体の協議会は、必要があると認めるときは、関係のある公の機関の長に対し、資料の提出、意見の開陳、説明その他必要な協力を求めることができる。

＊本条—追加〔昭二七・八法三〇六〕、一項—一部改正〔昭二九・六法一九三〕、二項—一部改正〔昭三五・六法一一三〕、一・二・三項—一部改正・四・五・六項—追加〔昭三六・一一法二三五〕、二項—一部改正〔昭四四・三法二〕、見出し—追加・一～六項—一部改正〔平一一・七法八七〕、二・四項—一部改正〔平一

一・一二法一六〇〕、旧二五二条の二―繰下〔平二六・五法四二〕

【参照条文】

①【普通地方公共団体の事務―法二2～6・8～10　※二五二の一七の二1】【長の権限に属する事務―法一四八・一四九】【委員会、委員の権限に属する事務―法一八〇の八・一八〇の九・一八六・一九九・二〇二の二】【執行機関―法一三八の二の二～一三八の四】

③【議会の議決―法九六1XV・一一六1】

※　法二五二の三～二五二の六の二・二八四

【実　例】

※　●協議会を設けることにより関係地方公共団体の執行機関が消滅し去るものではない。（昭二七・八行政資料）

（**協議会の組織**）

第二百五十二条の三　普通地方公共団体の協議会は、会長及び委員をもつてこれを組織する。

2　普通地方公共団体の協議会の会長及び委員は、規約の定めるところにより常勤又は非常勤とし、関係普通地方公共団体の職員のうちから、これを選任する。

3　普通地方公共団体の協議会の会長は、普通地方公共団体の協議会の事務を掌理し、協議会を代表する。

＊本条―追加〔昭二七・八法三〇六〕、見出し―追加・一～三項―一部改正〔平一一・七法八七〕

【参照条文】

※　法二五二の二の二・二五二の四～二五二の六の二

（**協議会の規約**）

第二百五十二条の四　普通地方公共団体の協議会の規約には、次に掲げる事項につき規定を設けなければならない。

一　協議会の名称

二　協議会を設ける普通地方公共団体

三　協議会の管理し及び執行し、若しくは協議会において連絡調整を図る関係普通地方公共団体の事務又は協議会の作成する計画の項目

四　協議会の組織並びに会長及び委員の選任の方法

五　協議会の経費の支弁の方法

2　普通地方公共団体の事務の一部を共同して管理し及び執行するため普通地方公共団体の協議会を設ける場合には、協議会の規約には、前項各号に掲げるもののほか、次に掲げる事項につき規定を設けなければならない。

一　協議会の管理し及び執行する関係普通地方公共団体の事務（以下本項中「協議会の担任する事務」という。）の管理及び執行の方法

二　協議会の担任する事務を管理し及び執行する場所

三　協議会の担任する事務に従事する関係普通地方公共団体の職員の身分取扱い

四　協議会の担任する事務の用に供する関係普通地方公共団体の財産の取得、管理及び処分又は公の施設の設置、管理及び廃止の方法

五　前各号に掲げるものを除くほか、協議会と協議会を設ける関係普通地方公共団体との関係その他協議会に関し必要な事項

＊本条―追加〔昭二七・八法三〇六〕、一項―一部改正・二項―追加〔昭三六・一二法二三五〕、二項―一部改正〔昭三八・六法九九〕、見出し―追加・一・二項―一部改正〔平一一・七法八七〕、二項―一部改正〔平一八・六法五三〕

【参照条文】

※　法二五二の二の二・二五二の三・二五二の五～二五二の六の二

【注　釈】

1）○協議会は、固有の職員を有せず、関係地方公共団体から派遣された職員をもつてその事務を処理するものである。

（**協議会の事務の管理及び執行の効力**）

第二百五十二条の五　普通地方公共団体の協議会が関係普通地方公共団体又は関係普通地方公共団体の長その他の執行機関の名においてした事務の管理及び執行は、関係普通地方公共団体の長その他の執行機関が管理し及び執行したものとしての効力を有する。

＊本条―追加〔昭二七・八法三〇六〕、見出し―追加〔平一一・七法八七〕

【参照条文】

※　法二五二の二の二～二五二の四・二五二の六・二五二の六の二

【実　例】

1）●「関係地方公共団体の長その他の執行機関の名において」の表示は、次のようにすべきである。

何々市町村（市町村長）（委員会）の名において

何々協議会会長　氏名　会長印

（昭二七・一一・一二行実）

（**協議会の組織の変更及び廃止**）

第二百五十二条の六　普通地方公共団体が、普通地方公共団体の協議会を設ける普通地方公共団体の数を増減し、若しくは協議会の規約を変更し、又は協議会を廃止しようとするときは、第二百五十二条の二の二第一項から第三項までの例によりこれを行わなければならない。

＊本条―追加〔昭二七・八法三〇六〕、一部改正〔昭三六・一一法二三五〕、見出し―追加〔平一一・七法八七〕、本条―一部改正〔平二六・五法四二〕

【引用条文】
【法二五二の二の二（協議会の設置）1～3
【参照条文】
※法二五二の二の二～二五二の五・二五二の六の二

（脱退による協議会の組織の変更及び廃止の特例）

第二百五十二条の六の二　前条の規定にかかわらず、協議会を設ける普通地方公共団体は、その議会の議決を経て、脱退する日の二年前までに他の全ての関係普通地方公共団体に書面で予告をすることにより、協議会から脱退することができる。

2　前項の予告を受けた関係普通地方公共団体は、当該予告をした普通地方公共団体が脱退する時までに、第二百五十二条の二の二第一項から第三項までの例により、当該脱退により必要となる規約の変更を行わなければならない。ただし、第二百五十二条の四第一項第二号に掲げる事項のみに係る規約の変更については、第二百五十二条の二の二第三項本文の例によらないものとする。

3　第一項の予告の撤回は、他の全ての関係普通地方公共団体が議会の議決を経て同意をした場合に限り、することができる。この場合において、同項の予告をした普通地方公共団体が他の関係普通地方公共団体に当該予告の撤回について同意を求めるに当たつては、あらかじめ、その議会の議決を経なければならない。

4　普通地方公共団体は、第一項の規定により協議会から脱退したときは、その旨を告示しなければならない。

5　第一項の規定による脱退により協議会を設ける普通地方公共団体が一となつたときは、当該協議会は廃止されるものとする。この場合において、当該普通地方公共団体は、その旨を告示するとともに、第二百五十二条の二の二第二項の例により、総務大臣又は都道府県知事に届け出なければならない。

＊本条―追加〔平二四・九法七二〕、二・五項―一部改正〔平二六・五法四二〕

【引用条文】
①【法二五二の六（協議会の組織の変更及び廃止）
②【法二五二の二の二（協議会の設置）1～3・二五二の四（協議会の規約）1Ⅱ
⑤【法二五二の二の二（協議会の設置）2
【参照条文】
①・③【議会の議決―法九六1ⅩⅤ・一一六1
※法二五二の二の二～二五二の六

第三款　機関等の共同設置

＊款名―追加〔平一一・七法八七〕、旧二款―繰下〔平二六・五法四二〕

（機関等の共同設置）

第二百五十二条の七　普通地方公共団体は、協議により規約を定め、共同して、第百三十八条第一項若しくは第二項に規定する事務局若しくはその内部組織（次項及び第二百五十二条の十三において「議会事務局」という。）、第百三十八条の四第一項に規定する委員会若しくは委員、同条第三項に規定する附属機関、第百五十六条第一項に規定する行政機関、第百五十八条第一項に規定する内部組織、委員会若しくは委員の事務局若しくはその内部組織（次項及び第二百五十二条の十三において「委員会事務局」という。）、普通地方公共団体の議会、長、委員会若しくは委員の事務を補助する職員、第百七十四条第一項に規定する専門委員又は第二百条の二第一項に規定する監査専門委員を置くことができる。ただし、政令[1]で定める委員会については、この限りでない。

2　前項の規定による議会事務局、執行機関、附属機関、行政機関、内部組織、委員会事務局若しくは職員を共同設置する普通地方公共団体の数を増減し、若しくはこれらの議会事務局、執行機関、附属機関、行政機関、内部組織、委員会事務局若しくは職員の共同設置に関する規約を変更し、又はこれらの議会事務局、執行機関、附属機関、行政機関、内部組織、委員会事務局若しくは職員の共同設置を廃止しようとするときは、関係普通地方公共団体は、同項の例により、協議してこれを行わなければならない。

3　第二百五十二条の二の二第二項及び第三項本文の規定は前二項の場合について、同条第四項の規定は第一項の場合について、それぞれ準用する。

＊本条―追加〔昭二七・八法三〇六〕、一項―一部改正〔昭二八・八法二一二〕、三項―一部改正〔昭三六・一一法二三五〕、見出し―追加・一～三項―一部改正〔平一一・七法八七〕、一項―一部改正〔平一八・六法五三〕、一・二項―一部改正〔平二三・五法三五〕、三項―一部改正〔平二六・五法四二〕、一・三項―一部改正〔平二九・六法五四〕

【引用条文】
①【法一三八（議会事務局）1・2・一三八の四（委員会・委員及び附属機関の設置）1・3・一五六（行政機関）1・一五八（内部組織・委員会事務局）1・一七四（専門委員）1・二〇〇の二（監査専門委員）1
③【法二五二の二の二（協議会の設置）2・3・4
【参照条文】
①【事務を補助する職員―法一七二・一九一1・二〇〇

3・4 地公法一二1・4・5 地教法一八1・2 農委法二六1 漁業法一三七6・一五六 【政令の定―令一七四の一九 【※機関の共同設置に関する他の規定―地公法七4 地税法四〇四3
※ 法二五二の七の二～二五二の一三

【注 釈】
1）〇「政令で定める委員会」とは、公安委員会である。（令一七四の一九参照）

（脱退による機関等の共同設置の変更及び廃止の特例）

第二百五十二条の七の二 前条第二項の規定にかかわらず、同条第一項の規定により機関等を共同設置する普通地方公共団体は、その議会の議決を経て、脱退する日の二年前までに他の全ての関係普通地方公共団体に書面で予告をすることにより、共同設置から脱退することができる。

2 前項の予告を受けた関係普通地方公共団体は、当該予告をした普通地方公共団体が脱退する時までに、協議して当該脱退により必要となる規約の変更を行わなければならない。

3 第二百五十二条の二の二第二項及び第三項本文の規定は、前項の場合について準用する。ただし、次条第二号（第二百五十二条の十三において準用する場合を含む。）に掲げる事項のみに係る規約の変更については、第二百五十二条の二の二第三項本文の規定は、準用しない。

4 第一項の予告の撤回は、他の全ての関係普通地方公共団体が議会の議決を経て同意をした場合に限り、することができる。この場合において、同項の予告をした普通地方公共団体が他の関係普通地方公共団体に当該予告の撤回について同意を求めるに当たつては、あらかじめ、その議会の議決を経なければならない。

5 普通地方公共団体は、第一項の規定により機関等の共同設置から脱退したときは、その旨を告示しなければならない。

6 第一項の規定による脱退により機関等を共同設置する普通地方公共団体が一となつたときは、当該共同設置は廃止されるものとする。この場合において、当該普通地方公共団体は、その旨を告示するとともに、第二百五十二条の二の二第二項の例により、総務大臣又は都道府県知事に届け出なければならない。

＊本条―追加〔平二四・九法七二〕、三・六項―一部改正〔平二六・五法四二〕

【引用条文】
①【法二五二の七（機関等の共同設置）1・2
③【法二五二の二の二（協議会の設置）2・3・二五二の八（機関の共同設置に関する規約）Ⅱ・二五二の一三（議会事務局等の共同設置に関する準用規定）
⑥【法二五二の二の二（協議会の設置）2

【参照条文】
①・④【議会の議決―法九六1XV・一一六1
※ 法二五二の七・二五二の八～二五二の一三

（機関の共同設置に関する規約）

第二百五十二条の八 第二百五十二条の七の規定により共同設置する普通地方公共団体の委員会若しくは委員又は附属機関（以下この条において「共同設置する機関」という。）の共同設置に関する規約には、次に掲げる事項につき規定を設けなければならない。

一 共同設置する機関の名称
二 共同設置する機関を設ける普通地方公共団体
三 共同設置する機関の執務場所
四 共同設置する機関を組織する委員その他の構成員の選任の方法及びその身分取扱い
五 前各号に掲げるものを除くほか、共同設置する機関と関係普通地方公共団体との関係その他共同設置する機関に関し必要な事項

＊本条―追加〔昭二七・八法三〇六〕、見出し―追加・本条―一部改正〔平一一・七法八七〕、本条―一部改正〔平一八・六法五三、平二四・九法七二〕

【引用条文】
【法二五二の七（機関等の共同設置）

【参照条文】
※ 法二五二の七・二五二の七の二・二五二の九～二五二の一三 令一七四の二四1・2

（共同設置する機関の委員等の選任及び身分取扱い）

第二百五十二条の九 普通地方公共団体が共同設置する委員会の委員で、普通地方公共団体の議会が選挙すべきものの選任については、規約で、次の各号のいずれの方法によるかを定めるものとする。

一 規約で定める普通地方公共団体の議会が選挙すること。
二 関係普通地方公共団体の長が協議により定めた共通の候補者について、すべての関係普通地方公共団体の議会が選挙すること。

2 普通地方公共団体が共同設置する委員会の委員（教育委員会にあつては、教育長及び委員）若しくは委員又は附属機関の委員その他の構成員で、普通地方公共団体の長が当該普通地方公共団体の議会の同意を得て選任すべきものの選任については、規約で、次の各号のいずれの方法によるかを定めるものとする。

一 規約で定める普通地方公共団体の長が当該普通地方

公共団体の議会の同意を得て選任すること。
二　関係普通地方公共団体の長が協議により定めた共通の候補者について、それぞれの関係普通地方公共団体の長が当該普通地方公共団体の議会の同意を得た上、規約で定める普通地方公共団体の長が選任すること。
3　普通地方公共団体が共同設置する委員会の委員若しくは委員又は附属機関の委員その他の構成員で、普通地方公共団体の長、委員会又は委員が選任すべきものの選任については、規約で、次の各号のいずれの方法によるかを定めるものとする。
一　規約で定める普通地方公共団体の長、委員会又は委員が選任すること。
二　関係普通地方公共団体の長、委員会又は委員が協議により定めた者について、規約で定める普通地方公共団体の長、委員会又は委員がこれを選任すること。
4　普通地方公共団体が共同設置する委員会の委員（教育委員会にあつては、教育長及び委員）若しくは委員又は附属機関の委員その他の構成員で第一項又は第二項の規定により選任するものの身分取扱いについては、規約で定める普通地方公共団体の議会が選挙し又は規約で定める普通地方公共団体の長が選任する場合においては、当該普通地方公共団体の職員とみなし、全ての関係普通地方公共団体の議会が選挙する場合においては、規約で定める普通地方公共団体の職員とみなす。
5　普通地方公共団体が共同設置する委員会の委員若しくは委員又は附属機関の委員その他の構成員で第三項の規定により選任するものの身分取扱いについては、これらの者を選任する普通地方公共団体の長、委員会又は委員の属する普通地方公共団体の職員とみなす。

＊本条…追加〔昭二七・八法三〇六〕、見出し…追加・一～五項…一部改正〔平一一・七法八七〕、二・四項…一部改正〔平二六・六法七六〕

【参照条文】
①【議会が選挙すべきもの―法一八二1
②【長が議会の同意を得て選任すべきものの例―法一九六1　地教法四2　地公法九の二2　地税法四二三3　収用法五二3　警察法三九1　漁業法一三八①
③【長、委員会又は委員が選任すべきものの例―社教法一五2　漁業法一七二2　民委法八2
※法二五二の七～二五二の八・二五二の一〇～二五二の一三　令一七四の二四1・2

（共同設置する機関の委員等の解職請求）
第二百五十二条の十　普通地方公共団体が共同設置する委員会の委員（教育委員会にあつては、教育長及び委員）若しくは委員又は附属機関の委員その他の構成員で、法律の定めるところにより選挙権を有する者の請求に基づき普通地方公共団体の議会の議決によりこれを解職することができるものの解職については、関係普通地方公共団体における選挙権を有する者が、政令の定めるところにより、その属する普通地方公共団体の長に対し、解職の請求を行い、二の普通地方公共団体の共同設置する場合においては全ての関係普通地方公共団体の議会において解職に同意する旨の議決があつたとき、又は三以上の普通地方公共団体の共同設置する場合においてはその半[1]数を超える関係普通地方公共団体の議会において解職に同意する旨の議決があつたときは、当該解職は、成立するものとする。

＊本条…追加〔昭二七・八法三〇六〕、見出し…追加・本条…一部改正〔平一一・七法八七〕、一部改正〔平二六・六法七六〕

【参照条文】
【選挙権を有する者の請求に基づき議会の議決により解職するもの―法八六・八七　地教法八　【選挙権を有する者―法一八　選挙法九2～5・一一・二五二　【政令の定―令一七四の二〇～一七四の二三
※法二五二の七～二五二の九・二五二の一一～二五二の一三

【注　釈】
1）○「半数を超える関係普通地方公共団体の議会において解職に同意する旨の議決があつたとき」とは例えば一〇の議会であるとすると六番目の議会が、同意議決を完了したときの意味である。

（共同設置する機関の補助職員等）
第二百五十二条の十一　普通地方公共団体が共同設置する委員会又は委員の事務を補助する職員は、第二百五十二条の九第四項又は第五項の規定により共同設置する委員会の委員（教育委員会にあつては、教育長及び委員）又は委員が属するものとみなされる普通地方公共団体（以下この条において「規約で定める普通地方公共団体」という。）の長の補助機関である職員をもつて充て、普通地方公共団体が共同設置する附属機関の庶務は、規約で定める普通地方公共団体の執行機関においてこれをつかさどるものとする。
2　普通地方公共団体が共同設置する委員会若しくは委員又は附属機関に要する経費は、関係普通地方公共団体がこれを負担し、規約で定める普通地方公共団体の歳入歳出予算にこれを計上して支出するものとする。
3　普通地方公共団体が共同設置する委員会が徴収する手数料その他の収入は、規約で定める普通地方公共団体の収入とする。
4　普通地方公共団体が共同設置する委員会が行う関係普

通地方公共団体の財務に関する事務の執行及び関係普通地方公共団体の経営に係る事業の管理の通常の監査は、規約で定める普通地方公共団体の監査委員が毎会計年度少なくとも一回以上期日を定めてこれを行うものとする。この場合において、規約で定める普通地方公共団体の監査委員は、第百九十九条第九項の規定による監査の結果に関する報告を他の関係普通地方公共団体の長に提出するとともに、これを公表しなければならない。

5 前項の場合において、規約で定める普通地方公共団体の監査委員は、第百九十九条第九項の規定による監査の結果に関する報告の決定について、各監査委員の意見が一致しないことにより、同条第十二項の合議により決定することができない事項がある場合には、その旨及び当該事項についての各監査委員の意見を他の関係普通地方公共団体の長に提出するとともに、これらを公表しなければならない。

* 本条—追加〔昭二七・八法三〇六〕、四項—一部改正〔昭三八・六法九九、平三・四法二四〕、見出し—追加・一～四項—一部改正〔平一一・七法八七〕、一項—一部改正〔平一八・六法五三、平二六・六法七六〕、四項—一部改正・五項—追加〔平二九・六法五四〕

【引用条文】
① 【法二五二の九（共同設置する機関の委員等の選任及び身分取扱い）4・5

【参照条文】
① 【長の補助機関である職員—法一七二 ※【附属機関の庶務—法二〇二の三3
② 【予算—法二一一
③ 【手数料—法二二七
④ 【監査—法一九九
※ 法一八〇の三・二五二の七～二五二の一〇・二五二の一二・二五二の一三 令一七四の二四1・2

（共同設置する機関に対する法令の適用）

第二百五十二条の十二 普通地方公共団体が共同設置する委員会若しくは委員又は附属機関は、この法律その他これらの機関の権限に属する事務の管理及び執行に関する法令、条例、規則その他の規程の適用については、この法律に特別の定めがあるものを除くほか、それぞれ関係普通地方公共団体の委員会若しくは委員又は附属機関とみなす。

* 本条—追加〔昭二七・八法三〇六〕、見出し—追加・本条—一部改正〔平一一・七法八七〕

【参照条文】
【特別の定—法二五二の九～二五二の一一
※ 法二五二の七～二五二の一一・二五二の一三 令一七四の二四1・2

（議会事務局等の共同設置に関する準用規定）

第二百五十二条の十三 第二百五十二条の八から前条までの規定は、政令で定めるところにより、第二百五十二条の七の規定による議会事務局、行政機関、内部組織、委員会事務局、普通地方公共団体の議会、長、委員会若しくは委員の事務を補助する職員、専門委員又は監査専門委員の共同設置について準用する。

* 本条—追加〔昭二七・八法三〇六〕、見出し—追加〔平一一・七法八七〕、見出し・本条—一部改正〔平一八・六法五三、平二三・五法三五〕、本条—一部改正〔平二九・六法五四〕

【引用条文】
【法二五二の七（機関等の共同設置）～二五二の一二（共同設置する機関に対する法令の適用）

【参照条文】
【政令の定—令一七四の二四
※ 法二五二の七及び同条参照条文参照

第四款 事務の委託

* 款名—追加〔平一一・七法八七〕、旧三款—繰下〔平二六・五法四二〕

（事務の委託）

第二百五十二条の十四 普通地方公共団体は、協議により規約を定め、普通地方公共団体の事務の一部を、他の普通地方公共団体に委託して、当該他の普通地方公共団体の長又は同種の委員会若しくは委員をして管理し及び執行させることができる。

2 前項の規定により委託した事務を変更し、又はその事務の委託を廃止しようとするときは、関係普通地方公共団体は、同項の例により、協議してこれを行わなければならない。

3 第二百五十二条の二の二第二項及び第三項本文の規定は前二項の規定により普通地方公共団体の事務を委託し、又は委託した事務を変更し、若しくはその事務の委託を廃止する場合に、同条第四項の規定は第一項の場合にこれを準用する。

* 本条—追加〔昭二七・八法三〇六〕、三項—一部改正〔昭三六・一一法二三五〕、見出し—追加・一～三項—一部改正〔平一一・七法八七〕、一・三項—一部改正〔平二六・五法四二〕

【引用条文】
③ 【法二五二の二の二（協議会の設置）2・3・4

【参照条文】
① 【普通地方公共団体の事務—法二2～6・8～10
※ 【事務委託に関する他の規定—地公法七4 学校教育

※　法四〇
※　法二五二の一五・二五二の一六

【実　例】

※　●一部事務組合の事務の一部を普通地方公共団体に委託することができる。（昭二八・四・一行実）

※　●公共土木施設災害復旧事業費国庫負担法に基づく市町村の災害復旧事業につき、県が市町村から工事の設計、監督等を委ねられる場合、本条に基づく事務委託によることも、私法上の契約によることもさしつかえない。（昭三〇・一二・一六行実）

※　●市が県と共同で多目的ダムの建設工事を施行し（工事は県に委託）、完成後共同施設の管理を同県に委託するのは、公法上の事務の委託として本条により処理すべきである。（昭四一・四・一三行実）

※　●ゴミ処理事務のうち、ゴミの収集、運搬、処理手数料の徴収を除き、ゴミの焼却及び焼却後の残土の埋立処分のみに関する事務の委託を受ける場合には、地方自治法第二五二条の一四の規定に基づく事務委託によることも、私法上の契約によることもさしつかえないが、処理手数料の徴収を除き、ゴミの収集、運搬、焼却及び焼却後の残土の埋立処分に関する事務の委託を受ける場合には、同条の事務委託の規定による手続を経ることが適当である。（昭五三・四・一八行実）

（事務の委託の規約）

第二百五十二条の十五　前条の規定により委託する普通地方公共団体の事務（以下本条中「委託事務」という。）の委託に関する規約には、次に掲げる事項につき規定を設けなければならない。

一　委託する普通地方公共団体及び委託を受ける普通地方公共団体
二　委託事務の範囲並びに委託事務の管理及び執行の方法
三　委託事務に要する経費の支弁の方法
四　前各号に掲げるもののほか、委託事務に関し必要な事項

＊本条—追加〔昭二七・八法三〇六〕、見出し—追加・本条—一部改正〔平一一・七法八七〕

【引用条文】
【法二五二の一四（事務の委託）

【参照条文】
※　法二五二の一四・二五二の一六

（事務の委託の効果）

第二百五十二条の十六　普通地方公共団体の事務を、他の普通地方公共団体に委託して、当該他の普通地方公共団体の長又は同種の委員会若しくは委員をして管理し及び執行させる場合においては、当該事務の管理及び執行に関する法令中委託した普通地方公共団体又はその執行機関に適用すべき規定は、当該委託された事務の範囲内において、その事務の委託を受けた普通地方公共団体又はその執行機関について適用があるものとし、別に規約で定めをするものを除くほか、事務の委託を受けた普通地方公共団体の当該委託された事務の管理及び執行に関する条例、規則又はその機関の定める規程は、委託した普通地方公共団体の条例、規則又はその機関の定める規程としての効力を有する。

＊本条—追加〔昭二七・八法三〇六〕、見出し—追加・本条—一部改正〔平一一・七法八七〕、本条—一部改正〔平二六・五法四二〕

【参照条文】
【機関の定める規程—法一三八の四2

※　法二五二の一四・二五二の一五

第五款　事務の代替執行

＊款名—追加〔平二六・五法四二〕

（事務の代替執行）

第二百五十二条の十六の二　普通地方公共団体は、他の普通地方公共団体の求めに応じて、協議により規約を定め、当該他の普通地方公共団体の事務の一部を、当該他の普通地方公共団体又は当該他の普通地方公共団体の長若しくは同種の委員会若しくは委員の名において管理し及び執行すること（以下この条及び次条において「事務の代替執行」という。）ができる。

2　前項の規定により事務の代替執行をする事務（以下この款において「代替執行事務」という。）を変更し、又は事務の代替執行を廃止しようとするときは、関係普通地方公共団体は、同項の例により、協議してこれを行わなければならない。

3　第二百五十二条の二の二第二項及び第三項本文の規定は前二項の規定により事務の代替執行をし、又は代替執行事務を変更し、若しくは事務の代替執行を廃止する場合に、同条第四項の規定は第一項の場合に準用する。

＊本条—追加〔平二六・五法四二〕

【引用条文】
③【法二五二の二の二（協議会の設置）2〜4

【通　知】
●事務の代替執行は、市町村の間において行う場合のほか、条件不利地域の市町村において近隣に事務の共同処理を行うべき市町村がない場合等において、市町村優先の原則や行政の簡素化・効率化とい

う事務の共同処理制度の立法趣旨を踏まえつつ、都道府県が事務の一部を当該市町村に代わって処理することができるようにすることを念頭に制度化されたものであり、地域の実情に応じて、適切に運用されたいこと。（平二六・五・三〇通知）

（事務の代替執行の規約）

第二百五十二条の十六の三　事務の代替執行に関する規約には、次に掲げる事項につき規定を設けなければならない。

一　事務の代替執行をする普通地方公共団体及びその相手方となる普通地方公共団体

二　代替執行事務の範囲並びに代替執行事務の管理及び執行の方法

三　代替執行事務に要する経費の支弁の方法

四　前三号に掲げるもののほか、事務の代替執行に関し必要な事項

＊　本条―追加〔平二六・五法四二〕

（代替執行事務の管理及び執行の効力）

第二百五十二条の十六の四　第二百五十二条の十六の二の規定により普通地方公共団体が他の普通地方公共団体又は他の普通地方公共団体の長若しくは同種の委員会若しくは委員の名において管理し及び執行した事務の管理及び執行は、当該他の普通地方公共団体の長又は同種の委員会若しくは委員が管理し及び執行したものとしての効力を有する。

＊　本条―追加〔平二六・五法四二〕

【引用条文】

【法二五二の一六の二（事務の代替執行）

【通　知】

●上記の事務の代替執行の効果を踏まえ、事務の代替執行をする事務（以下「代替執行事務」という。）の処理について適切に意思疎通が図られるよう、代替執行事務の処理状況の報告や代替執行事務の処理方法についての協議を定期的に行うこと等をあらかじめ規約に定めておくことが望ましいこと。

また、代替執行事務の処理権限は事務の代替執行の求めを行った普通地方公共団体に残ることになるため、当該普通地方公共団体の議会は、代替執行事務の処理状況について必要な調査・審査等を行うものであること。（平二六・五・三〇通知）

第六款　職員の派遣

＊　款名―追加〔平一一・七法八七〕、旧四款―六款に繰下〔平二六・五法四二〕

（職員の派遣）

第二百五十二条の十七　普通地方公共団体の長又は委員会若しくは委員は、法律に特別の定めがあるものを除くほか、当該普通地方公共団体の事務の処理のため特別の必要があると認めるときは、他の普通地方公共団体の長又は委員会若しくは委員に対し、当該普通地方公共団体の職員[1]の派遣を求めることができる。

2　前項の規定による求めに応じて派遣される職員は、派遣を受けた普通地方公共団体の職員の身分をあわせ有することとなるものとし、その給料、手当（退職手当を除く。）及び旅費は、当該職員の派遣を受けた普通地方公共団体の負担[2]とし、退職手当及び退職年金又は退職一時金は、当該職員の派遣をした普通地方公共団体の負担とする。ただし、当該派遣が長期間にわたることその他の特別の事情があるときは、当該職員の派遣を求める普通地方公共団体及びその求めに応じて当該職員の派遣をしようとする普通地方公共団体の長又は委員会若しくは委員の協議により、当該派遣の趣旨に照らして必要な範囲内において、当該職員の派遣を求める普通地方公共団体が当該職員の退職手当の全部又は一部を負担することとすることができる。

3　普通地方公共団体の委員会又は委員が、第一項の規定により職員の派遣を求め、若しくはその求めに応じて職員を派遣しようとするとき、又は前項ただし書の規定により退職手当の負担について協議しようとするときは、あらかじめ、当該普通地方公共団体の長に協議しなければならない。

4　第二項に規定するもののほか、第一項の規定に基づき派遣された職員の身分取扱いに関しては、当該職員の派遣をした普通地方公共団体の職員に関する法令の規定の適用があるものとする。ただし、当該法令の趣旨に反しない範囲内で政令で特別の定めをすることができる。

＊　本条―追加〔昭三一・六法一四七〕、見出し―追加・一～四項―一部改正〔平一一・七法八七〕、二項―削る・旧三項―一部改正し二項に繰上・三項―追加・四項―一部改正〔平一八・六法五三〕

【参照条文】

①【特別の定の例―警察法六〇　【委員会、委員―法一三八の四1・一八〇の五1～3

②【給料、手当、旅費―法二〇四　【退職年金、退職一時金―法二〇五

④【政令の定―令一七四の二五

【実　例】

1）●都道府県の職員を市町村の助役（現行法では副市町村長）に派遣することはできない。（昭三三・三・二六行実）

●地方公営企業法第一五条に規定する管理者の任命に係る職員は、本条の規定により派遣することができないが、長の部局の職員と併任させた場合は派遣することができる。（昭三二・五・二七行実）

2）●A県の職員をB町に派遣する場合、派遣職員の給与については、施行令第一七四条の二五第三項の規定に基づき、派遣職員に関する身分取扱の協議によりA県の職員の給与条例に基づきB町において給与を直接派遣職員に支給することもさしつかえない。（昭三五・六・九行実）

●県が職員を町に派遣した場合、県と町の協議により、県が管理職手当及び赴任旅費を負担することとすることは、本条第三項に抵触する。（昭四三・五・三〇行実）

※●本条に規定する派遣職員は、原則として双方の地方公共団体の定数に含ましめるべきものであるが、条例の定めるところにより派遣をした地方公共団体の定数には含ましめない扱いとすることもさしつかえない。（昭三二・一〇・二二行実）

第四節　条例による事務処理の特例

＊本節―追加〔平一一・七法八七〕

（条例による事務処理の特例）

第二百五十二条の十七の二　都道府県は、都道府県知事の権限に属する事務の一部を、条例の定めるところにより、市町村が処理することとすることができる。この場合においては、当該市町村が処理することとされた事務は、当該市町村の長が管理し及び執行するものとする。

2　前項の条例（同項の規定により都道府県の規則に基づく事務を市町村が処理することとする場合で、同項の条例の定めるところにより、規則に委任して当該事務の範囲を定めるときは、当該規則を含む。以下この節及び第二百五十二条の二十六の四第一項第三号において同じ。）を制定し又は改廃する場合においては、都道府県知事は、あらかじめ、その権限に属する事務の一部を処理し又は処理することとなる市町村の長に協議しなければならない。

3　市町村の長は、その議会の議決を経て、都道府県知事に対し、第一項の規定によりその権限に属する事務の一部を当該市町村が処理することとするよう要請することができる。

4　前項の規定による要請があつたときは、都道府県知事は、速やかに、当該市町村の長と協議しなければならない。

＊本条―追加〔平一一・七法八七〕、三・四項―追加〔平一六・五法五七〕、二項―一部改正〔令六・六法六五〕

【参照条文】

【※都道府県教育委員会の権限に関する条例による事務処理の特例―地教法五五

※　地財法二八

【通　知】

●一つの条例で、一括して条例による事務処理の特例を定めることとするほか、個別の条例において、事務処理の特例を定める方法も考えられる。（平一一・九・一四通知）

●条例による事務処理の特例は、都道府県が処理することとされている事務を市町村が処理することとするものであり、地方自治法第二五二条の一七の二第一項に基づき、事務処理の特例を定めていることが明らかになるように規定することが必要と考えられる。（平一一・九・一四通知）

●都道府県知事の権限に属する事務である限り、法令に明示の禁止の規定のあるもの又はその趣旨・目的等から対象とすることのできないものを除き、原則として対象とすることができる。（平一一・九・一四通知）

●教育委員会の権限に属する事務については、別途地方教育行政の組織及び運営に関する法律で条例による事務処理の特例制度が設けられており、これらを併せて一つの条例案として立案することもさしつかえない。（平一一・九・一四通知）

●具体的に知事の権限となっていることが必要である。たとえば、屋外広告物法第三条では、都道府県は条例の定めるところにより広告物等を制限することができるとされているが、このような場合、都道府県が条例を制定し、知事の許可権限等が規定されることにより、はじめて知事の権限が具体化することになる。都道府県が条例を制定しない限り、具体的な知事の権限はなく、条例による事務処理の対象とすることはできない。（平一一・九・一四通知）

●特例条例では、市町村が処理することとなる事務の範囲及び対象となる市町村を明確に規定することが必要と考えられる。（平一一・九・一四通知）

●市町村が処理することとなる事務について、法律又はこれに基づく政令により都道府県が処理することとされている事務（都道府県知事の権限に属するもの）については、原則として、法律等の条項が特定されるような形で規定することが必要と考えられる。（平一一・九・一四通知）

●都道府県の条例に基づく事務について特例条例で規定する場合も、法律等に基づく事務と同様、その範囲が明確になるように定める必要がある。（平一一・九・一四通知）

●都道府県の規則に基づく事務については、特例条例において当該事務の内容を具体的に定める方法と、特例条例上は、「○○に係る事務のうち規則に基づく事務であって別に規則で定めるもの」と規定し、具体の事務の範囲は、別途規則で定めることとする方法とが考えられる。なお、後者の場合、当該規則については、特例条例と同様、市町村長と協議する必要がある。（平一一・九・一四通知）

（条例による事務処理の特例の効果）

第二百五十二条の十七の三　前条第一項の条例の定めるところにより、都道府県知事の権限に属する事務の一部を市町村が処理する場合においては、当該条例の定めるところにより市町村が処理することとされた事務について規定する法令、条例又は規則中都道府県に関する規定は、当該事務の範囲内において、当該市町村に関する規定として当該市町村に適用があるものとする。

2　前項の規定により市町村に適用があるものとされる法令の規定により国の行政機関が市町村に対して行うものとなる助言等、資料の提出の要求等又は是正の要求等は、都道府県知事を通じて行うことができるものとする。

3　第一項の規定により市町村に適用があるものとされる法令の規定により市町村が国の行政機関と行うものとなる協議は、都道府県知事を通じて行うものとし、当該法令の規定により国の行政機関が市町村に対して行うものとなる許認可等に係る申請等は、都道府県知事を経由して行うものとする。

＊本条―追加〔平一一・七法八七〕

【引用条文】
①【法二五二の一七の二（条例による事務処理の特例）1】

【参照条文】
②【助言等―法二四七1】【資料の提出の要求等―法二四八】【是正の要求等―法二四九1】
③【協議―法二四五Ⅱ】【許認可等に係る申請等―法二五〇の二1】
※地教法五五9

【通　知】

●条例による事務処理の特例は、都道府県の条例の定めるところにより、「都道府県知事の権限に属する事務の一部を市町村が処理することとする」ものであり、地方自治法の各種規定（関与の規定、不服審査の規定、手数料の規定）等は、市町村が事務を処理するものとして適用される。（平一一・九・一四通知）

●市町村が処理することとされた事務については、市町村の事務として、地方自治法の各種規定が適用されることとなることから、事務を規定している都道府県の条例・規則を除き、当該市町村の条例・規則（例…行政手続条例や情報公開条例、財務規則等）が適用となる。また、必要に応じて、市町村が当該事務の処理のため、地方自治法第一四条・第一五条等に基づき、条例・規則を制定することができる。当該事務が特定の者のためにするものであれば、同法第二二七条及び第二二八条に基づき、市町村において手数料条例を定め、徴収することができる。（平一一・九・一四通知）

●法令に基づく事務を条例による事務処理の特例により市町村が処理することとする場合、当該法令に基づく事務に関して都道府県が定めていた条例・規則は原則として市町村には適用されない。（平一一・九・一四通知）

●許可等の権限を市町村が処理することとした場合、当該許可等に係る手数料については、市町村が条例で定めるところにより、徴収することができる。また、当該手数料は、当然市町村の歳入となる。（平一一・九・一四通知）

（是正の要求等の特則）

第二百五十二条の十七の四　都道府県知事は、第二百五十二条の十七の二第一項の条例の定めるところにより市町村が処理することとされた事務のうち自治事務の処理が法令の規定に違反していると認めるとき、又は著しく適正を欠き、かつ、明らかに公益を害していると認めるときは、当該市町村に対し、第二百四十五条の五第二項に規定する各大臣の指示がない場合であつても、同条第三項の規定により、当該自治事務の処理について違反の是正又は改善のため必要な措置を講ずべきことを求めることができる。

2　第二百五十二条の十七の二第一項の条例の定めるところにより市町村が処理することとされた事務のうち法定受託事務に対する第二百四十五条の八第十二項において準用する同条第一項から第十一項までの規定の適用については、同条第十二項において読み替えて準用する同条第二項から第四項まで、第六項、第八項及び第十一項中「都道府県知事」とあるのは、「各大臣」とする。この場合においては、同条第十三項の規定は適用しない。

3　第二百五十二条の十七の二第一項の条例の定めるところにより市町村が処理することとされた事務のうち自治事務の処理について第二百四十五条の五第三項の規定による是正の要求（第一項の規定による是正の要求を含む。）を行つた都道府県知事は、第二百五十二条第一項各号のいずれかに該当するときは、同項に規定する各大臣の指示がない場合であつても、同条第二項の規定により、訴えをもつて当該是正の要求を受けた市町村の不作為の違法の確認を求めることができる。

4　第二百五十二条の十七の二第一項の条例の定めるところにより市町村が処理することとされた事務のうち法定受託事務に係る市町村長の処分についての第二百五十五

条の二第一項の審査請求の裁決に不服がある者は、当該処分に係る事務を規定する法律又はこれに基づく政令を所管する各大臣に対して再審査請求をすることができる。

5　市町村長が第二百五十二条の十七の二第一項の条例の定めるところにより市町村が処理することとされた事務のうち法定受託事務に係る処分をする権限をその補助機関である職員又はその管理に属する行政機関の長に委任した場合において、委任を受けた職員又は行政機関の長がその委任に基づいてした処分につき、第二百五十五条の二第二項の再審査請求の裁決があつたときは、当該裁決に不服がある者は、再々審査請求をすることができる。この場合において、再々審査請求は、当該処分に係る再審査請求若しくは審査請求の裁決又は当該処分を対象として、当該処分に係る事務を規定する法律又はこれに基づく政令を所管する各大臣に対してするものとする。

6　前項の再々審査請求については、行政不服審査法第四章の規定を準用する。

7　前項において準用する行政不服審査法の規定に基づく処分及びその不作為については、行政不服審査法第二条及び第三条の規定は、適用しない。

＊本条—追加〔平一一・七法八七〕、三項—追加・旧三項—四項に繰下〔平二四・九法七二〕、四項—一部改正・五〜七項—追加〔平二六・六法六九〕

【引用条文】

①【法二五二の一七の二（条例による事務処理の特例）
1・二四五の五（是正の要求）2・3

②【法二五二の一七の二（条例による事務処理の特例）
1・二四五の八（代執行等）1〜13

③【法二五二の一七の二（条例による事務処理の特例）
1・二四五の五（是正の要求）3・二五二（市町村の不作為に関する都道府県の訴えの提起）1・2

④【法二五二の一七の二（条例による事務処理の特例）
1・二五五の二（法定受託事務に係る審査請求）1

⑤【法二五二の一七の二（条例による事務処理の特例）
1・二五五の二（法定受託事務に係る審査請求）2

⑥【行政不服審査法四章（再審査請求）

⑦【行政不服審査法二（処分についての審査請求）・三（不作為についての審査請求）

【参照条文】

※　地教法五五9

【通　知】

●条例による事務処理の特例により市町村が処理することとされた事務が、法定受託事務の場合には、地方自治法第二五五条の二の規定に基づき、他の法律に特別の定めがある場合（事務を規定している法令の都道府県に関する規定は、市町村に関する規定として市町村に適用される）を除き、市町村長の処分又は不作為について、都道府県知事に対して審査請求をすること、さらに、同法第二五二条の一七の四第三項（現行第四項）に基づき、各大臣に再審査請求をすることができる。（平一一・九・一四通知）

●条例による事務処理の特例により市町村が処理することとされた事務が、自治事務の場合には、法律等に審査請求をすることができる旨の規定がない限り、原則として市町村長に対して異議申立てを行うこととなる。また、当該自治事務を規定している法律に審査請求をすることができる旨の規定がある場合には、当該規定に基づき審査請求をすることができる。同様に、条例に基づく処分については、当該条例に都道府県の審査会等へ審査請求をすることができる旨の規定があれば、当該条例が事務を規定する条例として、市町村長の処分等についても適用され、住民は都道府県の審査会等に対して審査請求を行うことができるものである。（平一一・九・一四通知）

●条例による事務処理の特例は、改正前の地方自治法第一五三条第二項とは異なり、（旧）行政不服審査法第五条第一項、第八条第一項第二号及び同条第三項の適用はない。（平一一・九・一四通知）

第五節　雑則

＊節名—追加〔平一一・七法八七〕

（組織及び運営の合理化に係る助言及び勧告並びに資料の提出の要求）

第二百五十二条の十七の五　総務大臣又は都道府県知事は、普通地方公共団体の組織及び運営の合理化に資するため、普通地方公共団体に対し、適切と認める技術的な助言若しくは勧告をし、又は当該助言若しくは勧告をするため若しくは普通地方公共団体の組織及び運営の合理化に関する情報を提供するため必要な資料の提出を求めることができる。

2　総務大臣は、都道府県知事に対し、前項の規定による市町村に対する助言若しくは勧告又は資料の提出の求めに関し、必要な指示をすることができる。

3　普通地方公共団体の長は、第二条第十四項及び第十五項の規定の趣旨を達成するため必要があると認めるときは、総務大臣又は都道府県知事に対し、当該普通地方公共団体の組織及び運営の合理化に関する技術的な助言若しくは勧告又は必要な情報の提供を求めることができる。

＊本条—追加〔平一一・七法八七〕、一・二・三項—一部改正〔平一一・一二法一六〇〕

【引用条文】
③【法二（地方公共団体の法人格とその事務）14・15
【参照条文】
【助言・勧告―法二四五Ⅰイ　【資料の提出の要求―法二四五Ⅰロ　【指示―法二四五Ⅰへ
※　法二四五の四・二四七・二四八・二五二の一七の六・二五二の一七の七

（財務に係る実地検査）
第二百五十二条の十七の六　総務大臣は、必要があるときは、都道府県について財務に関係のある事務に関し、実地の検査を行うことができる。
2　都道府県知事は、必要があるときは、市町村について財務に関係のある事務に関し、実地の検査を行うことができる。
3　総務大臣は、都道府県知事に対し、前項の規定による検査に関し、必要な指示をすることができる。
4　総務大臣は、前項の規定によるほか、緊急を要するときその他特に必要があると認めるときは、市町村について財務に関係のある事務に関し、実地の検査を行うことができる。
＊本条―追加〔平一一・七法八七〕、一・三・四項―一部改正〔平一一・一二法一六〇〕
【参照条文】
※　法二五二の一七の五・二五二の一七の七

（市町村に関する調査）
第二百五十二条の十七の七　総務大臣は、第二百五十二条の十七の五第一項及び第二項並びに前条第三項及び第四項の規定による権限の行使のためその他市町村の適正な運営を確保するため必要があるときは、都道府県知事に対し、市町村についてその特に指定する事項の調査を行うよう指示をすることができる。
＊本条―追加〔平一一・七法八七〕、一部改正〔平一一・一二法一六〇〕
【引用条文】
【法二五二の一七の五（組織及び運営の合理化に係る助言及び勧告並びに資料の提出の要求）1・2・二五二の一七の六（財務に係る実地検査）3・4
【参照条文】
※　地教法五三

（長の臨時代理者）
第二百五十二条の十七の八　第百五十二条の規定により普通地方公共団体の長の職務を代理する者がないときは、都道府県知事については総務大臣、市町村長については都道府県知事は、普通地方公共団体の長の被選挙権を有する者で当該普通地方公共団体の区域内に住所を有するもののうちから臨時代理者を選任し、当該普通地方公共団体の長の職務[1]を行わせることができる。
2　臨時代理者は、当該普通地方公共団体の長が選挙され、就任[2]する時まで、普通地方公共団体の長の権限に属するすべての職務を行う。
3　臨時代理者により選任又は任命された当該普通地方公共団体の職員は、当該普通地方公共団体の長が選挙され、就任[3]した時は、その職を失う。
＊本条―追加〔平一一・七法八七〕、一項―一部改正〔平一一・一二法一六〇〕
【引用条文】
①【法一五二（長の職務の代理）
【参照条文】
①【地方公共団体の長の職務―法一四八・一四九　【長の被選挙権―法一九2・3＝選挙法一〇1Ⅳ・Ⅵ・一一・二五二
※　令一の二　選挙法一〇二
【実例・注釈】
1）●職務を行う者の職名は、「職務執行者」とするのが適当である。（昭二六・一・一八行実）
2）○「就任する時」とは、通常は公職選挙法第一〇二条の規定により当選人の告示があつた日であるが、本条の場合は、実際に就任する時である。
3）○「就任した時」とは、2と同じく、長の当選の効力の発生した時でなく、実際に就任した時である。
●臨時代理者により選任又は任命された職員が、その後長が公選されたときにそのまま職員として留まるには、長の新たな選任又は任命行為が必要である。（昭二三・一〇・三〇行実）

（臨時選挙管理委員）
第二百五十二条の十七の九　普通地方公共団体の選挙管理委員会が成立しない場合において、当該普通地方公共団体の議会もまた成立[1]していないときは、都道府県にあつては総務大臣、市町村にあつては都道府県知事は、臨時選挙管理委員を選任し、選挙管理委員の職務を行わせることができる。
＊本条―追加〔平一一・七法八七〕、一部改正〔平一一・一二法一六〇〕
【参照条文】
【選挙管理委員の職務―法一八六　【※委員会が成立しない場合等の措置―令一三七
※　法二編七章三節四款・二五二の一七の一〇
【実例・注釈】

1）○「成立していないとき」とは、在職議員の総数が議員定数の半数に満たない場合又は解散若しくは総辞職により議会が構成員を欠いている場合である。

※　●本条の規定は、特別区、全部事務組合、役場事務組合及び財産区（現行法では特別区及び財産区）にも適用がある。（昭二二・一一・二九通知、昭二三・七・一九行実）

（臨時選挙管理委員の給与）

第二百五十二条の十七の十　前条の臨時選挙管理委員に対する給与は、当該普通地方公共団体の選挙管理委員に対する給与の例によりこれを定める。

＊本条一追加〔平一一・七法八七〕

【引用条文】【法二五二の一七の九（臨時選挙管理委員）】

【参照条文】【選挙管理委員の報酬・給与等一法二〇三の二・二〇四】

（在職期間の通算）

第二百五十二条の十八　都道府県は、恩給法（大正十二年法律第四十八号）第十九条に規定する公務員（同法同条に規定する公務員とみなされる者を含む。以下本条中「公務員」という。）であつた者、他の都道府県の退職年金及び退職一時金に関する条例（以下本条中「退職年金条例」という。）の適用を受ける職員（その都道府県の退職年金条例の適用を受ける市町村立学校職員給与負担法（昭和二十三年法律第百三十五号）第一条及び第二条に規定する職員を含む。以下本条中「他の都道府県の職員」という。）であつた者又は市町村の退職年金条例の適用を受ける学校教育法（昭和二十二年法律第二十六号）第一条に規定する大学、高等学校及び幼稚園の職員並びに市町村の教育事務に従事する職員中政令で定める者（以下本条中「市町村の教育職員」という。）であつた者が、当該都道府県の退職年金条例の適用を受ける職員（その都道府県の退職年金条例の適用を受ける市町村立学校職員給与負担法第一条及び第二条に規定する職員を含む。以下本条中「当該都道府県の職員」という。）となつた場合においては、政令の定める基準に従い、当該公務員、他の都道府県の職員又は市町村の教育職員としての在職期間を当該都道府県の退職年金条例の規定による退職年金及び退職一時金の基礎となるべき在職期間に通算する措置を講じなければならない。ただし、市町村の教育職員としての在職期間については、当該市町村の教育職員に適用される退職年金条例の規定が政令の定める基準に従つて定められていないときは、この限りでない。

2　都道府県は、当該都道府県の職員であつた者が公務員、他の都道府県の職員又は市町村の教育職員となり、その当該都道府県の職員としての在職期間が恩給法の規定による恩給の基礎となるべき在職期間又は他の都道府県若しくは市町村の退職年金条例の規定による退職年金及び退職一時金の基礎となるべき在職期間に通算される場合における必要な調整措置を、政令の定める基準に従い、講じなければならない。

3　第一項の規定は、公務員であつた者、都道府県の職員（都道府県の退職年金条例の適用を受ける職員（その都道府県の退職年金条例の適用を受ける市町村立学校職員給与負担法第一条及び第二条に規定する職員を含む。）をいう。以下本項において同じ。）であつた者又は他の市町村の教育職員であつた者が市町村の教育職員となつた場合における当該市町村について、前項の規定は、市町村の教育職員であつた者が公務員、都道府県の職員又は他の市町村の教育職員となつた場合における当該市町村について、これを準用する。

4　普通地方公共団体は、第一項及び前項の規定の適用がある場合のほか、他の普通地方公共団体の退職年金条例の適用を受ける職員であつた者が当該普通地方公共団体の退職年金条例の適用を受ける職員となつた場合においては、当該他の普通地方公共団体の退職年金条例の適用を受ける職員としての在職期間を当該普通地方公共団体の退職年金条例の規定による退職年金及び退職一時金の基礎となる在職期間に通算する措置を講ずるように努めなければならない。

＊本条一追加〔昭三一・六法一四七〕、一・二項一一部改正・三項一追加・旧三項一一部改正し四項に繰下〔昭三四・三法一二〕、見出し一追加・一〜四項一一部改正〔平一一・七法八七〕

【引用条文】

①【恩給法一九（公務員）】【市町村立学校職員給与負担法一・二】【学校教育法一（学校の範囲）】

③【市町村立学校職員給与負担法一・二】

【参照条文】【退職年金、退職一時金一法二〇五】【本条の「政令の定」一令一七四の五〇〜一七四の六五】

（在職期間の通算）

第二百五十二条の十八の二　普通地方公共団体は、国又は他の普通地方公共団体の職員から引き続いて当該普通地方公共団体の職員となつた者に係る退職手当の算定の基礎となる勤続期間の計算については、その者の国又は他の普通地方公共団体の職員としての引き続いた在職期間を当該普通地方公共団体の職員としての引き続いた在職期間に通算する措置を講ずるように努めなければならない。

＊本条—追加〔昭三七・五法一二三〕

第十三章　大都市等に関する特例

＊本章—追加〔昭三一・六法一四七〕、旧一一章—一二章に繰下〔昭三八・六法九九〕、章名—全改〔平六・六法四八〕、章名—一部改正〔平一一・七法八七〕、旧一二章—一三章に繰下〔令六・六法六五〕

第一節　大都市に関する特例

＊節名—追加〔平六・六法四八〕

（指定都市の権能）

第二百五十二条の十九　政令で指定する人口五十万以上の市[1]（以下「指定都市」という。）は、次に掲げる事務のうち都道府県が法律又はこれに基づく政令の定めるところにより処理することとされているものの全部又は一部で政令で定めるものを、政令で定めるところにより、処理することができる。

一　児童福祉に関する事務
二　民生委員に関する事務
三　身体障害者の福祉に関する事務
四　生活保護に関する事務
五　行旅病人及び行旅死亡人の取扱に関する事務
五の二　社会福祉事業に関する事務
五の三　知的障害者の福祉に関する事務
六　母子家庭及び父子家庭並びに寡婦の福祉に関する事務
六の二　老人福祉に関する事務
七　母子保健に関する事務
七の二　介護保険に関する事務
八　障害者の自立支援に関する事務
八の二　生活困窮者の自立支援に関する事務
九　食品衛生に関する事務
九の二　医療に関する事務
十　精神保健及び精神障害者の福祉に関する事務
十一　結核の予防に関する事務
十一の二　難病の患者に対する医療等に関する事務
十二　土地区画整理事業に関する事務
十三　屋外広告物の規制に関する事務

2　指定都市がその事務を処理するに当たつて、法律又はこれに基づく政令の定めるところにより都道府県知事若しくは都道府県の委員会の許可、認可、承認その他これらに類する処分を要し、又はその事務の処理について都道府県知事若しくは都道府県の委員会の改善、停止、制限、禁止その他これらに類する指示その他の命令を受けるものとされている事項で政令で定めるものについては、政令の定めるところにより、これらの許可、認可等の処分を要せず、若しくはこれらの指示その他の命令に関する法令の規定を適用せず、又は都道府県知事若しくは都道府県の委員会の許可、認可等の処分若しくは指示その他の命令に代えて、各大臣の許可、認可等の処分を要するものとし、若しくは各大臣の指示その他の命令を受けるものとする。

＊本条—追加〔昭三一・六法一四七〕、一項—一部改正〔昭三八・七法一三三、昭三九・七法一二九、昭四〇・八法一四一、昭四五・六法一〇九、昭五六・六法七九、平二・六法五八、平五・六法七四〕、見出し—追加・二項—一部改正〔平六・六法四八〕、一項—一部改正〔平六・一一法九七、平八・六法一〇七、平一〇・九法一一〇、平一〇・一〇法一一四〕、一・二項—一部改正〔平一一・七法八七〕、一項—一部改正〔平一七・一一法一二三、平二三・六法七二、平二三・八法一〇五、平二五・一二法一〇五、平二六・四法二八、平二六・五法五〇、平二六・六法五一〕

【参照条文】
【人口—法二五四】【指定都市（政令）—指定都市又は中核市の指定があつた場合における必要な事項を定める政令
①【政令—令一七四の二六〜一七四の四〇
②【政令—令一七四の二六8・一七四の二八6・一七四の二九6・一七四の三〇の二3・一七四の三一3・一七四の三一の二4・一七四の三二4・一七四の三三4・一七四の三七4・一七四の三九4・一七四の四一【※指定都市に関する特例規定の例—令九二〜九四・九六・九七・九八の三・一〇〇・一一〇・一一六　地公法七1等
※　法二3〜5・附則一六　警察法三八2等

【注　釈】
1）○「人口五十万以上の市」とは、官報で公示された最近の国勢調査又はこれに準ずる全国的な人口調査の人口が五十万又は五十万をこえる市を指す。

（区の設置）

第二百五十二条の二十　指定都市は、市長の権限に属する事務を分掌させるため、条例で、その区域を分けて区を設け、区の事務所又は必要があると認めるときはその出張所を置くものとする。

2　区の事務所又はその出張所の位置、名称及び所管区域並びに区の事務所が分掌する事務は、条例でこれを定めなければならない。

3　区にその事務所の長として区長を置く。

4　区長又は区の事務所の出張所の長は、当該普通地方公共団体の長の補助機関である職員をもつて充てる。

5　区に選挙管理委員会を置く。
6　第四条第二項の規定は第二項の区の事務所又はその出張所の位置及び所管区域に、第百七十五条第二項の規定は区長又は第四項の区の事務所の出張所の長に、第二編第七章第三節中市の選挙管理委員会に関する規定は前項の選挙管理委員会について、これを準用する。
7　指定都市は、必要と認めるときは、条例で、区ごとに区地域協議会を置くことができる。この場合において、その区域内に地域自治区が設けられる区には、区地域協議会を設けないことができる。
8　第二百二条の五第二項から第五項まで及び第二百二条の六から第二百二条の九までの規定は、区地域協議会に準用する。
9　指定都市は、地域自治区を設けるときは、その区域は、区の区域を分けて定めなければならない。
10　第七項の規定に基づき、区に区地域協議会を置く指定都市は、第二百二条の四第一項の規定にかかわらず、その一部の区の区域に地域自治区を設けることができる。
11　前各項に定めるもののほか、指定都市の区に関し必要な事項は、政令でこれを定める。

＊本条―追加〔昭三一・六法一四七〕、見出し―追加・二・三・四・五・六項―一部改正〔平六・六法四八〕、六～九項―追加・旧六項―一部改正し一〇項に繰下〔平一六・五法五七〕、三項―一部改正〔平一八・六法五三〕、二項―一部改正・三項―追加・旧三項―一部改正し四項に繰下・旧四項―五項に繰下・旧五項―一部改正し六項に繰下・旧六～八項―一項ずつ繰下・旧九項―一部改正し一〇項に繰下・旧一〇項―一一項に繰下〔平二六・五法四二〕

【引用条文】
⑥【法四（地方公共団体の事務所の設定又は変更）２・一七五（支庁及び地方事務所等の長）２・二編七章三節
⑧【法二〇二の五（地域協議会の設置及び構成員）２～５・二〇二の六（地域協議会の会長及び副会長）・二〇二の七（地域協議会の権限）・二〇二の八（地域協議会の組織及び運営）・二〇二の九（政令への委任）
⑩【法二〇二の四（地域自治区の設置）１

【参照条文】
①・②【※法一五五
⑪【政令―令一七四の四二～一七四の四八　【※区に関する特例規定の例―令九八の三・一八二3・一九〇2　地公法三六2　地税法三の二等
※　法二五二の一九　令一七七2等

【通　知】
●指定都市においては、改正の趣旨が、区の役割を拡充し、住民自治を強化しようとするものであることを踏まえ、区の事務所が分掌する事務を定める条例について、単に現在区の事務所が分掌している事務を機械的に規定するのではなく、どのような区のあり方がふさわしいか十分に検討した上で立案する必要があること。また、指定都市の議会においても、条例の制定について議決する際には、同様に、どのような区のあり方がふさわしいか十分に議論することが重要であること。
　加えて、区の役割を拡充し、区を単位とする住民自治の機能を強化する観点から、総合区の設置の要否及び議会における区を単位として調査・審査等を行う仕組みの設置の要否についても併せて議論することが望ましいこと。（平二六・五・三〇通知）
●区地域協議会
①　指定都市は、必要と認めるときは、条例で、区ごとに区地域協議会を置くことができるものとされたこと。この場合において、その区域内に地域自治区が設けられる区には、区地域協議会を設けないことができるものとされたこと。
②　指定都市は、地域自治区を設けるときは、その区域は、区の区域を分けて定めなければならないものとされたこと。
③　区に区地域協議会を置く指定都市は、その一部の区の区域に地域自治区を設けることができるものとされたこと。（平一六・五・二六通知）

（総合区の設置）
第二百五十二条の二十の二　指定都市は、その行政の円滑な運営を確保するため必要があると認めるときは、前条第一項の規定にかかわらず、市長の権限に属する事務のうち特定の区の区域内に関するものを第八項の規定により総合区長に執行させるため、条例で、当該区に代えて総合区を設け、総合区の事務所又は必要があると認めるときはその出張所を置くことができる。
2　総合区の事務所又はその出張所の位置、名称及び所管区域並びに総合区の事務所が分掌する事務は、条例でこれを定めなければならない。
3　総合区にその事務所の長として総合区長を置く。
4　総合区長は、市長が議会の同意を得てこれを選任する。
5　総合区長の任期は、四年とする。ただし、市長は、任期中においてもこれを解職することができる。
6　総合区の事務所の職員のうち、総合区長があらかじめ指定する者は、総合区長に事故があるとき又は総合区長が欠けたときは、その職務を代理する。
7　第百四十一条、第百四十二条、第百五十九条、第百六十四条、第百六十五条第二項、第百六十六条第一項及び第三項並びに第百七十五条第二項の規定は、総合区長について準用する。

8 総合区長は、総合区の区域に係る政策及び企画をつかさどるほか、法律若しくはこれに基づく政令又は条例により総合区長が執行することとされた事務及び市長の権限に属する事務のうち主として総合区の区域内に関するもので次に掲げるものを執行し、これらの事務の執行について当該指定都市を代表する。ただし、法律又はこれに基づく政令に特別の定めがある場合は、この限りでない。

一 総合区の区域に住所を有する者の意見を反映させて総合区の区域のまちづくりを推進する事務（法律若しくはこれに基づく政令又は条例により市長が執行することとされたものを除く。）

二 総合区の区域に住所を有する者相互間の交流を促進するための事務（法律若しくはこれに基づく政令又は条例により市長が執行することとされたものを除く。）

三 社会福祉及び保健衛生に関する事務のうち総合区の区域に住所を有する者に対して直接提供される役務に関する事務（法律若しくはこれに基づく政令又は条例により市長が執行することとされたものを除く。）

四 前三号に掲げるもののほか、主として総合区の区域内に関する事務で条例で定めるもの

9 総合区長は、総合区の事務所又はその出張所の職員（政令で定めるものを除く。）を任免する。ただし、指定都市の規則で定める主要な職員を任免する場合においては、あらかじめ、市長の同意を得なければならない。

10 総合区長は、歳入歳出予算のうち総合区長が執行する事務に係る部分に関し必要があると認めるときは、市長に対し意見を述べることができる。

11 総合区に選挙管理委員会を置く。

12 第四条第二項の規定は第二項の総合区の事務所又はその出張所の位置及び所管区域について、第百七十五条第二項の規定は総合区の事務所の出張所の長について、第二編第七章第三節中市の選挙管理委員会に関する規定は前項の選挙管理委員会について準用する。

13 前条第七項から第十項までの規定は、総合区について準用する。

14 前各項に定めるもののほか、指定都市の総合区に関し必要な事項は、政令でこれを定める。

＊本条―追加〔平二六・五法四二〕

【引用条文】

⑦【法一四一（兼職の禁止）・一四二（長の兼業禁止）・一五九（事務引継）・一六四（副知事及び副市町村長の欠格事由）・一六五（副知事及び副市町村長の退職）２・一六六（副知事及び副市町村長の兼職・兼業禁止及び事務引継）１・３・一七五（支庁及び地方事務所等の長）２

⑫【法四（地方公共団体の事務所の設定又は変更）２・一七五（支庁及び地方事務所等の長）２・二編七章三節（委員会及び委員）

【参照条文】

⑨【令一七四の四八の三

⑭【令一七四の四八の二・一七四の四八の四～一七四の四八の七

【通　知】

●総合区は、指定都市の一部の区域に設置することも、全域に設置することも、また設置しないことも、いずれも可能であることを踏まえ、指定都市においては、どのような区のあり方がふさわしいか十分に議論し、総合区の設置の要否について検討する必要があること。（平二六・五・三〇通知）

（政令への委任）

第二百五十二条の二十一 法律又はこれに基づく政令に定めるもののほか、第二百五十二条の十九第一項の規定による指定都市の指定があつた場合において必要な事項は、政令でこれを定める。

＊本条―追加〔昭三七・五法一三三〕、見出し―追加〔平六・六法四八〕

【引用条文】

【法二五二の一九（指定都市の権能）１

【参照条文】

【政令―指定都市又は中核市の指定があつた場合における必要な事項を定める政令

（指定都市都道府県調整会議）

第二百五十二条の二十一の二 指定都市及び当該指定都市を包括する都道府県（以下この条から第二百五十二条の二十一の四までにおいて「包括都道府県」という。）は、指定都市及び包括都道府県の事務の処理について必要な協議を行うため、指定都市都道府県調整会議を設ける。

2 指定都市都道府県調整会議は、次に掲げる者をもつて構成する。

一 指定都市の市長

二 包括都道府県の知事

3 指定都市の市長及び包括都道府県の知事は、必要と認めるときは、協議して、指定都市都道府県調整会議に、次に掲げる者を構成員として加えることができる。

一 指定都市の市長以外の指定都市の執行機関が当該執行機関の委員長（教育委員会にあつては、教育長）、委員若しくは当該執行機関の事務を補助する職員又は当該執行機関の管理に属する機関の職員のうちから選任した者

二　指定都市の市長がその補助機関である職員のうちから選任した者
三　指定都市の議会が当該指定都市の議会の議員のうちから選挙により選出した者
四　包括都道府県の知事以外の包括都道府県の執行機関が当該執行機関の委員長（教育委員会にあつては、教育長）、委員若しくは当該執行機関の事務を補助する職員又は当該執行機関の管理に属する機関の職員のうちから選任した者
五　包括都道府県の知事がその補助機関である職員のうちから選任した者
六　包括都道府県の議会が当該包括都道府県の議会の議員のうちから選挙により選出した者
七　学識経験を有する者

4　指定都市の市長又は包括都道府県の知事は、指定都市の市長又は包括都道府県の知事以外の執行機関の権限に属する事務の処理について、指定都市都道府県調整会議における協議を行う場合には、指定都市都道府県調整会議に、当該執行機関が当該執行機関の委員長（教育委員会にあつては、教育長）、委員若しくは当該執行機関の事務を補助する職員又は当該執行機関の管理に属する機関の職員のうちから選任した者を構成員として加えるものとする。

5　指定都市の市長又は包括都道府県の知事は、第二条第六項又は第十四項の規定の趣旨を達成するため必要があると認めるときは、指定都市の市長にあつては包括都道府県の知事に対して、包括都道府県の知事にあつては指定都市の市長に対して、当該事務に関し当該指定都市都道府県調整会議において協議を行うことを求めることができる。

6　前項の規定による求めを受けた指定都市の市長又は包括都道府県の知事は、当該求めに係る協議に応じなければならない。

7　前各項に定めるもののほか、指定都市都道府県調整会議に関し必要な事項は、指定都市都道府県調整会議が定める。

＊本条…追加（平二六・五法四二）

【引用条文】
⑤【法二（地方公共団体の法人格とその事務）6・14

【通　知】
●指定都市都道府県調整会議は、いわば自動的に設置されていることになるものであるが、開催回数や開催頻度等の会議の運営に関し必要な事項は、地域の実情に応じて、指定都市都道府県調整会議で定めるものであること。
　なお、現在、指定都市と包括都道府県の間で会議が設置されている場合については、当該会議が、改正法により設けるものとされた指定都市都道府県調整会議と同様の性質を持つものであれば、当該会議を指定都市都道府県調整会議として位置付けることも可能であること。
　また、一の都道府県内に複数の指定都市がある場合、改正法により設けるものとされた指定都市都道府県調整会議は各々の指定都市と包括都道府県の間で設けることとなるが、協議内容が互いに関連するなど、関係地方公共団体が適当と認める場合にあっては、同時に開催することも考えられること。（平二六・五・三〇通知）
●指定都市都道府県調整会議の構成員については、衆議院総務委員会附帯決議（平成二六年四月二四日）及び参議院総務委員会附帯決議（平成二六年五月二〇日）において指定都市と都道府県それぞれの執行機関と議会が共に参画することが協議の実効性を高める上で重要であるとされたことを踏まえ、地域の実情や協議事項等に応じて必要な者を加えるなど適切に運用されたいこと。（平二六・五・三〇通知）

（指定都市と包括都道府県の間の協議に係る勧告）

第二百五十二条の二十一の三　指定都市の市長又は包括都道府県の知事は、前条第五項の規定による求めに係る協議を調えるため必要があると認めるときは、総務大臣に対し、文書で、当該指定都市及び包括都道府県の事務の処理に関し当該協議を調えるため必要な勧告を行うことを求めることができる。

2　指定都市の市長又は包括都道府県の知事は、前項の規定による勧告の求め（以下この条及び次条において「勧告の求め」という。）をしようとするときは、あらかじめ、当該指定都市又は包括都道府県の議会の議決を経なければならない。

3　指定都市の市長又は包括都道府県の知事は、勧告の求めをしようとするときは、指定都市の市長にあつては包括都道府県の知事、包括都道府県の知事にあつては指定都市の市長に対し、その旨をあらかじめ通知しなければならない。

4　勧告の求めをした指定都市の市長又は包括都道府県の知事は、総務大臣の同意を得て、当該勧告の求めを取り下げることができる。

5　総務大臣は、勧告の求めがあつた場合においては、これを国の関係行政機関の長に通知するとともに、次条第二項の規定により指定都市都道府県勧告調整委員を任命し、当該勧告の求めに係る総務大臣の勧告について意見を求めなければならない。

6 前項の規定により通知を受けた国の関係行政機関の長は、総務大臣に対し、文書で、当該勧告の求めについて意見を申し出ることができる。
7 総務大臣は、前項の意見の申出があつたときは、当該意見を指定都市都道府県勧告調整委員に通知するものとする。
8 総務大臣は、指定都市都道府県勧告調整委員から意見が述べられたときは、遅滞なく、指定都市の市長及び包括都道府県の知事に対し、第二条第六項又は第十四項の規定の趣旨を達成するため必要な勧告をするとともに、当該勧告の内容を国の関係行政機関の長に通知し、かつ、これを公表しなければならない。

＊ 本条…追加〔平二六・五法四二〕

【参照条文】
④【令一七四の四八の八1
⑤【令一七四の四八の八2

【通　知】
●指定都市と都道府県の間の二重行政の問題については、そのほとんどが、指定都市都道府県調整会議における当事者間の真摯な協議によって解決されることが望ましいものであり、上記勧告の求めは、万が一協議が進まず、第三者の調整により事態の打開を図る必要があると指定都市の市長又は包括都道府県の知事が判断し、議会の議決を経た場合に限り行うことを可能とするものであること。（平二六・五・三〇通知）

（指定都市都道府県勧告調整委員）

第二百五十二条の二十一の四 指定都市都道府県勧告調整委員は、前条第五項の規定による総務大臣からの意見の求めに応じ、総務大臣に対し、勧告の求めがあつた事項に関して意見を述べる。
2 指定都市都道府県勧告調整委員は、三人とし、事件ごとに、優れた識見を有する者のうちから、総務大臣がそれぞれ任命する。
3 指定都市都道府県勧告調整委員は、非常勤とする。
4 指定都市の市長若しくは包括都道府県の知事が前条第四項の規定により勧告の求めを取り下げたとき又は同条第五項の規定による総務大臣からの意見の求めに応じ、総務大臣に対し、勧告の求めがあつた事項に関して意見を述べたときは、その職を失う。
5 総務大臣は、指定都市都道府県勧告調整委員が当該事件に直接利害関係を有することとなつたときは、当該指定都市都道府県勧告調整委員を罷免しなければならない。
6 第二百五十条の九第二項、第八項、第九項（第二号を除く。）及び第十項から第十四項までの規定は、指定都市都道府県勧告調整委員に準用する。この場合において、同条第二項中「三人以上」とあるのは「二人以上」と、同条第九項中「総務大臣は、両議院の同意を得て」とあるのは「総務大臣は」と、「三人以上」とあるのは「二人以上」と、「二人」とあるのは「一人」と、同条第十項中「二人」とあるのは「一人」と、同条第十一項中「両議院の同意を得て、その委員を」とあるのは「その指定都市都道府県勧告調整委員を」と、同条第十二項中「第四項後段及び第八項から前項まで」とあるのは「第八項、第九項（第二号を除く。）、第十項及び前項並びに第二百五十二条の二十一の四第五項」と読み替えるものとする。

＊ 本条…追加〔平二六・五法四二〕

【引用条文】
⑥【法二五〇の九（国地方係争処理委員会の委員）2・8・9・10～14
【参照条文】
①【令一七四の四八の八3～7

（政令への委任）

第二百五十二条の二十一の五 前二条に規定するもののほか、第二百五十二条の二十一の三第一項に規定する総務大臣の勧告に関し必要な事項は、政令で定める。

＊ 本条…追加〔平二六・五法四二〕

第二節　中核市に関する特例

＊ 本節…追加〔平六・六法四八〕

（中核市の権能）
第二百五十二条の二十二 政令で指定する人口二十万以上の市（以下「中核市」という。）は、第二百五十二条の十九第一項の規定により指定都市が処理することができる事務のうち、都道府県がその区域にわたり一体的に処理することが中核市が処理することに比して効率的な事務その他の中核市において処理することが適当でない事務以外の事務で政令で定めるものを、政令で定めるところにより、処理することができる。
2 中核市がその事務を処理するに当たつて、法律又はこれに基づく政令の定めるところにより都道府県知事の改善、停止、制限、禁止その他これらに類する指示その他の命令を受けるものとされている事項で政令で定めるものについては、政令の定めるところにより、これらの指示その他の命令に関する法令の規定を適用せず、又は都道府県知事の指示その他の命令に代えて、各大臣の指示その他の命令を受けるものとする。

＊本条—追加〔平六・六法四八〕、一・二項—一部改正〔平一一・七法八七〕、一項—一部改正〔平一八・六法五三、平二六・五法四二〕

【引用条文】
①【法二五二の一九（指定都市の権能）1

【参照条文】
【中核市（政令）—指定都市又は中核市の指定があつた場合における必要な事項を定める政令
①【政令—令一七四の四九の二～一七四の四九の一九
②【政令—令一七四の四九の二3・一七四の四九の四3・一七四の四九の五3・一七四の四九の七3・一七四の四九の九3・一七四の四九の一〇3・一七四の四九の一一1・一七四の四九の一二3・一七四の四九の一六3

【通　知】
●政令においては、指定都市に認められている行政監督の特例のうち、福祉分野の事務に関するものに限つて、行政監督の特例が設けられたものであること。なお、この特例は、原則として、中核市等に移譲されることとなる事務に関するもの及びこれに類するものについて設けられているものであること。（平七・四・一通知）

第二百五十二条の二十三　削除〔平一八・六法五三〕

（中核市の指定に係る手続）

第二百五十二条の二十四　総務大臣は、第二百五十二条の二十二第一項の中核市の指定に係る政令の立案をしようとするときは、関係市からの申出に基づき、これを行うものとする。

2　前項の規定による申出をしようとするときは、関係市は、あらかじめ、当該市の議会の議決を経て、都道府県の同意を得なければならない。

3　前項の同意については、当該都道府県の議会の議決を経なければならない。

＊本条—追加〔平六・六法四八〕、一項—一部改正〔平一一・一二法一六〇〕

【引用条文】
①【法二五二の二二（中核市の権能）1

【通　知】
●中核市の決定に当たつては、当該市の意向を尊重しつつ、事務の移譲を行う都道府県と事務が移譲される市とが相互に意思の疎通を行い、十分に調整を行う必要があること。（平七・四・一通知）

（政令への委任）

第二百五十二条の二十五　第二百五十二条の二十一の規定は、第二百五十二条の二十二第一項の規定による中核市の指定があつた場合について準用する。

＊本条—追加〔平六・六法四八〕

【引用条文】
【法二五二の二一（政令への委任）・二五二の二二（中核市の権能）1

（指定都市の指定があつた場合の取扱い）

第二百五十二条の二十六　中核市に指定された市について第二百五十二条の十九第一項の規定による指定都市の指定があつた場合は、当該市に係る第二百五十二条の二十二第一項の規定による中核市の指定は、その効力を失うものとする。

＊本条—追加〔平六・六法四八〕

【引用条文】
【法二五二の一九（指定都市の権能）1・二五二の二二（中核市の権能）1

（中核市の指定に係る手続の特例）

第二百五十二条の二十六の二　第七条第一項又は第三項の規定により中核市に指定された市の区域の全部を含む区域をもつて市を設置する処分について同項の規定により総務大臣に届出又は申請があつた場合は、第二百五十二条の二十四第一項の関係市からの申出があつたものとみなす。

＊本条—追加〔平一一・七法八七〕、一部改正〔平一一・一二法一六〇、平一六・五法五七〕

【引用条文】
【法七（市町村の廃置分合及び境界変更）1・3・二五二の二四（中核市の指定に係る手続）1

㊟第二編第一二章第三節は、平成二七年四月一日から削られた。

第十四章　国民の安全に重大な影響を及ぼす事態における国と普通地方公共団体との関係等の特例

＊本章—追加〔令六・六法六五〕

【通　知】
●本章の規定については、国民の安全に重大な影響を及ぼす事態における国と地方公共団体の権限と責任を明確化する趣旨のものであり、改正前の第一一章（改正後第一二章）の特例として、大規模な災害、感染症のまん延その他その及ぼす被害の程度においてこれらに類する国民の安全に重大な影響を及ぼす事態に限って適用される国又は都道府県の関与について要件・手続を定めるものである。また、これらの関与は、改正後第一二章における「国又は都道府県の関与」に該当するものであり、要件・手続は、同章に規定された関与の法定主義（第二四五条の二）及び関与の基本原則（第二四五条の三）等に則って規定されているほか、国又は都道府県の関与に適用される同章の規定が適用されるものである。（令六・七・二通知）

（資料及び意見の提出の要求）

第二百五十二条の二十六の三　各大臣又は都道府県知事その他の都道府県の執行機関は、大規模な災害、感染症のまん延その他その及ぼす被害の程度においてこれらに類する国民の安全に重大な影響を及ぼす事態（以下この章において「国民の安全に重大な影響を及ぼす事態」と総称する。）が発生し、又は発生するおそれがある場合において、その担任する事務に関し、当該国民の安全に重大な影響を及ぼす事態への対処に関する基本的な方針について検討を行い、若しくは国民の生命、身体若しくは財産の保護のための措置（以下この章において「生命等の保護の措置」という。）を講じ、又は普通地方公共団体が講ずる生命等の保護の措置について適切と認める普通地方公共団体に対する国又は都道府県の関与（第二百四十五条の四第一項の規定による助言及び勧告を除く。）を行うため必要があると認めるときは、普通地方公共団体に対し、資料の提出を求めることができる。

2　各大臣又は都道府県知事その他の都道府県の執行機関は、国民の安全に重大な影響を及ぼす事態が発生し、又は発生するおそれがある場合において、その担任する事務に関し、当該国民の安全に重大な影響を及ぼす事態への対処に関する基本的な方針について検討を行い、若しくは生命等の保護の措置を講じ、又は普通地方公共団体が講ずる生命等の保護の措置について適切と認める技術的な助言その他の普通地方公共団体に対する国又は都道府県の関与若しくは情報の提供を行うため必要があると認めるときは、普通地方公共団体に対し、意見の提出を求めることができる。

3　第二百四十五条の四第二項の規定は、前二項の規定による市町村に対する都道府県知事その他の都道府県の執行機関の資料又は意見の提出の求めについて準用する。

＊本条…追加〔令六・六法六五〕

【引用条文】
①【法二四五の四（技術的な助言及び勧告並びに資料の提出の要求）1　③【法二四五の四2

【参照条文】
【資料の提出の求め…法二四五Ⅰロ
※　法二四八

【通　知】
●「国民の安全に重大な影響を及ぼす事態」とは、その及ぼす被害の程度において、大規模な災害、感染症のまん延に類すると規定されているとおり、災害対策基本法や新型インフルエンザ等対策特別措置法において、国が役割を果たすこととされている事態に比肩する程度の被害が生じる事態を指すものであり、実際に生じ、又は生じるおそれのある事態の規模、態様等に照らして判断されるものである。また、「発生するおそれがある場合」とは、国民の安全に重大な影響を及ぼす事態が相当な確度で発生する見込みがある場合を指すものであり、客観的・合理的に判断されるものである。（令六・七・二通知）

（事務処理の調整の指示）

第二百五十二条の二十六の四　各大臣は、国民の安全に重大な影響を及ぼす事態が発生し、又は発生するおそれがある場合において、その担任する事務に関し、生命等の保護の措置の的確かつ迅速な実施を確保するため、当該国民の安全に重大な影響を及ぼす事態に係る都道府県において、一の市町村の区域を超える広域の見地から、当該都道府県の事務（法律又はこれに基づく政令により都道府県が処理することとされている事務であって、当該生命等の保護の措置に係るものに限る。）の処理と当該都道府県の区域内の市町村の事務（法律又はこれに基づく政令により都道府県が処理することとされている事務のうち、次に掲げるものであって、当該生命等の保護の措置に密接に関連するものに限る。）の処理との間の調整を図る必要があると認めるときは、第二百四十五条の四第二項（前条第三項において準用する場合を含む。）の規定によるほか、当該都道府県に対し、当該調整を図るために必要な措置を講ずるよう指示をすることができる。この場合において、各大臣は、当該市町村に対し、当該指示をした旨を通知するものとする。

一　法律又はこれに基づく政令により指定都市又は中核市が処理することとされている事務（法律又はこれに基づく政令によりこれらの市以外の市町村が当該事務を処理することとされている場合における当該事務を除く。）

二　前号に掲げる事務を除くほか、法律又はこれに基づく政令により市町村が処理することとされている事務のうち政令で定めるもの

三　第二百五十二条の十七の二第一項の条例又は地方教育行政の組織及び運営に関する法律（昭和三十一年法律第百六十二号）第五十五条第一項の条例の定めるところにより市町村が処理することとされている事務

2　前項後段の規定による通知は、都道府県知事その他の都道府県の執行機関を通じてすることができる。

＊本条―追加〔令六・六法六五〕

【引用条文】

①【法二四五の四（技術的な助言及び勧告並びに資料の提出の要求）2・二五二の一七の二（条例による事務処理の特例）1・法二五二の二六の三（資料及び意見の提出の要求）3・地教法五五1

【参照条文】

【指示―法二四五Ⅰ

※法二四九・二五〇の一三

【通知】

●「都道府県において、一の市町村の区域を超える広域の見地から（略）調整を図る必要がある」場合とは、都道府県の単位において区域内のリソースの活用や、市町村の区域を超えた生活圏・経済圏の一体性を考慮に入れた対応が必要な場面が考えられる。（令六・七・二通知）

（生命等の保護の措置に関する指示）

第二百五十二条の二十六の五　各大臣は、国民の安全に重大な影響を及ぼす事態が発生し、又は発生するおそれがある場合において、当該国民の安全に重大な影響を及ぼす事態の規模及び態様、当該国民の安全に重大な影響を及ぼす事態に係る地域の状況その他の当該国民の安全に重大な影響を及ぼす事態に関する状況を勘案して、その担任する事務に関し、生命等の保護の措置の的確かつ迅速な実施を確保するため特に必要があると認めるときは、他の法律の規定に基づき当該生命等の保護の措置に関し必要な指示をすることができる場合を除き、閣議の決定を経て、その必要な限度において、普通地方公共団体に対し、当該普通地方公共団体の事務の処理について当該生命等の保護の措置の的確かつ迅速な実施を確保するため講ずべき措置に関し、必要な指示をすることができる。

2　各大臣は、前項の規定により普通地方公共団体に対して指示をしようとするときは、あらかじめ、当該指示に係る同項に規定する国民の安全に重大な影響を及ぼす事態に関する状況を適切に把握し、当該普通地方公共団体の事務の処理について同項の生命等の保護の措置の的確かつ迅速な実施を確保するため講ずべき措置の検討を行うため、第二百五十二条の二十六の三第一項又は第二項の規定による当該普通地方公共団体に対する資料又は意見の提出の求めその他の適切な措置を講ずるように努めなければならない。

3　市町村に対する第一項の指示は、都道府県知事その他の都道府県の執行機関を通じてすることができる。

4　各大臣は、第一項の指示をしたときは、その旨及びその内容を国会に報告するものとする。

＊本条―追加〔令六・六法六五〕

【引用条文】

②【法二五二の二六の三（資料及び意見の提出の要求）1・2

【参照条文】

①【指示―法二四五Ⅰ

【他の法律の規定に基づき必要な指示をすることができる場合の例―災害対策基本法二三の七2・二八2・二八の六2　新型インフルエンザ等対策特別措置法二〇3

※法二四九・二五〇の一三

【通知】

①生命等の保護の措置に関する指示に関し、勘案すべき事態の規模、態様及び事態に係る地域の状況については、「規模」とは、被害の地域的、人的な広がりを指し、事態が全国規模である場合や、局所的であっても被害が甚大であるかが、「態様」とは、被害の種別、程度等を指し、例えば、生命・身体に生じさせる危険の重大性などが、「地域の状況」とは、例えば、離島等のへき地であり迅速な対応に課題があるなどの状況が、それぞれ考えられる。また、「特に必要があると認めるとき」とは、国の役割として指示を行う必要性が特に認められる場合に限定する趣旨であり、例えば、全国的な観点から、国の責任において広域的な対応や統一的な対応を行う必要性が高く、かつ、国民の生命等の保護のため、助言等ではなく法的な対応義務を課す指示によって的確かつ迅速な措置を確保する必要性が高い場合などが考えられる。（令六・七・二通知）

②第一項の指示を行うに当たり、国と地方公共団体の間で迅速で柔軟な情報共有・コミュニケーションが確保されるようにし、状況に応じて、十分な協議・調整が行われることが必要であり、本規定に基づき地方公共団体から提出を受けた資料又は意見を十分踏まえた上で当該指示の行使について検討する必要がある。（令六・七・二通知）

④第一項の指示が行われた場合には、各府省において、どのような事態においてどのような国の役割が必要とされたのか、地方公共団体をはじめとする関係者の意見を聴いた上で、適切に検証される必要があり、こうした検証が、個別法の規定のあり方につ

いての見直しの検討も含めた議論の契機とされることが期待されるものである。また、本規定は、当該指示が行われたときは、国が責任をもって対応すべき事態であるにもかかわらず、個別法に必要な規定が設けられていないことを意味することから、どのような場面でどのような指示があったのか、国会においても適切に検証し、個別法の制定や改正に関する議論につなげていくことを目的としており、指示を行ったということに加え、いつ、どのような事態において、どの地方公共団体に対し、どのような措置の的確かつ迅速な実施を確保するためにどのような指示を行ったかなどについて、政府の対応に一定の目途が立った段階で、できるだけ速やかに国会に報告することが求められる。（令六・七・一二通知）

（普通地方公共団体相互間の応援の要求）

第二百五十二条の二十六の六　普通地方公共団体の長又は委員会若しくは委員は、国民の安全に重大な影響を及ぼす事態が発生し、又は発生するおそれがある場合において、生命等の保護の措置を的確かつ迅速に講ずるため必要があると認めるときは、他の法律の規定に基づき当該生命等の保護の措置について応援を求めることができる場合を除き、他の普通地方公共団体の長又は委員会若しくは委員に対し、応援を求めることができる。この場合において、応援を求められた普通地方公共団体の長又は委員会若しくは委員は、正当な理由がない限り、当該求めに応じなければならない。

2　前項の応援を求めた普通地方公共団体の長又は委員会若しくは委員は、同項の生命等の保護の措置の実施について、当該応援に従事する者を指揮する。

＊ 本条―追加〔令六・六法六五〕

【参照条文】

①【他の法律の規定に基づき応援を求めることができる場合の例―災害対策基本法六七1・六八・七四1

※ 法二四九

【通　知】

● 「正当な理由」とは、応援の求めに応じる余力がない等、求めに応じることが困難な場合があることを指す。どのような事情が「正当な理由」に該当するのかについては、事態の性質や応援の求めを受けた地方公共団体の状況等により、個別具体的に判断するものである。（令六・七・一二通知）

（都道府県による応援の要求及び指示）

第二百五十二条の二十六の七　都道府県知事は、国民の安全に重大な影響を及ぼす事態が発生し、又は発生するおそれがある場合において、当該都道府県の区域内の市町村の実施する生命等の保護の措置が的確かつ迅速に講ぜられるようにするため特に必要があると認めるときは、他の法律の規定に基づき当該生命等の保護の措置について応援することを求めることができる場合を除き、市町村長又は市町村の委員会若しくは委員に対し、他の市町村長又は他の市町村の委員会若しくは委員を応援することを求めることができる。

2　都道府県知事は、前項に規定する場合において、同項の規定による求めのみによつては同項の生命等の保護の措置に係る応援が円滑に実施されないと認めるときは、他の法律の規定に基づき当該生命等の保護の措置について応援すべきことを指示することができる場合を除き、市町村長又は市町村の委員会若しくは委員に対し、他の市町村長又は他の市町村の委員会若しくは委員を応援すべきことを指示することができる。

3　前二項の規定による求め又は指示に係る応援を受ける市町村長又は市町村の委員会若しくは委員は、これらの規定の生命等の保護の措置の実施について、当該応援に従事する者を指揮する。

＊ 本条―追加〔令六・六法六五〕

【参照条文】

①【指示―法二四五Ⅰ

【他の法律の規定に基づき応援することを求めることができる場合の例―災害対策基本法七二2

②【他の法律の規定に基づき応援すべきことを指示することができる場合の例―災害対策基本法七二1

※ 法二四七・二四九・二五一の三

（国による応援の要求及び指示等）

第二百五十二条の二十六の八　都道府県知事は、国民の安全に重大な影響を及ぼす事態が発生し、又は発生するおそれがある場合において、第二百五十二条の二十六の六第一項若しくは前条第一項の規定による求め又は同条第二項の規定による指示のみによつてはこれらの規定の生命等の保護の措置に係る応援が円滑に実施されないと認めるときは、他の法律の規定に基づき当該生命等の保護の措置について応援することを求めるよう求めることができる場合を除き、当該国民の安全に重大な影響を及ぼす事態に関係のある事務を担任する各大臣に対し、他の都道府県知事又は他の都道府県の委員会若しくは委員に対し当該国民の安全に重大な影響を及ぼす事態が発生し若しくは発生するおそれがある都道府県の知事若しくは委員会若しくは委員（以下この条において「事態発生都道府県の知事等」という。）又は当該国民の安全に重大な影響を及ぼす事態が発生し若しくは発生するおそれがある市町村の長若しくは委員会若しくは委員（以下この条において「事態発生市町村の長等」という。）を応援することを求めるよう求めることができる。

2　各大臣は、前項の規定による求めがあつた場合において、その担任する事務に関し、事態発生都道府県の知事等及び事態発生市町村の長等の実施する生命等の保護の措置が的確かつ迅速に講ぜられるようにするため特に必要があると認めるときは、他の法律の規定に基づき当該生命等の保護の措置について応援することを求めることができる場合を除き、当該事態発生都道府県の知事等以外の都道府県知事又は都道府県の委員会若しくは委員（以下この条において「都道府県知事等」という。）に対し、当該事態発生都道府県の知事等又は当該事態発生市町村の長等を応援することを求めることができる。

3　各大臣は、国民の安全に重大な影響を及ぼす事態が発生し、又は発生するおそれがある場合であつて、その担任する事務に関し、事態発生都道府県の知事等及び事態発生市町村の長等の実施する生命等の保護の措置が的確かつ迅速に講ぜられるようにするため特に必要があると認める場合において、当該国民の安全に重大な影響を及ぼす事態に照らし特に緊急を要し、第一項の規定による求めを待ついとまがないと認めるときは、他の法律の規定に基づき当該生命等の保護の措置について応援することを求めることができる場合を除き、当該求めを待たないで、当該事態発生都道府県の知事等以外の都道府県知事等又は当該事態発生市町村の長等以外の市町村長若しくは市町村の委員会若しくは委員（以下この条において「市町村長等」という。）に対し、当該事態発生都道府県の知事等又は当該事態発生市町村の長等を応援することを求めることができる。この場合において、各大臣は、当該事態発生都道府県の知事等に対し、速やかにその旨を通知するものとする。

4　各大臣は、前二項に規定する場合において、これらの規定による求めのみによつてはこれらの規定の生命等の保護の措置に係る応援が円滑に実施されないと認めるときは、他の法律の規定に基づき当該生命等の保護の措置について応援すべきことを指示することができる場合を除き、事態発生都道府県の知事等以外の都道府県知事等又は事態発生市町村の長等以外の市町村長等に対し、当該事態発生都道府県の知事等又は当該事態発生市町村の長等を応援すべきことを指示することができる。この場合（前項に規定する場合において、各大臣が指示するときに限る。）において、各大臣は、当該事態発生都道府県の知事等に対し、速やかにその旨を通知するものとする。

5　事態発生都道府県の知事等以外の都道府県知事等は、第二項若しくは第三項の規定による求め又は前項の規定による指示に応じ応援をする場合において、事態発生市町村の長等の実施する生命等の保護の措置が的確かつ迅速に講ぜられるようにするため特に必要があると認めるときは、当該都道府県の区域内の市町村長等に対し、当該事態発生市町村の長等を応援することを求めることができる。

6　事態発生都道府県の知事等以外の都道府県知事等は、第四項の規定による指示に応じ応援をする場合において、事態発生市町村の長等の実施する生命等の保護の措置が的確かつ迅速に講ぜられるようにするため特に必要があり、かつ、前項の規定による求めのみによつては当該生命等の保護の措置に係る応援が円滑に実施されないと認めるときは、当該都道府県の区域内の市町村長等に対し、当該事態発生市町村の長等を応援すべきことを指示することができる。

7　第二項から前項までの規定による求め又は指示に係る応援を受ける事態発生都道府県の知事等又は事態発生市町村の長等は、これらの規定の生命等の保護の措置の実施について、当該応援に従事する者を指揮する。

＊本条―追加〔令六・六法六五〕

【引用条文】

①【法二五二の二六の六（普通地方公共団体相互間の応援の要求）1・二五二の二六の七（都道府県による応援の要求及び指示）1・2

【参照条文】

①【指示―法二四五Ⅰ

①【他の法律の規定に基づき応援することを求めるよう求めることができる場合の例―災害対策基本法七四の三1

②・③【他の法律の規定に基づき応援することを求めることができる場合の例―災害対策基本法七四の三2

※　法二四七・二四九・二五〇の一三・二五一の三

（職員の派遣のあつせん）

第二百五十二条の二十六の九　普通地方公共団体の長又は委員会若しくは委員は、国民の安全に重大な影響を及ぼす事態が発生し、又は発生するおそれがある場合において、生命等の保護の措置を的確かつ迅速に講ずるため必要があると認めるときは、他の法律の規定に基づき当該生命等の保護の措置について職員の派遣のあつせんを求めることができる場合を除き、当該国民の安全に重大な影響を及ぼす事態に関係のある事務を担任する各大臣又は都道府県知事に対し、第二百五十二条の十七第一項の規定による職員の派遣についてあつせんを求めることができる。

2 第二百五十二条の十七第三項の規定は、前項の規定によりあつせんを求めようとする場合について準用する。

3 市町村長又は市町村の委員会若しくは委員が第一項の規定により各大臣に対しあつせんを求めるときは、都道府県知事を経由してするものとする。

＊本条—追加〔令六・六法六五〕

【引用条文】
① 【法二五二の一七（職員の派遣）1
② 【法二五二の一七（職員の派遣）3

【参照条文】
① 【他の法律の規定に基づき職員の派遣のあつせんを求めることができる場合の例—災害対策基本法三〇2
※ 法二四九・二五〇の一三・二五一の三

（職員の派遣義務）

第二百五十二条の二十六の十 普通地方公共団体の長又は委員会若しくは委員は、前条の規定によるあつせんがあつたときは、その所掌事務の遂行に著しい支障のない限り、適任と認める職員を派遣しなければならない。

＊本条—追加〔令六・六法六五〕

【参照条文】
【災害対策基本法三一

【通知】
●「著しい支障」とは、職員派遣に応じる余力がない等、あっせんに応じることが困難な場合を指す。どのような事情が「著しい支障」に該当するのかについては、事態の性質や職員派遣のあっせんを受けた地方公共団体の状況等により、個別具体的に判断するものである。（令六・七・二通知）

第十五章 外部監査契約に基づく監査

＊本章—追加〔平九・六法六七〕、旧一三章—一五章に繰下〔令六・六法六五〕

第一節 通則

＊本節—追加〔平九・六法六七〕

（外部監査契約）

第二百五十二条の二十七 この法律において「外部監査契約」とは、包括外部監査契約及び個別外部監査契約をいう。

2 この法律において「包括外部監査契約」とは、第二百五十二条の三十六第一項各号に掲げる普通地方公共団体及び同条第二項の条例を定めた同条第一項第二号に掲げる市以外の市又は町村が、第二条第十四項及び第十五項の規定の趣旨を達成するため、この法律の定めるところにより、次条第一項又は第二項に規定する者の監査を受けるとともに監査の結果に関する報告の提出を受けることを内容とする契約であつて、この法律の定めるところにより、当該監査を行う者と締結するものをいう。

3 この法律において「個別外部監査契約」とは、次の各号に掲げる普通地方公共団体が、当該各号に掲げる請求又は要求があつた場合において、この法律の定めるところにより、当該請求又は要求に係る事項について次条第一項又は第二項に規定する者の監査を受けるとともに監査の結果に関する報告の提出を受けることを内容とする契約であつて、この法律の定めるところにより、当該監査を行う者と締結するものをいう。

一 第二百五十二条の三十九第一項に規定する普通地方公共団体 第七十五条第一項の請求
二 第二百五十二条の四十第一項に規定する普通地方公共団体 第九十八条第二項の請求
三 第二百五十二条の四十一第一項に規定する普通地方公共団体 第百九十九条第六項の要求
四 第二百五十二条の四十二第一項に規定する普通地方公共団体 第百九十九条第七項の要求
五 第二百五十二条の四十三第一項に規定する普通地方公共団体 第二百四十二条第一項の請求

＊本条—追加〔平九・六法六七〕、二・三項—一部改正〔平一一・七法八七〕、二項—一部改正〔平二九・六法五四〕

【引用条文】
② 【法二（地方公共団体の法人格とその事務）14・15・二五二の三六（包括外部監査契約の締結）1・2・二五二の二八（外部監査契約を締結できる者）1・2
③ 【法二五二の二八（外部監査契約を締結できる者）1・2・二五二の三九（第七五条の規定による監査の特例）1・七五（監査の請求とその処置）1・二五二の四〇（第九八条第二項の規定による監査の特例）1・九八（検査及び監査の請求）2・二五二の四一（第一九九条第六項の規定による監査の特例）1・一九九（職務権限）6・二五二の四二（第一九九条第七項の規定による監査の特例）1・一九九（職務権限）・二五二の四三（住民監査請求等の特例）1・二四二（住民監査請求）1

【参照条文】
②【この法律の定め―法二五二の三六～二五二の三八　【会計年度―法二〇八1
③【この法律の定め―法二五二の三九～二五二の四三

㊟ 次条中、点線の左側は、令和四年六月一七日から起算して三年を超えない範囲内において政令で定める日〔令七・六・一〕から施行となる。

（外部監査契約を締結できる者）

第二百五十二条の二十八　普通地方公共団体が外部監査契約を締結できる者は、普通地方公共団体の財務管理、事業の経営管理その他行政運営に関し優れた識見を有する者であつて、次の各号のいずれかに該当するものとする。

一　弁護士（弁護士となる資格を有する者を含む。）
二　公認会計士（公認会計士となる資格を有する者を含む。）
三　国の行政機関において会計検査に関する行政事務に従事した者又は地方公共団体において監査若しくは財務に関する行政事務に従事した者であつて、監査に関する実務に精通しているものとして政令で定めるもの

2　普通地方公共団体は、外部監査契約を円滑に締結し、又はその適正な履行を確保するため必要と認めるときは、前項の規定にかかわらず、同項の識見を有する者であつて税理士（税理士となる資格を有する者を含む。）であるものと外部監査契約を締結することができる。

3　前二項の規定にかかわらず、普通地方公共団体は、次の各号のいずれかに該当する者と外部監査契約を締結してはならない。

一　禁錮[拘禁刑]以上の刑に処せられ、その執行を終わり、又は執行を受けることがなくなつてから三年を経過しない者
二　破産手続開始の決定を受けて復権を得ない者
三　国家公務員法（昭和二十二年法律第百二十号）又は地方公務員法の規定により懲戒免職の処分を受け、当該処分の日から三年を経過しない者
四　弁護士法（昭和二十四年法律第二百五号）、公認会計士法（昭和二十三年法律第百三号）又は税理士法（昭和二十六年法律第二百三十七号）の規定による懲戒処分により、弁護士会からの除名、公認会計士の登録の抹消又は税理士の業務の禁止の処分を受けた者で、これらの処分を受けた日から三年を経過しないもの（これらの法律の規定により再び業務を営むことができることとなつた者を除く。）
五　税理士法第四十八条第一項の規定により同法第四十四条第三号に掲げる処分を受けるべきであつたことについて決定を受けた者で、当該決定を受けた日から三年を経過しないもの
六　懲戒処分により、弁護士、公認会計士又は税理士の業務を停止された者で、現にその処分を受けているもの
七　税理士法第四十八条第一項の規定により同法第四十四条第二号に掲げる処分を受けるべきであつたことについて決定を受けた者で、同項後段の規定により明らかにされた期間を経過しないもの
八　当該普通地方公共団体の議会の議員
九　当該普通地方公共団体の職員
十　当該普通地方公共団体の職員で政令で定めるものであつた者
十一　当該普通地方公共団体の長、副知事若しくは副市町村長、会計管理者又は監査委員と親子、夫婦又は兄弟姉妹の関係にある者
十二　当該普通地方公共団体に対し請負（外部監査契約に基づくものを除く。）をする者及びその支配人又は主として同一の行為をする法人の無限責任社員、取締役、執行役若しくは監査役若しくはこれらに準ずべき者、支配人及び清算人

＊本条…追加〔平九・六法六七〕、三項…一部改正〔平一一・七法八七、平一一・一二法一五一、平一四・五法四五、平一八・六法五三、令元・六法三七、令四・三法四、令四・六法六八〕

【参照条文】
①【弁護士の職務・資格―弁護士法三～七　【公認会計士の業務・資格―公認会計士法二～四　【政令の定め―令一七四の四九の二　則一七の二～一七の六
②【税理士の業務・資格―税理士法二～四
③【懲戒の場合―国公法八二　【懲戒―地公法二九　【懲戒の種類―弁護士法五七　公認会計士法二九　税理士法四四　【禁錮以上の刑―刑法九～一三　【復権を得ない破産者―破産法二五五　【政令の定め―令一七四の四九の二　【監査委員等の請負禁止―法一八〇の五6

【実例・判例・通知】
※本条第一二号に関しては、法九二条の二の実例、判例及び平三〇・四・二五通知を参照

（特定の事件についての監査の制限）

第二百五十二条の二十九　包括外部監査人（普通地方公共団体と包括外部監査契約を締結し、かつ、包括外部監査契約の期間（包括外部監査契約に基づく監査を行い、監査の結果に関する報告を提出すべき期間をいう。以下本章において同じ。）内にある者をいう。以下本章において同じ。）又は個別外部監査人（普通地方公共団体と個別外部監査契約を締結し、かつ、個別外部監査契約の期

間（個別外部監査契約に基づく監査を行い、監査の結果に関する報告を提出すべき期間をいう。以下本章において同じ。）内にある者をいう。以下本章において同じ。）は、自己若しくは父母、祖父母、配偶者、子、孫若しくは兄弟姉妹の一身上に関する事件又は自己若しくはこれらの者の従事する業務に直接の利害関係のある事件については、監査することができない。

＊本条―追加〔平九・六法六七〕

【参照条文】

※【監査委員についての除斥―法一九九の二】

（**監査の実施に伴う外部監査人と監査委員相互間の配慮**）

第二百五十二条の三十　外部監査人（包括外部監査人及び個別外部監査人をいう。以下本章において同じ。）は、監査を実施するに当たつては、監査委員にその旨を通知する等相互の連絡を図るとともに、監査委員の監査の実施に支障を来さないよう配慮しなければならない。

2　監査委員は、監査を実施するに当たつては、外部監査人の監査の実施に支障を来さないよう配慮しなければならない。

＊本条―追加〔平九・六法六七〕

【参照条文】

【監査委員の監査の実施―法一九九】

㊟　次条中、点線の左側は、令和四年六月一七日から起算して三年を超えない範囲内において政令で定める日〔令七・六・一〕から施行となる。

（**監査の実施に伴う外部監査人の義務**）

第二百五十二条の三十一　外部監査人は、外部監査契約の本旨に従い、善良な管理者の注意をもつて、誠実に監査を行う義務を負う。

2　外部監査人は、外部監査契約の履行に当たつては、常に公正不偏の態度を保持し、自らの判断と責任において監査をしなければならない。

3　外部監査人は、監査の実施に関して知り得た秘密を漏らしてはならない。外部監査人でなくなつた後であつても、同様とする。

4　前項の規定に違反した者は、二年以下の懲役¦拘禁刑又は百万円以下の罰金に処する。

5　外部監査人は、監査の事務に関しては、刑法（明治四十年法律第四十五号）その他の罰則の適用については、法令により公務に従事する職員とみなす。

＊本条―追加〔平九・六法六七〕、四項―一部改正〔令四・六法六八〕

【参照条文】

⑤【定義―刑法七】

㊟　次条中、点線の左側は、令和四年六月一七日から起算して三年を超えない範囲内において政令で定める日〔令七・六・一〕から施行となる。

（**外部監査人の監査の事務の補助**）

第二百五十二条の三十二　外部監査人は、監査の事務を他の者に補助させることができる。この場合においては、外部監査人は、政令の定めるところにより、あらかじめ監査委員に協議しなければならない。

2　監査委員は、前項の規定による協議が調つた場合には、直ちに当該監査の事務を補助する者の氏名及び住所並びに当該監査の事務を補助する者が外部監査人の監査の事務を補助できる期間を告示しなければならない。

3　第一項の規定による協議は、監査委員の合議によるものとする。

4　外部監査人は、監査が適正かつ円滑に行われるよう外部監査人補助者（第二項の規定により外部監査人の監査の事務を補助する者として告示された者であつて、かつ、外部監査人の監査の事務を補助できる期間内にあるものをいう。以下本条において同じ。）を監督しなければならない。

5　外部監査人補助者は、外部監査人の監査の事務を補助したことに関して知り得た秘密を漏らしてはならない。外部監査人補助者でなくなつた後であつても、同様とする。

6　前項の規定に違反した者は、二年以下の懲役¦拘禁刑又は百万円以下の罰金に処する。

7　外部監査人補助者は、外部監査人の監査の事務の補助に関しては、刑法その他の罰則の適用については、法令により公務に従事する職員とみなす。

8　外部監査人は、第二項の規定により告示された者に監査の事務を補助させる必要がなくなつたときは、速やかに、その旨を監査委員に通知しなければならない。

9　前項の通知があつたときは、監査委員は、速やかに、当該通知があつた者の氏名及び住所並びにその者が外部監査人を補助する者でなくなつたことを告示しなければならない。

10　前項の規定による告示があつたときは、当該告示された者が外部監査人の監査の事務を補助できる期間は終了する。

＊本条…追加〔平九・六法六七〕、六項…一部改正〔令四・六法六八〕

【参照条文】

①【政令の定─令一七四の四九の二三　則一七の七

⑦【定義─刑法七

（外部監査人の監査への協力）

第二百五十二条の三十三　普通地方公共団体が外部監査人の監査を受けるに当たつては、当該普通地方公共団体の議会、長その他の執行機関又は職員は、外部監査人の監査の適正かつ円滑な遂行に協力するよう努めなければならない。

2　代表監査委員は、外部監査人の求めに応じ、監査委員の監査の事務に支障のない範囲内において、監査委員の事務局長、書記その他の職員、監査専門委員又は第百八十条の三の規定による職員を外部監査人の監査の事務に協力させることができる。

＊本条…追加〔平九・六法六七〕、二項…一部改正〔平二九・六法五四〕

【引用条文】

②【法一八〇の三（長の補助職員の他の執行機関の職員の兼職・事務の従事等）

【参照条文】

②【代表監査委員─法一九九の三　【監査委員の事務局長、書記その他の職員─法二〇〇

【通　知】

1）●法第二五二条の三三第一項に規定する「外部監査人の監査の適正かつ円滑な遂行に協力するよう努めなければならない。」とは、業務に特段の支障のない範囲で、できるかぎり協力するということを意味するものであること。（平一〇・一〇・一通知）

（議会による説明の要求又は意見の陳述）

第二百五十二条の三十四　普通地方公共団体の議会は、外部監査人の監査に関し必要があると認めるときは、外部監査人又は外部監査人であつた者の説明を求めることができる。

2　普通地方公共団体の議会は、外部監査人の監査に関し必要があると認めるときは、外部監査人に対し意見を述べることができる。

＊本条…追加〔平九・六法六七〕

（外部監査契約の解除）

第二百五十二条の三十五　普通地方公共団体の長は、外部監査人が第二百五十二条の二十八第一項各号のいずれにも該当しなくなつたとき（同条第二項の規定により外部監査契約が締結された場合にあつては、税理士（税理士となる資格を有する者を含む。）でなくなつたとき）、又は同条第三項各号のいずれかに該当するに至つたときは、当該外部監査人と締結している外部監査契約を解除しなければならない。

2　普通地方公共団体の長は、外部監査人が心身の故障のため監査の遂行に堪えないと認めるとき、外部監査人にこの法律若しくはこれに基づく命令の規定又は外部監査契約に係る義務に違反する行為があると認めるときその他外部監査人と外部監査契約を締結していることが著しく不適当と認めるときは、外部監査契約を解除することができる。この場合においては、あらかじめ監査委員の意見を聴くとともに、その意見を付けて議会の同意を得なければならない。

3　外部監査人が、外部監査契約を解除しようとするときは、普通地方公共団体の長の同意を得なければならない。この場合においては、当該普通地方公共団体の長は、あらかじめ監査委員の意見を聴かなければならない。

4　前二項の規定による意見は、監査委員の合議によるものとする。

5　普通地方公共団体の長は、第一項若しくは第二項の規定により外部監査契約を解除したとき、又は第三項の規定により外部監査契約を解除されたときは、直ちに、その旨を告示するとともに、遅滞なく、新たに外部監査契約を締結しなければならない。

6　外部監査契約の解除は、将来に向かつてのみその効力を生ずる。

＊本条…追加〔平九・六法六七〕

【引用条文】

①【法二五二の二八（外部監査契約を締結できる者）

【参照条文】

②【監査の実施に伴う外部監査人の義務─法二五二の三一

第二節　包括外部監査契約に基づく監査

＊本節…追加〔平九・六法六七〕

（包括外部監査契約の締結）

第二百五十二条の三十六　次に掲げる普通地方公共団体の長は、政令で定めるところにより、毎会計年度、当該会計年度に係る包括外部監査契約を、速やかに、一の者と締結しなければならない。この場合においては、あらかじめ監査委員の意見を聴くとともに、議会の議決を経なければならない。

一　都道府県

二　政令で定める市

2　前項第二号に掲げる市以外の市又は町村で、契約に基づく監査を受けることを条例により定めたものの長は、同項の政令で定めるところにより、条例で定める会計年度において、当該会計年度に係る包括外部監査契約を、速やかに、一の者と締結しなければならない。この場合においては、あらかじめ監査委員の意見を聴くとともに、議会の議決を経なければならない。

3　前二項の規定による意見の決定は、監査委員の合議によるものとする。

4　第一項又は第二項の規定により包括外部監査契約を締結する場合には、第一項各号に掲げる普通地方公共団体及び第二項の条例を定めた第一項第二号に掲げる市以外の市又は町村（以下「包括外部監査対象団体」という。）は、連続して四回、同一の者と包括外部監査契約を締結してはならない。

5　包括外部監査契約には、次に掲げる事項について定めなければならない。

一　包括外部監査契約の期間の始期

二　包括外部監査契約を締結した者に支払うべき監査に要する費用の額の算定方法

三　前二号に掲げる事項のほか、包括外部監査契約に基づく監査のために必要な事項として政令で定めるもの

6　包括外部監査対象団体の長は、包括外部監査契約を締結したときは、前項第一号及び第二号に掲げる事項その他政令で定める事項を直ちに告示しなければならない。

7　包括外部監査契約の期間の終期は、包括外部監査契約に基づく監査を行うべき会計年度の末日とする。

8　包括外部監査対象団体は、包括外部監査契約の期間を十分に確保するよう努めなければならない。

＊本条―追加〔平九・六法六七〕、一項―一部改正・二項―追加・旧二・三項―一部改正し一項ずつ繰下・旧四～七項―一項ずつ繰下〔平二九・六法五四〕

【参照条文】
①【政令の定―令一七四の四九の二四・一七四の四九の二五　則一七の八　【会計年度―法二〇八1　【議会の議決―法九六1　【政令で定める市―令一七四の四九の二六
⑤【政令の定―令一七四の四九の二七
⑥【政令の定―令一七四の四九の二八

（包括外部監査人の監査）

第二百五十二条の三十七　包括外部監査人は、包括外部監査対象団体の財務に関する事務の執行及び包括外部監査対象団体の経営に係る事業の管理のうち、第二条第十四項及び第十五項の規定の趣旨を達成するため必要と認める特定の事件について監査するものとする。

2　包括外部監査人は、前項の規定による監査をするに当たつては、当該包括外部監査対象団体の財務に関する事務の執行及び当該包括外部監査対象団体の経営に係る事業の管理が第二条第十四項及び第十五項の規定の趣旨にのつとつてなされているかどうかに、特に、意を用いなければならない。

3　包括外部監査人は、包括外部監査契約で定める包括外部監査契約の期間内に少なくとも一回以上第一項の規定による監査をしなければならない。

4　包括外部監査対象団体は、当該包括外部監査対象団体が第百九十九条第七項に規定する財政的援助を与えているものの出納その他の事務の執行で当該財政的援助に係るもの、当該包括外部監査対象団体が出資しているもので同項の政令で定めるものの出納その他の事務の執行で当該出資に係るもの、当該包括外部監査対象団体が借入金の元金若しくは利子の支払を保証しているものの出納その他の事務の執行で当該保証に係るもの、当該包括外部監査対象団体が受益権を有する信託で同項の政令で定めるものの受託者の出納その他の事務の執行で当該信託に係るもの又は当該包括外部監査対象団体が第二百四十四条の二第三項の規定に基づき公の施設の管理を行わせているものの出納その他の事務の執行で当該管理の業務に係るものについて、包括外部監査人が必要があると認めるときは監査することができることを条例により定めることができる。

5　包括外部監査人は、包括外部監査契約で定める包括外部監査契約の期間内に、監査の結果に関する報告を決定し、これを包括外部監査対象団体の議会、長及び監査委員並びに関係のある教育委員会、選挙管理委員会、人事委員会若しくは公平委員会、公安委員会、労働委員会、農業委員会その他法律に基づく委員会又は委員に提出しなければならない。

＊本条―追加〔平九・六法六七〕、一・二・五項―一部改正〔平一一・七法八七〕、四項―一部改正〔平一五・六法八一〕、五項―一部改正〔平一六・一一法一四〇〕

【引用条文】
①・②【法二（地方公共団体の法人格とその事務）14・15
④【法一九九（職務権限）7・二四四の二（公の施設の設置、管理及び廃止）3

【参照条文】
①・②【監査の特例―健全化法二六
④【政令の定―令一四〇の七　【受益権―信託法二7等【信託―信託法二1等・法二三八の五2・国有財

産法二〇1【受託者―信託法二5等・信託業法二等・金融機関の信託業務の兼営等に関する法律一等

⑤【法律に基づく委員の例―社教法一五

【通　知】

1）●法第二五二条の三七第四項に基づき包括外部監査人が監査を行うことのできる財政的援助を与えているもの等の範囲は、監査委員が監査を行うことのできる財政的援助を与えているものの範囲と同じであること。（平一〇・一〇・一通知）

（包括外部監査人の監査）

第二百五十二条の三十八　包括外部監査人は、監査のため必要があると認めるときは、監査委員と協議して、関係人の出頭を求め、若しくは関係人について調査し、若しくは関係人の帳簿、書類その他の記録の提出を求め、又は学識経験を有する者等から意見を聴くことができる。

2　包括外部監査人は、監査の結果に基づいて必要があると認めるときは、当該包括外部監査対象団体の組織及び運営の合理化に資するため、監査の結果に関する報告に添えてその意見を提出することができる。

3　監査委員は、前条第五項の規定により監査の結果に関する報告の提出があつたときは、これを公表しなければならない。

4　監査委員は、包括外部監査人の監査の結果に関し必要があると認めるときは、当該包括外部監査対象団体の議会及び長並びに関係のある教育委員会、選挙管理委員会、人事委員会若しくは公平委員会、公安委員会、労働委員会、農業委員会その他法律に基づく委員会又は委員にその意見を提出することができる。

5　第一項の規定による協議又は前項の規定による意見の決定は、監査委員の合議によるものとする。

6　前条第五項の規定による監査の結果に関する報告の提出があつた場合において、当該監査の結果に関する報告の提出を受けた包括外部監査対象団体の議会、長、教育委員会、選挙管理委員会、人事委員会若しくは公平委員会、公安委員会、労働委員会、農業委員会その他法律に基づく委員会又は委員は、当該監査の結果に基づき、又は当該監査の結果を参考として措置を講じたときは、その旨を監査委員に通知するものとする。この場合においては、監査委員は、当該通知に係る事項を公表しなければならない。

＊本条―追加〔平九・六法六七〕、四・六項―一部改正〔平一一・七法八七〕、一項―一部改正〔平一四・三法四〕、四・六項―一部改正〔平一六・一二法一四〇〕

【引用条文】

③・⑥【法二五二の三七（包括外部監査人の監査）5

【参照条文】

①【監査委員との協議―令一七四の四九の二九

④・⑥【法律に基づく委員の例―社教法一五

【通　知】

●法第二五二条の三八第一項の協議が調ったことを証する書面は、出頭の要請等をした関係人に示すことが主として想定されるものであること。（平一〇・一〇・一通知）

第三節　個別外部監査契約に基づく監査

＊本節―追加〔平九・六法六七〕

（第七十五条の規定による監査の特例）

第二百五十二条の三十九　第七十五条第一項の請求に係る監査について、監査委員の監査に代えて契約に基づく監査によることができることを条例により定める普通地方公共団体の同項の選挙権を有する者は、政令で定めるところにより、同項の請求をする場合には、併せて監査委員の監査に代えて個別外部監査契約に基づく監査によることを求めることができる。

2　前項の規定により個別外部監査契約に基づく監査によることが求められた第七十五条第一項の請求（以下この条において「事務の監査の請求に係る個別外部監査の請求」という。）については、第七十五条第二項から第五項までの規定は、適用しない。

3　事務の監査の請求に係る個別外部監査の請求があつたときは、監査委員は、直ちに、政令で定めるところにより、当該請求の要旨を公表するとともに、当該事務の監査の請求に係る個別外部監査の請求について監査委員の監査に代えて個別外部監査契約に基づく監査によることについての意見を付けて、その旨を当該普通地方公共団体の長に通知しなければならない。

4　前項の規定による通知があつたときは、当該普通地方公共団体の長は、当該通知があつた日から二十日以内に議会を招集し、同項の規定による監査委員の意見を付けて、当該事務の監査の請求に係る個別外部監査の請求について監査委員の監査に代えて個別外部監査契約に基づく監査によることについて、議会に付議し、その結果を監査委員に通知しなければならない。

5　事務の監査の請求に係る個別外部監査の請求について監査委員の監査に代えて個別外部監査契約に基づく監査によることについて議会の議決を経た場合には、当該普通地方公共団体の長は、政令で定めるところにより、当該事務の監査の請求に係る個別外部監査の請求に係る事項についての個別外部監査契約を一の者と締結しなければならない。

6 前項の個別外部監査契約を締結する場合には、当該普通地方公共団体の長は、あらかじめ監査委員の意見を聴くとともに、議会の議決を経なければならない。
7 第三項又は前項の規定による意見の決定は、監査委員の合議によるものとする。
8 第五項の個別外部監査契約には、次に掲げる事項について定めなければならない。
一 事務の監査の請求に係る個別外部監査の請求に係る事項
二 個別外部監査契約の期間
三 個別外部監査契約を締結した者に支払うべき監査に要する費用の額の算定方法
四 前三号に掲げる事項のほか、個別外部監査契約に基づく監査のために必要な事項として政令で定めるもの
9 普通地方公共団体の長は、第五項の個別外部監査契約を締結したときは、前項第一号から第三号までに掲げる事項その他政令で定める事項を直ちに告示しなければならない。
10 包括外部監査対象団体の長が、第五項の個別外部監査契約を当該包括外部監査対象団体の包括外部監査人と締結するときは、第六項の規定は、適用しない。この場合において、当該個別外部監査契約は、個別外部監査契約の期間が当該包括外部監査対象団体が締結している包括外部監査契約で定める包括外部監査契約の期間を超えないものであり、かつ、個別外部監査契約を締結した者に支払うべき費用の額の算定方法が当該包括外部監査契約で定める包括外部監査契約を締結した者に支払うべき費用の額の算定方法に準じたものでなければならない。
11 前項の規定により第五項の個別外部監査契約を締結した包括外部監査対象団体の長は、その旨を議会に報告しなければならない。
12 第五項の個別外部監査契約を締結した者は、当該個別外部監査契約で定める個別外部監査契約の期間内に、事務の監査の請求に係る個別外部監査の請求に係る事項につき監査し、かつ、監査の結果に関する報告を決定するとともに、これを当該個別外部監査契約を締結した普通地方公共団体の議会、長及び監査委員並びに関係のある教育委員会、選挙管理委員会、人事委員会若しくは公平委員会、公安委員会、労働委員会、農業委員会その他法律に基づく委員会又は委員に提出しなければならない。
13 監査委員は、前項の規定により監査の結果に関する報告の提出があつたときは、これを当該事務の監査の請求に係る個別外部監査の請求に係る代表者に送付するとともに、公表しなければならない。
14 前条第一項、第二項及び第四項から第六項までの規定は、事務の監査の請求に係る個別外部監査の請求に係る事項についての個別外部監査人の監査について準用する。この場合において、同条第二項及び第四項中「包括外部監査対象団体」とあるのは「個別外部監査契約を締結した普通地方公共団体」と、同条第六項中「前条第五項」とあるのは「次条第十二項」と、「包括外部監査対象団体」とあるのは「個別外部監査契約を締結した普通地方公共団体」と読み替えるものとする。
15 事務の監査の請求に係る個別外部監査の請求について、監査委員の監査に代えて個別外部監査契約に基づく監査によることについて、議会がこれを否決したときは、当該事務の監査の請求に係る個別外部監査の請求は、初めから第一項の規定により個別外部監査契約に基づく監査によることが求められていない第七十五条第一項の請求であつたものとみなして、同条第三項から第五項までの規定を適用する。

＊本条—追加（平九・六法六七）、一二項—一部改正（平一一・七法八七、平一六・一一法一四〇）、一〜三・五・六・一〇・一三・一五項—一部改正（平二九・六法五四）

【引用条文】
①・②・⑮【法七五（監査の請求とその処置）1〜5
⑭【法二五二の三八（包括外部監査人の監査）1・2・4〜6

【参照条文】
①【選挙権を有する者—法一八　選挙法九2〜5・一一・二五二　【政令の定—令一七四の四九の三〇　則一七の九
③【政令の定—令一七四の四九の三一
④【議会の招集—法一〇一　【付議事件—法一〇二3・4
⑤【議会の議決—法九六1　【政令の定—令一七四の四九の三二〜一七四の四九の三五　則一七の一〇
⑧【政令の定—令一七四の四九の三四
⑨【政令の定—令一七四の四九の三五
⑩【包括外部監査契約の期間—法二五二の三六5・7　【包括外部監査契約を締結した者に支払うべき費用の算定方法—法二五二の三六5
⑫【事務の監査の結果の告示等—令一七四の四九の三六　【その他法律に基づく委員の例—社教法一五
⑭【事務の監査の請求に係る個別外部監査についての監査委員との協議—令一七四の四九の三七

（第九十八条第二項の規定による監査の特例）
第二百五十二条の四十　第九十八条第二項の請求に係る監査について監査委員の監査に代えて契約に基づく監査によることができることを条例により定める普通地方公共団体の議会は、同項の請求をする場合において、特に必要があると認めるときは、その理由を付して、併せて監

査委員の監査に代えて個別外部監査契約に基づく監査によることを求めることができる。この場合においては、あらかじめ監査委員の意見を聴かなければならない。

2　前項の規定により個別外部監査契約に基づく監査によることが求められた第九十八条第二項の請求（以下本条において「議会からの個別外部監査の請求」という。）については、監査委員は、当該議会からの個別外部監査の請求に係る事項についての監査及び監査の結果に関する報告は行わない。

3　議会からの個別外部監査の請求があつたときは、監査委員は、直ちにその旨を当該普通地方公共団体の長に通知しなければならない。

4　前条第五項から第十一項までの規定は、前項の規定による通知があつた場合について準用する。この場合において、同条第五項中「事務の監査の請求に係る個別外部監査の請求について監査委員の監査に代えて個別外部監査契約に基づく監査によることについて議会の議決を経た」とあるのは「次条第三項の規定による通知があつた」と、「事務の監査の請求に係る個別外部監査の請求に係る」とあるのは「同条第二項に規定する議会からの個別外部監査の請求に係る」と、同条第七項中「第三項」とあるのは「次条第一項」と、同条第八項第一号中「事務の監査の請求に係る個別外部監査の請求」とあるのは「次条第二項に規定する議会からの個別外部監査の請求」と読み替えるものとする。

5　前項において準用する前条第五項の個別外部監査契約を締結した者は、当該個別外部監査契約で定める個別外部監査契約の期間内に、議会からの個別外部監査の請求に係る事項につき監査しなければならない。

6　第百九十九条第二項後段、第二百五十二条の三十七第五項及び第二百五十二条の三十八の規定は、議会からの個別外部監査の請求に係る事項についての個別外部監査人の監査について準用する。この場合において、第二百五十二条の三十七第五項並びに第二百五十二条の三十八第二項、第四項及び第六項中「包括外部監査対象団体」とあるのは、「個別外部監査契約を締結した普通地方公共団体」と読み替えるものとする。

＊本条―追加〔平九・六法六七〕

【引用条文】
①・②【法九八（検査及び監査の請求）2
④【法二五二の三九（第七五条の規定による監査の特例）5～11
⑤【法二五二の三九（第七五条の規定による監査の特例）5
⑥【法一九九（職務権限）2・二五二の三七（包括外部監査人の監査）5・二五二の三八（包括外部監査人の監査）

【参照条文】
④【議会からの個別外部監査の請求への規定の準用―令一七四の四九の三八1　則一七の一一
⑥【議会からの個別外部監査の請求についての監査委員との協議―令一七四の四九の三八2

（第百九十九条第六項の規定による監査の特例）

第二百五十二条の四十一　第百九十九条第六項の要求に係る監査について、監査委員の監査に代えて契約に基づく監査によることができることを条例により定める普通地方公共団体の長は、同項の要求をする場合において、特に必要があると認めるときは、その理由を付して、併せて監査委員の監査に代えて個別外部監査契約に基づく監査によることを求めることができる。

2　前項の規定により個別外部監査契約に基づく監査によることが求められた第百九十九条第六項の要求（以下本条において「長からの個別外部監査の要求」という。）については、同項の規定にかかわらず、監査委員は、当該長からの個別外部監査の要求に係る事項についての監査は行わない。

3　長からの個別外部監査の要求があつたときは、監査委員は、直ちに、監査委員の監査に代えて個別外部監査契約に基づく監査によることについての意見を当該普通地方公共団体の長に通知しなければならない。

4　第二百五十二条の三十九第四項から第十一項までの規定は、前項の規定による通知があつた場合について準用する。この場合において、同条第四項中「前項」とあるのは「第二百五十二条の四十一第三項」と、「長は、当該通知があつた日から二十日以内に議会を招集し」とあるのは「長は」と、「事務の監査の請求に係る個別外部監査の請求」とあるのは「同条第二項に規定する長からの個別外部監査の要求」と、「付議し、その結果を監査委員に通知しなければならない」とあるのは「付議しなければならない」と、同条第五項中「事務の監査の請求に係る個別外部監査の請求について」とあるのは「第二百五十二条の四十一第二項に規定する長からの個別外部監査の要求について」と、「事務の監査の請求に係る個別外部監査の請求に係る」とあるのは「同項に規定する長からの個別外部監査の要求に係る」と、同条第七項中「第三項」とあるのは「第二百五十二条の四十一第三項」と、同条第八項第一号中「事務の監査の請求に係る個別外部監査の請求」とあるのは「第二百五十二条の四十一第二項に規定する長からの個別外部監査の要求」と読み替えるものとする。

5　前項において準用する第二百五十二条の三十九第五項の個別外部監査契約を締結した者は、当該個別外部監査契約で定める個別外部監査契約の期間内に、長からの個別外部監査の要求に係る事項につき監査しなければならない。

6　第二百五十二条の三十七第五項及び第二百五十二条の三十八の規定は、長からの個別外部監査の要求に係る事項についての個別外部監査人の監査について準用する。この場合において、第二百五十二条の三十八第二項、第四項及び第六項中「包括外部監査対象団体」とあるのは、「個別外部監査契約を締結した普通地方公共団体」と読み替えるものとする。

＊本条…追加〔平九・六法六七〕

【引用条文】
①・②【法一九九（職務権限）6
④【法二五二の三九（第七五条の規定による監査の特例）4〜11
⑤【法二五二の三九（第七五条の規定による監査の特例）5
⑥【法二五二の三七（包括外部監査人の監査）5・二五二の三八（包括外部監査人の監査）

【参照条文】
①【監査の特例―健全化法二六
④【長からの個別外部監査の要求への規定の準用―令一七四の四九の三九1　則一七の二
⑥【長からの個別外部監査の要求についての監査委員との協議―令一七四の四九の三九2

（第百九十九条第七項の規定による監査の特例）

第二百五十二条の四十二　普通地方公共団体が第百九十九条第七項に規定する財政的援助を与えているものの出納その他の事務の執行で当該財政的援助に係るもの、普通地方公共団体が出資しているもので同項の政令で定めるものの出納その他の事務の執行で当該出資に係るもの、普通地方公共団体が借入金の元金若しくは利子の支払を保証しているものの出納その他の事務の執行で当該保証に係るもの、普通地方公共団体が受益権を有する信託で同項の政令で定めるものの受託者の出納その他の事務の執行で当該信託に係るもの又は普通地方公共団体が第二百四十四条の二第三項の規定に基づき公の施設の管理を行わせているものの出納その他の事務の執行で当該管理の業務に係るものについての第百九十九条第七項の要求に係る監査について、監査委員の監査に代えて契約に基づく監査によることができることを条例により定める普通地方公共団体の長は、同項の要求をする場合において、特に必要があると認めるときは、その理由を付して、併せて監査委員の監査に代えて個別外部監査契約に基づく監査によることを求めることができる。

2　前項の規定により個別外部監査契約に基づく監査によることが求められた第百九十九条第七項の要求（以下本条において「財政的援助を与えているもの等に係る個別外部監査の要求」という。）については、同項の規定にかかわらず、監査委員は、当該財政的援助を与えているもの等に係る個別外部監査の要求に係る事項についての監査は行わない。

3　財政的援助を与えているもの等に係る個別外部監査の要求があつたときは、監査委員は、直ちに、監査委員の監査に代えて個別外部監査契約に基づく監査によることについての意見を当該普通地方公共団体の長に通知しなければならない。

4　第二百五十二条の三十九第四項から第十一項までの規定は、前項の規定による通知があつた場合について準用する。この場合において、同条第四項中「前項」とあるのは「第二百五十二条の四十二第三項」と、「長は、当該通知があつた日から二十日以内に議会を招集し」とあるのは「長は」と、「事務の監査の請求に係る個別外部監査の請求」とあるのは「同条第二項に規定する財政的援助を与えているもの等に係る個別外部監査の要求」と、「付議し、その結果を監査委員に通知しなければならない」とあるのは「付議しなければならない」と、同条第五項中「事務の監査の請求に係る個別外部監査の請求について」とあるのは「第二百五十二条の四十二第二項に規定する財政的援助を与えているもの等に係る個別外部監査の要求について」と、「事務の監査の請求に係る個別外部監査の請求に係る」とあるのは「同項に規定する財政的援助を与えているもの等に係る個別外部監査の要求に係る」と、同条第七項中「第三項」とあるのは「第二百五十二条の四十二第三項」と、同条第八項第一号中「事務の監査の請求に係る個別外部監査の請求」とあるのは「第二百五十二条の四十二第二項に規定する財政的援助を与えているもの等に係る個別外部監査の要求」と読み替えるものとする。

5　前項において準用する第二百五十二条の三十九第五項の個別外部監査契約を締結した者は、当該個別外部監査契約で定める個別外部監査契約の期間内に、財政的援助を与えているもの等に係る個別外部監査の要求に係る事項につき監査しなければならない。

6　第二百五十二条の三十七第五項及び第二百五十二条の三十八の規定は、財政的援助を与えているもの等に係る個別外部監査の要求に係る事項についての個別外部監査人の監査について準用する。この場合において、第二百五十二条の三十七第五項並びに第二百五十二条の三十八第二項、第四項及び第六項中「包括外部監査対象団体」とあるのは、「個別外部監査契約を締結した普通地方公共団体」と読み替えるものとする。

＊本条―追加（平九・六法六七）、一項―一部改正（平一五・六法八二）

【引用条文】
①【法一九九（職務権限）7・二四四の二（公の施設の設置、管理及び廃止）3
④②【法一九九（職務権限）7
④【法二五二の三九（第七五条の規定による監査の特例）4～11
⑤【法二五二の三九（第七五条の規定による監査の特例）5
⑥【法二五二の三七（包括外部監査人の監査）5・二五二の三八（包括外部監査人の監査）

【参照条文】
①【政令の定―令一四〇の七
④【財政的援助を与えているもの等に係る個別外部監査の要求への規定の準用―令一七四の四九の四〇1　則一七の一三
⑥【財政的援助を与えているもの等に係る個別外部監査の要求についての監査委員との協議―令一七四の四九の四〇2

（住民監査請求等の特例）

第二百五十二条の四十三　第二百四十二条第一項の請求に係る監査について監査委員の監査に代えて契約に基づく監査によることができることを条例により定める普通地方公共団体の住民は、同項の請求をする場合において、特に必要があると認めるときは、政令で定めるところにより、その理由を付して、併せて監査委員の監査に代えて個別外部監査契約に基づく監査によることを求めることができる。

2　監査委員は、前項の規定により個別外部監査契約に基づく監査によることが求められた第二百四十二条第一項の請求（以下この条において「住民監査請求に係る個別外部監査の請求」という。）があつた場合において、当該住民監査請求に係る個別外部監査の請求について、監査委員の監査に代えて個別外部監査契約に基づく監査によることが相当であると認めるときは、個別外部監査契約に基づく監査によることを決定し、当該住民監査請求に係る個別外部監査の請求があつた日から二十日以内に、その旨を当該普通地方公共団体の長に通知しなければならない。この場合において、監査委員は、当該通知をした旨を、当該住民監査請求に係る個別外部監査の請求に係る請求人に直ちに通知しなければならない。

3　第二百五十二条の三十九第五項から第十一項までの規定は、前項前段の規定による通知があつた場合について準用する。この場合において、同条第五項中「事務の監査の請求に係る個別外部監査の請求について監査委員の監査に代えて個別外部監査契約に基づく監査によることについて議会の議決を経た」とあるのは「第二百五十二条の四十三第二項前段の規定による通知があつた」と、「事務の監査の請求に係る個別外部監査の請求に係る」とあるのは「同項に規定する住民監査請求に係る個別外部監査の請求に係る」と、同条第七項中「第三項」とあるのは「第二百五十二条の四十三第二項の規定による監査委員の監査に代えて個別外部監査契約に基づく監査によることの決定」と、同条第八項第一号中「事務の監査の請求に係る個別外部監査の請求」とあるのは「第二百五十二条の四十三第二項に規定する住民監査請求に係る個別外部監査の請求」と読み替えるものとする。

4　前項において準用する第二百五十二条の三十九第五項の個別外部監査契約を締結した者は、当該個別外部監査契約で定める個別外部監査契約の期間内に、住民監査請求に係る個別外部監査の請求に係る事項について監査を行い、かつ、監査の結果に関する報告を決定するとともに、これを監査委員に提出しなければならない。

5　第二項前段の規定による通知があつた場合における第二百四十二条第五項から第七項まで及び第十一項並びに第二百四十二条の二第一項及び第二項の規定の適用については、第二百四十二条第五項中「第一項の規定による請求」とあるのは「第二百五十二条の四十三第四項の規定による監査の結果に関する報告の提出」と、「監査を行い」とあるのは「当該監査の結果に関する報告に基づき」と、「請求人に通知する」とあるのは「同条第二項に規定する住民監査請求に係る個別外部監査の請求に係る請求人（以下この条において「請求人」という。）に通知する」と、同条第六項中「監査委員の監査」とあるのは「第二百五十二条の四十三第二項に規定する住民監査請求に係る個別外部監査の」と、「六十日」とあるのは「九十日」と、同条第七項中「監査委員は、第五項」とあるのは「第二百五十二条の四十三第三項において準用する第二百五十二条の三十九第五項の個別外部監査契約を締結した者は、第二百五十二条の四十三第四項」と、同条第十一項中「第四項の規定による勧告、第五項」とあるのは「第五項」と、「監査及び勧告並びに前項の規定による意見」とあるのは「請求に理由があるかどうかの決定及び勧告」と、第二百四十二条の二第一項中「前条第一項の規定による」とあるのは「第二百五十二条の四十三第二項に規定する住民監査請求に係る個別外部監査の」と、「同条第五項の規定による監査委員の監査の結果」とあるのは「前条第五項の規定による請求に理由がない旨の決定」と、「監査若しくは」とあるのは「請求に理由がない旨の決定若しくは」と、「同条第一項」とあるのは「第二百五十二条の四十三第二項に規定する住民監査請求に係る個別外部監査」と、同条第二項第一号中「の監査の結果」とあるのは「の請求に理由がない旨の決定」と、「当該監査の結果」とあるのは「当該請求に理由がない旨」と、同項第三号中「六十日」とあるのは「九十日」と、「監査又は」とあるのは「当該請求に理由がない旨の決定又は」とする。

6　第二百五十二条の三十八第一項、第二項及び第五項の規定は、住民監査請求に係る個別外部監査の請求に係る事項についての個別外部監査人の監査について準用する。この場合において、同条第二項中「包括外部監査対象団体」とあるのは、「個別外部監査契約を締結した普通地方公共団体」と読み替えるものとする。

7　個別外部監査人は、第五項において読み替えて適用する第二百四十二条第七項の規定による陳述の聴取を行う場合又は関係のある当該普通地方公共団体の長その他の執行機関若しくは職員の陳述の聴取を行う場合において、必要があると認めるときは、監査委員と協議して、関係のある当該普通地方公共団体の長その他の執行機関若しくは職員又は請求人を立ち会わせることができる。

8　前項の規定による協議は、監査委員の合議によるものとする。

9　住民監査請求に係る個別外部監査の請求があつた場合において、監査委員が当該住民監査請求に係る個別外部監査の請求があつた日から二十日以内に、当該普通地方公共団体の長に第二項前段の規定による通知を行わないときは、当該住民監査請求に係る個別外部監査の請求は、初めから第一項の規定により個別外部監査契約に基づく監査によることが求められていない第二百四十二条第一項の請求であつたものとみなす。この場合において、監査委員は、同条第五項の規定による通知を行うときに、併せて当該普通地方公共団体の長に第二項前段の規定による通知を行わなかつた理由を書面により当該住民監査請求に係る個別外部監査の請求に係る請求人に通知するとともに、これを公表しなければならない。

＊本条—追加〔平九・六法六七〕、五項—一部改正・七・八項—追加・旧七項—一部改正し九項に繰下〔平一四・三法四〕、一・二・五・七・九項—一部改正〔平二九・六法五四〕

【引用条文】
①・②【法二四二（住民監査請求）1
③【法二五二の三九（第七五条の規定による監査の特例）5～11
④【法二五二の三九（第七五条の規定による監査の特例）5
⑤【法二四二（住民監査請求）5～7・11・二四二の二（住民訴訟）1・2
⑥【法二五二の三八（包括外部監査人の監査）1・2・5
⑦【法二四二（住民監査請求）7
⑨【法二四二（住民監査請求）1・5

【参照条文】
③①【政令の定—令一七四の四九の四一　則一七の一四
③【住民監査請求に係る個別外部監査の請求への規定の準用—令一七四の四九の四二1　則一七の一五
⑥【住民監査請求に係る個別外部監査の請求についての監査委員との協議—令一七四の四九の四二2

（個別外部監査契約の解除）

第二百五十二条の四十四　第二百五十二条の三十五第二項、第四項及び第五項の規定は、個別外部監査人が第二百五十二条の二十九の規定により監査することができなくなつたと認められる場合について準用する。

＊本条—追加〔平九・六法六七〕

【引用条文】
【法二五二の三五（外部監査契約の解除）2・4・5・二五二の二九（特定の事件についての監査の制限）

第四節　雑則

＊本節—追加〔平九・六法六七〕

（一部事務組合等に関する特例）

第二百五十二条の四十五　一部事務組合又は広域連合に係る包括外部監査契約に基づく監査については、一部事務組合又は広域連合を第二百五十二条の三十六第一項第二号に掲げる市以外の市又は町村とみなして、第二節（同項を除く。）の規定を準用する。

＊本条—追加〔平九・六法六七〕、一部改正〔平二九・六法五四〕

【引用条文】
【法二五二の三六（包括外部監査契約の締結）1Ⅱ
【第二節（法二五二の三六～二五二の三八）（包括外部監査契約に基づく監査）

【参照条文】
【一部事務組合—法二八四1・2
【広域連合—法二八四1・3

（政令への委任）

第二百五十二条の四十六　この法律に規定するもののほか、外部監査契約に基づく監査に関し必要な事項その他本章の規定の適用に関し必要な事項は、政令で定める。

＊本条―追加〔平九・六法六七〕

【参照条文】

【政令の定―令一七四の四九の二五・一七四の四九の三三・一七四の四九の四三】

第十六章　補則

＊旧一一章―繰下〔昭三一・六法一四七〕、旧一二章―繰下〔昭三八・六法九九〕、旧一三章―繰下〔平九・六法六七〕、旧一四章―一六章に繰下〔令六・六法六五〕

（所管知事の決定及び総務大臣の権限）

第二百五十三条　都道府県知事の権限に属する市町村に関する事件で数都道府県にわたるものがあるときは、関係都道府県知事の協議により、その事件を管理すべき都道府県知事を定めることができる。

② 前項の場合において関係都道府県知事の協議が調わないときは、総務大臣は、その事件を管理すべき都道府県知事を定め、又は都道府県知事に代つてその権限を行うことができる。

＊二項―追加〔昭二七・八法三〇六〕、一部改正〔昭三五・六法一一三、平一一・一二法一六〇〕

【参照条文】

【知事の権限に属する市町村に関する事件で数都道府県にわたるものの例―法九1・2・九の二・二五二の二の二2・二五二の七3・二五二の一四3　令五・六等の事件で数都道府県にわたるもの

※法二九三

（人口の定義）

第二百五十四条　この法律における人口[1]は、官報で公示[2]された最近の国勢調査又はこれに準ずる[3]全国的な人口調査の結果による人口による。

＊本条―一部改正〔昭二七・八法三〇六〕

【参照条文】

【この法律における人口―法八1Ⅰ・Ⅲ・二五二の一九1・二五二の二二1　※令一七六・一七七　【国勢調査―統計法五】

※【本条の例外―法附則二〇の四・二〇の五3】

【実例・注釈】

1）●「この法律における人口」には、監獄、矯正院〔それぞれ現行では刑事施設、少年院という〕にある者を含む。（昭二三・八・三行実）

2）●昭和五五年国勢調査の結果による人口については、地方自治法第二五四条に規定する「官報で公示された最近の国勢調査の結果による人口」とは、確定人口が官報に公示されるまでの間は、要計表によつて算出された人口を指すものと解される。（昭五五・九・三行実）

3）●「これに準ずる全国的な人口調査」とは政府が行う人口に対する全国的な調査で、統計法第二条の規定による指定統計をいう。（昭二九・七・一五行実）

※●境界変更の場合における人口調査は、境界変更現在日において当該地域に現に在住する者について都道府県知事が行うものであるが、住民基本台帳人口を基礎として調査してもよい。（昭三〇・八・一五行実）

※●市町村の境界変更に伴い知事が人口告示をした後に、その日以前の最近の国勢調査による関係市町村の人口が公示された場合は、知事の告示した人口は訂正すべきである。（昭三一・六・九行実）

（廃置分合及び境界変更に関する事項の政令への委任）

第二百五十五条　この法律に規定するものを除くほか、第六条第一項及び第二項、第六条の二第一項並びに第七条第一項及び第三項の場合において必要な事項は、政令でこれを定める。

＊本条―一部改正〔昭二二・一二法一六九、昭二七・八法三〇六、平一六・五法五七〕

【引用条文】

【法六（都道府県の廃置分合及び境界変更）1・2・六の二（申請に基づく都道府県合併）1・七（市町村の廃置分合及び境界変更）1・3】

【参照条文】

【政令の定―令一の二～六・一三〇・一三一・一七六・一七七】

【実例・通知】

※●令第一条（現行法では令第一条の二）の規定による職務執行者の正式名称は、「〇〇村長職務執行者氏名」とすべきである。（昭二二・八・八通知）

※●甲町の一部を分割して乙村及び丙村を設置した場合における選挙管理委員は、分割前の甲町の委員がそのまま乙村及び丙村の委員の職務を行う。（昭二二・九・六行実）

※●職務執行者によつて選任された職員は、長が選挙され就任しても失職しない。（昭二四・一一・三〇行実）

※●廃置分合に伴い「承継すべき事務」には公文書類のみならず公法上の未徴収金、歳計現金も含む。（昭二六・一一・二二通知）

※●A、B両町村で一部事務組合を設けている場合に

おいて、A町とこの組合外の甲村を廃しその区域をもつて乙町を設置したときは、当該一部事務組合の事務は当然には乙町に引き継がれるものではない。（昭二八・三・一〇行実）

※　●町村合併の際の債務及び旧町村の出納閉鎖後に入る歳入金は、新町村の債務及び歳入とすべきである。（昭二八・一二・一四行実）

※　●長の職務執行者は、一般職の職員のうちから定められた者でない限りは、地方公務員法上の特別職で、同法第三六条の政治的行為の制限は受けない。（昭二九・四・三〇行実）

※　●契約に基づく権利義務は当然に新市町村に承継されるもので関係市町村において一方的に放棄することはできない。（昭二九・六・八行実）

※　●甲村を廃し、その区域の一部を乙市に編入した場合における当該編入した地域に係る地方税の未徴収金の徴収及びこれに伴う一切の事務は乙市が承継すべきである。（昭三〇・六・一六行実）

※　●市村の合併の際、旧市が受けていた道路運送法第四条（現行第九条）の規定による運賃及び料金の認可の効力は新市に承継される。（昭三〇・六・三〇行実）

※　●甲市と乙村を廃し、その区域をもつて丙市を置いた場合、旧甲市が受けていた地方税法第六六九条の規定による法定外普通税の許可（現行法では同意）の効力は丙市に承継されるが、旧甲市の地域についてのみ許可されているものと解される。（同右）

※　●町村合併により消滅した団体に収入不足額がある場合には、赤字決算もやむを得ず、不足額の実態を明確にして引き継げばよい。（昭三〇・八・一七行実）

（法定受託事務に係る審査請求）

第二百五十五条の二　法定受託事務に係る次の各号に掲げる処分及びその不作為についての審査請求は、他の法律に特別の定めがある場合を除くほか、当該各号に定める者に対してするものとする。この場合において、不作為についての審査請求は、他の法律に特別の定めがある場合を除くほか、当該各号に定める者に代えて、当該不作為に係る執行機関に対してすることもできる。

一　都道府県知事その他の都道府県の執行機関の処分　当該処分に係る事務を規定する法律又はこれに基づく政令を所管する各大臣

二　市町村長その他の市町村の執行機関（教育委員会及び選挙管理委員会を除く。）の処分　都道府県知事

三　市町村教育委員会の処分　都道府県教育委員会

四　市町村選挙管理委員会の処分　都道府県選挙管理委員会

2　普通地方公共団体の長その他の執行機関が法定受託事務に係る処分をする権限を当該執行機関の事務を補助する職員若しくは当該執行機関の管理に属する機関の職員又は当該執行機関の管理に属する行政機関の長に委任した場合において、委任を受けた職員又は行政機関の長がその委任に基づいてした処分に係る審査請求につき、当該委任をした執行機関が裁決をしたときは、他の法律に特別の定めがある場合を除くほか、当該裁決に不服がある者は、再審査請求をすることができる。この場合において、当該再審査請求は、当該委任をした執行機関が自ら当該処分をしたものとした場合におけるその処分に係る審査請求をすべき者に対してするものとする。

＊本条―追加〔平一一・七法八七〕、一項―一部改正・二項―追加〔平二六・六法六九〕

【参照条文】

※　法二四五の七・二五二の一七の四4〜7　行政不服審査法二・三

（過料の処分についての告知等）

第二百五十五条の三　普通地方公共団体の長が過料の処分をしようとする場合においては、過料の処分を受ける者に対し、あらかじめその旨を告知するとともに、弁明の機会を与えなければならない。

＊本条―追加〔昭三八・六法九九〕、旧二五五条の二―繰下〔平一一・七法八七〕、二・四項―一部改正〔平一一・一二法一六〇〕、二〜四項―削る〔平二六・六法六九〕

（違法な権利侵害の是正手続）

第二百五十五条の四　法律の定めるところにより異議の申出、審査請求、再審査請求又は審査の申立てをすることができる場合を除くほか、普通地方公共団体の事務についてこの法律の規定により普通地方公共団体の機関がした処分により違法に権利を侵害されたとする者は、その処分があつた日から二十一日以内に、都道府県の機関がした処分については総務大臣、市町村の機関がした処分については都道府県知事に審決の申請をすることができる。

＊本条―追加〔昭三一・六法一四七〕、一部改正〔昭三五・六法一一三〕、全改〔昭三七・九法一六一〕、旧二五五条の二―繰下〔昭三八・六法九九〕、旧二五五条の三―繰下〔平一一・七法八七〕、一部改正〔平一一・一二法一六〇、平二六・六法六九〕

【参照条文】

【異議の申出―法七四の二4・二九一1　【審査請求―行政不服審査法二　【再審査請求―行政不服審査法六　【審査の申立て―法七四の二7・一一八5・一七六5

【通　知】

※ ●地方議会における出席停止の懲罰は、その適否が専ら議会の自主的・自律的な解決に委ねられるべきであるということはできず、法第二五五条の四の規定による審決の申請の対象となる。（令二・一二・一七通知）

〔審査請求等の裁決等の手続〕

第二百五十五条の五　総務大臣又は都道府県知事に対して第百四十三条第三項（第百八十条の五第八項及び第百八十四条第二項において準用する場合を含む。）の審査請求又はこの法律の規定による審査の申立て若しくは審決の申請があつた場合においては、総務大臣又は都道府県知事は、第二百五十一条第二項の規定により自治紛争処理委員を任命し、その審理を経た上、審査請求に対する裁決をし、審査の申立てに対する裁決若しくは裁定をし、又は審決をするものとする。ただし、行政不服審査法第二十四条（第二百五十八条第一項において準用する場合を含む。）の規定により当該審査請求、審査の申立て又は審決の申請を却下する場合は、この限りでない。

2　前項に規定する審査請求については、行政不服審査法第九条、第十七条及び第四十三条の規定は、適用しない。この場合における同法の他の規定の適用についての必要な技術的読替えは、政令で定める。

3　第一項に規定する審査の申立て又は審決の申請については、第二百五十八条第一項において準用する行政不服審査法第九条の規定は、適用しない。この場合における同項において準用する行政不服審査法の他の規定の適用についての必要な技術的読替えは、政令で定める。

4　前三項に規定するもののほか、第一項の規定による自治紛争処理委員の審理に関し必要な事項は、政令で定める。

＊ 本条—追加〔昭三一・六法一四七〕、一部改正〔昭三五・六法一一三、昭三七・九法一六一〕、旧二五五条の三—繰下〔昭三八・六法九九〕、一部改正・旧二五五条の四—繰下〔平一一・七法八七〕、一部改正〔平一一・一二法一六〇、平二四・九法七二〕、一項—一部改正・二～四項—追加〔平二六・六法六九〕

【引用条文】
①【法一四三（失職）3・一八〇の五（委員会及び委員の設置・委員の兼業禁止等）8・一八四（失職）2　【法二五一（自治紛争処理委員）2・二五八（異議の申出等の手続）1　【行政不服審査法二四（審理手続を経ないでする却下裁決）
②【行政不服審査法九（審理員）・一七（審理員となるべき者の名簿）・四三（行政不服審査会等への諮問）【政令—令一七八の二
③【法二五八（異議の申出等の手続）1　【行政不服審査法九（審理員）【政令—令一七八の三
④【政令—令一七八の四
【参照条文】
【審査請求—法一四三3・二〇六1・二三八の七1・二四四の四1・二五五の二・二五二の一七の四　5　【審査の申立て—法七四の二7・一一八5・一七六　【審決の申請—法二五五の四

〔争訟手続〕

第二百五十六条　市町村の境界に関する裁定若しくは決定又は市町村の境界の確定、普通地方公共団体における直接請求の署名簿の署名、直接請求に基づく議会の解散又は議員若しくは長の解職の投票及び副知事、副市町村長、指定都市の総合区長、選挙管理委員、監査委員又は公安委員会の委員の解職の議決、議会において行う選挙若しくは決定又は再議決若しくは再選挙、選挙管理委員会において行う資格の決定その他この法律に基づく住民の賛否の投票に関する効力は、この法律に定める争訟の提起期間及び管轄裁判所に関する規定によることによつてのみこれを争うことができる。

＊ 本条—追加〔昭二五・五法一四三〕、一部改正〔昭二七・八法三〇六〕、一部改正・旧二五五条の二—繰下〔昭三一・六法一四七〕、旧二五五条の四—繰下〔昭三八・六法九九〕、旧二五五条の五—繰下〔平一一・七法八七〕、一部改正〔平一八・六法五三、平二六・五法四二〕

【参照条文】
【市町村の境界に関する裁定、決定、確定—法九～九の三　【直接請求の署名—法七四の二　【解散、解職の投票—法七六3・八〇3・八一2・八五　【解職の議決—法八六3　【議会で行う選挙—法九七＝法一〇三1・一〇六2・一八二　令一三五2・一三六2　※法一一八　【議会で行う決定—法一一八・一二七　【再議決—法一七六・一七七　【選挙管理委員会の資格決定—法一四三1・一八四1　【住民の賛否投票—法二六一・二六二　【争訟の提起期間及び管轄裁判所—以上の各条文参照　※行訴法八・一二

〔審査の裁決期間〕

第二百五十七条　この法律に特別の定めがあるものを除くほか、この法律の規定による審査の申立て[1]に対する裁決は、その申立てを受理した日から九十日以内にこれをしなければならない。

②　この法律の規定による異議の申出又は審査の申立てに対して決定[2]又は裁決をすべき期間内に決定又は裁決がないときは、その申出又は申立てをしりぞける旨の決定又は裁決があつたものとみなすことができる。

＊ 一・二項—一部改正〔昭二五・五法一四三〕、本条—全改〔昭三七・九法一六一〕

【参照条文】

①【特別の定―法七四の二5・11　【審査の申立て―法七四の二7・一一八5・一七六5

②【異議の申出―法七四の二4・二九一1　【審査の申立て―法七四の二7・一一八5・一七六5

【実例・判例】

1）●本条第一項は、訓示的規定である。（昭三・一〇・二〇行裁判）

●審査の申立て書の補正を命じ、還付した場合における本条第一項の裁決期間は、審査の申立て書の再提出の日の翌日から起算すべきものである。（昭四・七・三〇行実）

2）●異議の決定は必ずその文書を申立人に交付すべきであり、その交付がない場合は、決定はその効力を生じない。（大一二・四・一七行裁判）

〔異議の申出等の手続〕

第二百五十八条　この法律又は政令に特別の定めがあるものを除くほか、この法律の規定による異議の申出、審査の申立て又は審決の申請については、行政不服審査法第九条から第十四条まで、第十八条第一項ただし書及び第三項、第十九条第一項、第二項、第四項及び第五項第三号、第二十一条、第二十二条第一項から第三項まで及び第五項、第二十三条から第三十八条まで、第四十条から第四十二条まで、第四十四条、第四十五条、第四十六条第一項、第四十七条、第四十八条並びに第五十条から第五十三条までの規定を準用する。

2　前項において準用する行政不服審査法の規定に基づく処分及びその不作為については、行政不服審査法第二条及び第三条の規定は、適用しない。

＊本条―全改〔昭三七・九法一六一〕、一部改正〔昭四九・六法七一〕、一項―一部改正・二項―追加〔平二六・六法六九〕

【引用条文】

【行政不服審査法九（審理員）・一〇（法人でない社団又は財団の審査請求）・一一（総代）・一二（代理人による審査請求）・一三（参加人）・一四（行政庁が裁決をする権限を有しなくなった場合の措置）・一八（審査請求期間）1ただし書・3・一九（審査請求書の提出）1・2・4・5Ⅲ・二一（処分庁等を経由する審査請求）・二二（誤った教示をした場合の救済）1～3・5・二三（審査請求書の補正）・二四（審理手続を経ないでする却下裁決）・二五（執行停止）・二六（執行停止の取消し）・二七（審査請求の取下げ）・二八（審理手続の計画的進行）・二九（弁明書の提出）・三〇（反論書等の提出）・三一（口頭意見陳述）・三二（証拠書類等の提出）・三三（物件の提出要求）・三四（参考人の陳述及び鑑定の要求）・三五（検証）・三六（審理関係人への質問）・三七（審理手続の計画的遂行）・三八（審査請求人等による提出書類等の閲覧等）・四〇（審理員による執行停止の意見書の提出）・四一（審理手続の終結）・四二（審理員意見書）・四四（裁決の時期）・四五（処分についての審査請求の却下又は棄却）・四六（処分についての審査請求の認容）1・四七（同前）・四八（不利益変更の禁止）・五〇（裁決の方式）・五一（裁決の効力発生）・五二（裁決の拘束力）・五三（証拠書類等の返還）

【参照条文】

①【特別の定―法二五五の四・二五七2・二九一2　【異議の申出―法七四の二4・二九一1　【審査の申立て―法七四の二7・一一八5・一七六5　【審決の申請―法二五五の四

②【行政不服審査法二（処分についての審査請求）・三（不作為についての審査請求）

〔郡の区域〕

第二百五十九条　郡の区域をあらたに画し若しくはこれを廃止し、又は郡の区域若しくはその名称を変更しようとするときは、都道府県知事が、当該都道府県の議会の議決を経てこれを定め、総務大臣に届け出なければならない。

②　郡の区域内において市の設置があつたとき、又は郡の区域の境界にわたつて市町村の境界の変更があつたときは、郡の区域も、また、自ら変更する。

③　郡の区域の境界にわたつて町村が設置されたときは、その町村の属すべき郡の区域は、第一項の例によりこれを定める。

④　第一項から第三項までの場合においては、総務大臣は、直ちにその旨を告示するとともに、これを国の関係行政機関の長に通知しなければならない。第七条第八項の規定は、第一項又は前項の規定により郡の区域をあらたに画し、若しくはこれを廃止し、又は郡の区域を変更する場合にこれを準用する。

⑤　第一項乃至第三項の場合において必要な事項は、政令でこれを定める。

＊一・三項―一部改正・四項―追加・旧四項―一部改正し五項に繰下〔昭二二・一二法一六九〕、四項―一部改正〔昭二七・八法三〇六〕、一・四項―一部改正〔昭三五・六法一一三、平一一・一二法一六〇〕、四項―一部改正〔平一六・五法五七〕

【引用条文】

④【法七（市町村の廃置分合及び境界変更）8

【参照条文】

②【市の設置―法七1・2・八1・3　【市町村の境界変更―法七1

⑤【政令―令一七八

〔市町村区域内の町又は字の区域〕

第二百六十条　市町村長は、政令で特別の定めをする場合を除くほか、市町村の区域内の町若しくは字[2]の区域を新[3]たに画し若しくはこれを廃止し、又は町若しくは字[4]の区域若しくはその名称を変更しようとするときは、当該市町村の議会の議決を経て定めなければならない。

② 前項の規定による処分をしたときは、市町村長は、これを告示しなければならない。

③ 第一項の規定による処分は、政令で特別の定めをする場合を除くほか、前項の規定による告示によりその効力を生ずる。

* 一・二項一部改正〔昭二二・一二法一六九〕、二項一部改正〔昭三五・六法一一三〕、三項追加〔昭三九・七法一六九〕、二項一部改正〔昭四四・三法二〕、一・二項一部改正〔平二三・八法一〇五〕

【参照条文】

① 【特別の定】令一七九

【実　例】

1）●本条の字区域の変更等の議案は、市町村長のみが提出できる。（昭二二・九・一二行実）

2）●指定都市以外の市においては、その町及び字の名称中に「何市何区何町何丁目」のような「区」の文字は使用できない。（昭二六・一一・二八行実）

3）●字には小字も含む。（昭二三・八・九行実）

●町村合併により設置された町又は村において、本条第一項の規定により、新たに一部の地域を除き大字の区域を画することもさしつかえない。（昭三〇・一二・六行実）

4）●市に編入処分後当該区域の町名を新設する場合は「昭和何年何月何日編入された旧〇〇村の区域の町名を〇〇町とする」旨の議案が適当であり、この場合編入の時にさかのぼつて町名を用いることはできない。（昭二九・四・二六行実）

〔地縁による団体〕

第二百六十条の二　町又は字の区域その他市町村内の一定の区域に住所を有する者の地縁に基づいて形成された団体（以下この条及び第二百六十条の四十九第二項において「地縁による団体[1]」という。）は、地域的な共同活動を円滑に行うため市町村長の認可を受けたときは、その規約に定める目的の範囲内において、権利[2]を有し、義務を負う。

② 前項の認可は、地縁による団体のうち次に掲げる要件に該当するものについて、その団体の代表者が総務省令で定めるところにより行う申請[3]に基づいて行う。

一　その区域の住民相互の連絡、環境の整備、集会施設の維持管理等良好な地域社会の維持及び形成に資する地域的な共同活動を行うことを目的とし、現に[4]その活動を行つていると認められること。

二　その区域[5]が、住民にとつて客観的に明らかなものとして定められていること。

三　その区域に住所を有するすべての個人は、構成員[6]となることができるものとし、その相当数の者が現に[7]構成員となつていること。

四　規約を定めていること。

③ 規約には、次に[8]掲げる事項が定められていなければならない。

一　目的
二　名称
三　区域
四　主たる事務所の所在地
五　構成員の資格に関する事項
六　代表者に関する事項
七　会議に関する事項
八　資産に関する事項

④ 第二項第二号の区域は、当該地縁による団体が相当[9]の期間にわたつて存続している区域の現況によらなければならない。

⑤ 市町村長は、地縁による団体が第二項各号に掲げる要件に該当していると認めるときは、第一項の認可をしなければならない。

⑥ 第一項の認可は、当該認可を受けた地縁による団体を、公共団体その他の行政組織の一部とすることを意味するものと解釈してはならない。

⑦ 第一項の認可を受けた地縁による団体[10]（以下「認可地縁団体」という。）は、正当な理由がない限り、その区域に住所を有する個人の加入を拒んではならない。

⑧ 認可地縁団体は、民主的な運営の下に、自主的に活動するものとし、構成員に対し不当な差別的取扱いをしてはならない。

⑨ 認可地縁団体は、特定の政党のために利用してはならない。

⑩ 市町村長は、第一項の認可をしたときは、総務省令で定めるところにより、これを告示[11]しなければならない。告示した事項に変更があつたときも、また同様とする。

⑪ 認可地縁団体は、前項の規定に基づいて告示された事項に変更があつたときは、総務省令で定めるところにより、市町村長に届け出なければならない。

⑫ 何人も、市町村長に対し、総務省令で定めるところにより、第十項の規定により告示した事項に関する証明書[12]の交付を請求することができる。この場合において、当該請求をしようとする者は、郵便又は信書便により、当該証明書の送付を求めることができる。

⑬ 認可地縁団体は、第十項の告示があるまでは、認可地

縁団体となつたこと及び同項の規定に基づいて告示された事項をもつて第三者に対抗することができない。

⑭ 市町村長は、認可地縁団体が第二項各号に掲げる要件のいずれかを欠くこととなつたとき、又は不正な手段により第一項の認可を受けたときは、その認可を取り消すことができる。

⑮ 一般社団法人及び一般財団法人に関する法律（平成十八年法律第四十八号）第四条及び第七十八条の規定は、認可地縁団体に準用する。

⑯ 認可地縁団体は、法人税法（昭和四十年法律第三十四号）その他法人税に関する法令の規定の適用については、同法第二条第六号に規定する公益法人等とみなす。この場合において、同法第三十七条の規定を適用する場合には同条第四項中「公益法人等」とあるのは「公益法人等（地方自治法（昭和二十二年法律第六十七号）第二百六十条の二第七項に規定する認可地縁団体（以下「認可地縁団体」という。）並びに」と、同法第六十六条の規定を適用する場合には同条第一項中「普通法人」とあるのは「普通法人（認可地縁団体を含む。）」と、同条第二項中「除く」とあるのは「除くものとし、認可地縁団体を含む」と、同条第三項中「公益法人等（」とあるのは「公益法人等（認可地縁団体及び」とする。

⑰ 認可地縁団体は、消費税法（昭和六十三年法律第百八号）その他消費税に関する法令の規定の適用については、同法別表第三に掲げる法人とみなす。

＊本条―追加〔平三・四法二四〕、二・一〇・一一・一二項―一部改正〔平一一・一二法一六〇〕、一六項―一部改正〔平一四・七法七九〕、一二項―一部改正〔平一四・七法一〇〇〕、一八項―一部改正〔平一六・六法七六〕、一五項―一部改正〔平一六・一二法一四七、平一七・七法八七〕、三・七・八・九・一一・一三・一四・一六・一七項―一部改正・一五項―全改・一八項―削る〔平一八・六法五〇〕、一六項―一部改正〔平二〇・四法二三、令二・三法八〕、一・一三項―一部改正〔令三・五法四四〕、一項―一部改正〔令六・六法六五〕

【引用条文】

⑮【一般社団法人及び一般財団法人に関する法律四（住所）・七八（代表者の行為についての損害賠償責任）】

⑯【法人税法】

⑰【消費税法】

【参照条文】

①【法人の成立―民法三三】

②【総務省令の定―則一八】

⑩【総務省令の定―則一九】

⑪【総務省令の定―則二〇】

⑫【総務省令の定―則二一】

※法一四九Ⅲ・二五〇の一三6

【通知・注釈】

1）○本条の「地縁による団体」とはいわゆる自治会・町内会等の地域的な共同活動を行つている団体をいう。

2）●「権利を有し、義務を負う」とは、法律上の権利義務の主体となることを意味する。（平三・四・二通知）

3）●認可の申請は、あくまで当該団体の自主的な判断により行われるものである。（平三・四・二通知）

●認可の申請を行おうとする地縁による団体は、当該団体の総会において認可を申請する旨の決定を行うものである。（平三・四・二通知）

4）●「現にその活動を行つていると認められること」は、地縁による団体の活動の実績を示す報告書等により確認するものである。（平三・四・二通知）

5）●「その区域が、住民にとつて客観的に明らかなものとして定められていること」とは、当該地縁による団体の構成員のみならず当該市町村内のその他の住民にとつても容易にその区域が認識できる区域であることを要するものであり、例えば、河川、道路等により区域が画されていることなどをいうものである。（平三・四・二通知）

6）●認可を受ける地縁による団体の構成員は、当該団体の区域内に住所を有する個人に限られているが、このことは、区域内に住所を有する法人、組合等の団体が賛助会員等になることを妨げるものではない。（平三・四・二通知）

7）●「現に構成員となつていること」は、構成員の住所が記載された構成員の名簿により確認するものである。（平三・四・二通知）

8）●第三項各号の事項については、次のことに留意するものであること。（平三・四・二通知）

（1）第一号の「目的」は、地縁による団体の権利能力の範囲を明確にする程度に活動内容をできる限り具体的に定めることが望ましいこと。

（2）第四号の「事務所」とは、地縁による団体について一を限り設けられた主たる事務所をいうものであり、この所在地が当該地縁による団体の住所となるものであること。

（3）第五号の「構成員の資格に関する事項」においては、区域に住所を有する個人が全て地縁による団体の構成員となり得ること及び当該地縁による団体は正当な理由がない限り区域に住所を有する個人の加入を拒んではならないことを必ず定めなければならないものであること。

9）●「相当の期間」とは、地域の実情に即して判断されるべきであるが、一般的には認可申請を行う地縁による団体が当該区域において安定的に存在していると認められる期間をいう。（平三・四・二通知）

10）●「正当な理由」とは、その者の加入によつて、良好な地域社会の維持及び形成に資する地域的な共同活動を行うことを目的とする当該地縁による団体の目的及び活動が、著しく阻害されることが明らかであると認められる場合など、その者の加入を拒否することについて、社会通念上も、また、同条第二項第三号の規定の趣旨からも客観的に妥当と認められる理由がある場合をいう。（平三・四・二通知）

11 ●告示は、法人登記に代わるものであるため、取引の安全の確保の観点から、遅滞なく行わなければならない。（平三・四・二通知）

12 ●証明書の交付は、則第二一条に定める台帳の写しを交付することにより行うものであり、この台帳は、永久保存すべきものである。（平三・四・二通知）

●証明書の交付事務については、法第二二八条の規定に基づき条例で定めるところにより手数料を徴することができる。（平三・四・二通知）

（**規約の変更**）

第二百六十条の三　認可地縁団体の規約は、総構成員の四分の三以上の同意があるときに限り、変更することができる。ただし、当該規約に別段の定めがあるときは、この限りでない。

② 前項の規定による規約の変更は、市町村長の認可を受けなければ、その効力を生じない。

＊本条―追加〔平一八・六法五〇〕

（**財産目録及び構成員名簿**）

第二百六十条の四　認可地縁団体は、認可を受ける時及び毎年一月から三月までの間に財産目録を作成し、常にこれをその主たる事務所に備え置かなければならない。ただし、特に事業年度を設けるものは、認可を受ける時及び毎事業年度の終了の時に財産目録を作成しなければならない。

② 認可地縁団体は、構成員名簿を備え置き、構成員の変更があるごとに必要な変更を加えなければならない。

＊本条―追加〔平一八・六法五〇〕

（**代表者**）

第二百六十条の五　認可地縁団体には、一人の代表者を置かなければならない。

＊本条―追加〔平一八・六法五〇〕

（**認可地縁団体の代表**）

第二百六十条の六　認可地縁団体の代表者は、認可地縁団体のすべての事務について、認可地縁団体を代表する。ただし、規約の規定に反することはできず、また、総会の決議に従わなければならない。

＊本条―追加〔平一八・六法五〇〕

（**代表者の代表権の制限**）

第二百六十条の七　認可地縁団体の代表者の代表権に加えた制限は、善意の第三者に対抗することができない。

＊本条―追加〔平一八・六法五〇〕

（**代表者の代理行為の委任**）

第二百六十条の八　認可地縁団体の代表者は、規約又は総会の決議によつて禁止されていないときに限り、特定の行為の代理を他人に委任することができる。

＊本条―追加〔平一八・六法五〇〕

（**仮代表者**）

第二百六十条の九　認可地縁団体の代表者が欠けた場合において、事務が遅滞することにより損害を生ずるおそれがあるときは、裁判所は、利害関係人又は検察官の請求により、仮代表者を選任しなければならない。

＊本条―追加〔平一八・六法五〇〕

（**利益相反行為**）

第二百六十条の十　認可地縁団体と代表者との利益が相反する事項については、代表者は、代表権を有しない。この場合においては、裁判所は、利害関係人又は検察官の請求により、特別代理人を選任しなければならない。

＊本条―追加〔平一八・六法五〇〕

（**監事**）

第二百六十条の十一　認可地縁団体には、規約又は総会の決議で、一人又は数人の監事を置くことができる。

＊本条―追加〔平一八・六法五〇〕

（**監事の職務**）

第二百六十条の十二　認可地縁団体の監事の職務は、次のとおりとする。

一　財産の状況を監査すること。

二　代表者の業務の執行の状況を監査すること。

三　財産の状況又は業務の執行について、法令若しくは規約に違反し、又は著しく不当な事項があると認めるときは、総会に報告をすること。

四　前号の報告をするため必要があるときは、総会を招集すること。

＊本条―追加〔平一八・六法五〇〕

（**通常総会**）

第二百六十条の十三　認可地縁団体の代表者は、少なくとも毎年一回、構成員の通常総会を開かなければならない。

＊本条―追加〔平一八・六法五〇〕

〔臨時総会〕

第二百六十条の十四　認可地縁団体の代表者は、必要があると認めるときは、いつでも臨時総会を招集することができる。

②　総構成員の五分の一以上から会議の目的である事項を示して請求があつたときは、認可地縁団体の代表者は、臨時総会を招集しなければならない。ただし、総構成員の五分の一の割合については、規約でこれと異なる割合を定めることができる。

＊本条―追加〔平一八・六法五〇〕

〔総会の招集〕

第二百六十条の十五　認可地縁団体の総会の招集の通知は、総会の日より少なくとも五日前に、その会議の目的である事項を示し、規約で定めた方法に従つてしなければならない。

＊本条―追加〔平一八・六法五〇〕

〔認可地縁団体の事務の執行〕

第二百六十条の十六　認可地縁団体の事務は、規約で代表者その他の役員に委任したものを除き、すべて総会の決議によつて行う。

＊本条―追加〔平一八・六法五〇〕

〔総会の決議事項〕

第二百六十条の十七　認可地縁団体の総会においては、第二百六十条の十五の規定によりあらかじめ通知をした事項についてのみ、決議をすることができる。ただし、規約に別段の定めがあるときは、この限りでない。

＊本条―追加〔平一八・六法五〇〕

【引用条文】

【法二六〇の一五（総会の招集）】

〔構成員の表決権〕

第二百六十条の十八　認可地縁団体の各構成員の表決権は、平等とする。

②　認可地縁団体の総会に出席しない構成員は、書面で、又は代理人によつて表決をすることができる。

③　前項の構成員は、規約又は総会の決議により、同項の規定による書面による表決に代えて、電磁的方法（電子情報処理組織を使用する方法その他の情報通信の技術を利用する方法であつて総務省令で定めるものをいう。第二百六十条の十九の二において同じ。）により表決をすることができる。

④　前三項の規定は、規約に別段の定めがある場合には、適用しない。

＊本条―追加〔平一八・六法五〇〕、三項―追加・旧三項―一部改正し四項に繰下〔令三・五法三七〕、三項―一部改正〔令四・五法四四〕

【参照条文】

③【総務省令の定―則二二の二１】

〔表決権のない場合〕

第二百六十条の十九　認可地縁団体と特定の構成員との関係について議決をする場合には、その構成員は、表決権を有しない。

＊本条―追加〔平一八・六法五〇〕

〔総会の決議方法〕

第二百六十条の十九の二　この法律又は規約により総会において決議をすべき場合において、構成員全員の承諾があるときは、書面又は電磁的方法による決議をすることができる。ただし、電磁的方法による決議に係る構成員の承諾については、総務省令で定めるところによらなければならない。

②　この法律又は規約により総会において決議すべきものとされた事項については、構成員全員の書面又は電磁的方法による合意があつたときは、書面又は電磁的方法による決議があつたものとみなす。

③　この法律又は規約により総会において決議すべきものとされた事項についての書面又は電磁的方法による決議は、総会の決議と同一の効力を有する。

④　総会に関する規定は、書面又は電磁的方法による決議について準用する。

＊本条―追加〔令四・五法四四〕

〔認可地縁団体の解散事由〕

第二百六十条の二十　認可地縁団体は、次に掲げる事由によつて解散する。

一　規約で定めた解散事由の発生

二　破産手続開始の決定

三　第二百六十条の二第十四項の規定による同条第一項の認可の取消し

四　総会の決議

五　構成員が欠けたこと。

六　合併（合併により当該認可地縁団体が消滅する場合

に限る。）

＊本条―追加〔平一八・六法五〇〕、一部改正〔令四・五法四四〕

〔認可地縁団体の解散の決議〕

第二百六十条の二十一　認可地縁団体は、総構成員の四分の三以上の賛成がなければ、解散の決議をすることができない。ただし、規約に別段の定めがあるときは、この限りでない。

＊本条―追加〔平一八・六法五〇〕

〔認可地縁団体についての破産手続の開始〕

第二百六十条の二十二　認可地縁団体がその債務につきその財産をもつて完済することができなくなつた場合には、裁判所は、代表者若しくは債権者の申立てにより又は職権で、破産手続開始の決定をする。

②　前項に規定する場合には、代表者は、直ちに破産手続開始の申立てをしなければならない。

＊本条―追加〔平一八・六法五〇〕

〔清算認可地縁団体〕

第二百六十条の二十三　解散した認可地縁団体は、清算の目的の範囲内において、その清算の結了に至るまではなお存続するものとみなす。

＊本条―追加〔平一八・六法五〇〕

〔清算人〕

第二百六十条の二十四　認可地縁団体が解散したときは、破産手続開始の決定及び合併による解散の場合を除き、代表者がその清算人となる。ただし、規約に別段の定めがあるとき、又は総会において代表者以外の者を選任したときは、この限りでない。

＊本条―追加〔平一八・六法五〇〕、一部改正〔令四・五法四四〕

〔裁判所による清算人の選任〕

第二百六十条の二十五　前条の規定により清算人となる者がないとき、又は清算人が欠けたため損害を生ずるおそれがあるときは、裁判所は、利害関係人若しくは検察官の請求により又は職権で、清算人を選任することができる。

＊本条―追加〔平一八・六法五〇〕

【引用条文】
【法二六〇の二四（清算人）】

〔清算人の解任〕

第二百六十条の二十六　重要な事由があるときは、裁判所は、利害関係人若しくは検察官の請求により又は職権で、認可地縁団体の清算人を解任することができる。

＊本条―追加〔平一八・六法五〇〕

〔清算人の職務及び権限〕

第二百六十条の二十七　認可地縁団体の清算人の職務は、次のとおりとする。

一　現務の結了
二　債権の取立て及び債務の弁済
三　残余財産の引渡し

②　清算人は、前項各号に掲げる職務を行うために必要な一切の行為をすることができる。

＊本条―追加〔平一八・六法五〇〕

〔債権の申出の催告等〕

第二百六十条の二十八　認可地縁団体の清算人は、その就職後遅滞なく、公告をもつて、債権者に対し、一定の期間内にその債権の申出をすべき旨の催告をしなければならない。この場合において、その期間は、二月を下ることができない。

②　前項の公告には、債権者がその期間内に申出をしないときは清算から除斥されるべき旨を付記しなければならない。ただし、清算人は、知れている債権者を除斥することができない。

③　認可地縁団体の清算人は、知れている債権者には、各別にその申出の催告をしなければならない。

④　第一項の公告は、官報に掲載してする。

＊本条―追加〔平一八・六法五〇〕、一項―一部改正〔令四・五法四四〕

〔期間経過後の債権の申出〕

第二百六十条の二十九　前条第一項の期間の経過後に申出をした債権者は、認可地縁団体の債務が完済された後まだ権利の帰属すべき者に引き渡されていない財産に対してのみ、請求をすることができる。

＊本条―追加〔平一八・六法五〇〕

【引用条文】
【法二六〇の二八（債権の申出の催告等）1】

〔清算認可地縁団体についての破産手続の開始〕

第二百六十条の三十　清算中に認可地縁団体の財産がその債務を完済するのに足りないことが明らかになつたとき

は、清算人は、直ちに破産手続開始の申立てをし、その旨を公告しなければならない。

② 清算人は、清算中の認可地縁団体が破産手続開始の決定を受けた場合において、破産管財人にその事務を引き継いだときは、その任務を終了したものとする。

③ 前項に規定する場合において、清算中の認可地縁団体が既に債権者に支払い、又は権利の帰属すべき者に引き渡したものがあるときは、破産管財人は、これを取り戻すことができる。

④ 第一項の規定による公告は、官報に掲載してする。

＊本条―追加〔平一八・六法五〇〕

〔残余財産の帰属〕

第二百六十条の三十一 解散した認可地縁団体の財産は、破産手続開始の決定及び合併による解散の場合を除き、規約で指定した者に帰属する。

② 規約で権利の帰属すべき者を指定せず、又はその者を指定する方法を定めなかつたときは、代表者は、市町村長の認可を得て、その認可地縁団体の目的に類似する目的のために、その財産を処分することができる。ただし、総会の決議を経なければならない。

③ 前二項の規定により処分されない財産は、市町村に帰属する。

＊本条―追加〔平一八・六法五〇〕、一項―一部改正〔令四・五法四四〕

【通　知】

1）●認可地縁団体が団体解散時の残余財産の帰属者を規約により指定する場合に、営利法人等を帰属権利者とすることは、法の定める地縁による団体の目的にかんがみ適当ではなく、法第二六〇条の三一第二項の趣旨から、当該団体と類似の目的を有する団体に限って帰属権利者を指定する旨規定することが適当であるから、団体に対する認可や規約の変更に係る認可にあたっては、この点について、確認すべきこと。（平二〇・一二・一五通知）

●認可地縁団体の剰余金の分配については、これを行うことは適当ではないから、団体に対する認可や規約の変更に係る認可にあたっては、この点について、確認すべきこと。なお、例えば、認可地縁団体の規約において、資産の処分について総会の議決によることとしている場合は、剰余金の分配と認められる資産の処分を対象に含めることはできないから、この点留意すべきこと。（平二〇・一二・一五通知）

〔裁判所による監督〕

第二百六十条の三十二 認可地縁団体の解散及び清算は、裁判所の監督に属する。

② 裁判所は、職権で、いつでも前項の監督に必要な検査をすることができる。

＊本条―追加〔平一八・六法五〇〕

〔清算結了の届出〕

第二百六十条の三十三 認可地縁団体の清算が結了したときは、清算人は、その旨を市町村長に届け出なければならない。

＊本条―追加〔平一八・六法五〇〕

〔事件の管轄〕

第二百六十条の三十四 認可地縁団体に係る次に掲げる事件は、その主たる事務所の所在地を管轄する地方裁判所の管轄に属する。

一　仮代表者又は特別代理人の選任に関する事件
二　解散及び清算の監督に関する事件
三　清算人に関する事件

＊本条―追加〔平一八・六法五〇〕

〔不服申立ての制限〕

第二百六十条の三十五 認可地縁団体の清算人の選任の裁判に対しては、不服を申し立てることができない。

＊本条―追加〔平一八・六法五〇〕

〔裁判所の選任する清算人等の報酬〕

第二百六十条の三十六 裁判所は、第二百六十条の二十五の規定により清算人を選任した場合には、認可地縁団体が当該清算人に対して支払う報酬の額を定めることができる。この場合においては、裁判所は、当該清算人及び監事（監事を置く認可地縁団体にあつては、当該清算人及び監事）の陳述を聴かなければならない。

＊本条―追加〔平一八・六法五〇〕

【引用条文】
【法二六〇の二五（裁判所による清算人の選任）】

〔検査役の選任〕

第二百六十条の三十七 裁判所は、認可地縁団体の解散及び清算の監督に必要な調査をさせるため、検査役を選任することができる。

② 前二条の規定は、前項の規定により裁判所が検査役を選任した場合について準用する。この場合において、前条中「清算人（監事を置く認可地縁団体にあつては、当該清算人及び監事）」とあるのは、「認可地縁団体及び検

査役」と読み替えるものとする。

＊本条―追加〔平一八・六法五〇〕、一部改正・旧二六〇条の三八―繰上〔平二三・五法五三〕

【引用条文】

【法二六〇の三五（不服申立ての制限）・二六〇の三六（裁判所の選任する清算人等の報酬）

〔認可地縁団体の合併〕

第二百六十条の三十八　認可地縁団体は、同一市町村内の他の認可地縁団体と合併することができる。

＊本条―追加〔令四・五法四四〕

〔合併時の手続〕

第二百六十条の三十九　認可地縁団体が合併しようとするときは、総会の決議を経なければならない。

② 前項の決議は、総構成員の四分の三以上の多数をもつてしなければならない。ただし、規約に別段の定めがあるときは、この限りでない。

③ 合併は、市町村長の認可を受けなければ、その効力を生じない。

④ 第二百六十条の二第二項及び第五項の規定は、前項の認可について準用する。この場合において、同条第二項第一号中「現にその活動を」とあるのは、「合併しようとする各認可地縁団体が連携して当該目的に資する活動を現に」と読み替えるものとする。

＊本条―追加〔令四・五法四四〕

〔債権者保護手続〕

第二百六十条の四十　認可地縁団体は、前条第三項の認可があつたときは、その認可の通知のあつた日から二週間以内に、財産目録を作成し、次項の規定により債権者が異議を述べることができる期間が満了するまでの間、これをその主たる事務所に備え置かなければならない。

② 認可地縁団体は、前条第三項の認可があつたときは、その認可の通知のあつた日から二週間以内に、その債権者に対し、合併に異議があれば一定の期間内に述べるべきことを公告し、かつ、判明している債権者に対しては、各別にこれを催告しなければならない。この場合において、その期間は、二月を下ることができない。

＊本条―追加〔令四・五法四四〕

〔合併に関する異議の手続等〕

第二百六十条の四十一　債権者が前条第二項の期間内に異議を述べなかつたときは、合併を承認したものとみなす。

② 債権者が異議を述べたときは、認可地縁団体は、弁済し、若しくは相当の担保を供し、又はその債権者に弁済を受けさせることを目的として信託会社若しくは信託業務を営む金融機関に相当の財産を信託しなければならない。ただし、合併をしてもその債権者を害するおそれがないときは、この限りでない。

③ 合併しようとする各認可地縁団体は、前条及び前二項の規定による手続が終了した場合には、総務省令で定めるところにより、共同で、遅滞なく、その旨を市町村長に届け出なければならない。

＊本条―追加〔令四・五法四四〕

〔事務処理者〕

第二百六十条の四十二　合併により認可地縁団体を設立する場合には、規約の作成その他認可地縁団体の設立に関する事務は、各認可地縁団体において選任した者が共同して行わなければならない。

＊本条―追加〔令四・五法四四〕

〔権利義務の承継〕

第二百六十条の四十三　合併後存続する認可地縁団体又は合併により設立した認可地縁団体は、合併により消滅した認可地縁団体の一切の権利義務（当該認可地縁団体がその行う活動に関し行政庁の認可その他の処分に基づいて有する権利義務を含む。）を承継する。

＊本条―追加〔令四・五法四四〕

〔合併の認可の告示〕

第二百六十条の四十四　市町村長は、第二百六十条の四十一第三項の規定による届出があつたときは、当該届出に係る合併について第二百六十条の三十九第三項の認可をした旨その他総務省令で定める事項を告示しなければならない。

② 認可地縁団体の合併は、前項の規定による告示によりその効力を生ずる。

③ 合併により設立した団体は、第一項の規定による告示の日において認可地縁団体となつたものとみなす。

④ 第一項の規定により告示した事項は、第二百六十条の二第十項の規定により告示した事項とみなす。この場合において、合併後存続する認可地縁団体に係る同項の規定による従前の告示は、その効力を失う。

⑤ 第二百六十条の四第一項の規定は、第一項の規定による告示があつた場合について準用する。

＊本条―追加〔令四・五法四四〕

〔合併の認可の取消〕

第二百六十条の四十五　市町村長は、次の各号のいずれかに該当するときは、第二百六十条の三十九第三項の認可を取り消すことができる。

一　第二百六十条の三十九第三項の認可をした日から六月を経過しても第二百六十条の四十一第三項の規定による届出がないとき。

二　認可地縁団体が不正な手段により第二百六十条の三十九第三項の認可を受けたとき。

②　前条第一項の規定による告示後に前項（第二号に係る部分に限る。）の規定により第二百六十条の三十九第三項の認可が取り消されたときは、当該認可に係る合併をした認可地縁団体は、当該合併の効力が生じた日後に合併後存続した認可地縁団体又は合併により設立した認可地縁団体が負担した債務について、連帯して弁済する責任を負う。

③　前項に規定する場合には、当該合併の効力が生じた日後に合併後存続した認可地縁団体又は合併により設立した認可地縁団体が取得した財産は、当該合併をした認可地縁団体の共有に属する。

④　前二項に規定する場合には、各認可地縁団体の第二項の債務の負担部分及び前項の財産の共有持分は、各認可地縁団体の協議によつて定める。

＊本条―追加〔令四・五法四四〕

〔不動産登記法の特例の申請手続〕

第二百六十条の四十六　認可地縁団体が所有する不動産であつて表題部所有者（不動産登記法（平成十六年法律第百二十三号）第二条第十号に規定する表題部所有者をいう。以下この項において同じ。）又は所有権の登記名義人の全てが当該認可地縁団体の構成員又はかつて当該認可地縁団体の構成員であつた者であるもの（当該認可地縁団体によつて、十年以上所有の意思をもつて平穏かつ公然と占有されているものに限る。）について、当該不動産の表題部所有者若しくは所有権の登記名義人又はこれらの相続人（以下この条において「登記関係者」という。）の全部又は一部の所在が知れない場合において、当該認可地縁団体が当該認可地縁団体を登記名義人とする当該不動産の所有権の保存又は移転の登記をしようとするときは、当該認可地縁団体は、総務省令で定めるところにより、当該不動産に係る次項の公告を求める旨を市町村長に申請することができる。この場合において、当該申請を行う認可地縁団体は、次の各号に掲げる事項を疎明するに足りる資料を添付しなければならない。

一　当該認可地縁団体が当該不動産を所有していること。

二　当該認可地縁団体が当該不動産を十年以上所有の意思をもつて平穏かつ公然と占有していること。

三　当該不動産の表題部所有者又は所有権の登記名義人の全てが当該認可地縁団体の構成員又はかつて当該認可地縁団体の構成員であつた者であること。

四　当該不動産の登記関係者の全部又は一部の所在が知れないこと。

②　市町村長は、前項の申請を受けた場合において、当該申請を相当と認めるときは、総務省令で定めるところにより、当該申請を行つた認可地縁団体が同項に規定する不動産の所有権の保存又は移転の登記をすることについて異議のある当該不動産の登記関係者又は当該不動産の所有権を有することを疎明する者（次項から第五項までにおいて「登記関係者等」という。）は、当該市町村長に対し異議を述べるべき旨を公告するものとする。この場合において、公告の期間は、三月を下つてはならない。

③　前項の公告に係る登記関係者等が同項の期間内に同項の異議を述べなかつたときは、第一項に規定する不動産の所有権の保存又は移転の登記をすることについて当該公告に係る登記関係者の承諾があつたものとみなす。

④　市町村長は、前項の規定により第一項に規定する不動産の所有権の保存又は移転の登記をすることについて登記関係者の承諾があつたものとみなされた場合には、総務省令で定めるところにより、当該市町村長が第二項の規定による公告をしたこと及び登記関係者等が同項の期間内に異議を述べなかつたことを証する情報を第一項の規定により申請を行つた認可地縁団体に提供するものとする。

⑤　第二項の公告に係る登記関係者等が同項の期間内に同項の異議を述べたときは、市町村長は、総務省令で定めるところにより、その旨及びその内容を第一項の規定により申請を行つた認可地縁団体に通知するものとする。

＊本条―追加〔平二六・五法四二〕、旧二六〇条の三八―二六〇条の四六に繰下〔令四・五法四四〕

【引用条文】
①【不動産登記法二（定義）】X

【参照条文】
①【総務省令の定―則二二の二】
②【総務省令の定―則二二の三】
④【総務省令の定―則二二の四】
⑤【総務省令の定―則二二の五】

【通　知】
●当該特例措置は、認可地縁団体から市町村長への申請に基づいて行うものであり、市町村長は、申請の際に当該認可地縁団体から提出される不動産の所有状況等に関する疎明資料を確認し、当該申請を相当と認める場合に公告手続に移るものであること。また、法第二六〇条の二第一項の市町村長の認可を受けていない地縁団体が特例適用の対象となる不動産を有する場合にあっては、同項の認可を受けたうえで、特例適用を申請することが可能であること。（平二六・五・三〇通知）

〔不動産登記法の特例〕

第二百六十条の四十七　不動産登記法第七十四条第一項の規定にかかわらず、前条第四項に規定する証する情報を提供された認可地縁団体が申請情報（同法第十八条に規定する申請情報をいう。次項において同じ。）と併せて当該証する情報を登記所に提供するときは、当該認可地縁団体が当該証する情報に係る前条第一項に規定する不動産の所有権の保存の登記を申請することができる。

②　不動産登記法第六十条の規定にかかわらず、前条第四項に規定する証する情報を提供された認可地縁団体が申請情報と併せて当該証する情報を登記所に提供するときは、当該認可地縁団体のみで当該証する情報に係る同条第一項に規定する不動産の所有権の移転の登記を申請することができる。

＊本条…追加〔平二六・五法四二〕、旧二六〇条の三九…二六〇条の四七に繰下〔令四・五法四四〕

【引用条文】
①【不動産登記法一八・七四1　法二六〇の四六（不動産登記法の特例の申請手続）4
②【不動産登記法六〇　法二六〇の四六（不動産登記法の特例の申請手続）4

〔過料に処すべき行為〕

第二百六十条の四十八　次の各号のいずれかに該当する場合には、認可地縁団体の代表者又は清算人は、[1]非訟事件手続法（平成二十三年法律第五十一号）により、五十万円以下の過料に処する。

一　第二百六十条の二十二第二項又は第二百六十条の三十第一項の規定による破産手続開始の申立てを怠ったとき。

二　第二百六十条の二十八第一項又は第二百六十条の三十第一項の規定による公告を怠り、又は不正の公告をしたとき。

三　第二百六十条の四十第一項の規定に違反して、財産目録を作成せず、若しくは備え置かず、又はこれに記載すべき事項を記載せず、若しくは虚偽の記載をしたとき。

四　第二百六十条の四十第二項又は第二百六十条の四十一第二項の規定に違反して、合併をしたとき。

＊本条…追加〔平一八・六法五〇〕、一部改正・旧二六〇条の三九…繰上〔平二三・五法五三〕、旧二六〇条の三八…二六〇条の四〇に繰下〔平二六・五法四二〕、一部改正・旧二六〇条の四〇…二六〇条の四八に繰下〔令四・五法四四〕

【引用条文】
【非訟事件手続法　法二六〇の二二（認可地縁団体についての破産手続の開始）2・二六〇の三〇（清算中の認可地縁団体についての破産手続の開始）1・二六〇の二八（債権の申出の催告等）1

【通　知】
1）●認可を受けた地縁による団体の代表者又は清算人に科される過料は、非訟事件手続法により裁判所が科するものである。（平三・四・二通知）

〔指定地域共同活動団体〕

第二百六十条の四十九　市町村は、基礎的な地方公共団体として、その事務を処理するに当たり、地域の多様な主体の自主性を尊重しつつ、これらの主体と協力して、住民の福祉の増進を効率的かつ効果的に図るようにしなければならない。

②　市町村長は、前項の規定の趣旨を達成するため必要があると認めるときは、地域的な共同活動を行う団体のうち、地縁による団体その他の団体（当該市町村内の一定の区域に住所を有する者を主たる構成員とするものに限る。）又は当該団体を主たる構成員とする団体であって、次に掲げる要件を備えるものを、その申請により、指定地域共同活動団体として指定することができる。

一　良好な地域社会の維持及び形成に資する地域的な共同活動であって、地域において住民が日常生活を営むために必要な環境の持続的な確保に資するものとして条例で定めるもの（以下この条において「特定地域共同活動」という。）を、地域の多様な主体との連携その他の方法により効率的かつ効果的に行うと認められること。

二　民主的で透明性の高い運営その他適正な運営を確保するために必要なものとして条例で定める要件を備えること。

三　目的、名称、主としてその活動を行う区域その他の総務省令で定める事項を内容とする定款、規約その他これらに準ずるものを定めていること。

四　前三号に掲げるもののほか、条例で定める要件を備えること。

③　市町村は、指定地域共同活動団体に対し、当該指定地域共同活動団体が行う特定地域共同活動に関し必要な支

援を行うものとする。

④ 市町村長は、指定地域共同活動団体が行う特定地域共同活動の状況及び当該特定地域共同活動に対する前項の支援の状況について公表するものとする。

⑤ 指定地域共同活動団体は、特定地域共同活動を他の地域的な共同活動を行う団体と連携して効率的かつ効果的に行うため、当該特定地域共同活動と他の地域的な共同活動を行う団体が行う当該特定地域共同活動と関連性が高い活動との間の調整を行うよう市町村長に求めることができる。この場合において、市町村長は、必要があると認めるときは、当該調整を図るために必要な措置を講じなければならない。

⑥ 市町村は、当該市町村の事務の処理が指定地域共同活動団体が行う当該事務に関連する特定地域共同活動と一体的に行われることにより、住民の福祉の増進が効率的かつ効果的に図られると認めるときは、当該事務の当該指定地域共同活動団体への委託については、第二百三十四条第二項の規定にかかわらず、政令の定めるところにより、当該市町村の規則で定める手続により、随意契約によることができる。

⑦ 市町村は、指定地域共同活動団体が当該市町村の所有に属する行政財産を使用して特定地域共同活動を行うことにより、当該特定地域共同活動に関連する当該市町村の事務の処理と相まつて、住民の福祉の増進が効率的かつ効果的に図られると認めるときは、第二百三十八条の四第一項の規定にかかわらず、当該特定地域共同活動の用に供するため、当該行政財産を、その用途又は目的を妨げない限度において、当該指定地域共同活動団体に貸し付けることができる。

⑧ 前項の規定による貸付けについては、民法第六百四条並びに借地借家法第三条及び第四条の規定は、適用しない。

⑨ 第二百三十八条の二第二項及び第二百三十八条の五第四項から第六項までの規定は、第七項の規定による貸付けについて準用する。

⑩ 市町村長は、指定地域共同活動団体が行う特定地域共同活動の適正な実施を確保するため必要があると認めるときは、当該指定地域共同活動団体に対し、当該特定地域共同活動の状況その他必要な事項に関し報告を求めることができる。

⑪ 市町村長は、指定地域共同活動団体が第二項に規定する要件を欠くに至つたと認めるときその他法令に基づいてする行政庁の処分若しくは当該市町村の条例に違反し、又はその運営が著しく適正を欠くと認めるときは、この条の規定の施行に必要な限度において、当該指定地域共同活動団体に対し、期限を定めて、その改善のために必要な措置を講ずべきことを命ずることができる。

⑫ 市町村長は、指定地域共同活動団体が第二項に規定する要件を欠くに至つたと認める場合であつて前項の規定による命令によつてはその改善を期待することができないことが明らかであるとき、同項の規定による命令に違反したとき、又は不正な手段により第二項の指定を受けたときその他条例で定めるときは、その指定を取り消すことができる。

＊本条―追加（令六・六法六五）

【引用条文】

⑨【法二三八の二（公有財産に関する長の総合調整権）2・二三八の五（普通財産の管理及び処分）4・5・6

【参照条文】

⑥【契約の締結―法二三四2

⑦【行政財産の管理及び処分―法二三八の四1

⑧【賃貸借の存続期間―民法六〇四1・2　【借地権の存続期間―借地借家法三　【借地権の更新後の期間―借地借家法四

【通　知】

●市町村は、基礎的な地方公共団体として、その事務を処理するに当たり、地域の多様な主体の自主性を尊重しつつ、これらの主体と協力して、住民の福祉の増進を効率的かつ効果的に図るようにしなければならないものとされたこと。（令六・七・二通知）

●市町村長は、第一項の趣旨を達成するため必要があると認めるときは、地域的な共同活動を行う団体のうち、地縁による団体その他の団体（当該市町村内の一定の区域に住所を有する者を主たる構成員とするものに限る。）又は当該団体を主たる構成員とする団体であつて、次に掲げる要件を備えるものを、その申請により、指定地域共同活動団体として指定することができるものとされたこと。（令六・七・二通知）

（１）良好な地域社会の維持及び形成に資する地域的な共同活動であつて、地域において住民が日常生活を営むために必要な環境の持続的な確保に資するものとして条例で定めるもの（以下「特定地域共同活動」という。）を、地域の多様な主体との連携その他の方法により効率的かつ効果的に行うと認められること。

（２）民主的で透明性の高い運営その他適正な運営を確保するために必要なものとして条例で定める要件を備えること。

（３）目的、名称、主としてその活動を行う区域その他の総務省令で定める事項を内容とする定款、規約その他これらに準ずるものを定めていること。

(4)(1)から(3)までに掲げるもののほか、条例で定める要件を備えること。

●指定地域共同活動団体は、特定地域共同活動を他の地域的な共同活動を行う団体と連携して効率的かつ効果的に行うため、当該特定地域共同活動と他の地域的な共同活動を行う団体が行う当該特定地域共同活動と関連性が高い活動との間の調整を行うよう市町村長に求めることができるものとすること。この場合において、市町村長は、必要があると認めるときは、当該調整を図るために必要な措置を講じなければならないものとされたこと。(令六・七・二通知)

●市町村は、住民の福祉の増進が効率的かつ効果的に図られると認めるときは、指定地域共同活動団体への事務の委託については、第二三四条第二項の規定にかかわらず、随意契約によることができるものとされたこと。なお、指定都市の締結する特定調達契約(地方公共団体の物品等又は特定役務の調達手続の特例を定める政令(平成七年政令第三七二号)第四条に規定する特定調達契約をいう。)に該当するものの取扱いについては、改正法の施行に合わせて、今後同令の改正を予定しており、その定めるところによること。(令六・七・二通知)

●市町村は、住民の福祉の増進が効率的かつ効果的に図られると認めるときは、第二三八条の四第一項の規定にかかわらず、特定地域共同活動の用に供するため、行政財産を指定地域共同活動団体に貸し付けることができるものとされたこと。(令六・七・二通知)

●市町村長は、指定地域共同活動団体に対し、特定地域共同活動の状況その他必要な事項に関し報告を求めることができるものとするほか、指定地域共同活動団体が第二項の要件を欠くに至ったと認めるとき等は、その改善のために必要な措置を講ずべきことを命ずることができるものとされたこと。(令六・七・二通知)

〔特別法の住民投票〕

第二百六十一条　一の普通地方公共団体のみに適用される特別法が国会又は参議院の緊急集会において議決されたときは、最後に議決した議院の議長(衆議院の議決が国会の議決となつた場合には衆議院議長とし、参議院の緊急集会において議決した場合には参議院議長とする。)は、当該法律を添えてその旨を内閣総理大臣に通知しなければならない。

② 前項の規定による通知があつたときは、内閣総理大臣は、直ちに当該法律を添えてその旨を総務大臣に通知し、総務大臣は、その通知を受けた日から五日以内に、関係普通地方公共団体の長にその旨を通知するとともに、当該法律その他関係書類を移送しなければならない。

③ 前項の規定による通知があつたときは、関係普通地方公共団体の長は、その日から三十一日以後六十日以内に、選挙管理委員会をして当該法律について賛否の投票を行わしめなければならない。

④ 前項の投票の結果が判明したときは、関係普通地方公共団体の長は、その日から五日以内に関係書類を添えてその結果を総務大臣に報告し、総務大臣は、直ちにその旨を内閣総理大臣に報告しなければならない。その投票の結果が確定したことを知つたときも、また、同様とする。

⑤ 前項の規定により第三項の投票の結果が確定した旨の報告があつたときは、内閣総理大臣は、直ちに当該法律の公布の手続をとるとともに衆議院議長及び参議院議長に通知しなければならない。

＊一・二・四項一部改正・五項削る・旧六項一部改正・五項に繰上〔昭二二・一二法一六九〕、一・五項一部改正〔昭三〇・一法三〕、二・四項一部改正〔昭三五・六法一一三、平一一・一二法一六〇〕

【参照条文】

① 【一の地方公共団体のみに適用される特別法―憲法九五　国会法六七　【参議院の緊急集会―憲法五四2・3　国会法一一章

②・③ 【長に対する通知及び通知を受けた場合の措置―令一八〇　【賛否の投票―法二六二

⑤ 【法律の公布手続―憲法七Ⅰ　国会法六五1・六六

【注釈】

1) ○「その日から三十一日以後六十日以内」とは、総務大臣から国会において特別法の議決があつた旨の通知が到達した日の翌日を第一日とし三〇日目にあたる日の翌日から、その日を第一日として計算して六〇日目にあたる日までである。例えば、通知のあつた日を五月一〇日とすれば、六月一〇日から八月八日までの間となる。

〔住民投票に関する準用規定〕

第二百六十二条　政令で特別の定をするものを除く外、公職選挙法中普通地方公共団体の選挙に関する規定は、前条第三項の規定による投票にこれを準用する。

② 前条第三項の規定による投票は、政令の定めるところにより、普通地方公共団体の選挙又は第七十六条第三項の規定による解散の投票若しくは第八十条第三項及び第八十一条第二項の規定による解職の投票と同時にこれを行うことができる。

＊二項一部改正〔昭二三・七法一七九〕、一項一部改正〔昭二五・四法一〇一〕、二項一部改正〔昭三八・六法九九〕

【引用条文】

①【選挙法　法二六一（特別法の住民投票）3

②【法七六（議会の解散の請求とその処置）3・八〇（議員の解職の請求とその処置）3・八一（長の解職の請求とその処置）2・二六一（特別法の住民投票）3

【参照条文】

①【特別の定―令一八一・一八七・一八八の二

②【政令の定―令一八八

【実　例】

※●参議院議員選挙と特別法賛否投票は、事実上同日に投票を行うことができる。（昭二五・五・一〇行実）

〔公営企業の特例〕

第二百六十三条　普通地方公共団体の経営する企業の組織及びこれに従事する職員の身分取扱並びに財務その他企業の経営に関する特例は、別に法律でこれを定める。

＊本条―削除〔昭二五・四法一〇二〕、追加〔昭二七・八法二九二〕

【参照条文】

【「別に法律」の定―公企法　地公労法

〔相互救済事業経営の委託〕

第二百六十三条の二　普通地方公共団体は、議会の議決を経て、その利益を代表する全国的な公益的法人に委託することにより、他の普通地方公共団体と共同して、火災、水災、震災その他の災害に因る財産の損害に対する相互救済事業を行うことができる。

②　前項の公益的法人は、[1]毎年一回以上定期に、その事業の経営状況を関係普通地方公共団体の長に通知するとともに、これを適当と認める新聞紙に二回以上掲載しなければならない。

③　第一項の相互救済事業で保険業に該当するものについては、保険業法は、これを適用しない。

＊本条―追加〔昭三三・七法一七九〕、一項―一部改正〔昭三八・六法九九〕、四項―一部改正〔平七・六法一〇六、平一四・六法六五〕、三項―削る・旧四項―三項に繰上〔平二五・六法四四〕

【参照条文】

①【議会の議決―法九六1XV　【財産―法二三七

③【保険―保険法　保険業法一・三・四等

※法二五二の一四

【注　釈】

1）○「毎年一回以上」とは、一月一日から一二月三一日までの間において一回又は一回をこえる回数である。

〔長、議長の連合組織〕

第二百六十三条の三　都道府県知事若しくは都道府県の議会の議長、市長若しくは市の議会の議長又は町村長若しくは町村の議会の議長が、その相互間の連絡を緊密にし、並びに共通の問題を協議し、及び処理するためのそれぞれの全国的連合組織を設けた場合においては、当該連合組織の代表者は、その旨を総務大臣に届け出なければならない。

②　前項の連合組織で同項の規定による届出をしたものは、地方自治に影響を及ぼす法律又は政令その他の事項に関し、総務大臣を経由して内閣に対し意見を申し出、又は国会に意見書を提出することができる。

③　内閣は、前項の意見の申出を受けたときは、これに遅滞なく回答するよう努めるものとする。

④　前項の場合において、当該意見が地方公共団体に対し新たに事務又は負担を義務付けると認められる国の施策に関するものであるときは、内閣は、これに遅滞なく回答するものとする。

⑤　各大臣は、その担任する事務に関し地方公共団体に対し[1]新たに事務又は負担を義務付けると認められる施策の立案をしようとする場合には、第二項の連合組織が同項の規定により内閣に対して意見を申し出ることができるよう、当該連合組織に当該施策の内容となるべき事項を知らせるために[2]適切な措置を講ずるものとする。

＊本条―追加〔昭三八・六法九九〕、二項―追加〔平五・六法七三〕、三・四項―追加〔平一一・七法八七〕、一・二項―一部改正〔平一一・一二法一六〇〕、五項―追加〔平一八・六法五三〕

【通　知】

※●各大臣は、新たに事務又は負担を義務付けられる地方公共団体の長の連合組織及び当該地方公共団体の議長の連合組織に適切な措置を講ずるものであること。したがって、必ずしも全ての長又は議長の全国的連合組織に対して行われるものではないこと。（平一八・六・七通知）

1）●「新たに事務又は負担を義務付けると認められる施策の立案をしようとする場合」とは、地方公共団体に対し新たに必置規制や計画策定など事務を義務付ける施策又は地方公共団体に対し新たに負担を義務付ける施策について規定する法律案又は政令案の立案をしようとする場合が該当するものであること。（平一八・六・七通知）

2）●「適切な措置」とは、長又は議長の全国的連合組織に対する事前の情報提供であり、その時期や方法は、各大臣が本制度の趣旨を踏まえ、適切に判断するものであること。例えば、法律案については、審議会等の答申を受けた場合、当該答申を踏まえて法案化する旨を当該答申とともに通知する方法があること。（平一八・六・七通知）

第三編　特別地方公共団体

＊編名―改正〔昭二二・一二法一六九〕

第一章　削除〔昭三一・六法一四七〕

第二百六十四条乃至第二百八十条　削除〔昭三一・六法一四七〕

第二章　特別区

＊旧二節―二章に改正〔昭二二・一二法一六九〕

（**特別区**）

第二百八十一条　都の区は、これを特別区という。

2　特別区は、法律又はこれに基づく政令により都が処理することとされているものを除き、地域における事務並びにその他の事務で法律又はこれに基づく政令により市が処理することとされるもの及び法律又はこれに基づく政令により特別区が処理することとされるものを処理する。

＊二項―一部改正〔昭二二・一二法一六九〕、三項―追加〔昭二三・七法一七九〕、本条―全改〔昭二七・八法三〇六〕、二項―一部改正〔昭三一・六法一四七、法一六三〕、二項―全改・三項―一部改正・四項―後段追加〔昭三九・七法一六九〕、二項―一部改正〔昭四四・六法三八〕、二・三項―全改・四・五項―削る〔昭四九・六法七二〕、見出し―追加・二・三項―一部改正〔平一〇・五法五四〕、二・三項―一部改正〔平一一・七法八七〕、三項―削る〔平二三・五法三五〕

【参照条文】
※①【特別区―法一の三3
※　法二一2　大都市地域特別区設置法三

（**都と特別区との役割分担の原則**）

第二百八十一条の二　都は、特別区の存する区域において、特別区を包括する広域の地方公共団体として、第二条第五項において都道府県が処理するものとされている事務及び特別区に関する連絡調整に関する事務のほか、同条第三項において市町村が処理するものとされている事務のうち、人口が高度に集中する大都市地域における行政の一体性及び統一性の確保の観点から当該区域を通じて都が一体的に処理することが必要であると認められる事務を処理するものとする。

2　特別区は、基礎的な地方公共団体として、前項において特別区の存する区域を通じて都が一体的に処理するものとされているものを除き、一般的に、第二条第三項において市町村が処理するものとされている事務を処理するものとする。

3　都及び特別区は、その事務を処理するに当たつては、相互に競合しないようにしなければならない。

＊本条―追加〔平一〇・五法五四〕、一・二項―一部改正〔平一一・七法八七〕、一項―一部改正〔平二三・五法三五〕

【引用条文】
①・②【法二（地方公共団体の法人格とその事務）3・5

【参照条文】
※　法二一7

（**特別区の廃置分合又は境界変更**）

第二百八十一条の三　第七条の規定は、特別区については、適用しない。

＊本条―追加〔平一〇・五法五四〕

【引用条文】
【法七（市町村の廃置分合及び境界変更）

【参照条文】
※　法二八一の四・二八一の五

（**特別区の廃置分合又は境界変更**）

第二百八十一条の四　市町村の廃置分合又は境界変更を伴わない特別区の廃置分合又は境界変更は、関係特別区の申請に基づき、都知事が都の議会の議決を経てこれを定め、直ちにその旨を総務大臣に届け出なければならない。

2　前項の規定により特別区の廃置分合をしようとするときは、都知事は、あらかじめ総務大臣に協議し、その同意を得なければならない。

3　都と道府県との境界にわたる特別区の境界変更は、関係特別区及び関係のある普通地方公共団体の申請に基づき、総務大臣がこれを定める。

4　第一項の場合において財産処分を必要とするときは関係特別区が、前項の場合において財産処分を必要とするときは関係特別区及び関係市町村が協議してこれを定める。

5　第一項、第三項及び前項の申請又は協議については、関係特別区及び関係のある普通地方公共団体の議会の議決を経なければならない。

6　第一項の規定による届出を受理したとき、又は第三項の規定による処分をしたときは、総務大臣は、直ちにその旨を告示するとともに、これを国の関係行政機関の長に通知しなければならない。

7　第一項又は第三項の規定による処分は、前項の規定による告示によりその効力を生ずる。

8　都内の市町村の区域の全部又は一部による特別区の設置は、当該市町村の申請に基づき、都知事が都の議会の議決を経てこれを定め、直ちにその旨を総務大臣に届け出なければならない。

9　第二項及び第五項から第七項までの規定は、前項の規定による特別区の設置について準用する。この場合において、第二項中「前項」とあるのは「第八項」と、「廃置分合」とあるのは「設置」と、第五項中「第一項、第三項及び前項の申請又は協議」とあるのは「第八項の申請」と、「関係特別区及び関係のある普通地方公共団体」とあるのは「当該市町村」と、第六項中「第一項の規定による届出を受理したとき、又は第三項の規定による処分をしたとき」とあるのは「第八項の規定による届出を受理したとき」と、第七項中「第一項又は第三項」とあるのは「次項」と、「前項」とあるのは「第九項において準用する前項」と読み替えるものとする。

10　都内の市町村の廃置分合又は境界変更を伴う特別区の境界変更で市町村の設置を伴わないものは、関係特別区及び関係市町村の申請に基づき、都知事が都の議会の議決を経てこれを定め、直ちにその旨を総務大臣に届け出なければならない。

11　第二項及び第四項から第七項までの規定は、前項の規定による特別区の境界変更について準用する。この場合において、第二項中「前項」とあるのは「第十項」と、「廃置分合」とあるのは「境界変更」と、第四項中「第一項」とあるのは「第十項」と、「関係特別区が、前項の場合において財産処分を必要とするときは関係特別区」とあるのは「、関係特別区」と、第五項中「第一項、第三項及び前項の申請又は協議」とあるのは「第十項の申請及び第十一項において準用する前項の協議」と、「関係のある普通地方公共団体」とあるのは「関係市町村」と、第六項中「第一項の規定による届出を受理したとき、又は第三項の規定による処分をしたとき」とあるのは「第十項の規定による届出を受理したとき」と、第七項中「第一項又は第三項」とあるのは「第十項」と、「前項」とあるのは「第十一項において準用する前項」と読み替えるものとする。

12　この法律に規定するものを除くほか、第一項、第三項、第八項及び第十項の場合において必要な事項は、政令でこれを定める。

＊本条―追加〔平一〇・五法五四〕、二項―一部改正〔平一一・七法八七〕、一・二・三・六・八・一〇項―一部改正〔平一一・一二法一六〇〕

【参照条文】
⑫【政令の定】令二一〇九
※ 法七～九の五・二八一の三・二八一の五　大都市地域特別区設置法一二

（特別区の廃置分合又は境界変更）

第二百八十一条の五　第二百八十三条第一項の規定による特別区についての第九条第七項、第九条の三第一項、第二項及び第六項並びに第九十一条第三項及び第五項の規定の適用については、第九条第七項中「第七条第一項又は第三項及び第七項」とあるのは「第二百八十一条の四第一項若しくは第三項及び第六項又は同条第十項及び同条第十一項において準用する同条第六項」と、第九条の三第一項中「第七条第一項」とあるのは「第二百八十一条の四第一項及び第十項」と、同条第二項中「第七条第三項」とあるのは「第二百八十一条の四第三項」と、同条第六項中「第七条第七項及び第八項」とあるのは「第二百八十一条の四第六項及び第七項」と、第九十一条第三項中「第七条第一項又は第三項」とあるのは「第二百八十一条の四第一項、第三項、第八項又は第十項」と、同条第五項中「第七条第一項又は第三項」とあるのは「第二百八十一条の四第一項又は第八項」とする。

＊本条―追加〔平一〇・五法五四〕、一部改正〔平一一・七法八七、平一六・五法五七、平二三・五法三五〕

【引用条文】
【法九（市町村の境界の調停及び裁定）7・九の三（公有水面のみに係る市町村の境界の決定等）1・2・6・九一（市町村議会の議員の定数）3・5・二八三（市に関する規定の適用）1

【参照条文】
※ 法二八一の三・二八一の四

（都と特別区及び特別区相互の間の調整）

第二百八十一条の六　都知事は、特別区に対し、都と特別区及び特別区相互の間の調整上、特別区の事務の処理について、その処理の基準を示す等必要な助言又は勧告をすることができる。

＊本条―追加〔平一〇・五法五四〕、旧二八一条の八―繰上〔平一一・七法八七〕、旧二八一条の七―繰上〔平二三・五法三五〕

【参照条文】
※ 法二四五の四・二四七・二五二の一七の五

（特別区財政調整交付金）

第二百八十二条　都は、都及び特別区並びに特別区相互間の財源の均衡化を図り、並びに特別区の行政の自主的かつ計画的な運営を確保するため、政令で定めるところにより、条例で、特別区財政調整交付金を交付するものとする。

2　前項の特別区財政調整交付金とは、地方税法第五条第二項に掲げる税のうち同法第七百三十四条第一項及び第二項（第二号に係る部分に限る。）の規定により都が課するものの収入額と法人の行う事業に対する事業税の収入額（同法第七十二条の二十四の七第九項の規定により同条第一項から第五項までに規定する標準税率を超える税率で事業税を課する場合には、法人の行う事業に対する事業税の収入額に相当する額から当該額に同法第七百三十四条第四項に規定する政令で定めるところにより算定した率を乗じて得た額を控除した額）に同項に規定する政令で定める率を乗じて得た額を統計法（平成十九年法律第五十三号）第二条第四項に規定する基幹統計である事業所統計の最近に公表された結果による各市町村及び特別区の従業者数で按分して得た額のうち特別区に係る額との合算額に条例で定める割合を乗じて得た額で特別区がひとしくその行うべき事務を遂行することができるように都が交付する交付金をいう。

3　都は、政令で定めるところにより、特別区財政調整交付金に関する事項について総務大臣に報告しなければならない。

4　総務大臣は、必要があると認めるときは、特別区財政調整交付金に関する事項について必要な助言又は勧告をすることができる。

＊一項—一部改正・二・三項—追加〔昭二七・八法三〇六〕、二項—一部改正・三・四項—追加・旧三項—一部改正し五項に繰下〔昭三九・七法一六九〕、二項—一部改正〔昭四九・六法七一〕、一～四項—全改〔平一〇・五法五四〕、二項—一部改正〔平一一・一二法一六〇〕、二項—一部改正〔平二五・三法三〕、本条—一部改正〔平二八・三法一三〕、二項—一部改正〔令二・三法五、令四・三法一〕

【引用条文】
②【地税法五（市町村が課することができる税目）2・七二の二四の七（法人の事業税の標準税率等）1～5・9・七三四（都における普通税の特例）1・2　Ⅱ・4　統計法二（定義）4

【参照条文】
①③【政令の定—令二一〇の一〇～二一〇の一四
③【政令の定—令二一〇の一五
※法二四五の四・二四七・二五二の一七の五　地財法二六・二八　交付税法二一　地税法七三五～七三七・七三九

（都区協議会）

第二百八十二条の二　都及び特別区の事務の処理について、都と特別区及び特別区相互の間の連絡調整を図るため、都及び特別区をもつて都区協議会を設ける。

2　前条第一項又は第二項の規定により条例を制定する場合においては、都知事は、あらかじめ都区協議会の意見を聴かなければならない。

3　前二項に定めるもののほか、都区協議会に関し必要な事項は、政令で定める。

＊本条—追加〔昭三九・七法一六九〕、二項—一部改正〔昭四九・六法七一〕、見出し—追加・二・三項—一部改正〔平一〇・五法五四〕、一項—一部改正〔平一一・七法八七〕

【参照条文】
③【政令の定—令二一〇の一六

（市に関する規定の適用）

第二百八十三条　この法律又は政令で特別の定めをするものを除くほか、第二編及び第四編中市に関する規定は、特別区にこれを適用する。

2　他の法令の市に関する規定中法律又はこれに基づく政令により市が処理することとされている事務で第二百八十一条第二項の規定により特別区が処理することとされているものに関するものは、特別区にこれを適用する。

3　前項の場合において、都と特別区又は特別区相互の間の調整上他の法令の市に関する規定をそのまま特別区に適用しがたいときは、政令で特別の定めをすることができる。

＊本条—全改〔昭二七・八法三〇六〕、二・三項—追加〔昭三九・七法一六九〕、二項—一部改正〔昭四九・六法七一〕、見出し—追加・一・二・三項—一部改正〔平一〇・五法五四〕、一・二項—一部改正〔平一一・七法八七〕

【引用条文】
②【法二八一（特別区）2

【参照条文】
①【特別の定—法二八一の三～二八二の二　令二〇九・二一〇の一〇～二一〇の一六
③【特別の定—令二一〇の一七
※地税法七三六・七三七・七三九　交付税法二一　選挙法二六六　消組法二六～二八　消防法三七等

第三章　地方公共団体の組合

＊旧三節—三章に改正〔昭三一・一二法一六九〕

第一節　総則

＊本節—節名追加〔平六・六法四八〕

（組合の種類及び設置）

第二百八十四条　地方公共団体の組合は、一部事務組合及び広域連合とする。

２　普通地方公共団体及び特別区は、その事務の一部を共同処理するため、[1]その協議により規約を定め、都道府県の加入するものにあつては総務大臣、その他のものにあつては[2]都道府県知事の許可を得て、一部事務組合を[3]設けることができる。この場合において、一部事務組合内の地方公共団体につきその執行機関の権限に属する事項がなくなつたときは、その執行機関は、一部事務組合の成立と同時に消滅する。

３　普通地方公共団体及び特別区は、その事務で広域にわたり処理することが適当であると認めるものに関し、広域にわたる総合的な計画（以下「広域計画」という。）を作成し、その事務の管理及び執行について広域計画の実施のために必要な連絡調整を図り、並びにその事務の一部を広域にわたり総合的かつ計画的に処理するため、その協議により規約を定め、前項の例により、総務大臣又は都道府県知事の許可を得て、広域連合を設けることができる。この場合においては、同項後段の規定を準用する。

４　総務大臣は、前項の許可をしようとするときは、国の関係行政機関の長に協議しなければならない。

＊一項―一部改正（昭二二・一二法一六九、昭二七・八法三〇六、昭三一・六法一四七、昭三五・六法一一三）、見出し・一項―追加・旧一項―一部改正し二項に繰下・三・四項―追加・旧二項―一部改正し五項に繰下・旧三項―一部改正し六項に繰下・旧四・五項―削る（平六・六法四八）、二・三項―一部改正（平一一・七法八七）、二・三・四項―一部改正（平一一・一二法一六〇）、一・二項―一部改正・五・六項―削る（平二三・五法三五）

【参照条文】
②【普通地方公共団体―法一の三2　【特別区―法二八一1　【団体の事務―法二2

※法二八六・二八六の二・二九〇・二九三　地教法二・六〇　学校教育法三九・四九　水防法二2　港湾法三三　社会福祉法一四4

【実例・通知】

1）●協議によるべき事項は、規約の設定はもちろん組合の設立をも含むが、これを別個に行なう必要はない。（昭二四・一二・一五行実）

2）●知事は、組合の設立許可に際し、規約の内容を協議することはできるが、自らこれを変更することはできない。（昭二七・三・一三行実）

●一部事務組合の設置の許可にあたり、その規約中の一部を改正することを条件として許可した場合に、その条件どおり規約を改正した場合には改めて知事の許可を必要としない。（昭二九・五・六行実）

3）●同一種類の事務でもそれぞれ別の区域に関するものであるときは、別個に一部事務組合を設けてもさしつかえない。（昭二四・一〇・二九行実）

●市町村が土地改良法による土地改良事業を行うには知事の認可を必要とするが、現に認可を受けていない市町村も、当該事務を共同処理するために設立する組合の構成団体となることができる。（昭三六・一・二七行実）

●広域連合は、広域計画を作成し、地方公共団体又はその機関の事務で広域にわたり処理することが適当であると認める事務及びこれに関連して国等から委任された事務を総合的かつ計画的に処理するために設けられるものであり、この趣旨に合致するものであれば、基本的には広域連合が処理することができる事務についての制限はないものであること。（平七・六・一五通知）

●「広域にわたり処理することが適当であると認める事務」とは、地方公共団体が、それぞれ単独で処理するよりも、他の地方公共団体と協力して広域連合を設置してその事務に当たらせることが適当であると認められるものをいうものであり、基本的には広域連合を組織しようとする地方公共団体が住民福祉の増進、事務処理の効率化等の見地から判断すべきものであること。（平七・六・一五通知）

●国等は、広域連合の処理する事務に関連するものについて、その権限又は権限に属する事務（現行法ではその権限に属する事務）を委任することができる（現行法では広域連合が処理することとすることができる）ものであること。したがつて、国からの権限等の委任がなされなければ、その目的を達成できない広域連合（現行法では国の権限に属する事務を処理することとされなければ、その目的を達成できない広域連合）の設置は適切でないことに留意すること。（平七・六・一五通知）

●広域連合の設置のための手続は、概ね一部事務組合に準ずるものであること。（平七・六・一五通知）

●都道府県知事が、広域連合の設置、規約等の変更及び解散について許可をし又は許可の申請を行う場合、数都道府県にわたる広域連合の設置について自治大臣（現行法では総務大臣）に意見を述べる場合には、都道府県の関係する部局とも十分な連絡調整を図ること。（平七・六・一五通知）

※●町村組合の共同事業に関し条例をもつて規定すべき事項は、組合条例の名をもつて施行すべきものである。（行実）

※●一部事務組合は新たに他の市町村と一部事務組合を設けることができる。（昭三一・四・一九行実）

※●財産区の事務を共同処理する一部事務組合の規約の変更は、財産区の議会の議決を経ることを要する。（昭三一・一〇・四行実）

〔複合的一部事務組合の設置〕

第二百八十五条　市町村及び特別区の事務に関し相互に関

連するものを共同処理するための市町村及び特別区の一部事務組合については、市町村又は特別区の共同処理しようとする事務が他の市町村又は特別区の共同処理しようとする事務と同一の種類のものでない場合においても、これを設けることを妨げるものではない。

＊　本条―全改〔昭四九・六法七二〕、一部改正〔平一〇・五法五四、平一一・七法八七〕

（設置の勧告等）

第二百八十五条の二　公益上必要がある場合においては、都道府県知事は、関係のある市町村及び特別区に対し、一部事務組合又は広域連合を設けるべきことを勧告することができる。

2　都道府県知事は、第二百八十四条第三項の許可をしたときは直ちにその旨を公表するとともに、総務大臣に報告しなければならない。

3　総務大臣は、第二百八十四条第三項の許可をしたときは直ちにその旨を告示するとともに、国の関係行政機関の長に通知し、前項の規定による報告を受けたときは直ちにその旨を国の関係行政機関の長に通知しなければならない。

＊　本条―追加〔平六・六法四八〕、二・三項―一部改正〔平一一・一二法一六〇〕、二項―一部改正〔平二五・六法四四〕

【引用条文】

②・③【法二八四（組合の種類及び設置）3

第二節　一部事務組合

＊　本節―節名追加〔平六・六法四八〕

（組織、事務及び規約の変更）

第二百八十六条　一部事務組合は、これを組織する地方公共団体（以下この節において「構成団体」という。）の数を増減し若しくは共同処理する事務を変更し、又は一部事務組合の規約を変更しようとするときは、関係地方公共団体の協議によりこれを定め、都道府県の加入するものにあつては総務大臣、その他のものにあつては都道府県知事の許可を受けなければならない。ただし、第二百八十七条第一項第一号、第四号又は第七号に掲げる事項のみに係る一部事務組合の規約を変更しようとするときは、この限りでない。

2　一部事務組合は、第二百八十七条第一項第一号、第四号又は第七号に掲げる事項のみに係る一部事務組合の規約を変更しようとするときは、構成団体の協議によりこれを定め、前項本文の例により、直ちに総務大臣又は都道府県知事に届出をしなければならない。

＊　一項―一部改正〔昭二二・一二法一六九、昭三一・六法一四七、昭三五・六法一一三〕、一項―一部改正・二項―追加・旧二項―一部改正し三項に繰下〔平三・五法七九〕、本条―見出し追加・一・二項―一部改正・三項―削る〔平六・六法四八〕、一・二項―一部改正〔平一一・一二法一六〇、平二四・九法七二〕

【引用条文】

【法二八七（規約等）1Ⅰ・Ⅳ・Ⅶ

【参照条文】

※　法二八四・二九〇　公企法三九の二

【実　例】

1）●村を市に合併する場合、当該村が一部事務組合を構成しているときは、組合町村の数の減少をなすための手続を要する。（明四五・八・九行実）

2）●規約改正の提案、許可申請は組合議会ではできない。許可の申請は関係地方公共団体の長又は組合管理者のいずれでもよい。（昭三四・一二・一六行実）

※　●組合規約の変更の発案は関係町村のいずれの町村でもなしうる。（大一五・七・二四行実）

（脱退による組織、事務及び規約の変更の特例）

第二百八十六条の二　前条第一項本文の規定にかかわらず、構成団体は、その議会の議決を経て、脱退する日の二年前までに他の全ての構成団体に書面で予告をすることにより、一部事務組合から脱退することができる。

2　前項の予告を受けた構成団体は、当該予告をした構成団体が脱退する時までに、前条の例により、当該脱退により必要となる規約の変更を行わなければならない。この場合において、同条中「第二百八十七条第一項第一号」とあるのは、「第二百八十七条第一項第一号、第二号」とする。

3　第一項の予告の撤回は、他の全ての構成団体が議会の議決を経て同意をした場合に限り、することができる。この場合において、同項の予告をした構成団体が他の構成団体に当該予告の撤回について同意を求めるに当たつては、あらかじめ、その議会の議決を経なければならない。

4　第一項の規定による脱退により一部事務組合の構成団体が一となつたときは、当該一部事務組合は解散するものとする。この場合において、当該構成団体は、前条第一項本文の例により、総務大臣又は都道府県知事に届け出なければならない。

＊　本条―追加〔平二四・九法七二〕

（規約等）

第二百八十七条　一部事務組合の規約には、次に掲げる事項につき規定を設けなければならない。
一　一部事務組合の名称[1]
二　一部事務組合の構成団体
三　一部事務組合の共同処理する事務
四　一部事務組合の事務所の位置[2]
五　一部事務組合の議会の組織及び議員の選挙の方法[3]
六　一部事務組合の執行機関の組織及び選任の方法[4]
七　一部事務組合の経費の支弁の方法
２　一部事務組合の議会の議員又は管理者（第二百八十七条の三第二項の規定により管理者に代えて理事会を置く第二百八十五条の一部事務組合にあつては、理事）その他の職員は、第九十二条第二項、第百四十一条第二項及び第百九十六条第三項（これらの規定を適用し又は準用する場合を含む。）の規定にかかわらず、当該一部事務組合の構成団体の議会の議員又は長その他の職員と兼ねることができる。

＊　三項…追加〔昭二七・八法三〇六〕、一部改正〔昭三一・六法一四七、昭四九・六法七一、平三・四法二四〕、本条…見出し追加・一項…一部改正・二項…削る・旧三項…一部改正し二項に繰上〔平六・六法四八〕、一・二項…一部改正〔平二四・九法七二〕

【引用条文】
②【法二八五（複合的一部事務組合の設置）・九二（兼職の禁止）２・一四一（兼職の禁止）２・一九六（選任及び兼職の禁止）３

【参照条文】
①【一部事務組合…法二八四２　【議員等の選挙…選挙令九〇４　【経費の支弁…法二九一

【実例・判例】
１）●一部事務組合の名称は必ずしも組合内の町村名を冠するを要せず、組合の事業のみを表示する文字を用いてよいが、町村組合たることを明らかにするべきである。（行実）
２）●組合役場の位置は、規約で定むべきもので、組合構成町村の区域内には限られず、他町村に定めても違法でない。（大三・五・八行裁判）
３）●組合議会の議員の選挙の方法について関係町村の議会で選挙すると規定した場合には法第一一八条第一項から第四項までの規定が準用される。（昭二五・一二・一一行実）
４）●監査委員は義務設置であり、その定数、選任の方法及び任期に関する事項並びに事務局及び職員の設置に関する事項は規約に規定しなければならない。（昭四一・一・一三行実）
※　●組合議会は規約の範囲外の事項又は規約に矛盾する議決を行い得ない。（明二八・五・一五行裁判）

(注)　次条中、点線の左側は令和八年四月一日から、実線の左側は令和六年六月二六日から起算して二年六月を超えない範囲内において政令で定める日から施行となる。

（特例一部事務組合）
第二百八十七条の二　一部事務組合（一部事務組合を構成団体とするもの並びに第二百八十五条に規定する場合に設けられたもの及び次条第二項の規定により管理者に代えて理事会を置くものを除く。）は、規約で定めるところにより、当該一部事務組合の議会を構成団体の議会をもつて組織することとすることができる。
２　前項の規定によりその議会を構成団体の議会をもつて組織することとした一部事務組合（以下この条において「特例一部事務組合」という。）の管理者は、この法律その他の法令の規定により一部事務組合の管理者が一部事務組合の議会に付議することとされている事件があるときは、構成団体の長を通じて、当該事件に係る議案を全ての構成団体の議会に提出しなければならない。
３　前項の規定により同項に規定する事件に係る議案の提出を受けた構成団体の議会は、当該事件を議決するものとする。
４　構成団体の議会の議長は、前項の議決があつたときは、当該構成団体の長を通じて、議決の結果を特例一部事務組合の管理者に送付しなければならない。
５　特例一部事務組合にあつては、第二項に規定する事件の議会の議決は、当該議会を組織する構成団体の議会の一致する議決によらなければならない。
６　特例一部事務組合にあつては、この法律その他の法令の規定により一部事務組合の執行機関が一部事務組合の議会に通知し、報告し、提出し、又は勧告することとされている事項の議会への通知、報告、提出又は勧告は、当該特例一部事務組合の執行機関が構成団体の長を通じて当該事項を全ての構成団体の議会に通知し、報告し、提出し、又は勧告することにより行うものとする。
７　前編第六章第一節（第九十二条の二に限る。）、第二節（第百条第十四項から第二十項までを除く。）、第七節及び第十二節の規定は、特例一部事務組合の議会について準用する。この場合において、第九十二条の二、第九十九条、第百条の二及び第百二十五条中「普通地方公共団体の議会」とあり、第九十八条第一項及び第百条第一項中「普通地方公共団体の議会」とあり、及び「議会」とあり、第九十八条第二項並びに第百条第二項から第五項まで及び第八項から第十三項までの規定中「議会」とあり、並びに第百三十八条の二第一項及び第二項中「議会等」とあるのは「特例一部事務組合の構成団体の議会」と、第九十七条第一項中「法律」とあるのは「規約で定めるところにより、法律」と、第百二十四条中「議員」

とあるのは「特例一部事務組合の構成団体の議会の議員」と、「請願書」とあるのは「当該構成団体の議会に請願書」と読み替えるものとする。

8 第百六十条の規定により第百五十条第二項から第九項までの規定を特例一部事務組合に準用する場合には、同条第八項中「議会」とあるのは、「特例一部事務組合の構成団体の議会」と読み替えるものとする。

9 第二百五十二条の四十五の規定により前編第十五章第二節（第二百五十二条の三十六第一項を除く。）の規定を特例一部事務組合に準用する場合には、第二百五十二条の三十七第五項中「議会」とあるのは「全ての構成団体の議会」と、第二百五十二条の三十八第六項中「議会」とあるのは「構成団体の議会」と読み替えるものとする。

10 第二百九十二条の規定によりこの法律中都道府県、市又は町村に関する規定を特例一部事務組合に準用する場合には、第十六条第二項中「前項の規定により条例」とあるのは「第二百八十七条の二第四項の規定により特例一部事務組合（同条第二項に規定する特例一部事務組合をいう。以下同じ。）の全ての構成団体（第二百八十六条第一項に規定する構成団体をいう。以下同じ。）の議会の議長から条例に関する議決の結果」と、「これ」とあるのは「当該条例」と、第百四十五条中「都道府県知事」とあるのは「都道府県の加入する特例一部事務組合の管理者」と、「市町村長」とあるのは「都道府県の加入しない特例一部事務組合の管理者」と、「普通地方公共団体の議会の議長」とあるのは「特例一部事務組合の全ての構成団体の議会の議長」と、第百六十五条第一項中「普通地方公共団体の議会の議長」とあるのは「特例一部事務組合の全ての構成団体の議会の議長」と、第百七十六条第一項、第四項及び第七項、第百七十七条第一項、第百八十条第一項、第百九十九条第十四項及び第十五項、第二百四十二条第十項、第二百四十 第二百四十三条の二の七第二項 三条の二の八第二項、第二百五十二条の二十八第三項、第二百五十二条の三十三第一項、第二百五十二条の三十四並びに第二百五十二条の四十第一項中「普通地方公共団体の議会」とあり、第百七十六条第二項、第五項、第六項及び第八項、第百七十七条第二項、第百七十九条第二項から第四項まで、第百八十条第二項、第二百四十二条第九項、第二百四十二条の二第二項、第二百五十二条の四十第二項、第三項、第五項及び第六項並びに第二百五十六条中「議会」とあり、並びに第二百四十二条の二第一項中「普通地方公共団体の議会」とあり、及び「議会」とあるのは「特例一部事務組合の構成団体の議会」と、第百七十六条第五項中「都道府県知事にあつては」とあるのは「都道府県の加入する特例一部事務組合の管理者にあつては」と、「市町村長」とあるのは「都道府県の加入しない特例一部事務組合の管理者」と、第百七十九条第一項中「議会の」とあるのは「特例一部事務組合の構成団体の議会の」と、「議会を招集する」とあるのは「議決を経る」と、「議会に」とあるのは「特例一部事務組合の構成団体の議会に」と、「を処分する」とあるのは「について第二百八十七条の二第三項の議決があつたものとみなす」と、第百八十条第一項中「これを専決処分にする」とあるのは「これについて第二百八十七条の二第三項の議決があつたものとみなす」と、同条第二項中「専決処分をしたときは」とあるのは「議決があつたものとみなしたときは」と、第二百十九条第二項中「前項の規定により予算」とあるのは「第二百八十七条の二第四項の規定により特例一部事務組合の全ての構成団体の議会の議長から予算に関する議決の結果」と、「その要領」とあるのは「当該予算の要領」と、第二百四十四条の六第一項及び第二項中「普通地方公共団体の議会及び長」とあるのは「特例一部事務組合の管理者」と、第二百五十二条の四十第四項中「議会から」とあるのは「特例一部事務組合の構成団体の議会から」と読み替えるものとする。

11 特例一部事務組合にあつては、前条第一項第六号の規定にかかわらず、この法律その他の法令の規定による一部事務組合の監査委員の事務は、規約で定める構成団体の監査委員が行うものとすることができる。

＊本条…追加〔平二四・九法七二〕、六・七項…一部改正・八・九項…追加・旧八項…一部改正し一〇項に繰下・旧九項…一一項に繰下〔平二九・六法五四〕、七・一〇項…一部改正〔令五・五法一九〕、九・一〇項…一部改正〔令六・六法六五〕

（議決方法の特例及び理事会の設置）

第二百八十七条の三　第二百八十五条の一部事務組合の規約には、その議会の議決すべき事件のうち当該一部事務組合を組織する市町村又は特別区の一部に係るものその他特別の必要があるものの議決の方法について特別の規定を設けることができる。

2 第二百八十五条の一部事務組合には、当該一部事務組合の規約で定めるところにより、管理者に代えて、理事をもつて組織する理事会を置くことができる。

3 前項の理事は、一部事務組合を組織する市町村若しくはは特別区の長又は当該市町村若しくは特別区の長がその議会の同意を得て当該市町村又は特別区の職員のうちから指名する者をもつて充てる。

＊本条―追加〔昭四九・六法七二〕、本条―見出し追加・二・三項―一部改正〔平六・六法四八〕、一・三項―一部改正〔平一〇・五法五四〕、旧二八七条の二―繰下〔平二四・九法七二〕

【引用条文】
①・②【法二八五（複合的一部事務組合の設置）】

【参照条文】
②【理事会―令二一一】

【実　例】
※●相互に関連する事務を共同処理するための市町村の一部事務組合であれば、構成市町村間で共同処理する事務が全て同一種類である場合も地方自治法第二八七条の三第一項の規定に基づき特別の必要があるものの議決の方法について特別の規定を設け、又は同条第二項の規定に基づき理事会を置くことができる。（昭五〇・一二・二四行実）

（議決事件の通知）

第二百八十七条の四　一部事務組合の管理者（前条第二項の規定により管理者に代えて理事会を置く第二百八十五条の一部事務組合にあつては、理事会。第二百九十一条第一項及び第二項において同じ。）は、当該一部事務組合の議会の議決すべき事件のうち政令で定める重要なものについて当該議会の議決を求めようとするときは、あらかじめ、これを当該一部事務組合の構成団体の長に通知しなければならない。当該議決の結果についても、同様とする。

＊本条―追加〔昭四九・六法七二〕、本条―見出し追加〔平六・六法四八〕、本条―一部改正・旧二八七条の三―繰下〔平二四・九法七二〕

【引用条文】
【法二八五（複合的一部事務組合の設置）・二九一（経費分賦に関する異議）1・2】

【参照条文】
【政令―令二一一の二】

（解散）

第二百八十八条　一部事務組合を解散しようとするときは、構成団体の協議により、第二百八十四条第二項の例により、総務大臣又は都道府県知事に届出をしなければならない。

＊一項―一部改正〔昭二二・一二法一六九、昭三五・六法一一三〕、本条―見出し追加・一項―一部改正・二項―削る〔平六・六法四八〕、本条―一部改正〔平一一・一二法一六〇、平二四・九法七二〕

【引用条文】
【法二八四（組合の種類及び設置）2】

【参照条文】
①【一部事務組合―法二八四2】【総務大臣―※総務省設置法五】
※法二九〇・二九三

【実　例】
※●解散に伴う決算は、令五条の準用により、旧組合の管理者が行い、これを構成団体の長に送付し、構成団体の監査委員がこれを監査し、構成団体の議会がこれを認定する。（昭二七・八・九行実）

（財産処分）

第二百八十九条　第二百八十六条、第二百八十六条の二又は前条の場合において、財産処分を必要とするときは、関係地方公共団体の協議によりこれを定める。

＊本条―一部改正〔昭二二・一二法一六九〕、本条―見出し追加・一部改正〔平六・六法四八〕、本条―一部改正〔平二四・九法七二〕

【引用条文】
【法二八六（組織・事務及び規約の変更）・二八六の二・二八八（解散）】

【参照条文】
【議会の議決―法九六1XV・一一六】
※法二九〇

（議会の議決を要する協議）

第二百九十条　第二百八十四条第二項、第二百八十六条（第二百八十六条の二第二項の規定によりその例によることとされる場合（同項の規定による規約の変更が第二百八十七条第一項第二号に掲げる事項のみに係るものである場合を除く。）を含む。）及び前二条の協議については、関係地方公共団体の議会の議決を経なければならない。

＊本条―見出し追加・一部改正〔平六・六法四八〕、本条―一部改正〔平二四・九法七二〕

【引用条文】
【法二八四（組合の種類及び設置）2・二八六（組織、事務及び規約の変更）・二八八（解散）・二八九（財産処分）】

【参照条文】
【議会の議決―法九六1XV・一一六】

【実　例】
1）●議会の議決は、協議の内容についてなされるべきもので、関係地方公共団体の長が当該地方公共団体を代表して協議を行うことについて議決を要するものではない。（昭三四・一二・一六行実）
※●市町村職員退職手当組合に加入市町村以外の市町

村があらたに加入し、又は脱退する場合の関係市町村との協議について加入市町村議会においてこれを軽易な事項として専決処分の対象として指定することは差し支えない。（昭四〇・九・二四行実）

（経費分賦に関する異議）

第二百九十一条　一部事務組合の経費の分賦に関し、違法又は錯誤があると認めるときは、一部事務組合の構成団体は、その[1]告知を受けた日から三十日以内に当該一部事務組合の管理者に[2]異議を申し出ることができる。

2　前項の規定による異議の申出があつたときは、一部事務組合の管理者は、その議会に諮つてこれを決定しなければならない。

3　一部事務組合の議会は、前項の規定による諮問があつた日から二十日以内にその意見を述べなければならない。

＊一・二項一部改正〔昭三七・九法一六一〕、本条見出し追加・一・二・三項一部改正〔平六・六法四八〕、一項一部改正〔平二四・九法七二〕

【参照条文】

①【管理者―法二八七２】【異議の申し出―法九六１Ⅻ】【異議の決定―法二五七】

※法二五八

【実　例】

1）●「告知を受けた日」とは、組合費分賦の告知が市町村に到達した日をいい、その翌日から異議申立期間を起算する。（行実）

2）●組合費の分賦に関し異議の申立（出）をなしうるのは、その分賦が違法か又は錯誤があると認める場合に限られ、それ以外を不当とする異議の申し立てはできない。（行実）

第三節　広域連合

＊本節―追加〔平六・六法四八〕

（広域連合による事務の処理等）

第二百九十一条の二　国は、その行政機関の長の権限に属する事務のうち広域連合の事務に関連するものを、別に法律又はこれに基づく政令の定めるところにより、当該広域連合が[1]処理することとすることができる。

2　都道府県は、その執行機関の権限に属する事務のうち都道府県の加入しない広域連合の事務に関連するもの[2]を、条例の定めるところにより、当該広域連合が処理することとすることができる。

3　第二百五十二条の十七の二第二項、第二百五十二条の十七の三及び第二百五十二条の十七の四の規定は、前項の規定により広域連合が都道府県の事務を処理する場合について準用する。

4　都道府県の加入する広域連合の長（第二百九十一条の十三において準用する第二百八十七条の三第二項の規定により長に代えて理事会を置く広域連合にあつては、理事会。第二百九十一条の四第四項、第二百九十一条の五第二項、第二百九十一条の六第一項及び第二百九十一条の八第二項を除き、以下同じ。）は、その議会の議決を経て、国の行政機関の長に対し、当該広域連合の事務に密接に関連する国の行政機関の長の権限に属する事務の一部を当該広域連合が処理することとするよう要請[3]することができる。

5　都道府県の加入しない広域連合の長は、その議会の議決を経て、都道府県に対し、当該広域連合の事務に密接に関連する都道府県の事務の一部を当該広域連合が処理することとするよう要[4]請することができる。

＊本条―追加〔平六・六法四八〕、一・二項―一部改正・三項―追加・旧三・四項―一部改正し一項ずつ繰下〔平一一・七法八七〕、四項―一部改正〔平二四・九法七二〕

【引用条文】

③【法二五二の一七の二（条例による事務処理の特例）2・二五二の一七の三（条例による事務処理の特例の効果）・二五二の一七の四（是正の要求等の特則）】

【参照条文】

【広域連合―法二八四３】

【通　知】

1）●広域連合に対する国の権限等の委任（現行法では広域連合による国の行政機関の長の権限に属する事務の処理）は、個別の法令の定めるところにより行われるものであるが、委任（現行法では事務の処理）の可否は広域連合の規模、能力、事務の範囲等により総合的に判断されるものであることから、一定の条件を満たした広域連合に一律に委任する（現行法では処理させることとする）方法のほか、個別の広域連合ごとに委任する（現行法では処理させることとする）ことも可能であること。（平七・六・一五通知）

2）●都道府県知事等が、その権限に属する事務を広域連合の長等に委任する（現行法では処理させることとする）場合における委任（現行法では事務処理）の形式については、委任（現行法では事務処理）の内容が明らかにされれば足りるものであるが、住民に関連のある事務については、例えば告示等の方法によりあらかじめ周知することが必要であること。（平七・六・一五通知）

●都道府県知事等の事務の広域連合への委任（現行法では都道府県知事等の事務を広域連合に処理させること）については、個別の法制度上委任することになじまない事務もありうることから、個別の法制度の趣旨を十分検討の上、行うものであること。また、委任（現行法では事務を処理させる）に当たっては都道府県の関係部局とも十分な連絡調整を図ること。（平七・六・一五通知）

3・4）●広域連合の長は、権限委任（現行法では事務を処理することとすること）等の要請を行う場合は、密接に関連する事務について要請の制度が設けられた趣旨に鑑み、要請を行おうとする内容について十分検討を行うとともに、必要に応じ、国の関係行政機関の長、都道府県知事等に対しあらかじめ連絡を行うものとすること。（平七・六・一五通知）

（組織、事務及び規約の変更）

第二百九十一条の三　広域連合は、これを組織する地方公共団体の数を増減し若しくは処理する事務を変更し、又は広域連合の規約を変更しようとするときは、関係地方公共団体の協議によりこれを定め、都道府県の加入するものにあつては総務大臣、その他のものにあつては都道府県知事の許可を受けなければならない。ただし、次条第一項第六号若しくは第九号に掲げる事項又は前条第一項若しくは第二項の規定により広域連合が新たに事務を処理することとされた場合（変更された場合を含む。）における当該事務のみに係る広域連合の規約を変更しようとするときは、この限りでない。

2　総務大臣は、前項の許可をしようとするときは、国の関係行政機関の長に協議しなければならない。

3　広域連合は、次条第一項第六号又は第九号に掲げる事項のみに係る広域連合の規約を変更しようとするときは、関係地方公共団体の協議によりこれを定め、第一項本文の例により、直ちに総務大臣又は都道府県知事に届出をしなければならない。

4　前条第一項又は第二項の規定により広域連合が新たに事務を処理することとされたとき（変更されたときを含む。）は、広域連合の長は、直ちに次条第一項第四号又は第九号に掲げる事項に係る規約につき必要な変更を行い、第一項本文の例により、総務大臣又は都道府県知事に届出をするとともに、その旨を当該広域連合を組織する地方公共団体の長に通知しなければならない。

5　都道府県知事は、第一項の許可をしたとき、又は第三項若しくは前項の届出を受理したときは、直ちにその旨を公表するとともに、総務大臣に報告しなければならない。

6　総務大臣は、第一項の許可をしたとき又は第三項若しくは第四項の届出を受理したときは直ちにその旨を告示するとともに、これを国の関係行政機関の長に通知し、前項の規定による報告を受けたときは直ちにその旨を国の関係行政機関の長に通知しなければならない。

7　広域連合の長は、広域計画に定める事項に関する事務を総合的かつ計画的に処理するため必要があると認めるときは、その議会の議決を経て、当該広域連合を組織する地方公共団体に対し、当該広域連合の規約を変更するよう要請することができる。

8　前項の規定による要請があつたときは、広域連合を組織する地方公共団体は、これを尊重して必要な措置を執るようにしなければならない。

＊本条—追加（平六・六法四八）、一・四項—一部改正（平一一・七法八七）、一〜六項—一部改正（平一一・一二法一六〇）

【引用条文】
①【法二九一の二（広域連合による事務の処理等）１・２・二九一の四（規約等）１Ⅵ・Ⅸ
④【法二九一の四（規約等）１Ⅳ・Ⅸ

（規約等）

第二百九十一条の四　広域連合の規約には、次に掲げる事項につき規定を設けなければならない。

一　広域連合の名称
二　広域連合を組織する地方公共団体
三　広域連合の[1]区域
四　広域連合の[2]処理する事務
五　広域連合の作成する[3]広域計画の項目
六　広域連合の事務所の位置
七　広域連合の議会の組織及び[4]議員の選挙の方法
八　広域連合の長、[5]選挙管理委員会その他執行機関の組織及び[6]選任の方法
九　広域連合の経費の支弁の方法

2　前項第三号に掲げる広域連合の区域は、当該広域連合を組織する地方公共団体の区域を合わせた区域を定めるものとする。ただし、都道府県の加入する広域連合について、当該広域連合の処理する事務が当該都道府県の区域の一部のみに係るものであることその他の特別の事情があるときは、当該都道府県の包括する市町村又は特別区で当該広域連合を組織しないものの一部又は全部の区域を除いた区域を定めることができる。

3　広域連合の長は、広域連合の規約が定められ又は変更されたときは、速やかにこれを公表しなければならない。

4　広域連合の議会の議員又は長（第二百九十一条の十三において準用する第二百八十七条の三第二項の規定により長に代えて理事会を置く広域連合にあつては、理事。次条第二項及び第二百九十一条の六第一項において同じ。）その他の職員は、第九十二条第二項、第百四十一条第二項及び第百九十六条第三項（これらの規定を適用し又は準用する場合を含む。）の規定にかかわらず、当

該広域連合を組織する地方公共団体の議会の議員又は長その他の職員と兼ねることができる。

＊本条…追加〔平六・六法四八〕、四項…一部改正〔平二四・九法七二〕

【引用条文】
④【法九二（兼職の禁止）2・一四一（兼職の禁止）2・一九六（選任及び兼職の禁止）3

【参照条文】
①【経費の支弁…法二九一の九

【通　知】

1）●広域連合の規約に定める「広域連合の区域」には、当該広域連合を組織する地方公共団体の区域を合わせた区域を定めること。ただし、都道府県の加入する広域連合については、広域連合の処理する事務が都道府県の区域の一部に係る場合等は、その区域を特に「広域連合の区域」として定め、広域連合に加入しない市町村の区域を除くことができるものであること。（平七・六・一五通知）

2・3）●広域連合の規約に定める「広域連合の処理する事務」及び「広域計画の項目」については、できる限り明確かつ具体的なものとすること。（平七・六・一五通知）

4・6）●「議会の議員の選挙の方法」については、議員の定数、被選挙資格、任期、選挙の方法、広域連合を組織する地方公共団体の議会において選挙する場合の当該議会において選挙すべき議員数、投票の方法等について規定し、「長の選任の方法」については、被選挙資格、任期、選挙の方法、投票の方法等について規定するものであること。（平七・六・一五通知）

5）●広域連合は普通地方公共団体と同様の直接請求を認めることとしていることから、選挙管理委員会を置くこととされているものであること。（平七・六・一五通知）

（議会の議員及び長の選挙）

第二百九十一条の五　広域連合の議会の議員は、政令で特別の定めをするものを除くほか、広域連合の規約で定めるところにより、広域連合の選挙人（広域連合を組織する普通地方公共団体又は特別区の議会の議員及び長の選挙権を有する者で当該広域連合の区域内に住所を有するものをいう。次項及び次条第八項において同じ。）が投票により又は広域連合を組織する地方公共団体の議会においてこれを選挙する。

2　広域連合の長は、政令で特別の定めをするものを除くほか、広域連合の規約で定めるところにより、広域連合の選挙人が投票により又は広域連合を組織する地方公共団体の長が投票によりこれを選挙する。

＊本条…追加〔平六・六法四八〕、一項…一部改正〔平二三・五法三五〕

【引用条文】
①【法二九一の六（直接請求）8

【通　知】

●広域連合については、これを組織する地方公共団体に対して規約の変更の要請や広域計画に基づく勧告をすることができるなど一定の独立性を認めることとしているところであり、その区域の住民の意思が広域連合の行政に十分反映されるよう議会の議員及び長の選出についても、選挙の方法を直接選挙又は間接選挙に限定することとし、充て職を認めないこととしたこと。（平七・六・一五通知）

●広域連合が、その議会の議員又は長を選挙人による直接選挙により選出する場合には、当該選挙につき公職選挙法の規定が適用されることとなるよう当該広域連合の規約を定める必要があること。なお、この場合において、当該広域連合の設置等の許可に当たつては、都道府県知事は、あらかじめ時間的余裕をもつて、都道府県選挙管理委員会及び都道府県警察と十分連絡をとること。（平七・六・一五通知）

（直接請求）

第二百九十一条の六　前編第五章（第七十五条第六項後段、第八十五条及び第八十六条第四項後段を除く。）及び第二百五十二条の三十九（第十四項を除く。）の規定は、政令で特別の定めをするものを除くほか、広域連合の条例（地方税の賦課徴収並びに分担金、使用料及び手数料の徴収に関するものを除く。）の制定若しくは改廃、広域連合の事務の執行に関する監査、広域連合の議会の解散又は広域連合の議会の議員若しくは長その他広域連合の職員で政令で定めるものの解職の請求について準用する。この場合において、同章（第七十四条第一項を除く。）の規定中「選挙権を有する者」とあるのは「請求権を有する者」と、第七十四条第一項中「普通地方公共団体の議会の議員及び長の選挙権を有する者（以下この編において「選挙権を有する者」という。）」とあるのは「広域連合を組織する普通地方公共団体又は特別区の議会の議員及び長の選挙権を有する者で当該広域連合の区域内に住所を有するもの（以下「請求権を有する者」という。）」と、同条第六項第一号（第七十五条第六項前段、第七十六条第四項、第八十条第四項前段、第八十一条第二項及び第八十六条第四項前段において準用する場合を含む。）中「に係る」とあるのは「の加入する広域連合に係る」と、「された者」とあるのは「された者のうち当該広域連合の区域内に住所を有するもの」と、第七十四条第六項第三号（第七十五条第六項前段、第七十六条第四項、第八十一条第二項及び第八十六条第四項前段において準用する場合を含む。）中「普通地方公共団体（当該普通地方公共団体が、都道府県である場合には当該都道府県」とあるのは「広域連合（当該広域連合」と、「（以下この号において「指定都市」という。）の区及び総合区を含み、指定都市である場合には当該市の区及び総合区」とあるのは「の区及び総合区」と、第八十条第四項前段において準用する第七十四条第六項第三号中「普通地方公共団体（当該普通地方公共団体が、都道府県である場合には当該都道府県の区域内の」とあるのは「広域連合（当該広域連合が、広域連合の選挙人の投票により当該広域連合の議会の議員を選挙する広域連合である場合には当該選挙区の区域の全部又は一部が含まれる」と、「を含み、指定都市である場合には当該市の区及び総合区」とあるのは「（選挙区がないときは当該広域連合の区域内の市町村並びに指定都市の区及び総合区）を含み、広域連合を組織する地方公共団体の議会において当該広域連合の議会の議員を選挙する広域連合である場合には当該議員を選挙した議会が置かれている地方公共団体の区域内の市町村並びに指定都市の区及び総合区（当該広域連合の区域内にあるものに限る。）」と、第二百五十二条の三十九第一項中「選挙権を有する者」とあるのは「請求権を有する者」と読み替えるほか、必要な技術的読替えは、政令で定める。

２　前項に定めるもののほか、広域連合を組織する普通地方公共団体又は特別区の議会の議員及び長の選挙権を有する者で当該広域連合の区域内に住所を有するもの（第五項前段において「請求権を有する者」という。）は、政令で定めるところにより、その総数の三分の一（その総数が四十万を超え八十万以下の場合にあつてはその四十万を超える数に六分の一を乗じて得た数と四十万に三分の一を乗じて得た数とを合算して得た数、その総数が八十万を超える場合にあつてはその八十万を超える数に八分の一を乗じて得た数と四十万に六分の一を乗じて得た数と四十万に三分の一を乗じて得た数とを合算して得た数）以上の者の連署をもつて、その代表者から、当該広域連合の長に対し、当該広域連合の規約の変更を要請するよう請求することができる。

３　前項の規定による請求があつたときは、広域連合の長は、直ちに、当該請求の要旨を公表するとともに、当該広域連合を組織する地方公共団体に対し、当該請求に係る広域連合の規約を変更するよう要請しなければならない。この場合においては、当該要請をした旨を同項の代表者に通知しなければならない。

４　前項の規定による要請があつたときは、広域連合を組織する地方公共団体は、これを尊重して必要な措置を執るようにしなければならない。

５　第七十四条第五項の規定は請求権を有する者及びその総数の三分の一の数（その総数が四十万を超え八十万以下の場合にあつてはその四十万を超える数に六分の一を乗じて得た数と四十万に三分の一を乗じて得た数とを合算して得た数、その総数が八十万を超える場合にあつてはその八十万を超える数に八分の一を乗じて得た数と四十万に六分の一を乗じて得た数と四十万に三分の一を乗じて得た数とを合算して得た数）について、同条第六項の規定は第二項の代表者について、同条第七項から第九項まで及び第七十四条の二から第七十四条の四までの規定は第二項の規定による請求者の署名について、それぞれ準用する。この場合において、第七十四条第五項中「第一項の選挙権を有する者」とあるのは「第二百九十一条の六第二項に規定する広域連合を組織する普通地方公共団体又は特別区の議会の議員及び長の選挙権を有する者で当該広域連合の区域内に住所を有するもの（以下「請求権を有する者」という。）」と、同条第六項中「選挙権を有する者」とあるのは「請求権を有する者」と、同項第一号中「に係る」とあるのは「の加入する広域連合に係る」と、「された者」とあるのは「された者のうち当該広域連合の区域内に住所を有するもの」と、同項第三号中「普通地方公共団体（当該普通地方公共団体が、都道府県である場合には当該都道府県」とあるのは「広域連合（当該広域連合」と、「（以下この号において「指定都市」という。）の区及び総合区を含み、指定都市である場合には当該市の区及び総合区」とあるのは「の区及び総合区」と、同条第八項並びに第七十四条の四第三項及び第四項中「選挙権を有する者」とあるのは「請求権を有する者」と読み替えるほか、必要な技術的読替えは、政令で定める。

６　第二百五十二条の三十八第一項、第二項及び第四項から第六項までの規定は、第一項において準用する第二百五十二条の三十九第一項の規定により第二百五十二条の二十七第三項に規定する個別外部監査契約に基づく監査によることが求められた第一項において準用する第七十五条第一項の請求に係る事項についての第二百五十二条の二十九に規定する個別外部監査人の監査について準用する。この場合において、必要な技術的読替えは、政令で定める。

７　政令で特別の定めをするものを除くほか、公職選挙法中普通地方公共団体の選挙に関する規定は、第一項において準用する第七十六条第三項の規定による解散の投票並びに第八十条第三項及び第八十一条第二項の規定による解職の投票について準用する。
8 前項の投票は、政令で定めるところにより、広域連合の選挙人による選挙と同時に行うことができる。

＊ 本条―追加〔平六・六法四八〕、一項―一部改正・六項―追加・旧六・七項―一項ずつ繰下〔平九・六法六七〕、一項―一部改正〔平一一・七法八七〕、二・五項―一部改正〔平一四・三法四〕、一・五項―一部改正〔平二三・五法三五〕、二・五項―一部改正〔平二四・九法七二〕、一・五項―一部改正〔平二六・五法四二〕、一・五・六項―一部改正〔平二八・一二法九四〕、一・三・八項―一部改正〔平二九・六法五四〕

【引用条文】
① 【法第五章（法七五6後段・八〇4後段・八五・八六4後段を除く。）・七四（条例の制定又は改廃の請求とその処置）1・二五二の三九（第七五条の規定による監査の特例）1～13・15
⑤ 【法七四（条例の制定又は改廃の請求とその処置）5～9・七四の二（署名の証明・縦覧・争訟等）・七四の三（署名の無効及び関係人の出頭証言）・七四の四（署名に関する罰則）
⑥ 【法七五（監査の請求とその処置）1・二五二の三八（包括外部監査人の監査）1・2・4～6・二五二の三九（第七五条の規定による監査の特例）1・二五二の二七（外部監査契約）3・二五二の二九（特定の事件についての監査の制限）
⑦ 【法七六（議会の解散の請求とその処置）3・八〇（議員の解職の請求とその処置）3・八一（長の解職の請求とその処置）2

【参照条文】
① 【特別の定め―令二一二2・二一二の三2・二一三2・二一四2・二一五2・二一六の二2
【政令―令二一二1・二一二の三1・二一三1・二一四1・二一五1・二一六の二1
② 【政令―令二一七の二
⑤ 【政令―令二一七1
⑦ 【特別の定め―令二一三の三・二一三の四・二一三の六・二一三の七・二一四の三・二一四の五・二一五の三・二一五の五・二一五の六

【通知】
●広域連合については、普通地方公共団体と同様の直接請求が認められることとされたこと。（平七・六・一五通知）
●広域連合における直接請求は、普通地方公共団体の直接請求の手続に準じて行われるものであること。（平七・六・一五通知）
●広域連合の議会の解散、議会の議員又は長の解職の投票の手続は、都道府県における投票の手続に準じて行うこととし、公職選挙法及び公職選挙法施行令の規定中都道府県の議会の議員又は長の選挙に関する部分は広域連合の投票に関する規定とみなし、都道府県の選挙管理委員会に関する部分は広域連合の選挙管理委員会に関する規定とみなすこととしたものであること。（平七・六・一五通知）

（広域計画）
第二百九十一条の七 広域連合は、当該広域連合が設けられた後、速やかに、その議会の議決を経て、広域計画を作成しなければならない。
2 広域計画は、第二百九十一条の二第一項又は第二項の規定により広域連合が新たに事務を処理することとされたとき（変更されたときを含む。）その他これを変更することが適当であると認められるときは、変更することができる。
3 広域連合は、広域計画を変更しようとするときは、その議会の議決を経なければならない。
4 広域連合及び当該広域連合を組織する地方公共団体は、広域計画に基づいて、その事務を処理するようにしなければならない。
5 広域連合の長は、当該広域連合を組織する地方公共団体の事務の処理が広域計画の実施に支障があり又は支障があるおそれがあると認めるときは、当該広域連合の議会の議決を経て、当該広域連合を組織する地方公共団体に対し、当該広域計画の実施に関し必要な措置を講ずべきことを勧告することができる。
6 広域連合の長は、前項の規定による勧告を行つたときは、当該勧告を受けた地方公共団体に対し、当該勧告に基づいて講じた措置について報告を求めることができる。

＊ 本条―追加〔平六・六法四八〕、二・五・七・八・九項―一部改正〔平一一・七法八七〕、三・四項―一部改正〔平一一・一二法一六〇〕、二～四項―削る・旧五項―二項に繰上・旧六項―一部改正し三項に繰上・旧七～九項―三項ずつ繰上〔平二三・五法三五〕

【引用条文】
② 【法二九一の二（広域連合による事務の処理等）1・2

【通知】
●広域連合においては、これを組織する地方公共団体やその住民に対して当該広域連合の目標等を明確に示しながら事務処理に当たるとともに、広域的調整を図りながら広域行政を円滑に行うため、その設置に当たつて広域計画の作成が義務づけられているものであること。（平七・六・一五通知）
●広域計画には、広域連合の処理する事務のみならず、当該広域連合を組織する地方公共団体が相互に役割分担を行い、連絡調整を図りながら処理することが必要な事務についても定めるものであること。（平七・六・一五通知）
●広域連合及びこれを組織する地方公共団体は、広域計画に基づいて事務を処理しなければならず、また、広域連合の長は、広域計画の実施に支障があると認めるときは、広域連合の議会の議決を経て広域連合を組織する地方公共団体に対し、必要な措置を講ずるよう勧告することができるものであること。(平七・六・一五通知)

●広域計画の作成又は変更に当たつては、必要に応じ、広域連合を組織する地方公共団体との連絡調整を図ること。(平七・六・一五通知)

(**協議会**)

第二百九十一条の八 広域連合は、広域計画に定める事項を一体的かつ円滑に推進するため、広域連合の条例で、必要な協議を行うための協議会を置くことができる。

2 前項の協議会は、広域連合の長(第二百九十一条の十三において準用する第二百八十七条の三第二項の規定により長に代えて理事会を置く広域連合にあつては、理事会)及び国の地方行政機関の長、都道府県知事(当該広域連合を組織する地方公共団体である都道府県の知事を除く。)、広域連合の区域内の公共的団体等の代表者又は学識経験を有する者のうちから広域連合の長(第二百九十一条の十三において準用する第二百八十七条の三第二項の規定により長に代えて理事会を置く広域連合にあつては、理事会)が任命する者をもつて組織する。

3 前項に定めるもののほか、第一項の協議会の運営に関し必要な事項は、広域連合の条例で定める。

* 本条…追加〔平六・六法四八〕、二項…一部改正〔平二四・九法七二〕

(**広域連合の分賦金**)

第二百九十一条の九 第二百九十一条の四第一項第九号に掲げる広域連合の経費の支弁の方法として、広域連合を組織する普通地方公共団体又は特別区の分賦金に関して定める場合には、広域連合が作成する広域計画の実施のために必要な連絡調整及び広域計画に基づく総合的かつ計画的な事務の処理に資するため、当該広域連合を組織する普通地方公共団体又は特別区の人口、面積、地方税の収入額、財政力その他の客観的な指標に基づかなければならない。

2 前項の規定により定められた広域連合の規約に基づく地方公共団体の分賦金については、当該地方公共団体は、必要な予算上の措置をしなければならない。

* 本条…追加〔平六・六法四八〕

【引用条文】

① 【法二九一の四(規約等)1Ⅸ】

(**解散**)

第二百九十一条の十 広域連合を解散しようとするときは、関係地方公共団体の協議により、第二百八十四条第二項の例により、総務大臣又は都道府県知事の許可を受けなければならない。

2 総務大臣は、前項の許可をしようとするときは、国の関係行政機関の長に協議しなければならない。

3 都道府県知事は、第一項の許可をしたときは、直ちにその旨を公表するとともに、総務大臣に報告しなければならない。

4 総務大臣は、第一項の許可をしたときは直ちにその旨を告示するとともに、これを国の関係行政機関の長に通知し、前項の規定による報告を受けたときは直ちにその旨を国の関係行政機関の長に通知しなければならない。

* 本条…追加〔平六・六法四八〕、一～四項…一部改正〔平一一・一二法一六〇〕

【引用条文】

① 【法二八四(組合の種類及び設置)2】

【通知】

●広域連合は、一部事務組合と異なり、解散についても自治大臣(現行では総務大臣)又は都道府県知事の許可が必要とされているものであること。(平七・六・一五通知)

●国から権限又は事務を委任されている広域連合を解散しようとするときは、自治大臣(現行では総務大臣)及び当該権限又は事務を委任している国の行政機関の長と連絡調整を図り、解散後の事務処理に遺漏のないよう措置すべきこと。(平七・六・一五通知)

(**議会の議決を要する協議**)

第二百九十一条の十一 第二百八十四条第三項、第二百九十一条の三第一項及び第三項、前条第一項並びに第二百九十一条の十三において準用する第二百八十九条の協議については、関係地方公共団体の議会の議決を経なければならない。

* 本条…追加〔平六・六法四八〕

【引用条文】

【法二八四(組合の種類及び設置)3・二九一の三(組織、事務及び規約の変更)1・3・二九一の一〇(解散)1・二九一の一三(一部事務組合に関する規定の準用)・二八九(財産処分)】

【参照条文】

【議会の議決—法九六1ⅩⅤ・一一六】

(**経費分賦等に関する異議**)

第二百九十一条の十二 広域連合の経費の分賦に関し、違法又は錯誤があると認めるときは、広域連合を組織する地方公共団体は、その告知を受けた日から三十日以内に当該広域連合の長に異議を申し出ることができる。

2　第二百九十一条の三第四項の規定による広域連合の規約の変更のうち第二百九十一条の四第一項第九号に掲げる事項に係るものに関し不服があるときは、広域連合を組織する地方公共団体は、第二百九十一条の三第四項の規定による通知を受けた日から三十日以内に当該広域連合の長に異議を申し出ることができる。

3　広域連合の長は、第一項の規定による異議の申出があつたときは当該広域連合の議会に諮つてこれを決定し、前項の規定による異議の申出があつたときは当該広域連合の議会に諮つて規約の変更その他必要な措置を執らなければならない。

4　広域連合の議会は、前項の規定による諮問があつた日から二十日以内にその意見を述べなければならない。

＊　本条―追加〔平六・六法四八〕

【引用条文】

②【法二九一の三（組織、事務及び規約の変更）4・二九一の四（規約等）1Ⅸ

（一部事務組合に関する規定の準用）

第二百九十一条の十三　第二百八十七条の三第二項、第二百八十七条の四及び第二百八十九条の規定は、広域連合について準用する。この場合において、第二百八十七条の三第二項中「第二百八十五条の一部事務組合」とあるのは「広域連合」と、第二百八十九条中「第二百八十六条、第二百八十六条の二又は前条」とあるのは「第二百九十一条の三第一項、第三項若しくは第四項又は第二百九十一条の十第一項」と読み替えるものとする。

＊　本条―追加〔平六・六法四八〕、一部改正〔平二四・九法七二〕

【引用条文】

【法二八七の三（議決方法の特例及び理事会の設置）2・二八七の四（議決事件の通知）・二八九（財産処分）・二八五（複合的一部事務組合の設置）・二八六（組織、事務及び規約の変更）・二八六の二（脱退による組織、事務及び規約の変更の特例）・二九一の三（組織、事務及び規約の変更）1・3・4・二九一の一〇（解散）1

第四節　雑則

＊　本節―節名追加〔平六・六法四八〕、旧六節―繰下〔平二三・五法三五〕

（普通地方公共団体に関する規定の準用）

第二百九十二条　地方公共団体の組合については、法律又はこれに基づく政令に特別の定めがあるものを除くほか、都道府県の加入するものにあつては都道府県に関する規定、市及び特別区の加入するもので都道府県の加入しないものにあつては市に関する規定、その他のものにあつては町村に関する規定を準用する。

＊　本条―一部改正〔昭二七・八法三〇六、昭三一・六法一四七〕、本条―見出し追加・一部改正〔平六・六法四八〕

【参照条文】

「特別の定め」の例示―法二八四～二九一の一三・二九三　令二一一～二一八の二　選挙法二六七　地公法七3　地教法二等

【実　例】

1）●準用される法令は、地方自治法、同法施行令、同法施行規則中の規定だけに限らず、他のすべての法令を含む。（昭二六・一二・二五行実）

●組合の管理者及び組合議会の議員がともに住民の直接選挙による場合以外は、一部事務組合に対し不信任議決の規定は準用されない。（昭二八・三・一四行実）

●県の加入する一部事務組合の場合、地方公務員法第三六条第二項の規定により政治的行為の制限される区域は、県の区域である。（昭二六・一二・二五行実）

●一部事務組合を構成する普通地方公共団体の住民は、当該一部事務組合の監査委員に対し、地方自治法第二四二条の規定による住民監査請求ができる。（昭四五・七・一四行実）

※

（数都道府県にわたる組合に関する特例）

第二百九十三条　市町村及び特別区の組合で数都道府県にわたるものに係る第二百八十四条第二項及び第三項、第二百八十六条第一項本文、第二百九十一条の三第一項本文並びに第二百九十一条の十第一項の許可並びに第二百八十五条の二第一項の規定による勧告は、これらの規定にかかわらず、政令で定めるところにより、総務大臣が関係都道府県知事の意見を聴いてこれを行い、市町村及び特別区の組合で数都道府県にわたるものに係る第二百八十六条第二項、第二百八十八条並びに第二百九十一条の三第三項及び第四項の届出は、これらの規定にかかわらず、関係都道府県知事を経て総務大臣にこれをしなければならない。

＊　本条―一部改正〔昭二二・一二法一六九〕、全改〔昭三六・一一法二三五〕、一部改正〔平三・五法七九〕、全改〔平六・六法四八〕、二項―一部改正〔平一一・七法八七〕、一・二項―一部改正〔平一一・一二法一六〇〕、一項―一部改正・二項―削る〔平

二三・五法三五〕

【引用条文】

【法二八四（組合の種類及び設置）2・3・二八五の二（設置の勧告等）1・二八六（組織、事務及び規約の変更）・二八八（解散）・二九一の三（組織、事務及び規約の変更）1・3・4・二九一の一〇（解散）1

【参照条文】

※法二五三

（**政令への委任**）

第二百九十三条の二 この法律に規定するもののほか、地方公共団体の組合の規約に関する事項その他本章の規定の適用に関し必要な事項は、政令で定める。

＊本条…追加〔昭四九・六法七二〕、本条…見出し追加〔平六・六法四八〕

第四章 財産区

＊旧四節…四章に改正〔昭二三・一二法一六九〕

（**財産区の意義及びその運営**）

第二百九十四条 法律又はこれに基く政令に特別の定があるものを除く外、市町村及び特別区の一部で財産を有し若しくは公の施設を設けているもの又は市町村及び特別区の廃置分合若しくは境界変更の場合におけるこの法律若しくはこれに基く政令の定める財産処分に関する協議に基き市町村及び特別区の一部が財産を有し若しくは公の施設を設けるものとなるもの（これらを財産区という。）があるときは、その財産又は公の施設の管理及び処分又は廃止については、この法律中地方公共団体の財産又は公の施設の管理及び処分又は廃止に関する規定による。

② 前項の財産又は公の施設に関し特に要する経費[1]は、財産区の負担とする。

③ 前二項の場合においては、地方公共団体は、財産区の収入及び支出については会計を[2]分別しなければならない。

＊一項…一部改正〔昭二七・八法三〇六、昭二九・六法一九三、昭三一・六法一四七〕、一・二項…一部改正〔昭三八・六法九九〕

【参照条文】

① 【特別の定…法二九五～二九七 令二一九～二二二】【特別区…法一の三3・二八一1】【財産処分に関する協議…法七5】【管理及び処分に関する規定…法九六1Ⅵ・Ⅷ・一四九Ⅵ・二三七～二四〇 ※地財法八

【実例・判例・注釈】

1）●財産区議会の議員の選挙に要する費用は、財産区において負担すべきである。（昭四四・四・三行実）

2）○「会計を分別」とは、財産区の収支は明確にしておく必要があるため、市町村又は特別区の会計と分別して経理することが要求されており、特別会計を設けることが適当である。

●財産区の財産を財産区の財産の管理及び処分に関係のない公共事業等のために使う場合は、議会の議決により、町の予算に繰入れ、町の予算を通して使うのが正しい。（昭二八・一一・八行実）

※ ●区会又は区総会のない町村の一部の所有する不動産の売却贈与は、町村会の議決をもつて町村長が処理すべきものである。（行実）

※ ●財産を所有する部落に区会が設けられていない場合は、町村会の議決により町村長がその事務を管理すべきである。（明三八大審判）

※ ●市町村の一部の所有に属する財産より生ずる収入は一部の費用に充て、残余があつても住民に分配するのは穏当でない。（行実）

※ ●財産区の財産の全部を処分した場合、財産区は法人格を失う。（行実）

※ ●財産区の区域内の一部の地域を財産区の区域から除外することはできない。（昭四一・一〇・一二行実）

※ ●在来の部落有財産の本質に変更がない限り、当該財産を処分して得たもので他の財産を取得できる。（昭二七・一一・七行実）

※ ●財産区の設置する営造物（現行法では公の施設）に地方公営企業法の規定を適用することはさしつかえない。（昭二八・六・二九行実）

※ ●財産区は財産の交換をなしうる。（昭三四・五・二六行実）

※ ●財産区が鉱業権設定の出願をし、鉱業権を取得することはさしつかえない。（昭三四・八・二六行実）

※ ●財産区は、その財産又は営造物（現行法では公の施設）の管理行為の一部と認められる限り、温泉の諸施設の整備又は環境の改善等の事業を行うことができるが、起債又は一時借入の当事者となることはできない。（昭二九・三・九行実）

※ ●財産区がその財産又は営造物（現行法では公の施設）の管理上必要な限度をこえてする補助金の支出は違法である。（昭三五・四・一八行実）

※ ●財産区の保有する山林等の財産の維持と山林処分代金の積立てをあわせて一本とした基金を設けても、また、山林処分代金の積立てのみについて基金を設けても、さしつかえない。（昭三九・九・二五行実）

※ ●財産区の基金条例は、当該財産区のある市町村の

長が財産区議会に提案し議決を経て当該市町村の公告式により公布するものである。（昭三九・九・二五行実）

※●財産区議会の議決に付すべき契約、財産の取得及び処分についての令第一二一条の二の基準については、市の区域内にある財産区については市の基準が、町村の区域内にある財産区については町村の基準が適用になる。（昭四〇・七・一三行実）

※●財産区は監査委員を置くことはできず、財産区所在の市町村の監査委員が監査を行う。（昭二九・三・九行実）

※●財産区が新たに取得することができる財産は、当該財産区の本来の目的及び性格から許される範囲内のものでなければならないが、当該財産区が交換しようとする財産又は当該財産区が処分した財産と同一種類の財産に限られるわけではない。（昭五八・三・二六行実）

※●財産区は、その本来の目的及び性格に反しない限り、その財産の管理又は処分により生じた現金をもつて財産を取得できる。（昭五八・三・二六行実）

〔財産区の議会又は総会の設置及びその権限〕

第二百九十五条　財産区の財産又は公の施設に関し必要[1]があると認めるときは、都道府県知事は、議会の[2]議決を経て市町村又は特別区の条例を設定し、財産区の議会又は総会を設けて財産区に関し市町村又は特別区の議会の議決すべき事項を議決させることができる。

＊本条―一部改正〔昭三一・六法一四七、昭三八・六法九九〕

【参照条文】
［※財産区議会又は総会設置上の注意―法二九六の二
4 ［※議会又は総会に関する必要事項―法二九六
【議決すべき事項―法九六　※法二九六の三
※ 法八九・九四

【実　例】

1）●「必要があると認める場合」とは、財産区の事務が複雑なため若しくはきわめて一局部のため又は町村と利害が一致しないため等により、財産区固有の意思決定機関を設ける必要がある場合等をいう。（昭二七・六・二一行実）

2）●財産区議会を設置する場合の議会の議決とは、市町村又は特別区の議会の議決である。（昭二二・一・三一行実）

※●財産区議会を廃止する条例の提案権は知事にある。（昭三〇・一・六行実）

※●財産区議会設置条例の改廃は、知事が財産区議会に提案して、その議決を得ることによりできる。（昭三三・二・二六行実）

※●財産区の議会に関する条例の公布は、知事が市町村の公告式により公布すべきである。（昭三一・五・二四行実）

※●財産区の議会において財産区の事務に従事する職員の給与条例を制定することはできない。（昭三五・四・一八行実）

〔財産区の議会又は総会の組織〕

第二百九十六条　財産区の議会の議員の定数、任期、選挙[1]権、被選挙権及び選挙人名簿に関する事項は、前条の条[2]例中にこれを規定しなければならない。財産区の総会の組織に関する事項についても、また、同様とする。

② 前項に規定するものを除く外、財産区の議会の議員の選挙については、公職選挙法第二百六十八条の定めるところによる。

③ 財産区の議会又は総会に関しては、第二編中町村の議会に関する規定を準用する。

＊二項―全改〔昭二五・四法一〇一〕

【引用条文】②【選挙法二六八（財産区の特例）

【参照条文】③【議会に関する規定―法二編六章（法八九―一三八の二）（議会）

【実　例】

1）●財産区の議会の議員の選挙人名簿は、当該市町村の選挙人名簿と別に調製すべきである。（昭一八・六・二三行実）

2）●選挙人名簿の記載に関する異議申立等の争訟手続は、「条例中」に含まれず、公職選挙法第二六八条の規定による。（昭二四・一・一〇行実）

※●財産区の議会議員は、区域の一部が重複する他の財産区の議会議員を兼職できない。（昭三八・三・二七行実）

〔財産区管理会の設置及び組織〕

第二百九十六条の二　市町村及び特別区は、条例で、財産[1]区に財産区管理会を置くことができる。但し、市町村及び特別区の廃置分合又は境界変更の場合において、この法律又はこれに基く政令の定める財産処分に関する協議により財産区を設けるときは、その協議により当該財産区に財産区管理会を置くことができる。

② 財産区管理会は、財産区管理委員七人以内を以てこれを組織する。

③ 財産区管理委員は、非常勤とし、その任期は、四年とする。

④ 第二百九十五条の規定により財産区の議会又は総会を設ける場合においては、財産区管理会を置くことができない。

＊本条―追加〔昭二九・六法一九三〕、一項―一部改正〔昭三一・六法一四七〕

【引用条文】
④【法二九五（財産区の議会又は総会の設置及びその権限）

【参照条文】
①【財産区の設置―法二九四1　【財産処分に関する協議―法七5
④【議会又は総会の設置―法二九五

【実　例】
1）●財産区管理会は任意設置の機関であり、これを設置する場合には財産区ごとに条例で定めなければならないが、一条例で一括して規定することはさしつかえない。（昭三〇・一・六行実）

〔財産区管理会の権能〕
第二百九十六条の三　市町村長及び特別区の区長は、財産区の財産又は公の施設の管理及び処分又は廃止で条例又は前条第一項但書に規定する協議で定める重要なものについては、財産区管理会の同意を得なければならない。
②　市町村長及び特別区の区長は、財産区の財産又は公の施設の管理に関する事務の全部又は一部を財産区管理会の同意を得て、財産区管理会又は財産区管理委員に委任することができる。
③　財産区管理会は、当該財産区の事務の処理について監査することができる。

＊本条―追加〔昭二九・六法一九三〕、一・二項―一部改正〔昭三二・六法一四七〕、一・二項―一部改正〔昭三八・六法九九〕

【参照条文】
①【特別区―法二八一1　【但書に規定する協議―法七5
※　法二九四

【実　例】
1）●財産区の歳入歳出予算の調製、財産区の財産の管理及び処分に関する議案の提出、財産区の収支を命令し金銭若しくは物品の出納保管を掌る事務等は、財産区管理会又は財産区管理委員に委任できない。（昭三一・三・二六行実）

〔財産区管理会の運営等〕
第二百九十六条の四　前二条に定めるものを除く外、財産区管理委員の選任、財産区管理会の運営その他財産区管理会に関し必要な事項は、条例でこれを定める。但し、第二百九十六条の二第一項但書の規定により財産区管理会を置く場合においては、同項但書に規定する協議によりこれを定めることができる。
②　市町村長及び特別区の区長は、財産区管理会の同意を得て、条例で第二百九十六条の二第一項但書に規定する協議の内容を変更することができる。

＊本条―追加〔昭二九・六法一九三〕、二項―一部改正〔昭三一・六法一四七〕

【引用条文】
①・②【法二九六の二（財産区管理会の設置及び組織）1但書

【参照条文】
①【但書に規定する協議―法七5
②【特別区―法二八一1

【実　例】
1）●財産区管理会条例において定められている管理会の委員の選任方法を改めようとする場合、当該管理会条例の改正の発案権は、議員にもある。（昭四四・六・三〇行実）
2）●本条第二項の条例は、条例の改廃請求の対象となり、この請求が成立した場合における改廃にも財産区管理会の同意を要する。（昭三二・五・一六行実）
※　●財産区管理会の委員が退職しようとする場合の退職願の提出先は、財産区管理会に関する条例又は協議の定めるところによるが、一般的には、財産区管理会の同意をえて退職することができることとするのが適当である。（昭三六・一・三一行実）

〔財産区運営の基本原則等〕
第二百九十六条の五　財産区は、その財産又は公の施設の管理及び処分又は廃止については、その住民の福祉を増進するとともに、財産区のある市町村又は特別区の一体性をそこなわないように努めなければならない。
②　財産区のある市町村又は特別区は、財産区と協議して、当該財産区の財産又は公の施設から生ずる収入の全部又は一部を市町村又は特別区の事務に要する経費の一部に充てることができる。この場合においては、当該市町村又は特別区は、その充当した金額の限度において、財産区の住民に対して不均一の課税をし、又は使用料その他の徴収金について不均一の徴収をすることができる。
③　前項前段の協議をしようとするときは、財産区は、予めその議会若しくは総会の議決を経、又は財産区管理会の同意を得なければならない。

＊本条―追加〔昭二九・六法一九三〕、一・二・三・五項―一部改正〔昭三一・六法一四七、昭三八・六法九九〕、二・五項―一部改正〔平一一・七法八七〕、二項―削る・旧三・四項―一項ずつ繰上・五項―削る〔平二三・五法三五〕

【参照条文】
①【住民福祉の増進―法二14　【特別区―法二八一1
②【不均一の課税―※地税法六2・七　【使用料その他の徴収金―法二二四〜二二七
③【議会・総会―法二九五　【管理会―法二九六の二

自治法

【議決―法九六1XV・一一六】

〔財産区に係る関与及び裁定〕

第二百九十六条の六　都道府県知事は、必要があると認めるときは、財産区の事務の処理について、当該財産区のある市町村若しくは特別区の長に報告若しくは資料の提出を求め、又は監査することができる。

②　財産区の事務に関し、市町村若しくは特別区の長若しくは議会、財産区の議会若しくは総会又は財産区管理会の相互の間に紛争があるときは、都道府県知事は、当事者の申請に基き又は職権により、これを裁定することができる。

③　前項に規定するものを除く外、同項の裁定に関し必要な事項は、政令で定める。

＊　本条―追加〔昭二九・六法一九三〕、一・二項―一部改正〔昭三一・六法一四七〕、一項―一部改正〔平一一・七法八七〕

【参照条文】

③【政令―令二一九〜二二一　※令一七四の六・一七四の七

※　法九・二四五の四・二四五の五・二四五の七・二五一〜二五一の三・二五二の一七の五〜二五二の一七の七

【実　例】

1）●財産区の財産について監査若しくは検査を行った場合の議会への報告又は決算の認定は当該財産区の議会のみでよい。（昭三九・九・二九行実）

〔政令への委任〕

第二百九十七条　この法律に規定するものを除く外、財産区の事務に関しては、政令でこれを定める。

【参照条文】

【政令の定―令二二二】

第四編　補則

〔事務の区分〕

第二百九十八条　都道府県が第三条第六項、第七条第一項及び第二項（第八条第三項の規定によりその例によることとされる場合を含む。）、第八条の二第一項、第二項及び第四項、第九条第一項及び第二項（同条第十一項において準用する場合を含む。）並びに第五項及び第九項（同条第十一項及び第九条の三第六項において準用する場合を含む。）、第九条の二第一項及び第五項並びに第九条の三第一項及び第三項の規定により処理することとされている事務、第二百四十五条の四第一項の規定により処理することとされている事務（市町村が処理する事務が自治事務又は第二号法定受託事務である場合には、同条第二項の規定による各大臣の指示を受けて行うものに限る。）、第二百四十五条の五第三項の規定により処理することとされている事務、第二百四十五条の七第二項、第二百四十五条の八第十二項において準用する同条第一項から第四項まで及び第八項並びに第二百四十五条の九第二項の規定により処理することとされている事務（市町村が処理する第一号法定受託事務に係るものに限る。）、第二百五十二条第二項の規定により処理することとされている事務、同条第三項の規定により処理することとされている事務（市町村が処理する第一号法定受託事務に係るものに限る。）、第二百五十二条の十七の三第二項及び第三項並びに第二百五十二条の十七の四第一項及び第三項（第二百九十一条の二第三項において準用する場合を含む。）の規定により処理することとされている事務、第二百五十二条の十七の五第一項の規定により処理することとされている事務（同条第二項の規定による総務大臣の指示を受けて行うものに限る。）、第二百五十二条の十七の六第二項及び第二百五十二条の十七の七の規定により処理することとされている事務、第二百五十二条の二十六の三第一項及び第二項の規定により処理することとされている事務（市町村が処理する事務が自治事務又は第二号法定受託事務である場合には、同条第三項において準用する第二百四十五条の四第二項の規定による各大臣の指示を受けて行うものに限る。）、第二百五十二条の二十六の四及び第二百五十二条の二十六の五第三項の規定により処理することとされている事務、第二百五十五条の二の規定により処理することとされている事務（第一号法定受託事務に係るものに限る。）、第二百六十一条第二項から第四項までの規定により処理することとされている事務、第二百八十四条第二項の規定により処理することとされている事務（都道府県の加入しない一部事務組合に係る許可に係るものに限る。）、同条第三項の規定により処理することとされている事務（都道府県の加入しない広域連合に係る許可に係るものに限る。）、第二百八十六条（第二百八十六条の二第二項の規定によりその例によることとされる場合を含む。）及び第二百八十六条の二第四項の規定により処理することとされている事務（都道府県の加入しない一部事務組合に係る許可又は届出に係るものに限る。）、第二百八十八条の規定により処理することとされている事務（都道府県の加入しない一部事務組合に係る届出に係るものに限る。）、第二百九十一条の三第一項及び第三項から第五項までの規定により処理することとされている事務（都道府県の加入しない広域連合に係る許可又は届出に係るものに限る。）、第二百九十一条の十第一項の規定により処理することとされている事務（都道府県の加入しない広域連合に係る許可に係るものに限る。）、同条第三項の規定により処理することとされている事務並びに第二百六十二条第一項において準用する公職選挙法中普通地方公共団体の選挙に関する規定により処理することとされている事務は、第一号法定受託事務とする。

2　都が第二百八十一条の四第一項、第二項（同条第九項及び第十一項において準用する場合を含む。）、第八項及び第十項の規定により処理することとされている事務は、第一号法定受託事務とする。

3　市町村が第二百六十一条第二項から第四項までの規定により処理することとされている事務及び第二百六十二条第一項において準用する公職選挙法中普通地方公共団体の選挙に関する規定により処理することとされている事務は、第一号法定受託事務とする。

＊本条―追加〔平一一・七法八七〕、一項―一部改正〔平一一・一二法一六〇〕、旧三〇〇条―繰上・一項―一部改正〔平二三・五法三五〕、一項―一部改正〔平二四・九法七二、令六・六法六五〕

【参照条文】
※法二（地方公共団体の法人格とその事務）９Ⅰ

（**事務の区分**）

第二百九十九条　市町村が第七十四条の二第一項から第三項まで、第五項、第六項及び第十項並びに第七十四条の三第三項（これらの規定を第七十五条第六項、第七十六条第四項、第八十条第四項、第八十一条第二項及び第八十六条第四項において準用する場合を含む。）の規定により処理することとされている事務（都道府県に対する請求に係るものに限る。）並びに第八十五条第一項において準用する公職選挙法中普通地方公共団体の選挙に関する規定により処理することとされている事務（第七十六条第三項の規定による都道府県の議会の解散の投票並びに第八十条第三項及び第八十一条第二項の規定による都道府県の議会の議員及び長の解職の投票に関するものに限る。）は、第二号法定受託事務とする。

＊本条―追加〔平一一・七法八七〕、旧三〇一条―繰上〔平二三・五法三五〕、本条―一部改正〔平二九・六法五四〕

【参照条文】
※法二（地方公共団体の法人格とその事務）９Ⅱ

附　則（抄）

（**施行期日**）

第一条　この法律は、日本国憲法施行の日〔昭二二・五・三〕から、これを施行する。

＊一項―一部改正・二項―追加〔昭二二・一二法一六九〕、一項―一部改正〔昭二二・一二法一九六〕、二項―一部改正〔昭二三・三法一四、昭二三・五法三二〕、二項―削る〔昭二六・六法二〇三〕

（**廃止法律の効力**）

第二条　東京都制、道府県制、市制及び町村制は、これを廃止する。但し、東京都制第百八十九条乃至第百九十一条及び第百九十八条の規定は、なお、その効力を有する。

【引用条文】
【東京都制一八九～一九一・一九八】

（**府県知事・市町村長・議員等の身分の経過措置**）

第三条　この法律施行の際現に東京都長官、北海道庁長官、府県知事、市町村長及び市町村長に準ずる者若しくは東京都議会議員、道府県会議員、市町村会議員及び市町村会議員に準ずる者又は都道府県若しくは市町村及びこれに準ずるものの他の職に在る者は、この法律又は他の法律で別に定める者を除く外、この法律により選挙又は選任された都道府県若しくは市町村及びこれに準ずるものの長若しくは議会の議員又は都道府県若しくは市町村及びこれに準ずるものの他の相当する職に在る者とみなし、任期があるものについては、その任期は、従前の規定による選挙又は就任の日からこれを起算する。

②　都又は特別区の議会の議員の定数は、第九十条第一項又は第九十一条第一項の規定にかかわらず、次の総選挙までの間は、なお、従前の規定による。

【引用条文】
②【法九〇（都道府県議会の議員の定数）１・九一（市町村議会の議員の定数）１

（**都道府県の職制**）

第四条　この法律又は他の法律に特別の定があるものを除く外、都道府県に関する職制に関しては、当分の間、なお、従前の都庁府県に関する官制の規定を準用する。但し、政令で特別の規定を設けることができる。

②　都道府県知事は、前項の規定にかかわらず、条例で、必要な地に労政事務所を置くことができる。

＊本条―一部改正〔昭二二・一二法一九六〕、二項―追加〔昭二三・六法一四七〕

（**都道府県の補助職員に関する特例**）

第五条　この法律又は他の法律に特別の定めがあるものを除くほか、都道府県知事の補助機関である職員に関しては、別に普通地方公共団体の職員に関して規定する法律が定められるまで従前の都庁府県の官吏又は待遇官吏に関する各相当規定を準用する。ただし、政令で特別の規定を設けることができる。

② 都道府県知事の補助機関である職員は、政令の定めるところにより、分限委員会の承認を得なければ事務の都合により休職を命ぜられることはない。

③ 前項の分限委員会の名称、組織、権限等は、政令でこれを定める。

＊一項―一部改正〔昭二三・一二法一六九〕、一・二項―一部改正〔平一八・六法五三〕

〔**強制徴収できる使用料等**〕

第六条 他の法律で定めるもののほか、第二百三十一条の三第三項に規定する法律で定める使用料その他の普通地方公共団体の歳入は、次に掲げる普通地方公共団体の歳入とする。

一 港湾法（昭和二十五年法律第二百十八号）の規定により徴収すべき入港料その他の料金、占用料、土砂採取料、過怠金その他の金銭

二 土地改良法（昭和二十四年法律第百九十五号）の規定により土地改良事業の施行に伴い徴収すべき清算金、仮清算金その他の金銭

三 下水道法（昭和三十三年法律第七十九号）第十八条から第二十条まで（第二十五条の三十において第十八条及び第十八条の二を準用する場合を含む。）の規定により徴収すべき損傷負担金、汚濁原因者負担金、工事負担金及び使用料

四 漁港及び漁場の整備等に関する法律（昭和二十五年法律第百三十七号）第三十五条、第三十九条の二第十項又は第三十九条の五の規定により徴収すべき漁港の利用の対価、負担金、土砂採取料、占用料及び過怠金

＊本条―追加〔昭四四・三法二〕、一部改正〔昭四五・一二法一四一、昭四七・六法一〇六、昭四八・一〇法一一二〕、旧六条の五―六条に繰上〔平七・三法五二〕、一部改正〔平一一・五法七八、平一三・六法九二、平二七・五法二二、令三・五法三一、令五・五法三四〕

【引用条文】

【法二三一の三（督促、滞納処分等）3 【下水道法一八（損傷負担金）・一八の二（汚濁原因者負担金）・一九（工事負担金）・二〇（使用料）・二五の三〇（準用規定） 【漁港及び漁場の整備等に関する法律三五（利用の対価の徴収）・三九の二（監督処分）10・三九の五（土砂採取料及び占用料）

〔**勤務年数の通算**〕

第七条 都道府県の退職年金及び退職一時金に関する条例（以下本条中「退職年金条例」という。）の規定の適用を受ける職員（都道府県の退職年金条例の適用を受ける市町村立学校職員給与負担法第一条及び第二条に規定する職員を含む。）中政令で定める者（以下本条中「都道府県の職員」という。）又は市町村の退職年金条例の規定の適用を受ける学校教育法第一条に規定する大学、高等学校及び幼稚園の職員並びに市町村の教育事務に従事する職員中政令で定める者（以下本条中「市町村の教育職員」という。）であつた者が恩給法第十九条に規定する公務員（同法同条に規定する公務員とみなされる者を含む。以下本条中「公務員」という。）となつた場合においては、その者に同法の規定を適用し、又は準用するときは、政令で定めるところにより、都道府県又は市町村の退職年金条例の規定により退職年金及び退職一時金の基礎となるべき都道府県の職員又は市町村の教育職員としての在職年月数は、同法の規定による恩給の基礎となるべき在職年数に通算する。但し、市町村の教育職員としての在職年月数については、当該市町村の教育職員に適用される退職年金条例の規定が政令で定める基準に従つて定められていないときは、この限りでない。なお、恩給法第二条第一項に規定する普通恩給を受ける権利を有する都道府県の職員又は市町村の教育職員が公務員となつた場合においては、その普通恩給の基礎となつた都道府県の職員又は市町村の教育職員としての在職年月数以外の都道府県の職員又は市町村の教育職員としての在職年月数は、恩給法の規定による恩給の基礎となるべき在職年数に通算しない。

② 都道府県の職員又は市町村の教育職員が引き続いて公務員となつた場合について前項の規定を適用するときは、恩給法第二条第一項に規定する一時恩給又は一時扶助料に関する同法の規定の適用又は準用については、これを勤続とみなす。

③ 前二項に定めるものの外、恩給の基礎となる在職年の通算に関し必要な事項は、政令でこれを定める。

＊本条―一部改正〔昭二三・一二法一六九〕、削除〔昭二三・一二法一九六〕、追加〔昭三一・六法一四七〕、一・二項―一部改正〔昭三四・三法一二〕

【引用条文】

【市町村立学校職員給与負担法一・二 【学校教育法一 【恩給法一九・二1

第八条 削除 〔平一一・七法八七〕

〔**職員の分限・給与・服務・懲戒等の政令への委任**〕

第九条 この法律に定めるものを除くほか、地方公共団体

の長の補助機関である職員、選挙管理委員及び選挙管理委員会の書記並びに監査委員及び監査委員の事務を補助する書記の分限、給与、服務、懲戒等に関しては、別に普通地方公共団体の職員に関して規定する法律が定められるまでの間は、従前の規定に準じて政令でこれを定める。

② この法律に定めるものを除くほか、監査専門委員の分限、給与、服務、懲戒等に関しては、前項の規定を準用する。

* 本条―一部改正〔昭二二・一二法一六九、平一八・六法五三〕、二項―追加〔平二九・六法五四〕

〔旧軍人軍属等に関する事務の取扱〕

第十条 都道府県は、軍人軍属であつた者の身上の取扱に関する事務及び未引揚邦人の調査に関する事務を処理しなければならない。但し、政令で特例を設けることができる。

② 前項の事務の処理に関しては、政令で必要な規定を設けることができる。

③ 第一項の事務を処理するために要する経費は、国庫の負担とする。

* 一・二項―一部改正〔昭二三・一二法二八〇〕、一・三項―一部改正〔昭二七・八法三〇六〕、一項―一部改正〔昭二八・八法一六二〕、一・三項―一部改正〔昭三一・六法一四七〕、三項―削る・旧四項―三項に繰上〔平三・五法七九〕

〔旧法の下にした手続・処分の効力〕

第十一条 従前の東京都制、道府県制、市制若しくは町村制又はこれらの法律に基いて発する命令によつてした手続その他の行為は、これをこの法律又はこれに基いて発する命令中の相当する規定によつてした手続その他の行為とみなす。

〔旧法の下に行なつた選挙に関する罰則の適用法規〕

第十二条 この法律施行前東京都制、道府県制、市制若しくは町村制又はこれらの法律に基いて発する勅令により行つた選挙に関し、これらの法律において準用する衆議院議員の選挙に関する罰則を適用すべきであつた行為については、なお、従前の例による。

〔他の法令中の地方長官等の意義〕

第十三条 他の法令中地方長官、東京都長官、北海道庁長官又は都道府県若しくは東京都の区の官吏に関する規定は、政令で特別の規定を設ける場合を除くほか、それぞれ都道府県知事、都知事、道知事又は都道府県若しくは特別区の相当する都道府県知事若しくは特別区の区長の補助機関である職員に関する規定とみなす。

* 本条―一部改正〔昭三一・六法一四七、平一八・六法五三〕

〔他の法令中の府県参事会等の意義〕

第十四条 他の法令中都道府県参事会若しくは都道府県参事会員又は市参事会若しくは市参事会員に関する規定は、この法律による都道府県若しくは市の議会又はこれらの議会の議員に関する規定とみなす。

* 本条―一部改正〔昭三一・六法一四七〕

〔他の法令で旧法の規定を掲げる場合の適用〕

第十五条 他の法令中に東京都制、道府県制、府県制、市制又は町村制の規定を掲げている場合において、この法律中これらの規定に相当する規定があるときは、政令で特別の規定を設ける場合を除く外、各ゝこの法律中のこれらの規定に相当する規定を指しているものとする。

〔指定都市に対する他の法令の適用〕

第十六条 他の法令中の従前の市制第六条の市又は市制第八十二条第一項若しくは市制第八十二条第三項の市に関する規定は、指定都市に関する規定とみなす。

* 一項―削る・旧二項―一部改正し一項に繰上〔昭三一・六法一四七〕、本条―一部改正〔昭四九・六法七一〕

〔郡長が管轄した区域に関する規定の適用〕

第十七条 他の法令中従前郡長の管轄した区域に関する規定は、郡に関する規定とみなす。但し、政令で特別の規定を設けることができる。

* 旧一八条―一七条に繰上〔昭四九・六法七一〕

〔他の法令中の選挙管理委員会の意義〕

第十八条 他の法令中都議会議員選挙管理委員会、道府県会議員選挙管理委員会、市町村会議員選挙管理委員会若しくは市町村会議員選挙管理委員会に準ずる選挙管理委員会に関する規定は、都道府県又は市町村若しくは市町村に準ずるものの選挙管理委員会に関する規定とみなす。

* 旧一九条―一八条に繰上〔昭四九・六法七一〕

第十九条 削除〔平六・七法八四〕

* 本条―追加〔昭四九・六法七一〕、削除〔平六・七法八四〕

〔戸籍法の適用を受けない者の選挙権の停止〕

第二十条 戸籍法の適用を受けない者の選挙権及び被選挙権は、当分の間、これを停止する。

② 前項の者は、選挙人名簿にこれを登録することができない。

＊二項一部改正〔昭四一・六法七七〕

〔公有水面埋立地等の所属決定の特例〕

第二十条の二　地方自治法の一部を改正する法律（昭和三十六年法律第二百三十五号）の施行前に公有水面の埋立てに関する法令により埋立ての竣(しゅん)功の認可又は通知がなされている埋立地又は干拓地で、その編入すべき市町村について同法の施行の際現に争論があり、同法による改正前の第七条第一項後段の規定による処分がなされていないものは、これを公有水面とみなして第九条の三第三項の規定を適用することができる。

＊本条―追加〔昭三六・一一法二三五〕

【引用条文】【法九の三（公有水面のみに係る市町村の境界の決定等）3

〔市の人口要件の特例〕

第二十条の三　第七条第一項の規定による関係市町村の区域の全部若しくは一部をもつて市を設置する処分又は第八条第三項の規定による町村を市とする処分については、昭和四十二年三月三十一日までにその申請がなされたものに限り、同条第一項第一号の規定にかかわらず、市となるべき普通地方公共団体の人口に関する要件は、四万以上とする。ただし、地方自治法の一部を改正する法律（昭和二十九年法律第百九十三号）附則第二項の規定によることを妨げるものではない。

＊本条―追加〔昭四〇・三法六〕

【引用条文】【法七（市町村の廃置分合及び境界変更）1・八（市及び町の要件・市町村相互間の変更）1Ⅰ・3

〔市の人口要件の特例〕

第二十条の四　昭和四十一年十二月三十一日までの間に第八条第三項の規定により町村を市とする処分をする場合における前条に規定する人口は、第二百五十四条の規定にかかわらず、当該町村の人口に関して最近に行なわれた統計法（昭和二十二年法律第十八号）第三条の規定による指定統計調査の結果による人口とする。

＊本条―追加〔昭三八・六法九九〕、一部改正し旧二〇条の三を二〇条の四に繰下〔昭四〇・三法六〕

【引用条文】【法八（市及び町の要件・市町村相互間の変更）3・二五四（人口の定義）【旧統計法三（指定統計調査）

〔市の人口要件の特例〕

第二十条の五　第七条第一項の規定による関係市町村の区域の全部若しくは一部をもつて市を設置する処分又は第八条第三項の規定による町村を市とする処分については、この法律の市町村の要件に関する制度の改正が行なわれるまでの間で政令で定める期間中にその申請がなされたものに限り、同条第一項第一号の規定にかかわらず、市となるべき普通地方公共団体の人口に関する要件は、三万以上とする。

2　前項の申請がなされたもので人口三万以上五万未満のものに対する第八条第一項の規定の適用については、同項第二号及び第三号中「六割以上」とあるのは、「七割以上」と読み替えるものとする。

3　前二項に規定する人口は、第二百五十四条の規定にかかわらず、当該関係市町村の区域の全部若しくは一部の地域の人口又は当該町村の人口に関して最近に行なわれた統計法第三条の規定による指定統計調査の結果による人口とする。

＊本条―追加〔昭四五・三法一〕

【引用条文】【法七（市町村の廃置分合及び境界変更）1・八（市及び町の要件・市町村相互間の変更）1ⅠⅡⅢ・3・二五四（人口の定義）【旧統計法三（指定統計調査）

〔政令への委任〕

第二十一条　この法律の施行に関し必要な規定は、政令でこれを定める。

別表第一 第一号法定受託事務（第二条関係）

備考 この表の下欄の用語の意義及び字句の意味は、上欄に掲げる法律における用語の意義及び字句の意味によるものとする。

法律	事務
砂防法（明治三十年法律第二十九号）	一 この法律の規定により地方公共団体が処理することとされている事務のうち次に掲げるもの イ 第四条第一項、第五条、第六条第二項、第七条、第八条、第十一条ノ二第一項、第十五条から第十七条まで、第十八条第二項、第二十二条、第二十三条第一項、第二十八条から第三十条まで、第三十二条第二項、第三十六条及び第三十八条の規定により都道府県が処理することとされている事務 ロ 第六条第二項、第七条及び第二十三条第一項の規定により市町村が処理することとされている事務 二 他の法律及びこれに基づく政令の規定により都道府県が第二条により国土交通大臣の指定した土地の管理に関し処理することとされている事務
運河法（大正二年法律第十六号）	第二条、第三条第二項、第四条第一項から第四項まで（運河の効用に妨げがあるかどうかについて争いがある場合における決定に係る部分に限る。）、第五条から第十条まで、第十八条及び第十九条ノ三の規定により都道府県が処理することとされている事務
公有水面埋立法（大正十年法律第五十七号）	この法律の規定により地方公共団体が処理することとされている事務のうち次に掲げるもの 一 第二条第一項及び第二項（第四十二条第三項において準用する場合を含む。）、第三条第一項から第三項まで（第十三条ノ二第二項及び第四十二条第三項において準用する場合を含む。）、第十三条、第十三条ノ二第一項（第四十二条第三項において準用する場合を含む。）、第十四条第一項（第四十二条第三項において準用する場合を含む。）、第十六条第一項、第二十条、第二十二条第一項、同条第二項（竣功認可の告示に係る部分に限る。）、第二十五条、第三十二条第一項（第三十六条において準用する場合を含む。）、第三十二条第二項、第三十四条、第三十五条（第三十六条において準用する場合を含む。）、第四十二条第一項並びに第四十三条の規定により都道府県又は指定都市が処理することとされている事務 二 第十四条第三項（第四十二条第三項において準用する場合を含む。）の規定により市町村が処理することとされている事務
軌道法（大正十年法律第七十六号）	第八条第一項、第十条、第十二条第二項、第十三条、第二十四条並びに第二十六条において読み替えて準用する鉄道事業法（昭和六十一年法律第九十二号）第五十五条第二項並びに第五十六条第一項及び第二項の規定により都道府県又は指定都市が処理することとされている事務
物価統制令（昭和二十一年勅令第百十八号）	第三十条第一項の規定により都道府県が処理することとされている事務
会計法（昭和二十二年法律第三十五号）	第四十八条第一項の規定により都道府県が行うこととされる事務
船員法（昭和二十二年法律第百号）	第百四条第三項の規定により都道府県が処理することとされている事務
災害救助法（昭和二十二年法律第百十八号）	この法律の規定により地方公共団体が処理することとされている事務のうち次に掲げるもの 一 第四条第三項、第七条第一項及び第二項、同条第四項において準用する第五条第二項、第七条第五項、第八条、第九条第一項、同条第二項において準用する第五条第二項及び第三項、第十条第一項及び第二項、同条第三項において準用する第六条第三項、第十一条、第十二条並びに第十四条の規定により都道府県等が処理することとされている事務 二 第二条及び第十三条第一項の規定により都道府県が処理することとされている事務 三 第二条の二第一項及び第二項の規定により救助実施市が処理することとされている事務 四 第十三条第二項の規定により災害発生市町村等が処理することとされている事務
農業協同組合法（昭和二十二年法律第百三十二号）	この法律（第九十八条第十五項を除く。）の規定により都道府県が処理することとされている事務（第十条第一項第三号の事業を行う組合に係るものに限る。）
最高裁判所裁判官国民審査法（昭和二十二年法律第百三十六号）	この法律の規定により地方公共団体が処理することとされている事務

職業安定法（昭和二十二年法律第百四十一号）	第十一条第一項の規定により市町村が処理することとされている事務
児童福祉法（昭和二十二年法律第百六十四号）	第五十六条第一項の規定により都道府県が処理することとされている事務
農業保険法（昭和二十二年法律第百八十五号）	この法律（第百七十一条第一項及び第二百二十二条第二項を除く。）の規定により都道府県が処理することとされている事務
国の利害に関係のある訴訟についての法務大臣の権限等に関する法律（昭和二十二年法律第百九十四号）	この法律の規定により地方公共団体が処理することとされている事務のうち、第二条第三項（第九条において準用する場合を含む。）に規定する職員に係るもの並びに第六条の二第一項及び第二項（第九条において準用する場合を含む。）の規定により処理するもの
戸籍法（昭和二十二年法律第二百二十四号）	第一条第一項の規定により市町村が処理することとされている事務
食品衛生法（昭和二十二年法律第二百三十三号）	一　第二十五条第一項（第六十八条第一項及び第三項において準用する場合を含む。）、第二十六条第一項（第六十八条第一項において準用する場合を含む。）、第二十八条第一項（第六十八条第一項及び第三項において準用する場合を含む。次号において同じ。）、第三十条第二項（第五十四条に規定する営業（食品又は添加物の流通の状況を考慮して政令で定めるものに限る。）の許可に付随する監視指導に係る部分を除くものとし、第六十八条第一項及び第三項において準用する場合を含む。同号において同じ。）、第五十九条（第六十八条第一項及び第三項において準用する場合を含む。同号において同じ。）、第六十三条（第六十八条第一項において準用する場合を含む。同号において同じ。）及び第六十四条第一項（第六十八条第一項において準用する場合を含む。同号において同じ。）の規定により都道府県が処理することとされている事務 二　第二十八条第一項、第三十条第二項、第五十九条、第六十三条及び第六十四条第一項の規定により保健所を設置する市又は特別区が処理することとされている事務
予防接種法（昭和二十三年法律第六十八号）	㊟　本項中、点線の左側は、令和四年一二月九日から起算して三年六月を超えない範囲内において政令で定める日から施行となる。 第六条、第六条の二第一項（臨時の予防接種に係る部分に限る。以下同じ。）、第七条の二（臨時の予防接種に係る部分に限る。以下同じ。）、第九条の三（臨時の予防接種に係る部分に限る。以下同じ。）及び第九条の四（臨時の予防接種に係る部分に限る。以下同じ。）の規定により都道府県が処理することとされている事務並びに第六条第一項から第三項まで、第六条の二第一項、第七条の二、第九条の三、第九条の四、第十五条第一項、第十八条及び第十九条第一項の規定により市町村が処理することとされている事務
国有財産法（昭和二十三年法律第七十三号）	第九条第三項の規定により都道府県又は市町村が行うこととされる事務
農薬取締法（昭和二十三年法律第八十二号）	第二十九条第一項及び第二項の規定により都道府県が処理することとされている事務
地方財政法（昭和二十三年法律第百九号）	一　都道府県が第五条の三第一項の規定により処理することとされている事務（都道府県が申出を受けた協議に係るものに限る。）、同条第六項の規定により処理することとされている事務（都道府県に対する届出に係るものに限る。）、同条第七項（第一号に係る部分に限る。）の規定により処理することとされている事務（都道府県の行う同意に係るものに限る。）、第五条の四第一項、第三項及び第四項の規定により処理することとされている事務（都道府県の行う許可に係るものに限る。）並びに同条第五項の規定により処理することとされている事務 二　第三十三条の五の七第二項の規定により、平成二十一年度から平成二十八年度までの間、都道府県が処理することとされている事務（都道府県の行う許可に係るものに限る。） 三　第三十三条の七第四項の規定により、平成十七年度までの間、都道府県が処理することとさ

	れている事務（都道府県の行う許可に係るものに限る。） 四　第三十三条の八第一項の規定により、平成十八年度から平成三十七年度までの間、都道府県が処理することとされている事務（都道府県の行う許可に係るものに限る。）
大麻取締法大麻草の栽培の規制に関する法律（昭和二十三年法律第百二十四号）	㊟本項中、点線の左側は令和五年一二月一三日から起算して一年を超えない範囲内において政令で定める日から、実線の左側は令和五年一二月一三日から起算して二年を超えない範囲内において政令で定める日から施行となる。 第四条第二項、第十四条、第十六条第二項第九条（第三号から第五号までに係る部分に限る。）、第十一条から第十二条の二まで、第十二条第十二条の五第二項及び第二十一条第一項の八第三項及び第二十二条の三第一項の規定により都道府県が処理することとされている事務
船員職業安定法（昭和二十三年法律第百三十号）	一　第十四条第二項の規定により市町村が処理することとされている事務 二　第八十九条第九項又は第九十二条第一項の規定により読み替えて適用される船員法第百四条第三項の規定により都道府県が処理することとされている事務
教科書の発行に関する臨時措置法（昭和二十三年法律第百三十二号）	第五条第一項、第六条第二項及び第七条第二項の規定により都道府県が処理することとされている事務並びに同条第一項の規定により市町村が処理することとされている事務
検察審査会法（昭和二十三年法律第百四十七号）	第十条から第十二条までの規定により市町村が処理することとされている事務
政治資金規正法（昭和二十三年法律第百九十四号）	㊟本項中、点線の左側は、令和八年一月一日から施行となる。 一　この法律の規定により都道府県が処理することとされている事務のうち、次に掲げるもの イ　第六条第一項（同条第五項において準用する場合を含む。）、第六条の三、第七条第一項、第七条の二第一項及び第二項及び第二項、第七条の二第一項及び第二項、同条第三項（第十七条第四項において準用する場合を含む。）、第七条の三第一項、第十二条第一項、第十七条第一項及び第三項、第十八条第五項、第十九条第二項及び第三項、第十九条の二、第十九条の十六、第二十条第一項及び第三項、第二十条第二十条の二、第二十二条の六第五項（第二十二条の六の二第五項において準用する場合を含む。）並びに第三十一条の規定により都道府県が処理することとされている事務 ロ　第十八条第一項において適用する第六条第一項、第六条の三、第七条第一項、第七条の二第一項及び第二項及び第二項、第七条の二第一項及び第二項、同条第三項（第十八条第一項において適用する第十七条第四項において準用する場合を含む。）、第七条の三第一項、第十二条第一項並びに第十七条第一項及び第三項の規定により都道府県が処理することとされている事務 ハ　第十八条の二第一項において適用する第六条第一項、第六条の三、第七条第一項、第七条の三第一項、第十二条第一項及び第十七条第一項の規定により都道府県が処理することとされている事務 二　第二十八条第四項において準用する公職選挙法第十一条第三項の規定により市町村が処理することとされている事務
医師法（昭和二十三年法律第二百一号）	第六条第三項、第七条第四項及び第八項前段、同条第十項及び第十一項（これらの規定を第七条の二第五項において準用する場合を含む。）、第七条第五項において準用する行政手続法第十五条第一項及び第三項（同法第二十二条第三項において準用する場合を含む。）、第十六条第四項、第十八条第一項及び第三項、第十九条第一項、第二十条第六項並びに第二十四条第三項並びに第七条第八項後段において準用する同法第二十二条第三項において準用する同法第十五条第三項の規定により都道府県が処理することとされている事務
歯科医師法（昭和二十三年法律第二百二号）	第六条第三項、第七条第四項及び第八項前段、同条第十項及び第十一項（これらの規定を第七条の二第五項において準用する場合を含む。）、第七条第五項において準用する行政手続法第十五条第一項及び第三項（同法第二十二条第三項において準用する場合を含む。）、第十六条第四項、第十八条

	第一項及び第三項、第十九条第一項、第二十条第六項並びに第二十四条第三項並びに第七条第八項後段において準用する同法第二十二条第三項において準用する同法第十五条第三項の規定により都道府県が処理することとされている事務
保健師助産師看護師法（昭和二十三年法律第二百三号）	第十五条第三項及び第七項前段、同条第九項及び第十項（これらの規定を第十五条の二第七項において準用する場合を含む。）、第十五条第四項において準用する行政手続法第十五条第一項及び第三項（同法第二十二条第三項において準用する場合を含む。）、第十六条第四項、第十八条第一項及び第三項、第十九条第一項、第二十条第六項並びに第二十四条第三項並びに第十五条第七項後段において準用する同法第二十二条第三項において準用する同法第十五条第三項の規定により都道府県が処理することとされている事務
水産業協同組合法（昭和二十三年法律第二百四十二号）	この法律（第百二十七条第十五項を除く。）の規定により都道府県が処理することとされている事務（第十一条第一項第四号の事業を行う漁業協同組合、第八十七条第一項第四号の事業を行う漁業協同組合連合会、第九十三条第一項第二号の事業を行う水産加工業協同組合又は第九十七条第一項第二号の事業を行う水産加工業協同組合連合会に係るものに限る。）
測量法（昭和二十四年法律第百八十八号）	第十四条第三項（第三十九条において準用する場合を含む。）、第二十一条第二項（第二十三条第二項及び第三十九条において準用する場合を含む。）、第二十四条第二項（第三十九条において準用する場合を含む。）及び第五十五条の十二第一項の規定により都道府県が処理することとされている事務並びに第二十一条第三項（第三十九条において、測量計画機関が国である公共測量に準用する場合を含む。）の規定により市町村（特別区を含む。）が処理することとされている事務
土地改良法（昭和二十四年法律第百九十五号）	第八十五条第八項、第八十五条の二第十項、第八十五条の三第五項及び第十一項並びに第八十五条の四第四項の規定により都道府県が処理することとされている事務（国営土地改良事業に係るものに限る。）並びに第八十九条の規定により都道府県が処理することとされる事務
漁業法（昭和二十四年法律第二百六十七号）	㊟ 本項中、点線の左側は、令和六年六月二十六日から起算して二年を超えない範囲内において政令で定める日から施行となる。 この法律の規定により都道府県が処理することとされている事務のうち、次に掲げるもの 一 第二章（第十条、第十五条第四項（同条第六項において準用する場合を含む。）及び第三十五条を除く。）並びに第五十七条第一項及び第四項から第六項までの規定、第五十八条において準用する第三十八条、第三十九条、第四十条第二項、第四十一条第一項第五号及び第二項、第四十二条（第二項ただし書及び第三項ただし書を除く。）、第四十三条、第四十四条第一項から第三項まで、第四十五条（第二号及び第三号に係る部分に限る。）、第四十六条、第四十七条、第四十九条第二項、第五十条、第五十一条第一項、第五十二条、第五十四条第一項から第三項まで並びに第五十六条の規定並びに第百十九条第一項、第二項、第七項及び第八項、第百二十四条第一項、第百二十五条第一項、第百二十六条第一項から第三項まで並びに第百二十七条の規定により都道府県が処理することとされている事務 二 第百二十条第三項、第四項、第八項、第九項及び第十一項の規定、同条第十二項において準用する第八十六条第三項の規定、第百二十二条、第百三十一条第一項及び第二項、第百七十六条第一項及び第二項並びに第百七十七条第十三項（第四号に係る部分に限る。）の規定、同条第十四項において準用する同条第三項及び第十一項（これらの規定のうち同条第十三項（同号に係る部分に限る。）に係る部分に限る。）の規定並びに第百八十六条 第百八十七条 の規定により都道府県が処理することとされている事務（大臣許可漁業、知事許可漁業、第百十九条第一項の規定若しくは同条第二項の農林水産省令の規定により農林水産大臣の許可その他の処分を要する漁業又は同条第一項の規定若しくは同条第二項の規則の規定により都道府県知事の許可その他の処分を要する漁業に関するものに限る。）
私立学校法（昭和二十四年法律第二百七十号）	㊟ 本項中、点線の囲み部分は、令和七年四月一日から施行となる。 第二十六条第二項（第六十四条第五項において準用する場合を含む。）、第三十一条第一項（第六十四条第五項及び第七項において準用する場合を含む。）及び第二項（第三十二条第二項、第五十条第三項並びに第六十四条第五項及び第七項において準用する場合を含む。）、第三十二条第一項（第六十四条第五項において準用する場合を含む。）、第三十七条第三項（第五号に係る部分に限り、第六十四条第五項において準用する場合を含む。）、第四十条の四（第六十四条第五項において準用する場合を含む。）、第四十五条（第六十四条第五項において準用する場合を含む。）、第五十条第二項（第六十四条第五項において準用する場合を含む。）及び第四項（第六十四条第五項において準用する場合を含む。）、第五十条の四第二項（第六十四条第五項において準用する場合を含む。）、第

	五十条の七（第六十四条第五項において準用する場合を含む。）、第五十条の十三第五項（第六十四条第五項において準用する場合を含む。）及び第六項（第六十四条第五項において準用する場合を含む。）、第五十条の十四（第六十四条第五項において準用する場合を含む。）、第五十二条第二項（第六十四条第五項において準用する場合を含む。）、第六十条第一項（第六十四条第五項において準用する場合を含む。）、第二項（第六十一条第二項及び第六十四条第五項において準用する場合を含む。）、第三項（第六十条第十一項、第六十一条第二項及び第六十四条第五項において準用する場合を含む。）、第九項（第六十四条第五項において準用する場合を含む。）及び第十項（第六十四条第五項において準用する場合を含む。）、第六十一条第一項（第六十四条第五項において準用する場合を含む。）、第六十二条第一項から第三項まで（第六十四条第五項において準用する場合を含む。）並びに第六十三条第一項（第六十四条第五項において準用する場合を含む。）の規定により都道府県が処理することとされている事務 第十九条第二項、第二十三条第一項、第二十五条、第三十四条第二項、第五十条第二項、第五十六条第二項、第六十五条第二項、第七十二条第一項、第百八条第三項及び第五項、第百九条第三項から第五項まで、第百十二条第二項、第百十五条、第百二十一条第五項及び第六項、第百二十二条、第百二十六条第三項、第百三十三条第一項及び第二項、同条第三項（同条第十二項及び第百三十四条第三項において準用する場合を含む。）、第百三十三条第十項及び第十一項、第百三十四条第一項及び第二項、第百三十五条第一項から第三項まで並びに第百三十六条第一項の規定（これらの規定を第百五十二条第六項において準用する場合を含む。）、第二十四条第二項（第百五十二条第六項、第九項及び第十項において準用する場合を含む。）並びに第百五十二条第七項の規定により都道府県が処理することとされている事務
相続税法（昭和二十五年法律第七十三号）	第五十八条第二項の規定により市町村が処理することとされている事務
公職選挙法（昭和二十五年法律第百号）	この法律の規定により地方公共団体が処理することとされている事務のうち、次に掲げるもの 一　衆議院議員又は参議院議員の選挙に関し、都道府県が処理することとされている事務 二　都道府県が第百四十三条第十七項の規定により処理することとされている事務（衆議院議員又は参議院議員の選挙における公職の候補者又は公職の候補者となろうとする者（公職にある者を含む。以下この項において「国の選挙の公職の候補者等」という。）及び第百九十九条の五第一項に規定する後援団体（以下この項において「後援団体」という。）で当該国の選挙の公職の候補者等に係るものの政治活動のために掲示される第百四十三条第十六項第一号に規定する立札及び看板の類に係る事務に限る。）、第百四十七条の規定により処理することとされている事務（国の選挙の公職の候補者等及び当該国の選挙の公職の候補者等に係る後援団体の政治活動のために使用される文書図画に係る事務に限る。）、第百四十八条第二項及び第二百一条の七第二項の規定により処理することとされている事務、第二百一条の十一第二項の規定により処理することとされている事務（第二百一条の六第一項ただし書（第二百一条の七第二項において準用する場合を含む。）の規定により開催される政談演説会に係る事務に限る。）、第二百一条の十一第四項の規定により処理することとされている事務（第二百一条の七第二項において準用する第二百一条の六第一項ただし書の規定により掲示されるポスターに係る事務に限る。）、第二百一条の十一第八項の規定により処理することとされている事務（第二百一条の六第一項ただし書（第二百一条の七第二項において準用する場合を含む。）の規定により掲示される立札及び看板の類に係る事務に限る。）並びに第二百一条の十一第十一項及び第二百一条の十四第二項の規定により処理することとされている事務（衆議院議員又は参議院議員の選挙の期日の公示又は告示の日から選挙の当日までの間における事務に限る。） 三　衆議院議員又は参議院議員の選挙に関し、市町村が処理することとされている事務 四　選挙人名簿又は在外選挙人名簿に関し、市町村が処理することとされている事務 五　市町村が第百四十七条の規定により処理することとされている事務（国の選挙の公職の候補者等及び当該国の選挙の公職の候補者等に係る後援団体の政治活動のために使用される文書図画に係る事務に限る。）並びに第二百一条の十四第二項の規定により処理することとされている事務（衆議院議員又は参議院議員の選挙の期日の公示又は告示の日から選挙の当日までの間における事務に限る。）
精神保健及び精神障害者福祉に関	一　この法律（第一章から第三章まで、第十九条の二第四項、第十九条の七、第十九条の八、第十九条の九第一項、同条第二項（第三十三条の

する法律（昭和二十五年法律第百二十三号）	七において準用する場合を含む。）、第十九条の十一、第二十九条の九、第三十条第一項及び第三十一条、第三十三条の六第一項及び第六項、第五章第四節、第四十条の三、第四十条の七、第六章並びに第五十一条の十一の三第二項を除く。）の規定により都道府県が処理することとされている事務 二　この法律（第六章第二節を除く。）の規定により保健所を設置する市又は特別区が処理することとされている事務（保健所長に係るものに限る。） 三　第三十三条第二項及び第六項並びに第三十四条第二項の規定により市町村が処理することとされている事務
肥料の品質の確保等に関する法律（昭和二十五年法律第百二十七号）	この法律の規定により都道府県が処理することとされている事務のうち、次に掲げるもの 一　第四条第一項及び第三項、第六条第一項、第七条第一項、第十条、第十二条第四項、第十三条、第十五条、第十六条第一項、第二項及び第四項、第十六条の二、第二十二条、第二十九条第一項並びに第三十条第一項の規定により都道府県が処理することとされている事務 二　第二十九条第四項、第三十条第四項及び第七項、第三十一条第三項並びに第三十三条第一項の規定により都道府県が処理することとされている事務（販売業者に係るものを除く。） 三　第三十一条第二項の規定により都道府県が処理することとされている事務のうち次に掲げるもの以外のもの イ　第十九条第二項の規定の違反に関する処分 ロ　その届出に係る販売業者に対する処分（イに掲げるものを除く。） 四　第三十一条第六項の規定による登録証の返納の受理（前号イに掲げる処分に係るものを除く。） 五　第三十一条第七項の規定による通知（第三号イ及びロに掲げる処分に係るものを除く。）
生活保護法（昭和二十五年法律第百四十四号）	一　都道府県、市及び福祉事務所を設置する町村が第十九条第一項から第五項まで、第二十四条第一項及び第三項（これらの規定を同条第九項において準用する場合を含む。）並びに第八項、第二十五条第一項及び第二項、第二十六条、第二十七条第一項、第二十八条第一項、第二項及び第五項、第二十九条、第三十条から第三十七条の二まで（第三十条第二項及び第三十三条第三項を除く。）、第四十七条第一項、第四十八条第四項、第五十三条第四項（第五十四条の二第五項及び第六項並びに第五十五条の二において準用する場合を含む。）、第五十五条の四第一項、同条第二項及び第三項（これらの規定を第五十五条の五第二項において準用する場合を含む。）、第五十五条の五第一項、第五十五条の六、第六十一条、第六十二条第三項及び第四項、第六十三条、第七十六条第一項、第七十七条第二項、第七十八条の二第一項及び第二項、第八十条並びに第八十一条の規定により処理することとされている事務 二　都道府県が第二十三条第一項及び第二項、第二十九条第二項、第四十条第二項、第四十一条第二項から第五項まで、第四十二条、第四十三条第一項、第四十四条第一項、第四十五条、第四十六条第二項及び第三項、第四十八条第三項、第四十九条、第四十九条の二第四項（第四十九条の三第四項及び第五十四条の二第五項において準用する場合を含む。）並びに第五十四条の二第六項及び第五十五条第二項において準用する第四十九条の二第一項、第四十九条の三第一項、第五十条第二項、第五十条の二及び第五十一条第二項（これらの規定を第五十四条の二第五項及び第六項並びに第五十五条第二項において準用する場合を含む。）、第五十三条第一項及び第三項（これらの規定を第五十四条の二第五項及び第六項並びに第五十五条の二において準用する場合を含む。）、第五十四条第一項（第五十四条の二第五項及び第六項並びに第五十五条第二項において準用する場合を含む。）、第五十四条の二第一項、第五十五条第一項、第五十五条の三、第六十五条第一項、第七十四条第二項第二号及び第三号、第七十七条第一項、第七十七条の二第一項、同条第二項（第七十八条第四項において準用する場合を含む。）、第七十八条第一項から第三項まで並びに第八十三条の二並びに第七十四条の二において準用する社会福祉法第五十八条第二項から第四項までの規定により処理することとされている事務 三　市町村が第二十九条第二項、第四十三条第二項、第七十七条第一項、第七十七条の二第一項、同条第二項（第七十八条第四項において準用する場合を含む。）及び第七十八条第一項から第三項まで並びに第七十四条の二において準用する社会福祉法第五十八条第二項から第四項までの規定により処理することとされている事務 四　福祉事務所を設置しない町村が第十九条第六項及び第七項、第二十四条第十項並びに第二十五条第三項の規定により処理することとされている事務
植物防疫法（昭和二十五年法律第百五十一号）	第二十一条の規定により都道府県が処理することとされている事務

法律	事務
国会議員の選挙等の執行経費の基準に関する法律（昭和二十五年法律第百七十九号）	第四条第十五項から第十七項まで、第四条の二第三項から第六項まで、第四条の三第四項、第六項及び第七項、第五条第十六項から第十八項まで並びに第十三条第一項ただし書の規定により都道府県が処理することとされている事務
建築基準法（昭和二十五年法律第二百一号）	第十五条第四項、第十六条及び第七十七条の六十三の規定により都道府県が処理することとされている事務並びに第十五条第一項から第三項までの規定により市町村が処理することとされている事務
地方交付税法（昭和二十五年法律第二百十一号）	第五条第三項、第十七条第一項、第十七条の三第二項、第十七条の四第一項後段、第十八条第一項後段及び第二項後段の規定並びに第十九条第七項後段及び第八項後段（これらの規定を第二十条の二第四項及び附則第十五条第四項において準用する場合を含む。）の規定により都道府県が処理することとされている事務
文化財保護法（昭和二十五年法律第二百十四号）	第百十条第一項及び第二項、第百十二条第一項並びに第百十条第三項及び第百十二条第四項において準用する第百九条第三項及び第四項の規定により都道府県又は指定都市が処理することとされている事務
港湾法（昭和二十五年法律第二百十八号）	第四条第四項（第九条第二項及び第三十三条第二項において準用する場合を含む。以下同じ。）、第五項（第九条第二項、第三十三条第二項及び第五十六条第二項において準用する場合を含む。以下同じ。）、第八項（第九条第二項及び第三十三条第二項において準用する場合を含む。以下同じ。）並びに第十二項及び第十三項（これらの規定を第三十三条第二項において準用する場合を含む。）、第九条第三項並びに第五十六条第一項（水域を定める事務に係る部分に限る。）の規定により都道府県が処理することとされている事務（第四条第四項の規定により処理することとされている事務については、同項の規定による都道府県知事の同意に関するものに限り、同条第五項の規定により処理することとされているものについては、同項の規定による都道府県知事が行う協議に関するものに限り、同条第八項の規定により処理することとされているものについては、同項の規定による都道府県が行う届出に関するものを除く。）
地方税法（昭和二十五年法律第二百二十六号）	この法律の規定により道府県が処理することとされている事務のうち、第三百八十八条第一項の規定により同項に規定する固定資産評価基準の細目を定める事務、第四百十九条第一項に規定する事務及び附則第七十条第二項後段に規定する事務
狂犬病予防法（昭和二十五年法律第二百四十七号）	一　第二条第三項、第八条、第九条第二項、第十条から第十三条まで、第十四条第一項、第十五条から第十七条まで、第十八条第一項、同条第二項において準用する第六条第二項、第三項、第五項、第七項及び第九項並びに第十八条の二第一項の規定により都道府県が処理することとされている事務 二　第二条第三項、第八条第一項及び第二項、第九条第二項、第十条から第十三条まで、第十四条第一項、第十五条から第十七条まで、第十八条第一項、同条第二項において準用する第六条第二項、第三項、第五項及び第七項から第九項まで並びに第十八条の二第一項の規定により地域保健法第五条第一項の規定に基づく政令で定める市又は特別区が処理することとされている事務 三　第十八条第二項において準用する第六条第七項及び第八項の規定により市町村（地域保健法第五条第一項の規定に基づく政令で定める市を除く。）が処理することとされている事務
社会福祉法（昭和二十六年法律第四十五号）	一　都道府県が第三十一条第一項、第四十二条第二項、第四十五条の六第二項（第四十五条の十七第三項において準用する場合を含む。）、第四十五条の九第五項、第四十五条の三十六第二項及び第四項、第四十六条第一項第六号、第二項及び第三項、第四十六条の六第四項及び第五項、第四十七条の五、第五十条第三項、第五十四条の六第二項、第五十五条の二第一項、第五十五条の三第一項、第五十五条の四、第五十六条第一項、第四項から第八項まで及び第九項（第五十八条第四項において準用する場合を含む。）、第五十七条、第五十八条第二項、第五十九条、第百十四条並びに第百二十一条の規定により処理することとされている事務 二　市が第三十一条第一項、第四十二条第二項、第四十五条の六第二項（第四十五条の十七第三項において準用する場合を含む。）、第四十五条の九第五項、第四十五条の三十六第二項及び第四項、第四十六条第一項第六号、第二項及び第三項、第四十六条の六第四項及び第五項、第四十七条の五、第五十条第三項、第五十四条の六第二項、第五十五条の二第一項、第五十五条の三第一項、第五十五条の四、第五十六条第一項、第四項から第八項まで及び第九項（第五十八条第四項において準用する場合を含む。）、第五十七条、第五十八条第二項、第五十九条、第百十四条並びに第百二十一条の規定により処理することとされている事務 三　町村が第五十八条第二項及び同条第四項において準用する第五十六条第九項の規定により処理することとされている事務

恩給法の一部を改正する法律（昭和二十六年法律第八十七号）	附則第七項又は第十項の規定により都道府県知事が行う恩給を受ける権利の裁定に関する事務
公共土木施設災害復旧事業費国庫負担法（昭和二十六年法律第九十七号）	第十三条第一項の規定により都道府県が処理することとされている事務
宗教法人法（昭和二十六年法律第百二十六号）	第九条、第十四条第一項、第二項（第二十八条第二項、第三十九条第二項及び第四十六条第二項において準用する場合を含む。）及び第四項（第二十八条第二項、第三十九条第二項及び第四十六条第二項において準用する場合を含む。）、第二十五条第四項、第二十六条第四項（第三十六条において準用する場合を含む。）、第二十八条第一項、第三十九条第一項、第四十三条第三項、第四十六条第一項、第四十九条第三項、第五十一条第五項及び第六項、第七十八条の二第一項及び第二項（第七十九条第四項及び第八十条第五項において準用する場合を含む。）、第七十九条第一項から第三項まで、第八十条第一項から第三項まで及び第六項、第八十一条第一項、第四項及び第五項並びに第八十二条の規定により都道府県が処理することとされている事務
家畜伝染病予防法（昭和二十六年法律第百六十六号）	第三章（第二十一条第六項及び第七項を除く。）の規定（第六十二条第一項において準用する場合を含む。）により地方公共団体が処理することとされている事務
国土調査法（昭和二十六年法律第百八十号）	第十九条第二項から第四項まで（第二十一条の二第六項において準用する場合を含む。）、第二十条第一項及び第二十一条の二第七項の規定により都道府県が処理することとされている事務
道路運送法（昭和二十六年法律第百八十三号）	第六十九条第一項及び第九十五条の四の規定により都道府県が処理することとされている事務
道路運送車両法（昭和二十六年法律第百八十五号）	第十一条第一項、第二項、第四項及び第六項並びに第三十四条第二項及び第三十五条第四項（これらの規定を第七十三条第二項において準用する場合を含む。）の規定により市町村（特別区を含む。）が処理することとされている事務
公営住宅法（昭和二十六年法律第百九十三号）	第三十七条第五項（同条第七項において準用する場合を含む。）、第四十四条第六項、第四十五条第三項及び第四十六条第二項の規定により都道府県が処理することとされている事務
検疫法（昭和二十六年法律第二百一号）	一　第二十二条第二項から第五項まで、第二十三条第二項から第五項まで（同条第六項においてこれらの規定を準用する場合を含む。）及び第七項並びに第二十六条の三の規定により都道府県、保健所を設置する市又は特別区が処理することとされている事務 二　第二十三条第七項の規定により市町村が処理することとされている事務
土地収用法（昭和二十六年法律第二百十九号）	この法律の規定により地方公共団体が処理することとされている事務のうち、次の各号に掲げるもの（第十七条第一項各号に掲げる事業又は第二十七条第二項若しくは第四項の規定により国土交通大臣の事業の認定を受けた事業に関するものに限る。） 一　都道府県が第十一条第一項及び第四項、第十四条第一項、第十五条の二第二項及び第三項（第十五条の七第二項において準用する場合を含む。）、第十五条の三から第十五条の五まで、第十五条の八から第十五条の十一まで、第十五条の十二において準用する仲裁法、第二十四条第四項及び第五項（第二十六条の二第三項、第三十四条の四第三項、第三十六条の二第四項及び第四十二条第四項（第四十五条第三項及び第四十七条の四第二項において準用する場合を含む。）においてこれらの規定を準用する場合を含む。）、第二十五条第二項、第二十八条の三第一項、第三十条第二項及び第三項（第三十条の二においてこれらの規定を準用する場合を含む。）、第三十四条の二第二項において準用する第十九条第一項前段及び第二項、第三十四条の三、第三十四条の四第一項、第三十六条第五項、第四十一条において準用する第十九条、第四十二条第一項、第五項及び第六項（第四十五条第三項及び第四十七条の四第二項においてこれらの規定を準用する場合を含む。）、第四十五条第一項、第四十五条の二、第四十六条第一項及び第二項、第四十七条、第四十七条の二第一項、第四十七条の三第五項において準用する第十九条第一項前段、第四十七条の四第一項、第五十条第一項、第二項及び第四項、第六十五条第一項、第六十五条の二第七項、第六十六条第三項（第百二十条において準用する場合を含

	む。）、第八十一条第三項、第八十二条第二項から第四項まで及び第六項、第八十三条第二項、第八十三条第三項から第六項まで（第八十四条第三項及び第百二十三条第六項においてこれらの規定を準用する場合を含む。）、第八十四条第二項、第八十五条第二項、第八十六条第二項、第八十九条第一項、第九十条の三第一項、第九十条の四、第百条の二第三項において準用する第九十四条第十一項、第百二条の二第二項及び第三項、第百四条の二において準用する第九十四条第十一項、第百十七条において準用する第十九条、第百十八条第一項及び第五項、第百十九条並びに第百二十三条第一項及び第三項の規定（第百三十八条第一項においてこれらの規定を準用する場合を含む。）により処理することとされている事務 二　市町村が第十二条第二項、第十四条第一項及び第三項、第二十四条第二項、第二十六条の二第二項、第三十四条の四第二項、第三十六条第四項、第三十六条の二第三項、第四十二条第二項及び第三項（第四十五条第三項及び第四十七条の四第二項においてこれらの規定を準用する場合を含む。）、第四十五条第二項、第百二条の二第一項、第百十八条第二項及び第三項、第百二十二条第一項及び第三項、第百二十八条第一項、第百二十八条第二項において準用する第百二条の二第三項並びに第百二十八条第三項及び第四項の規定（第百三十八条第一項においてこれらの規定を準用する場合を含む。）により処理することとされている事務
森林法（昭和二十六年法律第二百四十九号）	この法律の規定により地方公共団体が処理することとされている事務のうち、次に掲げるもの 一　第二十五条の二、第二十六条の二、第二十七条第一項、第三十三条の二及び第三十九条第一項の規定により都道府県が処理することとされている事務（第二十五条第一項第一号から第三号までに掲げる目的を達成するための指定に係る保安林に関するものに限る。） 二　第二十七条第二項及び第三項（申請書に意見書を付する事務に関する部分を除く。）、第三十条並びに第三十三条第三項（これらの規定を第三十三条の三において準用する場合を含む。）の規定により都道府県が処理することとされている事務 三　第三十条の二第一項、同条第二項において準用する第三十条後段、第三十二条第二項及び第三項並びに第三十三条第六項において準用する同条第一項及び第三項（これらの規定を第三十三条の三において準用する場合を含む。）の規定により都道府県が処理することとされている事務（第二十五条第一項第一号から第三号までに掲げる目的を達成するための指定に係る保安林に関するものに限る。） 四　第三十一条、第三十二条第一項（第三十三条の三において準用する場合を含む。）、第三十四条から第三十四条の三まで、第三十八条及び第三十九条の二第一項の規定により都道府県が処理することとされている事務（民有林にあつては、第二十五条第一項第一号から第三号までに掲げる目的を達成するための指定に係る保安林に関するものに限る。） 五　第四十四条において準用する第二十七条第二項及び第三項（申請書に意見書を付する事務に関する部分を除く。）、第三十条、第三十一条、第三十二条第一項、第三十三条第三項、第三十四条から第三十四条の三まで並びに第三十九条第一項の規定並びに第四十六条の二第一項の規定により都道府県が処理することとされている事務 六　第十条の七の二第二項の規定により市町村が処理することとされている事務（第二十五条第一項第一号から第三号までに掲げる目的を達成するための指定に係る保安林又は保安施設地区の区域内の森林に関するものに限る。）
覚醒剤取締法（昭和二十六年法律第二百五十二号）	第四条第一項（第三十条の五において準用する場合を含む。）、第五条第二項（第三十条の五において準用する場合を含む。）、第九条第一項、第十条第一項及び第二項（覚醒剤製造業者に係る部分に限るものとし、これらの規定を第三十条の五において準用する場合を含む。）、第十一条第一項及び第二項（覚醒剤製造業者に係る部分に限るものとし、これらの規定を第三十条の五において準用する場合を含む。）、第十二条第一項（第三十条の五において準用する場合を含む。）、第十五条第二項、第十七条第五項、第二十条第六項、第二十二条第一項、第二十二条の二、第二十三条、第二十四条第一項及び第二項、第二十九条、第三十条、第三十条の四第一項（覚醒剤原料輸入業者若しくは覚醒剤原料輸出業者又は覚醒剤原料製造業者に係る部分に限る。）、第三十条の六第四項、第三十条の十二第一項第一号及び第二号、第三十条の十三、第三十条の十四、第三十条の十五第一項及び第二項、第三十一条、第三十二条第一項及び第二項、第三十五条第三項並びに第三十六条第一項の規定により都道府県が処理することとされている事務
出入国管理及び難民認定法（昭和二十六年政令第三百十九号）	㊟　本項中、点線の左側は、令和六年六月二一日から起算して二年を超えない範囲内において政令で定める日から施行となる。 第十九条の七第一項及び第二項（第十九条の八第二項及び第十九条の九第二項において準用する場

	合を含む。）、第十九条の八第一項、並びに第十九条 の九第一項　第十九条の九 第一項並びに第十九条の十五の二第二項、第六項 及び第九項後段の規定により市町村が処理するこ ととされている事務
旅券法（昭和二十六年法律第二百六十七号）	第三条第一項から第三項まで、第五項及び第六項、第八条第一項及び第三項、第九条第一項及び第三項、第十条第四項、第十七条第一項から第三項まで並びに第十九条第五項及び第六項の規定により都道府県が処理することとされている事務
水産資源保護法（昭和二十六年法律第三百十三号）	第四条第一項、第六項及び第七項並びに第三十三条の規定により都道府県が処理することとされている事務
漁船損害等補償法（昭和二十七年法律第二十八号）	この法律の規定により都道府県が処理することとされている事務
戦傷病者戦没者遺族等援護法（昭和二十七年法律第百二十七号）	第四十条第三項の規定により都道府県が処理することとされている事務
日本国とアメリカ合衆国との間の相互協力及び安全保障条約第六条に基づく施設及び区域並びに日本国における合衆国軍隊の地位に関する協定の実施に伴う土地等の使用等に関する特別措置法（昭和二十七年法律第百四十号）	第九条第二項において準用する土地収用法第八十一条第三項の規定、第十四条の規定により適用される土地収用法第九十四条第四項において準用する同法第九十四条第五項、同条第六項において準用する同法第五十条第一項、第六十五条第二項及び第四項、第六十五条の二第七項並びに第六十六条第三項並びに同法第九十四条第七項、第八項及び第十一項の規定、第十六条第二項及び第三項（第十七条第三項において準用する場合を含む。）並びに第四項（第十七条第三項において準用する場合を含む。）において準用する土地収用法第九十四条第十一項の規定、第十九条第一項、第三項及び第五項、第二十条第一項、第二十一条第一項、第二十二条並びに第二十三条第六項の規定並びに第二十六条において準用する公共用地の取得に関する特別措置法第二十三条第二項、第二十四条、第二十五条、第二十六条第一項、同条第二項において準用する土地収用法第八十三条第四項から第六項まで、第二十九条第二項、第三十四条及び第三十七条第二項において準用する同法第九十四条第十一項の規定により都道府県が処理することとされている事務
宅地建物取引業法（昭和二十七年法律第百七十六号）	第八条、第十条及び第十四条の規定により都道府県が処理することとされている事務（国土交通大臣の免許を受けた宅地建物取引業者に係る宅地建物取引業者名簿の備付け、登載、閲覧、訂正及び消除に関するものに限る。）
道路法（昭和二十七年法律第百八十号）	一　この法律の規定により地方公共団体が処理することとされている事務のうち次に掲げるもの イ　この法律の規定により都道府県、指定市又は第十七条第二項の規定により都道府県の同意を得た市（次号において「都道府県等」という。）が、指定区間外の国道の道路管理者として処理することとされている事務（第二十四条の二第一項及び第三項（第四十八条の三十五第三項において準用する場合を含む。）、第三十九条第一項（第九十一条第二項において準用する場合を含む。）、第四十四条第五項から第七項まで（これらの規定を第九十一条第二項において準用する場合を含む。）、第四十七条の二第三項、第四十八条の三十五第一項、第四十九条、第五十四条第一項、同条第二項において準用する第十九条第二項、第五十四条第三項において準用する第七条第六項、第五十四条の二第一項、同条第二項において準用する第十九条の二第二項、第五十四条の二第三項において準用する第七条第六項、第五十五条第一項、同条第二項において準用する第二十条第三項、第五十五条第三項において準用する第七条第六項、第五十八条第一項、第五十九条第一項及び第三項、第六十条、第六十一条第一項、第六十九条第一項、同条第二項において準用する第四十四条第六項及び第七項、第七十条第一項、第七十一条第四項（道路監理員の任命に係る部分に限り、第九十一条第二項において準用する場合を含む。）、第七十二条第一項（第九十一条第二項において準用する場合を含む。）、第七十二条第二項において準用する第四十四条第六項及び第七項並びに第七十二条第三項（これらの規定を第九十一条第二項において準用する場合を含む。）、第七十三条第一項から第三項まで（これらの規定を第九十一条第二項において準用する場合を含む。）、第七十五条第五項並びに同条第六項において準用する第四十四条第六項及び第七項（これらの規定を第九十一条第二項において準用する場合を含む。）、第八十五条第三項、第九十一条第三項並びに同条第四項において準用する第四十四条第六項及び

第七項の規定により処理することとされているものを除く。）及び指定区間外の国道を構成していた不用物件の管理者として処理することとされている事務（第九十五条（第九十一条第二項において準用する場合を含む。）の規定により処理することとされているものを除く。）

ロ　第十三条第二項の規定により都道府県又は指定市が処理することとされる事務（政令で定めるものを除く。）

ハ　第十七条第四項、第四十八条の二十第三項及び第四十八条の二十二第一項の規定により国道に関して指定市以外の市町村が処理することとされている事務（政令で定めるものを除く。）

ニ　第十七条第八項の規定により国道に関して都道府県が処理することとされている事務

ホ　第九十四条第五項（第九十一条第二項において準用する場合を含む。）の規定により都道府県が処理することとされている事務

二　他の法律及びこれに基づく政令の規定により、都道府県等が指定区間外の国道の道路管理者又は道路管理者となるべき者として処理することとされている事務（費用の負担及び徴収に関するものを除く。）

農地法（昭和二十七年法律第二百二十九号）

この法律の規定により都道府県又は市町村が処理することとされている事務のうち、次の各号及び第六十三条第二項各号に掲げるもの以外のもの

一　第三条第四項の規定により市町村が処理することとされている事務（同項の規定により農業委員会が処理することとされている事務を除く。）

二　第四条第一項、第二項及び第八項の規定により都道府県等が処理することとされている事務（同一の事業の目的に供するため四ヘクタールを超える農地を農地以外のものにする行為に係るものを除く。）

三　第四条第三項の規定により市町村が処理することとされている事務（意見を付する事務に限る。）

四　第四条第三項の規定により市町村（指定市町村に限る。）が処理することとされている事務（申請書を送付する事務（同一の事業の目的に供するため四ヘクタールを超える農地を農地以外のものにする行為に係るものを除く。）に限る。）

五　第四条第四項及び第五項（これらの規定を同条第十項において準用する場合を含む。）の規定により市町村が処理することとされている事務

六　第四条第九項の規定により都道府県等が処理することとされている事務（意見を聴く事務（同一の事業の目的に供するため四ヘクタールを超える農地を農地以外のものにする行為に係るものを除く。）に限る。）

七　第四条第九項の規定により市町村が処理することとされている事務（意見を述べる事務に限る。）

八　第五条第一項及び第四項の規定並びに同条第三項において準用する第四条第二項の規定により都道府県等が処理することとされている事務（同一の事業の目的に供するため四ヘクタールを超える農地又はその農地と併せて採草放牧地について第三条第一項本文に掲げる権利を取得する行為に係るものを除く。）

九　第五条第三項において準用する第四条第三項の規定により市町村が処理することとされている事務（意見を付する事務に限る。）

十　第五条第三項において準用する第四条第三項の規定により市町村（指定市町村に限る。）が処理することとされている事務（申請書を送付する事務（同一の事業の目的に供するため四ヘクタールを超える農地又はその農地と併せて採草放牧地について第三条第一項本文に掲げる権利を取得する行為に係るものを除く。）に限る。）

十一　第五条第三項において読み替えて準用する第四条第四項及び第五項の規定並びに第五条第五項において読み替えて準用する第四条第十項において読み替えて準用する同条第四項及び第五項の規定により市町村が処理することとされている事務

十二　第五条第五項において準用する第四条第九項の規定により都道府県等が処理することとされている事務（意見を聴く事務（同一の事業の目的に供するため四ヘクタールを超える農地又はその農地と併せて採草放牧地について第三条第一項本文に掲げる権利を取得する行為に係るものを除く。）に限る。）

十三　第五条第五項において準用する第四条第九項の規定により市町村が処理することとされている事務（意見を述べる事務に限る。）

十四　第三十条、第三十一条、第三十二条第一項、同条第二項から第五項まで（これらの規定を第三十三条第二項において準用する場合を含む。）、第三十三条第一項、第三十四条、第三十五条第一項、第三十六条及び第四十一条第一項の規定により市町村が処理することとされている事務

十五　第四十二条の規定により市町村が処理することとされている事務

十六　第四十三条第一項の規定により市町村（指定市町村に限る。）が処理することとされている事務（同一の事業の目的に供するため四ヘク

法律	事務
	タールを超える農地をコンクリートその他これに類するもので覆う行為に係るものを除く。） 十七　第四十四条の規定により市町村が処理することとされている事務 十八　第四十九条第一項、第三項及び第五項並びに第五十条の規定により都道府県等が処理することとされている事務（第二号、第八号及び次号に掲げる事務に係るものに限る。） 十九　第五十一条の規定により都道府県等が処理することとされている事務（第二号及び第八号に掲げる事務に係るものに限る。） 二十　第五十一条の二の規定により都道府県又は市町村が処理することとされている事務 二十一　第五十二条から第五十二条の三までの規定により市町村が処理することとされている事務
日本国とアメリカ合衆国との間の相互協力及び安全保障条約に基づき日本国にあるアメリカ合衆国の軍隊の水面の使用に伴う漁船の操業制限等に関する法律（昭和二十七年法律第二百四十三号）	第三条の規定により都道府県が処理することとされている事務（同条第二項の規定による申請書に意見を記載した書面を添える事務を除く。）
麻薬及び向精神薬取締法（昭和二十八年法律第十四号）	第二十四条第十二項（第一号に係る部分に限る。）、第二十九条、第三十五条、第三十六条第一項及び第三項（これらの規定を同条第四項において準用する場合を含む。）、第四十六条から第四十九条まで、第五十条の二十二、第五十条の二十四第二項及び第三項、第五十条の三十三、第五十条の三十八第一項及び第二項、第五十条の三十九、第五十八条の二から第五十八条の五まで、第五十八条の六第一項、第四項、第五項及び第八項、第五十八条の八第一項、同条第二項から第六項まで（これらの規定を第五十八条の九第二項において準用する場合を含む。）、第五十八条の十一、第五十八条の十二並びに第五十八条の十六の規定により都道府県が処理することとされている事務
北海道防寒住宅建設等促進法（昭和二十八年法律第六十四号）	第五条第三項の規定により道が処理することとされている事務
と畜場法（昭和二十八年法律第百十四号）	第十七条第一項の規定により都道府県が処理することとされている事務
未帰還者留守家族等援護法（昭和二十八年法律第百六十一号）	第十一条第二項の規定により都道府県が処理することとされている事務
信用保証協会法（昭和二十八年法律第百九十六号）	第五十二条第一項の規定により都道府県又は市町村が処理することとされている事務
労働金庫法（昭和二十八年法律第二百二十七号）	第九十八条の三の規定により都道府県が処理することとされている事務
日本国に駐留するアメリカ合衆国軍隊等の行為による特別損失の補償に関する法律（昭和二十八年法律第二百四十六号）	第二条の規定により市町村（特別区を含む。）が処理することとされている事務（同条第二項の規定による申請書に意見を記載した書面を添える事務を除く。）
あへん法（昭和二十九年法律第七十一号）	この法律（第十二条第四項及び第四十四条第六項を除く。）の規定により都道府県が処理することとされている事務
土地区画整理法（昭和二十九年法律第百十九号）	この法律の規定により地方公共団体が処理することとされている事務のうち次に掲げるもの 一　都道府県が第七十一条の三第六項及び第七項（これらの規定を同条第十五項において準用する場合を含む。）並びに第七十六条の規定により処理することとされている事務（都道府県又

	は機構等（市のみが設立した地方公社を除く。）が施行する土地区画整理事業に係るものに限る。） 二　市町村が処理することとされている次に掲げる事務 イ　第五十五条第十項（同条第十三項において準用する場合を含む。）、第六十九条第八項（同条第十項において準用する場合を含む。）、第七十一条の三第十二項（同条第十五項において準用する場合を含む。）及び第七十七条第六項（第百三十三条第二項において準用する場合を含む。）に規定する事務（国土交通大臣、都道府県又は機構等（市のみが設立した地方公社を除く。）が施行する土地区画整理事業に係るものに限る。） ロ　第七十二条第六項に規定する事務（都道府県又は機構等（市のみが設立した地方公社を除く。）が施行する土地区画整理事業に係るものに限る。）
自衛隊法（昭和二十九年法律第百六十五号）	第百三条第一項から第四項まで、第六項、第七項及び第十項から第十五項まで、第百三条の二、第百五条第四項、第五項（申請書に意見を記載した書面を添える部分を除く。）及び第六項並びに第百十五条の十第四項の規定により都道府県が処理することとされている事務（第百十五条の十第四項の規定により処理することとされているもののうち民有林に係るものにあつては、森林法第二十五条第一項第一号から第三号までに掲げる目的を達成するための指定に係る保安林に関するものに限る。）
補助金等に係る予算の執行の適正化に関する法律（昭和三十年法律第百七十九号）	第二十六条第二項の規定により都道府県が行うこととされる事務
海岸法（昭和三十一年法律第百一号）	一　この法律の規定により地方公共団体が処理することとされている事務のうち次に掲げるもの イ　第二条第一項及び第二項、第二条の三、第三条第一項、第二項及び第四項、第四条第一項、第五条第一項から第五項まで、第七項及び第八項、第十三条、第十四条の五第一項、第十五条、第十六条第一項、第十七条第一項、第十八条第一項、第二項、第四項、第五項及び第七項、同条第八項において準用する第十二条の二第二項及び第三項、第十九条第一項、第三項及び第四項、第二十条第一項及び第二項、第二十一条第一項から第三項まで、同条第四項において準用する第十二条の二第二項及び第三項、第二十一条の三第一項から第三項まで、同条第四項において準用する第十二条の二第二項及び第三項、第二十二条第二項、同条第三項において準用する漁業法第百七十七条第二項、第三項前段、第四項から第八項まで、第十一項及び第十二項、第二十三条の三第一項、第二項及び第四項、第二十三条の五、第二十三条の六、第二十四条第一項及び第二項、第三十条、第三十一条第一項、第三十二条第三項、第三十三条第一項、第三十五条第一項及び第三項並びに第三十八条の規定により都道府県が処理することとされている事務（第五条第一項から第五項まで、第十四条の五第一項、第十五条、第十六条第一項、第十八条第一項、第二項、第四項、第五項及び第七項、同条第八項において準用する第十二条の二第二項及び第三項、第二十条第一項及び第二項、第二十三条の五、第二十三条の六、第三十条、第三十一条第一項、第三十五条第一項及び第三項並びに第三十八条に規定する事務にあつては、海岸保全施設に関する工事に係るものに限る。） ロ　第二条第一項、第二条の三第四項（同条第七項において準用する場合を含む。）、第五条第二項から第五項まで、第十三条、第十四条の五第一項、第十五条、第十六条第一項、第十七条第一項、第十八条第一項、第二項、第四項、第五項及び第七項、同条第八項において準用する第十二条の二第二項及び第三項、第十九条第一項、第三項及び第四項、第二十条第一項及び第二項、第二十一条第一項から第三項まで、同条第四項において準用する第十二条の二第二項及び第三項、第二十一条の三第一項から第三項まで、同条第四項において準用する第十二条の二第二項及び第三項、第二十二条第二項、同条第三項において準用する漁業法第百七十七条第二項、第三項前段、第四項から第八項まで、第十一項及び第十二項、第二十三条の三第一項、第二項及び第四項、第二十三条の五、第二十三条の六、第二十四条第一項及び第二項、第三十条、第三十一条第一項、第三十二条第三項、第三十三条第一項、第三十五条第一項及び第三項並びに第三十八条の規定により市町村が処理することとされている事務（第五条第二項から第五項まで、第十四条の五第一項、第十五条、第十六条第一項、第十八条第一項、第二項、第四項、第五項及び第七項、同条第八項において準用する第十二条の二第二項及び第三項、第二十条第一項及び第二項、第二十三条の五、第二十三条の六、第三十条、第三十

	一条第一項、第三十五条第一項及び第三項並びに第三十八条に規定する事務にあつては、海岸保全施設に関する工事に係るものに限る。） 二　他の法律及びこれに基づく政令の規定により、前号に規定する事務に関して都道府県又は市町村が処理することとされている事務
物品管理法（昭和三十一年法律第百十三号）	第十一条第一項の規定により都道府県が行うこととされる事務
国の債権の管理等に関する法律（昭和三十一年法律第百十四号）	第五条第二項の規定により都道府県が行うこととされる事務
安全な血液製剤の安定供給の確保等に関する法律（昭和三十一年法律第百六十号）	第二十四条第一項の規定により都道府県が処理することとされている事務
地方教育行政の組織及び運営に関する法律（昭和三十一年法律第百六十二号）	都道府県が第四十八条第一項（第五十四条の二及び第五十四条の三の規定により読み替えて適用する場合を含む。）の規定により処理することとされている事務（市町村が処理する事務が自治事務又は第二号法定受託事務である場合においては、第四十八条第三項（第五十四条の二及び第五十四条の三の規定により読み替えて適用する場合を含む。）に規定する文部科学大臣の指示を受けて行うものに限る。）、第五十三条第二項（第五十四条の二及び第五十四条の三の規定により読み替えて適用する場合を含む。）の規定により処理することとされている事務、第六十条第五項の規定により処理することとされている事務（都道府県委員会の意見を聴くことに係るものに限る。）並びに第五十五条第九項（同条第十項により読み替えて適用する場合並びに第六十条第七項において準用する場合及び同条第九項において読み替えて準用する場合を含む。）において準用する地方自治法第二百五十二条の十七の三第二項及び第三項並びに第二百五十二条の十七の四第一項及び第三項の規定により処理することとされている事務
租税特別措置法（昭和三十二年法律第二十六号）	この法律の規定により地方公共団体が処理することとされている事務のうち、次に掲げるもの 一　都道府県が処理することとされている第二十八条の四第三項第五号イ、第六号及び第七号イ並びに第三十一条の二第二項第十四号ハ及び第十五号ニに規定する認定の事務、第三十四条の二第二項第十二号及び第十四号に規定する指定の事務、第六十二条の三第四項第十四号ハ及び第十五号ニ並びに第六十三条第三項第五号イ、第六号及び第七号イに規定する認定の事務、第六十五条の四第一項第十二号及び第十四号に規定する指定の事務並びに第七十条の四第三十六項（第七十条の六第四十一項において準用する場合を含む。）、第七十条の六の六第二十項、第七十条の六の八第二十七項、第七十条の七第三十五項（第七十条の七の五第二十六項において準用する場合を含む。）及び第七十条の七の二第四十項（第七十条の七の四第二十項、第七十条の七の六第二十七項及び第七十条の七の八第十五項において準用する場合を含む。）の通知に関する事務 二　市町村が処理することとされている第二十八条の四第三項第七号イ及びロ並びに第三十一条の二第二項第十五号ニに規定する認定の事務、第三十四条の二第二項第十四号の二に規定する指定の事務、第六十二条の三第四項第十五号ニ並びに第六十三条第三項第七号イ及びロに規定する認定の事務、第六十五条の四第一項第十四号の二に規定する指定の事務並びに第七十条の四第三十六項（第七十条の六第四十一項において準用する場合を含む。）、第七十条の四第三十七項（第七十条の六第四十二項において準用する場合を含む。）及び第七十条の六の六第二十項の通知に関する事務
特定多目的ダム法（昭和三十二年法律第三十五号）	第三十二条第一項の規定により都道府県が処理することとされている事務
自然公園法（昭和三十二年法律第百六十一号）	第二十条第一項、同条第二項において準用する第五条第三項、第二十一条第一項、同条第二項において準用する第五条第三項、第二十二条第一項、同条第二項において準用する第五条第三項及び第六十七条第二項（利用調整地区に係る部分を除く。）の規定により都道府県が処理することとされている事務
生活衛生関係営業の運営の適正化及び振興に関する法律	第五十六条の三第五項及び第五十七条第三項前段の規定により都道府県が処理することとされている事務

（昭和三十二年法律第百六十四号）	
地すべり等防止法（昭和三十三年法律第三十号）	一 第七条、第八条（第四十五条において準用する場合を含む。）、第九条、第十一条、第十三条（第四十五条において準用する場合を含む。）、第十四条第一項（第四十五条において準用する場合を含む。）、第十五条第一項（第四十五条において準用する場合を含む。）、第十六条第一項（第四十五条において準用する場合を含む。）、第十六条第二項（第四十五条において準用する場合を含む。）において準用する第六条第二項、第三項、第五項及び第六項、第十八条（第四十二条第二項において準用する場合を含む。）、第二十条第二項（第四十五条において準用する場合を含む。）、第二十一条第一項及び第二項（第四十五条においてこれらの規定を準用する場合を含む。）、第二十二条第一項、第二十三条第一項及び第二項、第二十四条第一項、第二十五条、第二十六条第一項（第四十五条において準用する場合を含む。）、第三十条（第四十五条において準用する場合を含む。）、第三十一条（第四十五条において準用する場合を含む。）、第三十三条（第四十五条において準用する場合を含む。）、第三十四条第一項（第四十五条において準用する場合を含む。）、第三十五条第三項（第四十五条において準用する場合を含む。）、第三十六条第一項（第四十五条において準用する場合を含む。）、第三十八条第一項から第三項まで（第四十五条においてこれらの規定を準用する場合を含む。）、第四十一条、第四十二条第一項並びに第四十八条の規定により都道府県が処理することとされている事務
	二 他の法律及びこれに基づく政令の規定により、地すべり防止工事の施行その他地すべり防止区域の管理及びぼた山崩壊防止工事の施行その他ぼた山崩壊防止区域の管理に関して都道府県が処理することとされている事務
首都圏の近郊整備地帯及び都市開発区域の整備に関する法律（昭和三十三年法律第九十八号）	第十九条第二項の規定により都県が処理することとされている事務（都県が施行する工業団地造成事業に係るものに限る。）
国民健康保険法（昭和三十三年法律第百九十二号）	㊟ 本項中、点線の左側は、令和五年六月九日から起算して一年六月を超えない範囲内において政令で定める日〔令六・一二・二〕から施行となる。 第十七条第一項及び第三項（第二十七条第三項において準用する場合を含む。）、第二十四条の四、第二十四条の五、第二十五条第一項、第二十七条第二項及び第四項、第三十二条第二項、第三十二条の二第二項、第三十二条の七第一項及び第二項（同条第三項において準用する場合を含む。）、第三十二条の十二、第四十一条第一項（第五十二条第六項、第五十二条の二第三項、第五十三条第三項及び第五十四条の三第二項／第五十四条の三第六項において準用する場合を含む。）及び第二項（第四十五条の二第四項、第五十二条第六項、第五十二条の二第三項、第五十三条第三項及び第五十四条の三第二項／第五十四条の三第六項において準用する場合を含む。）、第四十五条第三項並びに第四十五条の二第一項及び第五項（これらの規定を第五十二条第六項、第五十二条の二第三項、第五十三条第三項及び第五十四条の三第二項／第五十四条の三第六項において準用する場合を含む。）、第五十四条の二の二並びに第五十四条の二の三第一項及び第三項（これらの規定を第五十四条の三第二項／第五十四条の三第六項において準用する場合を含む。）、第八十条第一項、第八十八条並びに第八十九条第一項の規定により都道府県が処理することとされている事務、第百六条第一項（第二号に係る部分に限る。）、第百七条（第二号に係る部分に限る。）及び第百八条の規定により都道府県が処理することとされている事務のうち組合に係るもの並びに第百十四条の規定により都道府県が処理することとされている事務
国民年金法（昭和三十四年法律第百四十一号）	第十二条第一項及び第四項（第百五条第二項において準用する場合を含む。）並びに第百五条第一項及び第四項の規定により市町村が処理することとされている事務
小売商業調整特別措置法（昭和三十四年法律第百五十五号）	第二条、第三条第一項及び第四項（第七条第四項及び第十条第二項において準用する場合を含む。）、第四条第一項、第六条第二項、第七条第一項及び第三項、第九条第三項、第十条第一項、第十二条第一項及び第二項、第十四条、第十四条の二（第十六条の七後段において読み替えて適用される場合を含む。）、第十五条から第十六条の二まで、第十六条の三第一項、第三項、第四項（第十六条の四第二項において準用する場合を含む。）及び第五項、第十六条の四第一項、第十六条の五、第十六条の六第一項、第十七条、第十八条第一項、第十九条第一項及び第二項並びに第二十条の規定により都道府県が処理することとされてい

	る事務
住宅地区改良法（昭和三十五年法律第八十四号）	第四条第二項及び第五条並びに第二十九条第一項において準用する公営住宅法第四十四条第六項及び第四十六条第二項の規定により都道府県が処理することとされている事務
医薬品、医療機器等の品質、有効性及び安全性の確保等に関する法律（昭和三十五年法律第百四十五号）	一　第二十一条、第二十三条の二の二十一、第二十三条の四十一、第六十九条第一項、第四項、第六項及び第七項、第六十九条の二第二項、第七十条第一項及び第三項、第七十一条、第七十二条第三項、第七十二条の五、第七十六条の六第一項から第五項まで及び第七項、第七十六条の七第一項及び第二項、第七十六条の七の二並びに第七十六条の八第一項の規定により都道府県が処理することとされている事務 二　第二十一条、第六十九条第一項、第四項及び第六項、第七十条第一項及び第三項、第七十一条、第七十二条第三項並びに第七十二条の五の規定により保健所を設置する市又は特別区が処理することとされている事務
薬剤師法（昭和三十五年法律第百四十六号）	第八条第五項及び第九項前段、同条第十一項及び第十二項（これらの規定を第八条の二第五項において準用する場合を含む。）、第八条第六項において準用する行政手続法第十五条第一項及び第三項（同法第二十二条第三項において準用する場合を含む。）、第十六条第四項、第十八条第一項及び第三項、第十九条第一項、第二十条第六項並びに第二十四条第三項、第八条第九項後段において準用する同法第二十二条第三項において準用する同法第十五条第三項並びに第九条の規定により都道府県が処理することとされている事務
農業協同組合合併助成法（昭和三十六年法律第四十八号）	この法律の規定により都道府県が処理することとされている事務のうち、次に掲げるもの 一　第二条第一項及び第四条の規定により都道府県が処理することとされている事務（合併する組合のうちに信用事業を行う組合が含まれている場合に限る。） 二　第六条、第八条及び第九条の規定により都道府県が処理することとされている事務
公共用地の取得に関する特別措置法（昭和三十六年法律第百五十号）	この法律の規定により地方公共団体が処理することとされている事務のうち、次の各号に掲げるもの 一　都道府県が第八条において準用する土地収用法第二十四条第四項及び第五項並びに同法第二十五条第二項、この法律第二十条第一項、第三項及び第五項、第二十一条第一項、第二十三条第二項、第二十四条、第二十五条、第二十六条第一項、第二十六条第二項において準用する土地収用法第八十三条第四項から第六項まで、この法律第二十九条第二項、第三十条第一項、第三十四条、第三十七条第二項において準用する土地収用法第九十四条第十一項並びにこの法律第三十八条の二の規定（第四十五条においてこれらの規定を準用する場合を含む。）により処理することとされている事務 二　市町村が第八条において準用する土地収用法第二十四条第二項及びこの法律第四十条第二項の規定（第四十五条においてこれらの規定を準用する場合を含む。）により処理することとされている事務
社会福祉施設職員等退職手当共済法（昭和三十六年法律第百五十五号）	第二十三条第一項の規定により都道府県が処理することとされている事務
畜産経営の安定に関する法律（昭和三十六年法律第百八十三号）	第七条第一項及び第二項、第十条第一項、第十一条第一項（第十三条第三項において準用する場合を含む。）、第十二条第二項、第十三条第一項及び第二項並びに第二十九条第二項の規定により都道府県が処理することとされている事務
踏切道改良促進法（昭和三十六年法律第百九十五号）	第三条第五項、第四条第十七項（第五条第二項において準用する場合を含む。）及び第十四条第七項（同条第十項において準用する場合を含む。）の規定により都道府県が処理することとされている事務
児童扶養手当法（昭和三十六年法律第二百三十八号）	この法律（第二十八条の二第二項及び第三項を除く。）の規定により都道府県等が処理することとされている事務
共同溝の整備等に関する特別措置法（昭和三十八年法律第八十一号）	第三条第二項及び第三項（都道府県公安委員会の意見を聴く事務に係る部分に限る。）の規定により指定区間内の一般国道の管理を行う都道府県及び指定市が処理することとされている事務
新住宅市街地開発法（昭和三十八年法律第	この法律の規定により地方公共団体が処理することとされている事務のうち次に掲げるもの 一　都道府県が第二十七条第二項の規定により処理することとされている事務（都道府県又は地

百三十四号）	方住宅供給公社（市のみが設立したものを除く。）が施行する新住宅市街地開発事業に係るものに限る。） 二　都道府県が第三十二条第一項並びに第三十四条第三項及び第四項の規定により処理することとされている事務（都道府県又は地方住宅供給公社（市のみが設立したものを除く。）が施行する新住宅市街地開発事業に係るものに限る。） 三　市町村が第三十四条第二項の規定により処理することとされている事務（都道府県又は地方住宅供給公社（市のみが設立したものを除く。）が施行する新住宅市街地開発事業に係るものに限る。）
不動産の鑑定評価に関する法律（昭和三十八年法律第百五十二号）	第二十六条第二項（国土交通大臣に通知する事務に係る部分に限る。）の規定により都道府県が処理することとされている事務
特別児童扶養手当等の支給に関する法律（昭和三十九年法律第百三十四号）	この法律（第二十二条第二項及び第二十五条（第二十六条の五においてこれらの規定を準用する場合を含む。）を除く。）の規定により都道府県、市又は福祉事務所を管理する町村が処理することとされている事務
近畿圏の近郊整備区域及び都市開発区域の整備及び開発に関する法律（昭和三十九年法律第百四十五号）	第二十六条第二項の規定により府県が処理することとされている事務（府県が施行する工業団地造成事業に係るものに限る。）
漁業災害補償法（昭和三十九年法律第百五十八号）	この法律（第七十六条並びに第百九十六条の八第一項及び第二項を除く。）の規定により都道府県が処理することとされている事務
道路法の一部を改正する法律（昭和三十九年法律第百六十三号）	附則第三項の規定により都道府県又は指定市が処理することとされる事務
河川法（昭和三十九年法律第百六十七号）	一　この法律の規定により地方公共団体が処理することとされている事務のうち次に掲げるもの イ　第五条第一項から第四項まで及び第六項、第六条第一項第三号及び第二項から第六項まで、第十条第一項及び第二項、同条第三項において読み替えて準用する第九条第三項（都道府県知事が行う事務に係る部分に限る。）及び第四項、第十一条、第十二条第一項、第十四条、第十五条、第十五条の二第一項、第十六条第一項、同条第四項及び第五項（同条第六項においてこれらの規定を準用する場合を含む。）、第十六条の二第一項、同条第三項から第六項まで（同条第七項においてこれらの規定を準用する場合を含む。）、第十六条の三第一項、第十六条の四第一項、第十六条の五第一項、第十七条から第二十条まで、第二十一条第一項、第三項及び第四項、第二十二条第一項から第三項まで及び第六項、同条第四項及び第五項（第二十二条の三第六項、第五十七条第三項、第五十八条の六第三項、第七十六条第二項及び第八十九条第九項においてこれらの規定を準用する場合を含む。）、第二十二条の二、第二十二条の三第一項から第三項まで及び第五項、第二十三条から第二十三条の三まで、第二十四条、第二十五条、第二十六条第一項、第四項及び第五項、第二十七条第一項及び第五項、第二十八条から第三十条まで、第三十一条第二項、第三十二条第四項、第三十四条第一項、第三十六条第二項及び第四項、第三十七条から第三十八条まで、第四十二条第二項から第四項まで、第四十三条第一項、第四十四条第一項、第四十七条第一項、第二項及び第四項、第五十二条、第五十三条第三項、第五十三条の二第一項及び第三項、第五十四条第一項及び第四項、第五十五条第一項、第五十六条第一項及び第三項、第五十七条第一項及び第二項、第五十八条の三第一項及び第四項、第五十八条の四第一項、第五十八条の五第一項及び第三項、第五十八条の六第一項及び第二項、第五十八条の八第一項、第二項及び第四項、第五十八条の十一から第五十八条の十三まで、第六十六条、第六十七条、第六十八条第二項、第七十条第一項、第七十条の二第一項及び第二項、第七十四条第一項から第三項まで及び第五項、第七十五条第一項から第七項まで、第七十六条第一項及び第三項、第七十七条第一項（河川監理員を命ずる事務に係る部分を除く。）、第七十八条第一項、第八十九条第一項から第三項まで、第六項及び第

<table>
<tr><td></td><td>八項、第九十一条第一項、第九十二条、第九十五条並びに第九十九条第二項の規定により、二級河川に関して都道府県又は指定都市が処理することとされている事務
ロ　第十六条の四第一項及び第十六条の五第一項の規定により、指定区間内の一級河川に関して都道府県が処理することとされている事務
ハ　第十六条の四第一項、第十六条の五第一項、第三十二条第四項及び第三十六条第三項の規定により、指定区間内の一級河川に関して指定都市が処理することとされている事務
ニ　第十六条の三の規定により、市町村が処理することとされている事務
二　他の法律及びこれに基づく政令の規定により、指定区間内の一級河川及び二級河川の管理に関して都道府県又は指定都市が処理することとされている事務</td></tr>
<tr><td>地方住宅供給公社法（昭和四十年法律第百二十四号）</td><td>第四十四条第一項の規定により都道府県又は市が処理することとされている事務</td></tr>
<tr><td>流通業務市街地の整備に関する法律（昭和四十一年法律第百十号）</td><td>この法律の規定により地方公共団体が処理することとされている事務のうち次に掲げるもの
一　都道府県が第三十条第二項、第三十八条第一項並びに第三十九条第三項及び第四項の規定により処理することとされている事務（都道府県又は機構が施行する流通業務団地造成事業に係るものに限る。）
二　市町村が第三十九条第二項の規定により処理することとされている事務（都道府県又は機構が施行する流通業務団地造成事業に係るものに限る。）
三　他の法律の規定により許可、認可その他の処分をする権限を有する行政機関（地方公共団体に限る。）が第四十六条第二項の規定により処理することとされている事務（他の法律により当該権限に属する事務が第一号法定受託事務とされている場合に限る。）</td></tr>
<tr><td>漁業協同組合合併促進法（昭和四十二年法律第七十八号）</td><td>この法律の規定により都道府県が処理することとされている事務のうち、次に掲げるもの
一　第二条及び第四条の規定により都道府県が処理することとされている事務（合併する組合のうちに水産業協同組合法第十一条第一項第四号の事業を行う組合が含まれている場合に限る。）
二　第九条、第十一条及び第十二条の規定により都道府県が処理することとされている事務</td></tr>
<tr><td>公共用飛行場周辺における航空機騒音による障害の防止等に関する法律（昭和四十二年法律第百十号）</td><td>第十一条の規定により都道府県が処理することとされている事務（意見書を添付する事務を除く。）</td></tr>
<tr><td>大気汚染防止法（昭和四十三年法律第九十七号）</td><td>この法律の規定により都道府県が処理することとされている事務のうち、第五条の二第一項の規定により処理することとされているもの（指定ばい煙総量削減計画の作成に係るものを除く。）並びに同条第二項及び第三項、第十五条第三項、第十五条の二第三項及び第四項並びに第二十二条第一項及び第二項の規定により処理することとされているもの</td></tr>
<tr><td>騒音規制法（昭和四十三年法律第九十八号）</td><td>第十八条の規定により都道府県又は市が処理することとされている事務</td></tr>
<tr><td>都市計画法（昭和四十三年法律第百号）</td><td>一　この法律の規定により地方公共団体が処理することとされている事務のうち次に掲げるもの
イ　第二十条第二項（国土交通大臣から送付を受けた図書の写しを公衆の縦覧に供する事務に係る部分に限り、第二十一条第二項において準用する場合を含む。ハにおいて同じ。）、第二十二条第二項、第二十四条第一項前段及び第五項並びに第六十五条第一項（国土交通大臣が第五十九条第一項若しくは第二項の認可又は同条第三項の承認をした都市計画事業について許可をする事務に係る部分に限る。ロにおいて同じ。）の規定により都道府県が処理することとされている事務
ロ　第六十五条第一項の規定により市が処理することとされている事務
ハ　第二十条第二項及び第六十二条第二項（国土交通大臣から送付を受けた図書の写しを公衆の縦覧に供する事務に係る部分に限り、第六十三条第二項において準用する場合を含む。）の規定により市町村が処理することとされている事務
二　第六十九条の規定により適用される土地収用法の規定により地方公共団体が処理することとされている事務のうち、同法第百三十九条の四各号に掲げる事務（この法律第五十九条第一項若しくは第二項の規定による国土交通大臣の認可又は同条第三項の規定による国土交通大臣の</td></tr>
</table>

	承認を受けた都市計画事業に関するものに限る。）
都市再開発法（昭和四十四年法律第三十八号）	この法律の規定により地方公共団体が処理することとされている事務のうち次に掲げるもの 一　都道府県が第六十一条第一項、第六十六条第一項から第八項まで、第六十八条第二項において準用する土地収用法第三十六条第五項並びに第九十八条第二項（第九十九条の八第五項（第百十八条の二十八第二項において準用する場合を含む。）及び第百十八条の二十七第二項において準用する場合を含む。）及び第三項の規定により処理することとされている事務（都道府県又は機構等（市のみが設立した地方住宅供給公社を除く。）が施行する市街地再開発事業に係るものに限る。） 二　市が第六十一条第一項（土地の試掘等に係る部分に限る。）、第六十六条第一項から第八項まで並びに第九十八条第二項（第百十八条の二十七第二項において準用する場合を含む。）及び第三項の規定により処理することとされている事務（機構等（市のみが設立した地方住宅供給公社を除く。）が施行する市街地再開発事業に係るものに限る。） 三　市町村が第五十五条第二項（第五十六条において準用する場合を含む。）、第五十八条第三項及び第四項において準用する第十六条第一項（ただし書を除く。）及び第十九条第四項、第六十一条第一項（土地の試掘等に係る部分を除く。）及び第三項、第六十八条第二項において準用する土地収用法第三十六条第四項、第九十八条第一項並びに第九十九条第一項及び第三項から第五項まで（これらの規定を第九十九条の八第五項（第百十八条の二十八第二項において準用する場合を含む。）において準用する場合を含む。）、第九十九条第二項において準用する第九十八条第三項並びに第百六条第六項において準用する第四十一条第二項の規定により処理することとされている事務（都道府県又は機構等（市のみが設立した地方住宅供給公社を除く。）が施行する市街地再開発事業に係るものに限る。）
地価公示法（昭和四十四年法律第四十九号）	第七条第二項の規定により市町村（特別区を含む。）が処理することとされている事務
地方道路公社法（昭和四十五年法律第八十二号）	第四十条第一項の規定により都道府県又は市が処理することとされている事務
廃棄物の処理及び清掃に関する法律（昭和四十五年法律第百三十七号）	第十二条第三項及び第四項、第十二条の二第三項及び第四項、第十二条の三第七項、第十二条の五第九項、第十二条の六、第十二条の七第一項、第二項、第三項（同条第八項において準用する場合を含む。）、第七項、第九項及び第十項、第十四条第一項、第五項（第十四条の二第二項において準用する場合を含む。）、第六項及び第十項（第十四条の二第二項において準用する場合を含む。）、第十四条の二第一項、同条第三項において読み替えて準用する第七条の二第三項及び第四項、第十四条の三（第十四条の六において読み替えて準用する場合を含む。）、第十四条の三の二第一項（第十四条の六において読み替えて準用する場合を含む。）及び第二項（第十四条の六において準用する場合を含む。）、第十四条の四第一項、第五項（第十四条の五第二項において準用する場合を含む。）、第六項及び第十項（第十四条の五第二項において準用する場合を含む。）、第十四条の五第一項、同条第三項において読み替えて準用する第七条の二第三項及び第四項、第十五条第一項、同条第四項から第六項まで（第十五条の二の六第二項においてこれらの規定を準用する場合を含む。）、第十五条の二第一項から第三項まで（第十五条の二の六第二項においてこれらの規定を準用する場合を含む。）及び第五項、第十五条の二の二第一項、第十五条の二の四において読み替えて準用する第八条の五第四項、第十五条の二の六第一項、同条第三項において読み替えて準用する第九条第三項から第六項まで、第十五条の二の七、第十五条の三、第十五条の三の二第二項、第十五条の三の三第一項及び第五項、第十五条の四において読み替えて準用する第九条の五第一項及び第二項並びに第九条の六、第十五条の四において準用する第九条の七第二項、第十七条の二第一項、同条第三項において準用する第十八条第一項、第十九条第一項、第十九条の三（第一号及び第三号を除く。）及び第十九条の五第一項（第二号から第四号までを除く。）、第十八条第一項（産業廃棄物又は産業廃棄物処理施設に係る部分に限る。）、第十九条第一項（産業廃棄物又は産業廃棄物処理施設に係る部分に限る。）、第十九条の三（第二号に係る部分に限る。）、第十九条の五第一項、同条第二項において準用する第十九条の四第二項、第十九条の六第一項、同条第二項において準用する第十九条の四第二項、第十九条の十第二項において読み替えて準用する第十九条の五第一項、第二十一条の二（産業廃棄物の処理施設に係る部分に限る。）、第二十三条の三並びに第二十三条の四の規定により都道府県が行うこととされている事務
水質汚濁防	第四条の五第一項及び第二項、第十五条第一項及

止法（昭和四十五年法律第百三十八号）	び第二項並びに第十六条第一項の規定により都道府県が処理することとされている事務
農用地の土壌の汚染防止等に関する法律（昭和四十五年法律第百三十九号）	第十一条の二の規定により都道府県が処理することとされている事務
児童手当法（昭和四十六年法律第七十三号）	この法律（第二十条から第二十二条の二まで及び第二十九条を除く。）の規定により市町村が処理することとされている事務（第十七条第一項の規定により読み替えられた第七条第一項、第八条第一項及び第十四条第一項の規定により都道府県又は市町村が処理することとされている事務を含む。）
積立式宅地建物販売業法（昭和四十六年法律第百十一号）	第十二条、第十三条及び第十六条の規定により都道府県が処理することとされている事務（国土交通大臣の許可を受けた積立式宅地建物販売業者に係る積立式宅地建物販売業者名簿の備付け、登載、閲覧、訂正及び消除に関するものに限る。）
新都市基盤整備法（昭和四十七年法律第八十六号）	この法律の規定により地方公共団体が処理することとされている事務のうち次に掲げるもの 一　都道府県が第五十一条第一項の規定により処理することとされている事務（都道府県が施行する新都市基盤整備事業に係るものに限る。） 二　市町村が第二十五条第一項において準用する土地区画整理法第五十五条第十項（同条第十三項において準用する場合を含む。）の規定により処理することとされている事務（都道府県が施行する新都市基盤整備事業に係るものに限る。） 三　市町村が第二十九条において準用する土地区画整理法第七十二条第六項及び第七十七条第六項の規定により処理することとされている事務（都道府県が施行する新都市基盤整備事業に係るものに限る。）
石油パイプライン事業法（昭和四十七年法律第百五号）	第三十四条第一項及び第二項の規定により都道府県が処理することとされている事務
防災のための集団移転促進事業に係る国の財政上の特別措置等に関する法律（昭和四十七年法律第百三十二号）	第三条第四項前段（第六項において準用する場合を含む。）及び第七項の規定により都道府県が処理することとされている事務
農水産業協同組合貯金保険法（昭和四十八年法律第五十三号）	この法律の規定により都道府県が処理することとされている事務
公害健康被害の補償等に関する法律（昭和四十八年法律第百十一号）	第四条第一項、第二項、第四項及び第六項、第五条第一項、第七条第二項（第八条第三項及び第八条の二第三項において準用する場合を含む。）、第八条第二項、第八条の二第二項、第九条、第十一条第二項、第十五条第一項、第十九条第一項、第二十条、第二十一条第二項、第二十四条第一項及び第二項、第二十五条第一項、第二十八条第一項から第四項まで及び第七項（第三十九条第三項において準用する場合を含み、第二十八条第二項にあつては同条第四項後段において準用する場合を含む。）、第二十九条第一項並びに同条第二項及び第四項（第三十五条第二項及び第四十一条第二項において準用する場合を含む。）、第三十五条第一項及び第三項、第三十九条第一項、第四十条第一項、第四十一条第一項、第四十二条、第四十三条、第四十六条、第百三十六条から第百三十八条まで、第百三十九条第一項及び第四項並びに第百四十条第一項の規定により都道府県又は第四条第三項の政令で定める市が処理することとされている事務
有害物質を含有する家庭用品の規制に関する法律（昭和四十八年法律第百十二号）	第六条及び第七条第一項の規定により都道府県、保健所を設置する市又は特別区が処理することとされている事務
伝統的工芸品産業の振興に関する法律（昭和四十九年法	第二条第三項（同条第七項において準用する場合を含む。）、第四条第一項、第五条第二項、第七条第一項、第八条第二項、第九条第一項、第十条第二項、第十一条第一項、第十二条第二項、第十三条第一項及び第十四条第二項の規定により都道府

律第五十七号）	県又は市町村が処理することとされている事務
防衛施設周辺の生活環境の整備等に関する法律（昭和四十九年法律第百一号）	第十四条の規定により市町村（特別区を含む。）が処理することとされている事務（同条第二項の規定による申請書に意見を記載した書面を添える事務を除く。）
私立学校振興助成法（昭和五十年法律第六十一号）	㊟ 本項中、点線の左側は、令和七年四月一日から施行となる。 一 第十二条（第十六条において準用する場合を含む。）、第十二条の二第一項（第十六条において準用する場合を含む。）及び第二項（第十三条第二項及び第十六条において準用する場合を含む。）、第十三条第一項（第十六条において準用する場合を含む。）並びに第十四条第二項及び第三項 第四項の規定により都道府県が処理することとされている事務 二 附則第二条第二項又は第二条の二第二項の規定により読み替えて適用される第十二条、第十二条の二第一項、同条第二項（第十三条第二項において準用する場合を含む。）、及び第二項、第十三条第一項並びに第十四条第二項及び第三項 第四項の規定により都道府県が処理することとされている事務
大都市地域における住宅及び住宅地の供給の促進に関する特別措置法（昭和五十年法律第六十七号）	この法律の規定により地方公共団体が処理することとされている事務のうち次に掲げるもの 一 都府県が第五十九条第六項及び第七項（これらの規定を同条第十五項において準用する場合を含む。）、第六十四条第一項、第六十七条第一項、同条第二項において準用する土地区画整理法第七十六条第二項並びに第百四条第一項及び第二項の規定により処理することとされている事務（都府県又は機構若しくは地方公社（市のみが設立したものを除く。）が施行する住宅街区整備事業に係るものに限る。） 二 市町村が第五十七条において準用する土地区画整理法第五十五条第十項（第五十七条において準用する同法第五十五条第十三項において準用する場合を含む。）、第五十九条第十二項（同条第十五項において準用する場合を含む。）、第六十四条第一項及び第三項並びに第七十一条において準用する同法第七十七条第六項（第百一条において準用する同法第百三十三条第二項において準用する場合を含む。）の規定により処理することとされている事務（都府県又は機構若しくは地方公社（市のみが設立したものを除く。）が施行する住宅街区整備事業に係るものに限る。）
中小企業の事業活動の機会の確保のための大企業者の事業活動の調整に関する法律（昭和五十二年法律第七十四号）	第五条第二項及び第六条第二項の規定により都道府県が処理することとされている事務
犯罪被害者等給付金の支給等による犯罪被害者等の支援に関する法律（昭和五十五年法律第三十六号）	第十一条第一項、第十二条第一項及び第十三条の規定により都道府県が処理することとされている事務
農業経営基盤強化促進法（昭和五十五年法律第六十五号）	この法律の規定により地方公共団体が処理することとされている事務のうち、次に掲げるもの 一 第五条第一項、第三項及び第五項から第七項まで、第六条第五項、第八条第一項及び第四項（第九条第二項において準用する場合を含む。）、第九条第一項並びに第十条並びに第十一条第一項の規定により読み替えて適用する農地中間管理事業の推進に関する法律第十三条並びに第三十条第一項及び第二項の規定により都道府県が処理することとされている事務 二 第十二条第六項、第七項及び第十一項、第十三条の二第四項の規定により読み替えて適用する第十二条第六項並びに第十三条の二第六項の規定により読み替えて適用する第十二条第十三項及び第十四項（これらの規定を第十三条第三項において準用する場合を含む。）の規定により都道府県が処理することとされている事務（第十二条第三項第二号の土地に四ヘクタールを超える農地が含まれる農業経営改善計画に係るものに限る。） 三 第十二条第十三項及び第十四項、第十三条の二第四項の規定により読み替えて適用する第十二条第六項並びに第十三条の二第五項の規定により読み替えて適用する第十二条第六項及び第十一項（これらの規定を第十三条第三項におい

自治法

	て準用する場合を含む。）の規定により指定市町村が処理することとされている事務（第十二条第三項第二号の土地に四ヘクタールを超える農地が含まれる農業経営改善計画に係るものに限る。）
高齢者の医療の確保に関する法律（昭和五十七年法律第八十号）	㊟ 本項中、点線の左側は、令和五年六月九日から起算して一年六月を超えない範囲内において政令で定める日〔令六・一二・二〕から施行となる。 第四十四条第四項（第百二十四条、第百二十四条の八及び附則第十条において準用する場合を含む。）、第六十一条第一項及び第二項、第六十六条第一項（第七十四条第十項、第七十五条第七項、第七十六条第六項及び第八十二条第二項 第八十二条第六項において準用する場合を含む。）及び第二項（第七十二条第二項、第七十四条第十項、第七十五条第七項、第七十六条第六項及び第八十二条第二項 第八十二条第六項において準用する場合を含む。）、第七十条第二項並びに第七十二条第一項及び第三項（これらの規定を第七十四条第十項、第七十五条第七項、第七十六条第六項及び第八十二条第二項 第八十二条第六項において準用する場合を含む。）、第八十条並びに第八十一条第一項及び第三項（これらの規定を第八十二条第二項 第八十二条第六項において準用する場合を含む。）、第百三十三条第二項、第百三十四条第二項（附則第十条において準用する場合を含む。）、第百五十二条第一項及び第三項（これらの規定を附則第十一条第二項において準用する場合を含む。）並びに第百二十七条の規定において準用する国民健康保険法第八十八条及び第八十九条第一項の規定により都道府県が処理することとされている事務
電気通信事業法（昭和五十九年法律第八十六号）	第百三十条第二項及び第三項（これらの規定を第百三十八条第四項において準用する場合を含む。）の規定により市町村が処理することとされている事務
国民年金法等の一部を改正する法律（昭和六十年法律第三十四号）	附則第九十七条第一項の規定により都道府県、市（特別区を含む。）及び福祉事務所を管理する町村が処理することとされている第七条の規定による改正前の特別児童扶養手当等の支給に関する法律による福祉手当の支給に関する事務
大都市地域における優良宅地開発の促進に関する緊急措置法（昭和六十三年法律第四十七号）	第三条第五項（第七条第二項において準用する場合を含む。）の規定により都府県が処理することとされている事務
肉用子牛生産安定等特別措置法（昭和六十三年法律第九十八号）	第七条第一項、第二項及び第四項（第九条第二項において準用する場合を含む。）、第八条第一項、第九条第一項並びに第十七条第一項の規定により都道府県が処理することとされている事務
特定農地貸付けに関する農地法等の特例に関する法律（平成元年法律第五十八号）	第三条第一項及び第三項の規定により市町村が処理することとされている事務
食鳥処理の事業の規制及び食鳥検査に関する法律（平成二年法律第七十号）	第三十七条第一項及び第三十八条第一項の規定により都道府県が処理することとされている事務
地価税法（平成三年法律第六十九号）	第六条第二項第二号の規定により都道府県が処理することとされている確認に関する事務
日本国との平和条約に基づき日本の国籍を離脱した者等の出入国管理に関する特例法（平成三年法律第七十一号）	㊟ 本項中、点線の左側は、令和六年六月二一日から起算して二年を超えない範囲内において政令で定める日から施行となる。 第四条第三項及び第四項、第六条第一項、第七条第二項、第十条第一項から第三項まで、第十一条第一項、同条第二項及び第三項（これらの規定を第十二条第三項、第十三条第二項及び第十四条第四項において準用する場合を含む。）、第十二条第一項及び第二項、第十三条第一項、第十四条第一項及び第三項並びに第十六条第三項 第十六条第三項並びに第十六条の二第一項、第二項、第六項、第七項及び第十一項の規定により市町村が処理することとされている事務

計量法（平成四年法律第五十一号）	一　第四十条第二項（第四十二条第三項、第四十五条第二項及び第百条において準用する場合を含む。）、第九十一条第二項及び第三項並びに第百二十七条第二項から第四項までの規定により都道府県が処理することとされている事務（同条第二項から第四項までに規定するものにあっては、政令で定めるものに限る。） 二　第百二十七条第二項から第四項までの規定により特定市町村が処理することとされている事務（政令で定めるものに限る。）
産業廃棄物の処理に係る特定施設の整備の促進に関する法律（平成四年法律第六十二号）	第四条第三項の規定により都道府県が行うこととされている事務
地方拠点都市地域の整備及び産業業務施設の再配置の促進に関する法律（平成四年法律第七十六号）	第四十七条第二項の規定により読み替えて適用される地方住宅供給公社法第四十四条第一項の規定により市町村が処理することとされている事務
協同組織金融機関の優先出資に関する法律（平成五年法律第四十四号）	この法律（第四十五条の二第三項を除く。）の規定により都道府県が処理することとされている事務
特定農山村地域における農林業等の活性化のための基盤整備の促進に関する法律（平成五年法律第七十二号）	第八条第六項の規定により都道府県が処理することとされている事務
環境基本法（平成五年法律第九十一号）	第十六条第二項の規定により都道府県又は市が処理することとされている事務（政令で定めるものを除く。）
政党助成法（平成六年法律第五号）	第十八条第三項（第二十九条第三項（第二十七条第七項において適用する場合を含む。）において準用し、及び第二十七条第七項において適用する場合を含む。）、第二十条第二項及び第三十条第二項（これらの規定を第二十七条第七項において適用する場合を含む。）、第三十二条第三項及び第五項並びに第三十七条の規定により都道府県が処理することとされている事務
特定水道利水障害の防止のための水道水源水域の水質の保全に関する特別措置法（平成六年法律第九号）	第二十四条の規定により都道府県が処理することとされている事務
中国残留邦人等の円滑な帰国の促進並びに永住帰国した中国残留邦人等及び特定配偶者の自立の支援に関する法律（平成六年法律第三十号）	第十四条第四項（第十五条第三項において準用する場合を含む。）においてその例によるものとされた生活保護法別表第三の下欄に掲げる規定によりそれぞれ同表の上欄に掲げる地方公共団体が処理することとされている事務
不動産特定共同事業法（平成六年法律第七十七号）	第十二条及び第十三条（これらの規定を第五十八条第五項及び第六十条の規定により読み替えて適用する場合を含む。）並びに第四十九条（第五十八条第六項の規定により読み替えて適用する場合を含む。）の規定により都道府県が処理することとされている事務（第十二条及び第十三条の規定により処理することとされているものについては主務大臣の許可を受けた不動産特定共同事業者に係る不動産特定共同事業者名簿の備付け、登載及び閲覧に、第四十九条の規定により処理することとされているものについては主務大臣の登録を受けた小規模不動産特定共同事業者に係る同条に規定する書類の閲覧に関するものに限る。）
原子爆弾被爆者に対する援護に関	この法律（第三章第五節、第六章及び第四十八条を除く。）の規定により都道府県並びに広島市及び長崎市が処理することとされている事務

する法律（平成六年法律第百十七号）	
密集市街地における防災街区の整備の促進に関する法律（平成九年法律第四十九号）	この法律の規定により地方公共団体が処理することとされている事務のうち、次に掲げるもの 一　都道府県が第百九十二条第一項、第百九十七条第一項から第八項まで、第百九十九条第二項において準用する土地収用法第三十六条第五項並びに第二百三十三条第二項（第二百四十一条第五項において準用する場合を含む。）及び第三項の規定により処理することとされている事務（都道府県又は都市再生機構等（市のみが設立した地方住宅供給公社を除く。）が施行する防災街区整備事業に係るものに限る。） 二　市が第百九十二条第一項（土地の試掘等に係る部分に限る。）、第百九十七条第一項から第八項まで並びに第二百三十三条第二項及び第三項の規定により処理することとされている事務（都道府県又は都市再生機構等（市のみが設立した地方住宅供給公社を除く。）が施行する防災街区整備事業に係るものに限る。） 三　市町村が第百八十三条第二項（第百八十四条において準用する場合を含む。）、第百八十八条第三項及び第四項において準用する第百四十条第二項及び第百四十三条第四項、第百九十二条第一項（土地の試掘等に係る部分を除く。）及び第三項、第百九十九条第二項において準用する土地収用法第三十六条第四項、第二百三十三条第一項並びに第二百三十四条第一項及び第三項から第五項まで（これらの規定を第二百四十一条第五項において準用する場合を含む。）、第二百三十四条第二項において準用する第二百三十三条第三項並びに第二百五十条第六項において準用する第百六十条第二項の規定により処理することとされている事務（都道府県又は都市再生機構等（市のみが設立した地方住宅供給公社を除く。）が施行する防災街区整備事業に係るものに限る。）
環境影響評価法（平成九年法律第八十一号）	一　第四条第一項第一号若しくは第五号又は第二十二条第一項第一号、第二号若しくは第六号に定める者（地方公共団体の機関に限る。以下「第四条第一項第一号等に定める者」という。）が、この法律の規定により行うこととされている事務（当該第四条第一項第一号等に定める者が行う免許等若しくは第二条第二項第二号ホに規定する免許、特許、許可、認可、承認若しくは同意又は特定届出若しくは同号ホに規定する届出に係る事務が第一号法定受託事務である場合に限る。） 二　第四条第一項第二号又は第二十二条第一項第三号に定める者（都道府県の機関に限る。）が、この法律の規定により行うこととされている事務
介護保険法（平成九年法律第百二十三号）	第百五十六条第四項、第百七十二条第一項及び第三項並びに第百九十七条第四項の規定により都道府県が処理することとされている事務
感染症の予防及び感染症の患者に対する医療に関する法律（平成十年法律第百十四号）	第三章（第十二条第八項、同条第九項において準用する同条第二項及び第三項、同条第九項において準用する同条第四項において準用する同条第二項及び第三項、第十四条、第十四条の二並びに第十六条を除く。）、第四章（第十八条第五項及び第六項、第十九条第二項及び第七項並びに第二十条第六項及び第八項（第二十六条においてこれらの規定を準用する場合を含む。）、第二十四条並びに第二十四条の二（第二十六条及び第四十九条の二において準用する場合を含む。）を除く。）、第二十六条の三（第四十四条の三の五第六項において準用する場合を含む。）、第二十六条の四、第三十二条、第三十三条、第六章第一節（第三十六条の八第四項を除く。）、第三十六条の十九第四項及び第三十六条の二十二（第三十六条の二十三第四項及び第三十六条の二十四第二項においてこれらの規定を準用する場合を含む。）、第三十六条の三十七、第三十八条第二項（第一種感染症指定医療機関、第一種協定指定医療機関及び第二種協定指定医療機関に係る部分に限る。）、第五項、第七項及び第八項、同条第十項及び第十一項（第一種感染症指定医療機関、第一種協定指定医療機関及び第二種協定指定医療機関に係る部分に限る。）、第四十四条の三第一項、第二項、第四項から第六項まで及び第十一項、第四十四条の三の五、第四十四条の三の六、第四十四条の四の二及び第四十四条の五第四項（第四十四条の八においてこれらの規定を準用する場合を含む。）、第四十四条の六、第八章（第四十六条第五項及び第七項、第五十条第十項、同条第十二項において準用する第三十六条第五項において準用する同条第一項及び第二項、第五十条の二第四項において準用する第四十四条の三第七項から第十項まで、第五十条の三、第五十条の四、第五十一条第四項において準用する同条第一項、第五十一条の四第二項並びに同条第三項において準用する第四十四条の五第三項を除く。）、第十章、第六十三条の三第一項並びに第六十三条の四の規定により都道府県又は保健所設置市等が処理することとされている事務
地方特例交付金等の地方財政の特	第六条及び第七条第二項後段の規定により都道府県が処理することとされている事務

法律	事務
別措置に関する法律（平成十一年法律第十七号）	
持続的養殖生産確保法（平成十一年法律第五十一号）	第七条の二、第八条第一項及び第二項（第九条の二第二項において準用する場合を含む。）、第九条第一項から第三項まで、第九条の二第一項並びに第九条の三の規定により都道府県が処理することとされている事務
地方分権の推進を図るための関係法律の整備等に関する法律（平成十一年法律第八十七号）	一　第九十三条の規定による改正後の民法第八十三条ノ三第一項及び第九十四条の規定による改正後の民法施行法第二十三条第四項前段の各規定により都道府県が処理することとされる事務（この法律の施行の日（以下この項において「施行日」という。）から起算して二年間に限る。） 二　附則第十八条第一項の規定により、施行日から起算して二年を超えない範囲内において政令で定める日までの間、都道府県が処理することとされている事務 三　附則第百六十一条第一項の規定により上級行政庁とみなされる行政庁（地方公共団体の機関に限る。）が行政不服審査法の規定により処理することとされる事務 四　附則第百八十四条第一項の規定により、施行日から起算して二年を超えない範囲内において政令で定める日までの間、都道府県が行うこととされる事務
ダイオキシン類対策特別措置法（平成十一年法律第百五号）	この法律の規定により都道府県が処理することとされている事務のうち、第十条第一項の規定により処理することとされているもの（総量削減計画の作成に係るものを除く。）並びに同条第二項及び第三項並びに第二十六条の規定により処理することとされているもの
特定化学物質の環境への排出量の把握等及び管理の改善の促進に関する法律（平成十一年法律第八十六号）	第五条第三項前段の規定により都道府県が処理することとされている事務
大深度地下の公共的使用に関する特別措置法（平成十二年法律第八十七号）	この法律の規定により地方公共団体が処理することとされている事務のうち、次に掲げるもの（第十一条第一項の事業に関するものに限る。） 一　都道府県が第九条において準用する土地収用法第十一条第一項及び第四項並びに第十四条第一項、第二十条において準用する同法第二十四条第四項及び第五項並びに第二十五条第二項、第二十二条第三項及び第三十条第六項において準用する同法第二十四条第四項及び第五項、第二十三条第一項、第三十六条第一項並びに同条第二項において準用する第三十五条第三項の規定により処理することとされている事務 二　市町村が第九条において準用する土地収用法第十二条第二項並びに第十四条第一項及び第三項、第二十条において準用する同法第二十四条第二項、第二十二条第二項、第三十条第五項並びに第三十五条第一項から第三項まで、第五項及び第六項の規定により処理することとされている事務
農水産業協同組合の再生手続の特例等に関する法律（平成十二年法律第九十五号）	この法律の規定により都道府県が処理することとされている事務
高齢者の居住の安定確保に関する法律（平成十三年法律第二十六号）	第二十一条第二項及び第五十一条第二項において準用する公営住宅法第四十五条第三項の規定により都道府県が処理することとされている事務
ポリ塩化ビフェニル廃棄物の適正な処理の推進に関する特別措置法（平成十三年法律第六十五号）	第十二条第一項（第十五条において読み替えて準用する場合を含む。）及び第二項（第十五条において準用する場合を含む。）並びに第二十四条及び第二十五条第一項（これらの規定を第十九条において読み替えて準用する場合を含む。）の規定により都道府県が行うこととされている事務
農業協同組合法等の一部を改正する法律（平成十三年法律第九十四号）	附則第三条第一項の規定により都道府県が処理することとされている事務
都市再生特	第五十八条の規定により国道に関して市町村が処

別措置法（平成十四年法律第二十二号）	理することとされている事務（費用の負担及び徴収に関するものを除く。）
水産業協同組合法等の一部を改正する法律（平成十四年法律第七十五号）	附則第四条第一項の規定により都道府県が処理することとされている事務
使用済自動車の再資源化等に関する法律（平成十四年法律第八十七号）	この法律の規定により都道府県、保健所を設置する市又は特別区（以下この項において「都道府県等」という。）が処理することとされている事務のうち、次に掲げるもの 一　第六十条第一項、第六十一条第一項、第六十二条、第六十三条第一項、第六十四条（第七十二条において準用する場合を含む。）、第六十六条（第七十二条において読み替えて準用する場合を含む。）、第六十七条第一項、第六十八条第一項、第六十九条（第七十条第二項において準用する場合を含む。）、第七十条第一項、第七十一条第一項、第八十八条第四項から第六項まで、第九十条第一項及び第三項、第百二十五条並びに第百二十六条の規定により都道府県等が処理することとされている事務 二　第百三十条第一項及び第二項並びに第百三十一条第一項の規定により都道府県等が処理することとされている事務（第三章第三節及び第四節並びに第五章の規定の施行に関するものに限る。）
健康増進法（平成十四年法律第百三号）	第十条第三項、第十一条第一項及び第六十一条第一項（第六十三条第二項において準用する場合を含む。）の規定により都道府県、保健所を設置する市又は特別区が処理することとされている事務
独立行政法人水資源機構法（平成十四年法律第百八十二号）	第二十四条第二項並びに第二十八条第一項から第三項まで及び第五項の規定により都道府県が処理することとされている事務
特定都市河川浸水被害対策法（平成十五年法律第七十七号）	この法律の規定により地方公共団体が処理することとされている事務のうち次に掲げるもの 一　第三条第三項（同条第五項（同条第十一項において準用する場合を含む。）において準用する場合に限る。）、同条第四項から第七項まで、第九項及び第十項（同条第十一項においてこれらの規定を準用する場合を含む。）、第四条第一項、同条第四項から第十項まで（同条第十二項においてこれらの規定を準用する場合を含む。）並びに第七十七条第一項から第三項まで、第五項、第六項及び第八項から第十項まで（同条第一項から第三項まで、第五項、第六項及び第八項から第十項までに規定する事務にあっては、特定都市河川流域の指定に係るものに限る。）の規定により都道府県が処理することとされている事務 二　第四条第一項及び同条第四項から第十項まで（同条第十二項においてこれらの規定を準用する場合を含む。）の規定により市町村が処理することとされている事務
裁判員の参加する刑事裁判に関する法律（平成十六年法律第六十三号）	第二十一条第一項及び第二項、第二十二条並びに第二十三条第四項（これらの規定を第二十四条第二項において準用する場合を含む。）の規定により市町村が処理することとされている事務
武力攻撃事態等における国民の保護のための措置に関する法律（平成十六年法律第百十二号）	この法律の規定により地方公共団体が処理することとされている事務（都道府県警察が処理することとされているものを除く。）
特定障害者に対する特別障害給付金の支給に関する法律（平成十六年法律第百六十六号）	第六条第三項及び第二十七条第三項の規定により市町村が処理することとされている事務
高齢者、障害者等の移動等の円滑化の促進に関する法律（平成十八年法律第九十一号）	第三十二条の規定により国道に関して市町村が処理することとされている事務（費用の負担及び徴収に関するものを除く。）
道州制特別区域におけ	第十二条第一項及び第二項の規定により読み替えて適用する生活保護法の規定により特定広域団体

る広域行政の推進に関する法律（平成十八年法律第百十六号）	が処理することとされている特定事務等
犯罪による収益の移転防止に関する法律（平成十九年法律第二十二号）	この法律の規定により都道府県が処理することとされている事務のうち次に掲げる者に係るもの 一　農業協同組合法第十条第一項第三号の事業を行う農業協同組合及び農業協同組合連合会 二　水産業協同組合法第十一条第一項第四号の事業を行う漁業協同組合 三　水産業協同組合法第八十七条第一項第四号の事業を行う漁業協同組合連合会 四　水産業協同組合法第九十三条第一項第二号の事業を行う水産加工業協同組合 五　水産業協同組合法第九十七条第一項第二号の事業を行う水産加工業協同組合連合会
農山漁村の活性化のための定住等及び地域間交流の促進に関する法律（平成十九年法律第四十八号）	第八条第五項の規定により都道府県が処理することとされている事務
日本国憲法の改正手続に関する法律（平成十九年法律第五十一号）	この法律の規定により地方公共団体が処理することとされている事務
更生保護法（平成十九年法律第八十八号）	第九十八条第二項の規定により市町村が処理することとされている事務
中国残留邦人等の円滑な帰国の促進及び永住帰国後の自立の支援に関する法律の一部を改正する法律（平成十九年法律第百二十七号）	附則第四条第二項において準用する中国残留邦人等の円滑な帰国の促進並びに永住帰国した中国残留邦人等及び特定配偶者の自立の支援に関する法律第十四条第四項においてその例によるものとされた生活保護法別表第三の下欄に掲げる規定によりそれぞれ同表の上欄に掲げる地方公共団体が処理することとされている事務
犯罪利用預金口座等に係る資金による被害回復分配金の支払等に関する法律（平成十九年法律第百三十三号）	この法律の規定により都道府県が処理することとされている事務
オウム真理教犯罪被害者等を救済するための給付金の支給に関する法律（平成二十年法律第八十号）	第七条第一項及び第八条の規定により都道府県が処理することとされている事務
障害のある児童及び生徒のための教科用特定図書等の普及の促進等に関する法律（平成二十年法律第八十一号）	第十六条第二項の規定により都道府県が処理することとされている事務及び同条第一項の規定により市町村が処理することとされている事務
ハンセン病問題の解決の促進に関する法律（平成二十年法律第八十二号）	第十九条第一項及び第二十一条第一項の規定により都道府県が処理することとされている事務
消費者安全法（平成二十一年法律第五十号）	第四十七条第二項の規定により地方公共団体が処理することとされている事務
出入国管理及び難民認定法及び日本国との平和条約に基	附則第十七条第一項、同条第二項及び附則第十八条第二項において準用する出入国管理及び難民認定法第十九条の七第二項、附則第十八条第一項、第二十七条第一項及び第五項、第二十八条第三項及び第四項、第二十九条第一項及び第三項並びに

づき日本の国籍を離脱した者等の出入国管理に関する特例法の一部を改正する等の法律（平成二十一年法律第七十九号）	第三十条第一項、同条第二項及び附則第三十一条第二項において準用する日本国との平和条約に基づき日本の国籍を離脱した者等の出入国管理に関する特例法第十条第三項並びに附則第三十一条第一項及び第三十三条の規定により市町村が処理することとされている事務
中小企業者等に対する金融の円滑化を図るための臨時措置に関する法律（平成二十一年法律第九十六号）	この法律（第十四条第三項を除く。）の規定により都道府県が処理することとされている事務
高等学校等就学支援金の支給に関する法律（平成二十二年法律第十八号）	第四条（第十四条第三項の規定により読み替えて適用する場合を含む。）、第六条第一項、第八条第一項（第十四条第三項の規定により読み替えて適用する場合を含む。）、第十一条第一項、第十七条及び第十八条第一項の規定により都道府県が処理することとされている事務
平成二十二年度等における子ども手当の支給に関する法律（平成二十二年法律第十九号）	この法律（第二十三条及び第三十条を除く。）の規定により市町村が処理することとされている事務（第十六条第一項の規定により読み替えられた第六条第一項、第七条第一項及び第十三条第一項の規定により都道府県又は市町村が処理することとされている事務を含む。）
廃棄物の処理及び清掃に関する法律の一部を改正する法律（平成二十二年法律第三十四号）	附則第六条第一項及び第三項の規定により都道府県が行うこととされている事務
口蹄疫対策特別措置法（平成二十二年法律第四十四号）	第五条第一項及び第二項の規定により都道府県が処理することとされている事務
東日本大震災による被害を受けた公共土木施設の災害復旧事業等に係る工事の国等による代行に関する法律（平成二十三年法律第三十三号）	第七条第二項及び第四項の規定により県が処理することとされている事務（同項の規定により県が処理することとされているものにあつては、政令で定めるものに限る。）
平成二十三年度における子ども手当の支給等に関する特別措置法（平成二十三年法律第百七号）	この法律（第二十四条から第二十七条まで及び第三十四条を除く。）の規定により市町村が処理することとされている事務（第十六条第一項の規定により読み替えられた第六条第一項、第七条第一項及び第十三条第一項の規定により都道府県又は市町村が処理することとされている事務を含む。）
平成二十三年三月十一日に発生した東北地方太平洋沖地震に伴う原子力発電所の事故により放出された放射性物質による環境の汚染への対処に関する特別措置法（平成二十三年法律第百十号）	第三十四条第一項から第四項まで、第三十五条第一項（第五号に係る部分に限る。）、第二項及び第三項（同条第一項第五号に係る部分に限る。）、第三十六条第一項、第四項（第三十七条第二項において準用する場合を含む。）及び第五項（第三十七条第二項において準用する場合を含む。）、第三十七条第一項、第三十八条第二項（第三十五条第一項第五号に係る土壌等の除染等の措置に係る部分に限る。）、第四項（第三十五条第一項第五号に係る土壌等の除染等の措置に係る部分に限る。）、第七項（第三十五条第一項第五号に係る土壌等の除染等の措置に係る部分に限る。）及び第八項、第三十九条第一項から第四項まで（第三十五条第一項第五号に掲げる土地における除去土壌等の保管に係る部分に限る。）及び第五項、第四十九条第五項、第五十条第五項並びに第五十一条第三項、第四項及び第五項の規定により都道府県又は市町村が処理することとされている事務
新型インフルエンザ等対策特別措置法（平成二十四年法律第三十一	この法律の規定により地方公共団体が処理することとされている事務（都道府県警察が処理することとされているものを除く。）

号）	
大規模災害からの復興に関する法律（平成二十五年法律第五十五号）	第四十八条第二項及び第四項の規定により都道府県が処理することとされている事務（同項の規定により都道府県が処理することとされているものにあつては、政令で定めるものに限る。）
農地中間管理事業の推進に関する法律（平成二十五年法律第百一号）	この法律の規定により地方公共団体が処理することとされている事務のうち、次に掲げるもの 一　第三条第一項、第四項及び第五項、第四条、第五条、第八条第一項及び第五項、第十三条、第十四条第一項及び第三項、第十五条、第十八条第一項、第六項及び第七項、第二十条、第二十一条第二項、第二十八条並びに第三十条第一項及び第二項の規定により都道府県が処理することとされている事務 二　第十八条第六項（第一号に係る部分に限る。）の規定により指定市町村が処理することとされている事務（農地を農地以外のものにするため又は採草放牧地を採草放牧地以外のもの（農地を除く。）にするため、農地又は農地と併せて採草放牧地について農地法第三条第一項本文に規定する権利を取得する行為であつて、当該行為に係る農地の面積の合計が四ヘクタールを超えるものに係る農用地利用集積等促進計画に係るものに限る。）
農林漁業の健全な発展と調和のとれた再生可能エネルギー電気の発電の促進に関する法律（平成二十五年法律第八十一号）	この法律の規定により都道府県又は指定市町村が処理することとされている事務のうち、次に掲げるもの 一　第七条第四項第一号及び第十一項第一号（これらの規定を第八条第四項において準用する場合を含む。）の規定により都道府県が処理することとされている事務（同一の事業の目的に供するため四ヘクタールを超える農地を農地以外のものにする行為又は同一の事業の目的に供するため四ヘクタールを超える農地若しくはその農地と併せて採草放牧地について農地法第三条第一項本文に規定する権利を取得する行為に係る設備整備計画に係るものに限る。） 二　第七条第四項第四号（第八条第四項において準用する場合を含む。）の規定により都道府県が処理することとされている事務（民有林にあつては、森林法第二十五条第一項第一号から第三号までに掲げる目的を達成するための指定に係る保安林において行う行為に係る設備整備計画に係るものに限る。） 三　第七条第九項第一号（第八条第四項において準用する場合を含む。）の規定により都道府県が処理することとされている事務 四　第七条第十五項（第八条第四項において準用する場合を含む。）において読み替えて準用する第七条第九項第一号（第八条第四項において準用する場合を含む。）の規定により指定市町村が処理することとされている事務 五　第七条第十五項（第八条第四項において準用する場合を含む。）において読み替えて準用する第七条第十一項第一号（第八条第四項において準用する場合を含む。）の規定により指定市町村が処理することとされている事務（同一の事業の目的に供するため四ヘクタールを超える農地を農地以外のものにする行為又は同一の事業の目的に供するため四ヘクタールを超える農地若しくはその農地と併せて採草放牧地について農地法第三条第一項本文に規定する権利を取得する行為に係る設備整備計画に係るものに限る。）
行政手続における特定の個人を識別するための番号の利用等に関する法律（平成二十五年法律第二十七号）	㊟　本項中、点線の左側は令和五年六月九日から起算して一年六月を超えない範囲内において政令で定める日〔令六・一二・二〕から、実線の左側は令和六年六月二日から起算して二年を超えない範囲内において政令で定める日から施行となる。 第七条第一項及び第二項、第八条第一項（附則第三条第四項において準用する場合を含む。）、第十六条の二第二項 及び第六項 、第十七条第一項から第四項まで及び第六項（同条第七項 第五項まで及び第七項（同条第八項 において準用する場合を含む。）、第二十一条の二第二項 第十八条の五第四項及び第六項、第二十一条の二第二項（情報提供者が第九条第三項の法務大臣である場合における通知に係る部分に限り、第二十六条において準用する場合を含む。）並びに附則第三条第一項から第三項までの規定により市町村が処理することとされている事務
がん登録等の推進に関する法律（平成二十五年法律第百十一号）	第六条（第三項及び第四項を除く。）、第七条、第八条第一項、第十条第二項（第十三条第二項において準用する場合を含む。）及び第十一条の規定により都道府県又は市町村が処理することとされている事務
国外犯罪被害弔慰金等の支給に関する法律（平成二十八年法律第	第十条、第十一条第一項及び第十三条の規定により都道府県が処理することとされている事務

七十三号）	
年金生活者支援給付金の支給に関する法律（平成二十四年法律第百二号）	第三十九条の規定により市町村が処理することとされている事務
地方税法等の一部を改正する等の法律（平成二十八年法律第十三号）	附則第三十一条第二項の規定によりなおその効力を有するものとされた第九条の規定による廃止前の地方法人特別税等に関する暫定措置法（平成二十年法律第二十五号）第三章の規定により都道府県が処理することとされている事務
民間公益活動を促進するための休眠預金等に係る資金の活用に関する法律（平成二十八年法律第百一号）	この法律の規定により都道府県が処理することとされている事務
所有者不明土地の利用の円滑化等に関する特別措置法（平成三十年法律第四十九号）	この法律の規定により都道府県が処理することとされている事務のうち、次に掲げるもの 一　第二十八条、第二十九条、第三十条第一項、第三十二条第一項、第三十三条、第三十五条第一項において準用する土地収用法第八十四条第二項、第八十五条第二項及び第八十九条第一項、第三十五条第一項において準用する同法第八十三条第三項から第六項まで並びに第三十六条第一項に規定する事務（同法第十七条第一項各号に掲げる事業又は同法第二十七条第二項若しくは第四項の規定により国土交通大臣の事業の認定を受けた事業に関するものに限る。） 二　第三十七条第二項において準用する第二十八条、第二十九条及び第三十条第一項、第三十七条第三項、同条第四項において準用する第三十三条、同項において準用する第三十五条第一項において準用する土地収用法第八十四条第二項、第八十五条第二項及び第八十九条第一項、第三十七条第四項において準用する第三十五条第一項において準用する同法第八十三条第三項から第六項まで並びに第三十七条第四項において準用する第三十六条第一項に規定する事務（都市計画法第五十九条第一項から第三項までの規定により国土交通大臣の認可又は承認を受けた都市計画事業に関するものに限る。）
都市農地の貸借の円滑化に関する法律（平成三十年法律第六十八号）	第四条第一項、第五条、第六条第一項及び第二項、第七条、第八条第三項並びに第九条第一項及び第二項並びに準用特定農地貸付法第三条第一項及び第三項の規定により市町村が処理することとされている事務
特別法人事業税及び特別法人事業譲与税に関する法律（平成三十一年法律第四号）	第二章の規定により都道府県が処理することとされている事務
旧優生保護法に基づく優生手術等を受けた者に対する一時金の支給等に関する法律（平成三十一年法律第十四号）	第五条第二項並びに第八条第一項から第三項まで（これらの規定を同条第五項において準用する場合を含む。）及び第六項の規定により都道府県が処理することとされている事務
子ども・子育て支援法（平成二十四年法律第六十五号）	附則第十八条及び第十九条第二項後段の規定により都道府県が処理することとされている事務
農林水産物及び食品の輸出の促進に関する法律（令和元年法律第五十七号）	この法律の規定により地方公共団体が処理することとされている事務のうち、次に掲げるもの 一　第三十七条第七項（第三十八条第三項において準用する場合を含む。）の規定により都道府県又は指定市町村が処理することとされている事務（同一の事業の目的に供するため四ヘクタールを超える農地を農地以外のものにする行為又は同一の事業の目的に供するため四ヘクタールを超える農地若しくはその農地と併せて採草放牧地について農地法第三条第一項本文に規定する権利を取得する行為に係る輸出事業計画に係るものに限る。） 二　第五十三条第二項の規定により都道府県等が

自治法

	処理することとされている事務
特定患者等の郵便等を用いて行う投票方法の特例に関する法律（令和三年法律第八十二号）	この法律の規定及びこの法律の規定により読み替えて適用する公職選挙法の規定により、衆議院議員又は参議院議員の選挙に関し、都道府県又は市町村が処理することとされている事務
電子署名等に係る地方公共団体情報システム機構の認証業務に関する法律（平成十四年法律第百五十三号）	㊟ 本項中、点線の左側は、令和六年六月二一日から起算して二年を超えない範囲内において政令で定める日から施行となる。 第三条第三項（第九条第二項及び第十条第二項において準用する場合を含む。）、第四項、第五項（第九条第二項及び第十条第二項において準用する場合を含む。）及び第七項、第三条第十項において準用する同条第三項（第九条第二項及び第十条第二項において準用する場合を含む。）、第四項、第五項（第九条第二項及び第十条第二項において準用する場合を含む。）及び第七項、第三条の二第二項において準用する第三条第三項（第九条第三項及び第十条第三項において準用する場合を含む。）、第四項、第五項（第九条第三項及び第十条第三項において準用する場合を含む。）及び第七項、第三条の二第四項において準用する同条第二項において準用する第三条第三項（第九条第三項及び第十条第三項において準用する場合を含む。）、第四項、第五項（第九条第三項及び第十条第三項において準用する場合を含む。）及び第七項、第三条の二第六項において準用する同条第二項において準用する第三条第四項、第五項（第九条第三項及び第十条第三項において準用する場合を含む。）及び第七項、第二十二条第三項第三条の三第二項において準用する第三条第四項、第五項（第九条第二項及び第十条第二項において準用する場合を含む。）及び第七項、第二十二条第三項（第二十八条第二項及び第二十九条第二項において準用する場合を含む。）、第四項、第五項（第二十八条第二項及び第二十九条第二項において準用する場合を含む。）及び第七項、第二十二条第十項において準用する同条第三項（第二十八条第二項及び第二十九条第二項において準用する場合を含む。）、第四項、第五項（第二十八条第二項及び第二十九条第二項において準用する場合を含む。）及び第七項、第二十二条の二第二項において準用する第二十二条第三項（第二十八条第三項及び第二十九条第三項において準用する場合を含む。）、第四項、第五項（第二十八条第三項及び第二十九条第三項において準用する場合を含む。）及び第七項、第二十二条の二第四項において準用する同条第二項において準用する第二十二条第三項（第二十八条第三項及び第二十九条第三項において準用する場合を含む。）、第四項、第五項（第二十八条第三項及び第二十九条第三項において準用する場合を含む。）及び第七項、並びに第二十二条の二第六項第二十二条の二第六項において準用する同条第二項において準用する第二十二条第四項、第五項（第二十八条第三項及び第二十九条第三項において準用する場合を含む。）及び第七項の規定並びに第二十二条の三第二項において準用する第二十二条第四項、第五項（第二十八条第二項及び第二十九条第二項において準用する場合を含む。）及び第七項の規定により市町村が処理することとされている事務
住民基本台帳法（昭和四十二年法律第八十一号）	第十九条の三の規定により市町村が処理することとされている事務
地球温暖化対策の推進に関する法律（平成十年法律第百十七号）	㊟ 本項中、点線の左側と囲み部分は、令和七年四月一日から施行となる。 この法律の規定により都道府県又は市町村が処理することとされている事務のうち、次に掲げるもの 一　第二十二条の二第四項第三号（第二十二条の三第五項及び第二十二条の四第二項において準用する場合を含む。）の規定により都道府県が処理することとされている事務（民有林にあっては、森林法第二十五条第一項第一号から第三号までに掲げる目的を達成するための指定に係る保安林において行う行為に係る地域脱炭素化促進事業計画に係るものに限る。） 二　第二十二条の二第四項第四号及び第十一項第三号（これらの規定を第二十二条の三第五項及び第二十二条の四第二項において準用する場合を含む。）（第二十二条の三第五項及び第二十二条の四第二項において準用する場合を含む。）及び第十一項第三号（第二十二条の三第五項、第二十二条の四第二項及び第二十二条の五第九項において準用する場合

を含む。）の規定により都道府県が処理することとされている事務（同一の事業の目的に供するため四ヘクタールを超える農地を農地以外のものにする行為又は同一の事業の目的に供するため四ヘクタールを超える農地若しくはその農地と併せて採草放牧地について農地法第三条第一項本文に規定する権利を取得する行為に係る地域脱炭素化促進事業計画に係るものに限る。）

三　第二十二条の二第四項第七号（第二十二条の三第五項及び第二十二条の四第二項において準用する場合　並びに第二十二条の五第四項から第八項までの規定により読み替えて適用する場合を含む。）の規定により都道府県又は指定都市が処理することとされている事務

四　第二十二条の二第四項第八号
第二十二条の二第四項第十号（第二十二条の三第五項及び第二十二条の四第二項において準用する場合を含む。）の規定により都道府県が処理することとされている事務（廃棄物の処理及び清掃に関する法律第十五条の三の三第一項に係るものに限る。）

五　第二十二条の二第九項第二号（第二十二条の三第五項、　及び第二十二条の四第二項
第二十二条の四第二項及び第二十二条の五第九項　において準用する場合を含む。）の規定により都道府県が処理することとされている事務

六　第二十二条の二第十五項（第二十二条の三第五項及び第二十二条の四第二項において準用する場合を含む。）　及び第二十二条の五第十項　において読み替えて準用する第二十二条の二第九項第二号の規定により指定市町村が処理することとされている事務

七　第二十二条の二第十五項（第二十二条の三第五項及び第二十二条の四第二項において準用する場合を含む。）　及び第二十二条の五第十項　において読み替えて準用する第二十二条の二第十一項第三号　並びに第二十二条の五第五項の規定により読み替えて適用する第二十二条の二第四項第四号　の規定により指定市町村が処理することとされている事務（同一の事業の目的に供するため四ヘクタールを超える農地を農地以外のものにする行為又は同一の事業の目的に供するため四ヘクタールを超える農地若しくはその農地と併せて採草放牧地について農地法第三条第一項本文に規定する権利を取得する行為に係る地域脱炭素化促進事業計画に係るものに限る。）

八　第二十二条の五第八項の規定により読み替えて適用する第二十二条の二第四項第十号の規定により廃棄物の処理及び清掃に関する法律第二十四条の二第一項の政令で定める市が処理することとされている事務（同法第十五条の三の三第一項に係るものに限る。）

環境と調和のとれた食料システムの確立のための環境負荷低減事業活動の促進等に関する法律（令和四年法律第三十七号）

この法律の規定により都道府県又は指定市町村が処理することとされている事務のうち、次に掲げるもの

一　第二十一条第六項（第二号に係る部分に限り、第二十二条第四項において準用する場合を含む。）の規定により指定市町村が処理することとされている事務（同一の事業の目的に供するため四ヘクタールを超える農地を農地以外のものにする行為又は同一の事業の目的に供するため四ヘクタールを超える農地若しくはその農地と併せて採草放牧地について農地法第三条第一項本文に規定する権利を取得する行為に係る特定環境負荷低減事業活動実施計画に係るものに限る。）

二　第二十一条第十二項（同条第十六項（第二十二条第四項において準用する場合を含む。）及び第二十二条第四項において準用する場合を含む。）の規定により都道府県又は指定市町村が処理することとされている事務

三　第二十一条第十三項（同条第十六項（第二十二条第四項において準用する場合を含む。）及び第二十二条第四項において準用する場合を含む。）の規定により都道府県又は指定市町村が処理することとされている事務（同一の事業の目的に供するため四ヘクタールを超える農地を農地以外のものにする行為又は同一の事業の目的に供するため四ヘクタールを超える農地若しくはその農地と併せて採草放牧地について農地法第三条第一項本文に規定する権利を取得する行為に係る特定環境負荷低減事業活動実施計画に係るものに限る。）

四　第三十九条第五項及び第六項（これらの規定を第四十条第四項において準用する場合を含む。）の規定により都道府県又は指定市町村が処理することとされている事務（同一の事業の目的に供するため四ヘクタールを超える農地を農地以外のものにする行為又は同一の事業の目的に供するため四ヘクタールを超える農地若しくはその農地と併せて採草放牧地について農地

	法第三条第一項本文に規定する権利を取得する行為に係る基盤確立事業実施計画に係るものに限る。）
特定不法行為等に係る被害者の迅速かつ円滑な救済に資するための日本司法支援センターの業務の特例並びに宗教法人による財産の処分及び管理の特例に関する法律（令和五年法律第八十九号）	第三章の規定により都道府県が処理することとされている事務
森林環境税及び森林環境譲与税に関する法律（平成三十一年法律第三号）	第二章の規定により市町村又は都道府県が処理することとされている事務
預貯金者の意思に基づく個人番号の利用による預貯金口座の管理等に関する法律（令和三年法律第三十九号）	この法律（第二十六条第二項を除く。）の規定により都道府県が処理することとされている事務

別表第二 第二号法定受託事務（第二条関係）

備考 この表の下欄の用語の意義及び字句の意味は、上欄に掲げる法律における用語の意義及び字句の意味によるものとする。

法律	事務
測量法（昭和二十四年法律第百八十八号）	第三十九条において準用する第二十一条第三項の規定により市町村が処理することとされている事務（測量計画機関が都道府県である公共測量に係るものに限る。）
公職選挙法（昭和二十五年法律第百号）	この法律の規定により地方公共団体が処理することとされている事務のうち、次に掲げるもの 一 都道府県の議会の議員又は長の選挙に関し、市町村が処理することとされている事務 二 市町村が第百四十七条の規定により処理することとされている事務（都道府県の議会の議員又は長の選挙における公職の候補者又は公職の候補者となろうとする者（公職にある者を含む。以下この項において「都道府県の選挙の公職の候補者等」という。）及び当該都道府県の選挙の公職の候補者等に係る後援団体の政治活動のために使用される文書図画に係る事務に限る。）並びに第二百一条の十一第十一項及び第二百一条の十四第二項の規定により処理することとされている事務（都道府県の議会の議員又は長の選挙の期日の告示の日から選挙の当日までの間における事務に限る。）
建築基準法（昭和二十五年法律第二百一号）	第七十条第四項（第七十四条第二項（第七十六条の三第六項において準用する場合を含む。以下この項において同じ。）及び第七十六条の三第四項において準用する場合を含む。）、第七十一条（第七十四条第二項及び第七十六条の三第四項におい

自治法

	て準用する場合を含む。）、第七十二条（同条第二項の規定により建築協定書に意見を付する事務に係る部分を除き、第七十四条第二項及び第七十六条の三第四項において準用する場合を含む。）及び第七十三条第三項（第七十四条第二項、第七十五条の二第四項及び第七十六条の三第四項において準用する場合を含む。）の規定により市町村（建築主事等を置かない市町村に限る。）が処理することとされている事務
土地収用法（昭和二十六年法律第二百十九号）	この法律の規定により地方公共団体が処理することとされている事務のうち、市町村が第十二条第二項、第十四条第一項及び第三項、第二十四条第二項、第二十六条の二第二項、第三十四条の四第二項、第三十六条第四項、第三十六条の二第三項、第四十二条第二項及び第三項（第四十五条第三項及び第四十七条の四第二項においてこれらの規定を準用する場合を含む。）、第四十五条第二項、第百二条の二第一項、第百十八条第二項及び第三項、第百二十二条第一項及び第三項、第百二十八条第一項、第百二十八条第二項において準用する第百二条の二第三項並びに第百二十八条第三項及び第四項の規定（第百三十八条第一項においてこれらの規定を準用する場合を含む。）により処理することとされている事務（第十七条第二項に規定する事業（第二十七条第二項又は第四項の規定により国土交通大臣の事業の認定を受けた事業を除く。）に関するものに限る。）
森林法（昭和二十六年法律第二百四十九号）	第十条の七の二第二項の規定により市町村が処理することとされている事務（第二十五条第一項第四号から第十一号までに掲げる目的を達成するための指定に係る保安林に関するものに限る。）
農地法（昭和二十七年法律第二百二十九号）	この法律の規定により市町村が処理することとされている事務のうち、次に掲げるもの 一　第四条第一項第七号の規定により市町村（指定市町村を除く。）が処理することとされている事務（同一の事業の目的に供するため四ヘクタールを超える農地を農地以外のものにする行為に係るものを除く。） 二　第四条第三項の規定により市町村（指定市町村を除く。）が処理することとされている事務（申請書を送付する事務（同一の事業の目的に供するため四ヘクタールを超える農地を農地以外のものにする行為に係るものを除く。）に限る。） 三　第五条第一項第六号の規定により市町村（指定市町村を除く。）が処理することとされている事務（同一の事業の目的に供するため四ヘクタールを超える農地又はその農地と併せて採草放牧地について第三条第一項本文に掲げる権利を取得する行為に係るものを除く。） 四　第五条第三項において準用する第四条第三項の規定により市町村（指定市町村を除く。）が処理することとされている事務（申請書を送付する事務（同一の事業の目的に供するため四ヘクタールを超える農地又はその農地と併せて採草放牧地について第三条第一項本文に掲げる権利を取得する行為に係るものを除く。）に限る。） 五　第四十三条第一項の規定により市町村（指定市町村を除く。）が処理することとされている事務（同一の事業の目的に供するため四ヘクタールを超える農地をコンクリートその他これに類するもので覆う行為に係るものを除く。）
土地区画整理法（昭和二十九年法律第百十九号）	この法律の規定により市町村が処理することとされている事務のうち次に掲げるもの 一　第四条第一項後段、第九条第四項（第十条第三項において準用する場合を含む。）、第十条第一項後段、第十一条第五項及び第七項、第十三条第一項後段、第十四条第一項後段（同条第二項において準用する場合を含む。）及び第三項後段、第十九条第二項及び第三項（これらの規定を第三十九条第二項及び第五十一条の七第二項（第五十一条の十第二項において準用する場合を含む。）において準用する場合を含む。）、第二十条第一項（第三十九条第二項において準用する場合を含む。）、第二十一条第六項（第三十九条第二項において準用する場合を含む。）、第二十九条第一項、第三十九条第一項後段、第四十一条第三項（第七十八条第四項及び第百十条第七項において準用する場合を含む。）、第四十五条第二項後段、第五十一条の二第一項後段（第五十一条の十一第二項において準用する場合を含む。）、第五十一条の八第一項（第五十一条の十第二項において準用する場合を含む。）、第五十一条の九第四項（第五十一条の十第二項において準用する場合を含む。）、第五十一条の十第一項後段、第五十一条の十三第一項後段、第七十二条第一項後段、第七十七条第八項後段、第八十六条第二項並びに第九十七条第一項後段に規定する事務 二　第五十五条第十項（同条第十三項において準用する場合を含む。）及び第七十一条の三第十二項（同条第十五項において準用する場合を含む。）に規定する事務（市町村又は市のみが設立した地方公社が施行する土地区画整理事業に係るものに限る。） 三　第七十二条第六項及び第七十七条第六項（第百三十三条第二項において準用する場合を含む。）に規定する事務（個人施行者、組合、区画整理会社、市町村又は市のみが設立した地方公社が施行する土地区画整理事業に係るものに

	限る。）
首都圏の近郊整備地帯及び都市開発区域の整備に関する法律（昭和三十三年法律第九十八号）	第二十六条第二項の規定により市町村が処理することとされている事務（都県が造成した造成工場敷地に係るものに限る。）
新住宅市街地開発法（昭和三十八年法律第百三十四号）	第三十四条第二項の規定により市町村が処理することとされている事務（地方公共団体（都道府県を除く。）、地方住宅供給公社（市のみが設立したものに限る。）又は第四十五条第一項の規定による施行者が施行する新住宅市街地開発事業に係るものに限る。）
近畿圏の近郊整備区域及び都市開発区域の整備及び開発に関する法律（昭和三十九年法律第百四十五号）	第三十五条第二項の規定により市町村が処理することとされている事務（府県が造成した造成工場敷地に係るものに限る。）
流通業務市街地の整備に関する法律（昭和四十一年法律第百十号）	この法律の規定により市町村が処理することとされている事務のうち次に掲げるもの 一　第三十九条第二項に規定する事務（都道府県以外の地方公共団体が施行する流通業務団地造成事業に係るものに限る。） 二　他の法律の規定により許可、認可その他の処分をする権限を有する市町村が第四十六条第二項の規定により処理することとされている事務（他の法律により当該権限に属する事務が第二号法定受託事務とされている場合に限る。）
都市計画法（昭和四十三年法律第百号）	一　第二十条第二項（都道府県から送付を受けた図書の写しを公衆の縦覧に供する事務に係る部分に限り、第二十一条第二項において準用する場合を含む。）及び第六十二条第二項（都道府県知事から送付を受けた図書の写しを公衆の縦覧に供する事務に係る部分に限り、第六十三条第二項において準用する場合を含む。）の規定により市町村が処理することとされている事務 二　第六十九条の規定により適用される土地収用法の規定により地方公共団体が処理することとされている事務のうち、同法第百三十九条の三第二号に掲げる事務（この法律第五十九条第一項又は第四項の規定による都道府県知事の認可を受けた都市計画事業に関するものに限る。）
都市再開発法（昭和四十四年法律第三十八号）	この法律の規定により市町村が処理することとされている事務のうち次に掲げるもの 一　第七条の九第二項（第七条の十六第二項、第七条の二十第二項、第十一条第四項、第三十八条第二項、第四十五条第五項、第五十条の二第二項、第五十条の九第二項、第五十条の十二第二項及び第五十条の十五第二項において準用する場合を含む。）、第七条の十五第三項（第七条の十六第二項において準用する場合を含む。）、第七条の十七第五項及び第七項、第十五条第二項（第三十八条第二項において準用する場合を含む。）及び第五十条の五第二項（第五十条の九第二項において準用する場合を含む。）において準用する第七条の三第二項及び第三項、第十六条第一項（第三十八条第二項、第五十条の六及び第五十条の九第二項において準用する場合を含む。）、第十九条第四項（第三十八条第二項において準用する場合を含む。）、第二十八条第一項、第四十一条第二項（第五十条の十一第二項（第百六条第七項（第百十八条の二十四第二項において準用する場合を含む。）において準用する場合を含む。）及び第百六条第六項において準用する場合を含む。）、第五十条の八第三項（第五十条の九第二項において準用する場合を含む。）、第百十四条（第百十八条の三十第二項において準用する場合を含む。）、第百十五条（第百十八条の三十第二項において準用する場合を含む。）、第百十七条第一項及び第三項（これらの規定を第百十八条の三十第二項において準用する場合を含む。）並びに第百二十四条第一項に規定する事務 二　第五十五条第二項（第五十六条において準用する場合を含む。）、第五十八条第三項及び第四項において準用する第十六条第一項（ただし書を除く。）及び第十九条第四項並びに第百十八条の二十八第二項において準用する第九十九条の八第五項において準用する第九十八条第一項並びに第九十九条第一項及び第三項から第五項までに規定する事務（市町村又は市のみが設立した地方住宅供給公社が施行する市街地再開発事業に係るものに限る。） 三　第六十一条第一項（土地の試掘等に係る部分を除く。）及び第三項、第六十八条第二項において準用する土地収用法第三十六条第四項、第九十八条第一項並びに第九十九条第一項及び第三項から第五項まで（これらの規定を第九十九条の八第五項において準用する場合を含む。）並びに第九十九条第二項において準用する第九十八条第三項に規定する事務（個人施行者、組

法律	事務
	合、再開発会社、市町村又は市のみが設立した地方住宅供給公社が施行する市街地再開発事業に係るものに限る。）
公有地の拡大の推進に関する法律（昭和四十七年法律第六十六号）	第四条第一項及び第五条第一項の規定により町村が処理することとされている事務
新都市基盤整備法（昭和四十七年法律第八十六号）	この法律の規定により市町村が処理することとされている事務のうち次に掲げるもの 一 第二十五条第一項において準用する土地区画整理法第五十五条第十項（同条第十三項において準用する場合を含む。）の規定により処理することとされている事務（市町村が施行する新都市基盤整備事業に係るものに限る。） 二 第二十九条において準用する土地区画整理法第七十二条第六項及び第七十七条第六項の規定により処理することとされている事務（市町村が施行する新都市基盤整備事業に係るものに限る。）
国土利用計画法（昭和四十九年法律第九十二号）	第十五条第一項、第二十三条第一項、第二十七条の四第一項（第二十七条の七第一項において準用する場合を含む。）及び第二十九条第一項の規定により市町村が処理することとされている事務
大都市地域における住宅及び住宅地の供給の促進に関する特別措置法（昭和五十年法律第六十七号）	この法律の規定により市町村が処理することとされている事務のうち次に掲げるもの 一 第三十三条第二項（第三十七条第二項において準用する場合を含む。）、第三十六条において準用する土地区画整理法第九条第四項（第三十六条において準用する同法第十条第三項において準用する場合を含む。）、同法第十条第一項後段、同法第十一条第五項及び第七項並びに同法第十三条第一項後段、第五十条第四項において準用する同法第四十一条第三項（第七十一条において準用する同法第七十八条第四項及び第八十三条において準用する同法第百十条第七項において準用する場合を含む。）、第五十一条において準用する同法第十九条第二項及び第三項、同法第二十条第一項並びに同法第二十一条第六項（これらの規定を第五十一条において準用する同法第三十九条第二項において準用する場合を含む。）、同法第二十九条第一項、同法第三十九条第一項後段並びに同法第四十五条第二項後段、第六十三条第一項、第七十一条において準用する同法第七十七条第八項後段、第七十二条第二項において準用する同法第八十六条第二項、第八十一条第二項において準用する同法第九十七条第一項後段並びに第九十五条第一項に規定する事務 二 第五十七条において準用する土地区画整理法第五十五条第十項（第五十七条において準用する同法第五十五条第十三項において準用する場合を含む。）及び第五十九条第十二項（同条第十五項において準用する場合を含む。）に規定する事務（市町村又は市のみが設立した地方公社が施行する住宅街区整備事業に係るものに限る。） 三 第六十四条第一項（土地の試掘等に係る部分を除く。）及び第三項並びに第七十一条において準用する土地区画整理法第七十七条第六項（第百一条において準用する同法第百三十三条第二項において準用する場合を含む。）に規定する事務（個人施行者、組合、市町村又は市のみが設立した地方公社が施行する住宅街区整備事業に係るものに限る。）
農住組合法（昭和五十五年法律第八十六号）	第九十条の二第一項の規定により市町村が処理することとされている事務
浄化槽法（昭和五十八年法律第四十三号）	第五条第一項の規定により保健所を設置する市又は特別区が処理することとされている事務（都道府県知事に対する届出の経由に係るものに限る。）
密集市街地における防災街区の整備の促進に関する法律（平成九年法律第四十九号）	この法律の規定により市町村が処理することとされている事務のうち、次に掲げるもの 一 第百二十二条第二項（第百二十九条第二項、第百三十二条第二項、第百三十六条第四項、第百五十七条第二項、第百六十三条第五項、第百六十五条第二項、第百七十二条第二項、第百七十五条第二項及び第百七十八条第二項において準用する場合を含む。）、第百二十八条第三項（第百二十九条第二項において準用する場合を含む。）、第百三十条において準用する都市再開発法第七条の十七第五項及び第七項、第百三十九条第二項及び第三項（これらの規定を第百五十七条第二項及び第百六十八条第二項（第百七十二条第二項において準用する場合を含む。）において準用する場合を含む。）、第百四十条第二項（第百五十七条第二項、第百六十九条及び第百七十二条第二項において準用する場合を含む。）、第百四十三条第四項（第百五十七条第二項において準用する場合を含む。）、第百四十八条第三項において準用する都市再開発法第二十八条第一項、第百六十条第二項（第百七十四条第二項（第二百五十条第七項において準用する場合を含む。）及び第二百五十条第六項におい

	て準用する場合を含む。）、第百七十一条第三項（第百七十二条第二項及び第百七十五条第二項において準用する場合を含む。）、第二百五十九条、第二百六十条、第二百六十一条第一項及び第三項並びに第二百六十八条第一項に規定する事務 二　第百八十三条第二項（第百八十四条において準用する場合を含む。）並びに第百八十八条第三項及び第四項において準用する第百四十条第二項及び第百四十三条第四項に規定する事務（市町村又は市のみが設立した地方住宅供給公社が施行する防災街区整備事業に係るものに限る。） 三　第百九十二条第一項（土地の試掘等に係る部分を除く。）及び第三項、第百九十九条第二項において準用する土地収用法第三十六条第四項、第二百三十三条第一項並びに第二百三十四条第一項及び第三項から第五項まで（これらの規定を第二百四十一条第五項において準用する場合を含む。）並びに第二百三十四条第二項において準用する第二百三十三条第三項に規定する事務（個人施行者、事業組合、事業会社、市町村又は市のみが設立した地方住宅供給公社が施行する防災街区整備事業に係るものに限る。）
環境影響評価法（平成九年法律第八十一号）	第四条第一項第一号若しくは第五号又は第二十二条第一項第一号、第二号若しくは第六号に定める者（地方公共団体の機関に限る。以下「第四条第一項第一号等に定める者」という。）が、この法律の規定により行うこととされている事務（当該第四条第一項第一号等に定める者が行う免許等若しくは第二条第二項第二号ホに規定する免許、特許、許可、認可、承認若しくは同意又は特定届出若しくは同号ホに規定する届出に係る事務が第二号法定受託事務である場合に限る。）
大深度地下の公共的使用に関する特別措置法（平成十二年法律第八十七号）	この法律の規定により地方公共団体が処理することとされている事務のうち、市町村が第九条において準用する土地収用法第十二条第二項並びに第十四条第一項及び第三項、第二十条において準用する同法第二十四条第二項、第二十二条第二項、第三十条第五項並びに第三十五条第一項から第三項まで、第五項及び第六項の規定により処理することとされている事務（第十一条第二項の事業に関するものに限る。）
地方公共団体の議会の議員及び長の選挙に係る電磁的記録式投票機を用いて行う投票方法等の特例に関する法律（平成十三年法律第百四十七号）	この法律の規定及びこの法律の規定により読み替えて適用する公職選挙法の規定により、都道府県の議会の議員又は長の選挙に関し、市町村が処理することとされている事務
マンションの建替え等の円滑化に関する法律（平成十四年法律第七十八号）	第九条第七項（第三十四条第二項、第四十五条第四項、第五十条第二項及び第五十四条第三項において準用する場合を含む。）、第十一条第一項（第三十四条第二項において準用する場合を含む。）、第十四条第三項（第三十四条第二項において準用する場合を含む。）、第二十五条第一項、第三十八条第五項、第四十九条第三項（第五十条第二項において準用する場合を含む。）、第五十一条第四項及び第六項、第九十七条第一項並びに第百七十条第一項（第百八十三条第二項において準用する場合を含む。）の規定により町村が処理することとされている事務
特定患者等の郵便等を用いて行う投票方法の特例に関する法律（令和三年法律第八十二号）	この法律の規定及びこの法律の規定により読み替えて適用する公職選挙法の規定により、都道府県の議会の議員又は長の選挙に関し、市町村が処理することとされている事務

自治法

附則（昭二二・一二・一二法一六九）（抄）

〔施行期日〕
第一条　この法律は、昭和二十三年一月一日から、これを施行する。但し、第二十六条及び第二十七条の改正規定並びに附則第四条は昭和二十二年十二月二十日から、全国選挙管理委員会に関する規定は公布の日から、これを施行する。

〔議員定数の経過措置〕
第二条　従前の地方自治法第九十一条第二項の規定により議員の定数を増加した市町村においては、現任議員の任期中に限り、その数を以て定数とする。但し、議員に欠員を生じたときは、これに応じて、その定数は、同条第一項の定数に至るまで減少するものとする。

〔部の経過措置〕
第三条　地方自治法第百五十八条第一項但書の規定により設けた部で同条同項の改正規定により設けることができなくなつたものは、この法律施行の日から九十日以内に限りこれを存続させることができる。

〔公金徴収団体等〕
第五条　この法律施行の際地方公共団体の徴収すべき税金、分担金、使用料及び手数料その他の公金を現に徴収している団体の代表者（代表者がないときはこれに準ずる者）又は個人は、当該地方公共団体の規則の定めるところにより、この法律施行の日から三十日以内に計算をし、計算書並びにその証拠となるべき帳簿及び書類を当該地方公共団体の出納長又は収入役に提出し、その検査を受けなければならない。計算書並びにその証拠となるべき帳簿及び書類には、当該団体の公金徴収の責任者又は当該個人がその真正であることを保証する旨を記載し、且つ、これに署名し、印をおさなければならない。

② 前項の書類は、当該地方公共団体の規則の定めるところにより、執務時間中住民の閲覧に供さなければならない。

③ 第一項の検査により公金の取扱について不正の廉があることが判明したときは、出納長又は収入役は、検察官に直ちにその旨を通知しなければならない。

④ 前項の規定による事件に関し検察官の請求があつたときは、最高裁判所の定めるところにより裁判所は、当該団体の解散を命ずることができる。

⑤ 前項の規定により解散を命ぜられた団体は、最高裁判所の定める手続に従い、直ちに解散しなければならない。

⑥ 第一項の期間内に計算書並びにその証拠となるべき帳簿及び書類を提出しないとき、又はこれらの書類に虚偽の記載をしたときは、当該団体の代表者又は当該個人は、二年以下の懲役又は二十万円以下の罰金に処する。但し、情状によりこれらの刑を併科することを妨げない。

附則（昭二三・七・二〇法一七九）（抄）

最終改正　昭三一・六・一二法一四七

〔施行期日並びに兼職禁止規定の経過措置〕
第一条　この法律は、昭和二十三年八月一日から、これを施行する。

② この法律施行の際現に地方公共団体の議会の議員と当該地方公共団体以外の地方公共団体の長、副知事若しくは助役又は出納長若しくは副出納長若しくは収入役若しくは副収入役その他の有給の職員を兼ねるものについては、これらの職を兼ねている間に限り、地方自治法第九十二条第二項及び第百四十一条第二項の改正規定（これらの規定を適用又は準用する規定を含む。）はこれを適用しない。この法律施行の際現に同法第五十五条第二項及び第六十五条第十一項の規定の適用又は準用を受ける得票者についても、また、同様とする。

〔戦時中に行われた市町村の区域変更に対する復旧措置〕
第二条　昭和十二年七月七日から同二十年九月二日に至るまでの間において、市町村の区域の変更があつたときは、その変更に係る区域の住民は、第七条の規定にかかわらず、本条の定めるところにより、従前の市町村の区域でその市町村を置き、又は従前の市町村の区域の通りに市町村の境界変更をすることができる。

② 前項の処分は、政令の定めるところにより、市町村の選挙管理委員会に対し、変更に係る区域の住民で選挙人名簿に登載されている者の総数の三分の一以上の者の連署を以て、その代表者から、これを請求しなければならない。

③ 前項の請求があつたときは、選挙管理委員会は、請求を受理した日から三十日以内に、当該区域が従前属していた市町村の選挙人の投票に付さなければならない。

④ 第二項の規定による区域が現に存する他の市町村に属していた場合においては、前項の投票に関する事務は、同項の規定にかかわらず、その市町村の選挙管理委員会がこれを管理する。この場合において必要な事項は、政令でこれを定める。

⑤ 第三項の投票において有効投票の三分の二以上の同意があつたときは、委員会は、都道府県知事及び都道府県の議会に報告し、都道府県知事は、当該報告に基き第六項に定める期間の経過後に市町村の廃置分合又は境界変更を定め、内閣総理大臣に届け出なければならない。

⑥ 都道府県の議会に前項の報告があつた日から三十日以内に、当該都道府県の議会において、その議員の発議により、出席議員の四分の三以上の多数でこれに同意すべきでないとの議決があつたときは、都道府県知事は、市町村の廃置分合又は境界変更を定めることができない。

⑦ 第五項の場合において第一項の市町村の区域の変更に伴い処分した財産があるときは、現に存する市町村は、これが現に存する限度において、議会の議決を経てその変更に係る区域が従前属していた市町村に返還しなければならない。

⑧ 前項の財産処分に不服がある市町村は、裁判所に出訴することができる。

⑨ 第五項の規定による届出を受理したときは、内閣総理大臣は、直ちにその旨を告示しなければならない。

⑩ 政令で特別の定をするものを除く外、地方自治法第七十四条の二から第七十四条の四までの規定は、第二項の規定による請求者の署名に、公職選挙法（昭和二十五年法律第百号）中普通地方公共団体の選挙に関する規定は、第三項の規定による投票に、地方自治法第二百五十五条の二の規定は、第二項の規定による請求者の署名及び第三項の規定による投票に関する争訟にこれを準用する。

⑪ 第二項の請求は、この法律施行の日から二年以内に限り、これを行うことができる。

〔財産又は営造物の独占的な使用に関する経過措置〕
第三条　法律又は政令に特別の定がある場合を除く外、この法律施行の際現になされている地方公共団体の財産又は営造物の使用の許可で改正後の地方自治法第二百十三条第二項の規定に基く条例により定められた独占的な使用の許可に該当するものは、この法律施行の日から十年以内に、夫々改正後の同条の規定による手続を経て必要な同意を得なければ、この法律施行の日から十年を経過したときは、将来に向つてその効力を失う。但し、造林を目的とする土地の使用の許可は、この法律施行の際現にその土地の上に生育している造林に係る立木がその時までに森林法（昭和二十六年法律第二百四十九号）第七条第四項第四号の適正伐期齢級以上の齢級に達していない場合においては、その立木が生育している土地の区域については、その達する時まで（その以前にその主伐が完了したときはその時まで）は、その効力を失わない。

第五条　この法律の施行に関し必要な事項は、政令でこれを定める。

附　則（昭二五・五・四法一四三）（抄）

1　この法律は、昭和二十五年五月十五日から施行する。但し、附則第六項の規定は、昭和二十五年四月三十日から適用する。

2　地方自治法第百五十八条第一項の規定による都道府県の局部で同条第一項又は第三項の改正規定により存置させることができなくなつたものは、この法律施行の日から九十日以内に限り、存続させることができる。

4　この法律施行の際現に地方自治法の一部を改正する法律（昭和二十三年法律第百七十九号）附則第二条第二項の規定に基きその手続を開始している請求については、改正後の同条の規定にかかわらず、なお、従前の例による。

5　前項の規定は、この法律施行の際現に、地方自治法の一部を改正する法律（昭和二十三年法律第百七十九号）附則第二条第二項の規定に基く請求に係る市町村の廃置分合又は境界変更で改正前の同条第五項の規定により当該都道府県の議会の議決において出席議員の過半数の同意が得られなかつたもの又は同条第二項の規定に基きその手続を開始している請求に係る市町村の廃置分合又は境界変更について、改正後の同条の規定に基くあらたな請求をすることを妨げるものと解してはならない。

7　改正後の地方自治法第二百五十五条の二（地方自治法の一部を改正する法律（昭和二十三年法律第百七十九号）附則第二条第十項において準用する場合を含む。）に規定する争訟で、この法律施行の際現に裁判所にかかつているものは、同条の規定にかかわらず、なお、従前の例によるものとする。

8　この法律の実施のための手続その他その執行について必要な事項は、政令で定める。

附　則（昭二七・八・一五法三〇六）（抄）

1　この法律は、公布の日から起算して三月をこえない期間内において政令で定める日〔昭二七・九・一〕から施行する。

2　この法律施行の際現に効力を有する法律の規定で、改正後の地方自治法の規定に基いて法律又はこれに基く政令で規定しなければならないものについて総理府令、法務府令、省令その他の政令以外の命令で定めることを認めているものについては、この法律施行の日から起算して一年以内に、改正後の地方自治法の規定に適合するように改正の措置がとられなければならない。

3　この法律施行の際現に効力を有する総理府令、法務府令、省令その他の政令以外の命令の規定で、改正後の地方自治法の規定に基いて法律又はこれに基く政令で規定しなければならないものを定めているものは、前項の規定により法律改正がなされるまで又はこの法律施行の日から起算して一年以内において法律に基く政令で規定されるまでは、なお、その効力を有する。

4　この法律施行の際改正前の地方自治法第七条第一項若しくは第二項の規定により既になされている市町村の境界の変更に関する処分、改正前の地方自治法第八条第三項の規定により既になされている町村を市とし、若しくは市を町村とする処分若しくは村を町とし、若しくは町を村とする処分又はこれらの処分の効力については、改正後の地方自治法第七条第二項及び第七項並びに第八条第三項の規定にかかわらず、なお、従前の例による。

5　改正前の地方自治法第九条の規定に基き提起されている訴訟又は事件で、この法律施行の際現に裁判所に係属しているものについては、改正後の地方自治法第九条、第九条の二及び第二百五十五条の二の規定にかかわらず、なお、従前の例による。

6　改正前の地方自治法第百五十八条第一項から第三項までの規定により設けた都道府県の局部は、改正後の同法第百五十八条第一項から第三項までの規定にかかわらず、この法律施行の日から起算して五月以内に限り、なお、従前の例により存続させることができる。

7　この法律施行の際現にその職にある副出納長は、改正後の地方自治法第百六十八条の規定にかかわらず、その者が選任された日から起算して四年以内に限り、なお、従前の例により在職するものとする。

8　この法律施行の際現にその職にある都道府県、市町村及び特別区の選挙管理委員は、改正後の地方自治法第百八十一条第二項及び第百八十二条第四項の規定にかかわらず、その任期中に限り、なお、在職するものとする。補充員であるものの在職についても、また、同様とする。

9　改正前の地方自治法第百九十五条第三項但書の規定により監査委員を置く市においてこの法律施行の際現に監査委員の職にある者は、改正後の地方自治法第百九十五条第三項但書の規定にかかわらず、その任期中に限り、なお、在職するものとする。

10　この法律施行の際現に地方公共団体が共同して設置している地方公共団体の委員会、附属機関若しくは職員又はこの法律施行の際現に他の地方公共団体に委託されている地方公共団体の事務は、この法律施行の日から起算して一年以内において、改正後の地方自治法の規定に適合するようにこれを改めるものとし、改正後の地方自治法の規定による共同設置又は事務の委託が行われるまでは、なお、従前の例による。

11　この法律施行の際地方自治法第二百五十九条第一項又は第三項の規定により既になされている郡の区域をあらたに画し、若しくは廃止し、又は郡の区域を変更する処分の効力については、改正後の地方自治法第二百五十九条第四項の規定にかかわらず、なお、従前の例による。

12　地方自治法附則第二条但書によりなお効力を有する旧東京都制第百八十九条から第百九十一条まで及び第百九十八条の規定は、改正後の地方自治法第二百八十一条第二項各号に掲げる事務並びに第二百八十一条の二第二項に規定する特別区の区長の権限に属する事務に関しては、その適用はないものとする。

13　政令で特別の定をするものを除く外、改正後の地方自治法第二百八十一条第二項各号に掲げる事務で、この法律施行の際現に都が処理しているものは、この法律施行の日から起算して九十日以内に特別区に引き継がなければならない。

14　この法律施行の際現にその職にある特別区の区長は、改正後の地方自治法第二百八十一条の二第一項の規定にかかわらず、その任期中は、なお、従前の例により在職するものとする。

15　改正後の地方自治法第二百八十一条の二第二項又は同条第四項において準用する改正後の同法第二百八十一条の二第二項の規定により特別区の長、委員会又は委員の権限に属する事務で、この法律施行の際現に都知事、都の委員会又は委員の権限に属するものは、この法律施行の日から起算して九十日以内に特別区の長、委員会又は委員に引き継がなければならない。

16　前五項に規定するものを除く外、改正後の地方自治法の特別区に関する規定の施行に関し必要な経過措置は、政令で定める。

20　この法律の施行のため必要な事項は、政令で定める。

附　則（昭二八・八・一五法二一二）（抄）

1　この法律は、公布の日から施行する。

附　則（昭二九・六・二二法一九三）（抄）

（施行期日）

1　この法律中第二百五十二条の二、財産区及び地方自治法附則第六条に係る改正規定並びに附則第三項の規定は公布の日から、第八条第一項第一号の改正規定及び附則第二項の規定は公布の日から起算して三月をこえない範囲内において政令で定める日〔昭二九・九・二〇〕から、別表第六第三号の改正規定中市警察部長に係る部分は、警察法（昭和二十九年法律第百六十二号）施行の日〔昭二九・七・一〕から一年を経過した日から、その他の部分は警察法施行の日から施行する。

（市の設置等に関する経過措置）

2　地方自治法第七条第一項の規定による関係市町村の区域の全部若しくは一部をもつて市を設置する処分又は同法第八条第三項の規定による町村を市とする処分については、左の各号の一に該当する場合に限り、改正後の同法第八条第一項第一号の規定にかかわらず、なお、従前の例による。

一　第八条第一項第一号の改正規定の施行の際現に都道府県知事に対して当該処分の申請がなされている場合

二　第八条第一項第一号の改正規定の施行の際現に定められている地方自治法第八条の二第一項の規定による都道府県の区域内のすべての市町村を通ずる市町村の廃置分合又は境界変更に関する都道府県知事の計画に基いて昭和四十一年三月三十一日までに当該処分の申請がなされた場合

（警察法の施行に伴う経過措置）

4　警察法施行後一年間は、地方自治法中公安委員会、警察の職員その他都道府県警察に関する規定の適用については、同法第百五十五条第二項の規定により指定する市をもつて一の県とみなす。この場合においては、これらの市を包括する府県は、これらの市の区域を除いた区域をもつてその区域とみなす。

附　則（昭三一・六・一二法一四七）（抄）

（施行期日）

1　この法律は、公布の日から起算して三月をこえない範囲内において政令で定める日〔昭三一・九・一〕から施行する。ただし、第二百四条第一項の次に一項を加える改正規定中薪炭手当に係る部分は、国家公務員に対して薪炭手当を支給することを定める法律が施行される日〔昭三一・一〇・二三〕から施行する。

（法律の廃止）

2　五大都市行政監督に関する法律（大正十一年法律第一号）は、廃止する。

（開会中の議会及び招集告示のされている議会に関する経過措置）

3　この法律（附則第一項ただし書に係る部分を除く。以下同じ。）の施行の際現に開会中の地方公共団体の議会又は改正前の地方自治法（以下「旧法」という。）第百一条第二項の規定により招集の告示がされている議会については、地方公共団体の議会に関する改正後の地方自治法（以下「新法」という。）の規定にかかわらず、その会期中に限り、なお、従前の例による。

（議員、委員会の委員又は委員の兼業禁止に関する経過措置）

4　この法律の施行の際現に地方公共団体の議会の議員、教育委員会の委員、選挙管理委員、人事委員会の委員、公安委員会の委員、地方労働委員会の委員、収用委員会の委員、海区漁業調整委員会の委員、内水面漁場管理委員会の委員、監査委員、固定資産評価審査委員会の委員又は農業委員会の委員の職にある者については、新法第九十二条の二及び第百八十条の五第七項の規定（これらの規定を適用し、又は準用する場合を含む。）にかかわらず、この法律の施行後六月間（この法律の施行の際現に締結されている請負契約でこれらの規定に該当することとなるものの履行がこの法律の施行後六月以上にわたる場合にあつては、当該請負契約が履行されるまでの間）に限り、なお、従前の例による。

（都道府県の局部等に関する経過措置）

5　この法律の施行の際現に新法第百五十八条第一項の規定による局部の数をこえて置いている都道府県の局部（室その他これに準ずる組織を含む。以下同じ。）をこの法律の施行後も引き続いて存置しようとするときは、都道府県知事は、この法律の施行の日から起算して三月以内にその存置について内閣総理大臣に協議しなければならない。

6　前項に規定する期間内に同項の協議がととのわないときは、都道府県知事は、この法律の施行の日から起算して六月以内に当該都道府県の局部の数を減少する措置を講じなければならない。

（監査委員の任期等に関する経過措置）

7　この法律の施行の際現に在職する監査委員の任期は、新法第百九十七条本文の規定にかかわらず、なお、従前の例によるものとし、これらの者については、新法第百九十八条の二の規定は、適用しない。

（契約の方法に関する経過措置）

8　この法律の施行後新法第二百四十三条第一項ただし書の規定による条例が制定施行されるまでの間は、同条同項に規定する契約の方法については、なお、従前の例による。

（指定都市への事務引継に伴う経過措置）

9　この法律施行の際現に新法第二百五十二条の十九第一項の指定都市（以下「指定都市」という。）のある都道府県又は当該都道府県知事若しくは当該都道府県の委員会その他の機関が処理し、又は管理し、及び執行している事務で、新法第二百五十二条の十九第一項の規定により指定都市の区域内についてもっぱら指定都市の市長若しくは指定都市の委員会その他の機関のみが処理し、又は管理し、及び執行することとなるものについては、当該都道府県又は当該都道府県知事若しくは当該都道府県の委員会その他の機関は、政令で特別の定をする場合のほか、この法律の施行の日から起算して六月以内に指定都市又は指定都市の市長若しくは指定都市の委員会その他の機関に引き継がなければならない。

10 前項に規定する事務に従事している都道府県の職員で政令で定める基準によりもつぱら指定都市の区域内に係る同項の事務に従事していると認められるものは、同項の規定による事務の引継とともに、都道府県において正式任用されていた者にあつては、引き続き指定都市の相当の職員に正式任用され、都道府県において条件附採用期間中であつた者にあつては、引き続き条件附で指定都市の相当の職員となるものとする。この場合において、その者の指定都市における条件附採用の期間には、その者の都道府県における条件附採用の期間を通算するものとする。

11 前項の規定により指定都市の職員となる者が受けるべき給料の額が、指定都市の職員となる際その者が従前都道府県において受けていた給料の額に達しないこととなる場合においては、その調整のため、指定都市は、政令で定める基準に従い条例で定めるところにより、手当を支給するものとする。

12 附則第十項の規定により指定都市の職員となる者は、政令で定めるところにより、その選択によつて、都道府県の退職手当を受け、又は受けないことができるものとし、指定都市は、都道府県の退職手当を受けない者について、その者が都道府県の職員として在職した期間を当該指定都市の職員としての在職期間に通算する措置を講ずるものとする。

13 恩給法の一部を改正する法律（昭和二十二年法律第七十七号）附則第十条の規定の適用又は準用を受ける者が附則第十項の規定により指定都市の職員となつた場合においては、その職員が新法第二百五十二条の十九第一項各号に掲げる事務に従事する間に限り、これに恩給法の一部を改正する法律（昭和二十二年法律第七十七号）附則第十条の規定を準用する。この場合においては、同条第三項中「俸給を給する都道府県」とあるのは「俸給を給する地方自治法第二百五十二条の十九第一項の指定都市を包括する都道府県」と、同条第四項中「都道府県」とあるのは「地方自治法第二百五十二条の十九第一項の指定都市」と、「国庫」とあるのは「国庫又は地方自治法第二百五十二条の十九第一項の指定都市を包括する都道府県」と、「歳入徴収官」とあるのは「歳入徴収官又は地方自治法第二百五十二条の十九第一項の指定都市を包括する都道府県の出納長」と読み替えるものとする。

14 前項の規定に該当する場合を除くほか、都道府県の職員が附則第十項の規定により引き続いて指定都市の職員となつた場合（その者が引き続いて都道府県の職員となり、更に引き続いて指定都市の職員となつた場合を含む。）におけるその者の退職年金又は退職一時金の支給に関するその者の在職期間については、都道府県及び指定都市は、相互にその者の在職期間を通算する措置を講ずるものとする。

15 前六項に規定するもののほか、新法第二百五十二条の十九第一項に掲げる事務の指定都市又は指定都市の市長若しくは指定都市の委員会その他の機関への引継に伴う必要な経過措置は、政令で定める。

（争訟に関する経過措置）

16 この法律の施行の際現に旧法の規定により提起されている地方公共団体又はその機関の行為に係る争訟については、なお、従前の例による。

（政令への委任）

17 前各項に定めるもののほか、この法律の施行のため必要な経過措置は、政令で定める。

附 則（昭三三・四・五法五三）

（施行期日）

1 この法律は、公布の日から施行する。

（市の人口要件の特例）

2 地方自治法第七条第一項の規定による関係市町村の区域の全部若しくは一部をもつて市を設置する処分又は同法第八条第三項の規定による町村を市とする処分については、昭和三十三年九月三十日までにその申請がなされ、かつ、その申請の際当該市となるべき普通地方公共団体の人口が三万以上であるものに限り、同法第八条第一項第一号の規定にかかわらず、市となるべき普通地方公共団体の人口に関する要件は、三万以上とする。ただし、地方自治法の一部を改正する法律（昭和二十九年法律第百九十三号）附則第二項の規定によることを妨げるものではない。

3 前項の人口は、地方自治法第二百五十四条並びに第二百五十五条及びこれに基く政令の定めるところによる。

附 則（昭三四・三・一一法一二）

この法律は、公布の日から起算して三月をこえない範囲内で政令で定める日（昭三四・三・三一）から施行する。

附 則（昭三六・一一・二〇法二三五）（抄）

1 この法律は、公布の日から施行する。

2 この法律の施行の際現に改正前の地方自治法第二百九十三条において準用する同法第二百五十三条第一項の規定による協議により管理すべき都道府県知事が定められている市町村及び特別区の組合で数都道府県にわたるものに係る処分については、改正後の地方自治法第二百九十三条の規定にかかわらず、なお従前の例による。

附 則（昭三七・五・一五法一三三）（抄）

（施行期日）

1 この法律は、公布の日から施行する。

（選挙管理委員に関する経過措置）

2 この法律の施行の際現に在職する選挙管理委員については、この法律の施行前に処せられた刑に関しては、この法律による改正後の地方自治法（以下「新法」という。）第百八十二条第四項の規定は、適用しない。この場合において、その者は、新法第百八十四条第一項前段の規定にかかわらず、その任期中に限り、なお、従前の例により在職するものとする。

3 この法律の施行の際現に地方公共団体の議会の議員又は長と兼ねている選挙管理委員については、新法第百八十二条第七項の規定は、その現に兼ねている職に限り適用しない。

4 この法律の施行の際現に在職する選挙管理委員の任期は、新法第百八十三条第一項本文の規定にかかわらず、なお従前の例による。

5　（法人の経営状況の報告に関する経過措置）

5　新法第二百四十四条第四項の規定は、この法律の施行の日以後に始まる事業年度から適用する。

附　則（昭三七・九・一五法一六一）（抄）

1　この法律は、昭和三十七年十月一日から施行する。

2　この法律による改正後の規定は、この附則に特別の定めがある場合を除き、この法律の施行前にされた行政庁の処分、この法律の施行前にされた申請に係る行政庁の不作為その他この法律の施行前に生じた事項についても適用する。ただし、この法律による改正前の規定によつて生じた効力を妨げない。

3　この法律の施行前に提起された訴願、審査の請求、異議の申立てその他の不服申立て（以下「訴願等」という。）については、この法律の施行後も、なお従前の例による。この法律の施行前にされた訴願等の裁決、決定その他の処分（以下「裁決等」という。）又はこの法律の施行前に提起された訴願等につきこの法律の施行後にされる裁決等にさらに不服がある場合の訴願等についても、同様とする。

4　前項に規定する訴願等で、この法律の施行後は行政不服審査法による不服申立てをすることができることとなる処分に係るものは、同法以外の法律の適用については、行政不服審査法による不服申立てとみなす。

5　第三項の規定によりこの法律の施行後にされる審査の請求、異議の申立てその他の不服申立ての裁決等については、行政不服審査法による不服申立てをすることができない。

6　この法律の施行前にされた行政庁の処分で、この法律による改正前の規定により訴願等をすることができるものとされ、かつ、その提起期間が定められていなかつたものについて、行政不服審査法による不服申立てをすることができる期間は、この法律の施行の日から起算する。

8　この法律の施行前にした行為に対する罰則の適用については、なお従前の例による。

9　前八項に定めるもののほか、この法律の施行に関して必要な経過措置は、政令で定める。

10　この法律及び行政事件訴訟法の施行に伴う関係法律の整理等に関する法律（昭和三十七年法律第百四十号）に同一の法律についての改正規定がある場合においては、当該法律は、この法律によつてまず改正され、次いで行政事件訴訟法の施行に伴う関係法律の整理等に関する法律によつて改正されるものとする。

附　則（昭三八・六・八法九九）（抄）

（施行期日及び適用区分）

第一条　この法律中目次の改正規定（第三編第四章の次に一章を加える部分に限る。）、第一条の二の改正規定、第二条第三項第八号の改正規定、第二百六十三条の二の次に一条を加える改正規定、第三編第四章の次に一章を加える改正規定、附則第二十条の二の次に一条を加える改正規定及び別表の改正規定並びに附則第十五条から附則第十八条まで、附則第二十四条（地方開発事業団に関する部分に限る。）、附則第二十五条（地方開発事業団に関する部分に限る。）及び附則第三十五条の規定（以下「財務以外の改正規定等」という。）は公布の日から、普通地方公共団体に係る会計の区分、予算の調製及び議決、継続費、繰越明許費、債務負担行為、予算の内容、歳入歳出予算の区分、予備費、補正予算及び暫定予算、地方債並びに一時借入金に関する改正規定並びに附則第四条、附則第五条第一項、第二項及び第四項、附則第六条第一項並びに附則第八条の規定（以下「予算関係の改正規定」という。）は昭和三十九年一月一日から、その他の改正規定並びに附則第二条、附則第三条、附則第五条第三項、附則第六条第二項及び第三項、附則第七条、附則第九条から附則第十四条まで、附則第十九条から附則第二十三条まで、附則第二十四条（地方開発事業団に関する部分を除く。）、附則第二十五条（地方開発事業団に関する部分を除く。）並びに附則第二十六条から附則第三十四条までの規定は同年四月一日から施行する。ただし、改正後の地方自治法（以下「新法」という。）の規定中普通地方公共団体に係る会計の区分、予算の調製及び議決、継続費、繰越明許費、債務負担行為、予算の内容、歳入歳出予算の区分、予備費、補正予算及び暫定予算、地方債並びに一時借入金並びに決算に係る部分（債務負担行為、予算の内容、歳入歳出予算の区分、地方債及び一時借入金に関する部分については、当該部分が地方開発事業団に準用される場合を含む。）は、昭和三十九年度の予算及び決算から適用する。

（監査の請求に関する経過措置）

第二条　この法律（財務以外の改正規定等及び予算関係の改正規定を除く。以下同じ。）の施行前に改正前の地方自治法（以下「旧法」という。）第七十五条第四項の規定により市町村長に対してした監査の請求については、新法第七十五条の規定にかかわらず、なお従前の例による。

（監査委員に関する経過措置）

第三条　この法律の施行の際現に在職する監査委員は、新法第百九十五条第二項及び第百九十六条第一項の規定にかかわらず、その任期中に限り、なお、従前の例により在職するものとする。

（特別会計に関する経過措置）

第四条　予算関係の改正規定の施行の際現に旧法第二百三十九条の規定により設けられている特別会計については、新法第二百九条第二項の規定にかかわらず、昭和三十八年度に限り、なお従前の例による。

（予算に関する経過措置）

第五条　予算関係の改正規定の施行の際現に旧法第二百三十六条の規定により設けられている継続費は、新法第二百十二条の継続費とみなす。

2　昭和三十八年度の歳出予算に係る繰越しについては、新法第二百十三条の規定にかかわらず、なお従前の例による。

3　この法律の施行の際現に旧法第九十六条第一項第八号の規定により地方公共団体の議会の議決を経て負担している義務は、新法第二百十四条の規定により予算で定めて負担した義務とみなす。

4　前三項に定めるもののほか、昭和三十八年度分以前の予算については、なお従前の例による。

（収入に関する経過措置）

第六条　昭和三十八年度分以前の地方債については、新法第二百三十条の規定にかかわらず、なお従前の例による。

2　この法律の施行前に旧法第二百十八条の規定により賦課又は徴収した夫役現品については、なお従前の例による。

3　分担金、使用料、加入金、手数料及び過料その他の地方公共団体の収入に係る督促、旧法第二百二十五条第三項の手数料及び延滞金の徴収、滞納処分、追徴並びに還付（以下本項において「督促等の処分」という。）、先取特権並びに督促等の処分に対する不服申立てについては、新法第二百三十一条の三の規定にかかわらず、この法律の施行の日から起算して二箇月以内に限り、なお従前の例による。

（決算に関する経過措置）

第七条　昭和三十八年度分以前の決算については、新法第二百三十三条の規定にかかわらず、なお従前の例による。

2　昭和三十八年度以前に生じた歳計剰余金の処分については、新法第二百三十三条の二の規定にかかわらず、なお、従前の例により翌年度の歳入に編入し、又は基金に編入するものとする。

（一時借入金に関する経過措置）

第八条　昭和三十八年度分の一時の借入れについては、新法第二百三十五条の三の規定にかかわらず、なお従前の例による。

（時効に関する経過措置）

第九条　この法律の施行の際既に進行を開始している地方公共団体の徴収金及び支払金の時効については、新法第二百三十六条の規定にかかわらず、なお従前の例による。

（財産に関する経過措置）

第十条　この法律の施行の際現に使用させている新法第二百三十八条第三項に規定する行政財産については、新法第二百三十八条の四第三項の規定による許可により使用させているものとみなす。

2　新法第二百三十八条の五第二項から第五項までの規定は、この法律の施行の際現に貸し付け、又は貸付け以外の方法により使用させている新法第二百三十八条第三項に規定する普通財産についても適用する。

（住民による監査請求及び訴訟に関する経過措置）

第十一条　新法第二百四十二条及び第二百四十二条の二の規定は、次項に定める場合を除き、この法律の施行前にされた公金の支出、財産の取得、管理若しくは処分、契約の締結若しくは履行又は債務その他の義務の負担及びこの法律の施行前から引き続いている怠る事実についても適用する。この場合において、新法第二百四十二条第二項の期間は、この法律の施行の日から起算する。

2　この法律の施行前に旧法第二百四十三条の二第一項の規定によりした請求又はこの法律の施行の際現に係属している同条第四項の裁判については、新法第二百四十二条及び第二百四十二条の二の規定にかかわらず、なお従前の例による。

（職員の賠償責任に関する経過措置）

第十二条　この法律の施行前の事実に基づく地方公共団体の職員の賠償責任については、新法第二百四十三条の二の規定にかかわらず、なお従前の例による。

（公の施設に関する経過措置）

第十三条　新法第九十六条第一項第八号及び第二百四十四条の二第二項の規定は、この法律の施行前に旧法第二百十三条第二項に規定する使用の許可を受けた営造物を、この法律の施行後引き続き当該許可を受けた期間中使用する場合においては、適用しない。

（不服申立てに関する経過措置）

第十四条　この法律の施行前に旧法第二百十五条、第二百二十三条又は第二百二十四条の規定により提起された審査請求、異議申立て又は再審査請求については、なお従前の例による。

（地方開発事業団に関する経過措置）

第十五条　地方開発事業団の財務については、新法第三百十四条第一項の規定にかかわらず、昭和三十八年十二月三十一日までの間は、旧法第二百二十七条から第二百二十九条まで、第二百三十三条、第二百三十九条の二、第二百三十九条の三第二項、第二百四十条第一項、第二百四十三条第一項及び第三項、第二百四十三条の二、第二百四十四条第一項、第二百四十四条の二第一項及び第二項並びに第二百四十五条の規定（以下本条において「旧法の規定」という。）を準用し、昭和三十九年一月一日から同年三月三十一日までの間は、新法第二百十四条、第二百十五条（第二号及び第三号を除く。）、第二百十六条及び第二百三十五条の三の規定並びに旧法の規定（旧法第二百二十七条及び第二百三十三条の規定を除く。）を準用する。ただし、旧法第二百二十七条及び新法第二百三十五条の三の規定は、特定事業に係る財務については、これを準用しない。

2　前項の規定により地方開発事業団の財務について旧法の規定又は新法の規定を準用する場合における技術的読替えは、政令でこれを定める。

3　新法第三百十四条第二項の規定の適用については、昭和三十八年十二月三十一日までの間は、同項中「第二百三十条」とあるのは、「第二百二十六条」とする。

4　新法第三百十八条の規定の適用については、昭和三十九年三月三十一日までの間は、同条中「第二百四十五条」とあるのは、「第二百四十五条の三」とする。

附　則（昭三九・七・一一法一六九）（抄）

（施行期日）

1　この法律は、昭和四十年四月一日から施行する。ただし、第一条のうち、地方自治法第二百四条第二項の改正規定は、公布の日から施行し昭和三十九年四月一日から適用し、同法第二百六十条の改正規定は、公布の日から施行し、同法第二百八十一条第二項第十五号の改正規定中この法律公布の際現に都が処理している事務に係る部分の規定は、別に法律で定める日から施行する。

（旧東京都制の効力）

2　地方自治法附則第二条ただし書によりなお効力を有する旧東京都制第百八十九条から第百九十一条まで及び第百九十八条の規定は、改正後の地方自治法第二百八十一条第二項第十三号から第二十号までに掲げる事務及び第二百八十一条の三第二項に規定する特別区の区長の権限に属する事務に関しては、その適用はないものとする。

（特別区の議会の議員定数の定限に関する経過措置）

3　特別区の議会の議員の定数の定限は、改正後の地方自治法第二百八十一条の二の規定にかかわらず、次の一般選挙までなお従前の例による。

（経過規定）

5　前三項に定めるもののほか、この法律の施行のため必要な経過措置は、政令で定める。

附　則（昭四一・六・一法七七）（抄）

（施行期日）

第一条　この法律は、公布の日から起算して八月をこえない範囲

内において政令で定める日〔昭四一・九・三〇〕から施行する。〔ただし書略〕

（地方自治法の一部改正に伴う経過措置）

第九条　この法律の施行の際前条の規定による改正前の地方自治法第七十四条の規定によつてされている請求については、なお従前の例による。

附　則（昭四三・五・二法三九）（抄）

（施行期日）

第一条　この法律は、昭和四十三年六月一日から施行する。〔ただし書略〕

（地方自治法の一部改正に伴う経過措置）

第五条　施行日から二十日を経過する日までの間にされている地方自治法第七十四条の規定による請求については、なお従前の例による。

附　則（昭四四・三・二五法二）（抄）

（施行期日）

1　この法律は、公布の日から施行する。

（都の議会の議員の定数に関する規定の適用）

2　改正後の地方自治法第九十条第二項の規定の適用については、この法律の施行後最初に行なわれる国勢調査又はこれに準ずる全国的な人口調査の結果が明らかとなるまでの間、同項中「特別区の存する区域の人口」とあるのは、「特別区の存する区域の人口として政令で定めるところにより自治大臣が推計して告示した人口」とする。

附　則（昭四四・五・一六法三〇）（抄）

（施行期日）

第一条　この法律は、昭和四十四年七月二十日から施行する。

（地方自治法の一部改正に伴う経過措置）

第八条　新法第二十二条の規定に基づいて当該選挙管理委員会がこの法律の施行後最初に選挙人名簿の登録を行なう日の前日までに地方自治法第七十四条の規定によつてされた請求については、なお従前の例による。

附　則（昭四四・六・三法三八）（抄）

（施行期日）

第一条　この法律は、都市計画法の施行の日〔昭四四・六・一四〕から施行する。〔ただし書略〕

（地方自治法等の一部改正に伴う経過措置）

第二十二条　附則第四条第一項に規定する市街地改造事業並びに同条第二項に規定する防災建築街区造成組合、防災建築街区造成事業及び防災建築物に関しては、この法律の附則の規定による改正後の次の各号に掲げる法律の規定にかかわらず、なお従前の例による。

一　地方自治法
二　建設省設置法
三　住宅金融公庫法
四　地方税法
五　租税特別措置法
六　首都高速道路公団法
七　災害対策基本法
八　阪神高速道路公団法
九　登録免許税法

2　前項の場合において、この法律の施行後の不動産の取得について附則第十条の規定による改正前の地方税法第七十三条の十四第七項の規定を適用するときは、同項中「その者が市街地改造事業又は防災建築街区造成事業を施行する土地の区域内に所有していた不動産の固定資産課税台帳に登録された価格（当該不動産の価格が固定資産課税台帳に登録されていない場合にあつては、政令で定めるところにより、道府県知事が第三百八十八条第一項の固定資産評価基準によつて決定した価格）に相当する額を」とあるのは、「当該建築施設の部分の価格に同法第四十六条（防災建築街区造成法第五十五条第一項において準用する場合を含む。）の規定により確定した当該建築施設の部分の価額に対するその者が市街地改造事業又は防災建築街区造成事業を施行する土地の区域内に有していた土地、借地権又は建築物の対償の額の割合を乗じて得た額を当該建築施設の部分の」とする。

（罰則に関する経過措置）

第二十三条　この法律の施行前にした行為に対する罰則の適用については、なお従前の例による。

附　則（昭四五・三・二八法八）（抄）

（施行期日）

第一条　この法律は、昭和四十五年五月一日から施行する。

附　則（昭四五・六・一法一〇九）（抄）

（施行期日）

1　この法律は、公布の日から起算して一年をこえない範囲内において政令で定める日〔昭四六・一・一〕から施行する。

附　則（昭四五・一二・一七法一一九）（抄）

（施行期日等）

1　この法律は、公布の日から施行する。〔ただし書略〕

附　則（昭四五・一二・二五法一四一）（抄）

（施行期日）

第一条　この法律は、公布の日から起算して六月をこえない範囲内において政令で定める日〔昭四六・六・二四〕から施行する。

附　則（昭四七・六・二六法一〇六）（抄）

（施行期日）

1　この法律は、公布の日から施行〔中略〕する。

附　則（昭四八・一〇・五法一一一）（抄）

（施行期日）

第一条　この法律は、公布の日から起算して一年をこえない範囲内において政令で定める日〔昭四九・九・一〕から施行する。〔ただし書略〕

附　則（昭四九・六・一法七一）（抄）

（施行期日）

第一条　この法律は、公布の日から施行する。ただし、第二百八十一条、第二百八十一条の三、第二百八十二条第二項、第二百八十二条の二第二項及び第二百八十三条第二項の改正規定、附則第十七条から第十九条までに係る改正規定並びに附則第二条、附則第七条から第十一条まで及び附則第十三条から第二十四条までの規定（以下「特別区に関する改正規定」という。）は、昭和五十年四月一日から施行する。

（旧東京都制の効力）

第二条　地方自治法附則第二条ただし書の規定によりなおその効力を有することとされる旧東京都制（昭和十八年法律第八十九号）第百九十一条の規定は、法律又はこれに基づく政令により市に属する事務で改正後の地方自治法第二百八十一条第二項の規定により特別区が処理することとされているもの並びに同法第二百八十一条の三第一項の規定により特別区の区長が管理し、及び執行することとされている事務に関しては、その適用はないものとする。

（特別区の区長の統一選挙）

第三条　特別区に関する改正規定の施行の日以後最初に行うべき特別区の区長の選挙は、同日から起算して三月を超えない範囲内において政令で定める日に行うものとする。

2　前項の特別区の区長の選挙についての選挙期日の告示その他公職選挙法（昭和二十五年法律第百号）の規定の適用に関し必要な事項は、政令で定める。

（特別区の区長の任期の特例）

第四条　この法律の施行の際現にその職にある特別区の区長及びこの法律の施行の日から特別区に関する改正規定の施行の日の前日までの間に地方自治法第二百八十一条の三第一項の規定により選任される特別区の区長は、同法第二百八十三条第一項の規定にかかわらず、前条第一項の規定による特別区の区長の選挙の日の前日までの間、在職するものとする。

（職員の引継ぎ）

第五条　特別区に関する改正規定の施行の日の前日において現に都又は都知事若しくは都の委員会その他の機関が処理し、又は管理し、及び執行している事務で特別区に関する改正規定の施行の日以後法律又はこれに基づく政令により特別区又は特別区の区長若しくは特別区の委員会その他の機関が処理し、又は管理し、及び執行することとなるものに専ら従事していると認められる都の職員は、同日において、都において正式任用されていた者にあつては引き続き当該特別区の相当の職員に正式任用され、都において条件付採用期間中であつた者にあつては引き続き条件付きで当該特別区の相当の職員となるものとする。この場合において、その者の当該特別区における条件付採用期間には、その者の都における条件付採用期間を通算するものとする。

2　前項に規定する都の職員でその引継ぎについて同項の規定によりがたいものをいずれの特別区が引き継ぐかについては、都知事と各特別区の区長とが協議して定めるものとする。

3　第一項の規定は、特別区に関する改正規定の施行の日の前日において現に特別区に配属されている都の職員に準用する。

（政令への委任）

第六条　前各条に定めるもののほか、この法律の施行のため必要な経過措置は、政令で定める。

附　則（昭五〇・三・三一法九）（抄）

（施行期日等）

1　この法律は、公布の日から施行し、〔中略〕昭和五十年一月一日から適用する。

附　則（昭五〇・七・一五法六三）（抄）

（施行期日）

第一条　この法律は、公布の日から起算して三月を超えない範囲内において政令で定める日〔昭五〇・一〇・一四〕から施行する。〔ただし書略〕

附　則（昭五〇・七・一五法六四）（抄）

（施行期日）

第一条　この法律は、昭和五十一年一月一日から施行する。

附　則（昭五二・五・二七法四六）

この法律は、公布の日から施行する。

附　則（昭五二・一二・二一法八八）（抄）

（施行期日等）

1　この法律は、公布の日から施行し、〔中略〕昭和五十一年四月一日から適用する。

附　則（昭五五・三・三一法一三）（抄）

（施行期日）

1　この法律は、公布の日から起算して三月を超えない範囲内において政令で定める日〔昭五五・六・三〇〕から施行する。

附　則（昭五五・五・六法四〇）（抄）

（施行期日）

第一条　この法律は、条約が日本国について効力を生ずる日〔昭五七・七・一八〕から施行する。

附　則（昭五五・一一・一九法八五）（抄）

（施行期日）

第一条　この法律は、昭和五十六年四月一日から施行する。

附　則（昭五六・六・一一法七九）（抄）

（施行期日）

第一条　この法律は、昭和五十七年四月一日から施行する。

附　則（昭五七・七・一六法六六）

この法律は、昭和五十七年十月一日から施行する。

附　則（昭五七・八・二四法八一）（抄）

（施行期日等）

第一条　この法律は、公布の日から施行する。

（罰則に関する経過措置）

第十四条　この法律の施行前にした行為及び附則第十二条においてなお従前の例によることとされる場合におけるこの法律の施行後にした行為に対する罰則の適用については、なお従前の例による。

附　則（昭五八・一二・一〇法八三）（抄）

（施行期日）

第一条　この法律は、公布の日から施行する。ただし、次の各号に掲げる規定は、それぞれ当該各号に定める日から施行する。

一〜三　〔略〕

四　第三十六条中電気事業法第五十四条の改正規定、第三十八条の規定（電気工事士法第八条の改正規定を除く。）並びに附則第八条第三項及び第二十二条の規定　昭和五十九年十二月一日

附　則（昭五九・五・八法二五）（抄）

（施行期日）

第一条　この法律は、昭和五十九年七月一日から施行する。

（経過措置）

第二十三条　この法律の施行前に海運局長、海運監理部長、海運局若しくは海運監理部の支局その他の地方機関の長（以下「支局長等」という。）又は陸運局長が法律若しくはこれに基づく命令の規定によりした許可、認可その他の処分又は契約その他の行為（以下この条において「処分等」という。）は、政令（支局長等がした処分等にあつては、運輸省令）で定めるところにより、この法律による改正後のそれぞれの法律若しくはこれに基づく命令の規定により相当の地方運輸局長、海運監理部長又は地方運輸局若しくは海運監理部の海運支局その他の地方

機関の長（以下「海運支局長等」という。）がした処分等とみなす。

第二十四条　この法律の施行前に海運局長、海運監理部長、支局長等又は陸運局長に対してした申請、届出その他の行為（以下この条において「申請等」という。）は、政令（支局長等に対してした申請等にあつては、運輸省令）で定めるところにより、この法律による改正後のそれぞれの法律若しくはこれに基づく命令の規定により相当の地方運輸局長、海運監理部長又は海運支局長等に対してした申請等とみなす。

第二十五条　この法律の施行前にした行為に対する罰則の適用については、なお従前の例による。

附　則（昭五九・六・三〇法五一）（抄）

（施行期日）

1　この法律は、昭和五十九年七月一日から施行する。

附　則（昭五九・一二・二五法八七）（抄）

（施行期日）

第一条　この法律は、昭和六十年四月一日から施行する。〔ただし書略〕

附　則（昭六〇・七・一二法九〇）（抄）

（施行期日）

第一条　この法律は、公布の日から施行する。ただし、次の各号に掲げる規定は、それぞれ当該各号に定める日から施行する。

一～四　〔略〕

五　〔前略〕附則第七条、第十二条から第十四条まで及び第十七条〔地方自治法の一部改正〕の規定　公布の日から起算して六月を経過した日

附　則（昭六〇・一二・二七法一〇八）（抄）

（施行期日）

第一条　この法律は、昭和六十一年四月一日から施行する。

附　則（昭六一・五・三〇法七五）（抄）

（施行期日）

1　この法律は、公布の日から施行する。

附　則（昭六一・一二・四法九三）（抄）

（施行期日）

第一条　この法律は、昭和六十二年四月一日から施行する。〔ただし書略〕

（罰則の適用に関する経過措置）

第四十一条　この法律の施行前にした行為及びこの法律の規定によりなお従前の例によることとされる事項に係るこの法律の施行後にした行為に対する罰則の適用については、なお従前の例による。

（政令への委任）

第四十二条　附則第二条から前条までに定めるもののほか、この法律の施行に関し必要な事項は、政令で定める。

附　則（昭六一・一二・二六法一〇九）（抄）

（施行期日）

第一条　この法律は、〔中略〕それぞれ当該各号に定める日から施行する。

一・二　〔略〕

三　〔前略〕附則第十四条の規定　昭和六十二年十月一日

四・五　〔略〕

（罰則に関する経過措置）

第八条　この法律の施行前にした行為及び附則第二条第一項の規定により従前の例によることとされる場合における第四条の規定の施行後にした行為に対する罰則の適用については、なお従前の例による。

附　則（昭六三・一二・一三法九四）（抄）

（施行期日）

1　この法律は、公布の日から起算して六月を超えない範囲内において政令で定める日〔昭六四・一・一〕から施行する。

（経過措置）

2　改正後の地方自治法第四条の二第一項の規定による条例が制定施行されるまでの間は、地方公共団体の休日は、この法律の施行の際現に休日とされている日によるものとする。

附　則（平元・一二・一三法七三）（抄）

（施行期日等）

1　この法律は、〔中略〕平成二年四月一日から施行する。

附　則（平元・一二・一九法八〇）（抄）

（施行期日）

1　この法律は、公布の日から起算して六月を超えない範囲内において政令で定める日〔平二・五・一〕から施行する。

（経過措置）

2　この法律による改正前のへい獣処理場等に関する法律の規定によりした処分、手続その他の行為は、この法律による改正後の化製場等に関する法律の相当規定によりした処分、手続その他の行為とみなす。

（罰則に関する経過措置）

7　この法律の施行前にした行為に対する罰則の適用については、なお従前の例による。

附　則（平二・六・二九法五八）（抄）

（施行期日）

第一条　この法律は、〔中略〕当該各号に定める日から施行する。

一・二　〔略〕

三　〔前略〕平成五年四月一日

附　則（平三・四・二法二四）（抄）

（施行期日）

第一条　この法律は、公布の日から施行する。ただし、第百四十六条の改正規定、第百五十一条の次に一条を加える改正規定及び附則第三条から第五条までの規定は、公布の日から起算して一年を超えない範囲内において政令で定める日〔平三・七・一〕から施行する。

（経過措置）

第二条　この法律の施行の際現に在職する監査委員は、その任期が満了するまでの間、改正後の地方自治法第百九十六条第一項の規定により選任された監査委員とみなす。

2　改正後の地方自治法第百九十六条第二項及び第五項の規定は、この法律の施行の際現に在職する監査委員（議員のうちから選任された監査委員を除く。）のうちこの法律の施行の日以後最初に任期が満了する監査委員の当該任期が満了するまでの間においては、当該監査委員が選任されている地方公共団体については、適用しない。

（政令への委任）

第十三条　附則第二条及び第十条に定めるもののほか、この法律の施行に関し必要な経過措置その他の事項は、政令で定める。

附　則（平三・四・一七法三一）（抄）

（施行期日）

1 この法律は、公布の日から起算して二十日を経過した日から施行する。

附 則（平三・五・二一法七九）（抄）

（施行期日）

第一条 この法律は、公布の日から施行する。〔ただし書略〕

（地方自治法の一部改正に伴う経過措置）

第四条 第二十三条の規定の施行の際現に同条の規定による改正前の地方自治法（以下この条において「旧法」という。）第二百八十六条第一項の規定によりされている旧法第二百八十七条第一項第一号、第四号又は第七号に掲げる事項のみに係る一部事務組合の規約の変更についての許可の申請は、第二十三条の規定による改正後の地方自治法（以下この条において「新法」という。）第二百八十六条第二項の規定によりされた届出とみなす。

2 第二十三条の規定の施行の際現に旧法第二百九十八条第二項の規定によりされている旧法第二百九十九条第一号、第三号又は第七号に掲げる事項のみに係る地方開発事業団の規約の変更についての許可の申請は、新法第二百九十八条第三項の規定によりされた届出とみなす。

（罰則に関する経過措置）

第七条 この法律の施行前にした行為及び附則第二条第一項の規定により従前の例によることとされる場合における第四条の規定の施行後にした行為に対する罰則の適用については、なお従前の例による。

附 則（平三・一〇・四法九〇）（抄）

（施行期日）

第一条 この法律は、公布の日から起算して一年を超えない範囲内において政令で定める日〔平四・八・一〕から施行する。

附 則（平三・一〇・五法九五）（抄）

（施行期日）

第一条 この法律は、公布の日から起算して九月を超えない範囲内において政令で定める日〔平四・七・四〕から施行する。〔ただし書略〕

附 則（平三・一二・二四法一〇二）（抄）

（施行期日等）

1 この法律は、公布の日から施行する。ただし、〔中略〕附則第十二項〔地方自治法の一部改正の規定〕から第二十項までの規定は、平成四年一月一日から施行する。

附 則（平三・一二・二四法一一〇）（抄）

（施行期日）

第一条 この法律は、平成四年四月一日から施行する。

附 則（平四・三・三一法七）（抄）

（施行期日）

第一条 この法律は、平成四年四月一日から施行する。ただし、〔中略〕附則第十七条から第十九条まで〔第十八条が地方自治法の一部改正〕の規定は公布の日から起算して三月を超えない範囲内において政令で定める日〔平四・六・三〇〕から、〔中略〕施行する。

附 則（平四・四・二法二九）（抄）

（施行期日）

1 この法律は、公布の日から起算して六月を超えない範囲内において政令で定める日〔平四・五・一〕から施行する。

（経過措置）

2 地方公共団体が改正後の地方自治法第四条の二第一項の規定により地方公共団体の休日を定める場合において、同条第二項第一号の土曜日については、同号の規定にかかわらず、当分の間、毎月の第二土曜日又は第四土曜日を定めることができる。

3 この法律の施行の際現に地方公共団体が改正前の地方自治法第四条の二第一項の規定により地方公共団体の休日として毎月の第二土曜日又は第四土曜日を定めている場合には、当該土曜日は、前項の規定により定められたものとみなす。

附 則（平四・四・二四法三一）（抄）

（施行期日）

1 この法律は、公布の日から起算して六月を超えない範囲内において政令で定める日〔平四・九・一〕から施行する。

附 則（平四・五・六法三九）（抄）

（施行期日）

第一条 この法律は、平成四年十月一日から施行する。

附 則（平四・五・二〇法五一）（抄）

（施行期日）

第一条 この法律は、公布の日から起算して一年六月を超えない範囲内において政令で定める日〔平五・一一・一〕から施行する。

附 則（平四・六・一法六六）（抄）

（施行期日）

第一条 この法律は、公布の日から起算して十月を超えない範囲内において政令で定める日〔平五・一・八〕から施行する。〔ただし書略〕

附 則（平四・六・三法六七）（抄）

（施行期日）

第一条 この法律は、平成五年四月一日から施行する。〔ただし書略〕

附 則（平四・六・三法六八）（抄）

（施行期日）

第一条 この法律は、平成四年七月一日から施行する。〔ただし書略〕

附 則（平五・五・二一法五一）（抄）

（施行期日）

第一条 この法律は、公布の日から起算して三月を超えない範囲内において政令で定める日〔平五・八・九〕から施行する。

（経過措置）

第二条 全国団体のこの法律の施行の日を含む事業年度の保証事業等に係る事業計画、収支予算及び資金計画については、第十二条中「当該事業年度の開始前に」とあるのは、「保証事業等の開始の時までに」と読み替えるものとする。

附 則（平五・五・二六法五三）（抄）

（施行期日）

第一条 この法律は、公布の日から起算して六月を超えない範囲内において政令で定める日〔平五・一一・一〇〕から施行する。

（基本方針に関する経過措置）

第二条 この法律の施行前にこの法律による改正前の流通業務市街地の整備に関する法律第三条の規定により定められた流通業務施設の整備に関する基本方針は、この法律による改正後の流通業務市街地の整備に関する法律第三条の二の規定により定められた流通業務施設の整備に関する基本方針とみなす。

（施行期日）

附　則（平五・六・一六法七〇）（抄）

第一条　この法律は、公布の日から起算して六月を超えない範囲内において政令で定める日〔平五・八・二〕から施行する。

附　則（平五・六・一八法七三）（抄）

（施行期日）

1　この法律は、公布の日から施行する。

附　則（平五・六・一八法七四）（抄）

（施行期日）

第一条　この法律は、公布の日から起算して一年を超えない範囲内において政令で定める日〔平六・四・一〕から施行する。ただし、（中略）地方自治法（昭和二十二年法律第六十七号）第二百五十二条の十九第一項第十一号の次に一号を加える改正規定は、平成八年四月一日から施行する。

附　則（平五・一一・一九法九一）

この法律は、公布の日から施行する。ただし、第六条中地方自治法別表第七第一号の表の改正規定〔中略〕は、環境基本法附則ただし書に規定する日〔平六・八・一〕から施行する。

附　則（平五・一二・三法九四）（抄）

（施行期日）

1　この法律は、公布の日から施行する。〔ただし書略〕

附　則（平六・二・二法一）（抄）

（施行期日）

第一条　この法律は、公布の日から起算して六十日を経過した日から施行する。

附　則（平六・二・四法二）（抄）

（施行期日）

第一条　この法律は、公職選挙法の一部を改正する法律の一部を改正する法律（平成六年法律第百四号）の公布の日から起算して一月を経過した日〔平六・一二・二五〕から施行する。〔ただし書略〕

附　則（平六・二・四法四）（抄）

（施行期日）

第一条　この法律は、公職選挙法の一部を改正する法律（平成六年法律第二号）の施行の日〔平六・一二・二五〕の属する年の翌年の一月一日から施行する。〔ただし書略〕

附　則（平六・六・二九法四八）（抄）

（施行期日）

1　この法律は、公布の日から起算して一年を超えない範囲内において、各規定につき、政令で定める日〔平七・四・一〕から施行する。ただし、第十五条第二項、第七十四条、第七十四条の四、第七十五条第五項、第七十六条第四項、第八十条第四項、第八十一条第二項、第八十六条第四項、第百条第三項、第百五十九条第二項、第二百二十八条第三項、第二百四十二条の二及び第二百四十四条の二第七項の改正規定並びに別表第一から別表第七までの改正規定（別表第二第一号（十一）の改正規定、同号（十二）の次に次のように加える改正規定（中核市に係る部分に限る。）、別表第四第一号（一の四）中「指定都市」の下に「及び中核市」を加え、同号中（一の四）を（一の五）とし、（一の三）を（一の四）とし、（一の二）の次に次のように加える改正規定（「指定都市」の下に「及び中核市」を加える部分に限る。）、同号（十七）の改正規定、同号（十九の三）の改正規定（「指定都市」の下に「及び中核市」を加える部分に限る。）、同号（十九の七）、（十九の九）、（十九の十一）、（二十一の二）及び（二十三）の改正規定、同号（二十三）の次に次のように加える改正規定、同表第三号（四）の改正規定並びに別表第七第二号の表の改正規定を除く。〔平七・四・一施行〕）並びに次項から附則第四項までの規定は、公布の日から起算して二十日を経過した日から施行する。

（直接請求に関する経過措置）

2　改正後の地方自治法第七十四条第六項及び第七項の規定は、前項ただし書に規定する規定の施行の際現にその手続が開始されている直接請求については、適用しない。

（政令への委任）

3　前項に定めるもののほか、この法律の施行に関し必要な経過措置は、政令で定める。

附　則（平六・六・二九法五六）（抄）

（施行期日）

第一条　この法律は、平成六年十月一日から施行する。〔ただし書略〕

附　則（平六・七・一法八四）（抄）

（施行期日）

第一条　この法律は、公布の日から施行する。〔ただし書略〕

附　則（平六・七・一八法八七）（抄）

（施行期日）

1　この法律は、公布の日から起算して三月を超えない範囲内において政令で定める日〔平六・一〇・一五〕から施行する。

附　則（平六・一一・一一法九七）（抄）

（施行期日）

第一条　この法律は、公布の日から施行する。〔ただし書略〕

附　則（平六・一二・一六法一一七）（抄）

（施行期日）

第一条　この法律は、平成七年七月一日（以下「施行日」という。）から施行する。

附　則（平七・三・三一法五二）（抄）

（施行期日）

第一条　この法律は、平成七年四月一日から施行する。

附　則（平七・四・一九法六六）（抄）

（施行期日）

第一条　この法律は、公布の日から起算して六月を超えない範囲内において政令で定める日〔平七・一〇・一八〕から施行する。

附　則（平七・四・一九法六八）（抄）

（施行期日）

1　この法律は、公布の日から起算して六月を超えない範囲内において政令で定める日〔平七・八・一〕から施行する。

附　則（平七・四・二一法七一）（抄）

（施行期日）

第一条　この法律は、平成八年四月一日から施行する。

附　則（平七・五・一九法九三）（抄）

（施行期日）

第一条　この法律は、平成七年七月一日（以下「施行日」という。）から施行する。

附　則（平七・五・一九法九四）（抄）

（施行期日）

第一条　この法律は、平成七年七月一日から施行する。〔ただし書略〕

附　則（平七・五・二四法一〇一）（抄）

（施行期日）

第一条　この法律は、公布の日から起算して一年を経過した日から施行する。〔ただし書略〕

附　則（平七・六・七法一〇六）（抄）

（施行期日）

第一条　この法律は、保険業法（平成七年法律第百五号）の施行の日〔平八・四・一〕から施行する。

附　則（平七・六・一六法一〇九）（抄）

（施行期日）

第一条　この法律は、平成十年四月一日から施行する。

附　則（平七・一二・二〇法一三五）（抄）

（施行期日）

第一条　この法律は、公布の日から施行する。

附　則（平八・三・三一法一四）（抄）

（施行期日）

第一条　この法律は、平成九年四月一日から施行する。〔ただし書略〕

附　則（平八・三・三一法二三）（抄）

（施行期日）

第一条　この法律は、公布の日から起算して九月を超えない範囲内において政令で定める日〔平八・一〇・一〕から施行する。

附　則（平八・三・三一法二八）（抄）

（施行期日）

第一条　この法律は、平成八年四月一日から施行する。

附　則（平八・五・二四法四六）（抄）

（施行期日）

第一条　この法律は、公布の日から起算して三月を超えない範囲内において政令で定める日〔平八・七・二二〕から施行する。

附　則（平八・五・二四法四八）（抄）

（施行期日）

1　この法律は、公布の日から起算して六月を超えない範囲内において政令で定める日〔平八・一一・一〇〕から施行する。

附　則（平八・五・三一法五五）（抄）

（施行期日）

1　この法律は、公布の日から起算して三月を超えない範囲内で政令で定める日〔平八・八・三〇〕から施行する。〔ただし書略〕

附　則（平八・六・二六法一〇五）（抄）

（施行期日）

第一条　この法律は、公布の日から起算して三月を経過した日から施行する。

附　則（平八・六・二六法一〇七）（抄）

（施行期日）

第一条　この法律は、〔中略〕当該各号に定める日から施行する。

一　〔前略〕平成九年四月一日

附　則（平九・三・三一法一八）（抄）

（施行期日）

第一条　この法律は、公布の日から起算して三月を超えない範囲内において政令で定める日〔平九・六・二三〕から施行する。

附　則（平九・五・一四法五二）（抄）

（施行期日）

第一条　この法律は、公布の日から起算して三月を超えない範囲内において政令で定める日〔平九・七・一〕から施行する。

附　則（平九・六・四法六七）（抄）

（施行期日）

第一条　この法律は、公布の日から施行する。ただし、次の各号に掲げる規定は、当該各号に定める日から施行する。

一　第七十五条第四項、第百九十五条第二項、第百九十六条第二項、第百九十九条、第二百条第二項、第四項及び第五項、第二百三十三条第四項、第二百四十一条第六項、第二百四十二条第六項並びに第二百四十三条の二第五項の改正規定並びに次条第一項及び第二項、附則第三条並びに第四条の規定　平成十年四月一日

二　目次の改正規定、第二編中第十三章を第十四章とし、第十二章の次に一章を加える改正規定及び第二百九十一条の六の改正規定並びに次条第三項の規定　公布の日から起算して一年六月を超えない範囲内において政令で定める日〔平一〇・一〇・一〕

（経過措置）

第二条　改正後の地方自治法（以下「新法」という。）第百九十六条第二項の規定にかかわらず、前条第一号に掲げる規定の施行の際現に在職する監査委員（議員のうちから選任された監査委員を除く。）は、その任期が満了するまでの間は、在職することができる。

2　新法第百九十九条第十二項の規定は、前条第一号に掲げる規定の施行の日以後に提出される監査の結果に関する報告について適用する。

3　新法第二百五十二条の三十六第一項の規定の適用については、前条第二号に掲げる規定の施行の日から平成十一年三月三十一日までの間に限り、新法第二百五十二条の三十六第一項中「速やかに、一の者と締結しなければならない」とあるのは、「一の者と締結することができる」とする。

4　新法第二百五十二条の三十六第一項の規定による包括外部監査契約の締結については、普通地方公共団体の長は、前条第二号に掲げる規定の施行前においても監査委員の意見を聴くとともに、議会の議決を経ることができる。

5　前各項に定めるもののほか、この法律の施行に関し必要な経過措置は、政令で定める。

附　則（平九・六・一一法七四）（抄）

（施行期日）

第一条　この法律は、平成十年四月一日から施行する。

附　則（平九・六・一八法九二）（抄）

（施行期日）

第一条　この法律は、平成十一年四月一日から施行する。ただし、次の各号に掲げる規定は、当該各号に定める日から施行する。

一　〔前略〕附則第三条〔中略〕の規定　公布の日から起算して六月を超えない範囲内において政令で定める日〔平九・一〇・一〕

附　則（平九・一二・一〇法一二二）（抄）

（施行期日等）

1　この法律は、公布の日から施行する。ただし、次の各号に掲げる規定は、当該各号に定める日から施行する。

一　〔前略〕附則第十三項〔中略〕の規定　平成十年一月一日

附　則（平一〇・三・三一法二九）（抄）

（施行期日）

第一条　この法律は、平成十年四月一日から施行する。

附　則（平一〇・三・三一法三二）（抄）

（施行期日）

1　この法律は、公布の日から施行する。

附　則（平一〇・五・六法四七）（抄）

（施行期日）

第一条　この法律は、公布の日から起算して一年を超えない範囲内において政令で定める日〔平一一・五・一〕から施行する。

〔ただし書略〕

附　則（平一〇・五・八法五四）（抄）

（施行期日）

第一条　この法律は、平成十二年四月一日から施行する。ただし、第一条中地方自治法別表第一から別表第四までの改正規定（別表第一中第八号の二を削り、第八号の三を第八号の二とし、第八号の四及び第九号の三を削り、第九号の四を第九号の三とし、第九号の五を第九号の四とする改正規定、同表第二十号の三と五の改正規定、別表第二第二号（十の三）の改正規定並びに別表第三第二号の改正規定を除く。）並びに附則第七条及び第九条の規定は、公布の日から施行する。

（旧東京都制の効力）

第二条　地方自治法附則第二条ただし書の規定によりなおその効力を有することとされる旧東京都制（昭和十八年法律第八十九号）第百九十一条の規定は、法律又はこれに基づく政令により市に属する事務で第一条の規定による改正後の地方自治法第二百八十一条第二項の規定により特別区が処理することとされているもの並びに同法第二百八十一条の七第一項の規定により特別区の区長が管理し、及び執行することとされている事務に関しては、その適用はないものとする。

（都が施行日前に行った届出に係る一般廃棄物処理施設についての廃棄物の処理及び清掃に関する法律の適用に関する事項の政令への委任）

第六条　都が施行日前に行った第十七条の規定による改正前の地方自治法の一部を改正する法律附則第二十四条の規定により読み替えて適用される第十四条の規定による改正前の廃棄物の処理及び清掃に関する法律第二十三条の三の規定により読み替えて適用される同法第九条の三第一項の規定による届出に係る同法第八条第一項に規定する一般廃棄物処理施設を都が施行日以後において引き続き保有している場合及び施行日以後に特別区に譲渡した場合についての第十四条の規定による改正後の廃棄物の処理及び清掃に関する法律の適用に関し必要な事項は、政令で定める。

（職員の引継ぎに関する事項の政令への委任）

第七条　施行日の前日において現に都又は都知事若しくは都の委員会その他の機関が処理し、又は管理し、及び執行している事務で施行日以後法律又はこれに基づく政令により特別区又は特別区の区長若しくは特別区の委員会その他の機関が処理し、又は管理し、及び執行することとなるものに従事している都の職員の特別区への引継ぎに関して必要な事項は、政令で定める。

（罰則に関する経過措置）

第八条　この法律の施行前にした行為及びこの法律の附則において従前の例によることとされる場合におけるこの法律の施行後にした行為に対する罰則の適用については、なお従前の例による。

（政令への委任）

第九条　附則第二条から前条までに定めるもののほか、この法律の施行のため必要な経過措置は、政令で定める。

附　則（平一〇・五・八法五五）（抄）

（施行期日）

第一条　この法律は、公布の日から起算して一年を超えない範囲内において政令で定める日〔平一一・四・一〕から施行する。

〔ただし書略〕

附　則（平一〇・六・一二法一〇〇）（抄）

（施行期日）

第一条　この法律は、〔中略〕公布の日から起算して一年を超えない範囲内において政令で定める日〔平一一・五・一〕から施行する。

附　則（平一〇・六・一二法一〇一）（抄）

（施行期日）

第一条　この法律は、平成十一年四月一日から施行する。〔ただし書略〕

附　則（平一〇・九・二八法一一〇）

この法律は、平成十一年四月一日から施行する。

附　則（平一〇・一〇・二法一一四）（抄）

（施行期日）

第一条　この法律は、平成十一年四月一日から施行する。〔ただし書略〕

附　則（平一〇・一〇・一九法一三五）（抄）

（施行期日）

第一条　この法律は、公布の日から施行する。ただし、〔中略〕附則〔中略〕第六条〔中略〕の規定は、平成十一年三月一日から施行する。

附　則（平一〇・一二・一八法一四八）（抄）

（施行期日）

第一条　この法律は、公布の日から起算して一月を超えない範囲内において政令で定める日〔平一一・一・一〕から施行する。

附　則（平一一・三・三一法一五）（抄）

（施行期日）

第一条　この法律は、平成十一年四月一日から施行する。ただし、次の各号に掲げる規定は、当該各号に定める日から施行する。

一　〔前略〕附則〔中略〕第十六条〔中略〕の規定　平成十二年一月一日

附　則（平一一・三・三一法二〇）（抄）

（施行期日）

第一条　この法律は、公布の日から施行する。ただし、附則第十二条から第四十九条までの規定は、公布の日から起算して九月を超えない範囲内において政令で定める日〔平一一・一〇・一〕から施行する。

附　則（平一一・六・一六法七六）（抄）

（施行期日）

第一条　この法律は、公布の日から施行する。ただし、附則第十七条から第七十二条までの規定は、公布の日から起算して六月を超えない範囲内において政令で定める日（平一一・一〇・一）から施行する。

附　則（平一一・七・一三法八六）（抄）

（施行期日）

第一条　この法律は、公布の日から起算して九月を超えない範囲内において政令で定める日（平一二・三・三〇）から施行する。ただし、次の各号に掲げる規定は、当該各号に定める日から施行する。

一～三　〔略〕

四　〔前略〕附則第四条の規定　平成十二年四月一日又は前号に定める日（平一四・一・一二）のいずれか遅い日

附　則（平一一・七・一六法八七）（抄）

（施行期日）

第一条　この法律は、平成十二年四月一日から施行する。ただし、次の各号に掲げる規定は、当該各号に定める日から施行する。

一　第一条中地方自治法第二百五十条の次に五条、節名並びに二款及び款名を加える改正規定（同法第二百五十条の九第一項に係る部分（両議院の同意を得ることに係る部分に限る。）に限る。）〔中略〕並びに附則第七条、第十条、第十二条〔中略〕の規定　公布の日

二　〔前略〕附則第百六十八条中地方自治法別表第一国民年金法（昭和三十四年法律第百四十一号）の項の改正規定〔中略〕　平成十四年四月一日

三　〔前略〕附則第百六十八条中地方自治法別表第一児童扶養手当法（昭和三十六年法律第二百三十八号）の項の改正規定　平成十四年八月一日

四　第一条中地方自治法第九十条、第九十一条、第二百八十一条の五及び第二百八十一条の六の改正規定〔中略〕並びに附則第四条第一項及び第二項〔中略〕の規定　平成十五年一月一日

五　第一条中地方自治法別表第一の改正規定（外国人登録法の一部を改正する法律（平成十一年法律第百三十四号）の項に係る部分に限る。）〔中略〕　平成十二年四月一日又は外国人登録法の一部を改正する法律（平成十一年法律第百三十四号）の施行の日（平一二・四・一）のいずれか遅い日

六　附則第二百四十三条の規定　公布の日から起算して一年を超えない範囲内において政令で定める日（平一二・三・三一）

（地方自治法の一部改正に伴う経過措置）

第二条　この法律の施行の際現に第一条の規定による改正前の地方自治法（以下「旧地方自治法」という。）第三条第三項の規定によりされている都道府県知事の許可の申請は、第一条の規定による改正後の地方自治法（以下「新地方自治法」という。）第三条第四項の規定によりされた都道府県知事への協議の申出とみなす。

第三条　この法律の施行の日（以下「施行日」という。）前に旧地方自治法第七十五条第一項に規定する普通地方公共団体の長及び教育委員会、選挙管理委員会、人事委員会若しくは公平委員会、公安委員会、地方労働委員会、農業委員会その他法令又は条例に基づく委員会又は委員が執行したその権限に属する事務の執行に関する同項の監査の請求については、なお従前の例による。

第四条　地方公共団体（次項に規定するものを除く。）の議会の議員の定数については、平成十五年一月一日以後初めてその期日を告示される一般選挙までの間、なお従前の例による。

2　平成十五年一月一日前に新たに設置される市町村であって同日以後に当該市町村の設置による議会の議員の一般選挙の期日が告示されるものの議会の議員の定数については、当該一般選挙の告示の日後初めてその期日を告示される一般選挙までの間、なお従前の例による。

3　新地方自治法第九十一条第七項の規定による平成十五年一月一日以後に新たに設置される市町村の議会の議員の定数の決定については、同項に規定する設置関係市町村は、同日前においても同項の協議を行い、又は同項の議会の議決を経て、新たに設置される市町村の議会の議員の定数を定め、同条第八項の告示をすることができる。

第五条　施行日前に旧地方自治法第九十八条第一項に規定する普通地方公共団体の長、教育委員会、選挙管理委員会、人事委員会若しくは公平委員会、公安委員会、地方労働委員会、農業委員会又は監査委員その他法令又は条例に基づく委員会又は委員が執行したその権限に属する事務に関する同項の検査については、なお従前の例による。

2　施行日前に旧地方自治法第九十八条第二項に規定する普通地方公共団体の長、教育委員会、選挙管理委員会、人事委員会若しくは公平委員会、公安委員会、地方労働委員会、農業委員会その他法令又は条例に基づく委員会又は委員が執行したその権限に属する事務に関する同項の監査の求め及び報告の請求については、なお従前の例による。

3　施行日前に旧地方自治法第九十九条第一項に規定する普通地方公共団体の長、教育委員会、選挙管理委員会、人事委員会若しくは公平委員会、公安委員会、地方労働委員会、農業委員会又は監査委員その他法令又は条例に基づく委員会又は委員が執行したその権限に属する事務に関する同項に規定する説明の求め及び意見の陳述については、なお従前の例による。

第六条　施行日前に旧地方自治法第百九十九条第二項及び第六項に規定する普通地方公共団体の長又は委員会若しくは委員が執行したその権限に属する事務の執行に関するこれらの規定による監査（同項に規定する監査にあっては、当該普通地方公共団体の長からの要求に基づくものに限る。）については、なお従前の例による。

第七条　施行日後最初に任命される国地方係争処理委員会の委員の任命について、国会の閉会又は衆議院の解散のために両議院の同意を得ることができないときは、新地方自治法第二百五十条の九第三項及び第四項の規定を準用する。

第八条　新地方自治法第二百五十条の十三第一項及び第四項から第七項まで、第二百五十条の十四第一項、第二項及び第五項、第二百五十条の十五から第二百五十条の十九まで並びに第二百五十一条の五の規定は、施行日以後に行われる国の関与（新地方自治法第二百五十条の七第二項に規定する国の関与をいう。）について、適用する。

2　新地方自治法第二百五十一条の三第一項及び第四項（第二号及び第三号を除く。）の規定、同条第五項において準用する第二百五十条の十三第四項から第七項まで、第二百五十条の十四第一項、第二項及び第五項並びに第二百五十条の十五から第二百五十条の十七までの規定並びに第二百五十二条の規定は、施行日以後に行われる都道府県の関与（新地方自治法第二百五十一条第一項に規定する都道府県の関与をいう。）について、適用する。

第九条　この法律の施行の際現に旧地方自治法第二百五十一条第二項の規定による自治紛争調停委員の職にある者は、新地方自治法第二百五十一条第二項の規定により自治紛争処理委員に任命されたものとみなす。

第十条　新地方自治法第二百五十二条の十七の二第一項の条例（同条第二項の規則を含む。以下この条において同じ。）の制定に関し必要な手続その他の行為は、施行日前においても行うことができる。

2　平成十一年四月一日において旧地方自治法第百五十三条第二項の規定により市町村長に委任されている都道府県知事の権限に属する事務について、新地方自治法第二百五十二条の十七の二第一項の条例の定めるところにより、施行日以後引き続き市町村の長が管理し及び執行することとする場合においては、当該条例の制定については、同条第二項の協議を要しないものとする。

3　平成十一年四月一日において地方自治法等の一部を改正する法律（平成十年法律第五十四号）第一条の規定による改正前の地方自治法第二百八十一条の三第三項の規定により特別区の区長に委任されている都知事の権限に属する事務について、新地方自治法第二百五十二条の十七の二第一項の条例の定めるところにより、施行日以後引き続き特別区の長が管理し及び執行することとする場合においては、当該条例の制定については、同条第二項の協議を要しないものとする。

第十一条　旧地方自治法第二百五十六条の規定により不服申立てに対する決定を経た後でなければ取消しの訴えを提起できないこととされる処分であって、不服申立てを提起しないで施行日前にこれを提起すべき期間を経過したものの取消しの訴えの提起については、この法律の施行後も、なお従前の例による。

第十二条　新地方自治法第二百九十一条の二第一項の条例（同条第三項において準用する新地方自治法第二百五十二条の十七の二第二項の規則を含む。次項において同じ。）の制定に関し必要な手続その他の行為は、施行日前においても行うことができる。

2　平成十一年四月一日において旧地方自治法第二百九十一条の二第二項の規定により広域連合の長その他の執行機関に委任されている都道府県知事又は都道府県の委員会若しくは委員の権限に属する事務について、新地方自治法第二百九十一条の二第二項の条例の定めるところにより、施行日以後引き続き広域連合が処理することとする場合においては、当該条例の制定については、同条第三項において準用する新地方自治法第二百五十二条の十七の二第二項の協議を要しないものとする。

第十三条　施行日前に旧地方自治法第二百九十六条の五第二項の規定によりされた認可又はこの法律の施行の際現に同項の規定によりされている認可の申請は、それぞれ新地方自治法第二百九十六条の五第二項の規定によりされた同意又は協議の申出とみなす。

第十四条　施行日前に旧地方自治法第二百九十六条の五第五項の規定によりされた許可又はこの法律の施行の際現に同項の規定によりされている許可の申請は、それぞれ新地方自治法第二百九十六条の五第五項の規定によりされた同意又は協議の申出とみなす。

第十五条　新地方自治法附則第二条ただし書の規定によりなおその効力を有することとされる旧東京都制（昭和十八年法律第八十九号）第百九十一条の規定は、法律又はこれに基づく政令により市が処理することとされている事務で新地方自治法第二百八十一条第二項の規定により特別区が処理することとされているものに関しては、その適用はないものとする。

（検討）

第二百五十条　新地方自治法第二条第九項第一号に規定する第一号法定受託事務については、できる限り新たに設けることのないようにするとともに、新地方自治法別表第一に掲げるもの及び新地方自治法に基づく政令に示すものについては、地方分権を推進する観点から検討を加え、適宜、適切な見直しを行うものとする。

第二百五十一条　政府は、地方公共団体が事務及び事業を自主的かつ自立的に執行できるよう、国と地方公共団体との役割分担に応じた地方税財源の充実確保の方途について、経済情勢の推移等を勘案しつつ検討し、その結果に基づいて必要な措置を講ずるものとする。

第二百五十二条　政府は、医療保険制度、年金制度等の改革に伴い、社会保険の事務処理の体制、これに従事する職員の在り方等について、被保険者等の利便性の確保、事務処理の効率化等の視点に立って、検討し、必要があると認めるときは、その結果に基づいて所要の措置を講ずるものとする。

附　則（平一一・七・一六法一〇二）（抄）

（施行期日）

第一条　この法律は、内閣法の一部を改正する法律（平成十一年法律第八十八号）の施行の日〔平一三・一・六〕から施行する。〔ただし書略〕

（地方自治法の一部改正に伴う経過措置）

第十五条　この法律の施行の際現に従前の総理府の国地方係争処理委員会の委員である者は、この法律の施行の日に、第三十三条の規定による改正後の地方自治法（以下この条において「新地方自治法」という。）第二百五十条の九第一項の規定により、総務省の国地方係争処理委員会の委員として任命されたものとみなす。この場合において、その任命されたものとみなされる者の任期は、同条第五項の規定にかかわらず、同日における従前の総理府の国地方係争処理委員会の委員としての任期の残任期間と同一の期間とする。

2　この法律の施行の際現に従前の総理府の国地方係争処理委員会の委員長である者は、この法律の施行の日に、新地方自治法第二百五十条の十第一項の規定により、総務省の国地方係争処理委員会の委員長として定められたものとみなす。

附　則（平一一・七・一六法一〇五）（抄）

（施行期日）

第一条　この法律は、公布の日から起算して六月を超えない範囲内において政令で定める日〔平一一・一一・一五〕から施行する。ただし、次の各号に掲げる規定は、当該各号に定める日から施行する。
一 〔前略〕附則第五条の規定 平成十二年四月一日

附 則（平一一・七・二二法一〇七）（抄）

（施行期日）
第一条 この法律は、平成十三年四月一日から施行する。〔ただし書略〕

附 則（平一一・八・一三法一二二）（抄）

（施行期日）
第一条 この法律は、公布の日から起算して二十日を経過した日から施行する。〔ただし書略〕

附 則（平一一・一二・八法一五一）（抄）

（施行期日）
第一条 この法律は、平成十二年四月一日から施行する。〔ただし書略〕

附 則（平一一・一二・二二法一六〇）（抄）

（施行期日）
第一条 この法律（第二条及び第三条を除く。）は、平成十三年一月六日から施行する。ただし、次の各号に掲げる規定は、当該各号に定める日から施行する。
二 〔前略〕次条の規定 平成十二年七月一日

附 則（平一一・一二・二二法一八〇）（抄）

（施行期日）
第一条 この法律は、平成十三年一月六日から施行する。ただし、附則〔中略〕第九条の規定は、同日から起算して六月を超えない範囲内において政令で定める日〔平一三・四・一〕から施行する。

附 則（平一一・一二・二二法一八六）（抄）

（施行期日）
第一条 この法律は、平成十三年一月六日から施行する。ただし、〔中略〕附則〔中略〕第十四条〔中略〕の規定は、同日から起算して六月を超えない範囲内において政令で定める日〔平一三・四・一〕から施行する。

附 則（平一一・一二・二二法二二二）（抄）

（施行期日）
第一条 この法律は、公布の日から起算して二月を超えない範囲内において政令で定める日〔平一二・三・一〕から施行する。ただし、次の各号に掲げる規定は、当該各号に定める日から施行する。
一 〔略〕
二 〔前略〕附則〔中略〕第十二条〔中略〕の規定 公布の日から起算して三月を超えない範囲内において政令で定める日〔平一二・三・一〕
三 〔略〕

附 則（平一二・三・三一法一三）（抄）

（施行期日）
第一条 この法律は、平成十二年四月一日から施行する。〔ただし書略〕

附 則（平一二・四・五法三五）（抄）

（施行期日）
第一条 この法律は、公布の日から起算して三月を超えない範囲内において政令で定める日〔平一二・五・一〇〕から施行する。

附 則（平一二・四・七法三九）（抄）

（施行期日）
第一条 この法律は、公布の日から起算して一月を超えない範囲内において政令で定める日〔平一二・四・一〇〕から施行する。ただし、〔中略〕附則第四条〔中略〕の規定は、平成十三年一月六日から施行する。

附 則（平一二・四・二六法五一）（抄）

（施行期日）
1 この法律は、公布の日から起算して三月を超えない範囲内において政令で定める日〔平一二・七・一〕から施行する。

附 則（平一二・四・二八法五三）（抄）

（施行期日）
第一条 この法律は、公布の日から起算して六月を超えない範囲内において政令で定める日〔平一二・一〇・二〇〕から施行する。

附 則（平一二・五・一九法七三）（抄）

（施行期日）
第一条 この法律は、公布の日から起算して一年を超えない範囲内において政令で定める日〔平一三・五・一八〕から施行する。

附 則（平一二・五・一九法七八）（抄）

（施行期日）
第一条 この法律は、平成十三年四月一日から施行する。〔ただし書略〕

附 則（平一二・五・二六法八四）（抄）

（施行期日）
第一条 この法律は、平成十二年六月一日から施行する。〔ただし書略〕

附 則（平一二・五・二六法八五）（抄）

（施行期日）
第一条 この法律は、平成十三年四月一日から施行する。〔ただし書略〕

附 則（平一二・五・二六法八六）（抄）

（施行期日）
第一条 この法律は、平成十四年三月三十一日までの間において政令で定める日〔平一四・二・一〕から施行する。

附 則（平一二・五・二六法八七）（抄）

（施行期日）
1 この法律は、公布の日から起算して一年を超えない範囲内において政令で定める日〔平一三・四・一〕から施行する。

附 則（平一二・五・三一法八九）

この法律は、公布の日から施行する。ただし、第百条第十一項の次に二項を加える改正規定は、平成十三年四月一日から施行する。

附 則（平一二・五・三一法九三）（抄）

（施行期日）
第一条 この法律は、平成十三年四月一日から施行する。ただし、次の各号に掲げる規定は、当該各号に定める日から施行する。
一 〔略〕
二 第一条、第二条、第四条及び第五条並びに附則第二条、第三条、第四条第二項、第十三条、第十八条、第十九条、第二

十三条及び第二十四条の規定　公布の日から起算して、一月を超えない範囲内において政令で定める日〔平一二・六・三〇〕

三　〔略〕

四　附則第十条第一項、第十四条及び第二十二条の規定（中央省庁等改革関係法施行法第五十三条の改正規定を除く。）　平成十三年一月六日

（罰則の適用に関する経過措置）

第二十三条　この法律の各改正規定の施行前にした行為及びこの附則の規定によりなお従前の例によることとされる事項に係る各改正規定の施行後にした行為に対する罰則の適用については、それぞれなお従前の例による。

（その他の経過措置の政令への委任）

第二十四条　附則第二条から第十二条まで及び前条に定めるもののほか、この法律の施行に際し必要な経過措置は、政令で定める。

附　則（平一二・五・三一法九五）（抄）

（施行期日）

第一条　この法律は、平成十三年四月一日から施行する。

附　則（平一二・六・二法一〇五）（抄）

（施行期日）

第一条　この法律は、平成十二年十月一日から施行する。ただし、次の各号に掲げる規定は、それぞれ当該各号に定める日から施行する。

一　〔略〕

二　第二条、第四条及び附則第九条の規定　平成十三年四月一日

附　則（平一二・六・七法一一一）（抄）

（施行期日）

第一条　この法律は、公布の日から施行する。ただし、次の各号に掲げる規定は、それぞれ当該各号に定める日から施行する。

一　〔略〕

二　〔前略〕附則〔中略〕第三十二条〔中略〕の規定〔後略〕　平成十五年四月一日

附　則（平一二・一二・六法一四〇）（抄）

（施行期日）

第一条　この法律は、平成十三年一月一日から施行する。〔ただし書略〕

附　則（平一二・一二・六法一四三）（抄）

（施行期日）

第一条　この法律は、公布の日から起算して六月を超えない範囲内において政令で定める日〔平一三・三・一〕から施行する。

附　則（平一三・三・三〇法五）（抄）

（施行期日）

第一条　この法律は、平成十三年四月一日から施行する。

附　則（平一三・三・三〇法七）（抄）

（施行期日）

第一条　この法律は、平成十三年四月一日から施行する。〔ただし書略〕

附　則（平一三・四・六法二六）（抄）

（施行期日）

第一条　この法律は、公布の日から起算して四月を超えない範囲内において政令で定める日〔平一三・八・五〕から施行する。〔ただし書略〕

附　則（平一三・四・一三法三〇）（抄）

（施行期日）

第一条　この法律は、平成十三年七月一日から施行する。〔ただし書略〕

附　則（平一三・四・一八法三三）（抄）

（施行期日）

第一条　この法律は、公布の日から施行する。

附　則（平一三・六・二七法七三）（抄）

（施行期日）

第一条　この法律は、公布の日から起算して六月を超えない範囲内において政令で定める日〔平一三・一二・一五〕から施行する。ただし、次の各号に掲げる規定は、当該各号に定める日から施行する。

一・二　〔略〕

三　〔前略〕附則第五条の規定　公布の日から起算して一年六月を超えない範囲内において政令で定める日〔平一四・五・一、平一四・一〇・一〕

附　則（平一三・六・二七法七五）（抄）

（施行期日等）

第一条　この法律は、平成十四年四月一日（以下「施行日」という。）から施行し、施行日以後に発行される短期社債等について適用する。

附　則（平一三・六・二九法八二）（抄）

（施行期日）

第一条　この法律は、公布の日から起算して一年を超えない範囲内において政令で定める日〔平一四・四・一〕から施行する。

附　則（平一三・六・二九法九〇）（抄）

（施行期日）

第一条　この法律は、公布の日から起算して六月を超えない範囲内において政令で定める日〔平一三・一二・一〕から施行する。ただし、次の各号に掲げる規定は、当該各号に定める日から施行する。

一　〔略〕

二　〔前略〕附則〔中略〕第五条〔中略〕の規定　平成十三年十月一日

附　則（平一三・六・二九法九二）（抄）

（施行期日）

第一条　この法律は、平成十四年四月一日から施行する。〔ただし書略〕

附　則（平一三・六・二九法九四）（抄）

（施行期日）

第一条　この法律は、平成十四年一月一日から施行する。〔ただし書略〕

附　則（平一三・七・一一法一〇三）（抄）

（施行期日）

第一条　この法律は、公布の日から起算して一年を超えない範囲内において政令で定める日〔平一四・七・一〇〕から施行する。

附　則（平一三・一一・二八法一二六）（抄）

（施行期日等）

1　この法律は、公布の日から施行し、次項の規定による改正後

の地方自治法（昭和二十二年法律第六十七号）の規定〔中略〕は、平成十三年四月一日から適用する。

附　則（平一三・一二・七法一四七）（抄）

（施行期日）

第一条　この法律は、公布の日から起算して三月を超えない範囲内において政令で定める日〔平一四・二・一〕から施行する。〔ただし書略〕

（適用区分）

第二条　この法律の規定は、この法律の施行の日以後その期日を告示される地方公共団体の議会の議員又は長の選挙について適用する。

附　則（平一三・一二・一二法一五三）（抄）

（施行期日）

第一条　この法律は、公布の日から起算して六月を超えない範囲内において政令で定める日〔平一四・三・一〕から施行する。

附　則（平一四・三・三〇法四）（抄）

（施行期日）

第一条　この法律は、公布の日から起算して六月を超えない範囲内において政令で定める日〔平一四・三・三一、平一四・九・一〕から施行する。ただし、次の各号に掲げる規定は、当該各号に定める日から施行する。

一　第一条中地方自治法別表第一及び別表第二の改正規定並びに附則第十二条の規定　公布の日

二　第一条中地方自治法第百条、第百十八条第一項及び第二百五十二条の二十三第二号の改正規定　平成十四年四月一日

三　〔前略〕附則第十一条の規定　平成十五年一月一日

（直接請求に関する経過措置）

第二条　この法律の施行の日（以下「施行日」という。）前の直近の公職選挙法第二十二条の規定による選挙人名簿の登録が行われた日において選挙人名簿に登録されている者の総数が四十万を超える普通地方公共団体の選挙管理委員会は、その超える数に六分の一を乗じて得た数と四十万に三分の一を乗じて得た数とを合算して得た数を、この法律の施行後直ちに告示しなければならない。

（住民監査請求に関する経過措置）

第三条　第一条の規定による改正後の地方自治法第二百四十二条及び第二百五十二条の四十三の規定は、施行日以後に行われる同法第二百四十二条第一項の請求について適用し、施行日の前日までに行われた第一条の規定による改正前の地方自治法第二百四十二条の規定による同条第一項の請求については、なお従前の例による。

（住民訴訟に関する経過措置）

第四条　第一条の規定による改正後の地方自治法第二百四十二条の二、第二百四十二条の三及び第二百四十三条の二の規定は、施行日以後に提起される同法第二百四十二条の二第一項の訴訟について適用し、施行日の前日までに提起された第一条の規定による改正前の地方自治法第二百四十二条の二の規定による同条第一項の訴訟については、なお従前の例による。

（職員の賠償責任に関する経過措置）

第五条　施行日前の事実に基づき第一条の規定による改正後の地方自治法第二百四十三条の二第三項の規定により地方公共団体の職員の賠償責任に係る賠償を命ずることができる期間については、なお従前の例による。

（罰則に関する経過措置）

第十一条　附則第一条第三号に掲げる規定の施行前にした行為に対する罰則の適用については、なお従前の例による。

（その他の経過措置の政令への委任）

第十二条　この附則に規定するもののほか、この法律の施行に伴い必要な経過措置（罰則に関する経過措置を含む。）は、政令で定める。

附　則（平一四・三・三一法一一）（抄）

（施行期日）

第一条　この法律は、公布の日から起算して三月を超えない範囲内において政令で定める日〔平一四・六・一〕から施行する。〔ただし書略〕

（罰則に関する経過措置）

第二条　この法律の施行前にした行為に対する罰則の適用については、なお従前の例による。

附　則（平一四・三・三一法一五）（抄）

（施行期日）

第一条　この法律は、〔中略〕次の各号に掲げる規定は、当該各号に定める日から施行する。

一～五　〔略〕

六　次に掲げる規定　マンションの建替えの円滑化等に関する法律（平成十四年法律第七十八号）の施行の日

イ　〔前略〕附則〔中略〕第四十九条の規定

ロ　〔略〕

七～九　〔略〕

附　則（平一四・四・二四法二九）（抄）

（施行期日）

第一条　この法律は、公布の日から起算して一年を超えない範囲内において政令で定める日〔平一五・四・一〕から施行する。

附　則（平一四・四・二六法三二）（抄）

（施行期日）

第一条　この法律は、公布の日から起算して九月を超えない範囲内において政令で定める日〔平一五・一・六〕から施行する。

附　則（平一四・五・二九法四五）（抄）

（施行期日）

1　この法律は、公布の日から起算して一年を超えない範囲内において政令で定める日〔平一五・四・一〕から施行する。

附　則（平一四・五・二九法四八）（抄）

（施行期日）

第一条　この法律は、公布の日から起算して三月を超えない範囲内において政令で定める日〔平一四・七・一〕から施行する。

附　則（平一四・六・一二法六五）（抄）

改正　平一七・一〇・二一法一〇二

（施行期日）

第一条　この法律は、平成十五年一月六日から施行する。ただし、次の各号に掲げる規定は、当該各号に定める日から施行する。

一　〔略〕

二　〔前略〕附則〔中略〕第五十八条から第七十八条〔中略〕までの規定　この法律の施行の日（以下「施行日」という。）から起算して五年を超えない範囲内において政令で定める日〔平二〇・一・四〕

三　〔略〕

（地方自治法の一部改正に伴う経過措置）

第六十二条　附則第三条の規定によりなおその効力を有するものとされる旧社債等登録法の規定による登録社債等については、前条の規定による改正前の地方自治法第二百四十条第四項第三号の規定は、なおその効力を有する。

附　則（平一四・六・一九法七五）（抄）

（施行期日）

第一条　この法律は、平成十五年一月一日から施行する。〔ただし書略〕

附　則（平一四・六・一九法七八）（抄）

（施行期日）

第一条　この法律は、公布の日から起算して六月を超えない範囲内において政令で定める日〔平一四・一二・一八〕から施行する。

附　則（平一四・七・三法七九）（抄）

（施行期日）

第一条　この法律は、平成十四年八月一日から施行する。〔ただし書略〕

附　則（平一四・七・一二法八七）（抄）

（施行期日）

第一条　この法律は、公布の日から起算して六月を超えない範囲内において政令で定める日〔平一五・一・一二〕から施行する。〔ただし書略〕

附　則（平一四・七・三一法九六）（抄）

（施行期日）

第一条　この法律は、公布の日から起算して三年を超えない範囲内において政令で定める日〔平一七・四・一〕から施行する。ただし、次の各号に掲げる規定は、当該各号に定める日から施行する。

一　〔前略〕附則〔中略〕第二十八条〔中略〕の規定　公布の日から起算して一年を超えない範囲内において政令で定める日〔平一五・七・三〇〕

二・三　〔略〕

附　則（平一四・七・三一法九八）（抄）

（施行期日）

第一条　この法律は、公社法の施行の日（平一五・四・一）から施行する。〔ただし書略〕

附　則（平一四・七・三一法一〇〇）（抄）

（施行期日）

第一条　この法律は、民間事業者による信書の送達に関する法律（平成十四年法律第九十九号）の施行の日〔平一五・四・一〕から施行する。

附　則（平一四・八・二法一〇二）（抄）

（施行期日）

第一条　この法律は、平成十四年十月一日から施行する。〔ただし書略〕

附　則（平一四・八・二法一〇三）（抄）

（施行期日）

第一条　この法律は、公布の日から起算して九月を超えない範囲内において政令で定める日〔平一五・五・一〕から施行する。〔ただし書略〕

附　則（平一四・一一・二二法一〇六）（抄）

（施行期日）

1　この法律は、公布の日の属する月の翌月の初日（公布の日が月の初日であるときは、その日）から施行する。〔ただし書略〕

附　則（平一四・一二・一一法一四〇）（抄）

（施行期日）

第一条　この法律は、公布の日から起算して六月を超えない範囲内において政令で定める日〔平一五・六・一〕から施行する。

附　則（平一四・一二・一三法一五二）（抄）

（施行期日）

第一条　この法律は、行政手続等における情報通信の技術の利用に関する法律（平成十四年法律第百五十一号）の施行の日〔平一五・二・三〕から施行する。〔ただし書略〕

附　則（平一四・一二・一八法一八二）（抄）

（施行期日）

第一条　この法律は、公布の日から施行する。ただし、次の各号に掲げる規定は、当該各号に定める日から施行する。

一　附則〔中略〕第十五条〔中略〕の規定　平成十五年十月一日

二　〔略〕

附　則（平一五・三・三一法八）（抄）

（施行期日）

第一条　この法律は、平成十五年四月一日から施行する。〔ただし書略〕

附　則（平一五・五・一六法四三）（抄）

（施行期日）

第一条　この法律は、公布の日から施行する。ただし、附則〔中略〕第二十九条〔中略〕の規定は、平成十六年四月一日から施行する。

附　則（平一五・五・三〇法五三）（抄）

（施行期日）

第一条　この法律は、公布の日から起算して三月を超えない範囲内において政令で定める日〔平一五・八・一〕から施行する。〔ただし書略〕

附　則（平一五・五・三〇法五五）（抄）

（施行期日）

第一条　この法律は、公布の日から起算して三月を超えない範囲内において政令で定める日〔平一五・八・二九〕から施行する。ただし、次の各号に掲げる規定は、当該各号に定める日から施行する。

一・二　〔略〕

三　〔前略〕附則〔中略〕第十六条〔中略〕の規定　公布の日から起算して九月を超えない範囲内において政令で定める日〔平一六・二・二七〕

四　〔略〕

附　則（平一五・六・一一法七三）（抄）

（施行期日）

第一条　この法律は、公布の日から起算して三月を超えない範囲内において政令で定める日〔平一五・七・一〕から施行する。ただし、〔中略〕附則第六条中地方自治法（昭和二十二年法律第六十七号）別表第一薬事法（昭和三十五年法律第百四十五号）の項の改正規定〔中略〕は薬事法及び採血及び供血あっせん業取締法の一部を改正する法律（平成十四年法律第九十六号）附則第一条第一号に定める日又はこの法律の施行の日のいずれか遅い日から〔中略〕施行する。

附　則（平一五・六・一一法七七）（抄）

（施行期日）

第一条　この法律は、公布の日から起算して一年を超えない範囲内において政令で定める日〔平一六・五・一五〕から施行する。

附　則（平一五・六・一三法八〇）（抄）

（施行期日）

1　この法律は、公布の日から施行する。〔ただし書略〕

附　則（平一五・六・一三法八一）（抄）

（施行期日）

第一条　この法律は、公布の日から起算して三月を超えない範囲内において政令で定める日〔平一五・九・二〕から施行する。

（経過措置）

第二条　この法律の施行の際現に改正前の地方自治法第二百四十四条の二第三項の規定に基づき管理を委託している公の施設については、この法律の施行の日から起算して三年を経過する日（その日前に改正後の地方自治法第二百四十四条の二第三項の規定に基づき当該公の施設の管理に係る指定をした場合には、当該指定の日）までの間は、なお従前の例による。

附　則（平一五・六・一八法九一）（抄）

（施行期日）

第一条　この法律は、平成十六年四月一日から施行する。〔ただし書略〕

附　則（平一五・六・一八法九三）（抄）

（施行期日）

第一条　この法律は、平成十五年十二月一日から施行する。〔ただし書略〕

附　則（平一五・六・二〇法一〇〇）（抄）

（施行期日）

第一条　この法律は、平成十六年七月一日から施行する。〔ただし書略〕

附　則（平一五・六・二〇法一〇二）（抄）

（施行期日）

第一条　この法律は、公布の日から起算して六月を超えない範囲内において政令で定める日〔平一五・一二・一九〕から施行する。

附　則（平一五・七・二四法一二五）（抄）

（施行期日）

第一条　この法律は、公布の日から起算して九月を超えない範囲内において政令で定める日〔平一六・一・二六〕から施行する。ただし、次の各号に掲げる規定は、それぞれ当該各号に定める日から施行する。

一・二　〔略〕

三　〔前略〕附則第二十一条〔中略〕の規定　公布の日から起算して一年を超えない範囲内において政令で定める日〔平一六・四・一〕

附　則（平一五・八・一法一三八）（抄）

（施行期日）

第一条　この法律は、公布の日から起算して九月を超えない範囲内において政令で定める日〔平一六・三・一〕から施行する。

附　則（平一五・一〇・一六法一四五）（抄）

（施行期日）

第一条　この法律は、公布の日から起算して二十日を経過した日から施行する。〔ただし書略〕

附　則（平一六・三・三一法一〇）（抄）

（施行期日）

第一条　この法律は、平成十六年四月一日から施行する。ただし、次の各号に掲げる規定は、当該各号に定める日から施行する。

一　〔前略〕附則第二条〔中略〕の規定　公布の日から起算して三月を超えない範囲内において政令で定める日〔平一六・四・一〕

二　〔略〕

附　則（平一六・三・三一法一四）（抄）

（施行期日）

第一条　この法律は、平成十六年四月一日から施行する。〔ただし書略〕

附　則（平一六・四・二八法四〇）（抄）

（施行期日）

第一条　この法律は、公布の日から起算して六月を超えない範囲内において政令で定める日〔平一六・一〇・二七〕から施行する。〔ただし書略〕

附　則（平一六・五・一二法四二）（抄）

（施行期日）

第一条　この法律は、平成十七年四月一日（以下「施行日」という。）から施行する。〔ただし書略〕

附　則（平一六・五・二六法五三）（抄）

（施行期日）

第一条　この法律は、平成十七年四月一日から施行する。〔ただし書略〕

附　則（平一六・五・二六法五七）（抄）

（施行期日）

第一条　この法律は、公布の日から起算して六月を超えない範囲内において政令で定める日〔平一六・一一・一〇〕から施行する。ただし、第六条第二項の改正規定、同条の次に一条を加える改正規定、第七条、第七条の二第三項、第八条第三項、第九条第七項及び第九条の三第六項の改正規定、第九十条に五項を加える改正規定、第九十一条第七項、第二百五十二条の二十六の二、第二百五十二条の二十六の七、第二百五十五条、第二百五十九条第四項及び第二百八十一条の五の改正規定並びに次条から附則第八条までの規定は、平成十七年四月一日から施行する。

附　則（平一六・五・二八法六一）（抄）

（施行期日）

第一条　この法律は、平成十七年四月一日から施行する。

附　則（平一六・五・二八法六三）（抄）

改正　平一九・五・三〇法六〇

（施行期日）

第一条　この法律は、公布の日から起算して五年を超えない範囲内において政令で定める日〔平二一・五・二一〕から施行する。ただし、次の各号に掲げる規定は、当該各号に定める日から施行する。

一　〔略〕

二　〔前略〕附則第五条の規定　公布の日から起算して四年六月を超えない範囲内において政令で定める日〔平二〇・七・一五〕

三　〔略〕

附　則（平一六・六・二法六六）（抄）

（施行期日）

第一条　この法律は、平成十七年四月一日から施行する。ただし、〔中略〕附則〔中略〕第十四条〔中略〕の規定は、平成十八年二月一日から施行する。

附　則（平一六・六・二法六七）（抄）

（施行期日）

第一条　この法律は、〔中略〕次の各号に掲げる規定は、当該各号に定める日から施行する。

一　〔略〕

二　第四条並びに附則第五条及び第六条の規定　公布の日

附　則（平一六・六・二法七一）（抄）

（施行期日）

第一条　この法律は、公布の日から起算して一年を超えない範囲内において政令で定める日〔平一七・四・一〕（以下「施行日」という。）から施行する。〔ただし書略〕

附　則（平一六・六・二法七六）（抄）

（施行期日）

第一条　この法律は、破産法（平成十六年法律第七十五号。次条第八項並びに附則第三条第八項、第五条第八項、第十六項及び第二十一項、第八条第三項並びに第十三条において「新破産法」という。）の施行の日〔平一七・一・一〕から施行する。

〔ただし書略〕

附　則（平一六・六・九法八四）（抄）

（施行期日）

第一条　この法律は、公布の日から起算して一年を超えない範囲内において政令で定める日〔平一七・四・一〕から施行する。

〔ただし書略〕

附　則（平一六・六・九法八五）（抄）

（施行期日）

第一条　この法律は、公布の日から起算して三月を超えない範囲内において政令で定める日〔平一六・八・一〕から施行する。

〔ただし書略〕

附　則（平一六・六・九法八八）（抄）

（施行期日）

第一条　この法律は、公布の日から起算して五年を超えない範囲内において政令で定める日〔平二一・一・五〕（以下「施行日」という。）から施行する。〔ただし書略〕

附　則（平一六・六・一八法一二二）（抄）

（施行期日）

第一条　この法律は、公布の日から起算して三月を超えない範囲内において政令で定める日〔平一六・九・一七〕から施行する。

附　則（平一六・一一・一七法一四〇）（抄）

（施行期日）

第一条　この法律は、平成十七年一月一日から施行する。〔ただし書略〕

附　則（平一六・一二・一法一四七）（抄）

（施行期日）

第一条　この法律は、公布の日から起算して六月を超えない範囲内において政令で定める日〔平一七・四・一〕から施行する。

附　則（平一六・一二・一〇法一六四）（抄）

（施行期日）

第一条　この法律は、公布の日から起算して二十日を経過した日から施行する。〔ただし書略〕

附　則（平一六・一二・一〇法一六六）（抄）

（施行期日）

第一条　この法律は、平成十七年四月一日から施行する。

附　則（平一七・三・三一法二一）（抄）

（施行期日）

第一条　この法律は、平成十七年四月一日から施行する。ただし、次の各号に掲げる規定は、当該各号に定める日から施行する。

一～十九　〔略〕

二十　〔前略〕附則〔中略〕第六十五条（別表第一租税特別措置法（昭和三十二年法律第二十六号）の項第一号中「第三十一条の二第二項第十三号ハ及び第十四号ニ」を「第三十一条の二第二項第十四号ハ及び第十五号ニ」に改める部分及び「第六十二条の三第四項第十三号ハ及び第十四号ニ」を「第六十二条の三第四項第十四号ハ及び第十五号ニ」に改める部分並びに同項第二号中「第三十一条の二第二項第十四号ニ、第六十二条の三第四項第十四号ニ」を「第三十一条の二第二項第十五号ニ、第六十二条の三第四項第十五号ニ」に改める部分に限る。）の規定　民間事業者の能力を活用した市街地の整備を推進するための都市再生特別措置法等の一部を改正する法律（平成十七年法律第三十四号）附則第一条ただし書に規定する日〔平一七・四・二七〕

二十一～二十五　〔略〕

附　則（平一七・四・一法二五）（抄）

（施行期日）

第一条　この法律は、平成十七年四月一日から施行する。

附　則（平一七・四・二七法三四）（抄）

（施行期日）

第一条　この法律は、公布の日から起算して六月を超えない範囲内において政令で定める日〔平一七・一〇・二四〕から施行する。〔ただし書略〕

附　則（平一七・四・二七法三六）（抄）

（施行期日）

第一条　この法律は、公布の日から起算して六月を超えない範囲内において政令で定める日〔平一七・一〇・二〇〕から施行する。

附　則（平一七・五・一八法四二）（抄）

（施行期日）

第一条　この法律は、平成十七年十月一日から施行する。ただし、次の各号に掲げる規定は、当該各号に定める日から施行する。

一　〔略〕

二　〔前略〕附則第八条（「、保健所を設置する市又は特別区」を削る部分に限る。）〔中略〕の規定　平成十八年四月一日

附　則（平一七・六・一〇法五三）（抄）

（施行期日）

第一条　この法律は、公布の日から起算して三月を超えない範囲内において政令で定める日〔平一七・九・一〕から施行する。

附　則（平一七・六・一〇法五五）（抄）

（施行期日）

第一条　この法律は、公布の日から起算して一年三月を超えない範囲内において政令で定める日〔平一八・三・二〇〕から施行する。〔ただし書略〕

附　則（平一七・六・二九法七七）（抄）

（施行期日）

第一条　この法律は、平成十八年四月一日から施行する。〔ただし書略〕

附　則（平一七・七・二六法八七）（抄）

この法律は、会社法の施行の日〔平一八・五・一〕から施行する。〔ただし書略〕

附　則（平一七・一一・二法一〇四）（抄）

1　この法律は、平成十八年一月一日から施行する。〔ただし書略〕

附　則（平一七・一一・二法一〇五）（抄）

1　この法律は、公布の日から起算して一月を経過した日から施行する。

附　則（平一七・一一・七法一二三）（抄）

（施行期日）

第一条　この法律は、公布の日の属する月の翌月の初日（公布の日が月の初日であるときは、その日）から施行する。ただし、〔中略〕附則〔中略〕第十七条から第三十二条までの規定は、平成十八年四月一日から施行する。

（地方自治法の一部改正に伴う経過措置）

第十九条　前条の規定による改正後の地方自治法（以下この項において「新地方自治法」という。）第二百四条第二項の規定にかかわらず、普通地方公共団体は、切替日の前日に前条の規定による改正前の地方自治法第二百四条第二項の規定に基づく調整手当を支給する条例（以下この項において「調整手当条例」という。）を施行している場合で、当該普通地方公共団体が切替日の直近において新たに設置されたことその他のやむを得ない事情により切替日までに新地方自治法第二百四条第二項の規定に基づく地域手当を支給する条例を制定することができないときは、切替日から起算して六月を経過する日までの間に限り、当該調整手当条例で定めるところにより、調整手当を支給することができる。

2　前項の場合における当該普通地方公共団体に係る次に掲げる法律の規定の適用については、第一号及び第二号に掲げる法律の規定中「地域手当」とあるのは「調整手当」と、第三号に掲げる法律の規定中「地方自治法（昭和二十二年法律第六十七号）第二百四条第二項に規定する地域手当、特地勤務手当」とあるのは「一般職の職員の給与に関する法律等の一部を改正する法律（平成十七年法律第百十三号）附則第十九条第一項の規定により支給することができる調整手当又は地方自治法（昭和二十二年法律第六十七号）第二百四条第二項に規定する特地勤務手当」と、「又は」とあるのは「若しくは」とする。

一　前条の規定による改正後の市町村立学校職員給与負担法第一条

二　附則第二十五条の規定による改正後のへき地教育振興法（昭和二十九年法律第百四十三号）第五条の二第三項

三　附則第二十五条の規定による改正後の公立の義務教育諸学校等の教育職員の給与等に関する特別措置法（昭和四十六年法律第七十七号）第三条第三項第一号

附　則（平一七・一一・七法一二三）（抄）

（施行期日）

第一条　この法律は、平成十八年四月一日から施行する。ただし、次の各号に掲げる規定は、当該各号に定める日から施行する。

一　〔略〕

二　〔前略〕附則〔中略〕第九十二条〔中略〕の規定　平成十八年十月一日

三　〔略〕

附　則（平一八・三・三一法八）（抄）

（施行期日）

第一条　この法律は、平成十八年四月一日から施行する。ただし、次の各号に掲げる規定は、当該各号に定める日から施行する。

一　〔前略〕附則〔中略〕第十条の規定　平成十九年四月一日

二・三　〔略〕

附　則（平一八・三・三一法一〇）（抄）

（施行期日）

第一条　この法律は、平成十八年四月一日から施行する。〔ただし書略〕

附　則（平一八・三・三一法一九）（抄）

（施行期日）

第一条　この法律は、公布の日から起算して九月を超えない範囲内において政令で定める日〔平一八・一〇・一〕から施行する。〔ただし書略〕

附　則（平一八・三・三一法二〇）（抄）

（施行期日）

第一条　この法律は、平成十八年四月一日から施行する。

附　則（平一八・五・一九法四〇）（抄）

（施行期日）

第一条　この法律は、公布の日から起算して十月を超えない範囲内において政令で定める日〔平一八・一〇・一〕から施行する。ただし、次の各号に掲げる規定は、当該各号に定める日から施行する。

一　〔略〕

二　〔前略〕附則〔中略〕第十五条の規定　公布の日から起算して一年を超えない範囲内において政令で定める日〔平一八・一一・一〕

三・四　〔略〕

附　則（平一八・六・二法五〇）（抄）

改正　平二三・六・二四法七四

この法律は、一般社団・財団法人法の施行の日〔平二〇・一二・一〕から施行する。〔ただし書略〕

附　則（平一八・六・七法五三）（抄）

（施行期日）

第一条　この法律は、平成十九年四月一日から施行する。ただし、次の各号に掲げる規定は、当該各号に定める日から施行する。

一　第百九十五条第二項、第百九十六条第一項及び第二項、第百九十九条の三第一項及び第四項、第二百五十二条の十七、第二百五十二条の二十二第一項並びに第二百五十二条の二十三の改正規定並びに附則第四条、第六条、第八条から第十条まで〔中略〕の規定　公布の日

二　第九十六条第一項の改正規定、第百条の次に一条を加える改正規定並びに第百一条、第百二条第四項及び第五項、第百九条、第百九条の二、第百十条、第百二十一条、第百二十三条、第百三十条第三項、第百三十八条、第百七十九条第一項、第二百七条、第二百二十五条、第二百三十一条の二、第二百三十四条第三項及び第五項、第二百三十七条第三項、第二百三十八条第一項、第二百三十八条の二第二項、第二百三十八条の四、第二百三十八条の五、第二百六十三条の三並びに第三百十四条第一項の改正規定〔中略〕　公布の日から起算して一年を超えない範囲内において政令で定める日〔平一八・一一・二四、平一九・三・一〕

（助役に関する経過措置）

第二条　この法律の施行の際現に助役である者は、この法律の施行の日（以下「施行日」という。）に、この法律による改正後の地方自治法（以下「新法」という。）第百六十二条の規定により、副市町村長として選任されたものとみなす。この場合において、その選任されたものとみなされる者の任期は、新法第百六十三条の規定にかかわらず、施行日におけるこの法律による改正前の地方自治法（以下「旧法」という。）第百六十二条の規定により選任された助役としての任期の残任期間と同一の期間とする。

（出納長及び収入役に関する経過措置）

第三条　この法律の施行の際現に在職する出納長及び収入役は、その任期中に限り、なお従前の例により在職するものとする。

2　前項の場合においては、新法第百六十八条、第百七十条及び第百七十一条の規定は適用せず、旧法第十三条、第八十六条、第八十八条、第百六十八条から第百七十一条まで、第二百三十二条の四、第二百三十二条の六、第二百三十三条、第二百四十三条の二、第二百五十二条の二十八及び第二百五十六条の規定は、なおその効力を有する。この場合において、旧法第百六十八条第五項及び第六項中「事務吏員」とあり、並びに旧法第百七十条第五項中「吏員」とあるのは「普通地方公共団体の長の補助機関である職員」と、旧法第百六十九条第一項中「助役」とあるのは「副市町村長」と、旧法第百七十一条第二項中「出納員は吏員のうちから、その他の会計職員は吏員その他の職員」とあるのは「出納員その他の会計職員は、普通地方公共団体の長の補助機関である職員」とする。

第四条　この法律の公布の日から施行日の前日までの間に、出納長若しくは収入役の任期が満了する場合又は出納長若しくは収入役が欠けた場合においては、地方自治法第百六十八条第七項において準用する同法第百六十二条の規定にかかわらず、普通地方公共団体の長は、出納長又は収入役を選任しないことができる。この場合においては、副出納長若しくは副収入役又は同法第百七十条第五項に規定する吏員が出納長又は収入役の職務を代理するものとする。

（事務の引継ぎに関する経過措置）

第五条　出納長及び収入役（前条後段の規定により出納長又は収入役の職務を代理する副出納長若しくは副収入役又は吏員を含む。）から会計管理者への事務の引継ぎに関する事項は、政令で定める。

2　前項の政令には、正当の理由がなくて事務の引継ぎを拒んだ者に対し、十万円以下の過料を科する規定を設けることができる。

（監査委員の定数を定める条例に関する経過措置）

第六条　附則第一条第一号に掲げる規定の施行の際、現に旧法第百九十五条第二項の規定に基づいて制定されている監査委員の定数を三人と定める条例は、新法第百九十五条第二項ただし書の規定に基づいて制定されたものとみなす。

（賠償責任に関する経過措置）

第七条　この法律の施行前の事実並びに附則第三条第一項の規定によりなお従前の例によることとされる場合及び同条第二項の規定によりなおその効力を有することとされる場合におけるこの法律の施行後の事実に基づく地方公共団体の職員の賠償責任については、なお従前の例による。

（各大臣が講ずる措置に関する経過措置）

第八条　各大臣（地方自治法第二百四十五条の四第一項に規定する各大臣をいう。以下この条において同じ。）は、その担任する事務に関し新法第二百六十三条の三第五項に規定する施策（次項において「施策」という。）の立案をしようとするときは、第二百六十三条の三第五項の改正規定の施行前においても、新法第二百六十三条の三第五項の規定の例によることができる。この場合において、同項の規定の例により講じた措置は、同項の規定の適用については、各大臣が同項の規定により講じたものとみなす。

2　前項の規定の適用がある場合を除き、各大臣が第二百六十三条の三の改正規定の施行の日から三十日以内に立案をする施策については、新法第二百六十三条の三第五項の規定は、適用しない。

（罰則に関する経過措置）

第九条　この法律の施行前にした行為に対する罰則の適用については、なお従前の例による。

（その他の経過措置の政令への委任）

第十条　この附則に規定するもののほか、この法律の施行に伴い必要な経過措置（罰則に関する経過措置を含む。）は、政令で定める。

附　則（平一八・六・一四法六六）（抄）

この法律は、平成十八年証券取引法改正法の施行の日〔平一九・九・三〇〕から施行する。〔ただし書略〕

附　則（平一八・六・一四法六九）（抄）

（施行期日）

第一条　この法律は、公布の日から起算して三年を超えない範囲内において政令で定める日〔平二一・六・一〕から施行する。ただし、次の各号に掲げる規定は、当該各号に定める日から施行する。

一～三　〔略〕

四　〔前略〕附則〔中略〕第二十六条〔中略〕の規定　公布の日から起算して一年を超えない範囲内において政令で定める日〔平一九・四・一〕

附　則（平一八・六・二一法八三）（抄）

（施行期日）
第一条　この法律は、平成十八年十月一日から施行する。ただし、次の各号に掲げる規定は、それぞれ当該各号に定める日から施行する。
一～三　〔略〕
四　〔前略〕附則〔中略〕第百二十三条〔中略〕の規定　平成二十年四月一日
五・六　〔略〕

附　則（平一八・六・二一法八四）（抄）

（施行期日）
第一条　この法律は、平成十九年四月一日から施行する。ただし、次の各号に掲げる規定は、当該各号に定める日から施行する。
一・二　〔略〕
三　〔前略〕附則第十八条の規定中地方自治法（昭和二十二年法律第六十七号）別表第一保健師助産師看護師法（昭和二十三年法律第二百三号）の項及び同表薬剤師法（昭和三十五年法律第百四十六号）の項の改正規定〔中略〕　平成二十年四月一日

附　則（平一八・六・二一法九一）（抄）

（施行期日）
第一条　この法律は、公布の日から起算して六月を超えない範囲内において政令で定める日〔平一八・一二・二〇〕から施行する。

附　則（平一八・一二・八法一〇六）（抄）

（施行期日）
第一条　この法律は、公布の日から起算して六月を超えない範囲内において政令で定める日〔平一九・六・一〕から施行する。ただし、〔中略〕附則第十三条〔中略〕の規定は、平成十九年四月一日から施行する。

附　則（平一八・一二・二〇法一一四）（抄）

（施行期日）
第一条　この法律は、公布の日から起算して二年を超えない範囲内において政令で定める日〔平二〇・一一・二八〕から施行する。〔ただし書略〕

附　則（平一八・一二・二〇法一一六）（抄）

（施行期日等）
第一条　この法律は、公布の日から起算して六月を超えない範囲内において政令で定める日〔平一九・一・二六〕から施行する。〔ただし書略〕
2　〔略〕

附　則（平一八・一二・二二法一一八）（抄）

（施行期日）
第一条　この法律は、公布の日から起算して三月を超えない範囲内において政令で定める日〔平一九・一・九〕から施行する。〔ただし書略〕

附　則（平一九・三・三〇法六）（抄）

（施行期日）
第一条　この法律は、平成十九年四月一日から施行する。ただし、次の各号に掲げる規定は、当該各号に定める日から施行する。
一～十三　〔略〕
十四　〔前略〕附則〔中略〕第百三十八条の規定　都市再生特別措置法等の一部を改正する法律（平成十九年法律第十九号）の施行の日〔平一九・九・二八〕
十五～十七　〔略〕

附　則（平一九・三・三一法一一）（抄）

1　この法律は、公布の日から施行する。

附　則（平一九・三・三一法一九）（抄）

（施行期日）
第一条　この法律は、公布の日から起算して六月を超えない範囲内において政令で定める日〔平一九・九・二八〕から施行する。〔ただし書略〕

附　則（平一九・三・三一法二〇）（抄）
改正　平二三・六・二四法七四

（施行期日）
第一条　この法律は、平成十九年四月一日から施行する。ただし、次の各号に掲げる規定は、当該各号に定める日から施行する。
一　〔前略〕附則第九条から第十二条まで〔中略〕の規定　公布の日から起算して一年を超えない範囲内において政令で定める日〔平二〇・三・一〕
二～四　〔略〕

附　則（平一九・三・三一法二六）（抄）

（施行期日）
第一条　この法律は、平成十九年四月一日から施行する。

附　則（平一九・五・一六法四七）（抄）

（施行期日）
第一条　この法律は、平成二十年四月一日から施行する。〔ただし書略〕

附　則（平一九・五・一六法四八）（抄）

（施行期日）
第一条　この法律は、公布の日から起算して三月を超えない範囲内において政令で定める日から施行する。

附　則（平一九・五・一八法五一）（抄）

（施行期日）
第一条　この法律は、公布の日から起算して三年を経過した日から施行する。〔ただし書略〕

附　則（平一九・五・二三法五五）（抄）

（施行期日）
第一条　この法律は、公布の日から起算して一年を超えない範囲内において政令で定める日〔平二〇・四・一〕から施行する。

附　則（平一九・六・一法七四）（抄）

（施行期日）
第一条　この法律は、平成二十年十月一日から施行する。〔ただし書略〕

（地方自治法の一部改正に伴う経過措置）
第四十二条　施行日前に転換前の法人が発行した短期商工債についての地方自治法の規定の適用については、当該短期商工債を同法第二百三十八条第二項に規定する短期社債等とみなす。

附　則（平一九・六・六法七七）（抄）

（施行期日）
第一条　この法律は、公布の日から起算して一年を超えない範囲内において政令で定める日〔平二〇・四・一〕から施行する。〔ただし書略〕

附　則（平一九・六・一五法八八）（抄）

（施行期日）

第一条　この法律は、公布の日から起算して一年を超えない範囲内において政令で定める日〔平二〇・六・一〕から施行する。〔ただし書略〕

附　則（平一九・六・二七法九七）（抄）

（施行期日）

第一条　この法律は、平成二十年四月一日から施行する。

附　則（平一九・六・二七法一〇二）（抄）

（施行期日）

第一条　この法律は、公布の日から起算して一年六月を超えない範囲内において政令で定める日〔平二〇・一二・一〕から施行する。

附　則（平一九・七・六法一〇八）（抄）

（施行期日）

第一条　この法律は、平成二十年十二月三十一日までの間において政令で定める日〔平二〇・一二・三一〕から施行する。〔ただし書略〕

附　則（平一九・七・六法一一〇）（抄）

（施行期日）

第一条　この法律は、平成二十年四月一日から施行する。〔ただし書略〕

附　則（平一九・一二・五法一二七）（抄）

（施行期日）

第一条　この法律は、平成二十年一月一日から施行する。ただし、次の各号に掲げる規定は、それぞれ当該各号に定める日から施行する。

一～三　〔略〕

四　〔前略〕附則第六条の規定　平成二十年四月一日

附　則（平一九・一二・二一法一三三）（抄）

（施行期日）

第一条　この法律は、公布の日から起算して六月を経過した日から施行する。〔ただし書略〕

附　則（平一九・一二・二八法一三五）（抄）

（施行期日）

第一条　この法律は、平成二十年一月一日から施行する。〔ただし書略〕

附　則（平二〇・四・一八法一五）（抄）

（施行期日）

第一条　この法律は、平成二十年七月一日から施行する。

附　則（平二〇・四・三〇法二二）（抄）

（施行期日）

第一条　この法律は、平成二十年四月一日から施行する。

附　則（平二〇・四・三〇法二三）（抄）

（施行期日）

第一条　この法律は、平成二十年四月一日から施行する。ただし、次の各号に掲げる規定は、当該各号に定める日から施行する。

一～四　〔略〕

五　次に掲げる規定　一般社団法人及び一般財団法人に関する法律（平成十八年法律第四十八号）の施行の日（平成二十年十二月一日）

イ　〔略〕

ロ　〔前略〕附則第九十七条〔中略〕の規定

ハ～ト　〔略〕

六～九　〔略〕

附　則（平二〇・四・三〇法二五）（抄）

（施行期日）

第一条　この法律は、平成二十年十月一日から施行する。

附　則（平二〇・五・二法三〇）（抄）

（施行期日）

第一条　この法律は、公布の日から起算して十日を経過した日から施行する。

附　則（平二〇・六・一一法六〇）（抄）

（施行期日）

第一条　この法律は、平成二十年九月一日から施行する。

附　則（平二〇・六・一八法六九）（抄）

（施行期日）

第一条　この法律は、公布の日から起算して三月を超えない範囲内において政令で定める日〔平二〇・九・一〕から施行する。

附　則（平二〇・六・一八法八〇）（抄）

（施行期日）

第一条　この法律は、公布の日から起算して六月を経過した日から施行する。〔ただし書略〕

附　則（平二〇・六・一八法八一）（抄）

（施行期日）

第一条　この法律は、公布の日から起算して三月を超えない範囲内において政令で定める日〔平二〇・九・一七〕から施行し、平成二十一年度において使用される検定教科用図書等及び教科用特定図書等から適用する。

附　則（平二〇・六・一八法八二）（抄）

（施行期日）

第一条　この法律は、平成二十一年四月一日から施行する。〔ただし書略〕

附　則（平二一・三・三一法一〇）（抄）

（施行期日）

第一条　この法律は、平成二十一年四月一日から施行する。〔ただし書略〕

附　則（平二一・三・三一法一三）（抄）

（施行期日）

第一条　この法律は、平成二十一年四月一日から施行する。ただし、次の各号に掲げる規定は、当該各号に定める日から施行する。

一～四　〔略〕

五　〔前略〕附則〔中略〕第九十一条（別表第一租税特別措置法（昭和三十二年法律第二十六号）の項第一号中「第七十条の四第三十項（第七十条の六第三十六項」を「第七十条の四第三十五項（第七十条の六第四十項」に改める部分及び同項第二号中「第七十条の四第三十項（第七十条の六第三十六項」を「第七十条の四第三十五項（第七十条の六第四十項」に、「第七十条の四第三十一項（第七十条の六第三十七項」を「第七十条の四第三十六項（第七十条の六第四十一項」に改める部分に限る。）の規定　農地法等の一部を改正する法律（平成二十一年法律第五十七号）の施行の日〔平二一・一二・一五〕

六～八　〔略〕

附　則（平二一・五・二九法四一）（抄）

（施行期日）

第一条　この法律は、公布の日から施行する。〔ただし書略〕

（地方自治法の一部改正等に伴う経過措置）

第四条　前条第一号の規定による改正後の地方自治法第二百四条第二項の規定にかかわらず、普通地方公共団体は、この法律の施行の日（以下この項において「施行日」という。）の前日に同号の規定による改正前の地方自治法第二百四条第二項の規定に基づく期末特別手当を支給する旨を定めた条例を施行している場合には、施行日から起算して三月を経過する日までの間に限り、当該条例で定めるところにより、当該期末特別手当を支給することができる。

2　前項の規定に基づき普通地方公共団体が期末特別手当を支給する場合における前条第四号の規定による改正後の地方公務員等共済組合法第二条第一項第六号の規定の適用については、同号中「政令で定める手当」とあるのは、「政令で定める手当及び一般職の職員の給与に関する法律等の一部を改正する法律（平成二十一年法律第四十一号）附則第四条第一項の規定に基づき支給する期末特別手当」とする。

附　則（平二一・六・三法四七）（抄）

（施行期日）

第一条　この法律は、公布の日から起算して一年を超えない範囲内において政令で定める日〔平二二・四・一〕から施行する。〔ただし書略〕

附　則（平二一・六・五法五〇）（抄）

（施行期日）

1　この法律は、消費者庁及び消費者委員会設置法（平成二十一年法律第四十八号）の施行の日〔平二一・九・一〕から施行する。

附　則（平二一・六・二四法五七）（抄）

（施行期日）

第一条　この法律は、公布の日から起算して六月を超えない範囲内において政令で定める日〔平二一・一二・一五〕から施行する。〔ただし書略〕

附　則（平二一・七・一五法七九）（抄）

改正　平二三・六・二四法七四

（施行期日）

第一条　この法律は、公布の日から起算して三年を超えない範囲内において政令で定める日〔平二四・七・九〕から施行する。ただし、次の各号に掲げる規定は、当該各号に定める日から施行する。

一～三　〔略〕

四　附則〔中略〕第四十二条の規定　公布の日から起算して二年六月を超えない範囲内において政令で定める日〔平二四・一・一三〕

五　〔略〕

附　則（平二一・一二・三法九六）（抄）

（施行期日）

第一条　この法律は、公布の日から起算して一月を超えない範囲内において政令で定める日〔平二一・一二・四〕から施行する。〔ただし書略〕

附　則（平二二・三・三一法五）（抄）

（施行期日）

第一条　この法律は、平成二十二年四月一日から施行する。

附　則（平二二・三・三一法一八）（抄）

（施行期日）

1　この法律は、平成二十二年四月一日から施行する。

附　則（平二二・三・三一法一九）（抄）

（施行期日）

第一条　この法律は、平成二十二年四月一日から施行する。〔ただし書略〕

附　則（平二二・五・一九法三四）（抄）

（施行期日）

第一条　この法律は、公布の日から起算して一年を超えない範囲内において政令で定める日〔平二三・四・一〕から施行する。〔ただし書略〕

附　則（平二二・五・一九法三五）（抄）

（施行期日）

第一条　この法律は、公布の日から施行する。〔ただし書略〕

附　則（平二二・六・四法四四）（抄）

（施行期日）

第一条　この法律は、公布の日から施行する。

附　則（平二二・一二・一〇法七一）（抄）

（施行期日）

第一条　この法律は、平成二十四年四月一日から施行する。ただし、次の各号に掲げる規定は、当該各号に定める日から施行する。

一・二　〔略〕

三　〔前略〕附則〔中略〕第四十二条〔中略〕の規定　平成二十四年四月一日までの間において政令で定める日〔平二四・四・一〕

附　則（平二三・三・三一法六）（抄）

（施行期日）

第一条　この法律は、平成二十三年四月一日から施行する。

附　則（平二三・三・三一法一四）（抄）

（施行期日）

第一条　この法律は、平成二十三年四月一日（この法律の公布の日が同月一日後となる場合には、公布の日）から施行する。

附　則（平二三・四・四法一六）（抄）

（施行期日）

第一条　この法律は、公布の日から起算して三月を超えない範囲内において政令で定める日〔平二三・七・一〕から施行する。ただし、次の各号に掲げる規定は、当該各号に定める日から施行する。

一　〔前略〕附則〔中略〕第十二条（地方自治法（昭和二十二年法律第六十七号）別表第一家畜伝染病予防法（昭和二十六年法律第百六十六号）の項の改正規定に限る。）〔中略〕の規定　公布の日

二・三　〔略〕

附　則（平二三・四・二二法二〇）（抄）

（施行期日）

第一条　この法律は、平成二十四年四月一日から施行する。〔ただし書略〕

附　則（平二三・四・二八法三二）（抄）

（施行期日）
第一条　この法律は、公布の日から起算して六月を超えない範囲内において政令で定める日〔平二三・一〇・二〇〕から施行する。

附　則（平二三・四・二九法三三）（抄）

（施行期日）
1　この法律は、公布の日から施行する。

附　則（平二三・五・二法三五）（抄）

（施行期日）
第一条　この法律は、公布の日から起算して三月を超えない範囲内において政令で定める日〔平二三・八・一〕から施行する。ただし、第九十六条第二項の改正規定は、公布の日から起算して一年を超えない範囲内において政令で定める日〔平二四・五・一〕から施行する。

（適用区分）
第二条　この法律による改正後の地方自治法（以下「新法」という。）第七十四条第六項（新法第七十五条第五項、第七十六条第四項、第八十条第四項、第八十一条第二項及び第八十六条第四項（これらの規定を新法第二百九十一条の六第一項において準用する場合を含む。）並びに第二百九十一条の六第一項及び第五項において準用する場合を含む。）の規定は、この法律の施行の際現にこの法律による改正前の地方自治法（以下この条において「旧法」という。）第七十四条第一項、第七十五条第一項、第七十六条第一項、第八十条第一項、第八十一条第一項及び第八十六条第一項（これらの規定を旧法第二百九十一条の六第一項において準用する場合を含む。）並びに第二百九十一条の六第二項の代表者である者については、適用しない。

（地方開発事業団等に係る経過措置）
第三条　この法律の施行の際現に設けられている全部事務組合、役場事務組合及び地方開発事業団については、なお従前の例による。

（罰則に関する経過措置）
第四条　この法律の施行前にした行為に対する罰則の適用については、なお従前の例による。

（政令への委任）
第五条　この附則に規定するもののほか、この法律の施行に伴い必要な経過措置（罰則に関する経過措置を含む。）は、政令で定める。

附　則（平二三・五・二法三七）（抄）

（施行期日）
第一条　この法律は、公布の日から施行する。ただし、次の各号に掲げる規定は、当該各号に定める日から施行する。
一　〔前略〕附則〔中略〕第二十五条〔中略〕の規定　公布の日から起算して三月を経過した日
二～四　〔略〕

附　則（平二三・五・二五法五三）

この法律は、新非訟事件手続法の施行の日〔平二五・一・一〕から施行する。

附　則（平二三・六・八法六四）（抄）

（施行期日）
第一条　この法律は、公布の日から施行する。

附　則（平二三・六・二二法七二）（抄）

（施行期日）
第一条　この法律は、平成二十四年四月一日から施行する。〔ただし書略〕

附　則（平二三・六・三〇法八二）（抄）

（施行期日）
第一条　この法律は、公布の日から施行する。ただし、次の各号に掲げる規定は、当該各号に定める日から施行する。
一～十　〔略〕
十一　〔前略〕附則〔中略〕第八十八条（別表第一租税特別措置法（昭和三十二年法律第二十六号）の項第二号に係る部分に限る。）の規定　総合特別区域法（平成二十三年法律第八十一号）の施行の日〔平二三・八・一〕
十二・十三　〔略〕

附　則（平二三・七・二二法八五）（抄）

（施行期日）
第一条　この法律は、公布の日から施行する。ただし、〔中略〕附則〔中略〕第四条の規定は、公布の日から起算して三月を超えない範囲内において政令で定める日〔平二三・一〇・一〕から施行する。

附　則（平二三・八・三〇法一〇五）（抄）

（施行期日）
第一条　この法律は、公布の日から施行する。ただし、次の各号に掲げる規定は、当該各号に定める日から施行する。
一　〔前略〕第十四条（地方自治法別表第一公営住宅法（昭和二十六年法律第百九十三号）の項及び道路法（昭和二十七年法律第百八十号）の項の改正規定に限る。）〔中略〕の規定　公布の日から起算して三月を経過した日
二　〔前略〕第十四条（地方自治法第二百五十二条の十九、第二百六十条並びに別表第一騒音規制法（昭和四十三年法律第九十八号）の項、都市計画法（昭和四十三年法律第百号）の項、都市再開発法（昭和四十四年法律第三十八号）の項、環境基本法（平成五年法律第九十一号）の項及び密集市街地における防災街区の整備の促進に関する法律（平成九年法律第四十九号）の項並びに別表第二都市再開発法（昭和四十四年法律第三十八号）の項、公有地の拡大の推進に関する法律（昭和四十七年法律第六十六号）の項、大都市地域における住宅及び住宅地の供給の促進に関する特別措置法（昭和五十年法律第六十七号）の項、密集市街地における防災街区の整備の促進に関する法律（平成九年法律第四十九号）の項及びマンションの建替えの円滑化等に関する法律（平成十四年法律第七十八号）の項の改正規定に限る。）〔中略〕並びに附則第十三条〔中略〕の規定　平成二十四年四月一日
三　第十四条（地方自治法別表第一社会福祉法（昭和二十六年法律第四十五号）の項及び薬事法（昭和三十五年法律第百四十五号）の項の改正規定に限る。）〔中略〕の規定　平成二十五年四月一日
四・五　〔略〕
六　第十四条（地方自治法別表第一地方財政法（昭和二十三年法律第百九号）の項の改正規定に限る。）〔中略〕の規定　公布の日から起算して一年を超えない範囲内において政令で定める日〔平二四・二・一〕

（地方自治法の一部改正に伴う経過措置）
第十三条　第十四条の規定（地方自治法第二百六十条の改正規定

に限る。以下この条において同じ。）の施行前に第十四条の規定による改正前の地方自治法第二百六十条第一項の規定による届出が行われた同項の規定による処分については、なお従前の例による。

附　則（平二三・八・三〇法一〇七）（抄）

（施行期日）

第一条　この法律は、平成二十三年十月一日から施行する。〔ただし書略〕

附　則（平二三・八・三〇法一一〇）（抄）

（施行期日）

第一条　この法律は、公布の日から施行する。〔ただし書略〕

附　則（平二四・三・三一法一六）（抄）

（施行期日）

第一条　この法律は、平成二十四年四月一日から施行する。〔ただし書略〕

附　則（平二四・三・三一法一八）（抄）

（施行期日）

第一条　この法律は、平成二十四年四月一日から施行する。〔ただし書略〕

附　則（平二四・三・三一法二四）（抄）

（施行期日）

第一条　この法律は、平成二十四年四月一日から施行する。〔ただし書略〕

附　則（平二四・五・一一法三二）（抄）

（施行期日）

第一条　この法律は、公布の日から起算して一年を超えない範囲内において政令で定める日〔平二五・四・一三〕から施行する。

附　則（平二四・八・二二法六七）（抄）

この法律は、子ども・子育て支援法の施行の日〔平二七・四・一〕から施行する。〔ただし書略〕

附　則（平二四・九・五法七二）（抄）

（施行期日）

第一条　この法律は、公布の日から施行する。ただし、第七十六条、第八十条、第八十一条、第八十六条、第百条第十四項及び第十五項の改正規定、同項の次に一項を加える改正規定、第百九条の改正規定、第百九条の二を削る改正規定、第百十条、第百十一条、第百二十七条第一項、第二百七条及び第二百五十条の二第一項の改正規定、第二編第十一章第二節第五款中第二百五十二条を第二百五十一条の六とし、同条の次に二条を加える改正規定、同章第三節第一款中第二百五十二条の六の次に一条を加える改正規定、第二百五十二条の七の次に一条を加える改正規定、第二百五十二条の八、第二百五十二条の十七の四、第二百五十五条の五及び第二百八十六条の改正規定、同条の次に一条を加える改正規定、第二百八十七条及び第二百八十七条の三の改正規定、同条を第二百八十七条の四とし、第二百八十七条の二を第二百八十七条の三とし、第二百八十七条の次に一条を加える改正規定、第二百八十八条から第二百九十条まで、第二百九十一条第一項、第二百九十一条の二第四項、第二百九十一条の四第四項、第二百九十一条の六、第二百九十一条の八第二項、第二百九十一条の十三及び第二百九十八条第一項の改正規定並びに別表第一地方教育行政の組織及び運営に関する法律（昭和三十一年法律第百六十二号）の項の改正規定並びに附則第三条、第六条〔中略〕の規定は、公布の日から起算して六月を超えない範囲内において政令で定める日〔平二五・三・一〕から施行する。

（経過措置）

第二条　この法律による改正前の地方自治法（以下「旧法」という。）第十六条第一項の規定によりこの法律の施行の日（以下「施行日」という。）前に条例の送付を受けた場合におけるこの法律による改正後の地方自治法（以下「新法」という。）第十六条第二項の規定の適用については、施行日を同項の条例の送付を受けた日とみなす。

第三条　附則第一条ただし書に規定する規定の施行の日（以下「一部施行日」という。）前の直近の公職選挙法（昭和二十五年法律第百号）第二十二条の規定による選挙人名簿の登録が行われた日において選挙人名簿に登録されている者の総数が八十万を超える普通地方公共団体の選挙管理委員会は、その八十万を超える数に八分の一を乗じて得た数と四十万に六分の一を乗じて得た数と四十万に三分の一を乗じて得た数とを合算して得た数を、附則第一条ただし書に規定する規定の施行後直ちに告示しなければならない。

第四条　新法第百七十六条第一項から第三項まで及び第百七十七条の規定は、施行日以後にされる普通地方公共団体の議会の議決について適用し、施行日前にされた普通地方公共団体の議会の議決については、なお従前の例による。

第五条　施行日から一部施行日の前日までの間における旧法第二百七条の規定の適用については、同条中「第百九条第六項（第百九条の二第五項及び第百十条第五項において準用する場合を含む。）」とあるのは「第百九条第六項（第百九条の二第五項及び第百十条第五項において準用する場合を含む。）及び第百十五条の二第二項」と、「第百九条第五項（第百九条の二第五項及び第百十条第五項において準用する場合を含む。）」とあるのは「第百九条第五項（第百九条の二第五項及び第百十条第五項において準用する場合を含む。）及び第百十五条の二第一項」とする。

第六条　新法第二百五十一条の七の規定は、一部施行日以後に行われる新法第二百四十五条の五第一項若しくは第四項の規定による是正の要求又は新法第二百四十五条の七第一項若しくは第四項の規定による指示に係る普通地方公共団体の不作為（新法第二百五十一条の七第一項に規定する不作為をいう。次項において同じ。）について適用する。

2　新法第二百五十二条の規定は、一部施行日以後に行われる新法第二百四十五条の五第三項の規定による是正の要求（新法第二百五十二条の十七の四第一項の規定による是正の要求を含む。）又は新法第二百四十五条の七第二項の規定による指示に係る市町村の不作為について適用する。

（政令への委任）

第七条　附則第二条から前条までに定めるもののほか、この法律の施行に伴い必要な経過措置は、政令で定める。

附　則（平二四・九・五法七七）（抄）

（施行期日）

第一条　この法律は、平成二十四年十月一日から施行する。〔ただし書略〕

附　則（平二四・一一・二六法一〇二）（抄）

（施行期日）
第一条　この法律は、社会保障の安定財源の確保等を図る税制の抜本的な改革を行うための消費税法の一部を改正する等の法律（平成二十四年法律第六十八号）附則第一条第二号に掲げる規定の施行の日〔平三一・一〇・一〕から施行する。〔ただし書略〕

附　則（平二五・三・三〇法三）（抄）

（施行期日）
第一条　この法律は、平成二十五年四月一日から施行する。ただし、次の各号に掲げる規定は、当該各号に定める日から施行する。
一・二　〔略〕
三　〔前略〕附則〔中略〕第十七条〔中略〕の規定　平成二十八年一月一日
四〜九　〔略〕

附　則（平二五・三・三〇法八）（抄）

（施行期日）
第一条　この法律は、平成二十五年四月一日から施行する。〔ただし書略〕

附　則（平二五・四・一〇法九）（抄）

（施行期日）
1　この法律は、公布の日から施行する。

附　則（平二五・五・三一法二一）（抄）

（施行期日）
第一条　この法律は、公布の日から起算して一月を経過した日から施行する。

附　則（平二五・五・三一法二八）（抄）

この法律は、番号利用法の施行の日〔平二七・一〇・五〕から施行する。〔ただし書略〕

○行政手続における特定の個人を識別するための番号の利用等に関する法律の施行に伴う関係法律の整備等に関する法律

平二五・五・三一
法　二　八

（地方自治法の一部改正に伴う経過措置）
第二条　この法律の施行の日から附則第三号に掲げる規定の施行の日（以下「第三号施行日」という。）の前日までの間における前条の規定による改正後の地方自治法別表第一行政手続における特定の個人を識別するための番号の利用等に関する法律（平成二十五年法律第二十七号）の項の適用については、同項中「、第十七条第一項及び第三項（同条第四項において準用する場合を含む。）並びに」とあるのは、「並びに」とする。

附　則（平二五・六・一二法三五）（抄）
改正　平二五・六・一二法五三

（施行期日）
第一条　この法律は、公布の日から起算して一月を超えない範囲内において政令で定める日〔平二五・七・一一〕から施行する。ただし、〔中略〕附則〔中略〕第七条（地方自治法（昭和二十二年法律第六十七号）別表第一河川法（昭和三十九年法律第百六十七号）の項第一号イの改正規定中「第十五条」の下に「、第十五条の二第一項」を加える部分及び「第二十五条まで」を「第二十三条の三まで、第二十四条、第二十五条」に改める部分に限る。）〔中略〕の規定は、公布の日から起算して六月を超えない範囲内において政令で定める日〔平二五・一二・一一〕から施行する。

附　則（平二五・六・一四法四四）（抄）

（施行期日）
第一条　この法律は、公布の日から施行する。〔ただし書略〕

附　則（平二五・六・一九法四七）（抄）

（施行期日）
第一条　この法律は、平成二十六年四月一日から施行する。〔ただし書略〕

附　則（平二五・六・二一法五四）（抄）

（施行期日）
第一条　この法律は、公布の日から施行する。ただし、次の各号に掲げる規定は、当該各号に定める日から施行する。
一　〔前略〕附則〔中略〕第六条〔中略〕の規定　公布の日から起算して六月を超えない範囲内において政令で定める日〔平二五・一〇・一〕
二〜五　〔略〕

附　則（平二五・六・二一法五五）（抄）

（施行期日）
第一条　この法律は、公布の日から施行する。ただし、〔中略〕附則第五条から第十一条までの規定は、公布の日から起算して二月を超えない範囲内において政令で定める日〔平二五・八・二〇〕から施行する。

附　則（平二五・六・二一法五六）（抄）

（施行期日）
第一条　この法律は、公布の日から起算して六月を超えない範囲内において政令で定める日〔平二五・一二・二〇〕から施行する。

附　則（平二五・六・二一法六〇）（抄）

（施行期日）
第一条　この法律は、公布の日から起算して六月を超えない範囲内において政令で定める日〔平二五・一二・二〇〕から施行する。〔ただし書略〕

附　則（平二五・六・二八法六九）（抄）

（施行期日）
第一条　この法律は、公布の日から起算して一年を超えない範囲内において政令で定める日〔平二六・三・二〇〕から施行する。

附　則（平二五・六・二八法七〇）（抄）

（施行期日）
第一条　この法律は、公布の日から起算して二年を超えない範囲内において政令で定める日〔平二七・四・一〕から施行する。〔ただし書略〕

附　則（平二五・一一・二二法八一）（抄）

（施行期日）
第一条　この法律は、公布の日から起算して六月を超えない範囲内において政令で定める日〔平二六・五・二〕から施行する。

附　則（平二五・一一・二七法八四）（抄）

（施行期日）
第一条　この法律は、公布の日から起算して一年を超えない範囲内において政令で定める日〔平二六・一一・二五〕から施行する。〔ただし書略〕

附　則（平二五・一二・四法九〇）（抄）

（施行期日）
第一条　この法律は、平成二十六年四月一日から施行する。

附　則（平二五・一二・一三法一〇一）（抄）

（施行期日）
第一条　この法律は、公布の日から起算して六月を超えない範囲内において政令で定める日〔平二六・三・二〕から施行する。〔ただし書略〕

附　則（平二五・一二・一三法一〇二）（抄）

（施行期日）
第一条　この法律は、公布の日から起算して九月を超えない範囲内において政令で定める日〔平二六・四・二〕から施行する。〔ただし書略〕

附　則（平二五・一二・一三法一〇四）（抄）

（施行期日）
第一条　この法律は、平成二十六年七月一日から施行する。〔ただし書略〕

附　則（平二五・一二・一三法一〇五）（抄）

（施行期日）
第一条　この法律は、平成二十七年四月一日から施行する。〔ただし書略〕

附　則（平二五・一二・一三法一〇六）（抄）

（施行期日）
第一条　この法律は、平成二十六年十月一日から施行する。

附　則（平二五・一二・一三法一一一）（抄）

（施行期日）
第一条　この法律は、公布の日から起算して三年を超えない範囲内において政令で定める日〔平二八・一・一〕から施行する。〔ただし書略〕

附　則（平二六・三・三一法五）（抄）

（施行期日）
第一条　この法律は、平成二十六年四月一日から施行する。〔ただし書略〕

附　則（平二六・三・三一法一〇）（抄）

（施行期日）
第一条　この法律は、平成二十六年四月一日から施行する。〔ただし書略〕

附　則（平二六・四・二法一五）（抄）

（施行期日）
1　この法律は、公布の日から施行する。

附　則（平二六・四・一八法二二）（抄）

（施行期日）
第一条　この法律は、公布の日から起算して六月を超えない範囲内において、政令で定める日〔平二六・五・三〇〕から施行する。〔ただし書略〕

附　則（平二六・四・二三法二八）（抄）

（施行期日）
第一条　この法律は、平成二十七年四月一日から施行する。ただし、次の各号に掲げる規定は、当該各号に定める日から施行する。
一　〔略〕
二　〔前略〕附則〔中略〕第七条〔中略〕の規定　平成二十六年十月一日
三　〔略〕

附　則（平二六・五・一四法三四）（抄）

（施行期日）
第一条　この法律は、公布の日から起算して二年を超えない範囲内において政令で定める日〔平二八・四・一〕から施行する。〔ただし書略〕

附　則（平二六・五・三〇法四二）（抄）

（施行期日）
第一条　この法律は、公布の日から起算して二年を超えない範囲内において政令で定める日〔平二八・四・一〕から施行する。ただし、次の各号に掲げる規定は、当該各号に定める日から施行する。
一　目次の改正規定（次号に掲げる部分を除く。）、第二百五十一条及び第二編第十一章第二節第四款の款名の改正規定、第二百五十一条の三の次に一条を加える改正規定、第二百五十一条の四の改正規定、第二編第十一章第三節第四款を同節第六款とする改正規定、第二百五十二条の十四及び第二百五十二条の十六の改正規定、第二編第十一章第三節第三款を同節第四款とし、同款の次に一款を加える改正規定、第二百五十二条の七第三項及び第二百五十二条の七の二の改正規定、第二編第十一章第三節第二款を同節第三款とする改正規定、第二百五十二条の二を第二百五十二条の二の二とする改正規定、第二百五十二条の六及び第二百五十二条の六の二の改正規定並びに第二編第十一章第三節第一款を同節第二款とし、同款の前に一款を加える改正規定並びに附則第四条〔中略〕の規定　公布の日から起算して六月を超えない範囲内において政令で定める日〔平二六・一一・一〕
二　目次の改正規定（「第二節　中核市に関する特例　第三節　特例市に関する特例」を「第二節　中核市に関する特例」に改める部分に限る。）、第二百五十二条の二十二第一項の改正規定、第二編第十二章第三節を削る改正規定、第二百六十条の三十八を第二百六十条の四十とする改正規定及び第二百六十条の三十七の次に二条を加える改正規定並びに次条、附則第三条〔中略〕の規定　平成二十七年四月一日
三　〔略〕

（施行時特例市の事務に関する法令の立案に当たっての配慮）
第二条　政府は、前条第二号に掲げる規定の施行の際現にこの法律による改正前の地方自治法第二百五十二条の二十六の三第一項の特例市である市（地方自治法第二百五十二条の十九第一項の指定都市又は同法第二百五十二条の二十二第一項の中核市に指定された市を除く。以下「施行時特例市」という。）が処理する事務に関する法令の立案に当たっては、同号に掲げる規定の施行の際施行時特例市が処理することとされている事務を都

道府県が処理することとすることがないよう配慮しなければならない。

（中核市の指定の特例）

第三条　施行時特例市については、附則第一条第二号に掲げる規定の施行の日から起算して五年を経過する日までの間は、この法律による改正後の地方自治法第二百五十二条の二十二第一項の規定にかかわらず、人口二十万未満であっても、同項の中核市として指定することができる。

（政令への委任）

第四条　この附則に規定するもののほか、この法律の施行に伴い必要な経過措置（罰則に関する経過措置を含む。）は、政令で定める。

附　則（平二六・五・三〇法五〇）（抄）

（施行期日）

第一条　この法律は、平成二十七年一月一日から施行する。ただし、次の各号に掲げる規定は、当該各号に定める日から施行する。

一　〔略〕

二　〔前略〕附則第四条の規定　平成三十年四月一日

附　則（平二六・六・四法五一）（抄）

（施行期日）

第一条　この法律は、平成二十七年四月一日から施行する。〔ただし書略〕

附　則（平二六・六・一一法六一）（抄）

（施行期日）

第一条　この法律は、公布の日から起算して二月を超えない範囲内において政令で定める日〔平二六・八・一〇〕から施行する。ただし、〔中略〕附則第四条（地方自治法（昭和二十二年法律第六十七号）別表第一海岸法（昭和三十一年法律第百一号）の項第一号イの改正規定中「第十三条」の下に「、第十四条の五第一項」を、「同条第四項において準用する第十二条の二第二項及び第三項」の下に「、第二十一条の三第一項から第三項まで、同条第四項において準用する第十二条の二第二項及び第三項」を、「（第五条第一項から第五項まで」の下に「、第十四条の五第一項」を加える部分及び同号ロの改正規定中「第十三条」の下に「、第十四条の五第一項」を、「同条第四項において準用する第十二条の二第二項及び第三項」の下に「、第二十一条の三第一項から第三項まで、同条第四項において準用する第十二条の二第二項及び第三項」を、「（第五条第二項から第五項まで」の下に「、第十四条の五第一項」を加える部分に限る。）の規定は、公布の日から起算して六月を超えない範囲内において政令で定める日〔平二六・一二・一〇〕から施行する。

附　則（平二六・六・一三法六七）（抄）

（施行期日）

第一条　この法律は、独立行政法人通則法の一部を改正する法律（平成二十六年法律第六十六号。以下「通則法改正法」という。）の施行の日〔平二七・四・一〕から施行する。〔ただし書略〕

附　則（平二六・六・一三法六九）（抄）

（施行期日）

第一条　この法律は、行政不服審査法（平成二十六年法律第六十八号）の施行の日〔平二八・四・一〕から施行する。

（経過措置の原則）

第五条　行政庁の処分その他の行為又は不作為についての不服申立てであってこの法律の施行前にされた行政庁の処分その他の行為又はこの法律の施行前にされた申請に係る行政庁の不作為に係るものについては、この附則に特別の定めがある場合を除き、なお従前の例による。

（訴訟に関する経過措置）

第六条　この法律による改正前の法律の規定により不服申立てに対する行政庁の裁決、決定その他の行為を経た後でなければ訴えを提起できないこととされる事項であって、当該不服申立てを提起しないでこの法律の施行前にこれを提起すべき期間を経過したもの（当該不服申立てが他の不服申立てに対する行政庁の裁決、決定その他の行為を経た後でなければ提起できないとされる場合にあっては、当該他の不服申立てを提起しないでこの法律の施行前にこれを提起すべき期間を経過したものを含む。）の訴えの提起については、なお従前の例による。

２　この法律の規定による改正前の法律の規定（前条の規定によりなお従前の例によることとされる場合を含む。）により異議申立てが提起された処分その他の行為であって、この法律の規定による改正後の法律の規定により審査請求に対する裁決を経た後でなければ取消しの訴えを提起することができないこととされるものの取消しの訴えの提起については、なお従前の例による。

３　不服申立てに対する行政庁の裁決、決定その他の行為の取消しの訴えであって、この法律の施行前に提起されたものについては、なお従前の例による。

（地方自治法の一部改正に伴う経過措置）

第七条　第三十四条の規定による改正後の地方自治法の規定中異議の申出、審査の申立て又は審決の申請に関する部分は、この法律の施行後にされた地方公共団体の機関の処分その他の行為に係る異議の申出、審査の申立て又は審決の申請について適用し、この法律の施行前にされた地方公共団体の機関の処分その他の行為に係る異議の申出、審査の申立て又は審決の申請については、なお従前の例による。

（罰則に関する経過措置）

第九条　この法律の施行前にした行為並びに附則第五条及び前二条の規定によりなお従前の例によることとされる場合におけるこの法律の施行後にした行為に対する罰則の適用については、なお従前の例による。

（その他の経過措置の政令への委任）

第十条　附則第五条から前条までに定めるもののほか、この法律の施行に関し必要な経過措置（罰則に関する経過措置を含む。）は、政令で定める。

附　則（平二六・六・一三法七一）（抄）

（施行期日）

第一条　この法律は、公布の日から起算して六月を超えない範囲内において政令で定める日〔平二六・一二・一〕から施行する。ただし、次の各号に掲げる規定は、当該各号に定める日から施行する。

一　〔略〕

二　〔前略〕附則〔中略〕第七条〔中略〕の規定　公布の日から起算して二年を超えない範囲内において政令で定める日

〔平二八・四・一〕

三　〔略〕

附　則（平二六・六・二〇法七六）（抄）

（施行期日）

第一条　この法律は、平成二十七年四月一日から施行する。ただし、次の各号に掲げる規定は、当該各号に定める日から施行する。

一・二　〔略〕

三　附則第二十一条の規定　この法律の公布の日又は地方自治法の一部を改正する法律（平成二十六年法律第四十二号）の公布の日のいずれか遅い日〔平二六・六・二〇〕

（地方自治法の一部改正に伴う経過措置）

第七条　附則第二条第一項の場合においては、前条の規定による改正後の地方自治法第十三条第三項、第百二十一条第一項、第百八十条の二、第百八十条の五第六項及び第七項、第二百四条第一項、第二百五十二条の九第二項及び第四項、第二百五十二条の十並びに第二百五十二条の十一第一項の規定は適用せず、前条の規定による改正前の地方自治法第十三条第三項、第百二十一条第一項、第百八十条の二、第百八十条の五第六項及び第七項、第二百四条第一項、第二百五十二条の九第二項及び第四項、第二百五十二条の十並びに第二百五十二条の十一第一項の規定は、なおその効力を有する。

附　則（平二六・六・二五法八〇）（抄）

（施行期日）

第一条　この法律は、公布の日から起算して六月を超えない範囲内において政令で定める日〔平二六・一二・二四〕から施行する。

附　則（平二六・六・二五法八三）（抄）

（施行期日）

第一条　この法律は、公布の日又は平成二十六年四月一日のいずれか遅い日〔平二六・六・二五〕から施行する。ただし、次の各号に掲げる規定は、当該各号に定める日から施行する。

一・二　〔略〕

三　〔前略〕附則〔中略〕第四十四条〔中略〕の規定　平成二十七年四月一日

四〜七　〔略〕

附　則（平二六・一一・一二法一一五）（抄）

（施行期日）

第一条　この法律は、平成二十八年四月一日から施行する。〔ただし書略〕

附　則（平二六・一一・二七法一二二）（抄）

（施行期日）

第一条　この法律は、公布の日から起算して二十日を経過した日から施行する。

附　則（平二七・五・二〇法二二）（抄）

（施行期日）

第一条　この法律は、公布の日から起算して二月を超えない範囲内において政令で定める日〔平二七・七・一九〕から施行する。〔ただし書略〕

附　則（平二七・五・二九法三一）（抄）

（施行期日）

第一条　この法律は、平成三十年四月一日から施行する。〔ただし書略〕

附　則（平二七・六・一九法四三）（抄）

（施行期日）

第一条　この法律は、公布の日から起算して一年を経過した日から施行する。〔ただし書略〕

附　則（平二七・六・二四法四四）（抄）

（施行期日）

第一条　この法律は、平成二十八年四月一日から施行する。ただし、次の各号に掲げる規定は、当該各号に定める日から施行する。

一　〔略〕

二　〔前略〕附則第二十一条の規定　平成二十八年三月三十一日までの間において政令で定める日〔平二八・二・一〕

附　則（平二七・六・二六法五〇）（抄）

（施行期日）

第一条　この法律は、平成二十八年四月一日から施行する。ただし、次の各号に掲げる規定は、当該各号に定める日から施行する。

一〜三　〔略〕

四　〔前略〕附則〔中略〕第九条（地方自治法（昭和二十二年法律第六十七号）別表第一租税特別措置法（昭和三十二年法律第二十六号）の項第一号の改正規定に限る。）の規定　公布の日から起算して二年を超えない範囲内において政令で定める日〔平二九・四・一〕

五　〔略〕

附　則（平二七・九・四法六三）（抄）

（施行期日）

第一条　この法律は、平成二十八年四月一日から施行する。〔ただし書略〕

附　則（平二八・二・三法八）（抄）

（施行期日）

第一条　この法律は、公職選挙法等の一部を改正する法律（平成二十七年法律第四十三号）の施行の日〔平二八・六・一九〕から施行する。

附　則（平二八・三・三一法一三）（抄）

最終改正　令二・三・三一法五

（施行期日）

第一条　この法律は、平成二十八年四月一日から施行する。ただし、次の各号に掲げる規定は、当該各号に定める日から施行する。

一〜五の三　〔略〕

五の四　〔前略〕附則第三十五条（次号に掲げる改正規定を除く。）〔中略〕の規定　令和元年十月一日

五の四の二　〔略〕

五の五　〔前略〕附則第三十五条（地方自治法（昭和二十二年法律第六十七号）第二百八十二条の改正規定に限る。）、第三十六条〔中略〕の規定　令和二年四月一日

六〜十五　〔略〕

（地方自治法の一部改正に伴う経過措置）

第三十六条　前条の規定による改正後の地方自治法（以下この条において「新地方自治法」という。）第二百八十二条の規定は、令和二年度以後に同条第一項の規定により特別区に対し交付すべき特別区財政調整交付金（同条第二項に規定する特別区財政

調整交付金をいう。次項及び第三項において同じ。）について適用し、令和元年度までに前条の規定による改正前の地方自治法第二百八十二条第一項の規定により特別区に対し交付する同条第二項に規定する特別区財政調整交付金については、なお従前の例による。

2 令和二年度における特別区財政調整交付金の交付に係る新地方自治法第二百八十二条第二項の規定の適用については、同項中「収入額（」とあるのは「収入額（令和元年十月一日から令和二年三月三十一日までに納付された法人の行う事業に対する事業税の収入額を含む。）（」と、「収入額に」とあるのは「収入額（令和元年十月一日から令和二年三月三十一日までに納付された法人の行う事業に対する事業税の収入額を含む。）に」と、「統計法（平成十九年法律第五十三号）第二条第四項に規定する基幹統計である事業所統計の最近に公表された結果による各市町村及び特別区の従業者数」とあるのは「各市町村の市町村民税の法人税割額及び同法第五条第二項第一号に掲げる税のうち同法第七百三十四条第二項（第二号に係る部分に限る。）の規定により都が課する都民税の法人税割額」とする。

3 令和三年度及び令和四年度における特別区財政調整交付金の交付に係る新地方自治法第二百八十二条第二項の規定の適用については、同項中「従業者数」とあるのは、「従業者数並びに市町村民税の法人税割額及び地方税法第五条第二項第一号に掲げる税のうち同法第七百三十四条第二項（第二号に係る部分に限る。）の規定により都が課する都民税の法人税割額」とする。

4 前二項の規定により読み替えられた新地方自治法第二百八十二条第二項に規定する市町村民税の法人税割額及び都民税の法人税割額は、総務省令で定めるところにより算定するものとする。

附 則（平二八・三・三一法一四）（抄）

（施行期日）

第一条 この法律は、平成二十八年四月一日から施行する。〔ただし書略〕

附 則（平二八・三・三一法一九）（抄）

（施行期日）

第一条 この法律は、平成二十八年四月一日から施行する。〔ただし書略〕

附 則（平二八・三・三一法二一）（抄）

（施行期日）

第一条 この法律は、平成二十九年四月一日から施行する。ただし、次の各号に掲げる規定は、当該各号に定める日から施行する。

一 〔略〕

二 〔前略〕附則〔中略〕第三十六条〔中略〕の規定 平成二十八年四月一日

附 則（平二八・四・一一法二四）（抄）

（施行期日）

第一条 この法律は、公布の日から施行する。ただし、〔中略〕附則第四条〔中略〕の規定は、公職選挙法等の一部を改正する法律（平成二十七年法律第四十三号）の施行の日〔平二八・六・一九〕から施行する。

附 則（平二八・五・二法三四）（抄）

（施行期日）

第一条 この法律は、公布の日から起算して三月を超えない範囲内において政令で定める日〔平二八・八・一〕から施行する。〔ただし書略〕

附 則（平二八・五・一八法三九）（抄）

（施行期日）

第一条 この法律は、公布の日から起算して一年を超えない範囲内において政令で定める日〔平二九・四・一〕から施行する。ただし、次の各号に掲げる規定は、当該各号に定める日から施行する。

一 〔前略〕附則第九条〔中略〕の規定 公布の日

二・三 〔略〕

附 則（平二八・六・七法七三）（抄）

（施行期日等）

第一条 この法律は、公布の日から起算して六月を超えない範囲内において政令で定める日〔平二八・一一・三〇〕から施行し、この法律の施行後に行われた国外犯罪行為による死亡又は障害について適用する。

附 則（平二八・一二・二法九四）（抄）

（施行期日）

第一条 この法律は、公布の日から起算して六月を超えない範囲内において政令で定める日〔平二九・六・一〕から施行する。〔ただし書略〕

附 則（平二八・一二・九法一〇一）（抄）

（施行期日）

第一条 この法律は、公布の日から起算して一年六月を超えない範囲内において政令で定める日〔平三〇・一・一〕（以下「施行日」という。）から施行する。〔ただし書略〕

附 則（平二八・一二・一六法一〇八）（抄）

最終改正 平三〇・七・六法七〇

（施行期日）

第一条 この法律は、環太平洋パートナーシップに関する包括的及び先進的な協定が日本国について効力を生ずる日（第三号において「発効日」という。）〔平三〇・一二・三〇〕から施行する。〔ただし書略〕

附 則（平二九・三・三一法四）（抄）

（施行期日）

第一条 この法律は、平成二十九年四月一日から施行する。〔ただし書略〕

附 則（平二九・四・二六法二五）（抄）

（施行期日）

第一条 この法律は、平成三十年四月一日から施行する。〔ただし書略〕

（地方自治法の一部改正に伴う経過措置）

第三条 第四条の規定による改正後の地方自治法第二百六条第二項及び第四項、第二百二十九条第二項及び第四項、第二百三十一条の三第七項及び第九項、第二百三十八条の七第二項及び第四項、第二百四十三条の二第十一項及び第十三項並びに第二百四十四条の四第二項及び第四項の規定は、地方公共団体の機関の処分についての審査請求であって施行日以後にされる地方公共団体の機関の処分に係るものについて適用し、地方公共団体の機関の処分についての審査請求であって施行日前にされた地方公共団体の機関の処分に係るものについては、なお従前の例による。

附　則（平二九・五・一七法二九）（抄）

改正　令二・三・三一法二

（施行期日）

第一条　この法律は、令和二年四月一日から施行する。〔ただし書略〕

附　則（平二九・五・一九法三一）（抄）

（施行期日）

第一条　この法律は、公布の日から起算して三月を超えない範囲内において政令で定める日〔平二九・六・一九〕から施行する。

附　則（平二九・六・二法四五）（抄）

この法律は、民法改正法の施行の日〔平三二（令二）・四・一〕から施行する。〔ただし書略〕

○民法の一部を改正する法律の施行に伴う関係法律の整備等に関する法律（平二九・六・二法四五）

（地方自治法の一部改正に伴う経過措置）

第百七条　施行日前に前条の規定による改正前の地方自治法第二百三十六条第四項又は第二百四十二条の二第八項若しくは第九項に規定する時効の中断の事由が生じた場合におけるその事由の効力については、なお従前の例による。

附　則（平二九・六・二法四六）（抄）

（施行期日）

第一条　この法律は、公布の日から起算して六月を超えない範囲内において政令で定める日〔平二九・一二・一〕から施行する。〔ただし書略〕

附　則（平二九・六・九法五四）（抄）

改正　令二・三・三一法二

（施行期日）

第一条　この法律は、令和二年四月一日から施行する。ただし、次の各号に掲げる規定は、当該各号に定める日から施行する。

一　〔前略〕次条第三項、第四項、第七項及び第八項〔中略〕及び第七条の規定　公布の日

二　〔略〕

三　第一条中地方自治法第百九十六条及び第百九十九条の三の改正規定、同法第二百条の次に一条を加える改正規定並びに同法第二百三条の二第一項、第二百三十三条、第二百五十二条の七、第二百五十二条の十三、第二百五十二条の二十七第二項、第二百五十二条の三十三第二項及び第二百五十二条の三十六並びに附則第九条の改正規定〔中略〕並びに次条第二項〔中略〕の規定　平成三十年四月一日

（地方自治法の一部改正に伴う経過措置）

第二条　第一条の規定による改正後の地方自治法（以下この条において「新地方自治法」という。）第七十五条第五項、第百九十九条第十三項及び第二百五十二条の十一第五項の規定は、この法律の施行の日（以下「施行日」という。）以後に行われる監査の結果に関する報告の決定について適用する。

2　新地方自治法第二百三十三条第七項の規定は、前条第三号に掲げる規定の施行の日（以下「第三号施行日」という。）以後に地方自治法第二百三十三条第三項の規定による決算の認定に関する議案が否決される場合について適用する。

3　監査委員は、前条第一号に掲げる規定の施行の日（附則第五条第二項において「第一号施行日」という。）以後に第一条の規定による改正前の地方自治法（次項において「旧地方自治法」という。）第二百四十二条第一項の規定による請求があったときは、施行日前においても、新地方自治法第二百四十二条第三項の規定の例により、当該請求の要旨を当該普通地方公共団体の議会及び長に通知しなければならない。この場合において、当該通知は、施行日において同項の規定によりされたものとみなす。

4　地方自治法第二百九十二条において準用する前項の規定により一部事務組合の監査委員が一部事務組合の議会に通知することとされている同条において準用する旧地方自治法第二百四十二条第一項の規定による請求の要旨の議会への通知は、地方自治法第二百八十七条の二第二項に規定する特例一部事務組合（以下この項において「特例一部事務組合」という。）にあっては、新地方自治法第二百八十七条の二第六項の規定の例により、当該特例一部事務組合の監査委員が地方自治法第二百八十六条第一項に規定する構成団体（以下この項において「構成団体」という。）の長を通じて当該請求の要旨を全ての構成団体の議会に通知することにより行うものとする。

5　新地方自治法第二百四十二条第十項の規定は、施行日以後に同条第三項の規定によりその要旨が通知された同条第一項の規定による請求に係る行為又は怠る事実に関する損害賠償又は不当利得返還の請求権その他の権利の放棄に関する議決について適用する。

6　新地方自治法第二百四十三条の二第一項（第五条の規定による改正後の市町村の合併の特例に関する法律第四十七条において準用する場合を含む。）の規定は、新地方自治法第二百四十三条の二第一項に規定する普通地方公共団体の長等の同項の条例の施行の日以後の行為に基づく損害賠償責任について適用する。

7　普通地方公共団体の議会は、新地方自治法第二百四十三条の二第一項の条例の制定に関する議決をしようとするときは、施行日前においても、監査委員の意見を聴くことができる。

8　新地方自治法第二百五十二条の三十六第二項の規定による新地方自治法第二百五十二条の二十七第二項に規定する包括外部監査契約の締結については、新地方自治法第二百五十二条の三十六第二項の条例を定めた同条第一項第二号に掲げる市以外の市又は町村の長は、第三号施行日前においても、監査委員の意見を聴くとともに、議会の議決を経ることができる。

（政令への委任）

第七条　この附則に定めるもののほか、この法律の施行に伴い必要な経過措置（罰則に関する経過措置を含む。）は、政令で定める。

附　則（平二九・六・一六法六〇）（抄）

（施行期日）

第一条　この法律は、平成三十年四月一日から施行する。

一・二　〔略〕

二の二　附則第十八条の規定　畜産経営の安定に関する法律及

び独立行政法人農畜産業振興機構法の一部を改正する法律（平成二十九年法律第六十号）附則第一条第二号に掲げる規定の施行の日〔平三〇・一二・三〇〕

（調整規定）

第十八条　施行日が環太平洋パートナーシップ協定の締結に伴う関係法律の整備に関する法律の施行の日以後となる場合には、前条の規定は、適用しない。

附　則（平二九・六・一六法六一）（抄）

（施行期日）

第一条　この法律は、公布の日から起算して一年を超えない範囲内において政令で定める日〔平三〇・四・一〕から施行する。ただし、次の各号に掲げる規定は、当該各号に定める日から施行する。

一　〔略〕

二　〔前略〕附則第六条（地方自治法（昭和二十二年法律第六十七号）別表第一廃棄物の処理及び清掃に関する法律（昭和四十五年法律第百三十七号）の項の改正規定中「第十二条の五第八項」を「第十二条の五第九項」に改める部分に限る。）〔中略〕　公布の日から起算して三年を超えない範囲内において政令で定める日〔平三二（令二）・四・一〕

附　則（平二九・六・二三法七四）（抄）

（施行期日）

第一条　この法律は、平成三十年四月一日から施行する。〔ただし書略〕

附　則（平三〇・三・三一法六）（抄）

（施行期日）

第一条　この法律は、公布の日から起算して六月を超えない範囲内において政令で定める日〔平三〇・九・三〇〕から施行する。〔ただし書略〕

附　則（平三〇・三・三一法七）（抄）

（施行期日）

第一条　この法律は、平成三十年四月一日から施行する。〔ただし書略〕

附　則（平三〇・五・一八法二三）（抄）

（施行期日）

第一条　この法律は、公布の日から起算して六月を超えない範囲内において政令で定める日〔平三〇・一一・一六〕から施行する。〔ただし書略〕

附　則（平三〇・六・八法四四）（抄）

（施行期日）

第一条　この法律は、平成三十年十月一日から施行する。ただし、次の各号に掲げる規定は、当該各号に定める日から施行する。

一　〔前略〕附則第九条中地方自治法（昭和二十二年法律第六十七号）別表第一生活保護法（昭和二十五年法律第百四十四号）の項第一号の改正規定〔中略〕　公布の日

二～五　〔略〕

附　則（平三〇・六・一三法四六）（抄）

（施行期日）

第一条　この法律は、公布の日から起算して二年を超えない範囲内において政令で定める日〔令二・六・一〕から施行する。ただし、次の各号に掲げる規定は、当該各号に定める日から施行する。

一・二　〔略〕

三　〔前略〕附則〔中略〕第十五条〔中略〕の規定　公布の日から起算して三年を超えない範囲内において政令で定める日〔令三・六・一〕

附　則（平三〇・六・一三法四九）（抄）

（施行期日）

1　この法律は、公布の日から起算して六月を超えない範囲内において政令で定める日〔平三〇・一一・一五〕から施行する。ただし、〔中略〕附則第三項の規定は、公布の日から起算して一年を超えない範囲内において政令で定める日〔平三一・六・一〕から施行する。

附　則（平三〇・六・一五法五二）（抄）

（施行期日）

第一条　この法律は、平成三十一年四月一日から施行する。〔ただし書略〕

附　則（平三〇・六・一五法五三）（抄）

（施行期日）

第一条　この法律は、公布の日から起算して六月を超えない範囲内において政令で定める日〔平三〇・一二・一〕から施行する。〔ただし書略〕

附　則（平三〇・六・二七法六六）（抄）

（施行期日）

第一条　この法律は、公布の日から起算して一年を超えない範囲内において政令で定める日〔平三一・六・一〕から施行する。ただし、次の各号に掲げる規定は、当該各号に定める日から施行する。

一・二　〔略〕

三　〔前略〕附則第十四条（地方自治法（昭和二十二年法律第六十七号）別表第一不動産の鑑定評価に関する法律（昭和三十八年法律第百五十二号）の項の改正規定に限る。）〔中略〕の規定　平成三十一年一月一日

四　〔略〕

五　〔前略〕附則〔中略〕第十四条（第三号に掲げる改正規定を除く。）の規定　平成三十二年四月一日

附　則（平三〇・六・二七法六八）（抄）

（施行期日）

第一条　この法律は、公布の日から起算して三月を超えない範囲内において政令で定める日〔平三〇・九・一〕から施行する。

附　則（平三〇・七・二五法七八）（抄）

（施行期日）

第一条　この法律は、平成三十二年四月一日から施行する。〔ただし書略〕

附　則（平三〇・一二・一四法九五）（抄）

（施行期日）

第一条　この法律は、公布の日から起算して二年を超えない範囲内において政令で定める日〔令二・一二・一〕から施行する。〔ただし書略〕

附　則（平三〇・一二・一四法一〇二）（抄）

（施行期日）

第一条　この法律は、平成三十一年四月一日から施行する。〔ただし書略〕

附　則（平三一・三・二九法三）（抄）

改正　令二・三・三一法五

（施行期日）

第一条　この法律は、平成三十一年四月一日から施行する。ただし、〔中略〕附則第五条〔中略〕の規定は、令和六年一月一日から施行する。

附　則（平三一・三・二九法四）（抄）

改正　令二・三・三一法五

（施行期日）

第一条　この法律は、令和元年十月一日から施行する。ただし、次の各号に掲げる規定は、当該各号に定める日から施行する。

一　附則第二十四条の規定　公布の日

二　〔略〕

附　則（平三一・三・二九法六）（抄）

（施行期日）

第一条　この法律は、平成三十一年四月一日から施行する。〔ただし書略〕

附　則（平三一・四・二四法一四）（抄）

（施行期日）

第一条　この法律は、公布の日から施行する。〔ただし書略〕

附　則（令元・五・一五法一）（抄）

（施行期日）

第一条　この法律は、公布の日から施行する。〔ただし書略〕

附　則（令元・五・一七法七）（抄）

（施行期日）

第一条　この法律は、平成三十一年十月一日から施行する。〔ただし書略〕

附　則（令元・五・二四法一一）（抄）

（施行期日）

第一条　この法律は、平成三十一年四月一日から施行する。〔ただし書略〕

附　則（令元・五・二四法一二）（抄）

（施行期日）

第一条　この法律は、公布の日から起算して六月を超えない範囲内において政令で定める日〔令元・一一・二〕から施行する。ただし、次の各号に掲げる規定は、当該各号に定める日から施行する。

一　〔略〕

二　〔前略〕附則第十一条中地方自治法（昭和二十二年法律第六十七号）別表第一農地法（昭和二十七年法律第二百二十九号）の項第十四号の改正規定〔中略〕　公布の日から起算して一年三月を超えない範囲内において政令で定める日〔令二・四・一〕

附　則（令元・五・三一法一六）（抄）

（施行期日）

第一条　この法律は、公布の日から起算して九月を超えない範囲内において政令で定める日〔令元・一二・一六〕から施行する。〔ただし書略〕

附　則（令元・五・三一法一七）（抄）

（施行期日）

第一条　この法律は、公布の日から起算して二十日を経過した日から施行する。ただし、次の各号に掲げる規定は、当該各号に定める日から施行する。

一・二　〔略〕

三　〔前略〕の規定　公布の日から起算して三年を超えない範囲内において政令で定める日〔令三・九・一三〕

四　附則第五条（地方自治法（昭和二十二年法律第六十七号）別表第一戸籍法（昭和二十二年法律第二百二十四号）の項の改正規定を除く。）〔中略〕の規定　前号に掲げる規定の施行の日又は情報通信技術利用法改正法附則第一条第九号に掲げる規定の施行の日〔令和元年五月三一日から起算して三年を超えない範囲内において政令で定める日〕のいずれか遅い日

五　〔略〕

附　則（令元・六・七法二六）（抄）

（施行期日）

第一条　この法律は、公布の日から施行する。ただし、次の各号に掲げる規定は、当該各号に定める日から施行する。

一　〔前略〕附則第六条（別表第一健康増進法（平成十四年法律第百三号）の項の改正規定に限る。）〔中略〕の規定　公布の日から起算して三月を経過した日

二　〔略〕

三　〔前略〕附則〔中略〕第六条（第一号に掲げる改正規定を除く。）の規定　平成三十二年四月一日

四　〔略〕

附　則（令元・六・一四法三七）（抄）

（施行期日）

第一条　この法律は、公布の日から起算して三月を経過した日から施行する。ただし、次の各号に掲げる規定は、当該各号に定める日から施行する。

一　〔略〕

二　〔前略〕第四十一条（地方自治法第二百五十二条の二十八の改正規定を除く。）〔中略〕の規定　公布の日から起算して六月を経過した日

三・四　〔略〕

附　則（令元・一一・二七法五七）（抄）

（施行期日）

第一条　この法律は、令和二年四月一日から施行する。

附　則（令元・一二・四法六二）（抄）

（施行期日）

第一条　この法律は、公布の日から起算して一年を超えない範囲内において政令で定める日〔令二・一二・一〕から施行する。ただし、次の各号に掲げる規定は、当該各号に定める日から施行する。

一　〔略〕

二　〔前略〕附則第十一条中地方自治法（昭和二十二年法律第六十七号）別表第一肥料取締法（昭和二十五年法律第百二十七号）の項第三号イの改正規定　公布の日から起算して二年を超えない範囲内において政令で定める日〔令三・一二・一〕

附　則（令元・一二・四法六三）（抄）

（施行期日）

第一条　この法律は、公布の日から起算して一年を超えない範囲内において政令で定める日〔令二・九・一。ただし、改正法附則第十五条（地方自治法（昭和二十二年法律第六十七号）別表第一覚せい剤取締法（昭和二十六年法律第二百五十二号）の項の改正規定に限る。）の規定の施行期日は、令和二年四月一日

とする。〕から施行する。ただし、次の各号に掲げる規定は、当該各号に定める日から施行する。
一　〔略〕
二　〔前略〕附則〔中略〕第十六条〔中略〕の規定〔中略〕公布の日から起算して二年を超えない範囲内において政令で定める日〔令三・八・一〕
三　〔略〕

附　則（令二・二・五法二）（抄）

（施行期日）
第一条　この法律は、公布の日から施行する。〔ただし書略〕

附　則（令二・三・三一法五）（抄）

（施行期日）
第一条　この法律は、令和二年四月一日から施行する。〔ただし書略〕

附　則（令二・三・三一法八）（抄）

（施行期日）
第一条　この法律は、令和二年四月一日から施行する。ただし、次の各号に掲げる規定は、当該各号に定める日から施行する。
一～四　〔略〕
五　次に掲げる規定　令和四年四月一日
イ　〔略〕
ロ　〔前略〕附則〔中略〕第百五十条（地方自治法（昭和二十二年法律第六十七号）第二百六十条の二第十六項の改正規定に限る。）〔中略〕の規定
ハ～チ　〔略〕
リ　〔前略〕附則〔中略〕第百五十条（地方自治法第二百六十条の二第十六項の改正規定を除く。）〔中略〕の規定
ヌ～ナ　〔略〕
六～十二　〔略〕

附　則（令二・三・三一法一二）（抄）

（施行期日）
1　この法律は、令和二年四月一日から施行する。ただし、次の各号に掲げる規定は、当該各号に定める日から施行する。
一・二　〔略〕
三　〔前略〕附則第三項の規定　公布の日から起算して六月を超えない範囲内において政令で定める日〔令二・九・二九〕

附　則（令二・四・三法一六）（抄）

（施行期日）
第一条　この法律は、公布の日から起算して三月を超えない範囲内において政令で定める日〔令二・七・一〕から施行する。〔ただし書略〕

附　則（令二・四・三〇法二六）（抄）

（施行期日）
第一条　この法律は、公布の日から施行する。ただし、次の各号に掲げる規定は、当該各号に定める日から施行する。
一　〔略〕
二　〔前略〕附則第六条の規定　令和三年四月一日

附　則（令二・五・二七法三二）（抄）

（施行期日）
第一条　この法律は、公布の日から起算して六月を超えない範囲内において政令で定める日〔令二・一一・二五〕から施行する。〔ただし書略〕

附　則（令二・五・二九法三三）（抄）

（施行期日）
第一条　この法律は、公布の日から起算して二年六月を超えない範囲内において政令で定める日〔令四・一一・一〕から施行する。〔ただし書略〕

附　則（令二・六・一〇法四一）（抄）

（施行期日）
第一条　この法律は、公布の日から起算して三月を経過した日から施行する。ただし、次の各号に掲げる規定は、当該各号に定める日から施行する。
一　〔略〕
二　〔前略〕附則第七条（地方自治法（昭和二十二年法律第六十七号）別表第一生活保護法（昭和二十五年法律第百四十四号）の項の改正規定に限る。）〔中略〕の規定　令和二年十月一日
三　〔略〕
四　〔前略〕附則〔中略〕第七条（地方自治法別表第一軌道法（大正十年法律第七十六号）の項の改正規定に限る。）の規定　令和四年四月一日

附　則（令二・六・二四法六二）（抄）

（施行期日）
第一条　この法律は、公布の日から起算して二年を超えない範囲内において政令で定める日〔令四・四・一〕から施行する。〔ただし書略〕

附　則（令二・一二・九法七五）（抄）

（施行期日）
第一条　この法律は、公布の日から施行する。

附　則（令三・二・三法五）（抄）

（施行期日）
第一条　この法律は、公布の日から起算して十日を経過した日から施行する。〔ただし書略〕

附　則（令三・三・三一法七）（抄）

（施行期日）
第一条　この法律は、令和三年四月一日から施行する。ただし、次の各号に掲げる規定は、当該各号に定める日から施行する。
一　〔略〕
二　〔前略〕第六条並びに附則第十九条第二項から第五項まで〔中略〕の規定　令和四年一月四日
三～十一　〔略〕

（地方自治法の一部改正に伴う経過措置）
第十九条　普通地方公共団体の長は、附則第一条第二号に掲げる規定の施行の日（以下この項及び次項において「第二号施行日」という。）前においても、第六条の規定による改正後の地方自治法（第三項において「新地方自治法」という。）第二百三十一条の二の三第一項の規定の例により、指定納付受託者（同項に規定する指定納付受託者をいう。以下この項において同じ。）の指定をすることができる。この場合において、その指定を受けた指定納付受託者は、第二号施行日において同条第一項の規定による指定を受けたものとみなす。
2　第二号施行日において現に第六条の規定による改正前の地方自治法（以下この条において「旧地方自治法」という。）第二百三十一条の二第六項の規定による指定を受けている者に対する同項及び同条第七項の規定の適用については、令和五年三月

三十一日までの間は、なお従前の例による。

3　前項の規定によりなお従前の例によることとされた旧地方自治法第二百三十一条の二第六項に規定する指定代理納付者（以下この条において「指定代理納付者」という。）が新地方自治法第二百三十一条の二の三第一項の規定による指定を受けたときは、当該指定代理納付者に係る指定は、その効力を失う。

4　前項の規定により指定代理納付者に係る指定が効力を失った日の前日までに旧地方自治法第二百三十一条の二第六項（第二項の規定によりなお従前の例によることとされる場合を含む。以下この項において同じ。）の承認があった場合において、当該指定代理納付者であった者が当該効力を失った日から同条第六項の指定する日までの間に当該承認に係る歳入を納付したときは、当該承認があった時に当該歳入の納付がされたものとみなす。

5　令和五年三月三十一日までに第二項の規定によりなお従前の例によることとされた旧地方自治法第二百三十一条の二第六項の承認があった場合において、当該承認に係る指定代理納付者であった者が令和五年四月一日から同項の指定する日までの間に当該承認に係る歳入を納付したとき（前項に規定するときを除く。）は、当該承認があった時に当該歳入の納付がされたものとみなす。

附　則（令三・三・三一法九）（抄）

（施行期日）

第一条　この法律は、令和三年四月一日から施行する。ただし、次の各号に掲げる規定は、当該各号に定める日から施行する。

一　〔前略〕附則第七条（地方自治法（昭和二十二年法律第六十七号）別表第一道路法（昭和二十七年法律第百八十号）の項第一号の改正規定に限る。）〔中略〕の規定　公布の日から起算して三月を超えない範囲内において政令で定める日〔令三・六・二〇〕

二・三　〔略〕

附　則（令三・五・一〇法三〇）（抄）

（施行期日）

第一条　この法律は、公布の日から起算して一月を超えない範囲内において政令で定める日〔令三・五・二〇〕から施行する。〔ただし書略〕

附　則（令三・五・一〇法三一）（抄）

（施行期日）

第一条　この法律は、公布の日から起算して六月を超えない範囲内において政令で定める日〔令三・一一・一〕から施行する。ただし、次の各号に掲げる規定は、当該各号に定める日から施行する。

一　〔略〕

二　〔前略〕附則第五条（地方自治法（昭和二十二年法律第六十七号）別表第一河川法（昭和三十九年法律第百六十七号）の項第一号の改正規定に限る。）〔中略〕の規定　公布の日から起算して三月を超えない範囲内において政令で定める日〔令三・七・一五〕

附　則（令三・五・一九法三六）（抄）

（施行期日）

第一条　この法律は、令和三年九月一日から施行する。〔ただし書略〕

附　則（令三・五・一九法三七）（抄）

（施行期日）

第一条　この法律は、令和三年九月一日から施行する。ただし、次の各号に掲げる規定は、当該各号に定める日から施行する。

一～八　〔略〕

九　附則第十七条〔中略〕の規定　情報通信技術の活用による行政手続等に係る関係者の利便性の向上並びに行政運営の簡素化及び効率化を図るための行政手続等における情報通信の技術の利用に関する法律等の一部を改正する法律（令和元年法律第十六号）附則第一条第十号に掲げる規定の施行の日〔令和元年五月三一日から起算して五年を超えない範囲内において政令で定める日〕

十　〔略〕

附　則（令三・五・一九法三九）（抄）

（施行期日）

第一条　この法律は、公布の日から起算して三年を超えない範囲内において政令で定める日〔令六・四・一〕から施行する。〔ただし書略〕

附　則（令三・五・二一法四三）（抄）

（施行期日）

第一条　この法律は、公布の日から起算して一年を超えない範囲内において政令で定める日〔令四・四・一〕から施行する。〔ただし書略〕

附　則（令三・五・二六法四四）（抄）

（施行期日）

第一条　この法律は、公布の日から起算して三月を経過した日から施行する。ただし、次の各号に掲げる規定は、当該各号に定める日から施行する。

一　〔略〕

二　第一条（地方自治法第二百六十条の二第一項の改正規定に限る。）の規定及び附則第三条の規定　公布の日から起算して六月を経過した日

三・四　〔略〕

五　第一条（地方自治法別表第一宅地建物取引業法（昭和二十七年法律第百七十六号）の項の改正規定に限る。）〔中略〕の規定　公布の日から起算して三年を超えない範囲内において政令で定める日〔令六・五・二五〕

（地方自治法の一部改正に伴う経過措置）

第三条　第一条の規定（附則第一条第二号に掲げる改正規定に限る。以下この条において同じ。）による改正後の地方自治法第二百六十条の二第一項の規定は、第一条の規定の施行の際現に地方自治法第二百六十条の二第一項の規定による申請をしている地縁による団体（第一条の規定による改正前の地方自治法第二百六十条の二第一項に規定する地縁による団体をいう。）についても適用があるものとする。

附　則（令三・五・二八法五〇）（抄）

（施行期日）

第一条　この法律は、令和四年四月一日から施行する。ただし、次の各号に掲げる規定は、当該各号に定める日から施行する。

一　〔略〕

二　〔前略〕附則〔中略〕第四条の規定　令和四年六月一日

附　則（令三・六・二法五四）（抄）

（施行期日）

第一条　この法律は、公布の日から起算して一年を超えない範囲内において政令で定める日〔令四・四・一〕から施行する。〔ただし書略〕

附　則〔令三・六・一一法六三〕（抄）

（施行期日）

第一条　この法律は、令和五年四月一日から施行する。〔ただし書略〕

附　則〔令三・六・一八法八二〕（抄）

（施行期日）

1　この法律は、公布の日から起算して五日を経過した日から施行する。

附　則〔令四・三・三一法一〕（抄）

（施行期日）

第一条　この法律は、令和四年四月一日から施行する。〔ただし書略〕

附　則〔令四・三・三一法四〕（抄）

（施行期日）

第一条　この法律は、令和四年四月一日から施行する。ただし、次の各号に掲げる規定は、当該各号に定める日から施行する。

一～三　〔略〕

四　次に掲げる規定　令和五年四月一日

イ・ロ　〔略〕

ハ　〔前略〕附則〔中略〕第八十六条（地方自治法（昭和二十二年法律第六十七号）別表第一の改正規定を除く。）〔中略〕の規定

五～七　〔略〕

八　〔前略〕附則〔中略〕第八十六条（地方自治法別表第一の改正規定に限る。）の規定　令和六年三月一日又は戸籍法の一部を改正する法律（令和元年法律第十七号）附則第一条第五号に掲げる規定の施行の日〔令和元年五月三一日から起算して五年を超えない範囲内において政令で定める日〕のいずれか遅い日

九～十一　〔略〕

附　則〔令四・四・六法一六〕（抄）

（施行期日）

第一条　この法律は、公布の日から施行する。〔ただし書略〕

附　則〔令四・四・二七法三三〕（抄）

（施行期日）

第一条　この法律は、公布の日から起算して一年を超えない範囲内において政令で定める日〔令五・三・二七〕から施行する。

附　則〔令四・四・二七法三四〕（抄）

（施行期日）

1　この法律は、公布の日から施行する。

附　則〔令四・五・二法三七〕（抄）

（施行期日）

第一条　この法律は、公布の日から起算して六月を超えない範囲内において政令で定める日〔令四・七・一〕から施行する。〔ただし書略〕

附　則〔令四・五・二〇法四四〕（抄）

（施行期日）

第一条　この法律は、公布の日から起算して三月を経過した日から施行する。ただし、次の各号に掲げる規定は、当該各号に定める日から施行する。

一・二　〔略〕

三　第一条（地方自治法第二百六十条の十八第三項の改正規定、同法第二百六十条の十九の次に一条を加える改正規定及び同法第二百六十条の二十八第一項の改正規定を除く。）〔中略〕の規定　令和五年四月一日

附　則〔令四・五・二五法四八〕（抄）

（施行期日）

第一条　この法律は、公布の日から起算して四年を超えない範囲内において政令で定める日から施行する。〔ただし書略〕

（地方自治法及び市町村の合併の特例に関する法律の一部改正に伴う経過措置）

第百一条　附則第三十六条の規定による改正後の地方自治法（次項において「新地方自治法」という。）第九条第十項の規定は、地方自治法第九条第九項の規定による訴えであって施行日以後に提起されたものに係る裁判所がする通知について適用し、同項の規定による訴えであって施行日前に提起されたものに係る裁判所がする通知については、なお従前の例による。

2　〔略〕

附　則〔令四・五・二五法四九〕（抄）

（施行期日）

第一条　この法律は、公布の日から起算して六月を超えない範囲内において政令で定める日〔令四・一〇・一〕から施行する。〔ただし書略〕

附　則〔令四・五・二五法五二〕（抄）

（施行期日）

第一条　この法律は、令和六年四月一日から施行する。〔ただし書略〕

附　則〔令四・五・二七法五三〕（抄）

（施行期日）

第一条　この法律は、公布の日から起算して六月を超えない範囲内において政令で定める日〔令四・一〇・一〕から施行する。〔ただし書略〕

附　則〔令四・五・二七法五六〕（抄）

（施行期日）

第一条　この法律は、公布の日から起算して一年を超えない範囲内において政令で定める日〔令五・四・一〕から施行する。〔ただし書略〕

附　則〔令四・六・一七法六八〕（抄）

（施行期日）

1　この法律は、刑法等一部改正法施行日〔令七・六・一〕から施行する。〔ただし書略〕

附　則〔令四・一二・九法九六〕（抄）

（施行期日）

第一条　この法律は、令和六年四月一日から施行する。ただし、次の各号に掲げる規定は、当該各号に定める日から施行する。

一　〔前略〕附則第十九条の規定（次号に掲げる改正規定を除く。）〔中略〕　公布の日

二　〔前略〕附則第十九条中地方自治法（昭和二十二年法律第六十七号）別表第一感染症の予防及び感染症の患者に対する医療に関する法律（平成十年法律第百十四号）の項の改正規定（「、第二項及び第七項」を「、第二項及び第八項」に、「から第六項まで並びに」を「から第七項まで、」に改める部

分に限る。）〔中略〕　公布の日から起算して十日を経過した日

三　〔前略〕附則〔中略〕第二十条の規定　令和五年四月一日

四　〔前略〕附則第二十一条中地方自治法別表第一予防接種法（昭和二十三年法律第六十八号）の項の改正規定〔中略〕　公布の日から起算して三年六月を超えない範囲内において政令で定める日

附　則（令四・一二・一六法一〇一）（抄）

（施行期日）

第一条　この法律は、公布の日から起算して三月を超えない範囲内において政令で定める日〔令五・三・一〕から施行する。ただし、第百一条の改正規定及び附則第六条の規定は、公布の日から施行する。

（経過措置）

第二条　この法律の施行前にこの法律による改正前の地方自治法第九十二条の二（同法第二百八十七条の二第七項、第二百九十二条及び第二百九十六条第三項において準用する場合を含む。）に規定する請負をする者及びその支配人に該当した者については、なお従前の例による。

（政令への委任）

第五条　この附則に定めるもののほか、この法律の施行に関し必要な経過措置は、政令で定める。

（政府の措置等）

第六条　政府は、事業主に対し、地方公共団体の議会の議員の選挙においてその雇用する労働者が容易に立候補をすることができるよう、地方公共団体の議会の議員の選挙における立候補に伴う休暇等に関する事項を就業規則に定めることその他の自主的な取組を促すものとする。

2　地方公共団体の議会の議員の選挙における労働者の立候補に伴う休暇等に関する法制度については、事業主の負担に配慮しつつ、かつ、他の公職の選挙における労働者の立候補に伴う休暇等に関する制度の在り方についての検討の状況も踏まえ、この法律による改正後の規定の施行の状況、前項の自主的な取組の状況等を勘案して、引き続き検討が加えられるものとする。

附　則（令四・一二・一六法一〇四）（抄）

（施行期日）

第一条　この法律は、令和六年四月一日から施行する。ただし、次の各号に掲げる規定は、当該各号に定める日から施行する。

一　〔略〕

二　〔前略〕附則〔中略〕第二十四条〔中略〕の規定　令和五年四月一日

三・四　〔略〕

附　則（令五・四・二八法一四）（抄）

（施行期日）

第一条　この法律は、公布の日から起算して六月を超えない範囲内において政令で定める日〔令五・九・一〕から施行する。〔ただし書略〕

附　則（令五・五・八法一九）（抄）

（施行期日）

第一条　この法律は、令和六年四月一日から施行する。ただし、第八十九条及び第九十四条の改正規定並びに次条第二項及び第四項（同条第二項に係る部分に限る。）〔中略〕の規定は、公布の日から施行する。

（経過措置）

第二条　この法律による改正後の地方自治法（以下この条において「新法」という。）第二百三十一条の二の三第二項の規定は、この法律の施行の日（以下この条において「施行日」という。）以後に地方自治法第二百三十一条の二の三第一項の規定による指定を受けた指定納付受託者（同項に規定する指定納付受託者をいう。以下この項において同じ。）について適用し、施行日前に同条第一項の規定による指定を受けた指定納付受託者については、なお従前の例による。

2　普通地方公共団体の長は、施行日前においても、新法第二百四十三条の二第一項の規定の例により、指定公金事務取扱者（同条第二項に規定する指定公金事務取扱者をいう。）の指定をすることができる。この場合において、その指定を受けた者は、施行日において同条第一項の規定による指定を受けたものとみなす。

3　普通地方公共団体の長は、令和八年三月三十一日までの間は、なお従前の例により、施行日の前日において現に公金の徴収又は収納に関する事務（以下この項において「従前の公金事務」という。）を行わせている者（新法第二百四十三条の二第一項の規定による指定を受けた者を除く。）に当該従前の公金事務を行わせることができる。

4　前二項の規定は、附則第七条の規定による改正後の地方公営企業法（昭和二十七年法律第二百九十二号）第三十三条の二の規定において新法第二百四十三条の二から第二百四十三条の二の六までの規定を準用する場合について準用する。

附　則（令五・五・八法二一）（抄）

（施行期日）

第一条　この法律は、令和七年四月一日から施行する。〔ただし書略〕

附　則（令五・五・一九法三一）（抄）

（施行期日）

第一条　この法律は、令和六年四月一日から施行する。〔ただし書略〕

附　則（令五・五・二六法三四）（抄）

（施行期日）

第一条　この法律は、公布の日から起算して一年を超えない範囲内において政令で定める日〔令六・四・一〕から施行する。

附　則（令五・六・九法四八）（抄）

（施行期日）

第一条　この法律は、公布の日から起算して一年三月を超えない範囲内において政令で定める日〔令六・五・二七〕から施行する。ただし、次の各号に掲げる規定は、当該各号に定める日から施行する。

一　〔略〕

二　〔前略〕附則〔中略〕第二十二条〔中略〕の規定　公布の日から起算して一年六月を超えない範囲内において政令で定める日〔令六・一二・二〕

三・四　〔略〕

附　則（令五・六・一六法五八）（抄）

（施行期日）

第一条　この法律は、公布の日から施行する。ただし、次の各号

に掲げる規定は、当該各号に定める日から施行する。
一・二　〔略〕
三　〔前略〕附則〔中略〕第六条〔中略〕の規定　公布の日から起算して一年を超えない範囲内において政令で定める日〔令六・四・一〕

附　則（令五・六・一六法六三）（抄）

（施行期日）
第一条　この法律は、公布の日から起算して一年を超えない範囲内において政令で定める日〔令六・四・一〕から施行する。〔ただし書略〕

附　則（令五・一一・二四法七三）（抄）

（施行期日等）
第一条　この法律は、公布の日から施行する。ただし、次の各号に掲げる規定は、当該各号に定める日から施行する。
一　〔前略〕附則第五条の規定　令和六年四月一日
二　〔略〕

附　則（令五・一二・一三法八四）（抄）

（施行期日）
第一条　この法律は、公布の日から起算して一年を超えない範囲内において政令で定める日から施行する。ただし、次の各号に掲げる規定は、当該各号に定める日から施行する。
一　〔略〕
二　〔前略〕附則〔中略〕第十条の規定　公布の日から起算して二年を超えない範囲内において政令で定める日

附　則（令五・一二・二〇法八九）（抄）

（施行期日）
第一条　この法律は、公布の日から起算して十日を経過した日から施行する。〔ただし書略〕

附　則（令六・六・一二法四七）（抄）

（施行期日）
第一条　この法律は、令和六年十月一日から施行する。〔ただし書略〕

附　則（令六・六・一九法五六）（抄）

（施行期日）
第一条　この法律は、令和七年四月一日から施行する。〔ただし書略〕

附　則（令六・六・二一法五九）（抄）

（施行期日）
第一条　この法律は、公布の日から起算して二年を超えない範囲内において政令で定める日から施行する。〔ただし書略〕

附　則（令六・六・二六法六四）（抄）

（施行期日）
第一条　この法律は、令和八年一月一日から施行する。〔ただし書略〕

附　則（令六・六・二六法六五）（抄）

（施行期日）
第一条　この法律は、公布の日から起算して三月を経過した日から施行する。ただし、次の各号に掲げる規定は、当該各号に定める日から施行する。
一　次条及び附則第六条の規定　公布の日
二　第二編第十章の次に一章を加える改正規定（第二百四十四条の六に係る部分に限る。）及び第二百八十七条の二第十項の改正規定（「第二百四十三条の二の七第二項」を「第二百四十三条の二の八第二項」に改める部分を除く。）　令和八年四月一日
三　第二百三十一条の四の見出し及び同条第一項、第二百四十三条の二第一項第四号ただし書並びに第二百四十三条の二の八を第二百四十三条の二の九とし、第二百四十三条の二の七を第二百四十三条の二の八とし、第二百四十三条の二の六の次に一条を加える改正規定並びに第二百八十七条の二第十項の改正規定（「第二百四十三条の二の七第二項」を「第二百四十三条の二の八第二項」に改める部分に限る。）並びに附則第五条〔中略〕の規定　公布の日から起算して二年六月を超えない範囲内において政令で定める日

（機構指定納付受託者の指定に関する経過措置）
第二条　地方税共同機構（次項、第三項及び第五項において「機構」という。）は、前条第三号に掲げる規定の施行の日前においても、この法律による改正後の地方自治法（以下この条から附則第四条までにおいて「新法」という。）第二百四十三条の二の七第四項において準用する地方税法（昭和二十五年法律第二百二十六号）第七百四十七条の八第一項の規定の例により、機構指定納付受託者（同項に規定する機構指定納付受託者をいう。以下この項において同じ。）の指定をすることができる。この場合において、その指定を受けた機構指定納付受託者は、同日において新法第二百四十三条の二の七第四項において準用する地方税法第七百四十七条の八第一項の規定による指定を受けたものとみなす。
2　普通地方公共団体の長は、前項の規定による指定に関し必要があると認めるときは、機構に対し意見を述べることができる。
3　普通地方公共団体の長が前項の規定により意見を述べたときは、機構は、当該意見を尊重して必要な措置をとるようにしなければならない。
4　前三項の規定は、附則第十三条の規定による改正後の市町村の合併の特例に関する法律（平成十六年法律第五十九号）第四十七条の規定において新法第二百四十三条の二の七第四項の規定を準用する場合について準用する。この場合において、第二項中「普通地方公共団体」とあるのは「市町村の合併の特例に関する法律（平成十六年法律第五十九号）第二十六条第一項に規定する合併特例区（次項において「合併特例区」という。）」と、前項中「普通地方公共団体」とあるのは「合併特例区」と読み替えるものとする。
5　前各項の規定により機構の業務が行われる場合には、地方税法第八百二条第四号中「業務以外」とあるのは、「業務及び地方自治法の一部を改正する法律（令和六年法律第六十五号）附則第二条第一項から第三項までの規定（同条第四項において準用する場合を含む。）による業務以外」とする。

（新法第二百四十四条の五第二項の規定等の適用に関する経過措置）
第三条　この法律の施行の日から附則第一条第二号に掲げる規定の施行の日の前日までの間における新法第二百四十四条の五第二項の規定の適用については、同項中「をいう。次条第一項において同じ」とあるのは、「をいう」とする。
2　この法律の施行の日から附則第一条第二号に掲げる規定の施

行の日の前日までの間における附則第十二条の規定による改正後の地方独立行政法人法第二十四条の二の規定の適用については、同条中「及び第二百四十四条の六の規定」とあるのは「の規定」と、「準用する。この場合において、同条第三項中「執行機関」とあるのは、「業務を行う地方独立行政法人」と読み替えるものとする」とあるのは「準用する」とする。

（施行時特例市に関する経過措置）

第四条　地方自治法の一部を改正する法律（平成二十六年法律第四十二号）附則第二条に規定する施行時特例市に対する新法第二百五十二条の二十六の四第一項の規定の適用については、同項第一号中「又は中核市」とあるのは、「、中核市又は地方自治法の一部を改正する法律（平成二十六年法律第四十二号）附則第二条に規定する施行時特例市」とする。

（罰則に関する経過措置）

第五条　附則第一条第三号に掲げる規定の施行前にした行為に対する罰則の適用については、なお従前の例による。

（政令への委任）

第六条　この附則に定めるもののほか、この法律の施行に伴い必要な経過措置（罰則に関する経過措置を含む。）は、政令で定める。

附　則（令六・六・二六法六六）（抄）

（施行期日）

第一条　この法律は、公布の日から起算して二年を超えない範囲内において政令で定める日から施行する。〔ただし書略〕

○地方自治法施行令

昭二二・五・三
政令一六

最終改正　令六・六・一四政令二〇九

第一編　総則

（政令に定める法定受託事務）

第一条　政令に定める法定受託事務（地方自治法（昭和二十二年法律第六十七号）第二条第九項に規定する法定受託事務をいう。）で同条第十項の政令に示すものは、第一号法定受託事務（同条第九項第一号に規定する第一号法定受託事務をいう。第二百二十三条において同じ。）にあつては別表第一の上欄に掲げる政令についてそれぞれ同表の下欄に、第二号法定受託事務（同法第二条第九項第二号に規定する第二号法定受託事務をいう。第二百二十四条において同じ。）にあつては別表第二の上欄に掲げる政令についてそれぞれ同表の下欄に掲げるとおりである。

第二編　普通地方公共団体

第一章　総則

第一条の二　普通地方公共団体の設置があつた場合においては、従来当該普通地方公共団体の地域の属していた関係地方公共団体の長たる者又は長であつた者（地方自治法第百五十二条又は第二百五十二条の十七の八第一項の規定によりその職務を代理し若しくは行う者又はこれらの者であつた者を含む。）のうちからその協議により定めた者が、当該普通地方公共団体の長が選挙されるまでの間、その職務を行う。

② 前項の場合において協議が調わないときは、都道府県の設置にあつては総務大臣、市町村の設置にあつては都道府県知事は、同項に掲げる者のうちから当該普通地方公共団体の長の職務を行うべき者を定めなければならない。

③ 第一項の場合において関係地方公共団体が一であるときは、関係地方公共団体の長たる者又は長であつた者が当該普通地方公共団体の長の職務を行う。

第二条　普通地方公共団体の設置があつた場合においては、前条の規定により当該普通地方公共団体の長の職務を行う者は、予算が議会の議決を経て成立するまでの間、必要な収支につき暫定予算を調製し、これを執行するものとする。

第三条　普通地方公共団体の設置があつた場合においては、第一条の二の規定により当該普通地方公共団体の長の職務を行う者は、必要な事項につき条例又は規則が制定施行されるまでの間、従来その地域に施行された条例又は規則を当該普通地方公共団体の条例又は規則として当該地域に引き続き施行することができる。

第四条　普通地方公共団体の設置があつた場合においては、当該普通地方公共団体の選挙管理委員は、議会において選挙されるまでの間、従来その地域の属していた地方公共団体の選挙管理委員たる者又は選挙管理委員であつた者の互選により定めた者をもつてこれに充てるものとする。ただし、従来その地域の属していた地方公共団体の選挙管理委員たる者又は選挙管理委員であつた者の数が新たに設置された普通地方公共団体の選挙管理委員の定数を超えないときは、その者をもつてこれに充て、なお不足があるとき、又は従来その地域の属していた地方公共団体の選挙管理委員たる者若しくは選挙管理委員であつた者がないときは、第一条の二の規定による当該普通地方公共団体の長の職務を行う者において、従来その地域に属していた地方公共団体の選挙管理委員の補充員たる者又は補充員であつた者（これらの者がないときは、当該普通地方公共団体の議会の議員及び長の選挙権を有する者）のうちから選任した者をもつてこれに充てるものとする。

② 前項の規定による互選を行うべき場所及び日時は、第一条の二の規定による当該普通地方公共団体の長の職務を行う者において、あらかじめ関係人にこれを通知しなければならない。

第五条　普通地方公共団体の廃置分合があつた場合において、当該廃置分合により他の普通地方公共団体に属することとなつた地域があるときは、従来その地域において その地域の属していた普通地方公共団体が処理していた事務は、当該他の普通地方公共団体が承継する。その地域により承継の区分を定めることが困難であるときは、都道府県の廃置分合にあつては総務大臣、市町村の廃置分合にあつては都道府県知事は、事務の分界を定め、又は承継すべき普通地方公共団体を指定するものとする。

② 前項の場合において、消滅した普通地方公共団体の収支は、消滅の日をもつて打ち切り、当該普通地方公共団体の長又はその職務を代理し、若しくは行う者であつた者がこれを決算する。

③ 前項の規定による決算は、事務を承継した各普通地方

公共団体の長において監査委員の審査に付し、その意見を付けて議会の認定に付さなければならない。

④ 前項の規定による意見の決定は、監査委員の合議によるものとする。

⑤ 第三項の普通地方公共団体の長は、同項の規定により議会の認定に付した決算の要領を住民に公表しなければならない。

⑥ 第三項の普通地方公共団体の長は、同項の規定による決算の認定に関する議案が否決された場合において、当該議決を踏まえて必要と認める措置を講じたときは、速やかに、当該措置の内容を議会に報告するとともに、これを公表しなければならない。

第六条 普通地方公共団体の境界変更があつたため事務の分割を必要とするときは、その事務の承継については、都道府県にあつては総務大臣、市町村にあつては都道府県知事がこれを定める。

第七条 都道府県知事、地方自治法第二百五十二条の十九第一項の指定都市（以下「指定都市」という。）の市長又は港湾管理者の長（都道府県知事及び指定都市の市長を除く。）は、公有水面の埋立て（干拓を含む。以下同じ。）の竣功の認可をし、又は竣功の通知を受理した場合において、当該公有水面の埋立てにより造成されるべき土地の所属すべき市町村を定めるため同法第九条の三に規定する公有水面のみに係る市町村の境界変更又は公有水面のみに係る市町村の境界の裁定についてその手続中である旨の通報を総務大臣又は都道府県知事から受けているときは、当該認可をし、又は通知を受理した旨を直ちに総務大臣又は都道府県知事に通知しなければならない。

第八条から第九十条まで 削除〔昭三八・八政令二〇六〕

第二章 直接請求

第一節 条例の制定及び監査の請求

第九十一条 地方自治法第七十四条第一項の規定により普通地方公共団体の条例の制定又は改廃の請求をしようとする代表者（以下「条例制定又は改廃請求代表者」という。）は、その請求の要旨（千字以内）その他必要な事項を記載した条例制定又は改廃請求書を添え、当該普通地方公共団体の長に対し、文書をもつて条例制定又は改廃請求代表者証明書の交付を申請しなければならない。

② 前項の規定による申請があつたときは、当該普通地方公共団体の長は、直ちに市町村の選挙管理委員会に対し、条例制定又は改廃請求代表者が選挙人名簿に登録された者であるかどうかの確認を求め、その確認があつたときは、これに同項の証明書を交付し、かつ、その旨を告示しなければならない。

③ 第一項の証明書の交付を受けた条例制定又は改廃請求代表者が二人以上ある場合において、その一部の条例制定又は改廃請求代表者が地方自治法第七十四条第六項各号のいずれかに該当するに至つたときは、他の条例制定又は改廃請求代表者は、当該証明書を添えて、当該証明書を交付した普通地方公共団体の長に届け出て、当該証明書に条例制定又は改廃請求代表者の変更に係る記載を受けなければならない。

④ 市町村の選挙管理委員会は、第一項の証明書の交付を受けた条例制定又は改廃請求代表者が地方自治法第七十四条第六項各号のいずれかに該当することを知つたときは、直ちにその旨を当該証明書を交付した普通地方公共団体の長に通知しなければならない。

⑤ 第一項の証明書を交付した普通地方公共団体の長は、第三項の届出又は前項の通知を受けた場合その他当該条例制定又は改廃請求代表者が地方自治法第七十四条第六項各号のいずれかに該当することを知つたときは、直ちにその旨を告示しなければならない。

第九十二条 条例制定又は改廃請求代表者は、条例制定又は改廃請求者署名簿に条例制定若しくは改廃請求書又はその写し及び条例制定若しくは改廃請求代表者証明書又はその写しを付して、地方自治法第七十四条第一項に規定する選挙権を有する者（以下この編において「選挙権を有する者」という。）に対し、署名（盲人が公職選挙法施行令（昭和二十五年政令第八十九号）別表第一に定める点字で自己の氏名を記載することを含む。以下この節において同じ。）を求めなければならない。

② 条例制定又は改廃請求代表者は、選挙権を有する者に委任して、その者の属する市町村の選挙権を有する者について、前項の規定により署名を求めることができる。この場合においては、委任を受けた者は、条例制定若しくは改廃請求書又はその写し及び条例制定若しくは改廃請求代表者証明書又はその写し並びに署名を求めるための条例制定又は改廃請求代表者の委任状を付した条例制定又は改廃請求者署名簿を用いなければならない。

③ 前二項の署名は、前条第二項の規定による告示があつた日から都道府県及び指定都市にあつては二箇月以内、指定都市以外の市町村にあつては一箇月以内でなければ求めることができない。ただし、地方自治法第七十四条第七項の規定により署名を求めることができないこととなつた区域においては、その期間は、同項の規定により署名を求めることができないこととなつた期間を除き、前条第二項の規定による告示があつた日から都道府県及び指定都市にあつては六十二日以内、指定都市以外の市

町村にあつては三十一日以内とする。

④　地方自治法第七十四条第七項に規定する政令で定める期間は、次の各号に掲げる選挙の区分に応じ、当該各号に定める日から当該選挙の期日までの間とする。

一　任期満了による選挙　任期満了の日前六十日に当たる日

二　衆議院の解散による選挙　解散の日の翌日

三　衆議院議員又は参議院議員の公職選挙法（昭和二十五年法律第百号）第三十三条の二第二項に規定する統一対象再選挙又は補欠選挙　当該選挙に係る選挙を行うべき事由が生じた旨の告示があつた日の翌日又は当該選挙を行うべき期日（同条第三項の規定によるものについては、参議院議員の任期満了の日）前六十日に当たる日のいずれか遅い日

四　都道府県の設置による都道府県の議会の議員の一般選挙又は長の選挙　地方自治法第六条の二の規定により都道府県が設置された日

五　都道府県の議会の議員の増員選挙　地方自治法第九十条第三項の規定による議員の定数の増加に係る同条第一項の条例の施行の日

六　市町村の設置による市町村の議会の議員の一般選挙又は長の選挙　地方自治法第七条の規定により市町村が設置された日

七　市町村の議会の議員の増員選挙　地方自治法第九十一条第三項の規定による議員の定数の増加に係る同条第一項の条例の施行の日（市町村の合併の特例に関する法律（平成十六年法律第五十九号）第八条第一項の規定の適用がある場合には、同法第二条第一項に規定する市町村の合併の日）

八　前各号に掲げる選挙以外の選挙　当該選挙に係る選挙を行うべき事由が生じた旨の告示があつた日の翌日

⑤　前項第三号又は第八号に規定する選挙を行うべき事由が生じた旨の告示があつた日とは、当該選挙に関し、公職選挙法第百九十九条の五第四項第四号から第六号までに規定する告示があつた日をいう。

第九十三条　条例制定又は改廃請求者署名簿は、都道府県に関する請求にあつては市町村ごとに、指定都市に関する請求にあつては区又は総合区ごとに、これを作製しなければならない。

第九十三条の二　都道府県又は指定都市に関する請求につき当該請求に係る区域の一部について第九十二条第三項ただし書の規定の適用がある場合には、条例制定又は改廃請求代表者は、条例制定又は改廃請求者署名簿が作製される区域ごとに同項の規定を適用したとしたならば当該区域における同項に規定する期間が満了することとなる日の翌日から十日を経過する日までに、当該区域に係る条例制定又は改廃請求者署名簿を市町村の選挙管理委員会に仮提出しなければならない。ただし、当該仮提出をすべき期間内に次条第一項の規定による提出をするときは、この限りでない。

②　前項の規定により仮提出された条例制定又は改廃請求者署名簿については、条例制定又は改廃請求代表者が次条第一項に規定する日までに同項の規定による提出をする旨を申し出たときは、その申出があつたことをもつて同項の規定による提出があつたものとみなす。

第九十四条　条例制定又は改廃請求者署名簿に署名した者の数が地方自治法第七十四条第五項の規定により告示された選挙権を有する者の総数の五十分の一以上の数となつたときは、条例制定又は改廃請求代表者は、第九十二条第三項の規定による期間満了の日（同項ただし書の規定が適用される場合には、当該請求に係る区域の全部について同項に規定する期間が満了する日をいう。）の翌日から都道府県又は指定都市に関する請求にあつては十日以内、指定都市以外の市町村に関する請求にあつては五日以内に、条例制定又は改廃請求者署名簿（署名簿が二冊以上に分れているときは、これらを一括したもの）を市町村の選挙管理委員会に提出しなければならない。

②　市町村の選挙管理委員会は、前項の規定による提出を受け、条例制定又は改廃請求者署名簿の署名の有効無効を決定する場合において、同一人に係る二以上の有効署名があるときは、その一を有効と決定しなければならない。

③　市町村の選挙管理委員会は、署名審査録を作製し、署名の効力の決定に関し、関係人の出頭及び証言を求めた次第並びに無効と決定した署名についての決定の次第その他必要な事項をこれに記載し、条例制定又は改廃請求者署名簿の署名の効力の確定するまでの間、これを保存しなければならない。

④　市町村の選挙管理委員会は、条例制定又は改廃請求者署名簿の仮提出又は提出が前条第一項の規定による期間又は第一項の規定による期間を経過してなされたものであるときは、これを却下しなければならない。

第九十五条　条例制定又は改廃請求者署名簿に署名した者は、条例制定又は改廃請求代表者が前条第一項の規定により条例制定又は改廃請求者署名簿を市町村の選挙管理委員会に提出するまでの間は、条例制定又は改廃請求代表者を通じて、当該署名簿の署名を取り消すことができる。

第九十五条の二　市町村の選挙管理委員会は、地方自治法第七十四条の二第一項の規定による署名簿の署名の証明

が終了したときは、直ちに条例制定又は改廃請求者署名簿に署名した者の総数及び有効署名の総数を告示し、かつ、公衆の見易い方法により掲示しなければならない。

第九十五条の三 市町村の選挙管理委員会は、地方自治法第七十四条の二第五項の規定による証明の修正をする場合においては、その修正が異議の決定に基く旨並びに異議の申出人の氏名及び異議の決定の年月日を条例制定又は改廃請求者署名簿に附記するとともに、署名審査録にその修正の次第を記載しなければならない。

第九十五条の四 市町村の選挙管理委員会は、地方自治法第七十四条の二第六項の規定により条例制定又は改廃請求者署名簿を条例制定又は改廃請求代表者に返付する場合においては、当該署名簿の末尾に、署名した者の総数並びに有効署名及び無効署名の総数を記載しなければならない。

第九十六条 地方自治法第七十四条第一項の規定による請求は、同法第七十四条の二第六項の規定により返付を受けた条例制定又は改廃請求者署名簿の署名の効力の決定に関し、条例制定若しくは改廃請求代表者において不服がないとき、又は条例制定若しくは改廃請求代表者においてした審査の申立て若しくは訴訟の裁決若しくは判決が確定したときは、その返付を受けた日又はその効力の確定した日から、都道府県又は指定都市に関する請求にあつては十日以内、指定都市以外の市町村に関する請求にあつては五日以内に、条例制定又は改廃請求書に同法第七十四条第五項の規定により告示された選挙権を有する者の総数の五十分の一以上の者の有効署名があることを証明する書面及び条例制定又は改廃請求者署名簿を添えてこれをしなければならない。

② 前項の規定による有効署名があることを証明する書面には、条例制定又は改廃請求者署名簿の署名の効力の決定に関する裁決書若しくは判決書又は地方自治法第七十四条の二第十項の規定による通知書があるときは、これを添えなければならない。

第九十七条 前条第一項の請求があつた場合において、条例制定又は改廃請求者署名簿の有効署名の総数が地方自治法第七十四条第五項の規定により告示された選挙権を有する者の総数の五十分の一の数に達しないとき、又は前条第一項の規定による期間を経過しているときは、普通地方公共団体の長は、これを却下しなければならない。

② 前条第一項の請求があつた場合において、その請求が適法な方式を欠いているときは、都道府県又は指定都市に関する請求にあつては五日以内、指定都市以外の市町村に関する請求にあつては三日以内の期限を付してこれを補正させなければならない。

第九十八条 第九十六条の請求を受理したときは、普通地方公共団体の長は、直ちにその旨を条例制定又は改廃請求代表者に通知するとともに、その者の住所氏名及び請求の要旨を告示し、且つ、公衆の見易いその他の方法により公表しなければならない。

② 普通地方公共団体の長は、地方自治法第七十四条第三項の規定による議会の審議の結果を条例制定又は改廃請求代表者に通知するとともに、これを告示し、かつ、公衆の見やすいその他の方法により公表しなければならない。

第九十八条の二 議会は、地方自治法第七十四条第四項の規定により意見を述べる機会を与えるときは、条例制定又は改廃請求代表者に対し、その日時、場所その他必要な事項を通知するとともに、これらの事項を告示し、かつ、公衆の見やすいその他の方法により公表しなければならない。

② 議会は、条例制定又は改廃請求代表者が複数であるときは、これらの者のうち地方自治法第七十四条第四項の規定により意見を述べる機会を与える条例制定又は改廃請求代表者の数を定めるものとする。

③ 議会は、前項の規定により意見を述べる機会を与える条例制定又は改廃請求代表者の数を定めたときは、第一項の通知に併せて、その旨を条例制定又は改廃請求代表者に通知しなければならない。

第九十八条の三 地方自治法第七十四条の二及び第七十四条の三の規定を指定都市に関する直接請求に適用する場合においては、市町村の選挙管理委員会に関する規定は、区及び総合区の選挙管理委員会に関する規定とみなす。ただし、同法第七十四条の二第十項の規定による送付については、市の選挙管理委員会を経由するものとする。

② この節の規定を指定都市に関する直接請求に適用する場合においては、市町村の選挙管理委員会に関する規定は区及び総合区の選挙管理委員会に関する規定とみなし、第九十二条第二項中「市町村の」とあるのは「区又は総合区の区域内において」とする。

第九十八条の四 普通地方公共団体の条例制定又は改廃請求書、条例制定又は改廃請求代表者証明書、条例制定又は改廃請求署名簿、条例制定又は改廃請求署名収集委任状、条例制定又は改廃請求署名審査録及び条例制定又は改廃請求署名収集証明書は、命令で定める様式によりこれを調製しなければならない。

第九十九条 第九十一条から第九十八条まで、第九十八条の三及び前条の規定は、地方自治法第七十五条第一項の規定による普通地方公共団体の事務の監査の請求について準用する。この場合において、次の表の上欄に掲げる規定中同表の中欄に掲げる字句は、それぞれ同表の下欄に掲げる字句に読み替えるものとする。

第九十一条第一項及び第二項	当該普通地方公共団体の長	監査委員
第九十一条第三項から第五項まで	地方自治法第七十四条第六項各号	地方自治法第七十五条第六項において準用する同法第七十四条第六項各号
	普通地方公共団体の長	監査委員
第九十二条第一項	地方自治法第七十四条第一項	地方自治法第七十五条第一項
第九十二条第三項ただし書及び第四項	地方自治法第七十四条第七項	地方自治法第七十五条第六項において準用する同法第七十四条第七項
第九十四条第一項	地方自治法第七十四条第五項	地方自治法第七十五条第六項において準用する同法第七十四条第五項
第九十五条の二	地方自治法第七十四条の二第一項	地方自治法第七十五条第六項において準用する同法第七十四条の二第一項
第九十五条の三	地方自治法第七十四条の二第五項	地方自治法第七十五条第六項において準用する同法第七十四条の二第五項
第九十五条の四	地方自治法第七十四条の二第六項	地方自治法第七十五条第六項において準用する同法第七十四条の二第六項
第九十六条第一項	地方自治法第七十四条第一項	地方自治法第七十五条第一項
	同法第七十四条の二第六項	同条第六項において準用する同法第七十四条の二第六項
	同法第七十四条第五項	同法第七十五条第六項において準用する同法第七十四条第五項
第九十六条第二項	地方自治法第七十四条の二第十項	地方自治法第七十五条第六項において準用する同法第七十四条の二第十項
第九十七条第一項	地方自治法第七十四条第五項	地方自治法第七十五条第六項において準用する同法第七十四条第五項
	普通地方公共団体の長	監査委員
第九十八条第一項	普通地方公共団体の長	監査委員
第九十八条第二項	普通地方公共団体の長	監査委員
	第七十四条第三項の規定による議会の審議	第七十五条第三項の規定による事務の監査
第九十八条の三第一項	地方自治法第七十四条の二及び第七十四条の三	地方自治法第七十五条第六項において準用する同法第七十四条の二及び第七十四条の三
第九十八条の三第一項ただし書	同法第七十四条の二第十項	同法第七十五条第六項において準用する同法第七十四条の二第十項

第二節　解散及び解職の請求

第百条　第九十一条から第九十七条まで、第九十八条第一項、第九十八条の三及び第九十八条の四の規定は、地方自治法第七十六条第一項の規定による普通地方公共団体の議会の解散の請求について準用する。この場合において、次の表の上欄に掲げる規定中同表の中欄に掲げる字句は、それぞれ同表の下欄に掲げる字句に読み替えるものとする。

第九十一条第一項	普通地方公共団体の長	普通地方公共団体

及び第二項		の選挙管理委員会
第九十一条第三項	地方自治法第七十四条第六項各号	地方自治法第七十六条第四項において準用する同法第七十四条第六項各号
	普通地方公共団体の長	普通地方公共団体の選挙管理委員会
第九十一条第四項	地方自治法第七十四条第六項各号	地方自治法第七十六条第四項において準用する同法第七十四条第六項各号
	知つたとき	知つたとき（当該請求が都道府県又は指定都市に関する場合に限る。）
	普通地方公共団体の長	普通地方公共団体の選挙管理委員会
第九十一条第五項	普通地方公共団体の長	普通地方公共団体の選挙管理委員会
	地方自治法第七十四条第六項各号	地方自治法第七十六条第四項において準用する同法第七十四条第六項各号
第九十二条第三項及び第四項	地方自治法第七十四条第七項	地方自治法第七十六条第四項において準用する同法第七十四条第七項
第九十四条第一項	地方自治法第七十四条第五項	地方自治法第七十六条第四項において準用する同法第七十四条第五項
	五十分の一	三分の一（その総数が四十万を超え八十万以下の場合にあつてはその四十万を超える数に六分の一を乗じて得た数と四十万に三分の一を乗じて得た数とを合算して得た数、その総数が八十万を超える場合にあつてはその八十万を超える数に八分の一を乗じて得た数と四十万に六分の一を乗じて得た数と四十万に三分の一を乗じて得た数とを合算して得た数）
第九十五条の二	地方自治法第七十四条の二第一項	地方自治法第七十六条第四項において準用する同法第七十四条の二第一項
第九十五条の三	地方自治法第七十四条の二第五項	地方自治法第七十六条第四項において準用する同法第七十四条の二第五項
第九十五条の四	地方自治法第七十四条の二第六項	地方自治法第七十六条第四項において準用する同法第七十四条の二第六項
第九十六条第一項	地方自治法第七十四条第一項	地方自治法第七十六条第一項
	同法第七十四条の二第六項	同条第四項において準用する同法第七十四条の二第六項
	同法第七十四条第五項	同法第七十六条第四項において準用する同法第七十四条第五項
	五十分の一	三分の一（その総数が四十万を超え八十万以下の場合にあつてはその四十万を超える数に六分の一を乗じて得た数と四十万に三分の一を乗じて

		得た数とを合算して得た数、その総数が八十万を超える場合にあつてはその八十万を超える数に八分の一を乗じて得た数と四十万に六分の一を乗じて得た数と四十万に三分の一を乗じて得た数とを合算して得た数）
第九十六条第二項	地方自治法第七十四条の二第十項	地方自治法第七十六条第四項において準用する同法第七十四条の二第十項
第九十七条第一項	地方自治法第七十四条第五項	地方自治法第七十六条第四項において準用する同法第七十四条第五項
	五十分の一	三分の一（その総数が四十万を超え八十万以下の場合にあつてはその四十万を超える数に六分の一を乗じて得た数と四十万に三分の一を乗じて得た数とを合算して得た数、その総数が八十万を超える場合にあつてはその八十万を超える数に八分の一を乗じて得た数と四十万に六分の一を乗じて得た数と四十万に三分の一を乗じて得た数とを合算して得た数）
	普通地方公共団体の長	普通地方公共団体の選挙管理委員会
第九十八条第一項	普通地方公共団体の長	普通地方公共団体の選挙管理委員会
第九十八条の三第一項	地方自治法第七十四条の二及び第七十四条の三	地方自治法第七十六条第四項において準用する同法第七十四条の二及び第七十四条の三
	同法第七十四条の二第十項	同法第七十六条第四項において準用する同法第七十四条の二第十項

第百条の二　普通地方公共団体の議会の解散の投票は、前条において準用する第九十八条第一項の規定による告示の日から六十日以内においてすみやかに行わなければならない。

②　前項の投票の期日は、都道府県に関する請求にあつては少くともその三十日前に、市町村に関する請求にあつては少くともその二十日前に、これを告示しなければならない。

第百一条　二以上の普通地方公共団体の議会の解散の請求があつたときは、解散の投票は一の投票を以て合併してこれを行うことを妨げない。

第百二条　普通地方公共団体の議会の議員がすべてなくなつたときは、解散の投票は、これを行わない。

第百三条　普通地方公共団体の議会の解散の投票の投票区及び開票区は、当該普通地方公共団体の議会の議員の選挙の投票区及び開票区による。

第百四条　普通地方公共団体の選挙管理委員会は、第百条において準用する第九十六条の規定による議会の解散請求書を受理したときは、二十日以内に議会から弁明の要旨（千字以内）その他必要な事項を記載した弁明書を徴さなければならない。

②　前項の解散請求書に記載した請求の要旨及び同項の弁明書に記載した弁明の要旨は、第百条の二第二項又は地方自治法第八十五条第一項において準用する公職選挙法第百十九条第三項の告示の際併せてこれを告示するとともに、投票所の入口その他公衆の見やすい場所を選び、原文のままこれを掲示しなければならない。ただし、前項の弁明書の提出がないときは、弁明の要旨については、この限りでない。

第百五条　地方自治法第八十五条第一項において準用する公職選挙法第二百二条及び第二百六条に規定する争訟については、異議の申出に対する決定はその申出を受けた日から十日以内、審査の申立てに対する裁決は審査の申立てを受理した日から二十日以内に、これをしなければならない。

第百六条　公職選挙法施行令第二十二条の二、第二十四条第一項及び第二項、第二十五条から第二十九条まで、第三十一条から第三十四条の二まで、第三十五条第一項（引き続き都道府県の区域内に住所を有することの確認に関する部分を除く。）及び第二項、第三十六条、第三十七条、第三十九条から第四十四条まで、第四十四条の二（在外選挙人名簿に関する部分を除く。）、第四十五条、第四十六条、第四十八条第一項から第四項まで、第四十八条の二、第四章の二（第四十八条の三（同令第四十九条の五第二項及び第九十三条第一項に関する部分に限る。）を除く。）、第四十九条の三、第四章の四、第五章（第五十条第五項（引き続き都道府県の区域内に住所を有することの確認に関する部分に限る。）及び第七項、第五十三条第一項（引き続き都道府県の区域内に住所を有することの確認に関する部分及び同令第五十九条の七第一項に規定する南極選挙人証の交付を受けた者に関する部分に限る。）、第五十五条第六項及び第七項、同条第八項及び第九項（公職選挙法第四十九条第七項及び第九項の規定による投票に関する部分に限る。）、第五十六条第一項及び第五項（衆議院比例代表選出議員の選挙に関する部分及び参議院比例代表選出議員の選挙に関する部分に限る。）、第五十九条の三第一項（在外投票に関する部分に限る。）、同条第五項（在外選挙人名簿に関する部分に限る。）、第五十九条の四第三項及び第四項（引き続き都道府県の区域内に住所を有することの確認に関する部分に限る。）、第五十九条の五（衆議院比例代表選出議員の選挙に関する部分及び参議院比例代表選出議員の選挙に関する部分に限る。）、第五十九条の五の四第三項、第六項及び第七項（引き続き都道府県の区域内に住所を有することの確認に関する部分に限る。）、第五十九条の六から第五十九条の八まで、第六十条第二項（同法第四十九条第七項から第九項までの規定による投票に関する部分に限る。）、第六十一条第一項（在外選挙人名簿に関する部分に限る。）、同条第四項、同条第五項（在外選挙人の不在者投票に関する部分に限る。）、第六十二条第二項並びに第六十三条第二項及び第三項（同法第四十九条第七項から第九項までの規定による投票に関する部分に限る。）を除く。）、第六十六条、第六十七条第一項から第六項まで、第六十八条、第六十九条（政党その他の政治団体に関する部分を除く。）、第七十条の二第一項（政党その他の政治団体に関する部分、候補者届出政党に関する部分、衆議院名簿届出政党等に関する部分及び参議院名簿届出政党等に関する部分を除く。）、第七十条の三、第七十条の四第一項本文、第二項本文及び第三項、第七十条の五第一項、第三項、第五項、第六項、第八項及び第十項、第七十条の六第一項、第三項、第五項、第六項、第八項、第十項、第十一項、第十三項及び第十五項、第七十条の七第一項本文、第二項本文、第三項、第四項本文、第五項本文及び第六項、第七十条の八、第七十一条（在外投票に関する部分を除く。）、第七十二条から第七十四条まで、第七十五条（在外選挙人名簿に関する部分を除く。）、第七十六条（在外投票に関する部分を除く。）、第七十七条、第七十八条第一項から第四項まで、第八十条から第八十二条まで、第八十三条の二から第八十五条まで、第八十六条第一項、第八十七条第一項、第十章、第百八条第一項及び第三項（衆議院比例代表選出議員の選挙に関する部分及び参議院比例代表選出議員の選挙に関する部分並びに推薦届出者に関する部分及び候補者届出政党に関する部分を除く。）、第百二十九条第一項、第百三十一条第一項、第二項（在外選挙人名簿に関する部分を除く。）及び第三項、第百三十一条の二、第百四十二条第一項（同法第四十九条第一項の規定による投票に関する部分に限る。）及び第二項、第百四十二条の二（同法第四十九条第七項及び第九項の規定による投票に関する部分を除く。）、第百四十二条の三並びに第百四十六条の規定は、普通地方公共団体の議会の解散の投票について準用する。この場合において、次の表の上欄に掲げる同令の規定中同表の中欄に掲げる字句は、それぞれ同表の下欄に掲げる字句に読み替えるものとする。

第二十二条の二	その抄本を用いて選挙された衆議院議員、参議院議員又は地方公共団体の議会の議員若しくは長の任期間	解散の投票の結果が確定するまでの間
第四十一条第四項	公職の候補者（公職の候補者たる参議院名簿登載者を含む。）の氏名若しくは衆議院名簿届出政党等若しくは参議院名簿届出政党等の名称若しくは略称又は公職の候補者に対して	賛否又は
第四十五条	当該選挙に係る衆議院議員、参議院議員又は地方公共団体の議会の議員若しくは長の任期間（当該選挙に用いなかつた投票用紙にあつては、次の各号に掲げる選挙の区分に応じ、当該各号に定める期間）	解散の投票の結果が確定するまでの間

第五十六条第一項及び第二項	当該選挙の公職の候補者一人の氏名	賛否
第五十六条第四項	公職の候補者一人の氏名	賛否
第五十六条第五項	公職の候補者の氏名	賛否
第五十九条の五	当該選挙の公職の候補者一人の氏名	賛否
第五十九条の五の二	公職の候補者一人の氏名	賛否
第六十九条	公職の候補者、候補者届出政党、衆議院名簿届出政党等又は参議院名簿届出政党等	普通地方公共団体の議会又はその解散請求代表者
第七十条の二第一項	公職の候補者の届出に係る者については当該公職の候補者の氏名	普通地方公共団体の議会の届出に係る者については当該普通地方公共団体の議会の名称、解散請求代表者の届出に係る者については当該解散請求代表者の氏名
第七十条の五第一項、第三項、第六項及び第八項並びに第七十条の六第一項、第三項、第六項、第八項、第十一項及び第十三項	二人	各々三人
	一人	各々二人
第七十二条	同一の公職の候補者（公職の候補者たる参議院名簿登載者を含む。）、同一の衆議院名簿届出政党等又は同一の参議院名簿届出政党等の得票数（参議院名簿届出政党等の得票数にあつては、当該参議院名簿届出政党等に係る各参議院名簿登載者（当該選挙の期日において公職の候補者たる者に限る。）の得票数を含むものをいう。）	賛否の投票数
第七十三条	各公職の候補者（公職の候補者たる参議院名簿登載者を含む。）、各衆議院名簿届出政党等又は各参議院名簿届出政党等の得票数（各参議院名簿届出政党等の得票数にあつては、当該参議院名簿届出政党等に係る各参議院名簿登載者（当該選挙の期日において公職の候補者たる者に限る。）の得票数を含むものをいう。）	賛否の投票数
第七十七条第一項	当該選挙に係る衆議院議員、参議院議員又は地方公共団体の議会の議員若しくは長の任期間	解散の投票の結果が確定するまでの間
第八十四条	各公職の候補者（公職の候補者たる参議院名簿登載者を含む。）、各衆議院名簿届出政党等又は各参議院名簿届出政党等の得票総数（各参議院名簿届出政党等の得票総数にあつては、当該参議院名簿届出政党等に係る各参議院名簿登載者（当該選挙の期日において公職の候補者たる者に限る。）の得票総数を含むものをいう。）	賛否の投票総数
第八十六条第一項	当該選挙に係る衆議院議員、参議院議員又は地方公共団体の議会の議員若しくは長の任期間	解散の投票の結果が確定するまでの間
第百八条第一項	設置者が公職の候補者	設置者が普通地方公共団体の議会
	当該公職の候補者の氏名	当該普通地方公共団体の議会の名称、設置者が解散請求代表者である

場合には当該解散請求代表者の氏名

第百七条 普通地方公共団体の議会及びその解散請求代表者は、左に掲げる施設を使用して、演説会等を開催することができる。

一 学校（学校教育法（昭和二十二年法律第二十六号）第一条に規定する学校及び就学前の子どもに関する教育、保育等の総合的な提供の推進に関する法律（平成十八年法律第七十七号）第二条第七項に規定する幼保連携型認定こども園をいう。）及び公民館（社会教育法（昭和二十四年法律第二百七号）第二十一条に規定する公民館をいう。）

二 地方公共団体の管理に属する公会堂

三 前各号に掲げるものの外、市町村の選挙管理委員会の指定する施設

② 前項に規定する演説会等の開催のための施設は、学校にあつてはその授業、研究又は諸行事、その他の施設にあつては業務又は諸行事に支障がある場合においては、これを使用して演説会等を開催することができない。

③ 第一項に規定する演説会等の開催のための施設の使用に要する費用の額は、その管理者において市町村の選挙管理委員会の承認を経てこれを定め、あらかじめ、公示しておかなければならない。

④ 普通地方公共団体の議会及びその解散請求代表者は、演説会等を開催しようとする場合において、第一項各号の施設を使用しようとするときは、前項の規定による費用を、あらかじめ、その管理者に支払わなければならない。

第百八条 地方自治法第八十五条第一項の規定により、普通地方公共団体の議会の解散の投票に公職選挙法中普通地方公共団体の選挙に関する規定を準用する場合には、次の表の上欄に掲げる同法の規定中同表の中欄に掲げる字句は、それぞれ同表の下欄に掲げる字句に読み替えるものとする。

第三十七条第二項	有する者	有する者（当該解散の請求を受けている普通地方公共団体の議会の議員又はその解散請求代表者を除く。）
第三十八条第三項	公職の候補者	普通地方公共団体の議会の議員又はその解散請求代表者
第四十六条第一項	当該選挙の公職の候補者一人の氏名	賛否
第四十六条の二第一項	条例で	選挙管理委員会が
	投票用紙に氏名が印刷された公職の候補者のうちその投票しようとするもの一人に対して、投票用紙の記号を記載する欄	普通地方公共団体の議会の解散に賛成するときは投票用紙の賛成の記載欄に○の記号を、これに反対するときは反対の記載欄
第四十六条の二第二項	第四十八条第一項	地方自治法第八十五条第一項において準用する第四十八条第一項
	当該選挙の公職の候補者の氏名	賛否
	公職の候補者（公職の候補者たる参議院名簿登載者を含む。）一人の氏名	が指示する賛否
	公職の候補者一人に対して	の指示に従い賛成の記載欄又は反対の記載欄に
	第六十八条第一項第一号	同法第八十五条第一項において準用する第六十八条第一項第一号
	「公職の候補者の氏名」	「賛否をともに」
	公職の候補者に対して○の記号	賛成の記載欄及び反対の記載欄のいずれにも○の記号を
	公職の候補者の氏名のほか、他事を記載したもの。ただし、職業、身分、住所又は敬称の類を記入したものは、この限りでない。	賛否のほか、他事を記載したもの
	公職の候補者の氏名を自書しないもの	賛否を自書しないもの

	公職の候補者の何人	賛否
	公職の候補者のいずれに対して○の記号	賛成の記載欄又は反対の記載欄のいずれに対して○の記号を記載したか
第四十八条第一項	当該選挙の公職の候補者の氏名	賛否
第四十八条第二項	公職の候補者（公職の候補者たる参議院名簿登載者を含む。）一人の氏名、一の衆議院名簿届出政党等の名称若しくは略称又は一の参議院名簿届出政党等の名称若しくは略称	賛否
第五十二条	被選挙人の氏名又は政党その他の政治団体の名称若しくは略称	賛否
第六十一条第二項	有する者	有する者（当該解散の請求を受けている普通地方公共団体の議会の議員又はその解散請求代表者を除く。）
第六十二条第一項	一人を定め	各々二人を定め
第六十二条第二項第一号	公職の候補者	普通地方公共団体の議会の解散請求代表者
第六十二条第十項	公職の候補者	普通地方公共団体の議会の議員又はその解散請求代表者
第六十八条第一項第四号	二人以上の公職の候補者の氏名を	賛否をともに
第六十八条第一項第六号及び第七号	公職の候補者の氏名	賛否
第六十八条第一項第八号	公職の候補者の何人を記載したか	賛否
第七十一条	当該選挙にかかる議員又は長の任期間	解散の投票の結果が確定するまでの間
第七十五条第三項	有する者	有する者（当該解散の請求を受けている普通地方公共団体の議会の議員又はその解散請求代表者を除く。）
第八十条第一項	各公職の候補者（公職の候補者たる参議院名簿登載者を含む。第三項において同じ。）、各衆議院名簿届出政党等又は各参議院名簿届出政党等の得票総数（各参議院名簿届出政党等の得票総数にあつては、当該参議院名簿届出政党等に係る各参議院名簿登載者（当該選挙の期日において公職の候補者たる者に限る。）の得票総数を含むものをいう。第三項において同じ。）	賛否の投票総数
第八十条第二項	各公職の候補者の得票総数	賛否の投票総数
第八十条第三項	各公職の候補者、各衆議院名簿届出政党等又は各参議院名簿届出政党等の得票総数	賛否の投票総数
第八十三条第二項	当該選挙に係る議員又は長の任期間	解散の投票の結果が確定するまでの間
第八十三条第三項	当該選挙にかかる議員又は長の任期間	解散の投票の結果が確定するまでの間
第百条第五項	前各項	地方自治法施行令第百二条の規定
第百二十七条	第百条第四項	地方自治法施行令第百二条
第百三十一条第一項第四号	参議院（選挙区選出）議員又は都道府県知事の選挙	都道府県の議会の解散の投票

自治令

	公職の候補者一人	都道府県の議会又はその解散請求代表者
第百三十一条第一項第五号	地方公共団体の議会の議員又は市町村長の選挙	市町村の議会の解散の投票
	公職の候補者一人	市町村の議会又はその解散請求代表者
第百三十二条	第百二十九条の規定にかかわらず、選挙の当日においても	普通地方公共団体の議会の解散の投票の当日は
第百三十八条第二項	特定の候補者の氏名若しくは政党その他の政治団体の名称	普通地方公共団体の議会の解散の賛否
第百三十八条の三	公職に就くべき者	普通地方公共団体の議会の解散の賛否
第百六十六条ただし書	第百六十一条の規定による個人演説会、政党演説会又は政党等演説会	地方自治法施行令第百七条の規定による演説会等
第百七十八条	第百条第一項から第四項まで	地方自治法施行令第百二条
	同条第五項	第百条第五項
第百九十九条の二第一項	公職の候補者又は公職の候補者となろうとする者（公職にある者を含む。以下この条において「公職の候補者等」という。）	普通地方公共団体の議会の議員又はその解散請求代表者（以下第百九十九条の四までにおいて「解散請求代表者等」という。）
	寄附を	寄附（当該投票に関するもの又は通常一般の社交の程度を超えるものに限る。以下この条において同じ。）を
	当該公職の候補者等	当該解散請求代表者等
第百九十九条の二第二項から第四項まで	公職の候補者等	解散請求代表者等
第百九十九条の三	公職の候補者又は公職の候補者となろうとする者（公職にある者を含む。）	解散請求代表者等
	団体は	団体は、当該投票に関し
第百九十九条の四	公職の候補者又は公職の候補者となろうとする者（公職にある者を含む。）	解散請求代表者等
	公職の候補者若しくは公職の候補者となろうとする者（公職にある者を含む。）	解散請求代表者等
第二百六条第一項	その当選	その解散の投票の結果
	第百一条の三第二項又は第百六条第二項の規定による告示の日	地方自治法第七十七条の規定による公表の日
第二百七条第一項	議員及び長の当選	解散の投票の結果
第二百九条第一項	当選	解散の投票の結果
第二百十九条第一項	おける当選	おける解散の投票の結果
第二百二十一条第三項第一号	公職の候補者	普通地方公共団体の議会の議員
第二百二十一条第三項第二号	選挙運動を総括主宰した者	普通地方公共団体の議会の解散請求代表者
第二百二十二条第三項	前条第三項各号に掲げる者	普通地方公共団体の議会の議員又はその解散請求代表者

第二百二十三条第三項	第二百二十一条第三項各号に掲げる者	普通地方公共団体の議会の議員又はその解散請求代表者
第二百二十六条第二項、第二百二十七条及び第二百二十八条第一項	被選挙人の氏名	賛否
第二百三十七条の二第一項	公職の候補者（公職の候補者たる参議院名簿登載者を含む。）の氏名若しくは衆議院名簿届出政党等若しくは参議院名簿届出政党等の名称若しくは略称又は公職の候補者に対して	賛否又は
	指示する	指示に従い
第二百三十七条の二第二項	公職の候補者（公職の候補者たる参議院名簿登載者を含む。）の氏名又は衆議院名簿届出政党等若しくは参議院名簿届出政党等の名称若しくは略称	賛否
第二百四十九条の二第五項	公職の候補者等	普通地方公共団体の議会の議員又はその解散請求代表者（第七項において「解散請求代表者等」という。）
第二百四十九条の二第七項	公職の候補者等	解散請求代表者等
第二百五十三条の二第一項及び第二百五十四条	当選人	普通地方公共団体の議会の議員若しくは議員であつた者又はその解散請求代表者
第二百五十五条第一項	公職の候補者（公職の候補者たる参議院名簿登載者を含む。以下この条及び次条において同じ。）一人の氏名、一の衆議院名簿届出政党等の名称若しくは略称又は一の参議院名簿届出政党等の名称若しくは略称	賛否
	公職の候補者の氏名、衆議院名簿届出政党等の名称若しくは略称又は参議院名簿届出政党等の名称若しくは略称	賛否
第二百五十五条第三項	公職の候補者一人の氏名、一の衆議院名簿届出政党等の名称若しくは略称又は一の参議院名簿届出政党等の名称若しくは略称	賛否
	公職の候補者の氏名、衆議院名簿届出政党等の名称若しくは略称又は参議院名簿届出政党等の名称若しくは略称	賛否

② 地方自治法第八十五条第一項の規定により、普通地方公共団体の議会の解散の投票に公職選挙法中普通地方公共団体の選挙に関する規定を準用する場合には、同法の規定中地方公共団体の議会の議員及び長の選挙に関する部分は普通地方公共団体の議会の解散の投票に関する規定、公職の候補者又は推薦届出者に関する部分は当該普通地方公共団体の議会又はその解散請求代表者に関する規定とみなす。

第百九条　地方自治法第八十五条第一項の規定により、普通地方公共団体の議会の解散の投票に公職選挙法中普通地方公共団体の選挙に関する規定を準用する場合には、同法第一条から第四条まで、第五条の二から第五条の十まで、第九条第一項、第十条、第十一条第三項、第十一条の二、第十二条第一項、第二項及び第四項、第十三条から第十八条まで、第二十条から第三十五条まで、第三十七条第三項及び第四項、第四十一条の二第一項（選挙区に関する部分に限る。）及び第五項（同法第四十六条第二項及び第三項、第百六十五条の二、第百七十五条第一項並びに第二百一条の十二第二項に関する部分に限る。）、第四十二条（在外選挙人名簿に関する部分に限る。）、第四十四条第三項（引き続き都道府県の区域内に住所を有することの確認に関する部分に限る。）、第四十六条の二第二項（同法第六十八条第一項第二号及び第五号、第八十六条の四並びに第百二十六条に関する部分に限る。）及び第三項（公職の候補者

自治令

に関する部分に限る。）、第四十八条の二第五項（同法第四十六条第二項及び第三項に関する部分に限る。）、第四十九条第七項から第九項まで、第四十九条の二、第五十五条（在外選挙人名簿に関する部分に限る。）、第五十六条（在外選挙人名簿に関する部分に限る。）、第六十一条第三項及び第四項、第六十二条第二項第二号から第四号まで、第三項から第五項まで、第八項ただし書及び第九項ただし書、第六十八条第一項第二号、第三号、第五号及び第六号ただし書、第二項並びに第三項、第六十八条の二、第六十八条の三、第七十五条第二項、第七十七条第二項、第八十一条、第八十四条後段、第八十六条から第九十九条の二まで、第百条第一項から第四項まで及び第六項から第九項まで、第百一条から第百六条まで、第百八条、第十一章、第百二十六条、第百二十九条、第百三十条第一項第一号から第三号まで、第百三十一条第一項第一号から第三号まで及び第三項、第百三十六条の二第二項、第百三十九条ただし書、第百四十条の二（選挙運動のために使用される自動車又は船舶の上においてする連呼行為に関する部分に限る。）、第百四十一条から第百四十七条の二まで、第百四十八条第二項及び第三項、第百四十八条の二から第百五十一条の二まで、第百五十一条の五、第百五十二条、第百六十一条から第百六十四条の五まで、第百六十四条の七、第百六十五条の二、第百六十七条から第百七十二条の二まで、第百七十五条から第百七十七条まで、第百七十八条の二、第百七十八条の三、第百七十九条第一項及び第三項、第百七十九条の二から第百九十七条まで、第百九十七条の二第二項から第五項まで、第百九十九条の五、第十四章の二、第十四章の三、第二百四条、第二百五条第二項から第五項まで、第二百八条、第二百九条第二項、第二百九条の二から第二百十一条まで、第二百十三条（訴訟に関する部分を除く。）、第二百十六条、第二百十七条、第二百十九条第一項（行政事件訴訟法（昭和三十七年法律第百三十九号）第二十五条から第二十九条まで及び第三十一条に関する部分に限る。）及び第二項、第二百二十条第二項、第二百二十一条第三項第三号及び第四号、第二百二十三条の二、第二百二十四条の二、第二百二十四条の三、第二百三十五条の二第二号及び第三号、第二百三十五条の三、第二百三十五条の四第二号、第二百三十五条の六、第二百三十六条第一項及び第二項、第二百三十六条の二、第二百三十八条の二、第二百三十九条第二項、第二百三十九条の二第一項、第二百四十条第二項、第二百四十二条第二項、第二百四十三条第一項第二号から第九号まで及び第二項、第二百四十四条第一項第二号から第五号の二まで、第七号及び第八号並びに第二項、第二百四十六条、第二百四十七条、第二百四十九条の二第三項及び第六項、第二百四十九条の五、第二百五十一条から第二百五十一条の五まで、第二百五十二条の二、第二百五十二条の三、第二百五十四条の二、第二百五十五条第四項から第六項まで、第二百五十五条の二から第二百六十二条まで、第二百六十三条、第二百六十四条第一項第一号（公職選挙法第二百六十三条第五号の三、第六号、第十号及び第十一号に掲げる費用に関する部分に限る。）、第二項及び第三項、第二百六十六条から第二百六十八条まで、第二百六十九条の二、第二百七十条第一項（在外選挙人名簿及び在外投票に関する部分に限る。）、同条第二項（同法第四十九条第一項及び第四項の規定による投票に関する部分を除く。）、第二百七十条の二（同法第四十九条第七項及び第九項の規定による投票に関する部分に限る。）並びに第二百七十一条から第二百七十二条までの規定は、普通地方公共団体の議会の解散の投票については、準用しない。

第百九条の二　普通地方公共団体の議会の解散の請求に要する費用及びその請求に関連して生ずる費用（争訟のための費用を含む。）は、地方自治法及びこの政令の規定により当該普通地方公共団体の負担するものを除く外、普通地方公共団体の議会の議員若しくは議員であつた者又はその解散請求代表者の負担とする。

第百九条の三　普通地方公共団体の議会の解散の投票が地方自治法第八十五条第一項において準用する公職選挙法第二百二条、第二百三条、第二百六条又は第二百七条の規定による異議の申出、審査の申立て又は訴訟の結果無効となつた場合においては、選挙管理委員会は、当該異議の申出若しくは審査の申立てに対する決定若しくは裁決が確定した日又は当該訴訟につき同法第二百二十条第一項後段の規定による通知を受けた日から四十日以内に再投票に付さなければならない。

② 前項の再投票の期日は、都道府県に関する請求にあつては少くともその三十日前に、市町村に関する請求にあつては少くともその二十日前に、これを告示しなければならない。

③ 前項に定めるもののほか、第一項の再投票については、当該再投票を普通地方公共団体の議会の解散の投票とみなして、普通地方公共団体の議会の解散の投票に関する規定を適用する。

第百十条　第九十一条から第九十七条まで、第九十八条第一項、第九十八条の三及び第九十八条の四の規定は、地方自治法第八十条第一項の規定による普通地方公共団体の議会の議員の解職の請求について準用する。この場合において、次の表の上欄に掲げる規定中同表の中欄に掲げる字句は、それぞれ同表の下欄に掲げる字句に読み替えるものとする。

第九十一条第一項及び第二項	普通地方公共団体の長	普通地方公共団体の選挙管理委員会
第九十一条第三項	地方自治法第七十四条第六項各号	地方自治法第八十条第四項において準用する同法第七十四条第六項各号
	普通地方公共団体の長	普通地方公共団体の選挙管理委員会
第九十一条第四項	地方自治法第七十四条第六項各号	地方自治法第八十条第四項において準用する同法第七十四条第六項各号
	知つたとき	知つたとき（当該請求が都道府県又は指定都市に関する場合に限る。）
	普通地方公共団体の長	普通地方公共団体の選挙管理委員会
第九十一条第五項	普通地方公共団体の長	普通地方公共団体の選挙管理委員会
	地方自治法第七十四条第六項各号	地方自治法第八十条第四項において準用する同法第七十四条第六項各号
第九十二条第三項及び第四項	地方自治法第七十四条第七項	地方自治法第八十条第四項において準用する同法第七十四条第七項
第九十四条第一項	地方自治法第七十四条第五項	地方自治法第八十条第四項において準用する同法第七十四条第五項
	五十分の一	三分の一（その総数が四十万を超え八十万以下の場合にあつてはその四十万を超える数に六分の一を乗じて得た数と四十万に三分の一を乗じて得た数とを合算して得た数、その総数が八十万を超える場合にあつてはその八十万を超える数に八分の一を乗じて得た数と四十万に六分の一を乗じて得た数と四十万に三分の一を乗じて得た数とを合算して得た数）
第九十五条の二	地方自治法第七十四条の二第一項	地方自治法第八十条第四項において準用する同法第七十四条の二第一項
第九十五条の三	地方自治法第七十四条の二第五項	地方自治法第八十条第四項において準用する同法第七十四条の二第五項
第九十五条の四	地方自治法第七十四条の二第六項	地方自治法第八十条第四項において準用する同法第七十四条の二第六項
第九十六条第一項	地方自治法第七十四条第一項	地方自治法第八十条第一項
	同法第七十四条の二第六項	同条第四項において準用する同法第七十四条の二第六項
	同法第七十四条第五項	同法第八十条第四項において準用する同法第七十四条第五項
	五十分の一	三分の一（その総数が四十万を超え八十万以下の場合にあつてはその四十万を超える数に六分の一を乗じて得た数と四十万に三分の一を乗じて得た数とを合算して得た数、その総

		数が八十万を超える場合にあつてはその八十万を超える数に八分の一を乗じて得た数と四十万に六分の一を乗じて得た数と四十万に三分の一を乗じて得た数とを合算して得た数）
第九十六条第二項	地方自治法第七十四条の二第十項	地方自治法第八十条第四項において準用する同法第七十四条の二第十項
第九十七条第一項	地方自治法第七十四条第五項	地方自治法第八十条第四項において準用する同法第七十四条第五項
	五十分の一	三分の一（その総数が四十万を超え八十万以下の場合にあつてはその四十万を超える数に六分の一を乗じて得た数と四十万に三分の一を乗じて得た数とを合算して得た数、その総数が八十万を超える場合にあつてはその八十万を超える数に八分の一を乗じて得た数と四十万に六分の一を乗じて得た数と四十万に三分の一を乗じて得た数とを合算して得た数）
	普通地方公共団体の長	普通地方公共団体の選挙管理委員会
第九十八条第一項	普通地方公共団体の長	普通地方公共団体の選挙管理委員会
第九十八条の三第一項	地方自治法第七十四条の二及び第七十四条の三	地方自治法第八十条第四項において準用する同法第七十四条の二及び第七十四条の三
	同法第七十四条の二第十項	同法第八十条第四項において準用する同法第七十四条の二第十項

第百十一条　普通地方公共団体の議会の同一議員に対し二以上の解職の請求があつたときは、解職の投票は、一の投票を以て合併してこれを行うことを妨げない。

②　普通地方公共団体の議会の議員の解職の請求をしようとするときは、その解職請求代表者は、議員一人についてそれぞれ一の解職請求書及び解職請求者署名簿を作製して、これをしなければならない。

第百十二条　普通地方公共団体の議会の議員がその職を失い又は死亡したときは、解職の投票は、これを行わない。

第百十三条　第百条の二、第百三条から第百五条まで、第百七条、第百八条第二項、第百九条（公職選挙法第十二条第一項及び第四項、第十五条、第十五条の二第四項並びに第二百七十一条に関する部分を除く。）、第百九条の二及び第百九条の三の規定は、普通地方公共団体の議会の議員の解職の投票について準用する。この場合において、第百条の二第一項中「前条」とあり、及び第百四条第一項中「第百条」とあるのは、「第百十条」と読み替えるものとする。

第百十四条　公職選挙法施行令第二十二条の二、第二十四条第一項及び第二項、第二十五条から第二十九条まで、第三十一条から第三十四条の二まで、第三十五条第一項（引き続き都道府県の区域内に住所を有することの確認に関する部分を除く。）及び第二項、第三十六条、第三十七条、第三十九条から第四十四条まで、第四十四条の二（在外選挙人名簿に関する部分を除く。）、第四十五条、第四十六条、第四十八条第一項から第四項まで、第四十八条の二、第四章の二（第四十八条の三（同令第四十九条の五第二項及び第九十三条第一項に関する部分に限る。）を除く。）、第四十九条の三、第四章の四、第五章（第五十条第五項（引き続き都道府県の区域内に住所を有することの確認に関する部分に限る。）及び第七項、第五十三条第一項（引き続き都道府県の区域内に住所を有することの確認に関する部分及び同令第五十九条の七第一項に規定する南極選挙人証の交付を受けた者に関する部分に限る。）、第五十五条第六項及び第七項、同条第八項及び第九項（公職選挙法第四十九条第七項及び第九項の規定による投票に関する部分に限る。）、第五十六条第一項及び第五項（衆議院比例代表選出議員の選挙に関する部分及び参議院比例代表選出議員の選挙に関する部分に限る。）、第五十九条の三第一項（在外投票に関する部分に限る。）、同条第五項（在外選挙人名簿に関する部分に限る。）、第五十九条の四第三項及び第四項（引き続き都道府県の区域内に住所を有することの確認に関する部分に限る。）、第五十九条の五（衆議院比例代表選出議員の選挙に関する部分及び参議院比例代表選出議員の選挙に関する部分に限る。）、第五十九条の五の四第三項、第六項及び第七項（引き続き都道府県の区域内に住所を有することの確認に関する部分に限る。）、第五十九条の六から第五十九条の八まで、第六十条第二項（同法第四十九条第七項から第九項までの規定による投票に関する部分に限る。）、第六十一条第一項（在外選挙人名簿に関する部分に限る。）、同条第四項、同条第五項（在外選挙人の不在者投票に関する部分に限る。）、第六十二条第二項並びに第六十三条第二項及び第三項（同法第四十九条第七項から第九項までの規定による投票に関する部分に限る。）を除く。）、第六十六条、第六十七条第一項から第六項まで、第六十八条、第六十九条（政党その他の政治団体に関する部分を除く。）、第七十条の二第一項（政党その他の政治団体に関する部分、候補者届出政党に関する部分、衆議院名簿届出政党等に関する部分及び参議院名簿届出政党等に関する部分を除く。）、第七十条の三、第七十条の四第一項本文、第二項本文及び第三項、第七十条の五第一項、第三項、第五項、第六項、第八項及び第十項、第七十条の六第一項、第三項、第五項、第六項、第八項、第十項、第十一項、第十三項及び第十五項、第七十条の七第一項本文、第二項本文、第三項、第四項本文、第五項本文及び第六項、第七十条の八、第七十一条（在外投票に関する部分を除く。）、第七十二条から第七十四条まで、第七十五条（在外選挙人名簿に関する部分を除く。）、第七十六条（在外投票に関する部分を除く。）、第七十七条、第七十八条第一項から第四項まで、第八十条から第八十二条まで、第八十三条の二から第八十五条まで、第八十六条第一項、第八十七条第一項、第十章、第百八条第一項及び第三項（衆議院比例代表選出議員の選挙に関する部分及び参議院比例代表選出議員の選挙に関する部分並びに推薦届出者に関する部分及び候補者届出政党に関する部分を除く。）、第百二十九条第一項、第百三十一条第一項、第二項（在外選挙人名簿に関する部分を除く。）及び第三項、第百三十一条の二、第百四十二条第一項（同法第四十九条第一項の規定による投票に関する部分に限る。）及び第二項、第百四十二条の二（同法第四十九条第七項及び第九項の規定による投票に関する部分を除く。）、第百四十二条の三、第百四十四条並びに第百四十六条の規定は、普通地方公共団体の議会の議員の解職の投票について準用する。この場合において、次の表の上欄に掲げる同令の規定中同表の中欄に掲げる字句は、それぞれ同表の下欄に掲げる字句に読み替えるものとする。

第二十二条の二	その抄本を用いて選挙された衆議院議員、参議院議員又は地方公共団体の議会の議員若しくは長の任期間	解職の投票の結果が確定するまでの間
第四十一条第四項	公職の候補者（公職の候補者たる参議院名簿登載者を含む。）の氏名若しくは衆議院名簿届出政党等若しくは参議院名簿届出政党等の名称若しくは略称又は公職の候補者に対して	賛否又は
第四十五条	当該選挙に係る衆議院議員、参議院議員又は地方公共団体の議会の議員若しくは長の任期間（当該選挙に用いなかった投票用紙にあっては、次の各号に掲げる選挙の区分に応じ、当該各号に定める期間）	解職の投票の結果が確定するまでの間
第五十六条第一項及び第二項	当該選挙の公職の候補者一人の氏名	賛否
第五十六条第四項	公職の候補者一人の氏名	賛否
第五十六条第五項	公職の候補者の氏名	賛否
第五十九条の五	当該選挙の公職の候補者一人の氏名	賛否
第五十九条の五の二	公職の候補者一人の氏名	賛否
第六十九条	公職の候補者、候補者届出政党、衆議院名簿届出政党等又は参議院名簿届出政党等	普通地方公共団体の議会の議員又はその解職請求代表者
第七十条の二第一	公職の候補者の届出に	普通地方公共団体

項	係る者については当該公職の候補者の氏名	の議会の議員の届出に係る者については当該議員の氏名、解職請求代表者の届出に係る者については当該解職請求代表者の氏名
第七十条の五第一項、第三項、第六項及び第八項並びに第七十条の六第一項、第三項、第六項、第八項、第十一項及び第十三項	二人	各々三人
	一人	各々二人
第七十二条	同一の公職の候補者（公職の候補者たる参議院名簿登載者を含む。）、同一の衆議院名簿届出政党等又は同一の参議院名簿届出政党等の得票数（参議院名簿届出政党等の得票数にあつては、当該参議院名簿届出政党等に係る各参議院名簿登載者（当該選挙の期日において公職の候補者たる者に限る。）の得票数を含むものをいう。）	賛否の投票数
第七十三条	各公職の候補者（公職の候補者たる参議院名簿登載者を含む。）、各衆議院名簿届出政党等又は各参議院名簿届出政党等の得票数（各参議院名簿届出政党等の得票数にあつては、当該参議院名簿届出政党等に係る各参議院名簿登載者（当該選挙の期日において公職の候補者たる者に限る。）の得票数を含むものをいう。）	賛否の投票数
第七十七条第一項	当該選挙に係る衆議院議員、参議院議員又は地方公共団体の議会の議員若しくは長の任期間	解職の投票の結果が確定するまでの間
第八十四条	各公職の候補者（公職の候補者たる参議院名簿登載者を含む。）、各衆議院名簿届出政党等又は各参議院名簿届出政党等の得票総数（各参議院名簿届出政党等の得票総数にあつては、当該参議院名簿届出政党等に係る各参議院名簿登載者（当該選挙の期日において公職の候補者たる者に限る。）の得票総数を含むものをいう。）	賛否の投票総数
第八十六条第一項	当該選挙に係る衆議院議員、参議院議員又は地方公共団体の議会の議員若しくは長の任期間	解職の投票の結果が確定するまでの間
第百八条第一項	設置者が公職の候補者	設置者
	である場合には当該公職の候補者の氏名	の氏名

第百十五条 地方自治法第八十五条第一項の規定により、普通地方公共団体の議会の議員の解職の投票に公職選挙法中普通地方公共団体の選挙に関する規定を準用する場合には、次の表の上欄に掲げる同法の規定中同表の中欄に掲げる字句は、それぞれ同表の下欄に掲げる字句に読み替えるものとする。

第三十七条第二項	有する者	有する者（当該解職の請求を受けている普通地方公共団体の議会の議員又はその解職請求代表者を除く。）
第四十六条第一項	当該選挙の公職の候補者一人の氏名	賛否
第四十六条の二第一項	条例で	選挙管理委員会が
	投票用紙に氏名が印刷された公職の候補者の	普通地方公共団体の議会の議員の解

	うちその投票しようとするもの一人に対して、投票用紙の記号を記載する欄	職に賛成するときは投票用紙の賛成の記載欄に○の記号を、これに反対するときは反対の記載欄
第四十六条の二第二項	第四十八条第一項	地方自治法第八十五条第一項において準用する第四十八条第一項
	当該選挙の公職の候補者の氏名	賛否
	公職の候補者（公職の候補者たる参議院名簿登載者を含む。）一人の氏名	が指示する賛否
	公職の候補者一人に対して	の指示に従い賛成の記載欄又は反対の記載欄に
	第六十八条第一項第一号	同法第八十五条第一項において準用する第六十八条第一項第一号
	「公職の候補者の氏名」	「賛否をともに」
	公職の候補者に対して○の記号	賛成の記載欄及び反対の記載欄のいずれにも○の記号を
	公職の候補者の氏名のほか、他事を記載したもの。ただし、職業、身分、住所又は敬称の類を記入したものは、この限りでない。	賛否のほか、他事を記載したもの
	公職の候補者の氏名を自書しないもの	賛否を自書しないもの
	公職の候補者の何人	賛否
	公職の候補者のいずれに対して○の記号	賛成の記載欄又は反対の記載欄のいずれに対して○の記号を記載したか
第四十八条第一項	当該選挙の公職の候補者の氏名	賛否
第四十八条第二項	公職の候補者（公職の候補者たる参議院名簿登載者を含む。）一人の氏名、一の衆議院名簿届出政党等の名称若しくは略称又は一の参議院名簿届出政党等の名称若しくは略称	賛否
第五十二条	被選挙人の氏名又は政党その他の政治団体の名称若しくは略称	賛否
第六十一条第二項	有する者	有する者（当該解職の請求を受けている普通地方公共団体の議会の議員又はその解職請求代表者を除く。）
第六十二条第一項	一人を定め	各々二人を定め
第六十二条第二項第一号	公職の候補者	普通地方公共団体の議会の議員の解職請求代表者
第六十二条第十項	公職の候補者	解職の請求を受けている普通地方公共団体の議会の議員又はその解職請求代表者
第六十八条第一項第四号	二人以上の公職の候補者の氏名を	賛否をともに
第六十八条第一項第六号及び第七号	公職の候補者の氏名	賛否
第六十八条第一項第八号	公職の候補者の何人を記載したか	賛否
第七十一条	当該選挙にかかる議員又は長の任期間	解職の投票の結果が確定するまでの間
第七十五条第三項	有する者	有する者（当該解職の請求を受けている普通地方公共団体の議会の議員

		又はその解職請求代表者を除く。）
第八十条第一項	各公職の候補者（公職の候補者たる参議院名簿登載者を含む。第三項において同じ。）、各衆議院名簿届出政党等又は各参議院名簿届出政党等の得票総数（各参議院名簿届出政党等の得票総数にあつては、当該参議院名簿届出政党等に係る各参議院名簿登載者（当該選挙の期日において公職の候補者たる者に限る。）の得票総数を含むものをいう。第三項において同じ。）	賛否の投票総数
第八十条第二項	各公職の候補者の得票総数	賛否の投票総数
第八十条第三項	各公職の候補者、各衆議院名簿届出政党等又は各参議院名簿届出政党等の得票総数	賛否の投票総数
第八十三条第二項	当該選挙に係る議員又は長の任期間	解職の投票の結果が確定するまでの間
第八十三条第三項	当該選挙にかかる議員又は長の任期間	解職の投票の結果が確定するまでの

		間
第百条第五項	前各項	地方自治法施行令第百十二条の規定
第百二十七条	第百条第四項	地方自治法施行令第百十二条
第百三十一条第一項第五号	公職の候補者一人	普通地方公共団体の議会の議員又はその解職請求代表者
第百三十二条	第百二十九条の規定にかかわらず、選挙の当日においても	普通地方公共団体の議会の議員の解職の投票の当日は
第百三十八条第二項	特定の候補者の氏名若しくは政党その他の政治団体の名称	普通地方公共団体の議会の議員の解職の賛否
第百三十八条の三	公職に就くべき者	普通地方公共団体の議会の議員の解職の賛否
第百六十六条ただし書	第百六十一条の規定による個人演説会、政党演説会又は政党等演説会	地方自治法施行令第百十三条において準用する同令第百七条の規定による演説会等
第百七十八条	第百条第一項から第四項まで	地方自治法施行令第百十二条
	同条第五項	第百条第五項

第百九十九条の二第一項	公職の候補者又は公職の候補者となろうとする者（公職にある者を含む。以下この条において「公職の候補者等」という。）	解職の請求を受けている普通地方公共団体の議会の議員又はその解職請求代表者（以下第百九十九条の四までにおいて「解職請求代表者等」という。）
	寄附を	寄附（当該投票に関するもの又は通常一般の社交の程度を超えるものに限る。以下この条において同じ。）を
	当該公職の候補者等	当該解職請求代表者等
第百九十九条の二第二項から第四項まで	公職の候補者等	解職請求代表者等
第百九十九条の三	公職の候補者又は公職の候補者となろうとする者（公職にある者を含む。）	解職請求代表者等
	団体は	団体は、当該投票に関し
第百九十九条の四	公職の候補者又は公職	解職請求代表者等

	の候補者となろうとする者（公職にある者を含む。）	
	公職の候補者若しくは公職の候補者となろうとする者（公職にある者を含む。）	解職請求代表者等
第二百六条第一項	その当選	その解職の投票の結果
	第百一条の三第二項又は第百六条第二項の規定による告示の日	地方自治法第八十二条第一項の規定による公表の日
第二百七条第二項	議員及び長の当選	議員の解職の投票の結果
第二百九条第一項	当選	解職の投票の結果
第二百十九条第一項	おける当選	おける解職の投票の結果
第二百二十一条第三項第一号	公職の候補者	解職の請求を受けている普通地方公共団体の議会の議員
第二百二十一条第三項第二号	選挙運動を総括主宰した者	普通地方公共団体の議会の議員の解職請求代表者
第二百二十二条第三項	前条第三項各号に掲げる者	解職の請求を受けている普通地方公共団体の議会の議員又はその解職請求代表者
第二百二十三条第三項	第二百二十一条第三項各号に掲げる者	解職の請求を受けている普通地方公共団体の議会の議員又はその解職請求代表者
第二百二十六条第二項、第二百二十七条及び第二百二十八条第一項	被選挙人の氏名	賛否
第二百三十七条の二第一項	公職の候補者（公職の候補者たる参議院名簿登載者を含む。）の氏名若しくは衆議院名簿届出政党等若しくは参議院名簿届出政党等の名称若しくは略称又は公職の候補者に対して	賛否又は
	指示する	指示に従い
第二百三十七条の二第二項	公職の候補者（公職の候補者たる参議院名簿登載者を含む。）の氏名又は衆議院名簿届出政党等若しくは参議院名簿届出政党等の名称若しくは略称	賛否
第二百四十九条の二第五項	公職の候補者等	普通地方公共団体の議会の議員又はその解職請求代表者（第七項において「解職請求代表者等」という。）
第二百四十九条の二第七項	公職の候補者等	解職請求代表者等
第二百五十三条の二第一項及び第二百五十四条	当選人	普通地方公共団体の議会の議員若しくは議員であった者又はその解職請求代表者
第二百五十五条第一項	公職の候補者（公職の候補者たる参議院名簿登載者を含む。以下この条及び次条において同じ。）一人の氏名、一の衆議院名簿届出政党等の名称若しくは略称又は一の参議院名簿届出政党等の名称若しくは略称	賛否
	公職の候補者の氏名、衆議院名簿届出政党等の名称若しくは略称又は参議院名簿届出政党等の名称若しくは略称	賛否
第二百五十五条第三項	公職の候補者一人の氏名、一の衆議院名簿届	賛否

	出政党等の名称若しくは略称又は一の参議院名簿届出政党等の名称若しくは略称	
	公職の候補者の氏名、衆議院名簿届出政党等の名称若しくは略称又は参議院名簿届出政党等の名称若しくは略称	賛否

② 公職選挙法第十二条第三項及び第百三十一条第一項第四号の規定は、第百十三条の規定にかかわらず、普通地方公共団体の議会の議員の解職の投票については、準用しない。

第百十六条 第九十一条から第九十七条まで、第九十八条第一項、第九十八条の三及び第九十八条の四の規定は、地方自治法第八十一条第一項の規定による普通地方公共団体の長の解職の請求について準用する。この場合において、次の表の上欄に掲げる規定中同表の中欄に掲げる字句は、それぞれ同表の下欄に掲げる字句に読み替えるものとする。

第九十一条第一項及び第二項	普通地方公共団体の長	普通地方公共団体の選挙管理委員会
第九十一条第三項	地方自治法第七十四条第六項各号	地方自治法第八十一条第二項において準用する同法第七十四条第六項各号
	普通地方公共団体の長	普通地方公共団体の選挙管理委員会
第九十一条第四項	地方自治法第七十四条第六項各号	地方自治法第八十一条第二項において準用する同法第七十四条第六項各号
	知つたとき	知つたとき（当該請求が都道府県又は指定都市に関する場合に限る。）
	普通地方公共団体の長	普通地方公共団体の選挙管理委員会
第九十一条第五項	普通地方公共団体の長	普通地方公共団体の選挙管理委員会
	地方自治法第七十四条第六項各号	地方自治法第八十一条第二項において準用する同法第七十四条第六項各号
第九十二条第三項及び第四項	地方自治法第七十四条第七項	地方自治法第八十一条第二項において準用する同法第七十四条第七項
第九十四条第一項	地方自治法第七十四条第五項	地方自治法第八十一条第二項において準用する同法第七十四条第五項
	五十分の一	三分の一（その総数が四十万を超え八十万以下の場合にあつてはその四十万を超える数に六分の一を乗じて得た数と四十万に三分の一を乗じて得た数とを合算して得た数、その総数が八十万を超える場合にあつてはその八十万を超える数に八分の一を乗じて得た数と四十万に六分の一を乗じて得た数と四十万に三分の一を乗じて得た数とを合算して得た数）
第九十五条の二	地方自治法第七十四条の二第一項	地方自治法第八十一条第二項において準用する同法第七十四条の二第一項
第九十五条の三	地方自治法第七十四条の二第五項	地方自治法第八十一条第二項において準用する同法第七十四条の二第五項
第九十五条の四	地方自治法第七十四条の二第六項	地方自治法第八十一条第二項におい

		て準用する同法第七十四条の二第六項
第九十六条第一項	地方自治法第七十四条第一項	地方自治法第八十一条第一項
	同法第七十四条の二第六項	同条第二項において準用する同法第七十四条の二第六項
	同法第七十四条第五項	同法第八十一条第二項において準用する同法第七十四条第五項
	五十分の一	三分の一（その総数が四十万を超え八十万以下の場合にあつてはその四十万を超える数に六分の一を乗じて得た数と四十万に三分の一を乗じて得た数とを合算して得た数、その総数が八十万を超える場合にあつてはその八十万を超える数に八分の一を乗じて得た数と四十万に六分の一を乗じて得た数と四十万に三分の一を乗じて得た数とを合算して得た数）
第九十六条第二項	地方自治法第七十四条の二第十項	地方自治法第八十一条第二項において準用する同法第七十四条の二第十項
第九十七条第一項	地方自治法第七十四条第五項	地方自治法第八十一条第二項において準用する同法第七十四条第五項
	五十分の一	三分の一（その総数が四十万を超え八十万以下の場合にあつてはその四十万を超える数に六分の一を乗じて得た数と四十万に三分の一を乗じて得た数とを合算して得た数、その総数が八十万を超える場合にあつてはその八十万を超える数に八分の一を乗じて得た数と四十万に六分の一を乗じて得た数と四十万に三分の一を乗じて得た数とを合算して得た数）
	普通地方公共団体の長	普通地方公共団体の選挙管理委員会
第九十八条第一項	普通地方公共団体の長	普通地方公共団体の選挙管理委員会
第九十八条の三第一項	地方自治法第七十四条の二及び第七十四条の三	地方自治法第八十一条第二項において準用する同法第七十四条の二及び第七十四条の三
	同法第七十四条の二第十項	同法第八十一条第二項において準用する同法第七十四条の二第十項

第百十六条の二　第百条の二、第百三条から第百五条まで、第百七条、第百八条第二項、第百九条、第百九条の二、第百九条の三、第百十一条及び第百十二条の規定は、普通地方公共団体の長の解職の投票について準用する。この場合において、第百条の二第一項中「前条」とあり、及び第百四条第一項中「第百条」とあるのは、「第百十六条」と読み替えるものとする。

第百十七条　公職選挙法施行令第二十二条の二、第二十四条第一項及び第二項、第二十五条から第二十九条まで、第三十一条から第三十四条の二まで、第三十五条第一項（引き続き都道府県の区域内に住所を有することの確認に関する部分を除く。）及び第二項、第三十六条、第三十七条、第三十九条から第四十四条まで、第四十四条の二（在外選挙人名簿に関する部分を除く。）、第四十五条、第四十六条、第四十八条第一項から第四項まで、第四十八条の二、第四章の二（第四十八条の三（同令第四十九条の五第二項及び第九十三条第一項に関する部分に限る。）を除く。）、第四十九条の三、第四章の四、第五章（第五十条第五項（引き続き都道府県の区域内に住所を有することの確認に関する部分に限る。）及び第七項、第五十三条第一項（引き続き都道府県の区域内に住所を有することの確認に関する部分及び同令第五十九条の七第一項に規定する南極選挙人証の交付を受けた者に関する部分に限る。）、第五十五条第六項及び第七項、同条第八項及び第九項（公職選挙法第四十九条第七項及び第九項の規定による投票に関する部分に限る。）、第五十六条第一項及び第五項（衆議院比例代表選出議員の選挙に関する部分及び参議院比例代表選出議員の選挙に関する部分に限る。）、第五十九条の三第一項（在外投票に関する部分に限る。）、同条第五項（在外選挙人名簿に関する部分に限る。）、第五十九条の四第三項及び第四項（引き続き都道府県の区域内に住所を有することの確認に関する部分に限る。）、第五十九条の五（衆議院比例代表選出議員の選挙に関する部分及び参議院比例代表選出議員の選挙に関する部分に限る。）、第五十九条の五の四第三項、第六項及び第七項（引き続き都道府県の区域内に住所を有することの確認に関する部分に限る。）、第五十九条の六から第五十九条の八まで、第六十条第二項（同法第四十九条第七項から第九項までの規定による投票に関する部分に限る。）、第六十一条第一項（在外選挙人名簿に関する部分に限る。）、同条第四項、同条第五項（在外選挙人の不在者投票に関する部分に限る。）、第六十二条第二項並びに第六十三条第二項及び第三項（同法第四十九条第七項から第九項までの規定による投票に関する部分に限る。）を除く。）、第六十六条、第六十七条第一項から第六項まで、第六十八条、第六十九条（政党その他の政治団体に関する部分を除く。）、第七十条の二第一項（政党その他の政治団体に関する部分、候補者届出政党に関する部分、衆議院名簿届出政党等に関する部分及び参議院名簿届出政党等に関する部分を除く。）、第七十条の三、第七十条の四第一項本文、第二項本文及び第三項、第七十条の五第一項、第三項、第五項、第六項、第八項及び第十項、第七十条の六第一項、第三項、第五項、第六項、第八項、第十項、第十一項、第十三項及び第十五項、第七十条の七第一項本文、第二項本文、第三項、第四項本文、第五項本文及び第六項、第七十条の八、第七十一条（在外投票に関する部分を除く。）、第七十二条から第七十四条まで、第七十五条（在外選挙人名簿に関する部分を除く。）、第七十六条（在外投票に関する部分を除く。）、第七十七条、第七十八条第一項から第四項まで、第八十条から第八十二条まで、第八十三条の二から第八十五条まで、第八十六条第一項、第八十七条第一項、第十章、第百八条第一項及び第三項（衆議院比例代表選出議員の選挙に関する部分及び参議院比例代表選出議員の選挙に関する部分並びに推薦届出者に関する部分及び候補者届出政党に関する部分を除く。）、第百二十九条第一項、第百三十一条第一項、第二項（在外選挙人名簿に関する部分を除く。）及び第三項、第百三十一条の二、第百四十二条第一項（同法第四十九条第一項の規定による投票に関する部分に限る。）及び第二項、第百四十二条の二（同法第四十九条第七項及び第九項の規定による投票に関する部分を除く。）、第百四十二条の三並びに第百四十六条の規定は、普通地方公共団体の長の解職の投票について準用する。この場合において、次の表の上欄に掲げる同令の規定中同表の中欄に掲げる字句は、それぞれ同表の下欄に掲げる字句に読み替えるものとする。

第二十二条の二	その抄本を用いて選挙された衆議院議員、参議院議員又は地方公共団体の議会の議員若しくは長の任期間	解職の投票の結果が確定するまでの間
第四十一条第四項	公職の候補者（公職の候補者たる参議院名簿登載者を含む。）の氏名若しくは衆議院名簿届出政党等若しくは参議院名簿届出政党等の名称若しくは略称又は公職の候補者に対して	賛否又は
第四十五条	当該選挙に係る衆議院議員、参議院議員又は地方公共団体の議会の議員若しくは長の任期間（当該選挙に用いなかつた投票用紙にあつては、次の各号に掲げる選挙の区分に応じ、当該各号に定める期間）	解職の投票の結果が確定するまでの間
第五十六条第一項及び第二項	当該選挙の公職の候補者一人の氏名	賛否
第五十六条第四項	公職の候補者一人の氏名	賛否

第五十六条第五項	公職の候補者の氏名	賛否
第五十九条の五	当該選挙の公職の候補者一人の氏名	賛否
第五十九条の五の二	公職の候補者一人の氏名	賛否
第六十九条	公職の候補者、候補者届出政党、衆議院名簿届出政党等又は参議院名簿届出政党等	普通地方公共団体の長又はその解職請求代表者
第七十条の二第一項	公職の候補者の届出に係る者については当該公職の候補者の氏名	普通地方公共団体の長の届出に係る者については当該普通地方公共団体の長の氏名、解職の請求代表者の届出に係る者については当該解職請求代表者の氏名
第七十条の五第一項、第三項、第六項及び第八項並びに第七十条の六第一項、第三項、第六項、第八項、第十一項及び第十三項	二人	各々三人
	一人	各々二人
第七十二条	同一の公職の候補者（公職の候補者たる参議院名簿登載者を含む。）、同一の衆議院名簿届出政党等又は同一の参議院名簿届出政党等の得票数（参議院名簿届出政党等の得票数にあつては、当該参議院名簿届出政党等に係る各参議院名簿登載者（当該選挙の期日において公職の候補者たる者に限る。）の得票数を含むものをいう。）	賛否の投票数
第七十三条	各公職の候補者（公職の候補者たる参議院名簿登載者を含む。）、各衆議院名簿届出政党等又は各参議院名簿届出政党等の得票数（各参議院名簿届出政党等の得票数にあつては、当該参議院名簿届出政党等に係る各参議院名簿登載者（当該選挙の期日において公職の候補者たる者に限る。）の得票数を含むものをいう。）	賛否の投票数
第七十七条第一項	当該選挙に係る衆議院議員、参議院議員又は地方公共団体の議会の議員若しくは長の任期間	解職の投票の結果が確定するまでの間
第八十四条	各公職の候補者（公職の候補者たる参議院名簿登載者を含む。）、各衆議院名簿届出政党等又は各参議院名簿届出政党等の得票総数（各参議院名簿届出政党等の得票総数にあつては、当該参議院名簿届出政党等に係る各参議院名簿登載者（当該選挙の期日において公職の候補者たる者に限る。）の得票総数を含むものをいう。）	賛否の投票総数
第八十六条第一項	当該選挙に係る衆議院議員、参議院議員又は地方公共団体の議会の議員若しくは長の任期間	解職の投票の結果が確定するまでの間
第百八条第一項	設置者が公職の候補者である場合には当該公職の候補者の氏名	設置者の氏名

第百十八条　地方自治法第八十五条第一項の規定により、普通地方公共団体の長の解職の投票に公職選挙法中普通地方公共団体の選挙に関する規定を準用する場合には、次の表の上欄に掲げる同法の規定中同表の中欄に掲げる字句は、それぞれ同表の下欄に掲げる字句に読み替えるものとする。

第三十七条第二項	有する者	有する者（当該解職の請求を受けている普通地方公共団体の長又はその解職請求代表者を除く。）
第四十六条第一項	当該選挙の公職の候補者一人の氏名	賛否
第四十六条の二第一項	条例で	選挙管理委員会が
	投票用紙に氏名が印刷された公職の候補者のうちその投票しようとするもの一人に対して、投票用紙の記号を記載する欄	普通地方公共団体の長の解職に賛成するときは投票用紙の賛成の記載欄に○の記号を、これに反対するときは反対の記載欄
第四十六条の二第二項	第四十八条第一項	地方自治法第八十五条第一項において準用する第四十八条第一項
	当該選挙の公職の候補者の氏名	賛否
	公職の候補者（公職の候補者たる参議院名簿登載者を含む。）一人の氏名	が指示する賛否
	公職の候補者一人に対して	の指示に従い賛成の記載欄又は反対の記載欄に
	第六十八条第一項第一号	同法第八十五条第一項において準用する第六十八条第一項第一号
	「公職の候補者の氏名」	「賛否をともに」
	公職の候補者に対して○の記号	賛成の記載欄及び反対の記載欄のいずれにも○の記号を
	公職の候補者の氏名のほか、他事を記載したもの。ただし、職業、身分、住所又は敬称の類を記入したものは、この限りでない。	賛否のほか、他事を記載したもの
	公職の候補者の氏名を自書しないもの	賛否を自書しないもの
	公職の候補者の何人	賛否
	公職の候補者のいずれに対して○の記号	賛成の記載欄又は反対の記載欄のいずれに対して○の記号を記載したか
第四十八条第一項	当該選挙の公職の候補者の氏名	賛否
第四十八条第二項	公職の候補者（公職の候補者たる参議院名簿登載者を含む。）一人の氏名、一の衆議院名簿届出政党等の名称若しくは略称又は一の参議院名簿届出政党等の名称若しくは略称	賛否
第五十二条	被選挙人の氏名又は政党その他の政治団体の名称若しくは略称	賛否
第六十一条第二項	有する者	有する者（当該解職の請求を受けている普通地方公共団体の長又はその解職請求代表者を除く。）
第六十二条第一項	一人を定め	各々二人を定め
第六十二条第二項第一号	公職の候補者	普通地方公共団体の長の解職請求代表者
第六十二条第十項	公職の候補者	解職の請求を受けている普通地方公共団体の長又はその解職請求代表者
第六十八条第一項第四号	二人以上の公職の候補者の氏名を	賛否をともに
第六十八条第一項	公職の候補者の氏名	賛否

第六号及び第七号		
第六十八条第一項第八号	公職の候補者の何人を記載したか	賛否
第七十一条	当該選挙にかかる議員又は長の任期間	解職の投票の結果が確定するまでの間
第七十五条第三項	有する者	有する者（当該解職の請求を受けている普通地方公共団体の長又はその解職請求代表者を除く。）
第八十条第一項	各公職の候補者（公職の候補者たる参議院名簿登載者を含む。第三項において同じ。）、各衆議院名簿届出政党等又は各参議院名簿届出政党等の得票総数（各参議院名簿届出政党等の得票総数にあつては、当該参議院名簿届出政党等に係る各参議院名簿登載者（当該選挙の期日において公職の候補者たる者に限る。）の得票総数を含むものをいう。第三項において同じ。）	賛否の投票総数
第八十条第二項	各公職の候補者の得票総数	賛否の投票総数
第八十条第三項	各公職の候補者、各衆議院名簿届出政党等又は各参議院名簿届出政党等の得票総数	賛否の投票総数
第八十三条第二項	当該選挙に係る議員又は長の任期間	解職の投票の結果が確定するまでの間
第八十三条第三項	当該選挙にかかる議員又は長の任期間	解職の投票の結果が確定するまでの間
第百条第五項	前各項	地方自治法施行令第百十六条の二において準用する同令第百十二条の規定
第百二十七条	第百条第四項	地方自治法施行令第百十六条の二において準用する同令第百十二条
第百三十一条第一項第四号及び第五号	公職の候補者一人	普通地方公共団体の長又はその解職請求代表者
第百三十二条	第百二十九条の規定にかかわらず、選挙の当日においても	普通地方公共団体の長の解職の投票の当日は
第百三十八条第二項	特定の候補者の氏名若しくは政党その他の政治団体の名称	普通地方公共団体の長の解職の賛否
第百三十八条の三	公職に就くべき者	普通地方公共団体の長の解職の賛否
第百六十六条ただし書	第百六十一条の規定による個人演説会、政党演説会又は政党等演説会	地方自治法施行令第百十六条の二において準用する同令第百七条の規定による演説会等
第百七十八条	第百条第一項から第四項まで	地方自治法施行令第百十六条の二において準用する同令第百十二条
	同条第五項	第百条第五項
第百九十九条の二第一項	公職の候補者又は公職の候補者となろうとする者（公職にある者を含む。以下この条において「公職の候補者等」という。）	解職の請求を受けている普通地方公共団体の長又はその解職請求代表者（以下第百九十九条の四までにおいて「解職請求代表者等」という。）
	寄附を	寄附（当該投票に関するもの又は通常一般の社交の程度を超えるものに限る。以下この条において同じ。）を

自治令

	当該公職の候補者等	当該解職請求代表者等
第百九十九条の二第二項から第四項まで	公職の候補者等	解職請求代表者等
第百九十九条の三	公職の候補者又は公職の候補者となろうとする者（公職にある者を含む。）	解職請求代表者等
	団体は	団体は、当該投票に関し
第百九十九条の四	公職の候補者又は公職の候補者となろうとする者（公職にある者を含む。）	解職請求代表者等
	公職の候補者若しくは公職の候補者となろうとする者（公職にある者を含む。）	解職請求代表者等
第二百六条第一項	その当選	その解職の投票の結果
	第百一条の三第二項又は第百六条第二項の規定による告示の日	地方自治法第八十二条第二項の規定による公表の日
第二百七条第二項	議会の議員及び長の当選	長の解職の投票の結果
第二百九条第一項	当選	解職の投票の結果
第二百十九条第一項	における当選	における解職の投票の結果
第二百二十一条第三項第一号	公職の候補者	解職の請求を受けている普通地方公共団体の長
第二百二十一条第三項第二号	選挙運動を総括主宰した者	普通地方公共団体の長の解職請求代表者
第二百二十二条第三項	前条第三項各号に掲げる者	普通地方公共団体の長又はその解職請求代表者
第二百二十三条第三項	第二百二十一条第三項各号に掲げる者	普通地方公共団体の長又はその解職請求代表者
第二百二十六条第二項、第二百二十七条及び第二百二十八条第一項	被選挙人の氏名	賛否
第二百三十七条の二第一項	公職の候補者（公職の候補者たる参議院名簿登載者を含む。）の氏名若しくは衆議院名簿届出政党等若しくは参議院名簿届出政党等の名称若しくは略称又は公職の候補者に対して	賛否又は
	指示する	指示に従い
第二百三十七条の二第二項	公職の候補者（公職の候補者たる参議院名簿登載者を含む。）の氏名又は衆議院名簿届出政党等若しくは参議院名簿届出政党等の名称若しくは略称	賛否
第二百四十九条の二第五項	公職の候補者等	普通地方公共団体の長又はその解職請求代表者（第七項において「解職請求代表者等」という。）
第二百四十九条の二第七項	公職の候補者等	解職請求代表者等
第二百五十三条の二第一項及び第二百五十四条	当選人	普通地方公共団体の長若しくは長であつた者又はその解職請求代表者
第二百五十五条第一項	公職の候補者（公職の候補者たる参議院名簿登載者を含む。以下この条及び次条において同じ。）一人の氏名、一の衆議院名簿届出政党等の名称若しくは略称又は一の参議院名簿届出政党等の名称若し	賛否

	くは略称	
	公職の候補者の氏名、衆議院名簿届出政党等の名称若しくは略称又は参議院名簿届出政党等の名称若しくは略称	賛否
第二百五十五条第三項	公職の候補者一人の氏名、一の衆議院名簿届出政党等の名称若しくは略称又は一の参議院名簿届出政党等の名称若しくは略称	賛否
	公職の候補者の氏名、衆議院名簿届出政党等の名称若しくは略称又は参議院名簿届出政党等の名称若しくは略称	賛否

第百十九条　削除〔昭二五・五政令一一三〕

第百二十条　地方自治法第八十五条第一項において準用する公職選挙法中普通地方公共団体の選挙に関する規定並びにこの政令第百条の二乃至第百九条の二、第百十一条乃至第百十五条及び第百十六条の二乃至第百十八条の規定は、地方自治法第八十五条第一項の規定により同法第七十六条第三項の規定による解散の投票並びに同法第八十条第三項及び第八十一条第二項の規定による解職の投票を同時に行う場合並びに同法第八十五条第二項の規定により普通地方公共団体の選挙とこれらの投票を同時に行う場合にこれを準用する。

第百二十一条　第九十一条から第九十八条まで、第九十八条の三及び第九十八条の四の規定は、地方自治法第八十六条第一項の規定による副知事若しくは副市町村長、指定都市の総合区長、選挙管理委員若しくは監査委員又は公安委員会の委員の解職の請求について準用する。この場合において、次の表の上欄に掲げる規定中同表の中欄に掲げる字句は、それぞれ同表の下欄に掲げる字句に読み替えるものとする。

第九十一条第三項から第五項まで	地方自治法第七十四条第六項各号	地方自治法第八十六条第四項において準用する同法第七十四条第六項各号
第九十二条第一項	地方自治法第七十四条第一項	地方自治法第八十六条第一項
第九十二条第三項及び第四項	地方自治法第七十四条第七項	地方自治法第八十六条第四項において準用する同法第七十四条第七項
第九十四条第一項	地方自治法第七十四条第五項	地方自治法第八十六条第四項において準用する同法第七十四条第五項
	五十分の一	三分の一（その総数が四十万を超え八十万以下の場合にあつてはその四十万を超える数に六分の一を乗じて得た数と四十万に三分の一を乗じて得た数とを合算して得た数、その総数が八十万を超える場合にあつてはその八十万を超える数に八分の一を乗じて得た数と四十万に六分の一を乗じて得た数と四十万に三分の一を乗じて得た数とを合算して得た数）
第九十五条の二	地方自治法第七十四条の二第一項	地方自治法第八十六条第四項において準用する同法第七十四条の二第一項
第九十五条の三	地方自治法第七十四条の二第五項	地方自治法第八十六条第四項において準用する同法第七十四条の二第五項
第九十五条の四	地方自治法第七十四条の二第六項	地方自治法第八十六条第四項において準用する同法第七十四条の二第六項
第九十六条第一項	地方自治法第七十四条第一項	地方自治法第八十六条第一項

	同法第七十四条の二第六項	同条第四項において準用する同法第七十四条の二第六項
	同法第七十四条第五項	同法第八十六条第四項において準用する同法第七十四条第五項
	五十分の一	三分の一（その総数が四十万を超え八十万以下の場合にあつてはその四十万を超える数に六分の一を乗じて得た数と四十万に三分の一を乗じて得た数とを合算して得た数、その総数が八十万を超える場合にあつてはその八十万を超える数に八分の一を乗じて得た数と四十万に六分の一を乗じて得た数と四十万に三分の一を乗じて得た数とを合算して得た数）
第九十六条第二項	地方自治法第七十四条の二第十項	地方自治法第八十六条第四項において準用する同法第七十四条の二第十項
第九十七条第一項	地方自治法第七十四条第五項	地方自治法第八十六条第四項において準用する同法第七十四条第五項
	五十分の一	三分の一（その総数が四十万を超え八十万以下の場合にあつてはその四十万を超える数に六分の一を乗じて得た数と四十万に三分の一を乗じて得た数とを合算して得た数、その総数が八十万を超える場合にあつてはその八十万を超える数に八分の一を乗じて得た数と四十万に六分の一を乗じて得た数と四十万に三分の一を乗じて得た数とを合算して得た数）
第九十八条第二項	地方自治法第七十四条第三項	地方自治法第八十六条第三項
第九十八条の三第一項	地方自治法第七十四条の二及び第七十四条の三	地方自治法第八十六条第四項において準用する同法第七十四条の二及び第七十四条の三
	同法第七十四条の二第十項	同法第八十六条第四項において準用する同法第七十四条の二第十項

第三章　議会

第百二十一条の二　地方自治法第九十二条の二に規定する政令で定める額は、三百万円とする。

第百二十一条の二の二　地方自治法第九十六条第一項第五号に規定する政令で定める基準は、契約の種類については、別表第三上欄に定めるものとし、その金額については、その予定価格の金額が同表下欄に定める金額を下らないこととする。

②　地方自治法第九十六条第一項第八号に規定する政令で定める基準は、財産の取得又は処分の種類については、別表第四上欄に定めるものとし、その金額については、その予定価格の金額が同表下欄に定める金額を下らないこととする。

第百二十一条の三　地方自治法第九十六条第二項に規定する議会の議決すべきものとすることが適当でないものとして政令で定めるものは、次のとおりとする。

一　武力攻撃事態等における国民の保護のための措置に関する法律（平成十六年法律第百十二号）第八条第一項（同法第百八十三条において準用する場合を含む。）、第十一条第四項（同法第百七十七条第三項において準用する場合を含む。）、第十二条第一項（同法第十八条第二項（同法第百八十三条において準用する場合を含む。）及び第百八十三条において準用する場合を含む。）、第十四条第一項及び第十五条第一項（これらの規定を同法第百八十三条において準用する場合を含む。）、第十六条第四項及び第五項（これらの規定を同法第百七十八条第三項において準用する場合を含む。）、第十七条第一項、第十八条第一項及び第二十条（これらの規定を同法第百八十三条において準用する場合を含む。）、第二十一条第二項及び第三項（これらの規定を同法第百七十九条第二項において準用する場合を含む。）、第二十六条及び第二十九条第二項（これらの規定を同法第百八十三条において準用する場合を含む。）、第五十四条第六項（同法第五十八条第六項（同法第百八十三条において準用する場合を含む。）及び第百八十三条において準用する場合を含む。）、第五十八条第一項から第三項まで、第五十九条第一項及び第六十一条第一項（これらの規定を同法第百八十三条において準用する場合を含む。）、第六十二条第四項（同条第五項及び同法第六十九条第二項（これらの規定を同法第百八十三条において準用する場合を含む。）並びに第百八十三条において準用する場合を含む。）、第六十三条、第六十四条第一項、第六十九条第一項、第七十五条第一項及び第二項、第七十六条第二項、第七十七条第三項、第八十一条第一項及び第四項、第八十五条第一項、第八十九条第二項、第九十六条第二項、第九十七条第四項、第六項及び第七項並びに第百二条第一項、第三項及び第四項（これらの規定を同法第百八十三条において準用する場合を含む。）並びに第百三条第一項（同条第五項（同法第百八十三条において準用する場合を含む。）及び同法第百八十三条において準用する場合を含む。）の規定、同法第百五条第十三項（同法第百八十三条において準用する場合を含む。）において準用する原子力災害対策特別措置法（平成十一年法律第百五十六号）第二十六条第二項及び第二十七条第二項の規定並びに武力攻撃事態等における国民の保護のための措置に関する法律第百七条第二項及び第三項並びに第百十九条第一項（これらの規定を同法第百八十三条において準用する場合を含む。）、第百二十九条、第百三十四条第二項及び第百三十九条から第百四十一条まで（これらの規定を同法第百八十三条において準用する場合を含む。）、第百四十二条、第百四十三条及び第百四十四条（これらの規定を同法第百八十三条において準用する場合を含む。）、第百四十五条並びに第百五十一条第一項並びに第百五十二条第一項及び第二項（これらの規定を同法第百八十三条において準用する場合を含む。）の規定により地方公共団体が処理することとされている事務に係る事件

二　災害救助法施行令（昭和二十二年政令第二百二十五号）第三条第二項の規定により同令第十八条に規定する都道府県等が処理することとされている事務に係る事件

第百二十一条の四　地方自治法第九十八条第一項に規定する労働委員会及び収用委員会の権限に属する事務で政令で定めるものは、労働組合法（昭和二十四年法律第百七十四号）の規定による労働争議のあっせん、調停及び仲裁その他労働委員会の権限に属する事務（その組織に関する事務及び庶務を除く。）並びに土地収用法（昭和二十六年法律第二百十九号）の規定による収用に関する裁決その他収用委員会の権限に属する事務（その組織に関する事務及び庶務を除く。）とする。

②　地方自治法第九十八条第一項に規定する議会の検査の対象とすることが適当でないものとして政令で定めるものは、当該検査に際して開示をすることにより、国の安全を害するおそれがある事項に関する事務（当該国の安全を害するおそれがある部分に限る。）及び個人の秘密を害することとなる事項に関する事務（当該個人の秘密を害することとなる部分に限る。）並びに土地収用法の規定による収用に関する裁決その他収用委員会の権限に属する事務とする。

③　第一項の規定は、地方自治法第九十八条第二項に規定する労働委員会及び収用委員会の権限に属する事務で政令で定めるものについて準用する。

④　第二項の規定は、地方自治法第九十八条第二項に規定する同項の監査の対象とすることが適当でないものとして政令で定めるものについて準用する。この場合において、第二項中「検査」とあるのは、「監査」と読み替えるものとする。

第百二十一条の五　前条第一項の規定は、地方自治法第百条第一項に規定する労働委員会及び収用委員会の権限に属する事務で政令で定めるものについて準用する。

②　前条第二項の規定は、地方自治法第百条第一項に規定する議会の調査の対象とすることが適当でないものとして政令で定めるものについて準用する。この場合において、前条第二項中「検査」とあるのは、「調査」と読み替えるものとする。

第四章　執行機関

第一節　普通地方公共団体の長及び補助機関並びに普通地方公共団体の長と他の執行機関との関係

第百二十二条　地方自治法第百四十二条に規定する当該普通地方公共団体が出資している法人で政令で定めるもの

は、当該普通地方公共団体が資本金、基本金その他これらに準ずるものの二分の一以上を出資している法人とする。

第百二十三条 普通地方公共団体の長の更迭があつた場合においては、前任者は、退職の日から都道府県知事にあつては三十日以内、市町村長にあつては二十日以内にその担任する事務を後任者に引き継がなければならない。

② 前項の場合において、特別の事情によりその担任する事務を後任者に引き継ぐことができないときは、これを副知事又は副市町村長（地方自治法第百五十二条第二項又は第三項の規定により普通地方公共団体の長の職務を代理すべき職員を含む。以下この項において同じ。）に引き継がなければならない。この場合においては、副知事又は副市町村長は、後任者に引き継ぐことができるようになつたときは、直ちにこれを後任者に引き継がなければならない。

第百二十四条 前条の規定による事務の引継ぎの場合においては、前任の普通地方公共団体の長は、書類、帳簿及び財産目録を調製し、処分未了若しくは未着手の事項又は将来企画すべき事項については、その処理の順序及び方法並びにこれに対する意見を記載しなければならない。

第百二十五条及び第百二十六条 削除（平一八・一一政三六二）

第百二十七条 副知事又は副市町村長の更迭があつた場合において、普通地方公共団体の長からその者に委任された事務があるときは、その者は、退職の日から副知事にあつては十五日以内、副市町村長にあつては十日以内にその事務を当該普通地方公共団体の長に引き継がなければならない。この場合においては、第百二十四条の規定を準用する。

第百二十八条 第百二十四条（前条において準用する場合を含む。）の規定により調製すべき書類、帳簿及び財産の目録は、現に調製してある目録又は台帳により引継ぎをする時の現況を確認することができる場合においては、その目録又は台帳をもつて代えることができる。

第百二十九条 削除（平一八・一一政令三六二）

第百三十条 普通地方公共団体の廃置分合があつた場合において消滅した普通地方公共団体の長であつた者は、その担任する事務を、当該地域が新たに属した普通地方公共団体の長に引き継がなければならない。

② 第百二十三条、第百二十四条及び第百二十八条の規定は、前項の規定による事務の引継ぎについて準用する。

第百三十一条 正当な理由がなくて第百二十三条、第百二十四条、第百二十七条、第百二十八条及び前条の規定による事務の引継ぎをしない者に対しては、都道府県に係る事務の引継ぎにあつては総務大臣、市町村に係る事務の引継ぎにあつては都道府県知事は、十万円以下の過料を科することができる。

第百三十二条 地方自治法第百八十条の四第二項に規定する同条第一項の事務局等（以下「事務局等」という。）の組織、事務局等に属する職員の定数又はこれらの職員の身分取扱いで政令で定めるものは、次のとおりとする。

一 局部若しくは課（これらに準ずる組織及び局部又は課の長と同等又はこれら以上の職を含む。）又は地方駐在機関（その下部機構を除く。次号において同じ。）の新設に関する事項

二 地方駐在機関別の職員の定数の配置の基準に関する事項

三 職員の採用及び昇任の基準に関する事項

四 昇給の基準並びに扶養手当、在宅勤務等手当、特殊勤務手当、時間外勤務手当、宿日直手当、夜間勤務手当、休日勤務手当、勤勉手当及び旅費の支給の基準に関する事項

五 職員の意に反する休職の基準に関する事項

六 地方公務員法（昭和二十五年法律第二百六十一号）第二十二条の四第三項（同法第二十二条の五第三項において準用する場合を含む。）に規定する定年前再任用短時間勤務職員の任用、同法第二十八条の五第一項から第四項までの規定による異動期間の延長及び当該延長に係る職員の降任又は転任並びに同法第二十八条の七第一項又は第二項の規定による勤務延長の基準に関する事項

七 地方公務員法第三十五条の規定による職務専念義務の免除及び同法第三十八条第一項の規定による営利企業等の従事の許可（教育公務員特例法（昭和二十四年法律第一号）第十七条の規定の適用がある場合を除く。）の基準に関する事項

第二節 委員会及び委員

第一款 通則

第百三十三条 地方自治法第百八十条の五第六項に規定する当該普通地方公共団体が出資している法人で政令で定めるものは、当該普通地方公共団体が資本金、基本金その他これらに準ずるものの二分の一以上を出資している法人とする。

第百三十三条の二 地方自治法第百八十条の七ただし書の規定による事務は、公安委員会の権限に属する事務とする。

第二款 選挙管理委員会

第百三十四条 地方自治法第百八十二条第一項又は第二項の規定により、選挙管理委員又は補充員の選挙を行つた場合において、当選人で同一の政党その他の政治団体に

属するものが二人以上あるときは、その者の中から、得票数により、得票数が同じであるときはくじにより、委員又は補充員たるべき者を定めなければならない。

② 前項の規定により委員又は補充員たるべき者と定められなかつた当選人は、地方自治法第百十八条の規定の適用については、当初から選挙されなかつたものとみなす。

第百三十五条　地方自治法第百八十二条第三項の規定により当該補充員で選挙管理委員の補欠を行えば同一の政党その他の政治団体に属する委員の数が二人以上となるときは、その者は、その場合における同項の規定の適用については、これを補充員でないものとみなす。

② 補充員がすべて前項の規定に該当するときは、普通地方公共団体の議会は地方自治法第百八十二条第二項の規定にかかわらず、臨時に補充員の補欠選挙を行わなければならない。

第百三十六条　地方自治法第百八十九条第三項の規定により当該補充員を臨時に選挙管理委員に充てれば同一の政党その他の政治団体に属する委員の数が二人以上となるときは、その者は、その場合における同項の規定の適用については、これを補充員でない者とみなす。

② 前条第二項の規定は、補充員がすべて前項の規定に該当する場合にこれを準用する。

第百三十六条の二　第百三十四条第一項、第百三十五条第一項又は前条第一項の規定に該当する場合のほか、選挙管理委員又は補充員の中同一の政党その他の政治団体に属する者がそれぞれ二人以上となつた場合においては、選挙管理委員会は、くじにより、それらの者の中からそれぞれ選挙管理委員又は補充員の職を失うこととなる者を定めなければならない。

第百三十七条　選挙管理委員会が成立しないとき、委員会を招集する暇がないと認めるとき、又は地方自治法第百八十九条第二項の規定による除斥のため同条第三項の規定により臨時に補充員を委員に充ててもなお会議を開くことができないときは、委員長は、委員会の議決すべき事件を処分することができる。

② 前項の規定による処分については、委員長は、次の会議においてこれを委員会に報告し、その承認を求めなければならない。

第百三十八条及び第百三十九条　削除〔昭三一・七政令二五三〕

第百四十条　第百二十三条、第百二十四条、第百二十八条、第百三十条及び第百三十一条の規定は、選挙管理委員会の委員長にこれを準用する。この場合において、第百二十三条第一項中「都道府県知事にあつては三十日以内、市町村長にあつては二十日以内」とあるのは「十日以内」と、同条第二項中「副知事又は副市町村長」とあるのは「選挙管理委員の一人」と読み替えるものとする。

第三款　監査委員

第百四十条の二　地方自治法第百九十五条第二項に規定する政令で定める市は、人口二十五万以上の市とする。

第百四十条の三　地方自治法第百九十六条第二項に規定する当該普通地方公共団体の職員で政令で定めるものは、当該普通地方公共団体の常勤の職員（同条第四項に規定する監査委員を除くものとし、地方分権の推進を図るための関係法律の整備等に関する法律（平成十一年法律第八十七号）第一条の規定による改正前の地方自治法附則第八条の規定により官吏とされていた職員及び警察法（昭和二十九年法律第百六十二号）第五十六条第一項に規定する地方警務官を含む。）及び地方公務員法第二十二条の四第一項に規定する短時間勤務の職を占める職員とする。

第百四十条の四　地方自治法第百九十六条第五項に規定する政令で定める市は、人口二十五万以上の市とする。

第百四十条の五　第百二十一条の四第一項の規定は、地方自治法第百九十九条第二項に規定する労働委員会及び収用委員会の権限に属する事務で政令で定めるものについて準用する。

② 第百二十一条の四第二項の規定は、地方自治法第百九十九条第二項に規定する監査委員の監査の対象とすることが適当でないものとして政令で定めるものについて準用する。この場合において、第百二十一条の四第二項中「検査」とあるのは、「監査」と読み替えるものとする。

第百四十条の六　地方自治法第百九十九条第二項の規定による監査の実施に当たつては、同条第三項の規定によるほか、同条第二項に規定する事務の執行が法令の定めるところに従つて適正に行われているかどうかについて、適時に監査を行わなければならない。

第百四十条の七　地方自治法第百九十九条第七項後段に規定する当該普通地方公共団体が出資しているもので政令で定めるものは、当該普通地方公共団体が資本金、基本金その他これらに準ずるものの四分の一以上を出資している法人とする。

② 当該普通地方公共団体及び一又は二以上の第百五十二条第一項第二号に掲げる法人（同条第二項の規定により同号に掲げる法人とみなされる法人を含む。）が資本金、基本金その他これらに準ずるものの四分の一以上を出資している法人は、前項に規定する法人とみなす。

③ 地方自治法第百九十九条第七項後段に規定する当該普通地方公共団体が受益権を有する信託で政令で定めるも

のは、当該普通地方公共団体が受益権を有する不動産の信託とする。

第百四十一条　第百二十三条、第百二十四条、第百二十八条、第百三十条及び第百三十一条の規定は、監査委員にこれを準用する。ただし、第百二十三条第二項中「副知事又は副市町村長」とあるのは、「監査委員の一人」と読み替えるものとする。

第五章　財務

第一節　会計年度所属区分

（歳入の会計年度所属区分）

第百四十二条　歳入の会計年度所属は、次の区分による。

一　納期の一定している収入は、その納期の末日（民法（明治二十九年法律第八十九号）第百四十二条、地方自治法第四条の二第四項、地方税法（昭和二十五年法律第二百二十六号）第二十条の五又は当該期日が土曜日に当たる場合にその翌日をもつて納期の末日とする旨の法令、条例若しくは規則の規定の適用がないものとしたときの納期の末日をいう。次項において同じ。）の属する年度。ただし、地方税法第三百二十一条の三の規定により特別徴収の方法によつて徴収する市町村民税及び同法第四十一条第一項の規定によりこれとあわせて徴収する道府県民税（同法第三百二十一条の五の二の規定により納入するものを除く。）は、特別徴収義務者が同法第三百二十一条の五第一項又は第二項ただし書の規定による徴収をすべき月の属する年度

二　随時の収入で、納入通知書又は納税の告知に関する文書（以下本条において「通知書等」という。）を発するものは、当該通知書等を発した日の属する年度

三　随時の収入で、通知書等を発しないものは、これを領収した日の属する年度。ただし、地方交付税、地方譲与税、交付金、負担金、補助金、地方債その他これらに類する収入及び他の会計から繰り入れるべき収入は、その収入を計上した予算の属する年度

2　前項第一号の収入について、納期の末日の属する会計年度の末日（民法第百四十二条、地方自治法第四条の二第四項、地方税法第二十条の五又は納期の末日が土曜日に当たる場合にその翌日をもつて納期の末日とする旨の法令、条例若しくは規則の規定の適用があるときは、当該延長された日）までに申告がなかつたとき、又は通知書等を発しなかつたときは、当該収入は、申告があつた日又は通知書等を発した日の属する会計年度の歳入に組み入れるものとする。

3　普通地方公共団体の歳入に係る督促手数料、延滞金及び滞納処分費は、第一項の規定にかかわらず、当該歳入の属する会計年度の歳入に組み入れるものとする。

（歳出の会計年度所属区分）

第百四十三条　歳出の会計年度所属は、次の区分による。

一　地方債の元利償還金、年金、恩給の類は、その支払期日の属する年度

二　給与その他の給付（前号に掲げるものを除く。）は、これを支給すべき事実の生じた時の属する年度

三　地方公務員共済組合負担金及び社会保険料（労働保険料を除く。）並びに賃借料、光熱水費、電信電話料の類は、その支出の原因である事実の存した期間の属する年度。ただし、賃借料、光熱水費、電信電話料の類で、その支出の原因である事実の存した期間が二年度にわたるものについては、支払期限の属する年度

四　工事請負費、物件購入費、運賃の類及び補助費の類で相手方の行為の完了があつた後支出するものは、当該行為の履行があつた日の属する年度

五　前各号に掲げる経費以外の経費は、その支出負担行為をした日の属する年度

2　旅行の期間（外国旅行にあつては、その準備期間を含む。）が二年度にわたる場合における旅費は、当該二年度のうち前の年度の歳出予算から概算で支出することができるものとし、当該旅費の精算によつて生ずる返納金又は追給金は、その精算を行なつた日の属する年度の歳入又は歳出とするものとする。

第二節　予算

（予算に関する説明書）

第百四十四条　地方自治法第二百十一条第二項に規定する政令で定める予算に関する説明書は、次のとおりとする。

一　歳入歳出予算の各項の内容を明らかにした歳入歳出予算事項別明細書及び給与費の内訳を明らかにした給与費明細書

二　継続費についての前前年度末までの支出額、前年度末までの支出額又は支出額の見込み及び当該年度以降の支出予定額並びに事業の進行状況等に関する調書

三　債務負担行為で翌年度以降にわたるものについての前年度末までの支出額又は支出額の見込み及び当該年度以降の支出予定額等に関する調書

四　地方債の前前年度末における現在高並びに前年度末及び当該年度末における現在高の見込みに関する調書

五　その他予算の内容を明らかにするため必要な書類

2　前項第一号から第四号までに規定する書類の様式は、総務省令で定める様式を基準としなければならない。

（継続費）

第百四十五条　継続費の毎会計年度の年割額に係る歳出予算の経費の金額のうち、その年度内に支出を終わらなか

つたものは、当該継続費の継続年度の終わりまで逓次繰り越して使用することができる。この場合においては、普通地方公共団体の長は、翌年度の五月三十一日までに継続費繰越計算書を調製し、次の会議においてこれを議会に報告しなければならない。

２　普通地方公共団体の長は、継続費に係る継続年度（継続費に係る歳出予算の金額のうち法第二百二十条第三項ただし書の規定により翌年度に繰り越したものがある場合には、その繰り越された年度）が終了したときは、継続費精算報告書を調製し、地方自治法第二百三十三条第五項の書類の提出と併せてこれを議会に報告しなければならない。

３　継続費繰越計算書及び継続費精算報告書の様式は、総務省令で定める様式を基準としなければならない。

（**繰越明許費**）

第百四十六条　地方自治法第二百十三条の規定により翌年度に繰り越して使用しようとする歳出予算の経費については、当該経費に係る歳出に充てるために必要な金額を当該年度から翌年度に繰り越さなければならない。

２　普通地方公共団体の長は、繰越明許費に係る歳出予算の経費を翌年度に繰り越したときは、翌年度の五月三十一日までに繰越計算書を調製し、次の会議においてこれを議会に報告しなければならない。

３　繰越計算書の様式は、総務省令で定める様式を基準としなければならない。

（**歳入歳出予算の款項の区分及び予算の調製の様式**）

第百四十七条　歳入歳出予算の款項の区分は、総務省令で定める区分を基準としてこれを定めなければならない。

２　予算の調製の様式は、総務省令で定める様式を基準としなければならない。

（**会計年度経過後の予算の補正の禁止**）

第百四十八条　予算は、会計年度経過後においては、これを補正することができない。

（**弾力条項の適用できない経費**）

第百四十九条　地方自治法第二百十八条第四項に規定する政令で定める経費は、職員の給料とする。

（**予算の執行及び事故繰越し**）

第百五十条　普通地方公共団体の長は、次の各号に掲げる事項を予算の執行に関する手続として定めなければならない。

一　予算の計画的かつ効率的な執行を確保するため必要な計画を定めること。

二　定期又は臨時に歳出予算の配当を行なうこと。

三　歳入歳出予算の各項を目節に区分するとともに、当該目節の区分に従つて歳入歳出予算を執行すること。

２　前項第三号の目節の区分は、総務省令で定める区分を基準としてこれを定めなければならない。

３　第百四十六条の規定は、地方自治法第二百二十条第三項ただし書の規定による予算の繰越しについてこれを準用する。

（**予算が成立したとき等の通知**）

第百五十一条　普通地方公共団体の長は、予算が成立したとき、歳出予算を配当したとき、予備費を充当したとき、又は地方自治法第二百二十条第二項ただし書の規定により歳出予算の各項の経費の金額を流用したときは、直ちにこれを会計管理者に通知しなければならない。

（**普通地方公共団体の長の調査等の対象となる法人等の範囲**）

第百五十二条　地方自治法第二百二十一条第三項に規定する普通地方公共団体が出資している法人で政令で定めるものは、次に掲げる法人とする。

一　当該普通地方公共団体が設立した地方住宅供給公社、地方道路公社、土地開発公社及び地方独立行政法人

二　当該普通地方公共団体が資本金、基本金その他これらに準ずるものの二分の一以上を出資している一般社団法人及び一般財団法人並びに株式会社

三　当該普通地方公共団体が資本金、基本金その他これらに準ずるものの四分の一以上二分の一未満を出資している一般社団法人及び一般財団法人並びに株式会社のうち条例で定めるもの

２　当該普通地方公共団体及び一又は二以上の前項第二号に掲げる法人（この項の規定により同号に掲げる法人とみなされる法人を含む。）が資本金、基本金その他これらに準ずるものの二分の一以上を出資している一般社団法人及び一般財団法人並びに株式会社は、同号に掲げる法人とみなす。

３　当該普通地方公共団体及び一又は二以上の第一項第二号に掲げる法人（前項の規定により同号に掲げる法人とみなされる法人を含む。）が資本金、基本金その他これらに準ずるものの四分の一以上二分の一未満を出資している一般社団法人及び一般財団法人並びに株式会社は、第一項第三号に規定する一般社団法人及び一般財団法人並びに株式会社とみなす。

４　地方自治法第二百二十一条第三項に規定する普通地方公共団体がその者のために債務を負担している法人で政令で定めるものは、次に掲げる法人とする。

一　当該普通地方公共団体がその者のためにその資本金、基本金その他これらに準ずるものの二分の一に相当する額以上の額の債務を負担している一般社団法人及び一般財団法人並びに株式会社

二 当該普通地方公共団体がその者のためにその資本金、基本金その他これらに準ずるものの四分の一に相当する額以上二分の一に相当する額未満の額の債務を負担している一般社団法人及び一般財団法人並びに株式会社のうち条例で定めるもの

5 地方自治法第二百二十一条第三項に規定する普通地方公共団体が受益権を有する信託で政令で定めるものは、当該普通地方公共団体が受益権を有する不動産の信託とする。

第三節 収入

（分担金を徴収することができない場合）

第百五十三条 地方税法第七条の規定により不均一の課税をし、若しくは普通地方公共団体の一部に課税をし、又は同法第七百三条の規定により水利地益税を課し、若しくは同法第七百三条の二の規定により共同施設税を課するときは、同一の事件に関し分担金を徴収することができない。

（歳入の調定及び納入の通知）

第百五十四条 地方自治法第二百三十一条の規定による歳入の調定は、当該歳入について、所属年度、歳入科目、納入すべき金額、納入義務者等を誤つていないかどうかその他法令又は契約に違反する事実がないかどうかを調査してこれをしなければならない。

2 普通地方公共団体の歳入を収入するときは、地方交付税、地方譲与税、補助金、地方債、滞納処分費その他その性質上納入の通知を必要としない歳入を除き、納入の通知をしなければならない。

3 前項の規定による納入の通知は、所属年度、歳入科目、納入すべき金額、納期限、納入場所及び納入の請求の事由を記載した納入通知書でこれをしなければならない。ただし、その性質上納入通知書によりがたい歳入については、口頭、掲示その他の方法によつてこれをすることができる。

（口座振替の方法による歳入の納付）

第百五十五条 普通地方公共団体の歳入の納入義務者は、当該普通地方公共団体の指定金融機関若しくは指定代理金融機関又は収納代理金融機関若しくは収納事務取扱金融機関に預金口座を設けているときは、当該金融機関に請求して口座振替の方法により当該歳入を納付することができる。

（証券をもつてする歳入の納付）

第百五十六条 地方自治法第二百三十一条の二第三項の規定により普通地方公共団体の歳入の納付に使用することができる証券は、次に掲げる証券で納付金額を超えないものに限る。

一 持参人払式の小切手等（小切手その他金銭の支払を目的とする有価証券であつて小切手と同程度の支払の確実性があるものとして総務大臣が指定するものをいう。以下この号において同じ。）又は会計管理者若しくは指定金融機関、指定代理金融機関、収納代理金融機関若しくは収納事務取扱金融機関（以下この条において「会計管理者等」という。）を受取人とする小切手等で、手形交換所に加入している金融機関又は当該金融機関に手形交換を委託している金融機関を支払人とし、支払地が当該普通地方公共団体の長が定める区域内であつて、その権利の行使のため定められた期間内に支払のための提示又は支払の請求をすることができるもの

二 無記名式の国債若しくは地方債又は無記名式の国債若しくは地方債の利札で、支払期日の到来したもの

2 会計管理者等は、前項第一号に掲げる証券であつてもその支払が確実でないと認めるときは、その受領を拒絶することができる。

3 地方自治法第二百三十一条の二第四項前段に規定する場合においては、会計管理者等は、当該証券をもつて納付した者に対し、速やかに、当該証券について支払がなかつた旨及びその者の請求により当該証券を還付する旨を書面で通知しなければならない。

（取立て及び納付の委託）

第百五十七条 地方自治法第二百三十一条の二第五項の規定により取立て及び納付の委託を受けることができる証券は、前条第一項に規定する証券とする。

2 地方自治法第二百三十一条の二第五項の規定により取立て及び納付の委託を受ける場合において、その証券の取立てにつき費用を要するときは、会計管理者は、当該取立て及び納付の委託をしようとする者に、その費用の額に相当する金額をあわせて提供させなければならない。

3 地方自治法第二百三十一条の二第五項の規定により取立て及び納付の委託を受けた場合において、必要があると認めるときは、会計管理者は、確実と認める金融機関にその取立てを再委託することができる。

（指定納付受託者等の要件）

第百五十八条 地方自治法第二百三十一条の二の三第一項及び第二百三十一条の二の四に規定する政令で定める者は、次の各号に掲げる要件のいずれにも該当する者とする。

一 地方自治法第二百三十一条の二の三第一項に規定する納付事務（次号において「納付事務」という。）を適切かつ確実に遂行することができる財産的基礎を有すること。

二　その人的構成等に照らして、納付事務を適切かつ確実に遂行することができる知識及び経験を有し、かつ、十分な社会的信用を有すること。

（誤払金等の戻入）
第百五十九条　歳出の誤払い又は過渡しとなつた金額及び資金前渡又は概算払をした場合の精算残金を返納させるときは、収入の手続の例により、これを当該支出した経費に戻入しなければならない。

（過年度収入）
第百六十条　出納閉鎖後の収入は、これを現年度の歳入としなければならない。前条（第百七十三条の三第二項において準用する場合を含む。）の規定による戻入金で出納閉鎖後に係るものについても、また同様とする。

第四節　支出

（支出命令）
第百六十条の二　地方自治法第二百三十二条の四第一項に規定する政令で定めるところによる命令は、次のとおりとする。

一　当該支出負担行為に係る債務が確定した時以後に行う命令
二　当該支出負担行為に係る債務が確定する前に行う次に掲げる経費の支出に係る命令
イ　電気、ガス又は水の供給を受ける契約に基づき支払をする経費
ロ　電気通信役務の提供を受ける契約に基づき支払をする経費
ハ　イ及びロに掲げる経費のほか、二月以上の期間にわたり、物品を買い入れ若しくは借り入れ、役務の提供を受け、又は不動産を借り入れる契約で、単価又は一月当たりの対価の額が定められているもののうち普通地方公共団体の規則で定めるものに基づき支払をする経費

（資金前渡）
第百六十一条　次に掲げる経費については、当該普通地方公共団体の職員をして現金支払をさせるため、その資金を当該職員に前渡することができる。

一　外国において支払をする経費
二　遠隔の地又は交通不便の地域において支払をする経費
三　船舶に属する経費
四　給与その他の給付
五　地方債の元利償還金
六　諸払戻金及びこれに係る還付加算金
七　報償金その他これに類する経費
八　社会保険料
九　官公署に対して支払う経費
十　生活扶助費、生業扶助費その他これらに類する経費
十一　事業現場その他これに類する場所において支払を必要とする事務経費
十二　非常災害のため即時支払を必要とする経費
十三　電気、ガス又は水の供給を受ける契約に基づき支払をする経費
十四　電気通信役務の提供を受ける契約に基づき支払をする経費
十五　前二号に掲げる経費のほか、二月以上の期間にわたり、物品を買い入れ若しくは借り入れ、役務の提供を受け、又は不動産を借り入れる契約で、単価又は一月当たりの対価の額が定められているもののうち普通地方公共団体の規則で定めるものに基づき支払をする経費
十六　犯罪の捜査若しくは犯則の調査又は被収容者若しくは被疑者の護送に要する経費
十七　前各号に掲げるもののほか、経費の性質上現金支払をさせなければ事務の取扱いに支障を及ぼすような経費で普通地方公共団体の規則で定めるもの

2　歳入の誤納又は過納となつた金額を払い戻すため必要があるときは、前項の例により、その資金（当該払戻金に係る還付加算金を含む。）を前渡することができる。

3　前二項の規定による資金の前渡は、特に必要があるときは、他の普通地方公共団体の職員に対してもこれをすることができる。

（概算払）
第百六十二条　次の各号に掲げる経費については、概算払をすることができる。

一　旅費
二　官公署に対して支払う経費
三　補助金、負担金及び交付金
四　社会保険診療報酬支払基金又は国民健康保険団体連合会に対し支払う診療報酬
五　訴訟に要する経費
六　前各号に掲げるもののほか、経費の性質上概算をもつて支払をしなければ事務の取扱いに支障を及ぼすような経費で普通地方公共団体の規則で定めるもの

（前金払）
第百六十三条　次の各号に掲げる経費については、前金払をすることができる。

一　官公署に対して支払う経費
二　補助金、負担金、交付金及び委託費
三　前金で支払をしなければ契約しがたい請負、買入れ又は借入れに要する経費

四　土地又は家屋の買収又は収用によりその移転を必要とすることとなつた家屋又は物件の移転料
五　定期刊行物の代価、定額制供給に係る電燈電力料及び日本放送協会に対し支払う受信料
六　外国で研究又は調査に従事する者に支払う経費
七　運賃
八　前各号に掲げるもののほか、経費の性質上前金をもつて支払をしなければ事務の取扱いに支障を及ぼすような経費で普通地方公共団体の規則で定めるもの

（繰替払）
第百六十四条　次の各号に掲げる経費の支払については、会計管理者又は指定金融機関、指定代理金融機関、収納代理金融機関若しくは収納事務取扱金融機関をしてその収納に係る当該各号に掲げる現金を繰り替えて使用させることができる。
一　地方税の報奨金　当該地方税の収入金
二　競輪、競馬等の開催地において支払う報償金、勝者、勝馬等の的中投票券の払戻金及び投票券の買戻金　当該競輪、競馬等の投票券の発売代金
三　証紙取扱手数料　当該証紙の売りさばき代金
四　歳入の徴収又は収納の委託手数料　当該委託により徴収又は収納した収入金
五　前各号に掲げるもののほか、経費の性質上繰り替えて使用しなければ事務の取扱いに支障を及ぼすような経費で普通地方公共団体の規則で定めるもの　当該普通地方公共団体の規則で定める収入金

（隔地払）
第百六十五条　地方自治法第二百三十五条の規定により金融機関を指定している普通地方公共団体において、隔地の債権者に支払をするため必要があるときは、会計管理者は、支払場所を指定し、指定金融機関又は指定代理金融機関に必要な資金を交付して送金の手続をさせることができる。この場合においては、その旨を債権者に通知しなければならない。
2　指定金融機関又は指定代理金融機関は、前項の規定により資金の交付を受けた場合において、当該資金の交付の日から一年を経過した後は、債権者に対し支払をすることができない。この場合において、会計管理者は、債権者から支払の請求を受けたときは、その支払をしなければならない。

（口座振替の方法による支出）
第百六十五条の二　地方自治法第二百三十五条の規定により金融機関を指定している普通地方公共団体において、指定金融機関、指定代理金融機関その他普通地方公共団体の長が定める金融機関に預金口座を設けている債権者から申出があつたときは、会計管理者は、指定金融機関又は指定代理金融機関に通知して、口座振替の方法により支出をすることができる。

（小切手の振出し及び公金振替書の交付）
第百六十五条の三　地方自治法第二百三十二条の六第一項本文の規定による小切手の振出しは、各会計ごとに、受取人の氏名、支払金額、会計年度、番号その他必要な事項を記載してこれをしなければならない。ただし、受取人の氏名の記載は、普通地方公共団体の長が特に定める場合を除くほか、これを省略することができる。
2　会計管理者は、小切手を振り出したときは、これを指定金融機関又は指定代理金融機関に通知しなければならない。
3　職員に支給する給与（退職手当を除く。）に係る支出については、地方自治法第二百三十二条の六第一項本文の規定により小切手を振り出すことができない。
4　第一項の規定は、地方自治法第二百三十二条の六第一項本文の規定による公金振替書の交付についてこれを準用する。
5　指定金融機関を指定していない市町村の支出については、地方自治法第二百三十二条の六の規定は、これを適用しない。

（小切手の償還）
第百六十五条の四　会計管理者は、小切手の所持人から償還の請求を受けたときは、これを調査し、償還すべきものと認めるときは、その償還をしなければならない。

（支払を終わらない資金の歳入への組入れ又は納付）
第百六十五条の五　毎会計年度の小切手振出済金額のうち、翌年度の五月三十一日までに支払を終わらない金額に相当する資金は、決算上の剰余金とせず、これを繰越し整理しなければならない。
2　前項の規定により繰り越した資金のうち、小切手の振出日付から一年を経過しまだ支払を終わらない金額に相当するものは、これを当該一年を経過した日の属する年度の歳入に組み入れなければならない。
3　第百六十五条第一項の規定により交付を受けた資金のうち、資金交付の日から一年を経過しまだ支払を終わらない金額に相当するものは、指定金融機関又は指定代理金融機関においてその送金を取り消し、これを当該取り消した日の属する年度の歳入に納付しなければならない。

（誤納金又は過納金の戻出）
第百六十五条の六　歳入の誤納又は過納となつた金額を払い戻すときは、支出の手続の例により、これを当該収入した歳入から戻出しなければならない。

（過年度支出）

第百六十五条の七　出納閉鎖後の支出は、これを現年度の歳出としなければならない。前条の規定による戻出金で出納閉鎖後に係るものについても、また同様とする。

第五節　決算

（決算）

第百六十六条　普通地方公共団体の決算は、歳入歳出予算についてこれを調製しなければならない。

2　地方自治法第二百三十三条第一項及び第五項に規定する政令で定める書類は、歳入歳出決算事項別明細書、実質収支に関する調書及び財産に関する調書とする。

3　決算の調製の様式及び前項に規定する書類の様式は、総務省令で定める様式を基準としなければならない。

（翌年度歳入の繰上充用）

第百六十六条の二　会計年度経過後にいたつて歳入が歳出に不足するときは、翌年度の歳入を繰り上げてこれに充てることができる。この場合においては、そのために必要な額を翌年度の歳入歳出予算に編入しなければならない。

第六節　契約

（指名競争入札）

第百六十七条　地方自治法第二百三十四条第二項の規定により指名競争入札によることができる場合は、次の各号に掲げる場合とする。

一　工事又は製造の請負、物件の売買その他の契約でその性質又は目的が一般競争入札に適しないものをするとき。

二　その性質又は目的により競争に加わるべき者の数が一般競争入札に付する必要がないと認められる程度に少数である契約をするとき。

三　一般競争入札に付することが不利と認められるとき。

（随意契約）

第百六十七条の二　地方自治法第二百三十四条第二項の規定により随意契約によることができる場合は、次に掲げる場合とする。

一　売買、貸借、請負その他の契約でその予定価格（貸借の契約にあつては、予定賃貸借料の年額又は総額）が別表第五上欄に掲げる契約の種類に応じ同表下欄に定める額の範囲内において普通地方公共団体の規則で定める額を超えないものをするとき。

二　不動産の買入れ又は借入れ、普通地方公共団体が必要とする物品の製造、修理、加工又は納入に使用させるため必要な物品の売払いその他の契約でその性質又は目的が競争入札に適しないものをするとき。

三　障害者の日常生活及び社会生活を総合的に支援するための法律（平成十七年法律第百二十三号）第五条第十一項に規定する障害者支援施設（以下この号において「障害者支援施設」という。）、同条第二十七項に規定する地域活動支援センター（以下この号において「地域活動支援センター」という。）、同条第一項に規定する障害福祉サービス事業（同条第七項に規定する生活介護、同条第十三項に規定する就労移行支援又は同条第十四項に規定する就労継続支援を行う事業に限る。以下この号において「障害福祉サービス事業」という。）を行う施設若しくは小規模作業所（障害者基本法（昭和四十五年法律第八十四号）第二条第一号に規定する障害者の地域社会における作業活動の場として同法第十八条第三項の規定により必要な費用の助成を受けている施設をいう。以下この号において同じ。）若しくはこれらに準ずる者として総務省令で定めるところにより普通地方公共団体の長の認定を受けた者若しくは生活困窮者自立支援法（平成二十五年法律第百五号）第十六条第三項に規定する認定生活困窮者就労訓練事業（以下この号において「認定生活困窮者就労訓練事業」という。）を行う施設でその施設に使用される者が主として同法第三条第一項に規定する生活困窮者（以下この号において「生活困窮者」という。）であるもの（当該施設において製作された物品を買い入れることが生活困窮者の自立の促進に資することにつき総務省令で定めるところにより普通地方公共団体の長の認定を受けたものに限る。）（以下この号において「障害者支援施設等」という。）において製作された物品を当該障害者支援施設等から普通地方公共団体の規則で定める手続により買い入れる契約、障害者支援施設、地域活動支援センター、障害福祉サービス事業を行う施設、小規模作業所、高年齢者等の雇用の安定等に関する法律（昭和四十六年法律第六十八号）第三十七条第一項に規定するシルバー人材センター連合若しくは同条第二項に規定するシルバー人材センター若しくはこれらに準ずる者として総務省令で定めるところにより普通地方公共団体の長の認定を受けた者から普通地方公共団体の規則で定める手続により役務の提供を受ける契約、母子及び父子並びに寡婦福祉法（昭和三十九年法律第百二十九号）第六条第六項に規定する母子・父子福祉団体若しくはこれに準ずる者として総務省令で定めるところにより普通地方公共団体の長の認定を受けた者（以下この号において「母子・父子福祉団体等」という。）が行う事業でその事業に使用される者が主として同項に規定する配偶者のない者で現に児童を扶養しているもの及び同条第四項に規定する寡婦であるものに係る役務の提供を当該母子・父子福祉団体等から普通地方公共団体の規則で定める手続により受ける契約又は認定生活困窮者就労訓練事業を行う施設（当該施設から役務の提供を受けることが生活困窮者の自立の促進に資することにつき総務省令で定めるところにより普通地方公共団体の長の認定を受けたものに限る。）が行う事業でその事業に使用される者が主として生活困窮者であるものに係る役務の提供を当該施設から普通地方公共団体の規則で定める手続により受ける契約をするとき。

四　新商品の生産により新たな事業分野の開拓を図る者として総務省令で定めるところにより普通地方公共団体の長の認定を受けた者が新商品として生産する物品を当該認定を受けた者から普通地方公共団体の規則で定める手続により買い入れ若しくは借り入れる契約又は新役務の提供により新たな事業分野の開拓を図る者として総務省令で定めるところにより普通地方公共団体の長の認定を受けた者から普通地方公共団体の規則で定める手続により新役務の提供を受ける契約をするとき。

五　緊急の必要により競争入札に付することができないとき。

六　競争入札に付することが不利と認められるとき。

七　時価に比して著しく有利な価格で契約を締結することができる見込みのあるとき。

八　競争入札に付し入札者がないとき、又は再度の入札に付し落札者がないとき。

九　落札者が契約を締結しないとき。

2　前項第八号の規定により随意契約による場合は、契約保証金及び履行期限を除くほか、最初競争入札に付するときに定めた予定価格その他の条件を変更することができない。

3　第一項第九号の規定により随意契約による場合は、落札金額の制限内でこれを行うものとし、かつ、履行期限を除くほか、最初競争入札に付するときに定めた条件を変更することができない。

4　前二項の場合においては、予定価格又は落札金額を分割して計算することができるときに限り、当該価格又は金額の制限内で数人に分割して契約を締結することができる。

（せり売り）

第百六十七条の三　地方自治法第二百三十四条第二項の規定によりせり売りによることができる場合は、動産の売払いで当該契約の性質がせり売りに適しているものをする場合とする。

（一般競争入札の参加者の資格）

第百六十七条の四　普通地方公共団体は、特別の理由がある場合を除くほか、一般競争入札に次の各号のいずれかに該当する者を参加させることができない。

一　当該入札に係る契約を締結する能力を有しない者

二　破産手続開始の決定を受けて復権を得ない者

三　暴力団員による不当な行為の防止等に関する法律（平成三年法律第七十七号）第三十二条第一項各号に掲げる者

2　普通地方公共団体は、一般競争入札に参加しようとする者が次の各号のいずれかに該当すると認められるときは、その者について三年以内の期間を定めて一般競争入札に参加させないことができる。その者を代理人、支配人その他の使用人又は入札代理人として使用する者についても、また同様とする。

一　契約の履行に当たり、故意に工事、製造その他の役務を粗雑に行い、又は物件の品質若しくは数量に関して不正の行為をしたとき。

二　競争入札又はせり売りにおいて、その公正な執行を妨げたとき又は公正な価格の成立を害し、若しくは不正の利益を得るために連合したとき。

三　落札者が契約を締結すること又は契約者が契約を履行することを妨げたとき。

四　地方自治法第二百三十四条の二第一項の規定による監督又は検査の実施に当たり職員の職務の執行を妨げたとき。

五　正当な理由がなくて契約を履行しなかつたとき。

六　契約により、契約の後に代価の額を確定する場合において、当該代価の請求を故意に虚偽の事実に基づき過大な額で行つたとき。

七　この項（この号を除く。）の規定により一般競争入札に参加できないこととされている者を契約の締結又は契約の履行に当たり代理人、支配人その他の使用人として使用したとき。

第百六十七条の五　普通地方公共団体の長は、前条に定めるもののほか、必要があるときは、一般競争入札に参加する者に必要な資格として、あらかじめ、契約の種類及び金額に応じ、工事、製造又は販売等の実績、従業員の数、資本の額その他の経営の規模及び状況を要件とする資格を定めることができる。

2　普通地方公共団体の長は、前項の規定により一般競争入札に参加する者に必要な資格を定めたときは、これを公示しなければならない。

第百六十七条の五の二　普通地方公共団体の長は、一般競争入札により契約を締結しようとする場合において、契約の性質又は目的により、当該入札を適正かつ合理的に行うため特に必要があると認めるときは、前条第一項の資格を有する者につき、更に、当該入札に参加する者の事業所の所在地又はその者の当該契約に係る工事等についての経験若しくは技術的適性の有無等に関する必要な資格を定め、当該資格を有する者により当該入札を行わせることができる。

（**一般競争入札の公告**）

第百六十七条の六　普通地方公共団体の長は、一般競争入札により契約を締結しようとするときは、入札に参加する者に必要な資格、入札の場所及び日時その他入札について必要な事項を公告しなければならない。

2　普通地方公共団体の長は、前項の公告において、入札に参加する者に必要な資格のない者のした入札及び入札に関する条件に違反した入札は無効とする旨を明らかにしておかなければならない。

（**一般競争入札の入札保証金**）

第百六十七条の七　普通地方公共団体は、一般競争入札により契約を締結しようとするときは、入札に参加しようとする者をして当該普通地方公共団体の規則で定める率又は額の入札保証金を納めさせなければならない。

2　前項の規定による入札保証金の納付は、国債、地方債その他普通地方公共団体の長が確実と認める担保の提供をもつて代えることができる。

（**一般競争入札の開札及び再度入札**）

第百六十七条の八　一般競争入札の開札は、第百六十七条の六第一項の規定により公告した入札の場所において、入札の終了後直ちに、入札者を立ち会わせてしなければならない。この場合において、入札者が立ち会わないときは、当該入札事務に関係のない職員を立ち会わせなければならない。

2　前項の規定にかかわらず、一般競争入札において、入札書に記載すべき事項を記録した電磁的記録（電子的方式、磁気的方式その他人の知覚によつては認識することができない方式で作られる記録であつて、電子計算機による情報処理の用に供されるものをいう。以下同じ。）を提出することにより行われる場合であつて、普通地方公共団体の長が入札事務の公正かつ適正な執行の確保に支障がないと認めるときは、入札者及び当該入札事務に関係のない職員を立ち会わせないことができる。

3　入札者は、その提出した入札書（当該入札書に記載すべき事項を記録した電磁的記録を含む。）の書換え、引換え又は撤回をすることができない。

4　普通地方公共団体の長は、第一項の規定により開札をした場合において、各人の入札のうち予定価格の制限の範囲内の価格の入札がないとき（第百六十七条の十第二項の規定により最低制限価格を設けた場合にあつては、予定価格の制限の範囲内の価格で最低制限価格以上の価格の入札がないとき）は、直ちに、再度の入札をすることができる。

（**一般競争入札のくじによる落札者の決定**）

第百六十七条の九　普通地方公共団体の長は、落札となるべき同価の入札をした者が二人以上あるときは、直ちに、当該入札者にくじを引かせて落札者を定めなければならない。この場合において、当該入札者のうちくじを引かない者があるときは、これに代えて、当該入札事務に関係のない職員にくじを引かせるものとする。

（**一般競争入札において最低価格の入札者以外の者を落札者とすることができる場合**）

第百六十七条の十　普通地方公共団体の長は、一般競争入札により工事又は製造その他についての請負の契約を締結しようとする場合において、予定価格の制限の範囲内で最低の価格をもつて申込みをした者の当該申込みに係る価格によつてはその者により当該契約の内容に適合した履行がされないおそれがあると認めるとき、又はその者と契約を締結することが公正な取引の秩序を乱すこととなるおそれがあつて著しく不適当であると認めるときは、その者を落札者とせず、予定価格の制限の範囲内の価格をもつて申込みをした他の者のうち、最低の価格をもつて申込みをした者を落札者とすることができる。

2　普通地方公共団体の長は、一般競争入札により工事又は製造その他についての請負の契約を締結しようとする場合において、当該契約の内容に適合した履行を確保するため特に必要があると認めるときは、あらかじめ最低制限価格を設けて、予定価格の制限の範囲内で最低の価格をもつて申込みをした者を落札者とせず、予定価格の制限の範囲内の価格で最低制限価格以上の価格をもつて申込みをした者のうち最低の価格をもつて申込みをした者を落札者とすることができる。

第百六十七条の十の二　普通地方公共団体の長は、一般競争入札により当該普通地方公共団体の支出の原因となる契約を締結しようとする場合において、当該契約がその性質又は目的から地方自治法第二百三十四条第三項本文又は前条の規定により難いものであるときは、これらの規定にかかわらず、予定価格の制限の範囲内の価格をもつて申込みをした者のうち、価格その他の条件が当該普通地方公共団体にとつて最も有利なものをもつて申込みをした者を落札者とすることができる。

2　普通地方公共団体の長は、前項の規定により工事又は製造その他についての請負の契約を締結しようとする場合において、落札者となるべき者の当該申込みに係る価格によつてはその者により当該契約の内容に適合した履行がされないおそれがあると認めるとき、又はその者と契約を締結することが公正な取引の秩序を乱すこととなるおそれがあつて著しく不適当であると認めるときは、同項の規定にかかわらず、その者を落札者とせず、予定価格の制限の範囲内の価格をもつて申込みをした他の者のうち、価格その他の条件が当該普通地方公共団体にとつて最も有利なものをもつて申込みをした者を落札者とすることができる。

3　普通地方公共団体の長は、前二項の規定により落札者を決定する一般競争入札（以下「総合評価一般競争入札」という。）を行おうとするときは、あらかじめ、当該総合評価一般競争入札に係る申込みのうち価格その他の条件が当該普通地方公共団体にとつて最も有利なものを決定するための基準（以下「落札者決定基準」という。）を定めなければならない。

4　普通地方公共団体の長は、落札者決定基準を定めようとするときは、総務省令で定めるところにより、あらかじめ、学識経験を有する者（次項において「学識経験者」という。）の意見を聴かなければならない。

5　普通地方公共団体の長は、前項の規定による意見の聴取において、併せて、当該落札者決定基準に基づいて落札者を決定しようとするときに改めて意見を聴く必要があるかどうかについて意見を聴くものとし、改めて意見を聴く必要があるとの意見が述べられた場合には、当該落札者を決定しようとするときに、あらかじめ、学識経験者の意見を聴かなければならない。

6　普通地方公共団体の長は、総合評価一般競争入札を行おうとする場合において、当該契約について第百六十七条の六第一項の規定により公告をするときは、同項の規定により公告をしなければならない事項及び同条第二項の規定により明らかにしておかなければならない事項のほか、総合評価一般競争入札の方法による旨及び当該総合評価一般競争入札に係る落札者決定基準についても、公告をしなければならない。

（指名競争入札の参加者の資格）

第百六十七条の十一　第百六十七条の四の規定は、指名競争入札の参加者の資格についてこれを準用する。

2　普通地方公共団体の長は、前項に定めるもののほか、指名競争入札に参加する者に必要な資格として、工事又は製造の請負、物件の買入れその他当該普通地方公共団体の長が定める契約について、あらかじめ、契約の種類及び金額に応じ、第百六十七条の五第一項に規定する事項を要件とする資格を定めなければならない。

3　第百六十七条の五第二項の規定は、前項の場合にこれを準用する。

（指名競争入札の参加者の指名等）

第百六十七条の十二　普通地方公共団体の長は、指名競争入札により契約を締結しようとするときは、当該入札に参加することができる資格を有する者のうちから、当該入札に参加させようとする者を指名しなければならない。

2　前項の場合においては、普通地方公共団体の長は、入札の場所及び日時その他入札について必要な事項をその指名する者に通知しなければならない。

3　第百六十七条の六第二項の規定は、前項の場合にこれを準用する。

4　普通地方公共団体の長は、次条において準用する第百六十七条の十の二第一項及び第二項の規定により落札者を決定する指名競争入札（以下「総合評価指名競争入札」という。）を行おうとする場合において、当該契約について第二項の規定により通知をするときは、同項の規定により通知をしなければならない事項及び前項において準用する第百六十七条の六第二項の規定により明らかにしておかなければならない事項のほか、総合評価指名競争入札の方法による旨及び当該総合評価指名競争入札に係る落札者決定基準についても、通知をしなければならない。

（指名競争入札の入札保証金等）

第百六十七条の十三　第百六十七条の七から第百六十七条の十まで及び第百六十七条の十の二（第六項を除く。）の規定は、指名競争入札の場合について準用する。

（せり売りの手続）

第百六十七条の十四　第百六十七条の四から第百六十七条の七までの規定は、せり売りの場合にこれを準用する。

（監督又は検査の方法）

第百六十七条の十五　地方自治法第二百三十四条の二第一項の規定による監督は、立会い、指示その他の方法によつて行なわなければならない。

2　地方自治法第二百三十四条の二第一項の規定による検査は、契約書、仕様書及び設計書その他の関係書類（当該関係書類に記載すべき事項を記録した電磁的記録を含む。）に基づいて行なわなければならない。

3　普通地方公共団体の長は、地方自治法第二百三十四条の二第一項に規定する契約について、契約の目的たる物件の給付の完了後相当の期間内に当該物件につき破損、変質、性能の低下その他の事故が生じたときは、取替え、補修その他必要な措置を講ずる旨の特約があり、当該給付の内容が担保されると認められるときは、同項の規定による検査の一部を省略することができる。

4　普通地方公共団体の長は、地方自治法第二百三十四条の二第一項に規定する契約について、特に専門的な知識又は技能を必要とすることその他の理由により当該普通地方公共団体の職員によつて監督又は検査を行なうことが困難であり、又は適当でないと認められるときは、当該普通地方公共団体の職員以外の者に委託して当該監督又は検査を行なわせることができる。

（**契約保証金**）

第百六十七条の十六　普通地方公共団体は、当該普通地方公共団体と契約を締結する者をして当該普通地方公共団体の規則で定める率又は額の契約保証金を納めさせなければならない。

2　第百六十七条の七第二項の規定は、前項の規定による契約保証金の納付についてこれを準用する。

（**長期継続契約を締結することができる契約**）

第百六十七条の十七　地方自治法第二百三十四条の三に規定する政令で定める契約は、翌年度以降にわたり物品を借り入れ又は役務の提供を受ける契約で、その契約の性質上翌年度以降にわたり契約を締結しなければ当該契約に係る事務の取扱いに支障を及ぼすようなもののうち、条例で定めるものとする。

第七節　現金及び有価証券

（**指定金融機関等**）

第百六十八条　都道府県は、地方自治法第二百三十五条第一項の規定により、議会の議決を経て、一の金融機関を指定して、当該都道府県の公金の収納及び支払の事務を取り扱わせなければならない。

2　市町村は、地方自治法第二百三十五条第二項の規定により、議会の議決を経て、一の金融機関を指定して、当該市町村の公金の収納及び支払の事務を取り扱わせることができる。

3　普通地方公共団体の長は、必要があると認めるときは、指定金融機関をして、その取り扱う収納及び支払の事務の一部を、当該普通地方公共団体の長が指定する金融機関に取り扱わせることができる。

4　普通地方公共団体の長は、必要があると認めるときは、指定金融機関をして、その取り扱う収納の事務の一部を、当該普通地方公共団体の長が指定する金融機関に取り扱わせることができる。

5　指定金融機関を指定していない市町村の長は、必要があると認めるときは、会計管理者をして、その取り扱う収納の事務の一部を、当該市町村の長が指定する金融機関に取り扱わせることができる。

6　第一項又は第二項の金融機関を指定金融機関と、第三項の金融機関を指定代理金融機関と、第四項の金融機関を収納代理金融機関と、前項の金融機関を収納事務取扱金融機関という。

7　普通地方公共団体の長は、指定代理金融機関又は収納代理金融機関を指定し、又はその取消しをしようとするときは、あらかじめ、指定金融機関の意見を聴かなければならない。

8　普通地方公共団体の長は、指定金融機関、指定代理金融機関、収納代理金融機関又は収納事務取扱金融機関を定め、又は変更したときは、これを告示しなければならない。

（**指定金融機関の責務**）

第百六十八条の二　指定金融機関は、指定代理金融機関及び収納代理金融機関の公金の収納又は支払の事務を総括する。

2　指定金融機関は、公金の収納又は支払の事務（指定代理金融機関及び収納代理金融機関において取り扱う事務を含む。）につき当該普通地方公共団体に対して責任を有する。

3　指定金融機関は、普通地方公共団体の長の定めるところにより担保を提供しなければならない。

（**指定金融機関等における公金の取扱い**）

第百六十八条の三　指定金融機関、指定代理金融機関、収納代理金融機関及び収納事務取扱金融機関は、納税通知書、納入通知書その他の納入に関する書類（当該書類に記載すべき事項を記録した電磁的記録を含む。）に基づかなければ、公金の収納をすることができない。

2　指定金融機関及び指定代理金融機関は、会計管理者の振り出した小切手又は会計管理者の通知に基づかなければ、公金の支払をすることができない。

3　指定金融機関、指定代理金融機関及び収納代理金融機関は、公金を収納したとき、又は公金の払込みを受けたときは、これを当該普通地方公共団体の預金口座に受け入れなければならない。この場合において、指定代理金融機関及び収納代理金融機関にあつては、会計管理者の定めるところにより、当該受け入れた公金を指定金融機関の当該普通地方公共団体の預金口座に振り替えなければならない。

4　収納事務取扱金融機関は、公金を収納したとき、又は公金の払込みを受けたときは、これを当該市町村の預金口座に受け入れなければならない。この場合において、収納事務取扱金融機関は、会計管理者の定めるところにより、当該受け入れた公金を会計管理者の定める収納事務取扱金融機関の当該市町村の預金口座に振り替えなければならない。

（指定金融機関等の検査）

第百六十八条の四 会計管理者は、指定金融機関、指定代理金融機関、収納代理金融機関及び収納事務取扱金融機関について、定期及び臨時に公金の収納又は支払の事務及び公金の預金の状況を検査しなければならない。

２ 会計管理者は、前項の検査をしたときは、その結果に基づき、指定金融機関、指定代理金融機関、収納代理金融機関及び収納事務取扱金融機関に対して必要な措置を講ずべきことを求めることができる。

３ 監査委員は、第一項の検査の結果について、会計管理者に対し報告を求めることができる。

（指定金融機関等に対する現金の払込み）

第百六十八条の五 指定金融機関を定めている普通地方公共団体において、会計管理者が現金（現金に代えて納付される証券を含む。）を直接収納したときは、速やかに、これを指定金融機関、指定代理金融機関又は収納代理金融機関に払い込まなければならない。

（歳計現金の保管）

第百六十八条の六 会計管理者は、歳計現金を指定金融機関その他の確実な金融機関への預金その他の最も確実かつ有利な方法によつて保管しなければならない。

（歳入歳出外現金及び保管有価証券）

第百六十八条の七 会計管理者は、普通地方公共団体が債権者として債務者に属する権利を代位して行うことにより受領すべき現金又は有価証券その他の現金又は有価証券で総務省令で定めるものを保管することができる。

２ 会計管理者は、普通地方公共団体の長の通知がなければ、歳入歳出外現金又は普通地方公共団体が保管する有価証券で当該普通地方公共団体の所有に属しないものの出納をすることができない。

３ 前項に定めるもののほか、歳入歳出外現金の出納及び保管は、歳計現金の出納及び保管の例により、これを行なわなければならない。

第八節 財産

第一款 公有財産

（行政財産である土地を貸し付けることができる堅固な工作物）

第百六十九条 地方自治法第二百三十八条の四第二項第一号に規定する政令で定める堅固な建物その他の土地に定着する工作物は、鉄骨造、コンクリート造、石造、れんが造その他これらに類する構造の土地に定着する工作物とする。

（行政財産である土地を貸し付けることができる法人）

第百六十九条の二 地方自治法第二百三十八条の四第二項第二号に規定する政令で定める法人は、次に掲げる法人とする。

一 特別の法律により設立された法人で国又は普通地方公共団体において出資しているもののうち、総務大臣が指定するもの

二 港務局、地方住宅供給公社、地方道路公社、土地開発公社及び地方独立行政法人並びに普通地方公共団体が資本金、基本金その他これらに準ずるものの二分の一以上を出資している一般社団法人及び一般財団法人並びに株式会社

三 公共団体又は公共的団体で法人格を有するもののうち、当該普通地方公共団体が行う事務と密接な関係を有する事業を行うもの

四 国家公務員共済組合及び国家公務員共済組合連合会並びに地方公務員共済組合、全国市町村職員共済組合連合会及び地方公務員共済組合連合会

（行政財産である庁舎等を貸し付けることができる場合）

第百六十九条の三 地方自治法第二百三十八条の四第二項第四号に規定する政令で定める場合は、同号に規定する庁舎等の床面積又は敷地のうち、当該普通地方公共団体の事務又は事業の遂行に関し現に使用され、又は使用されることが確実であると見込まれる部分以外の部分がある場合とする。

（行政財産である土地に地上権を設定することができる法人等）

第百六十九条の四 地方自治法第二百三十八条の四第二項第五号に規定する政令で定める法人は、次に掲げる法人とする。

一 独立行政法人鉄道建設・運輸施設整備支援機構、鉄道事業法（昭和六十一年法律第九十二号）第三条第一項の許可を受けた鉄道事業者及び軌道法（大正十年法律第七十六号）第三条の特許を受けた軌道経営者

二 独立行政法人日本高速道路保有・債務返済機構、高速道路株式会社法（平成十六年法律第九十九号）第一条に規定する会社及び地方道路公社

三 電気事業法（昭和三十九年法律第百七十号）第二条第一項第十七号に規定する電気事業者

四 ガス事業法（昭和二十九年法律第五十一号）第二条第十二項に規定するガス事業者

五 水道法（昭和三十二年法律第百七十七号）第三条第五項に規定する水道事業者

六 電気通信事業法（昭和五十九年法律第八十六号）第百二十条第一項に規定する認定電気通信事業者

２ 地方自治法第二百三十八条の四第二項第五号に規定す

る政令で定める施設は、次に掲げる施設とする。

一　軌道

二　電線路

三　ガスの導管

四　水道（工業用水道を含む。）の導管

五　下水道の排水管及び排水渠

六　電気通信線路

七　鉄道、道路及び前各号に掲げる施設の附属設備

（行政財産である土地に地役権を設定することができる法人等）

第百六十九条の五　地方自治法第二百三十八条の四第二項第六号に規定する政令で定める法人は、電気事業法第二条第一項第十七号に規定する電気事業者とする。

2　地方自治法第二百三十八条の四第二項第六号に規定する政令で定める施設は、電線路の附属設備とする。

（普通財産の信託）

第百六十九条の六　地方自治法第二百三十八条の五第二項に規定する政令で定める信託の目的は、次に掲げるものとする。

一　信託された土地に建物を建設し、又は信託された土地を造成し、かつ、当該土地（その土地の定着物を含む。以下この項において同じ。）の管理又は処分を行うこと。

二　前号に掲げる信託の目的により信託された土地の信託の期間の終了後に、当該土地の管理又は処分を行うこと。

三　信託された土地の処分を行うこと。

2　地方自治法第二百三十八条の五第三項に規定する政令で定める有価証券は、国債、地方債及び同法第二百三十八条第一項第六号に規定する社債とする。

（売払代金等の納付）

第百六十九条の七　普通財産の売払代金又は交換差金は、当該財産の引渡前にこれを納付させなければならない。

2　前項の規定にかかわらず、普通地方公共団体の長は、普通財産を譲渡する場合において、当該財産の譲渡を受ける者が当該売払代金又は交換差金を一時に納付することが困難であると認められるときは、確実な担保を徴し、かつ、利息を付して、五年以内の延納の特約をすることができる。ただし、次の各号に掲げる場合においては、延納期限を当該各号に掲げる期間以内とすることができる。

一　他の地方公共団体その他公共団体に譲渡する場合　十年

二　住宅又は宅地を現に使用している者に譲渡する場合　十年

三　分譲することを目的として取得し、造成し、又は建設した土地又は建物を譲渡する場合　二十年

四　公営住宅法（昭和二十六年法律第百九十三号）第四十四条第一項の規定により公営住宅又はその共同施設（これらの敷地を含む。）を譲渡する場合　三十年

3　前項の規定により延納の特約をしようとする場合において、普通財産の譲渡を受けた者が国又は他の地方公共団体であるときは、担保を徴しないことができる。

（有価証券の出納）

第百六十九条の八　第百六十八条の七第二項の規定は、公有財産に属する有価証券の出納についてこれを準用する。

第二款　物品

（物品の範囲から除かれる動産）

第百七十条　地方自治法第二百三十九条第一項に規定する政令で定める動産は、警察法第七十八条第一項の規定により都道府県警察が使用している国有財産及び国有の物品とする。

（関係職員の譲受けを制限しない物品）

第百七十条の二　地方自治法第二百三十九条第二項に規定する政令で定める物品は、次の各号に掲げる物品とする。

一　証紙その他その価格が法令の規定により一定している物品

二　売払いを目的とする物品又は不用の決定をした物品で普通地方公共団体の長が指定するもの

（物品の出納）

第百七十条の三　第百六十八条の七第二項の規定は、物品（基金に属する動産を含む。）の出納についてこれを準用する。

（物品の売払い）

第百七十条の四　物品は、売払いを目的とするもののほか、不用の決定をしたものでなければ、売り払うことができない。

（占有動産）

第百七十条の五　地方自治法第二百三十九条第五項に規定する政令で定める動産は、次の各号に掲げる動産とする。

一　普通地方公共団体が寄託を受けた動産

二　遺失物法（平成十八年法律第七十三号）第四条第一項若しくは第十三条第一項若しくは児童福祉法（昭和二十二年法律第百六十四号）第三十三条の二の二若しくは第三十三条の三の規定により保管する動産又は生活保護法（昭和二十五年法律第百四十四号）第七十六条第一項に規定する遺留動産

２　占有動産は、法令に特別の定めがある場合を除くほか、会計管理者がこれを管理する。この場合においては、第百六十八条の七第二項の規定を準用する。

第三款　債権

（督促）

第百七十一条　普通地方公共団体の長は、債権（地方自治法第二百三十一条の三第一項に規定する歳入に係る債権を除く。）について、履行期限までに履行しない者があるときは、期限を指定してこれを督促しなければならない。

（強制執行等）

第百七十一条の二　普通地方公共団体の長は、債権（地方自治法第二百三十一条の三第三項に規定する分担金等に係る債権（第百七十一条の五及び第百七十一条の六第一項において「強制徴収により徴収する債権」という。）を除く。）について、同法第二百三十一条の三第一項又は前条の規定による督促をした後相当の期間を経過してもなお履行されないときは、次に掲げる措置をとらなければならない。ただし、第百七十一条の五の措置をとる場合又は第百七十一条の六の規定により履行期限を延長する場合その他特別の事情があると認める場合は、この限りでない。

一　担保の付されている債権（保証人の保証がある債権を含む。）については、当該債権の内容に従い、その担保を処分し、若しくは競売その他の担保権の実行の手続をとり、又は保証人に対して履行を請求すること。

二　債務名義のある債権（次号の措置により債務名義を取得したものを含む。）については、強制執行の手続をとること。

三　前二号に該当しない債権（第一号に該当する債権で同号の措置をとつてなお履行されないものを含む。）については、訴訟手続（非訟事件の手続を含む。）により履行を請求すること。

（履行期限の繰上げ）

第百七十一条の三　普通地方公共団体の長は、債権について履行期限を繰り上げることができる理由が生じたときは、遅滞なく、債務者に対し、履行期限を繰り上げる旨の通知をしなければならない。ただし、第百七十一条の六第一項各号の一に該当する場合その他特に支障があると認める場合は、この限りでない。

（債権の申出等）

第百七十一条の四　普通地方公共団体の長は、債権について、債務者が強制執行又は破産手続開始の決定を受けたこと等を知つた場合において、法令の規定により当該普通地方公共団体が債権者として配当の要求その他債権の申出をすることができるときは、直ちに、そのための措置をとらなければならない。

２　前項に規定するもののほか、普通地方公共団体の長は、債権を保全するため必要があると認めるときは、債務者に対し、担保の提供（保証人の保証を含む。）を求め、又は仮差押え若しくは仮処分の手続をとる等必要な措置をとらなければならない。

（徴収停止）

第百七十一条の五　普通地方公共団体の長は、債権（強制徴収により徴収する債権を除く。）で履行期限後相当の期間を経過してもなお完全に履行されていないものについて、次の各号の一に該当し、これを履行させることが著しく困難又は不適当であると認めるときは、以後その保全及び取立てをしないことができる。

一　法人である債務者がその事業を休止し、将来その事業を再開する見込みが全くなく、かつ、差し押えることができる財産の価額が強制執行の費用をこえないと認められるとき。

二　債務者の所在が不明であり、かつ、差し押えることができる財産の価額が強制執行の費用をこえないと認められるときその他これに類するとき。

三　債権金額が少額で、取立てに要する費用に満たないと認められるとき。

（履行延期の特約等）

第百七十一条の六　普通地方公共団体の長は、債権（強制徴収により徴収する債権を除く。）について、次の各号の一に該当する場合においては、その履行期限を延長する特約又は処分をすることができる。この場合において、当該債権の金額を適宜分割して履行期限を定めることを妨げない。

一　債務者が無資力又はこれに近い状態にあるとき。

二　債務者が当該債務の全部を一時に履行することが困難であり、かつ、その現に有する資産の状況により、履行期限を延長することが徴収上有利であると認められるとき。

三　債務者について災害、盗難その他の事故が生じたことにより、債務者が当該債務の全部を一時に履行することが困難であるため、履行期限を延長することがやむを得ないと認められるとき。

四　損害賠償金又は不当利得による返還金に係る債権について、債務者が当該債務の全部を一時に履行することが困難であり、かつ、弁済につき特に誠意を有すると認められるとき。

五　貸付金に係る債権について、債務者が当該貸付金の使途に従つて第三者に貸付けを行なつた場合において、当該第三者に対する貸付金に関し、第一号から第三号までの一に該当する理由があることその他特別の事情により、当該第三者に対する貸付金の回収が著しく困難であるため、当該債務者がその債務の全部を一時に履行することが困難であるとき。

2　普通地方公共団体の長は、履行期限後においても、前項の規定により履行期限を延長する特約又は処分をすることができる。この場合においては、既に発生した履行の遅滞に係る損害賠償金その他の徴収金（次条において「損害賠償金等」という。）に係る債権は、徴収すべきものとする。

（免除）

第百七十一条の七　普通地方公共団体の長は、前条の規定により債務者が無資力又はこれに近い状態にあるため履行延期の特約又は処分をした債権について、当初の履行期限（当初の履行期限後に履行延期の特約又は処分をした場合は、最初に履行延期の特約又は処分をした日）から十年を経過した後において、なお、債務者が無資力又はこれに近い状態にあり、かつ、弁済することができる見込みがないと認められるときは、当該債権及びこれに係る損害賠償金等を免除することができる。

2　前項の規定は、前条第一項第五号に掲げる理由により履行延期の特約をした貸付金に係る債権で、同号に規定する第三者が無資力又はこれに近い状態にあることに基づいて当該履行延期の特約をしたものについて準用する。この場合における免除については、債務者が当該第三者に対する貸付金について免除することを条件としなければならない。

3　前二項の免除をする場合については、普通地方公共団体の議会の議決は、これを要しない。

第九節　住民による監査請求

（住民による監査請求）

第百七十二条　地方自治法第二百四十二条第一項の規定による必要な措置の請求は、その要旨を記載した文書をもつてこれをしなければならない。

2　前項の規定による請求書は、総務省令で定める様式によりこれを調製しなければならない。

第十節　雑則

（指定公金事務取扱者等の要件）

第百七十三条　地方自治法第二百四十三条の二第一項、第五項及び第六項（同条第七項の規定により適用する場合を含む。）に規定する政令で定める者は、次の各号に掲げる要件のいずれにも該当する者とする。

一　地方自治法第二百四十三条の二第一項に規定する公金事務（次号において「公金事務」という。）を適切かつ確実に遂行することができる財産的基礎を有すること。

二　その人的構成等に照らして、公金事務を適切かつ確実に遂行することができる知識及び経験を有し、かつ、十分な社会的信用を有すること。

（公金の徴収又は収納の委託）

第百七十三条の二　地方自治法第二百四十三条の二の四第一項に規定する政令で定めるものは、次に掲げる普通地方公共団体の歳入のうち、同法第二百四十三条の二第二項に規定する指定公金事務取扱者（次項において「指定公金事務取扱者」という。）が徴収することにより、その収入の確保及び住民の便益の増進に寄与すると普通地方公共団体の長が認めるものとする。

一　使用料

二　手数料

三　賃貸料

四　物品売払代金

五　寄附金

六　貸付金の元利償還金

七　第一号及び第二号に掲げる歳入に係る延滞金並びに第三号から前号までに掲げる歳入に係る遅延損害金

2　指定公金事務取扱者（歳入の徴収又は歳入等（地方自治法第二百三十一条の二の二に規定する歳入等をいう。以下この項において同じ。）の収納に関する事務の委託を受けた者に限る。）は、普通地方公共団体の規則の定めるところにより、その徴収した歳入又はその収納した歳入等を、その内容を示す計算書（当該計算書に記載すべき事項を記録した電磁的記録を含む。）を添えて、会計管理者又は指定金融機関、指定代理金融機関、収納代理金融機関若しくは収納事務取扱金融機関に払い込まなければならない。

（公金の支出の委託）

第百七十三条の三　地方自治法第二百四十三条の二の六第一項に規定する政令で定めるものは、第百六十一条第一項第一号から第十五号までに掲げる経費、貸付金及び同条第二項の規定によりその資金を前渡することができる払戻金（当該払戻金に係る還付加算金を含む。）とする。

2　第百五十九条の規定は、地方自治法第二百四十三条の二第一項の規定により歳出の支出に関する事務を委託した場合の精算残金を返納させるときについて準用する。

（普通地方公共団体の長等の損害賠償責任の一部免責の基準等）

第百七十三条の四　地方自治法第二百四十三条の二の七第一項に規定する政令で定める基準は、次の各号に掲げる同項に規定する普通地方公共団体の長等（以下この条において「普通地方公共団体の長等」という。）の区分に応じ、当該各号に定める額とする。

一　地方警務官（警察法第五十六条第一項に規定する地方警務官をいう。以下この項及び次項各号において同じ。）以外の普通地方公共団体の長等　普通地方公共団体から地方自治法第二百四十三条の二の七第一項の損害を賠償する責任（以下この条において「普通地方公共団体の長等の損害賠償責任」という。）の原因となつた行為を行つた日を含む会計年度において在職中に支給され、又は支給されるべき同法第二百三条の二第一項若しくは第四項又は第二百四条第一項若しくは第二項の規定による給与（扶養手当、住居手当、通勤手当、単身赴任手当、在宅勤務等手当又は寒冷地手当が支給されている場合には、これらの手当を除く。）の一会計年度当たりの額に相当する額として総務省令で定める方法により算定される額（次項第一号において「普通地方公共団体の長等の基準給与年額」という。）に、次に掲げる地方警務官以外の普通地方公共団体の長等の区分に応じ、それぞれ次に定める数を乗じて得た額

イ　普通地方公共団体の長　六

ロ　副知事若しくは副市町村長、指定都市の総合区長、教育委員会の教育長若しくは委員、公安委員会の委員、選挙管理委員会の委員又は監査委員　四

ハ　人事委員会の委員若しくは公平委員会の委員、労働委員会の委員、農業委員会の委員、収用委員会の委員、海区漁業調整委員会の委員、内水面漁場管理委員会の委員、固定資産評価審査委員会の委員、消防長又は地方公営企業の管理者　二

ニ　普通地方公共団体の職員（地方警務官並びにロ及びハに掲げる普通地方公共団体の職員を除く。）　一

二　地方警務官　国から普通地方公共団体の長等の損害賠償責任の原因となつた行為を行つた日を含む会計年度において在職中に支給され、又は支給されるべき一般職の職員の給与に関する法律（昭和二十五年法律第九十五号）その他の法律による給与（扶養手当、住居手当、通勤手当、単身赴任手当、在宅勤務等手当又は寒冷地手当が支給されている場合には、これらの手当を除く。）の一会計年度当たりの額に相当する額として総務省令で定める方法により算定される額（次項第二号において「地方警務官の基準給与年額」という。）に、次に掲げる地方警務官の区分に応じ、それぞれ次に定める数を乗じて得た額

イ　警視総監又は道府県警察本部長　二

ロ　イに掲げる地方警務官以外の地方警務官　一

2　地方自治法第二百四十三条の二の七第一項に規定する政令で定める額は、次の各号に掲げる普通地方公共団体の長等の区分に応じ、当該各号に定める額とする。

一　地方警務官以外の普通地方公共団体の長等　普通地方公共団体の長等の基準給与年額

二　地方警務官　地方警務官の基準給与年額

3　地方自治法第二百四十三条の二の七第一項の条例（第二号において「一部免責条例」という。）を定めている普通地方公共団体の長は、当該普通地方公共団体における普通地方公共団体の長等が同項の規定により普通地方公共団体の長等の損害賠償責任を免れたことを知つたときは、速やかに、次に掲げる事項を当該普通地方公共団体の議会に報告するとともに、当該事項を公表しなければならない。

一　当該普通地方公共団体の長等の損害賠償責任の原因となつた事実及び当該普通地方公共団体の長等が賠償の責任を負う額

二　当該普通地方公共団体の長等が賠償の責任を負う額から一部免責条例に基づき控除する額及びその算定の根拠

三　地方自治法第二百四十三条の二の七第一項の規定により当該普通地方公共団体の長等が賠償の責任を免れた額

4　前三項に定めるもののほか、地方自治法第二百四十三条の二の七第一項の規定による普通地方公共団体の長等の損害賠償責任の一部の免責に関し必要な事項は、総務省令で定める。

（法人の経営状況等を説明する書類）

第百七十三条の五　地方自治法第二百四十三条の三第二項に規定する政令で定めるその経営状況を説明する書類は、当該法人の毎事業年度の事業の計画及び決算に関する書類とする。

2　地方自治法第二百四十三条の三第三項に規定する政令で定める書類は、信託契約で定める計算期ごとの事業の計画及び実績に関する書類とする。

（普通地方公共団体の規則への委任）

第百七十三条の六　この政令及びこの政令に基づく総務省令に規定するものを除くほか、普通地方公共団体の財務に関し必要な事項は、当該普通地方公共団体の規則で定める。

第六章　国と普通地方公共団体との関係及び普通地方公共団体相互間の関係

第一節　国と普通地方公共団体との間並びに普通地方公共団体相互間及び普通地方公共団体の機関相互間の紛争処理

第一款　国地方係争処理委員会

（専門委員）

第百七十四条　国地方係争処理委員会（以下この節において「委員会」という。）に、地方自治法第二百五十条の十三第一項から第三項までの規定による審査の申出に係る事件に関し、専門の事項を調査させるため、専門委員を置くことができる。

2　専門委員は、学識経験のある者のうちから、委員長の推薦により、総務大臣が任命する。

3　専門委員は、当該専門の事項に関する調査が終了したときは、解任されるものとする。

4　専門委員は、非常勤とする。

（庶務）

第百七十四条の二　委員会の庶務は、総務省自治行政局行政課において処理する。

第二款　国地方係争処理委員会による審査の手続

（審査申出書の記載事項）

第百七十四条の三　地方自治法第二百五十条の十三第一項の文書には、次に掲げる事項を記載しなければならない。

一　審査の申出をする普通地方公共団体の長その他の執行機関及び相手方である国の行政庁

二　審査の申出に係る国の関与（地方自治法第二百五十条の七第二項に規定する国の関与をいう。以下この条において同じ。）

三　審査の申出に係る国の関与があつた年月日

四　審査の申出の趣旨及び理由

五　審査の申出の年月日

2　地方自治法第二百五十条の十三第二項の文書には、次に掲げる事項を記載しなければならない。

一　審査の申出に係る国の不作為（地方自治法第二百五十条の十三第二項に規定する国の不作為をいう。）に係る国の関与についての申請等（同法第二百五十条の二第一項に規定する申請等をいう。第百七十四条の七第二項第一号において同じ。）の内容及び年月日

二　前項第一号及び第五号に掲げる事項

3　地方自治法第二百五十条の十三第三項の文書には、次に掲げる事項を記載しなければならない。

一　審査の申出に係る協議の内容

二　第一項第一号及び第五号に掲げる事項

（委員による証拠調べ等）

第百七十四条の四　委員会は、必要があると認めるときは、委員会の委員に、地方自治法第二百五十条の十六第一項第一号の規定による陳述を聞かせ、同項第三号の規定による検証をさせ、同項第四号の規定による審尋をさせ、又は同条第二項の規定による陳述を聞かせることができる。

（委員会の審査等に関し必要な事項）

第百七十四条の五　前二条に規定するもののほか、委員会の審査及び勧告並びに調停に関し必要な事項は、委員会が定める。

第三款　自治紛争処理委員による調停、審査及び処理方策の提示の手続

（調停）

第百七十四条の六　地方自治法第二百五十一条の二第一項の規定により自治紛争処理委員による調停の申請をした当事者は、同項の文書の写しを添えて、直ちにその旨を他の当事者に通知しなければならない。

2　総務大臣又は都道府県知事は、地方自治法第二百五十一条の二第一項の規定により当事者の申請があつた場合において、事件を調停に付することが適当でないと認めるときは、その旨を当事者に通知しなければならない。

3　総務大臣又は都道府県知事は、地方自治法第二百五十一条の二第一項の規定により事件を自治紛争処理委員の調停に付したときは、直ちにその旨及び自治紛争処理委員の氏名を告示するとともに、当事者にこれを通知しなければならない。

4　総務大臣又は都道府県知事は、地方自治法第二百五十一条の二第二項の規定により調停の申請の取下げに同意したときは、その旨を他の当事者に通知しなければならない。

5　総務大臣又は都道府県知事は、それぞれその任命した自治紛争処理委員に対し、調停の経過について報告を求めることができる。

（審査及び勧告）

第百七十四条の七　地方自治法第二百五十一条の三第一項の文書には、次に掲げる事項を記載しなければならない。

一　申出をする市町村長その他の市町村の執行機関及び相手方である都道府県の行政庁

二　申出に係る都道府県の関与（地方自治法第二百五十一条第一項に規定する都道府県の関与をいう。以下この条において同じ。）

三　申出に係る都道府県の関与があつた年月日

四　申出の趣旨及び理由

五　申出の年月日

2　地方自治法第二百五十一条の三第二項の文書には、次に掲げる事項を記載しなければならない。
一　申出に係る都道府県の不作為（地方自治法第二百五十一条の三第二項に規定する都道府県の不作為をいう。）に係る都道府県の関与についての申請等の内容及び年月日
二　前項第一号及び第五号に掲げる事項
3　地方自治法第二百五十一条の三第三項の文書には、次に掲げる事項を記載しなければならない。
一　申出に係る協議の内容
二　第一項第一号及び第五号に掲げる事項
4　総務大臣は、地方自治法第二百五十一条の三第一項から第三項までの規定により事件を自治紛争処理委員の審査に付したときは、直ちにその旨及び自治紛争処理委員の氏名を告示するとともに、これらの規定による申出をした市町村長その他の市町村の執行機関及び相手方である都道府県の行政庁にこれを通知しなければならない。

（**処理方策の提示**）

第百七十四条の八　地方自治法第二百五十二条の二第七項の規定により処理方策（同法第二百五十一条の三の二第一項に規定する処理方策をいう。以下この条及び次条において同じ。）の提示を求める旨の申請をした普通地方公共団体は、同法第二百五十二条の二第七項の文書の写しを添えて、直ちにその旨を他の当事者である普通地方公共団体に通知しなければならない。
2　総務大臣又は都道府県知事は、地方自治法第二百五十一条の三の二第一項の規定により自治紛争処理委員に処理方策を定めさせることとしたときは、直ちにその旨及び自治紛争処理委員の氏名を告示するとともに、当事者である普通地方公共団体にこれを通知しなければならない。
3　総務大臣又は都道府県知事は、地方自治法第二百五十一条の三の二第二項の規定により処理方策の提示の申請の取下げに同意したときは、その旨を他の当事者である普通地方公共団体に通知しなければならない。
4　総務大臣又は都道府県知事は、それぞれその任命した自治紛争処理委員に対し、処理方策を定める経過について報告を求めることができる。

（**総務省令への委任**）

第百七十四条の九　前三条に規定するものを除くほか、総務大臣が任命する自治紛争処理委員の調停、審査及び勧告並びに処理方策の提示の手続の細目は、総務省令で定める。

第百七十四条の十から第百七十四条の十八まで　削除〔平一六・一〇政令三四五〕

第二節　普通地方公共団体相互間の協力

第一款　機関等の共同設置

（**共同設置することができない委員会**）

第百七十四条の十九　地方自治法第二百五十二条の七第一項ただし書の規定による委員会は、公安委員会とする。

（**共同設置する機関の委員等の解職請求**）

第百七十四条の二十　地方自治法第二百五十二条の十の規定による普通地方公共団体が共同設置する委員会の委員（教育委員会にあつては、教育長及び委員）又は委員の解職については、この政令に特別の定めがあるものを除くほか、当該委員会の委員（教育委員会にあつては、教育長及び委員）又は委員がそれぞれの普通地方公共団体に設置されているものとみなして、これらの機関の解職に関する法令の規定を適用する。

第百七十四条の二十一　普通地方公共団体が共同設置する委員会の委員（教育委員会にあつては、教育長及び委員）又は委員の解職の請求の手続が開始されたときは、普通地方公共団体の長は、直ちにその旨を当該機関を共同設置する他の普通地方公共団体の長及び当該機関に通知しなければならない。
2　前項の規定による通知があつたときは、通知を受けた他の普通地方公共団体の長は、直ちにその旨を告示しなければならない。

第百七十四条の二十二　普通地方公共団体が共同設置する委員会の委員（教育委員会にあつては、教育長及び委員）又は委員の解職の請求を受理したときは、普通地方公共団体の長は、解職の請求の要旨その他必要な事項を記載した書類を添えて、直ちにその旨を当該機関を共同設置する他の普通地方公共団体の長及び当該機関に通知しなければならない。
2　前項の規定による通知があつたときは、通知を受けた他の普通地方公共団体の長は、直ちにその旨及び解職の請求の要旨を告示しなければならない。

第百七十四条の二十三　前条第一項の規定により解職の請求を受理し、又はその旨の通知があつたときは、関係普通地方公共団体の長は、当該解職の請求をそれぞれ当該普通地方公共団体の議会に付議し、その結果を地方自治法第二百五十二条の九第四項又は第五項の規定により共同設置する委員会の委員（教育委員会にあつては、教育長及び委員）又は委員が属するものとみなされる普通地方公共団体（以下「規約で定める普通地方公共団体」という。）の長に通知しなければならない。
2　前項の規定による通知があつたときは、規約で定める普通地方公共団体の長は、解職が成立した旨又は解職が成立しなかつた旨を関係普通地方公共団体の長及び関係

者に通知するとともに、その旨を公表しなければならない。

3　普通地方公共団体が共同設置する委員会の委員（教育委員会にあつては、教育長及び委員）又は委員は、地方自治法第二百五十二条の十の規定により二の普通地方公共団体の共同設置する場合においてはすべての関係普通地方公共団体の議会において解職に同意する旨の議決があつたとき、又は三以上の普通地方公共団体の共同設置する場合においてはその半数を超える関係普通地方公共団体の議会において解職に同意する旨の議決があつたときは、その職を失う。

（議会事務局等の共同設置に関する準用）

第百七十四条の二十四　地方自治法第二百五十二条の八、第二百五十二条の九第三項及び第五項、第二百五十二条の十一第二項及び第四項並びに第二百五十二条の十二の規定は、同法第二百五十二条の七第一項に規定する議会事務局、同法第百五十六条第一項に規定する行政機関、同法第百五十八条第一項に規定する内部組織又は同法第二百五十二条の七第一項に規定する委員会事務局の共同設置について準用する。この場合において、同法第二百五十二条の八第四号中「共同設置する機関を組織する委員その他の構成員」とあるのは「共同設置する第二百五十二条の七第一項に規定する議会事務局、第百五十六条第一項に規定する行政機関、第百五十八条第一項に規定する内部組織又は第二百五十二条の七第一項に規定する委員会事務局の職員（次条第三項及び第五項において「議会事務局等の職員」という。）」と、同法第二百五十二条の九第三項及び第五項中「委員会の委員若しくは委員又は附属機関の委員その他の構成員」とあるのは「議会事務局等の職員」と、「長」とあるのは「議会の議長、長」と読み替えるものとする。

2　地方自治法第二百五十二条の八、第二百五十二条の九第二項及び第四項、第二百五十二条の十、第二百五十二条の十一第二項及び第四項並びに第二百五十二条の十二の規定は、普通地方公共団体の長、委員会又は委員の事務を補助する職員で当該普通地方公共団体の議会の同意を得て選任すべきもの（次項及び第四項において「議会同意選任職員」という。）の共同設置について準用する。

3　地方自治法第二百五十二条の八、第二百五十二条の九第三項及び第五項、第二百五十二条の十一第二項及び第四項並びに第二百五十二条の十二の規定は、普通地方公共団体の議会、長、委員会若しくは委員の事務を補助する職員（議会同意選任職員を除く。）、同法第百七十四条第一項に規定する専門委員又は同法第二百条の二第一項に規定する監査専門委員の共同設置について準用する。この場合において、同法第二百五十二条の九第三項及び第五項中「長」とあるのは、「議会の議長、長」と読み替えるものとする。

4　第百七十四条の二十から前条までの規定は、普通地方公共団体が共同設置する議会同意選任職員で、法律の定めるところにより選挙権を有する者の請求に基づき普通地方公共団体の議会の議決により解職することができるものの解職について準用する。

第二款　職員の派遣

（職員の派遣）

第百七十四条の二十五　恩給法（大正十二年法律第四十八号）第四十条ノ二の規定は、地方自治法第二百五十二条の十七第一項の規定に基づき派遣された職員で恩給法の規定の準用を受けるものの派遣を受けた普通地方公共団体に勤務する期間については、適用しない。

2　地方自治法第二百五十二条の十七第一項の規定に基づき派遣された職員に対する地方公務員法第三十六条第二項の規定の適用については、同条同項中「当該職員の属する地方公共団体の区域」とあるのは、「当該職員の派遣をした普通地方公共団体及び当該職員の派遣を受けた普通地方公共団体の区域」と読み替えるものとする。

3　前二項に規定するもののほか、地方自治法第二百五十二条の十七第一項の規定に基づき派遣された職員の身分取扱いに関して必要がある場合においては、当該職員の派遣をした普通地方公共団体及び当該職員の派遣を受けた普通地方公共団体の長又は委員会若しくは委員の協議により、当該職員の派遣をした普通地方公共団体の職員に関する法令の規定を適用せず、又は当該職員の派遣を受けた普通地方公共団体の職員に関する法令の規定を適用することができる。

第三節　条例による事務処理の特例

（再々審査請求への行政不服審査法施行令の規定の準用）

第百七十四条の二十五の二　地方自治法第二百五十二条の十七の四第五項の再々審査請求については、行政不服審査法施行令（平成二十七年政令第三百九十一号）第十九条の規定を準用する。

第七章　大都市等に関する特例

第一節　大都市に関する特例

（児童福祉に関する事務）

第百七十四条の二十六　地方自治法第二百五十二条の十九第一項の規定により、指定都市が処理する児童福祉に関する事務は、児童福祉法及び児童福祉法施行令（昭和二十三年政令第七十四号）、少年法（昭和二十三年法律第百六十八号）、児童虐待の防止等に関する法律（平成十二年法律第八十二号）並びに民間あっせん機関による養子縁組のあっせんに係る児童の保護等に関する法律（平成二十八年法律第百十号）の規定により、都道府県が処理することとされている事務（児童福祉法第十一条第一項第一号及び第二号イの規定による市町村相互間の連絡調整等、同項第三号の規定による広域的な対応が必要な業務、同条第二項の規定による助言、同法第十三条第三項第二号並びに同令第三条の二第二項から第七項まで、第十項及び第十一項の規定による同号の施設及び講習会（第百七十四条の四十九の二第一項第八号において「指定児童福祉司養成施設等」という。）の指定等、同法第十八条の六第一号及び第十八条の七第一項並びに同令第五条第二項から第七項までの規定による指定保育士養成施設（同号に規定する指定保育士養成施設をいう。第百七十四条の四十九の二第一項第九号において同じ。）の指定等、同法第十八条の八第二項の規定による保育士試験、同条第三項の規定による保育士試験委員の設置、同法第十八条の九、第十八条の十（同法第十八条の十一第二項において準用する場合を含む。）及び第十八条の十三から第十八条の十七まで並びに同令第七条、第九条、第十一条から第十三条まで及び第十五条の規定による指定試験機関（同法第十八条の九第一項に規定する指定試験機関をいう。第百七十四条の四十九の二第一項第十二号において同じ。）の指定等、同法第十八条の十八から第十八条の二十の二まで及び同令第十六条から第二十条までの規定による保育士（同法第十八条の四に規定する保育士をいう。第百七十四条の四十九の二第一項第十三号において同じ。）の登録等、同法第十八条の二十の三第一項の規定による報告の受理、同法第十八条の二十の四第二項の規定によるデータベースへの記録等、同法第二十一条の五の十の規定による協力その他市町村に対する必要な援助、同法第二十一条の五の十五第六項及び第七項（これらの規定を同法第二十一条の五の十六第四項において準用する場合を含む。）の規定による関係市町村長に対する通知等、同法第二十一条の五の二十一第一項（同法第二十四条の十四の二において準用する場合を含む。）の規定による都道府県知事による連絡調整又は援助、同法第二章第二節第三款（同法第二十四条の十九の二において準用する場合を含む。）及び第五節第三款の規定による業務管理体制の整備等に係る質問等、同法第三十三条の十八第五項及び第七項の規定による市町村長に対する通知、同法第三十三条の二十第一項に規定する市町村障害児福祉計画（第百七十四条の四十九の二第一項第二十五号において「市町村障害児福祉計画」という。）に係る同法第三十三条の二十第十一項及び第十二項の規定による意見等、同法第三十三条の二十二第一項に規定する都道府県障害児福祉計画（第百七十四条の四十九の二第一項第二十五号において「都道府県障害児福祉計画」という。）に係る同法第三十三条の二十二、第三十三条の二十三及び第三十三条の二十四第一項の規定による作成等、同法第三十三条の二十三の二第二項の規定による情報の提供、指定都市が行う同法第三十四条の三第一項に規定する障害児通所支援事業等（第八項及び第百七十四条の四十九の二第一項第二十六号において「障害児通所支援事業等」という。）、同法第六条の三第一項に規定する児童自立生活援助事業（第八項及び第百七十四条の四十九の二第一項第二十六号において「児童自立生活援助事業」という。）又は同法第六条の三第八項に規定する小規模住居型児童養育事業（第八項及び第百七十四条の四十九の二第一項第二十六号において「小規模住居型児童養育事業」という。）に係る同法第三十四条の五の規定による質問等及び同法第三十四条の六の規定による制限又は停止の命令、指定都市が行う同法第六条の三第十五項に規定する親子再統合支援事業（第八項及び第百七十四条の四十九の二第一項第二十二号において「親子再統合支援事業」という。）、同法第六条の三第十六項に規定する社会的養護自立支援拠点事業（第八項及び第百七十四条の四十九の二第一項第二十二号において「社会的養護自立支援拠点事業」という。）又は同法第六条の三第十七項に規定する意見表明等支援事業（第八項及び第百七十四条の四十九の二第一項第二十二号において「意見表明等支援事業」という。）に係る同法第三十四条の七の三の規定による質問等及び同法第三十四条の七の四の規定による制限又は停止の命令、指定都市が行う同法第六条の三第十八項に規定する妊産婦等生活援助事業（第八項及び第百七十四条の四十九の二第一項第二十七号において「妊産婦等生活援助事業」という。）に係る同法第三十四条の七の六の規定による質問等及び同法第三十四条の七の七の規定による制限又は停止の命令、指定都市が行う同法第六条の三第七項に規定する一時預かり事業（第八項及び第百七十四条の四十九の二第一項第二十八号において「一時預かり事業」という。）に係る同法第三十四条の十四の規定による質問等、指定都市が行う同法第六条の三第十三項に規定する病児保育事業（第八項及び第百七十四条の四十九の二第一項第二十九号において「病児保育事業」という。）に係る同法第三十四条の十八の二の規定による質問等、指定都市が設置する同法第七条第一項に規定する児童福祉施設（第八項において「児童福祉施設」という。）に係る同法第四十六条の規定による質問等及び同令第三十八条の規定による検査、同法第五十五条の規定による同法第五十一条第五号の費用の負担、同法第五十六条の四の二第四項の規定により送付された市町村整備計画の写しの受理、同法第五十六条の四の三第一項の規定による市町村整備計画の提出の経由、同法第五十六条の五の五第一項に規定する審査請求に対する裁決、同法第五十六条の七第三項の規定による支援、同法第五十七条の二第一項に規定する障害児通所給付費等の支給に係る同法第五十七条の三の三の規定による質問等、同法第五十七条の三の四第一項及び第四項並びに同令第四十四条の八及び第四十四条の十から第四十四条の十三までの規定による指定事務受託法人（同法第五十七条の三の四第一項に規定する指定事務受託法人をいう。第百七十四条の四十九の二第一項第四十一号において同じ。）の指定等並びに同法第五十九条の四第四項の規定による勧告等に関する事務を除く。）とする。この場合においては、第三項から第七項までにおいて特別の定めがあるものを除き、児童福祉法及び同令、少年法、児童虐待の防止等に関する法律並びに民間あっせん機関による養子縁組のあっせんに係る児童の保護等に関する法律中都道府県に関する規定（前段括弧内に掲げる事務に係る規定を除く。）は、指定都市に関する規定として指定都市に適用があるものとする。

2　指定都市の市長は、前項の規定により児童福祉法第十九条の二十第一項（同法第二十一条の二及び第二十四条の二十一において準用する場合を含む。）の規定による事務を管理し及び執行する場合においては、同法第十九条の二十第三項（同法第二十一条の二及び第二十四条の二十一において準用する場合を含む。）の意見の聴取に関し、社会保険診療報酬支払基金法（昭和二十三年法律第百二十九号）による社会保険診療報酬支払基金と契約を締結するものとする。

3　第一項の場合においては、指定都市は、第五項の規定によりその権限に属させられた事項を調査審議するため、児童福祉法第八条第三項の規定により児童福祉に関する審議会その他の合議制の機関を置くものとする。ただし、社会福祉法（昭和二十六年法律第四十五号）第十二条第一項の規定により同法第七条第一項に規定する地方社会福祉審議会（第五項において「地方社会福祉審議会」という。）に児童福祉に関する事項を調査審議させる指定都市にあっては、この限りでない。

4　第一項の場合においては、前項に規定する児童福祉に関する審議会その他の合議制の機関は、同項に定めるもののほか、児童、妊産婦及び知的障害者の福祉に関する事項を調査審議することができる。

5　第一項の場合においては、第三項に規定する児童福祉に関する審議会その他の合議制の機関及び同項ただし書に規定する指定都市に置かれる地方社会福祉審議会は、児童福祉法第八条第九項、第二十七条第六項、第三十三条の十五第三項、第三十五条第六項、第四十六条第四項及び第五十九条第五項の規定による権限を有するものとする。この場合においては、第三項に規定する児童福祉に関する審議会その他の合議制の機関及び同項ただし書に規定する指定都市に置かれる地方社会福祉審議会を同法第八条第二項に規定する都道府県児童福祉審議会とみなして、同法第三十三条の十二第一項及び第三項、第三十三条の十三並びに第三十三条の十五第一項、第二項及び第四項並びに児童虐待の防止等に関する法律第十三条の五の規定を適用する。

6　第一項の場合においては、児童福祉法第十条第二項及び第三項、第十八条第一項及び第三項、第五十五条（同法第五十一条第五号に係る部分を除く。）並びに第五十六条の八第六項の規定は、これを適用しない。

7　第一項の場合においては、児童福祉法第三条の三第二項中「市町村の行うこの法律に基づく児童の福祉に関する業務が適正かつ円滑に行われるよう、市町村に対する必要な助言及び適切な援助を行うとともに、児童」とあるのは「児童」と、「技術並びに各市町村の区域を超えた広域的な対応」とあるのは「技術」と、「第十一条第一項各号に掲げる業務」とあるのは「第十一条第一項第二号（イを除く。）に掲げる業務及び同項第三号に掲げる業務」と、同法第十一条第一項第三号中「広域的な対応が必要な業務並びに家庭」とあるのは「家庭」と、同法第十二条第三項中「前条第一項第一号に掲げる業務（市町村職員の研修を除く。）並びに同項第二号（イを除く。）」とあるのは「前条第一項第二号（イを除く。）」と、同法第十三条第二項中「、第二十七条第一項第三号の規定による里親への委託の状況及び市町村におけるこの法律による事務の実施状況」とあるのは「及び第二十七条第一項第三号の規定による里親への委託の状況」と、同条第八項中「行い、担当区域内の市町村長に協力を求めることができる」とあるのは「行う」と、同法第十八条第二項中「児童相談所長又は市町村長」とあるのは「児童相談所長」と、同法第二十一条の五の十五第一項（同法第二十一条の五の十六第四項において準用する場合を含む。）中「ごとに行う」とあるのは「ごとに行う。この場合において、指定都市の市長は、当該指定が次項に規定する特定障害児通所支援に係るものであるときは、あらかじめ、都道府県知事の同意を得なければならない」と、同法第二十一条の五の十五第八項（同法第二十一条の五の十六第四項において準用する場合を含む。）中「前項の意見を勘案し」とあるのは「第三十三条の二十第一項に規定する市町村障害児福祉計画との調整を図る見地から」と、同法第二十一条の五の十七第五項中「ものは」とあるのは「ものから」と、「又は同法」とあるのは「について同法第七十八条の五第二項の規定による事業の廃止若しくは休止の届出があつたとき、又は同法」と、「を廃止し、又は休止しようとするときは、内閣府令で定めるところにより、その廃止又は休止の日の一月前までに、その旨を当該指定を行つた都道府県知事に届け出なければならない。この場合において、当該」とあるのは「について同法第百十五条の十五第二項の規定による事業の廃止若しくは休止の」と、同法第二十一条の五の二十七第二項（同法第二十四条の十九の二において準用する場合を含む。）中「指定都市若しくは中核市の長」とあるのは「都道府県知事」と、「関係都道府県知事」とあるのは「関係指定都市の市長」と、同法第二十一条の五の二十七第三項及び第四項（これらの規定を同法第二十四条の十九の二において準用する場合を含む。）中「指定都市若しくは中核市の長」とあるのは「都道府県知事」と、同法第二十一条の五の二十八第五項（同法第二十四条の十九の二において準用する場合を含む。）中「指定都市若しくは中核市の長」とあるのは「都道府県知事」と、「関係都道府県知事」とあるのは「関係指定都市の市長」と、同法第二十四条の四第一項第二号中「以外の都道府県の区域内」とあるのは「の区域以外の区域」と、同法第二十四条の九第一項（同法第二十四条の十第四項において準用する場合を含む。）中「行う」とあるのは「行う。この場合において、指定都市の市長は、当該指定をしようとするときは、あらかじめ、都道府県知事の同意を得なければならない」と、同法第二十四条の十九第四項中「市町村」とあるのは「当該指定都市以外の市町村」と、同法第二十六条第一項第二号中「市町村」とあるのは「指定都市以外の市町村」と、同法第二十七条第一項第二号中「市町村」とあるのは「当該指定都市以外の市町村」と、同法第三十条第一項中「以内）に、市町村長を経て」とあるのは「以内）に」と、同条第二項中「以内に、市町村長を経て」とあるのは「以内に」に、「市町村長を経由し、都道府県知事」とあるのは「指定都市の市長」を「にかかわらず、市町村長を経由し」とあるのは「にかかわらず」と、同法第三十四条の三第二項から第四項まで及び第三十四条の四中「及び都道府県」とあるのは「、都道府県及び指定都市」と、同法第三十四条の五第一項及び第三十四条の六中「行う者」とあるのは「行う者（都道府県を除く。）」と、同法第三十四条の七の二第二項から第四項までの規定中「及び都道府県」とあるのは「、都道府県及び指定都市」と、同法第三十四条の七の三第一項及び第三十四条の七の四中「行う者」とあるのは「行う者（都道府県を除く。）」と、同法第三十四条の七の五第二項から第四項までの規定中「及び都道府県」とあるのは「、都道府県及び指定都市」と、同法第三十四条の七の六第一項及び第三十四条の七の七中「行う者」とあるのは「行う者（都道府県を除く。）」と、同法第三十四条の十八中「及び都道府県」とあるのは「、都道府県及び指定都市」と、同法第三十五条第三項中「市町村」とあるのは「指定都市以外の市町村」と、同条第八項中「第六十二条第二項第一号」とあるのは「第六十一条第二項第一号」と、「第六十二条第一項」とあるのは「第六十一条第一項」と、「都道府県子ども・子育て支援事業支援計画」とあるのは「市町村子ども・子育て支援事業計画」と、同条第十一項中「市町村」とあるのは「指定都市以外の市町村」と、同法第四十五条第一項、第二項及び第五項並びに第四十六条第一項、第三項及び第四項中「児童福祉施設」とあるのは「児童福祉施設（都道府県が設置するものを除く。）」と、同法第五十一条第三号中「費用（都道府県の設置する助産施設又は母子生活支援施設に係るものを除く。）」とあるのは「費用」と、同法第五十六条の八第三項中「市町村長を経由し、都道府県知事」とあるのは「指定都市の市長」と、児童福祉法施行令第一条の三第一号中「一又は二以上の市町村（特別区を含む。以下この号において同じ。）の区域であつて、児童相談所と市町村及び」とあるのは「指定都市の区域又は一若しくは二以上の当該指定都市の区（総合区を含む。）の区域であつて、児童相談所と」と、同令第三条第一項第三号中「法第十一条第一項第一号の規定による市町村相互間の連絡調整等、同項第三号の規定による広域的な対応が必要な業務、法」とあるのは「法」と、「都道府県の区域内の市町村（特別区を含み、地方自治法（昭和二十二年法律第六十七号）第二百五十二条の十九第一項の指定都市（以下「指定都市」という。）及び法第五十九条の四第一項の児童相談所設置市（以下「児童相談所設置市」という。）を除く。）の数を三十で除して得た数（その数に一に満たない端数があるときは、これを一に切り上げる。）」とあるのは「一」と、同令第三十八条中「児童福祉施設」とあるのは「児童福祉施設（都道府県が設置するものを除く。）」と、児童虐待の防止等に関する法律第十三条の二中「市町村」とあるのは「当該指定都市以外の市町村」とする。

8　指定都市がその事務を処理するに当たつては、地方自治法第二百五十二条の十九第二項の規定により、児童福祉法第三十四条の五第一項の規定による障害児通所支援事業等、児童自立生活援助事業又は小規模住居型児童養育事業についての都道府県知事の質問等に関する規定、同法第三十四条の六の規定による障害児通所支援事業等、児童自立生活援助事業又は小規模住居型児童養育事業の制限又は停止についての都道府県知事の命令に関する規定、同法第三十四条の七の三第一項の規定による親子再統合支援事業、社会的養護自立支援拠点事業又は意見表明等支援事業についての都道府県知事の質問等に関する規定、同法第三十四条の七の四の規定による親子再統合支援事業、社会的養護自立支援拠点事業又は意見表明等支援事業の制限又は停止についての都道府県知事の命令に関する規定、同法第三十四条の七の六第一項の規定による妊産婦等生活援助事業についての都道府県知事の質問等に関する規定、同法第三十四条の七の七の規定による妊産婦等生活援助事業の制限又は停止についての都道府県知事の命令に関する規定、同法第三十四条の十四第一項、第三項及び第四項の規定による一時預かり事業についての都道府県知事の質問等に関する規定、同法第三十四条の十八の二第一項及び第三項の規定による病児保育事業についての都道府県知事の質問等に関する規定、同法第四十六条第一項、第三項及び第四項の規定による児童福祉施設についての都道府県知事の質問等に関する規定並びに児童福祉法施行令第三十八条の規定による児童福祉施設についての都道府県知事の検査に関する規定は、これを適用しない。

（民生委員に関する事務）

第百七十四条の二十七　地方自治法第二百五十二条の十九第一項の規定により、指定都市が処理する民生委員に関する事務は、民生委員法（昭和二十三年法律第百九十八号）及び民生委員法施行令（昭和二十三年政令第二百二十六号）の規定により、都道府県が処理することとされている事務とする。この場合においては、次項において特別の定めがあるものを除き、同法及び同令中都道府県に関する規定は、指定都市に関する規定として指定都市に適用があるものとする。

2　前項の場合においては、民生委員法第七条第二項中「当該市町村長及び地方社会福祉審議会」とあるのは「地方社会福祉審議会」と、同法第二十条第一項中「都道府県知事が市町村長の意見をきいて定める区域」とあるのは「指定都市の市長が定める区域」と読み替えるものとする。

（身体障害者の福祉に関する事務）

第百七十四条の二十八　地方自治法第二百五十二条の十九第一項の規定により、指定都市が処理する身体障害者の福祉に関する事務は、身体障害者福祉法（昭和二十四年法律第二百八十三号）及び身体障害者福祉法施行令（昭和二十五年政令第七十八号）の規定により、都道府県が処理することとされている事務（同法第十条の規定による市町村相互間の連絡調整等、同法第十一条の規定による同法第九条第七項に規定する身体障害者更生相談所（以下この条及び第百七十四条の四十九の四において「身体障害者更生相談所」という。）の設置、同法第十一条の二第一項の規定による同法第九条第七項に規定する身体障害者福祉司（以下この条及び第百七十四条の四十九の四において「身体障害者福祉司」という。）の設置、同法第十二条第五号の規定による施設の指定、同法第十二条の三第二項の規定による相談援助の委託、指定都市が行う同法第二十六条第一項に規定する身体障害者生活訓練等事業等（以下この条及び第百七十四条の四十九の四において「身体障害者生活訓練等事業等」という。）に係る同法第三十九条の規定による質問等及び同法第四十条の規定による制限又は停止の命令並びに指定都市が設置する同法第五条第一項に規定する身体障害者社会参加支援施設（以下この条及び第百七十四条の四十九の四において「身体障害者社会参加支援施設」という。）に係る同法第四十一条の規定による事業の停止又は廃止の命令に関する事務を除く。）とする。この場合においては、第四項及び第五項において特別の定めがあるものを除き、同法及び同令中都道府県に関する規定（前段括弧内に掲げる事務に係る規定を除く。）は、指定都市に関する規定として指定都市に適用があるものとする。

2　前項の場合においては、指定都市は、身体障害者更生相談所を設けることができる。この場合においては、身体障害者福祉法第十条第一項第二号（イを除く。）及び第三項の規定は、当該指定都市に、同法第十一条第二項（同法第十条第一項第二号ロからニまでに掲げる業務並びに障害者の日常生活及び社会生活を総合的に支援するための法律第二十二条第二項及び第三項、第二十六条第一項、第七十四条並びに第七十六条第三項に規定する業務に係る部分に限る。）及び第三項並びに身体障害者福祉法施行令第二条の規定は、当該身体障害者更生相談所にこれを準用する。

3　第一項の場合においては、指定都市は、前項の規定により設置する身体障害者更生相談所に、身体障害者福祉司を置くことができる。この場合においては、身体障害者福祉法第十一条の二第三項（第一号を除く。）の規定は、当該身体障害者福祉司にこれを準用する。

4　第一項の場合においては、身体障害者福祉法第十六条第四項及び第三十七条の規定は、これを適用しない。

5　第一項の場合においては、身体障害者福祉法第二十六条及び第二十七条中「及び都道府県」とあるのは「、都道府県及び指定都市」と、同法第二十八条第二項及び第四項中「市町村」とあるのは「指定都市以外の市町村」と、同法第三十九条第一項及び第四十条中「身体障害者生活訓練等事業等を行う者」とあるのは「身体障害者生活訓練等事業等を行う者（都道府県を除く。）」と、身体障害者福祉法施行令第九条第四項中「他の都道府県の区域に」とあるのは「指定都市の区域から当該指定都市の区域外に、又は指定都市の区域外から指定都市の区域に」と、「都道府県知事」とあるのは「都道府県知事（新居住地が指定都市の区域にあるときは、当該指定都市の市長）」と、同条第六項中「都道府県知事は」とあるのは「都道府県知事又は指定都市の市長は」と、「都道府県知事に」とあるのは「都道府県知事（旧居住地が指定都市の区域にあつたときは、当該指定都市の市長）に」と、同令第二十八条第一項中「市町村」とあるのは「指定都市以外の市町村」と、同条第二項中「市町村長」とあるのは「市町村長（指定都市の市長を除く。）」と読み替えるものとする。

6　指定都市がその事務を処理するに当たつては、地方自治法第二百五十二条の十九第二項の規定により、身体障害者福祉法第三十九条第一項の規定による身体障害者生活訓練等事業等についての都道府県知事の質問等に関する規定及び同法第四十条の規定による身体障害者生活訓練等事業等の制限又は停止についての都道府県知事の命令に関する規定は、これを適用せず、同法第四十一条第一項の規定による身体障害者社会参加支援施設の事業の停止又は廃止についての都道府県知事の命令については、これらの命令に代えて厚生労働大臣の命令を受けるものとする。

（生活保護に関する事務）

第百七十四条の二十九　地方自治法第二百五十二条の十九第一項の規定により、指定都市が処理する生活保護に関する事務は、生活保護法及び生活保護法施行令（昭和二十五年政令第百四十八号）の規定により、都道府県が処理することとされている事務（同法第二十三条の規定による事務の監査等、指定都市の設置する保護施設に対する同法第四十四条第一項、第四十五条第一項及び第四十八条第三項の規定による報告の命令等、同法第六十四条に規定する審査請求に対する裁決並びに同法第八十一条の二の規定による援助に関する事務を除く。）とする。この場合においては、第四項及び第五項において特別の定めがあるものを除き、同法及び同令中都道府県に関する規定（前段括弧内に掲げる事務に係る規定を除く。）は、指定都市に関する規定として指定都市に適用があるものとする。

2　前項の規定は、特に必要がある場合において、都道府県知事が生活保護法第五十四条第一項（同法第五十四条の二第五項及び第五十五条第二項において準用する場合を含む。）の規定による事務を管理し及び執行することを妨げるものではない。

3　指定都市の市長は、第一項の規定により生活保護法第五十三条第一項の規定による事務を管理し及び執行する場合においては、同条第三項の規定による意見の聴取に関し、社会保険診療報酬支払基金法による社会保険診療報酬支払基金と契約を締結するものとする。

4　第一項の場合においては、生活保護法第四十三条第二項及び第七十三条の規定は、これを適用しない。

5　第一項の場合においては、生活保護法第三十九条第一項及び第二項中「保護施設」とあるのは「保護施設（都道府県が設置するものを除く。）」と、同条第三項中「保護施設の設置者」とあるのは「保護施設の設置者（都道府県を除く。）」と、同法第四十条第二項中「市町村」とあるのは「指定都市以外の市町村」と、同法第四十三条第一項及び第四十四条第一項中「保護施設」とあるのは「保護施設（都道府県が設置するものを除く。）」と、同法第四十六条第二項中「都道府県以外」とあるのは「都道府県及び指定都市以外」と、同法第四十八条第三項中「前項の指導」とあるのは「前項の指導（都道府県が設置する保護施設の長が行うものを除く。）」と読み替えるものとする。

6　指定都市がその事務を処理するに当たつては、地方自治法第二百五十二条の十九第二項の規定により、生活保護法第二十三条第一項及び第二項の規定による都道府県知事の事務の監査等に関する規定並びに同法第四十四条第一項及び第四十八条第三項の規定による保護施設についての都道府県知事の報告の命令等に関する規定は、これを適用せず、同法第四十五条第一項の規定による保護施設の設備又は運営の改善、事業の停止及び保護施設の廃止についての都道府県知事の命令については、これらの命令に代えて厚生労働大臣の命令を受けるものとする。

（行旅病人及び行旅死亡人の取扱いに関する事務）

第百七十四条の三十　地方自治法第二百五十二条の十九第一項の規定により、指定都市が処理する行旅病人及び行旅死亡人の取扱いに関する事務は、行旅病人死亡人等の引取及費用弁償に関する件（明治三十二年勅令第二百七十七号）の規定により、都道府県が処理することとされている事務とする。この場合においては、同令中都道府県に関する規定は、指定都市に関する規定として指定都市に適用があるものとする。

（社会福祉事業に関する事務）

第百七十四条の三十の二　地方自治法第二百五十二条の十九第一項の規定により、指定都市が処理する社会福祉事業に関する事務は、社会福祉法第七章及び第八章の規定により、都道府県が処理することとされている事務（指定都市が経営する社会福祉事業に係る同法第七十条の規定による検査及び調査に関する事務を除く。）とする。この場合においては、次項において特別の定めがあるものを除き、これらの章中都道府県に関する規定（前段括弧内に掲げる事務に係る規定を除く。）は、指定都市に関する規定として指定都市に適用があるものとする。

２　前項の場合においては、社会福祉法第六十二条第一項中「市町村」とあるのは「指定都市以外の市町村」と、同法第六十五条第一項及び第二項中「社会福祉施設」とあるのは「社会福祉施設（都道府県が設置するものを除く。）」と、同条第三項中「社会福祉施設の設置者」とあるのは「社会福祉施設の設置者（都道府県を除く。）」と、同法第六十七条第一項及び第六十八条の二第一項中「市町村」とあるのは「指定都市以外の市町村」と、同法第六十八条の五第一項及び第二項中「社会福祉住居施設」とあるのは「社会福祉住居施設（都道府県が設置するものを除く。）」と、同条第三項中「社会福祉住居施設の設置者」とあるのは「社会福祉住居施設の設置者（都道府県を除く。）」と、同法第六十九条第一項中「及び都道府県」とあるのは「、都道府県及び指定都市」と、同法第七十条中「社会福祉事業を経営する者」とあるのは「社会福祉事業を経営する者（都道府県を除く。）」と読み替えるものとする。

３　指定都市がその事務を処理するに当たつては、地方自治法第二百五十二条の十九第二項の規定により、社会福祉法第七十条の規定による社会福祉事業についての都道府県知事の検査及び調査に関する規定は、これを適用しない。

（知的障害者の福祉に関する事務）

第百七十四条の三十の三　地方自治法第二百五十二条の十九第一項の規定により、指定都市が処理する知的障害者の福祉に関する事務は、知的障害者福祉法（昭和三十五年法律第三十七号）及び知的障害者福祉法施行令（昭和三十五年政令第百三号）の規定により、都道府県が処理することとされている事務（同法第十一条の規定による市町村相互間の連絡調整等、同法第十二条第一項の規定による同法第九条第六項に規定する知的障害者更生相談所（以下この条及び第百七十四条の四十九の八において「知的障害者更生相談所」という。）の設置、同法第十三条第一項の規定による同法第九条第六項に規定する知的障害者福祉司（以下この条及び第百七十四条の四十九の八において「知的障害者福祉司」という。）の設置、同法第十四条第五号の規定による施設の指定及び同法第十五条の二第二項の規定による相談援助の委託に関する事務を除く。）とする。この場合においては、第四項において特別の定めがあるものを除き、同法及び同令中都道府県に関する規定（前段括弧内に掲げる事務に係る規定を除く。）は、指定都市に関する規定として指定都市に適用があるものとする。

２　前項の場合においては、指定都市は、知的障害者更生相談所を設けることができる。この場合においては、知的障害者福祉法第十一条第一項第二号（イを除く。）の規定は、当該指定都市に、同法第十二条第二項（同法第十一条第一項第二号ロ及びハに掲げる業務並びに障害者の日常生活及び社会生活を総合的に支援するための法律第二十二条第二項及び第三項並びに第二十六条第一項に規定する業務に係る部分に限る。）及び第三項並びに知的障害者福祉法施行令第一条の規定は、当該知的障害者更生相談所にこれを準用する。

３　第一項の場合においては、指定都市は、前項の規定により設置する知的障害者更生相談所に、知的障害者福祉司を置くことができる。この場合においては、知的障害者福祉法第十三条第三項（第一号を除く。）の規定は、当該知的障害者福祉司にこれを準用する。

４　第一項の場合においては、知的障害者福祉法第二十五条の規定は、これを適用しない。

（母子家庭及び父子家庭並びに寡婦の福祉に関する事務）

第百七十四条の三十一　地方自治法第二百五十二条の十九第一項の規定により、指定都市が処理する母子家庭及び父子家庭並びに寡婦の福祉に関する事務は、母子及び父子並びに寡婦福祉法及び母子及び父子並びに寡婦福祉法施行令（昭和三十九年政令第二百二十四号）の規定により、都道府県が処理することとされている事務（指定都市が行う同法第二十条に規定する母子家庭日常生活支援事業（第三項及び第百七十四条の四十九の九第一項において「母子家庭日常生活支援事業」という。）、同法第三十一条の七第四項に規定する父子家庭日常生活支援事業（第三項及び第百七十四条の四十九の九第一項において「父子家庭日常生活支援事業」という。）又は同法第三十三条第四項に規定する寡婦日常生活支援事業（第三項及び第百七十四条の四十九の九第一項において「寡婦日常生活支援事業」という。）に係る同法第二十二条（同法第三十一条の七第四項及び第三十三条第五項において準用する場合を含む。）の規定による質問等及び同法第二十三条（同法第三十一条の七第四項及び第三十三条第五項において準用する場合を含む。）の規定による制限又は停止の命令に関する事務を除く。）とする。この場合においては、同法及び同令中都道府県に関する規定（前段括弧内に掲げる事務に係る規定を除く。）は、次項において特別の定めがあるものを除き、指定都市に関する規定として指定都市に適用があるものとする。

2 前項の場合においては、母子及び父子並びに寡婦福祉法第二十条中「及び都道府県」とあるのは「、都道府県及び指定都市」と、同法第二十二条第一項及び第二十三条中「行う者」とあるのは「行う者（都道府県を除く。）」と、同法第三十一条の七第四項中「第二十一条から第二十四条までの規定は父子家庭日常生活支援事業を行う者」とあるのは「第二十一条及び第二十四条の規定は父子家庭日常生活支援事業を行う者について、第二十二条及び第二十三条の規定は父子家庭日常生活支援事業を行う者（都道府県を除く。）」と、同法第三十三条第五項中「第二十一条から第二十四条までの規定は、寡婦日常生活支援事業を行う者について」とあるのは「第二十一条及び第二十四条の規定は寡婦日常生活支援事業を行う者について、第二十二条及び第二十三条の規定は寡婦日常生活支援事業を行う者（都道府県を除く。）について、それぞれ」と、同法第四十条中「市町村」とあるのは「指定都市以外の市町村」と、母子及び父子並びに寡婦福祉法施行令第十三条（同令第三十一条の七及び第三十八条において準用する場合を含む。）中「児童福祉法第八条第二項に規定する都道府県児童福祉審議会（同条第一項ただし書に規定する都道府県」とあるのは「指定都市に置かれる児童福祉に関する審議会その他の合議制の機関（地方自治法施行令（昭和二十二年政令第十六号）第百七十四条の二十六第三項ただし書に規定する指定都市」と読み替えるものとする。

3 指定都市がその事務を処理するに当たつては、地方自治法第二百五十二条の十九第二項の規定により、母子及び父子並びに寡婦福祉法第二十二条第一項の規定による母子家庭日常生活支援事業についての都道府県知事の質問等に関する規定及び同法第二十三条の規定による母子家庭日常生活支援事業の制限又は停止についての都道府県知事の命令に関する規定、同法第三十一条の七第四項において準用する同法第二十二条第一項の規定による父子家庭日常生活支援事業についての都道府県知事の質問等に関する規定及び同法第三十一条の七第四項において準用する同法第二十三条の規定による父子家庭日常生活支援事業の制限又は停止についての都道府県知事の命令に関する規定並びに同法第三十三条第五項において準用する同法第二十二条第一項の規定による寡婦日常生活支援事業についての都道府県知事の質問等に関する規定及び同法第三十三条第五項において準用する同法第二十三条の規定による寡婦日常生活支援事業の制限又は停止についての都道府県知事の命令に関する規定は、これを適用しない。

（**老人福祉に関する事務**）

第百七十四条の三十一の二 地方自治法第二百五十二条の十九第一項の規定により、指定都市が処理する老人福祉に関する事務は、老人福祉法（昭和三十八年法律第百三十三号）及び老人福祉法施行令（昭和三十八年政令第二百四十七号）並びに地域における医療及び介護の総合的な確保の促進に関する法律（平成元年法律第六十四号。以下この条及び第百七十四条の四十九の十において「医療介護総合確保法」という。）第九条の規定により、都道府県が処理することとされている事務（老人福祉法第六条の二第一項及び第二項の規定による市町村相互間の連絡調整等、同法第七条の規定による社会福祉主事の設置、指定都市が行う同法第五条の二第一項に規定する老人居宅生活支援事業（以下この条及び第百七十四条の四十九の十において「老人居宅生活支援事業」という。）又は指定都市が設置する老人デイサービスセンター、老人短期入所施設若しくは老人介護支援センターに係る同法第十八条（第二項を除く。）及び第十八条の二の規定による質問等、指定都市が設置する養護老人ホーム又は特別養護老人ホームに係る同法第十八条（第一項を除く。）及び第十九条の規定による質問等、同法第二十条の八の規定による市町村老人福祉計画に関する意見等、同法第二十条の九の規定による都道府県老人福祉計画の作成等並びに同法第二十条の十第一項の規定による市町村に対する助言に関する事務を除く。）とする。この場合においては、次項及び第三項において特別の定めがあるものを除き、老人福祉法及び同令並びに医療介護総合確保法第九条中都道府県に関する規定（前段括弧内に掲げる事務に係る規定を除く。）は、指定都市に関する規定として指定都市に適用があるものとする。

2 前項の場合においては、老人福祉法第二十四条第一項の規定は、これを適用しない。

3 第一項の場合においては、老人福祉法第十四条、第十四条の三及び第十五条第二項中「及び都道府県」とあるのは「、都道府県及び指定都市」と、同条第三項中「市町村」とあるのは「指定都市以外の市町村」と、同条第五項及び同法第十六条第一項中「及び都道府県」とあるのは「、都道府県及び指定都市」と、同条第二項中「市町村」とあるのは「指定都市以外の市町村」と、同法第十七条第一項及び第二項第一号から第三号までの規定中「特別養護老人ホーム」とあるのは「特別養護老人ホーム（これらのうち都道府県が設置するものを除く。）」と、同項第四号中「養護老人ホーム」とあるのは「養護老人ホーム（都道府県が設置するものを除く。）」と、同条第三項中「特別養護老人ホームの設置者」とあるのは「特別養護老人ホームの設置者（都道府県を除く。）」と、同法第十八条第一項中「老人居宅生活支援事業を行う者」とあるのは「老人居宅生活支援事業を行う者（都道府県を除く。）」と、「老人介護支援センターの設置者」とあるのは「老人介護支援センターの設置者（都道府県を除く。）」と、同条第二項中「特別養護老人ホーム」とあるのは「特別養護老人ホーム（これらのうち都道府県が設置するものを除く。）」と、同法第十八条の二第一項中「認知症対応型老人共同生活援助事業を行う者」とあるのは「認知症対応型老人共同生活援助事業を行う者（都道府県を除く。）」と、同条第二項中「老人居宅生活支援事業を行う者」とあるのは「老人居宅生活支援事業を行う者（都道府県を除く。）」と、「老人介護支援センターの設置者」とあるのは「老人介護支援センターの設置者（都道府県を除く。）」と、同法第十九条第一項中「特別養護老人ホームの設置者」とあるのは「特別養護老人ホームの設置者（都道府県を除く。）」と読み替えるものとする。

4　指定都市がその事務を処理するに当たつては、地方自治法第二百五十二条の十九第二項の規定により、老人福祉法第十八条第一項の規定による老人居宅生活支援事業、老人デイサービスセンター、老人短期入所施設又は老人介護支援センターについての都道府県知事の質問等に関する規定、同条第二項の規定による養護老人ホーム又は特別養護老人ホームについての都道府県知事の質問等に関する規定、同法第十八条の二第一項の規定による認知症対応型老人共同生活援助事業の保全措置の改善についての都道府県知事の命令に関する規定、同条第二項の規定による老人居宅生活支援事業、老人デイサービスセンター、老人短期入所施設又は老人介護支援センターの事業の制限又は停止についての都道府県知事の命令に関する規定及び同法第十九条第一項の規定による養護老人ホーム又は特別養護老人ホームの施設の設備又は運営の改善についての都道府県知事の命令等に関する規定は、これを適用しない。

（母子保健に関する事務）

第百七十四条の三十一の三　地方自治法第二百五十二条の十九第一項の規定により、指定都市が処理する母子保健に関する事務は、母子保健法（昭和四十年法律第百四十一号）及び母子保健法施行令（昭和四十年政令第三百八十五号）の規定により、都道府県が処理することとされている事務とする。この場合においては、第三項において特別の定めがあるものを除き、同法及び同令中都道府県に関する規定は、指定都市に関する規定として指定都市に適用があるものとする。

2　指定都市の市長は、前項の規定により母子保健法第二十条第七項において準用する児童福祉法第十九条の二十第一項の規定による事務を管理し及び執行する場合においては、同条第三項の意見の聴取に関し、社会保険診療報酬支払基金法による社会保険診療報酬支払基金と契約を締結するものとする。

3　第一項の場合においては、母子保健法第八条の規定は、これを適用しない。

（介護保険に関する事務）

第百七十四条の三十一の四　地方自治法第二百五十二条の十九第一項の規定により、指定都市が処理する介護保険に関する事務は、介護保険法（平成九年法律第百二十三号）第四章第三節及び第四節並びに第五章第一節第三款、第二節、第五節、第六節及び第十節並びに同法第百五条及び第百十四条の八において準用する医療法（昭和二十三年法律第二百五号）第九条第二項、第十五条第三項及び第三十条並びに介護保険法施行令（平成十年政令第四百十二号）第四章第五節の規定により、都道府県が処理することとされている事務（介護保険法第六十九条の三十八の規定による報告の徴収等（当該都道府県知事の登録を受けている同法第七条第五項に規定する介護支援専門員に対するものに限る。）、同法第六十九条の三十九の規定による登録の消除、同法第七十条第六項、第八十六条第三項、第九十四条第六項及び第百七条第六項の規定による関係市町村長に対する意見の求め等、同法第七十条第七項及び第八項並びに第百十五条の二第四項及び第五項の規定による関係市町村長に対する通知等、同法第七十五条の二、第八十九条の二、第九十九条の二、第百十四条及び第百十五条の六の規定による都道府県知事による連絡調整又は援助等並びに同法第百十五条の三十五第五項及び第七項の規定による市町村長に対する通知に関する事務を除く。）とする。この場合においては、次項及び第三項において特別の定めがあるものを除き、介護保険法第四章第三節及び第四節並びに第五章第一節第三款、第二節、第五節、第六節及び第十節並びに同法第百五条及び第百十四条の八において準用する医療法第九条第二項、第十五条第三項及び第三十条並びに同令第四章第五節の規定中都道府県に関する規定（前段括弧内に掲げる事務に係る規定を除く。）は、指定都市に関する規定として指定都市に適用があるものとする。

２　前項の場合においては、介護保険法第七十条第十一項、第七十六条の二第五項、第七十七条第二項、第九十一条の二第五項、第九十二条第二項、第百条第三項、第百三条第五項、第百四条第二項、第百十四条の二第三項、第百十四条の五第五項、第百十四条の六第二項、第百十五条の八第五項、第百十五条の九第二項及び第百十五条の四十四の二第八項の規定は、適用しない。

３　第一項の場合においては、介護保険法第六十九条の三十八第一項中「その登録を受けている介護支援専門員及び当該都道府県」とあるのは「当該指定都市」と、同条第二項中「その登録を受けている介護支援専門員若しくは当該都道府県」とあるのは「当該指定都市」と、「若しくは第二項」とあるのは「又は第二項」と、「とき、又はその登録を受けている者で介護支援専門員証の交付を受けていないもの（以下この項において「介護支援専門員証未交付者」という。）が介護支援専門員として業務を行ったとき」とあるのは「とき」と、「又は当該介護支援専門員証未交付者に対し」とあるのは「に対し」と、同条第三項中「その登録を受けている介護支援専門員又は当該都道府県」とあるのは「当該指定都市」と、同条第四項中「他の都道府県知事の登録を受けている介護支援専門員に対して前二項」とあるのは「前二項」と、同法第七十条第一項中「ごとに行う」とあるのは「ごとに行う。この場合において、指定都市の市長は、当該指定が特定施設入居者生活介護に係るものであるときは、あらかじめ、都道府県知事の同意を得なければならない」と、同条第四項及び第五項中「第百十八条第二項第一号」とあるのは「第百十七条第二項第一号」と、「都道府県介護保険事業支援計画」とあるのは「市町村介護保険事業計画」と、同条第九項中「第六項又は前項の意見を勘案し」とあるのは「第百十七条第一項に規定する市町村介護保険事業計画との調整を図る見地から」と、同条第十項中「都道府県知事に対し、訪問介護、通所介護その他の厚生労働省令で定める居宅サービス（当該市町村の区域に所在する事業所が行うものに限る。）に係る第四十一条第一項本文の指定について、厚生労働省令で定めるところにより、当該市町村」とあるのは「当該指定都市」と、「必要な協議を求めることができる。この場合において、当該都道府県知事は、その求めに応じなければならない」とあるのは「、当該指定都市の区域に所在する事業所が行う居宅サービス（訪問介護、通所介護その他の厚生労働省令で定めるものに限る。以下この項において同じ。）につき第一項の申請があった場合において、厚生労働省令で定める基準に従って、第四十一条第一項本文の指定をしないこととし、又は同項本文の指定を行うに当たって、定期巡回・随時対応型訪問介護看護等の事業の適正な運営を確保するために必要と認める条件を付することができる」と、同項第一号中「居宅サービス（この項の規定により協議を行うものとされたものに限る。以下この号及び次項において同じ。）」とあるのは「居宅サービス」と、同法第七十八条中「事項を」とあるのは「事項を都道府県知事に届け出るとともに、これを」と、同法第七十八条の二の二第五項中「ものは」とあるのは「ものから」と、「又は障害者総合支援法」とあるのは「について同法第二十一条の五の二十第四項の規定による事業の廃止若しくは休止の届出があったとき、又は障害者総合支援法」と、「を廃止し、又は休止しようとするときは、厚生労働省令で定めるところにより、その廃止又は休止の日の一月前までに、その旨を当該指定を行った市町村長に届け出なければならない。この場合において、当該」とあるのは「について障害者総合支援法第四十六条第二項の規定による事業の廃止若しくは休止の」と、同法第九十三条中「事項を」とあるのは「事項を都道府県知事に届け出るとともに、これを」と、同法第九十四条第一項中「ならない」とあるのは「ならない。この場合において、指定都市の市長は、当該許可をしようとするときは、あらかじめ、都道府県知事の同意を得なければならない」と、同条第五項中「第百十八条第二項第一号」とあるのは「第百十七条第二項第一号」と、「都道府県介護保険事業支援計画」とあるのは「市町村介護保険事業計画」と、同法第百四条の二中「事項を」とあるのは「事項を都道府県知事に届け出るとともに、これを」と、同法第百七条第一項中「ならない」とあるのは「ならない。この場合において、指定都市の市長は、当該許可をしようとするときは、あらかじめ、都道府県知事の同意を得なければならない」と、同条第五項中「第百十八条第二項第一号」とあるのは「第百十七条第二項第一号」と、「都道府県介護保険事業支援計画」とあるのは「市町村介護保険事業計画」と、同法第百十四条の七中「事項を」とあるのは「事項を都道府県知事に届け出るとともに、これを」と、同法第百十五条の二第六項中「前項の意見を勘案し」とあるのは「第百十七条第一項に規定する市町村介護保険事業計画との調整を図る見地から」と、同法第百十五条の十中「事項を」とあるのは「事項を都道府県知事に届け出るとともに、これを」と、同法第百十五条の十二の二第五項中「ものは」とあるのは「ものから」と、「又は障害者総合支援法」とあるのは「について同法第二十一条の五の二十第四項の規定による事業の廃止若しくは休止の届出があったとき、又は障害者総合支援法」と、「を廃止し、又は休止しようとするときは、厚生労働省令で定めるところにより、その廃止又は休止の日の一月前までに、その旨を当該指定を行った市町村長に届け出なければならない。この場合において、当該」とあるのは「について障害者総合支援法第四十六条第二項の規定による事業の廃止若しくは休止の」と、同法第百十五条の三十三第二項中「指定を」とあるのは「指定若しくは許可を」と、同条第三項中「指定に」とあるのは「指定又は許可に」と、同法第百十五条の三十五第六項中「指定居宅サービス事業者若しくは指定介護予防サービス事業者又は指定介護老人福祉施設、介護老人保健施設若しくは介護医療院の開設者」とあり、及び「指定居宅サービス事業者、指定介護予防サービス事業者若しくは指定介護老人福祉施設」とあるのは「介護サービス事業者」と、「介護老人保健施設若しくは介護医療院の許可」とあるのは「許可」と、同法第百十五条の四十四の二第七項中「指定地域密着型サービス事業者、指定居宅介護支援事業者、指定地域密着型介護予防サービス事業者又は指定介護予防支援事業者」とあるのは「介護サービス事業者」と、「指定を」とあるのは「指定又は許可を」と、同条第九項中「指定地域密着型サービス事業者、指定居宅介護支援事業者、指定地域密着型介護予防サービス事業者又は指定介護予防支援事業者」とあるのは「介護サービス事業者」と、「指定を取り消し」とあるのは「指定若しくは許可を取り消し」と、「指定の」とあるのは「指定若しくは許可の」と、「指定をした」とあるのは「指定又は許可をした」と読み替えるものとする。

（障害者の自立支援に関する事務）

第百七十四条の三十二　地方自治法第二百五十二条の十九第一項の規定により、指定都市が処理する障害者の自立支援に関する事務は、障害者の日常生活及び社会生活を総合的に支援するための法律第二章第一節、第二節第三款及び第五款、第三節第一款及び第三款、第四節並びに第七節、第七十八条第一項、第四章、第九十三条第一号及び第二号（同項に関する部分に限る。）並びに第百十五条第一項及び第二項並びに障害者の日常生活及び社会生活を総合的に支援するための法律施行令（平成十八年政令第十号）第四十条の規定により、都道府県が処理することとされている事務（同法第十一条の二第一項及び第四項の規定による同条第一項に規定する指定事務受託法人の指定等、同法第三十六条第六項及び第七項（これらの規定を同法第四十一条第四項及び第五十一条の十九第二項（同法第五十一条の二十一第二項において準用する場合を含む。）において準用する場合を含む。）の規定による関係市町村長に対する通知等、同法第四十七条の二第一項（同法第五十一条の二十六第一項において準用する場合を含む。）の規定による都道府県知事による連絡調整又は援助、同法第五十一条の十一及び第七十四条第二項の規定による協力その他市町村に対する必要な援助、同法第七十六条の三第五項及び第七項の規定による市町村長に対する通知、同法第七十八条第一項の規定による意思疎通支援を行う者の派遣に係る市町村相互間の連絡調整、指定都市が行う同法第七十九条第一項各号に掲げる事業に係る同法第八十一条の規定による質問等、同法第八十二条第一項の規定による制限又は停止の命令及び同条第二項の規定による施設の設備又は運営の改善の命令等、指定都市が設置する同法第五条第十一項に規定する障害者支援施設（第四項及び第百七十四条の四十九の十二第一項において「障害者支援施設」という。）に係る同法第八十五条第一項の規定による質問等及び同法第八十六条第一項の規定による事業の停止又は廃止の命令並びに同法第七十八条第一項の規定による意思疎通支援を行う者の派遣に係る市町村相互間の連絡調整に係る同法第九十三条第二号の規定による費用の支弁に関する事務を除く。）とする。この場合においては、第三項において特別の定めがあるものを除き、同法及び同令中都道府県に関する規定（前段括弧内に掲げる事務に係る規定を除く。）は、指定都市に関する規定として指定都市に適用があるものとする。

2　指定都市の市長は、前項の規定により障害者の日常生活及び社会生活を総合的に支援するための法律第七十三条第一項の規定による事務を管理し及び執行する場合においては、同条第三項の意見の聴取に関し、社会保険診療報酬支払基金法による社会保険診療報酬支払基金と契約を締結するものとする。

3　第一項の場合においては、障害者の日常生活及び社会生活を総合的に支援するための法律第十一条第一項中「自立支援給付に関して」とあるのは「自立支援給付（障害者の日常生活及び社会生活を総合的に支援するための法律施行令第一条の二第三号に規定する精神通院医療に係る自立支援医療費の支給に限る。以下この条において同じ。）に関して」と、同条第二項中「、自立支援給付対象サービス等」とあるのは「、当該自立支援給付に係る自立支援給付対象サービス等」と、同法第三十六条第一項（同法第四十一条第四項において準用する場合を含む。）中「ごとに行う」とあるのは「ごとに行う。この場合において、指定都市の市長は、当該指定が次項に規定する特定障害福祉サービスに係るものであるときは、あらかじめ、都道府県知事の同意を得なければならない」と、同法第三十六条第八項（同法第四十一条第四項及び第五十一条の十九第二項（同法第五十一条の二十一第二項において準用する場合を含む。）において準用する場合を含む。）中「前項の意見を勘案し」とあるのは「第八十八条第一項に規定する市町村障害福祉計画との調整を図る見地から」と、同法第三十八条第一項（同法第四十一条第四項において準用する場合を含む。）中「行う」とあるのは「行う。この場合において、指定都市の市長は、当該指定をしようとするときは、あらかじめ、都道府県知事の同意を得なければならない」と、同法第四十一条の二第五項中「ものは」とあるのは「ものから」と、「又は同法」とあるのは「について同法第七十八条の五第二項の規定による事業の廃止若しくは休止の届出があったとき、又は同法」と、「を廃止し、又は休止しようとするときは、主務省令で定めるところにより、その廃止又は休止の日の一月前までに、その旨を当該指定を行った都道府県知事に届け出なければならない。この場合において、当該」とあるのは「について同法第百十五条の十五第二項の規定による事業の廃止若しくは休止の」と、同法第五十一条中「旨を」とあるのは「旨を都道府県知事に届け出るとともに、これを」と、同法第五十一条の三第二項及び第五十一条の四第五項中「指定都市若しくは中核市の長」とあるのは「都道府県知事」と、「関係都道府県知事」とあるのは「関係指定都市の市長」と、同法第五十一条の三第三項及び第四項並びに第五十一条の三十二第三項中「指定都市若しくは中核市の長」とあるのは「都道府県知事」と、同条第二項中「主務大臣」とあるのは「主務大臣又は都道府県知事」と、「以下この項及び次条第五項」とあるのは「次条第五項」と、「関係都道府県知事」とあるのは「関係指定都市の市長」と、「、都道府県知事が前項の権限を行うときは関係市町村長と、指定都市又は中核市の長が同項の権限を行うときは関係都道府県知事と密接な」とあるのは「密接な」と、同条第四項中「、都道府県知事又は指定都市若しくは中核市の長」とあるのは「又は都道府県知事」と、同法第五十一条の三十三第五項中「、都道府県知事又は指定都市若しくは中核市の長」とあるのは「又は都道府県知事」と、「関係都道府県知事」とあるのは「関係指定都市の市長」と、同法第七十三条第一項中「指定自立支援医療機関、療養介護医療を行う指定障害福祉サービス事業者等又は基準該当療養介護医療を行う基準該当事業所若しくは基準該当施設（以下この条において「公費負担医療機関」という。）」とあるのは「指定自立支援医療機関」と、「並びに自立支援医療費、療養介護医療費及び基準該当療養介護医療費（以下この条及び第七十五条において「自立支援医療費等」という。）」とあるのは「及び自立支援医療費」と、「公費負担医療機関が第五十八条第五項（第七十条第二項において準用する場合を含む。）」とあるのは「指定自立支援医療機関が第五十八条第五項」と、「自立支援医療費等の」とあるのは「自立支援医療費の」と、同条第三項及び第四項中「公費負担医療機関」とあるのは「指定自立支援医療機関」と、「自立支援医療費等」とあるのは「自立支援医療費」と、同法第七十九条第二項及び第四項中「及び都道府県」とあるのは「、都道府県及び指定都市」と、同法第八十条第一項中「障害福祉サービス事業」とあるのは「障害福祉サービス事業（都道府県が行うものを除く。次項において同じ。）」と、「福祉ホーム」とあるのは「福祉ホーム（いずれも都道府県が設置するものを除く。次項において同じ。）」と、同条第三項及び同法第八十一条第一項中「設置者」とあるのは「設置者（いずれも都道府県を除く。）」と、同法第八十二条第一項中「移動支援事業を行う者」とあるのは「移動支援事業を行う者（都道府県を除く。）」と、同条第二項中「福祉ホームの設置者」とあるのは「福祉ホームの設置者（いずれも都道府県を除く。）」と、同法第八十三条第三項中「市町村」とあるのは「指定都市以外の市町村」と、同法第八十四条第一項中「障害者支援施設」とあるのは「障害者支援施設（都道府県が設置するものを除く。次項において同じ。）」と、障害者の日常生活及び社会生活を総合的に支援するための法律施行令第四十三条の七第一項中「市町村」とあるのは「指定都市以外の市町村」と、同条第二項中「市町村長」とあるのは「市町村長（指定都市の市長を除く。）」と読み替えるものとする。

4　指定都市がその事務を処理するに当たつては、地方自治法第二百五十二条の十九第二項の規定により、障害者の日常生活及び社会生活を総合的に支援するための法律第八十一条第一項の規定による同法第七十九条第一項各号に掲げる事業についての都道府県知事の質問等に関する規定、同法第八十二条第一項の規定による同法第七十九条第一項各号に掲げる事業の制限又は停止についての都道府県知事の命令に関する規定、同法第八十二条第二項の規定による施設の設備又は運営の改善についての都道府県知事の命令等に関する規定、同法第八十五条第一項の規定による障害者支援施設についての都道府県知事の質問等に関する規定及び同法第八十六条第一項の規定による障害者支援施設の事業の停止又は廃止についての都道府県知事の命令に関する規定は、これを適用しない。

（生活困窮者の自立支援に関する事務）

第百七十四条の三十三　地方自治法第二百五十二条の十九第一項の規定により、指定都市が処理する生活困窮者の自立支援に関する事務は、生活困窮者自立支援法第十六条第一項から第三項まで及び第二十一条第二項の規定により、都道府県が処理することとされている事務とする。この場合においては、同法第十六条第一項から第三項まで及び第二十一条第二項の規定中都道府県に関する規定は、指定都市に関する規定として指定都市に適用があるものとする。

（食品衛生に関する事務）

第百七十四条の三十四　地方自治法第二百五十二条の十九第一項の規定により、指定都市が処理する食品衛生に関する事務は、食品衛生法（昭和二十二年法律第二百三十三号）及び食品衛生法施行令（昭和二十八年政令第二百二十九号）の規定により、都道府県が処理することとされている事務（同法第四十八条第六項第三号及び同令第十五条から第二十条までの規定による同号の養成施設（第百七十四条の四十九の十四第一項において「登録養成施設」という。）の登録等、同法第四十八条第六項第四号並びに同令第二十一条、第二十四条第三項、第二十五条、第二十六条、第二十八条から第三十条まで、第三十二条、第三十三条第一項及び第三十四条の規定による同号の講習会（第百七十四条の四十九の十四第一項において「登録講習会」という。）の登録等、同法第五十四条の規定による条例の制定並びに同令第九条第一項第一号及び同条第二項において準用する同令第十五条から第二十条までの規定による同号の養成施設の登録等に関する事務を除く。）とする。この場合においては、同法及び同令中都道府県に関する規定（前段括弧内に掲げる事務に係る規定を除く。）は、指定都市に関する規定として指定都市に適用があるものとする。

2　前項の場合においては、指定都市は、必要があると認めるときは、条例で、食品衛生法第五十四条の規定により都道府県の定めた基準に指定都市の区域における公衆衛生上必要な制限を付加する基準を定めることができる。この場合において、当該指定都市が定めた条例は、同法の規定の適用については、同法第五十四条の規定により都道府県が定めた条例とみなす。

（医療に関する事務）

第百七十四条の三十五　地方自治法第二百五十二条の十九第一項の規定により、指定都市が処理する医療に関する事務は、医療法第四章第一節から第三節まで並びに医療法施行令（昭和二十三年政令第三百二十六号）第三条の三、第四条第一項及び第二項並びに第四条の二の規定により、都道府県が処理することとされている事務（診療所及び助産所に係る同法第七条第一項及び第二項、第八条、第八条の二第二項、第九条、第十二条、第二十四条第一項、第二十四条の二、第二十五条第一項及び第二項、第二十五条の二、第二十七条、第二十八条、第二十九条第一項及び第二項並びに第三十条並びに同令第四条第一項及び第四条の二の規定による開設の許可等、診療所に係る同法第十五条第三項及び第十八条の規定による届出の受理等、病院及び診療所に係る同法第七条の二第三項から第六項までの規定による条例の制定等並びに同法第七条の三第一項、第二項、第四項及び第七項（これらの規定を同条第八項において準用する場合を含む。）の規定による書面の提出の求め等並びに同法第四条第一項に規定する地域医療支援病院に係る同法第十二条の二並びに第二十九条第三項及び第六項の規定による報告書の受理等、同法第二十四条第一項の規定による制限等の命令（同法第二十二条に掲げる施設に係るものに限る。）並びに同法第二十五条第一項及び第二項の規定による報告の徴収等（同法第二十二条に掲げる施設及び記録に係るものに限る。）に関する事務を除く。）とする。この場合においては、次項及び第三項において特別の定めがあるものを除き、同法及び同令中都道府県に関する規定（前段括弧内に掲げる事務に係る規定を除く。）は、指定都市に関する規定として指定都市に適用があるものとする。

2　前項の場合においては、医療法施行令第四条の四の規定は、適用しない。

3　第一項の場合においては、医療法第七条第一項中「ならない」とあるのは「ならない。この場合において、指定都市の市長は、病院の開設の許可をしようとするときは、あらかじめ、第三十条の四第一項に規定する医療計画（以下この条、次条及び第七条の三第一項において「医療計画」という。）の達成の推進のため、開設地の都道府県知事に協議し、その同意を求めなければならない」と、同条第二項中「同様とする」とあるのは「同様とする。この場合において、同項中「病院の開設」とあるのは、「病床数及び病床の種別の変更」とする」と、同条第三項中「ならない」とあるのは「ならない。この場合において、指定都市の市長は、当該許可をしようとするときは、あらかじめ、医療計画の達成の推進のため、当該診療所の所在地の都道府県知事に協議し、その同意を求めなければならない」と、同条第五項中「病院の開設」

とあるのは「第一項から第三項までの規定に基づき協議を受けた都道府県知事から、病院の開設」と、「許可には」とあるのは「許可に」と、「第三十条の四第一項に規定する医療計画（以下この条、次条及び第七条の三第一項において「医療計画」という。）」とあるのは「医療計画」と、「条件」とあるのは「条件を付するよう求めがあつたときは、当該求めがあつた条件」と、同条第六項中「都道府県が」とあるのは「指定都市の市長は、第一項から第三項までの規定に基づき協議を受けた都道府県知事から、当該都道府県知事の統括する都道府県が」と、「これらの許可には」とあるのは「当該指定都市の市長が行うこれらの許可に」と、「条件を付することができる」とあるのは「条件を付するよう求めがあつたときは、当該求めがあつた条件を付さなければならない」と、同法第七条の二第一項中「において、」とあるのは「において、前条第一項又は第二項の規定に基づき協議を受けた都道府県知事が、」と、「認める」とあるのは「認め、前条第一項又は第二項の同意をしなかつた」と、「前条第四項」とあるのは「同条第四項」と、「与えないことができる」とあるのは「与えてはならない」と、同条第二項中「において、」とあるのは「において、前条第三項の規定に基づき協議を受けた都道府県知事が、」と、「同条第八項」とあるのは「第三十条の四第八項」と、「認める」とあるのは「認め、前条第三項の同意をしなかつた」と、「前条第四項」とあるのは「同条第四項」と、「与えないことができる」とあるのは「与えてはならない」と、同条第五項中「許可を与えない処分をし」とあるのは「同意をしないこととし」と、同法第七条の三第一項中「があつた」とあるのは「について指定都市の市長から第七条第一項又は第二項の規定に基づき協議を受けた」と、同条第六項中「、第二項」とあるのは「、第一項の協議を受けた都道府県知事が、第二項」と、「認められない」とあるのは「認めず、第七条第一項又は第二項の同意をしなかつた」と、「与えないことができる」とあるのは「与えてはならない」と、同条第七項中「許可を与えない処分をしよう」とあるのは「同意をしないこと」と、同条第八項中「第六項中」とあるのは「第一項中「第七条第一項又は第二項」とあるのは「第七条第三項」と、第六項中「第七条第一項又は第二項」とあるのは「第七条第三項」と、」と、同法第二十七条の二第一項中「ときは、」とあるのは「場合には、都道府県知事に協議するものとし、当該都道府県知事から」と、「都道府県医療審議会の意見を聴いて、期限」とあるのは「期限」と、「勧告することができる」とあるのは「勧告するよう求めがあつたときは、当該期限を定めて、当該条件に従うべきことを勧告することができる。当該都道府県知事が、当該勧告の求めを行うときは、都道府県医療審議会の意見を聴くものとする」と、同条第二項中「ときは、」とあるのは「場合には、都道府県知事に協議するものとし、当該都道府県知事から」と、「都道府県医療審議会の意見を聴いて、期限」とあるのは「期限」と、「命ずることができる」とあるのは「命ずるよう求めがあつたときは、当該期限を定めて、当該勧告に係る措置をとるべきことを命ずることができる。当該都道府県知事が、当該命令の求めを行うときは、都道府県医療審議会の意見を聴くものとする」と、同条第三項中「場合において」とあるのは「場合であつて」と、「とき」とあるのは「場合には、都道府県知事に協議するものとし、当該都道府県知事からその旨を公表するよう求めがあつたとき」と、医療法施行令第三条の三及び第四条第二項中「ならない」とあるのは「ならない。この場合において、指定都市の市長は、遅滞なく、その旨を当該診療所所在地の都道府県知事に通知しなければならない」とする。

（精神保健及び精神障害者の福祉に関する事務）

第百七十四条の三十六　地方自治法第二百五十二条の十九第一項の規定により、指定都市が処理する精神保健及び精神障害者の福祉に関する事務は、精神保健及び精神障害者福祉に関する法律（昭和二十五年法律第百二十三号）及び精神保健及び精神障害者福祉に関する法律施行令（昭和二十五年政令第百五十五号）並びに発達障害者支援法（平成十六年法律第百六十七号）の規定により、都道府県が処理することとされている事務（精神保健及び精神障害者福祉に関する法律第十九条の七の規定による精神科病院の設置、同法第十九条の十一の規定による精神科救急医療の確保、同法第四十八条の三の規定による協力等及び同法第四十九条第三項の規定による技術的事項についての協力等並びに発達障害者支援法第十条第二項の規定による就労のための準備に係る措置に関する事務を除く。）とする。この場合においては、第四項から第六項までにおいて特別の定めがあるものを除き、精神保健及び精神障害者福祉に関する法律及び同令並びに発達障害者支援法中都道府県に関する規定（前段括弧内に掲げる事務に係る規定を除く。）は、指定都市に関する規定として指定都市に適用があるものとする。

2　前項の場合においては、指定都市は、条例で精神保健及び精神障害者福祉に関する法律第九条第一項に規定する地方精神保健福祉審議会（以下この条において「地方精神保健福祉審議会」という。）を置くことができ、又は精神医療審査会を置くものとする。

3　精神保健及び精神障害者福祉に関する法律第九条第二

項の規定は、前項の規定により指定都市に置かれる地方精神保健福祉審議会に、同法第十三条及び第十四条並びに精神保健及び精神障害者福祉に関する法律施行令第二条の規定は、同項の規定により指定都市に置かれる精神医療審査会にこれを準用する。この場合においては、同法第九条第二項及び第十三条第一項中「都道府県知事」とあるのは、「指定都市の市長」と読み替えるものとする。

4　第一項の場合においては、精神保健及び精神障害者福祉に関する法律第二十九条の四第一項に規定する措置入院者について同法第二十九条の五、第三十八条の二第一項、第三十八条の四及び第四十条の規定を適用するときは、これらの規定中「都道府県知事」とあるのは、「その入院措置を採つた都道府県知事又は指定都市の市長」と読み替えるものとする。

5　第一項の場合においては、精神保健及び精神障害者福祉に関する法律施行令第五条、第六条の二、第八条第一項及び第三項、第九条第三項、第十条第三項並びに第十条の二第二項並びに発達障害者支援法第五条第五項の規定は、これを適用しない。

6　第一項の場合においては、精神保健及び精神障害者福祉に関する法律第十九条の九第二項（同法第三十三条の七において準用する場合を含む。）及び第五十三条第一項中「地方精神保健福祉審議会」とあるのは「指定都市に置かれる地方精神保健福祉審議会」と、同法第三十八条の三、第三十八条の五及び第五十三条第一項中「精神医療審査会」とあるのは「指定都市に置かれる精神医療審査会」と、精神保健及び精神障害者福祉に関する法律施行令第七条第二項中「市町村長を経由して、都道府県知事」とあるのは「指定都市の市長」と、同条第三項中「市町村長」とあるのは「指定都市の市長」と、同条第四項中「他の都道府県の区域に」とあるのは「指定都市の区域から当該指定都市の区域外に、又は指定都市の区域外から指定都市の区域に」と、「新居住地を管轄する市町村長を経由して」とあるのは「新居住地を管轄する市町村長を経由して（新居住地が指定都市の区域にあるときは、直接）」と、「都道府県知事」とあるのは「都道府県知事（新居住地が指定都市の区域にあるときは、当該指定都市の市長）」と、同条第五項中「都道府県知事は」とあるのは「都道府県知事又は指定都市の市長は」と、「旧居住地の都道府県知事」とあるのは「旧居住地の都道府県知事（旧居住地が指定都市の区域にあつたときは、当該指定都市の市長）」と、「新居住地を管轄する市町村長を経由して」とあるのは「新居住地を管轄する市町村長を経由して（新居住地が指定都市の区域にあるときは、直接）」と、同令第八条第二項中「その申請を受理した市町村長においてその者の」とあるのは「その者の」と読み替えるものとする。

（結核の予防に関する事務）

第百七十四条の三十七　地方自治法第二百五十二条の十九第一項の規定により、指定都市が処理する結核の予防に関する事務は、感染症の予防及び感染症の患者に対する医療に関する法律（平成十年法律第百十四号）及び感染症の予防及び感染症の患者に対する医療に関する法律施行令（平成十年政令第四百二十号）の規定により、都道府県が処理することとされている事務（同法第五十三条の二第三項の規定による定期の健康診断の実施の指示及び同法第五十八条第十七号に掲げる費用の支弁に関する事務を除く。）とする。この場合においては、第三項において特別の定めがあるものを除き、同法及び同令中都道府県に関する規定（前段括弧内に掲げる事務に係る規定を除く。）は、指定都市に関する規定として指定都市に適用があるものとする。

2　指定都市の市長は、前項の規定により感染症の予防及び感染症の患者に対する医療に関する法律第四十条第三項の規定による事務を管理し及び執行する場合においては、同条第五項の意見の聴取に関し、社会保険診療報酬支払基金法による社会保険診療報酬支払基金と契約を締結するものとする。

3　第一項の場合においては、感染症の予防及び感染症の患者に対する医療に関する法律第五十三条の七第一項中「保健所長（その場所が保健所設置市等の区域内であるときは、保健所長及び保健所設置市等の長）」とあるのは「保健所長」と、「都道府県知事」とあるのは「指定都市の市長」とする。

4　指定都市がその事務を処理するに当たつては、地方自治法第二百五十二条の十九第二項の規定により、感染症の予防及び感染症の患者に対する医療に関する法律第五十三条の二第三項の規定による都道府県知事の指示に関する部分は、これを適用しない。

（難病の患者に対する医療等に関する事務）

第百七十四条の三十八　地方自治法第二百五十二条の十九第一項の規定により、指定都市が処理する難病の患者に対する医療等に関する事務は、難病の患者に対する医療等に関する法律（平成二十六年法律第五十号）及び難病の患者に対する医療等に関する法律施行令（平成二十六年政令第三百五十八号）の規定により、都道府県が処理することとされている事務（同法第三十二条第一項の規定による同項に規定する難病対策地域協議会の設置に関する事務を除く。）とする。この場合においては、第三項において特別の定めがあるものを除き、同法及び同令中都道府県に関する規定（前段括弧内に掲げる事務に係る規定を除く。）は、指定都市に関する規定として指定都市に適用があるものとする。

2　指定都市の市長は、前項の規定により難病の患者に対する医療等に関する法律第二十五条第一項の規定による事務を管理し及び執行する場合には、同条第三項の規定による意見の聴取に関し、社会保険診療報酬支払基金法による社会保険診療報酬支払基金と契約を締結するものとする。

3　第一項の場合においては、難病の患者に対する医療等に関する法律第十一条第一項第二号中「都道府県以外の都道府県の区域内」とあるのは、「指定都市の区域外」とする。

（土地区画整理事業に関する事務）

第百七十四条の三十九　地方自治法第二百五十二条の十九第一項の規定により、指定都市が処理する土地区画整理事業に関する事務は、土地区画整理法（昭和二十九年法律第百十九号）及び土地区画整理法施行令（昭和三十年政令第四十七号）の規定により、都道府県が処理することとされている事務（同法第三条第四項若しくは第五項又は第三条の二若しくは第三条の三の規定により都道府県若しくは国土交通大臣又は独立行政法人都市再生機構若しくは地方住宅供給公社が施行する土地区画整理事業に係る事務並びに同法第四十一条第四項（同法第七十八条第四項及び第百十条第七項において準用する場合を含む。）の規定による滞納処分の認可、同法第三条第四項の規定により指定都市が施行する土地区画整理事業に係る同法第五十二条、第五十五条第十二項、第八十六条及び第九十七条の規定による認可並びに同法第五十五条第四項（同条第十三項において準用する場合を含む。）の規定による修正の要求並びに同法第百二十七条の二第一項の規定による審査請求の裁決で指定都市がした処分に係るものに関する事務を除く。）とする。この場合においては、次項及び第三項において特別の定めがあるものを除き、同法及び同令中都道府県に関する規定（前段括弧内に掲げる事務に係る規定を除く。）は、指定都市に関する規定として指定都市に適用があるものとする。

2　前項の場合においては、土地区画整理法第四条第一項後段、第十条第一項後段、第十一条第五項、第十三条第一項後段、第十四条第一項後段（同条第二項において準用する場合を含む。）及び第三項後段、第三十九条第一項後段、第四十五条第二項後段、第五十一条の二第一項後段（同法第五十一条の十一第二項において準用する場合を含む。）、第五十一条の十第一項後段、第五十一条の十三第一項後段、第五十五条第一項後段、第八十六条第二項並びに第九十七条第一項後段の規定は、適用しない。

3　第一項の場合においては、土地区画整理法第九条第三項、第二十一条第三項、第三十九条第四項及び第五十一条の九第三項中「国土交通大臣及び関係市町村長に」とあるのは「国土交通大臣に」と、同法第十一条第七項中「国土交通省令で定めるところにより、施行地区を管轄する市町村長を経由して」とあるのは「国土交通省令で定めるところにより」と、同法第二十条第一項中「施行地区となるべき区域（同項に規定する認可の申請にあつては、施行地区）を管轄する市町村長に、当該事業計画を二週間公衆の縦覧に供させなければならない」とあるのは「当該事業計画を二週間公衆の縦覧に供しなければならない」と、同法第二十九条第一項中「組合は、施行地区を管轄する市町村長を経由して」とあるのは「組合は」と、同法第五十一条の八第一項中「施行地区となるべき区域を管轄する市町村長に、当該規準及び事業計画を二週間公衆の縦覧に供させなければならない」とあるのは「当該規準及び事業計画を二週間公衆の縦覧に供しなければならない」と、同法第五十五条第三項から第五項までの規定中「都道府県都市計画審議会」とあるのは「市町村都市計画審議会」と、同条第四項及び同法第百三条第四項中「都道府県が」とあるのは「指定都市が」と、同法第七十五条中「区画整理会社は都道府県知事及び市町村長」とあるのは「区画整理会社は指定都市の市長」と、「国土交通大臣及び都道府県知事」とあるのは「国土交通大臣」と、同法第百三条第三項中「区画整理会社、市町村」とあるのは「区画整理会社」と、同法第百二十三条第一項中「都道府県知事は個人施行者、組合、区画整理会社又は市町村に対し、市町村長は」とあるのは「指定都市の市長は」と、土地区画整理法施行令第一条の二中「第九条第三項（法第十条第三項において準用する場合を含む。）、第二十一条第三項、第三十九条第四項、第五十一条の九第三項（法第五十一条の十第二項において準用する場合を含む。）」とあるのは「第四条第一項、第十条第一項、第十四条第一項若しくは第三項、第三十九条第一項、第五十一条の二第一項又は第五十一条の十第一項の規定による認可をした場合においては、遅滞なく、施行地区又は設計の概要を表示する図書を公衆の縦覧に供する旨、縦覧場所及び縦覧時間を公告した上で、その図書を公衆の縦覧に供し、法」と、同令第三条の二第二項中「都道府県都市計画審議会」とあるのは「市町村都市計画審議会」とする。

4　指定都市がその事務を処理するに当たつては、地方自治法第二百五十二条の十九第二項の規定により、土地区画整理法第五十五条第四項（同条第十三項において準用する場合を含む。）の規定による都道府県知事の修正の要求に関する規定並びに同法第八十六条第一項及び第九十七条第一項の規定による都道府県知事の認可に関する規定を適用せず、同法第五十二条第一項及び第五十五条第十二項の規定による都道府県知事の認可については、これらの認可に代えて国土交通大臣の認可を要するものとする。

（屋外広告物の規制に関する事務）

第百七十四条の四十　地方自治法第二百五十二条の十九第一項の規定により、指定都市が処理する屋外広告物の規制に関する事務は、屋外広告物法（昭和二十四年法律第百八十九号）の規定により、都道府県が処理することとされている事務とする。この場合においては、同法中都道府県に関する規定は、指定都市に関する規定として指定都市に適用があるものとする。

（関与の特例）

第百七十四条の四十一　指定都市がその事務を処理するに当たつては、地方自治法第二百五十二条の十九第二項の規定により、水道法施行令（昭和三十二年政令第三百三十六号）第十四条第一項の規定により都道府県知事が行うこととされている水道法第三十六条の規定による水道事業に関する都道府県知事の改善の指示等に関する規定は適用せず、又は同令第十四条第三項の規定により都道府県知事が行うこととされている同法第十条第一項の規定による都道府県知事の水道事業の変更の認可は要しないものとする。

（区会計管理者）

第百七十四条の四十二　指定都市の区（以下この章において、「区」という。）に区会計管理者一人を置く。

2　区会計管理者は、指定都市の市長の補助機関である職員のうちから、指定都市の市長がこれを命ずる。

3　指定都市の市長、副市長、会計管理者若しくは監査委員又は当該区の区長と親子、夫婦又は兄弟姉妹の関係にある者は、区会計管理者となることができない。

4　区会計管理者は、前項に規定する関係を生じたときは、その職を失う。

第百七十四条の四十三　区会計管理者は、指定都市の会計管理者の命を受け、当該区に係る会計事務をつかさどる。

2　指定都市の市長は、区会計管理者に事故がある場合において必要があるときは、当該指定都市の市長の補助機関である職員にその事務を代理させることができる。

3　指定都市の市長は、会計管理者の事務の一部を区会計管理者に委任させることができる。この場合においては、指定都市の市長は、直ちに、その旨を告示しなければならない。

（区出納員その他の区会計職員）

第百七十四条の四十四　区会計管理者の事務を補助させるため区出納員その他の区会計職員を置くことができる。

2　区出納員その他の区会計職員は、指定都市の市長の補助機関である職員のうちから、指定都市の市長がこれを命ずる。

3　区出納員は、区会計管理者の命を受けて現金の出納（小切手の振出しを含む。）若しくは保管又は物品の出納若しくは保管の事務をつかさどり、その他の区会計職員は、上司の命を受けて会計事務をつかさどる。

4　指定都市の市長は、区会計管理者をしてその事務の一部を区出納員に委任させ、又は当該区出納員をして更に当該委任を受けた事務の一部を区出納員以外の区会計職員に委任させることができる。この場合においては、指定都市の市長は、直ちに、その旨を告示しなければならない。

（区の選挙管理委員及び補充員）

第百七十四条の四十五　区の選挙管理委員及び補充員は、当該区の区域内において選挙権を有する者の中からこれを選挙しなければならない。

（区が新たに設置された場合の選挙管理委員会等の事務の管理の特例）

第百七十四条の四十六　区が新たに設置された場合においては、当該区の選挙管理委員会の委員が選挙されるまでの間は、法令の規定により区の選挙管理委員会又は区の選挙管理委員会の委員長が管理すべき事務は、それぞれ指定都市の選挙管理委員会又は指定都市の選挙管理委員会の委員長が管理するものとする。

（区の選挙管理委員会の指揮監督）

第百七十四条の四十七　指定都市の選挙管理委員会は、区の選挙管理委員会を指揮監督する。この場合においては、地方自治法第百五十四条の二の規定を準用する。

2　地方自治法及びこの政令に定めるものを除くほか、区の選挙管理委員会に関しては、指定都市の選挙管理委員会において必要な事項を定めることができる。

（市の選挙管理委員会に関する規定の準用）

第百七十四条の四十八　第百三十四条から第百三十七条まで及び第百四十条中市の選挙管理委員会に関する規定は、区の選挙管理委員会について準用する。この場合において、同条中「一人」とあるのは、「一人」と、第百三十条第一項中「普通地方公共団体の廃置分合があつた」とあるのは「区が廃止された」と、「消滅した普通地方公共団体の長」とあるのは「当該区の選挙管理委員会の委員長」と、「普通地方公共団体の長に」とあるのは「区又は総合区の選挙管理委員会の委員長（当該地域が属する市が廃置分合により消滅したときは、当該地域が新たに属した普通地方公共団体の選挙管理委員会の委員長）に」と、第百三十一条中「都道府県に係る事務の引継ぎにあつては総務大臣、市町村に係る事務の引継ぎにあつては都道府県知事」とあるのは「都道府県知事」と読み替えるものとする。

（**総合区長の事務の引継ぎ**）

第百七十四条の四十八の二　第百二十三条、第百二十四条、第百二十八条、第百三十条及び第百三十一条の規定は、総合区長について準用する。この場合において、第百二十三条第一項中「都道府県知事にあつては三十日以内、市町村長にあつては二十日以内にその担任する」とあるのは「十日以内に地方自治法第二百五十二条の二十の二第八項の規定により総合区長が執行することとされた」と、「引き継がなければならない」とあるのは「引き継がなければならない。ただし、市長から委任された事務があるときは、退職の日から十日以内に当該事務を市長に引き継がなければならない」と、同条第二項中「その担任する」とあるのは「同項本文に規定する」と、「副知事又は副市町村長（地方自治法第百五十二条第二項又は第三項の規定により普通地方公共団体の長の職務を代理すべき職員を含む。以下この項において同じ。）」とあるのは「地方自治法第二百五十二条の二十の二第六項の規定により総合区長の職務を代理すべき職員」と、「副知事又は副市町村長は」とあるのは「当該職員は」と、第百三十条第一項中「普通地方公共団体の廃置分合があつた」とあるのは「総合区が廃止された」と、「消滅した普通地方公共団体の長」とあるのは「当該総合区の総合区長」と、「当該地域が新たに属した普通地方公共団体の長」とあるのは「市長（当該地域が属する市が廃置分合により消滅したときは、当該地域が新たに属した普通地方公共団体の長）」と、同条第二項中「第百二十三条」とあるのは「第百二十三条第一項本文及び第二項」と、「及び」とあるのは「並びに」と、「準用する」とあるのは「準用する。この場合において、第百二十三条第一項本文中「十日」とあるのは、「十日（当該地域が属する市が廃置分合により消滅したときは、二十日）」と読み替えるものとする」と、第百三十一条中「都道府県に係る事務の引継ぎにあつては総務大臣、市町村に係る事務の引継ぎにあつては都道府県知事」とあるのは「都道府県知事」と読み替えるものとする。

（**総合区長が任免する職員から除かれる者**）

第百七十四条の四十八の三　地方自治法第二百五十二条の二十の二第九項の政令で定める職員は、総合区会計管理者及び総合区出納員その他の総合区会計職員とする。

（**総合区が新たに設置された場合の総合区長の職務の特例**）

第百七十四条の四十八の四　総合区が新たに設置された場合においては、総合区長が選任されるまでの間は、市長がその職務を行う。

（**総合区会計管理者**）

第百七十四条の四十八の五　総合区に総合区会計管理者一人を置く。

2　第百七十四条の四十二第二項から第四項まで及び第百七十四条の四十三の規定は、総合区会計管理者について準用する。この場合において、第百七十四条の四十二第三項中「区長」とあるのは、「総合区長」と読み替えるものとする。

（**総合区出納員その他の総合区会計職員**）

第百七十四条の四十八の六　総合区会計管理者の事務を補助させるため総合区出納員その他の総合区会計職員を置くことができる。

2　第百七十四条の四十四第二項から第四項までの規定は、総合区出納員その他の総合区会計職員について準用する。この場合において、同条第三項及び第四項中「区会計管理者」とあるのは、「総合区会計管理者」と読み替えるものとする。

（**総合区の選挙管理委員会**）

第百七十四条の四十八の七　第百三十四条から第百三十七条まで及び第百四十条中市の選挙管理委員会に関する規定並びに第百七十四条の四十五から第百七十四条の四十七までの規定は、総合区の選挙管理委員会について準用する。この場合において、第百四十条中「一人」とあるのは、「二人」と、第百三十条第一項中「普通地方公共団体の廃置分合があつた」とあるのは「総合区が廃止された」と、「消滅した普通地方公共団体の長」とあるのは「当該総合区の選挙管理委員会の委員長」と、「普通地方公共団体の長に」とあるのは「区又は総合区の選挙管理委員会の委員長（当該地域が属する市が廃置分合により消滅したときは、当該地域が新たに属した普通地方公共団体の選挙管理委員会の委員長）に」と、第百三十一条中「都道府県に係る事務の引継ぎにあつては総務大臣、市町村に係る事務の引継ぎにあつては都道府県知事」とあるのは「都道府県知事」と読み替えるものとする。

（**指定都市と包括都道府県の間の協議に係る勧告等**）

第百七十四条の四十八の八　総務大臣は、地方自治法第二百五十二条の二十一の三第四項の規定により勧告の求め（同条第二項に規定する勧告の求めをいう。以下この条において同じ。）の取下げに同意したときは、その旨を相手方である指定都市の市長又は包括都道府県（同法第二百五十二条の二十一の二第一項に規定する包括都道府県をいう。次項及び第五項において同じ。）の知事及び国の関係行政機関の長に通知しなければならない。

2　総務大臣は、地方自治法第二百五十二条の二十一の三第五項の規定により指定都市都道府県勧告調整委員に勧告の求めに係る総務大臣の勧告について意見を求めたときは、直ちにその旨及び指定都市都道府県勧告調整委員の氏名を告示するとともに、指定都市の市長及び包括都道府県の知事並びに国の関係行政機関の長にこれを通知しなければならない。

3　地方自治法第二百五十二条の二十一の四第一項の規定による勧告の求めがあつた事項に関する指定都市都道府県勧告調整委員の意見（以下この条において「勧告に関する意見」という。）は、勧告の求めがあつた日から九十日以内に述べなければならない。

4　指定都市都道府県勧告調整委員は、地方自治法第二百五十二条の二十一の四第一項の規定により総務大臣に勧告に関する意見を述べたときは、直ちにその旨及び当該勧告に関する意見を公表しなければならない。

5　指定都市都道府県勧告調整委員は、勧告に関する意見を述べるため必要があると認めるときは、指定都市の市長及び包括都道府県の知事並びに関係人の出頭及び陳述を求め、又は指定都市の市長及び包括都道府県の知事並びに関係人並びに勧告の求めに係る事件に関係のある者に対し、勧告に関する意見を述べるため必要な記録の提出を求めることができる。

6　地方自治法第二百五十二条の二十一の四第一項の規定による勧告に関する意見の決定並びに前項の規定による出頭、陳述及び記録の提出の求めについての決定は、指定都市都道府県勧告調整委員の合議によるものとする。

7　総務大臣は、指定都市都道府県勧告調整委員に対し、勧告に関する意見を述べる経過について報告を求めることができる。

（総務省令への委任）

第百七十四条の四十九　前条に規定するものを除くほか、地方自治法第二百五十二条の二十一の三第一項に規定する総務大臣の勧告の手続の細目は、総務省令で定める。

第二節　中核市に関する特例

（児童福祉に関する事務）

第百七十四条の四十九の二　地方自治法第二百五十二条の二十二第一項の規定により、同項の中核市（以下「中核市」という。）が処理する児童福祉に関する事務は、児童福祉法及び児童福祉法施行令の規定により、都道府県が処理することとされている事務（次に掲げる事務を除く。）とする。この場合においては、次項並びに第三項において準用する第百七十四条の二十六第三項、第四項、第五項前段及び第六項において特別の定めがあるものを除き、同法及び同令中都道府県に関する規定（次に掲げる事務に係る規定を除く。）は、中核市に関する規定として中核市に適用があるものとする。

一　児童福祉法第六条の三第一項第二号及び児童福祉法施行令第一条の二第二項第二号の規定による認定に関する事務

二　児童福祉法第六条の四第一号及び第二号の規定による研修に関する事務

三　児童福祉法第六条の四第三号の規定による里親の認定に関する事務

四　児童福祉法第十一条の規定による市町村相互間の連絡調整等に関する事務

五　児童福祉法第十二条第一項、第二項及び第四項の規定による児童相談所の設置等に関する事務

六　児童福祉法第十二条の四第二項の規定による条例の制定に関する事務

七　児童福祉法第十三条第一項の規定による児童福祉司の設置に関する事務

八　児童福祉法第十三条第三項第二号並びに児童福祉法施行令第三条の二第二項から第七項まで、第十項及び第十一項の規定による指定児童福祉司養成施設等の指定等に関する事務

九　児童福祉法第十八条の六第一号及び第十八条の七第一項並びに児童福祉法施行令第五条第二項から第七項までの規定による指定保育士養成施設の指定等に関する事務

十　児童福祉法第十八条の八第二項の規定による保育士試験に関する事務

十一　児童福祉法第十八条の八第三項の規定による保育士試験委員の設置に関する事務

十二　児童福祉法第十八条の九、第十八条の十（同法第十八条の十一第二項において準用する場合を含む。）及び第十八条の十三から第十八条の十七まで並びに児童福祉法施行令第七条、第九条、第十一条から第十三条まで及び第十五条の規定による指定試験機関の指定等に関する事務

十三　児童福祉法第十八条の十八から第十八条の二十の二まで及び児童福祉法施行令第十六条から第二十条までの規定による保育士の登録等に関する事務

十四　児童福祉法第十八条の二十の三第一項の規定による報告の受理に関する事務

十五　児童福祉法第十八条の二十の四第二項の規定によるデータベースへの記録等に関する事務
十六　児童福祉法第二十一条の五の十の規定による協力その他市町村に対する必要な援助及び同法第二十一条の五の二十一第一項の規定による都道府県知事による連絡調整又は援助に関する事務
十七　児童福祉法第二十一条の五の十五第六項及び第七項（これらの規定を同法第二十一条の五の十六第四項において準用する場合を含む。）の規定による関係市町村長に対する通知等に関する事務
十八　児童福祉法第二章第二節第三款（同法第二十四条の十九の二において準用する場合を含む。）及び第五節第三款の規定による業務管理体制の整備等に係る質問等に関する事務
十九　児童福祉法第二章第四節（第三款を除く。）、第五十七条の二から第五十七条の三の三まで及び第五十七条の四の規定による同法第五十条第六号の三に規定する障害児入所給付費等の支給等に関する事務
二十　児童福祉法第二十七条から第三十一条まで、第三十一条の二第一項、第二項及び第四項、第三十三条第二項、第九項及び第十一項並びに第三十三条の六の規定による措置等に関する事務
二十一　児童福祉法第三十三条の二第一項、第三十三条の八第二項並びに第四十七条第一項及び第二項の規定による縁組の承諾の許可に関する事務
二十二　児童福祉法第三十三条の六の二の規定による措置、同法第三十三条の六の三の規定による利用の勧奨、同法第三十四条の七の二第一項の規定による親子再統合支援事業、社会的養護自立支援拠点事業又は意見表明等支援事業の実施、同条第二項から第四項までの規定による届出、同法第三十四条の七の三の規定による質問等及び同法第三十四条の七の四の規定による制限又は停止の命令に関する事務
二十三　児童福祉法第二章第七節の規定による被措置児童等虐待の防止等に関する事務
二十四　児童福祉法第三十三条の十八の規定による同条第一項に規定する情報公表対象支援情報の報告の受理等（同法第二十一条の五の三第一項に規定する指定通所支援に係るもの及び同法第二十四条の二十六第二項に規定する指定障害児相談支援に係るもの（同法第三十三条の十八第五項又は第七項の規定による市町村長に対する通知を除く。）を除く。）に関する事務
二十五　市町村障害児福祉計画に係る児童福祉法第三十三条の二十第十一項及び第十二項の規定による意見等、都道府県障害児福祉計画に係る同法第三十三条の二十二、第三十三条の二十三及び第三十三条の二十四第一項の規定による作成等並びに同法第三十三条の二十三の二第二項の規定による情報の提供に関する事務
二十六　児童福祉法第三十四条の四の規定による届出並びに障害児通所支援事業等（中核市が行うものに限る。）、児童自立生活援助事業又は小規模住居型児童養育事業に係る同法第三十四条の五の規定による質問等及び同法第三十四条の六の規定による制限又は停止の命令に関する事務
二十七　中核市が行う妊産婦等生活援助事業に係る児童福祉法第三十四条の七の六の規定による質問等及び同法第三十四条の七の七の規定による制限又は停止の命令に関する事務
二十八　中核市が行う一時預かり事業に係る児童福祉法第三十四条の十四の規定による質問等に関する事務
二十九　中核市が行う病児保育事業に係る児童福祉法第三十四条の十八の二の規定による質問等に関する事務
三十　児童福祉法第三十四条の十九及び第三十四条の二十第二項の規定による養育里親名簿及び養子縁組里親名簿の作成等に関する事務
三十一　助産施設、母子生活支援施設及び保育所（以下この条において「特定児童福祉施設」という。）以外の児童福祉施設に係る児童福祉法第三十五条及び第五十八条第一項の規定による設置の認可等に関する事務
三十二　特定児童福祉施設以外の児童福祉施設に係る児童福祉法第四十五条第一項の規定による条例の制定に関する事務
三十三　特定児童福祉施設以外の児童福祉施設に係る児童福祉法第四十六条及び児童福祉法施行令第三十八条の規定による報告の徴収等並びに中核市が設置する特定児童福祉施設に係る同法第四十六条の規定による質問等及び同令第三十八条の規定による検査に関する事務
三十四　児童福祉法第五十条の規定による費用（同条第二号の費用のうち児童委員に要する費用及び同条第五号から第五号の三までの費用を除く。）の支弁に関する事務
三十五　児童福祉法第五十五条の規定による同法第五十一条第五号の費用の負担に関する事務
三十六　特定児童福祉施設以外の児童福祉施設に係る児童福祉法第五十六条の二及び第五十六条の三の規定による補助等に関する事務
三十七　児童福祉法第五十六条の四の二第四項の規定により送付された市町村整備計画の写しの受理に関する事務

三十八　児童福祉法第五十六条の四の三第一項の規定による市町村整備計画の提出の経由に関する事務

三十九　児童福祉法第五十六条の五の五第一項に規定する審査請求に対する裁決に関する事務

四十　児童福祉法第五十六条の七第三項の規定による支援に関する事務

四十一　児童福祉法第五十七条の三の四第一項及び第四項並びに児童福祉法施行令第四十四条の八及び第四十四条の十から第四十四条の十三までの規定による指定事務受託法人の指定等に関する事務

四十二　児童福祉法第五十九条第一項に規定する施設（同法第六条の三第九項から第十二項まで、第三十六条、第三十八条及び第三十九条第一項に規定する業務を目的とするものを除く。）に係る同法第五十九条の規定による質問等に関する事務

四十三　児童福祉法第五十九条の四第四項の規定による勧告等に関する事務

四十四　児童福祉法施行令第三十六条の規定による児童自立支援施設の設置に関する事務

2　前項の場合においては、児童福祉法第三条の三第二項中「市町村の行うこの法律に基づく児童の福祉に関する業務が適正かつ円滑に行われるよう、市町村に対する必要な助言及び適切な援助を行うとともに、児童」とあるのは「児童」と、「技術並びに各市町村の区域を超えた広域的な対応」とあるのは「技術」と、「第十一条第一項各号に掲げる業務の実施、小児慢性特定疾病医療費の支給、障害児入所給付費の支給、第二十七条第一項第三号の規定による委託又は入所の措置」とあるのは「小児慢性特定疾病医療費の支給」と、同法第二十一条の五の十五第一項（同法第二十一条の五の十六第四項において準用する場合を含む。）中「ごとに行う」とあるのは「ごとに行う。この場合において、中核市の市長は、当該指定が次項に規定する特定障害児通所支援に係るものであるときは、あらかじめ、都道府県知事の同意を得なければならない」と、同法第二十一条の五の十五第八項（同法第二十一条の五の十六第四項において準用する場合を含む。）中「前項の意見を勘案し」とあるのは「第三十三条の二十第一項に規定する市町村障害児福祉計画との調整を図る見地から」と、同法第二十一条の五の十七第五項中「ものは」とあるのは「ものから」と、「又は同法」とあるのは「について同法第七十八条の五第二項の規定による事業の廃止若しくは休止の届出があつたとき、又は同法」と、「を廃止し、又は休止しようとするときは、内閣府令で定めるところにより、その廃止又は休止の日の一月前までに、その旨を当該指定を行つた都道府県知事に届け出なければならない。この場合において、当該」とあるのは「について同法第百十五条の十五第二項の規定による事業の廃止若しくは休止の」と、同法第二十一条の五の二十七第二項中「指定都市若しくは中核市の長」とあるのは「都道府県知事」と、「関係都道府県知事」とあるのは「関係中核市の市長」と、同条第三項及び第四項中「指定都市若しくは中核市の長」とあるのは「都道府県知事」と、同法第二十一条の五の二十八第五項中「指定都市若しくは中核市の長」とあるのは「都道府県知事」と、「関係都道府県知事」とあるのは「関係中核市の市長」と、同法第三十三条の十八第一項中「指定障害児相談支援事業者並びに指定障害児入所施設等の設置者」とあるのは「指定障害児相談支援事業者」と、「、指定障害児相談支援又は指定入所支援」とあるのは「又は指定障害児相談支援」と、同条第六項中「指定障害児通所支援事業者又は指定障害児入所施設の設置者」とあるのは「指定障害児通所支援事業者」と、「当該指定障害児通所支援事業者又は指定障害児入所施設」とあるのは「当該指定障害児通所支援事業者」と、同法第三十四条の三第二項から第四項までの規定中「及び都道府県」とあるのは「、都道府県及び中核市」と、同法第三十四条の五第一項中「、児童自立生活援助事業若しくは小規模住居型児童養育事業を行う者」とあり、及び同法第三十四条の六中「、児童自立生活援助事業又は小規模住居型児童養育事業を行う者」とあるのは「を行う者（都道府県を除く。）」と、同法第三十四条の七の五第二項から第四項までの規定中「及び都道府県」とあるのは「、都道府県及び中核市」と、同法第三十四条の七の六第一項及び第三十四条の七の七中「行う者」とあるのは「行う者（都道府県を除く。）」と、同法第三十四条の十八中「及び都道府県」とあるのは「、都道府県及び中核市」と、同法第三十五条第三項中「市町村」とあるのは「中核市以外の市町村」と、「児童福祉施設」とあるのは「助産施設、母子生活支援施設及び保育所」と、同条第四項中「児童福祉施設」とあるのは「助産施設、母子生活支援施設及び保育所」と、同条第八項中「第六十二条第二項第一号」とあるのは「第六十一条第二項第一号」と、「第六十二条第一項」とあるのは「第六十一条第一項」と、「都道府県子ども・子育て支援事業支援計画」とあるのは「市町村子ども・子育て支援事業計画」と、同条第十一項中「市町村」とあるのは「中核市以外の市町村」と、「児童福祉施設を」とあるのは「助産施設又は母子生活支援施設を」と、「（当該児童福祉施設が保育所である場合には三月前）」とあるのは「までに、保育所を廃止し、又は休止しようとするときは、その廃止又は休止の日の三月前」と、

同条第十二項中「児童福祉施設」とあるのは「助産施設、母子生活支援施設及び保育所」と、同法第四十五条第一項、第二項及び第五項の規定中「児童福祉施設」とあるのは「助産施設、母子生活支援施設及び保育所（これらのうち都道府県が設置するものを除く。）」と、同法第四十六条第一項中「児童福祉施設の設置者、児童福祉施設の長及び」とあるのは「助産施設、母子生活支援施設及び保育所（これらのうち都道府県が設置するものを除く。）の設置者、助産施設、母子生活支援施設及び保育所（これらのうち都道府県が設置するものを除く。）の長並びに」と、同条第三項及び第四項中「児童福祉施設」とあるのは「助産施設、母子生活支援施設及び保育所（これらのうち都道府県が設置するものを除く。）」と、同法第五十一条第三号中「費用（都道府県の設置する助産施設又は母子生活支援施設に係るものを除く。）」とあるのは「費用」と、同法第五十六条の二第一項各号列記以外の部分中「児童福祉施設」とあるのは「助産施設及び母子生活支援施設」と、「（保育所を除く。以下この条において同じ。）について」とあるのは「について」と、同項第一号中「児童福祉施設」とあるのは「助産施設及び母子生活支援施設」と、同項第二号中「その児童福祉施設」とあるのは「その助産施設及び母子生活支援施設」と、「同種の児童福祉施設」とあるのは「助産施設及び母子生活支援施設」と、同条第二項中「児童福祉施設」とあるのは「助産施設及び母子生活支援施設」と、同法第五十六条の八第三項中「にかかわらず、市町村長を経由し」とあるのは「にかかわらず」と、同法第五十八条第一項中「児童福祉施設」とあるのは「助産施設、母子生活支援施設又は保育所」と、同法第五十九条第一項中「若しくは第三十六条から第四十四条まで（第三十九条の二を除く。）」とあるのは「、第三十六条、第三十八条又は第三十九条第一項」と、「児童福祉施設」とあるのは「助産施設、母子生活支援施設若しくは保育所」と、児童福祉法施行令第三十八条中「児童福祉施設」とあるのは「助産施設、母子生活支援施設及び保育所（これらのうち都道府県が設置するものを除く。）」とする。

3　第百七十四条の二十六第二項から第四項まで、第五項前段、第六項及び第八項の規定は、中核市について準用する。この場合において、同条第二項中「前項」とあるのは「第百七十四条の四十九の二第一項」と、同条第三項中「第一項の場合」とあるのは「第百七十四条の四十九の二第一項の場合」と、同条第四項中「第一項」とあるのは「第百七十四条の四十九の二第一項」と、同条第五項前段中「第一項」とあるのは「第百七十四条の四十九の二第一項」と、「第二十七条第六項、第三十三条の十五第三項、第三十五条第六項」とあるのは「第三十五条第六項」と、同条第六項中「第一項の」とあるのは「第百七十四条の四十九の二第一項の」と、「第十条第二項及び第三項、第十八条第一項及び第三項」とあるのは「第十八条第一項」と、「並びに」とあるのは「及び」と、同条第八項中「第二百五十二条の十九第二項」とあるのは「第二百五十二条の二十二第二項」と、「児童福祉法第三十四条の五第一項の規定による障害児通所支援事業等、児童自立生活援助事業又は小規模住居型児童養育事業についての都道府県知事の質問等に関する規定、同法第三十四条の六の規定による障害児通所支援事業等、児童自立生活援助事業又は小規模住居型児童養育事業の制限又は停止についての都道府県知事の命令に関する規定、同法第三十四条の七の三第一項の規定による親子再統合支援事業、社会的養護自立支援拠点事業又は意見表明等支援事業についての都道府県知事の質問等に関する規定、同法第三十四条の七の四の規定による親子再統合支援事業、社会的養護自立支援拠点事業又は意見表明等支援事業の制限又は停止についての都道府県知事の命令に関する規定、同法」とあるのは「児童福祉法」と、「第四項の規定による児童福祉施設」とあるのは「第四項の規定による第百七十四条の四十九の二第一項第三十一号に規定する特定児童福祉施設」と、「第三十八条の規定による児童福祉施設」とあるのは「第三十八条の規定による同号に規定する特定児童福祉施設」と読み替えるものとする。

（民生委員に関する事務）

第百七十四条の四十九の三　地方自治法第二百五十二条の二十二第一項の規定により、中核市が処理する民生委員に関する事務は、民生委員法及び民生委員法施行令の規定により、都道府県が処理することとされている事務とする。この場合においては、次項において特別の定めがあるものを除き、同法及び同令中都道府県に関する規定は、中核市に関する規定として中核市に適用があるものとする。

2　前項の場合においては、民生委員法第七条第二項中「当該市町村長及び地方社会福祉審議会」とあるのは「地方社会福祉審議会」と、同法第二十条第一項中「都道府県知事が市町村長の意見をきいて定める区域」とあるのは「中核市の市長が定める区域」とする。

（身体障害者の福祉に関する事務）

第百七十四条の四十九の四　地方自治法第二百五十二条の二十二第一項の規定により、中核市が処理する身体障害者の福祉に関する事務は、身体障害者福祉法及び身体障害者福祉法施行令の規定により、都道府県が処理することとされている事務（同法第十条の規定による市町村相互間の連絡調整等、同法第十一条の規定による身体障害者更生相談所の設置、同法第十一条の二第一項の規定による身体障害者福祉司の設置、同法第十二条第五号の規定による施設の指定、同法第十二条の三第二項の規定による相談援助の委託、同法第二十条の規定による盲導犬の貸与等、中核市が行う身体障害者生活訓練等事業等に係る同法第三十九条の規定による質問等及び同法第四十条の規定による制限又は停止の命令並びに中核市が設置する身体障害者社会参加支援施設に係る同法第四十一条の規定による事業の停止又は廃止の命令に関する事務を除く。）とする。この場合においては、次項及び第三項において準用する第百七十四条の二十八第五項において特別の定めがあるものを除き、同法及び同令中都道府県に関する規定（前段括弧内に掲げる事務に係る規定を除く。）は、中核市に関する規定として中核市に適用があるものとする。

2　前項の場合においては、身体障害者福祉法第二十六条及び第二十七条中「及び都道府県」とあるのは「、都道府県及び中核市」と、同法第二十八条第二項及び第四項中「市町村」とあるのは「中核市以外の市町村」と、同法第三十九条第一項及び第四十条中「身体障害者生活訓練等事業等を行う者」とあるのは「身体障害者生活訓練等事業等を行う者（都道府県を除く。）」と、身体障害者福祉法施行令第九条第四項中「他の都道府県の区域に」とあるのは「中核市の区域から当該中核市の区域外に、又は中核市の区域外から中核市の区域に」と、「都道府県知事」とあるのは「都道府県知事（新居住地が中核市の区域にあるときは、当該中核市の市長）」と、同条第六項中「都道府県知事は」とあるのは「都道府県知事又は中核市の市長は」と、「都道府県知事に」とあるのは「都道府県知事（旧居住地が中核市の区域にあつたときは、当該中核市の市長）に」と、同令第二十八条第一項中「市町村」とあるのは「中核市以外の市町村」と、同条第二項中「市町村長」とあるのは「市町村長（中核市の市長を除く。）」とする。

3　第百七十四条の二十八第四項及び第六項の規定は、中核市について準用する。この場合において、同条第四項中「第一項」とあるのは「第百七十四条の四十九の四第一項」と、同条第六項中「第二百五十二条の十九第二項」とあるのは「第二百五十二条の二十二第二項」と読み替えるものとする。

（生活保護に関する事務）

第百七十四条の四十九の五　地方自治法第二百五十二条の二十二第一項の規定により、中核市が処理する生活保護に関する事務は、生活保護法及び生活保護法施行令の規定により、都道府県が処理することとされている事務（同法第二十三条の規定による事務の監査等、中核市の設置する保護施設に対する同法第四十四条第一項、第四十五条第一項及び第四十八条第三項の規定による報告の命令等、同法第六十四条に規定する審査請求に対する裁決並びに同法第八十一条の二の規定による援助に関する事務を除く。）とする。この場合においては、次項及び第三項において準用する第百七十四条の二十九第四項において特別の定めがあるものを除き、同法及び同令中都道府県に関する規定（前段括弧内に掲げる事務に係る規定を除く。）は、中核市に関する規定として中核市に適用があるものとする。

2　前項の場合においては、生活保護法第三十九条第一項及び第二項中「保護施設」とあるのは「保護施設（都道府県が設置するものを除く。）」と、同条第三項中「保護施設の設置者」とあるのは「保護施設の設置者（都道府県を除く。）」と、同法第四十条第二項中「市町村」とあるのは「中核市以外の市町村」と、同法第四十三条第一項及び第四十四条第一項中「保護施設」とあるのは「保護施設（都道府県が設置するものを除く。）」と、同法第四十六条第二項中「都道府県以外」とあるのは「都道府県及び中核市以外」と、同法第四十八条第三項中「前項の指導」とあるのは「前項の指導（都道府県が設置する保護施設の長が行うものを除く。）」とする。

3　第百七十四条の二十九第二項から第四項まで及び第六項の規定は、中核市について準用する。この場合において、同条第二項中「前項」とあるのは「第百七十四条の四十九の五第一項」と、同条第三項中「、第一項」とあるのは「、第百七十四条の四十九の五第一項」と、同条第四項中「第一項」とあるのは「第百七十四条の四十九の五第一項」と、同条第六項中「第二百五十二条の十九第二項」とあるのは「第二百五十二条の二十二第二項」と、「生活保護法第二十三条第一項及び第二項の規定による都道府県知事の事務の監査等に関する規定並びに同法」とあるのは「生活保護法」と読み替えるものとする。

（行旅病人及び行旅死亡人の取扱いに関する事務）

第百七十四条の四十九の六　地方自治法第二百五十二条の二十二第一項の規定により、中核市が処理する行旅病人及び行旅死亡人の取扱いに関する事務は、行旅病人死亡人等の引取及費用弁償に関する件の規定により、都道府県が処理することとされている事務とする。この場合においては、同令中都道府県に関する規定は、中核市に関する規定として中核市に適用があるものとする。

（社会福祉事業に関する事務）

第百七十四条の四十九の七　地方自治法第二百五十二条の二十二第一項の規定により、中核市が処理する社会福祉事業に関する事務は、社会福祉法第七章及び第八章の規定により、都道府県が処理することとされている事務（中核市が経営する社会福祉事業に係る同法第七十条の規定による検査及び調査に関する事務を除く。）とする。この場合においては、次項において特別の定めがあるものを除き、これらの章中都道府県に関する規定（前段括弧内に掲げる事務に係る規定を除く。）は、中核市に関する規定として中核市に適用があるものとする。

2　前項の場合においては、社会福祉法第六十二条第一項中「市町村」とあるのは「中核市以外の市町村」と、同法第六十五条第一項及び第二項中「社会福祉施設」とあるのは「社会福祉施設（都道府県が設置するものを除く。）」と、同条第三項中「社会福祉施設の設置者」とあるのは「社会福祉施設の設置者（都道府県を除く。）」と、同法第六十七条第一項及び第六十八条の二第一項中「市町村」とあるのは「中核市以外の市町村」と、同法第六十八条の五第一項及び第二項中「社会福祉住居施設」とあるのは「社会福祉住居施設（都道府県が設置するものを除く。）」と、同条第三項中「社会福祉住居施設の設置者」とあるのは「社会福祉住居施設の設置者（都道府県を除く。）」と、同法第六十九条第一項中「及び都道府県」とあるのは「、都道府県及び中核市」と、同法第七十条中「社会福祉事業を経営する者」とあるのは「社会福祉事業を経営する者（都道府県を除く。）」と読み替えるものとする。

3　中核市がその事務を処理するに当たつては、地方自治法第二百五十二条の二十二第二項の規定により、社会福祉法第七十条の規定による社会福祉事業についての都道府県知事の検査及び調査に関する規定は、これを適用しない。

（知的障害者の福祉に関する事務）

第百七十四条の四十九の八　地方自治法第二百五十二条の二十二第一項の規定により、中核市が処理する知的障害者の福祉に関する事務は、知的障害者福祉法及び知的障害者福祉法施行令の規定により、都道府県が処理することとされている事務（同法第十一条の規定による市町村相互間の連絡調整等、同法第十二条第一項の規定による知的障害者更生相談所の設置、同法第十三条第一項の規定による知的障害者福祉司の設置、同法第十四条第五号の規定による施設の指定及び同法第十五条の二第二項の規定による相談援助の委託に関する事務を除く。）とする。この場合においては、次項において準用する第百七十四条の三十の三第四項において特別の定めがあるものを除き、同法及び同令中都道府県に関する規定（前段括弧内に掲げる事務に係る規定を除く。）は、中核市に関する規定として中核市に適用があるものとする。

2　第百七十四条の三十の三第四項の規定は、中核市について準用する。この場合において、同項中「第一項」とあるのは、「第百七十四条の四十九の八第一項」と読み替えるものとする。

（母子家庭及び父子家庭並びに寡婦の福祉に関する事務）

第百七十四条の四十九の九　地方自治法第二百五十二条の二十二第一項の規定により、中核市が処理する母子家庭及び父子家庭並びに寡婦の福祉に関する事務は、母子及び父子並びに寡婦福祉法及び母子及び父子並びに寡婦福祉法施行令の規定により、都道府県が処理することとされている事務（中核市が行う母子家庭日常生活支援事業、父子家庭日常生活支援事業又は寡婦日常生活支援事業に係る同法第二十二条（同法第三十一条の七第四項及び第三十三条第五項において準用する場合を含む。）の規定による質問等及び同法第二十三条（同法第三十一条の七第四項及び第三十三条第五項において準用する場合を含む。）の規定による制限又は停止の命令に関する事務を除く。）とする。この場合においては、同法及び同令中都道府県に関する規定（前段括弧内に掲げる事務に係る規定を除く。）は、次項において特別の定めがあるものを除き、中核市に関する規定として中核市に適用があるものとする。

2　前項の場合においては、母子及び父子並びに寡婦福祉法第二十条中「及び都道府県」とあるのは「、都道府県及び中核市」と、同法第二十二条第一項及び第二十三条中「行う者」とあるのは「行う者（都道府県を除く。）」と、同法第三十一条の七第四項中「第二十一条から第二十四条までの規定は父子家庭日常生活支援事業を行う者」とあるのは「第二十一条及び第二十四条の規定は父子家庭日常生活支援事業を行う者について、第二十二条及び第二十三条の規定は父子家庭日常生活支援事業を行う者（都道府県を除く。）」と、同法第三十三条第五項中「第二十一条から第二十四条までの規定は、寡婦日常生活支援事業を行う者について」とあるのは「第二十一条及び第二十四条の規定は寡婦日常生活支援事業を行う者について、第二十二条及び第二十三条の規定は寡婦日常生活支援事業を行う者（都道府県を除く。）について、それぞれ」と、同法第四十条中「市町村」とあるのは「中核市以外の市町村」と、母子及び父子並びに寡婦福祉法施行令第十三条（同令第三十一条の七及び第三十八条において準用する場合を含む。）中「児童福祉法第八条第二項に規定する都道府県児童福祉審議会（同条第一項ただし書に規定する都道府県にあつては、社会福祉法第七条第一項に規定する地方社会福祉審議会）」とあるのは「中核市に置かれる児童福祉に関する審議会その他の合議制の機関（社会福祉法第十二条第一項の規定により地方社会福祉審議会（同法第七条第一項に規定する地方社会福祉審議会をいう。以下この条において同じ。）に児童福祉に関する事項を調査審議させる中核市にあつては、地方社会福祉審議会）」とする。

3　第百七十四条の三十一第三項の規定は、中核市について準用する。この場合において、同項中「第二百五十二条の十九第二項」とあるのは、「第二百五十二条の二十二第二項」と読み替えるものとする。

（**老人福祉に関する事務**）

第百七十四条の四十九の十　地方自治法第二百五十二条の二十二第一項の規定により、中核市が処理する老人福祉に関する事務は、老人福祉法及び老人福祉法施行令並びに医療介護総合確保法第九条の規定により、都道府県が処理することとされている事務（老人福祉法第六条の二第一項及び第二項の規定による市町村相互間の連絡調整等、同法第七条の規定による社会福祉主事の設置、中核市が行う老人居宅生活支援事業又は中核市が設置する老人デイサービスセンター、老人短期入所施設若しくは老人介護支援センターに係る同法第十八条（第二項を除く。）及び第十八条の二の規定による質問等、中核市が設置する養護老人ホーム又は特別養護老人ホームに係る同法第十八条（第一項を除く。）及び第十九条の規定による質問等、同法第二十条の八の規定による市町村老人福祉計画に関する意見等、同法第二十条の九の規定による都道府県老人福祉計画の作成等並びに同法第二十条の十第一項の規定による市町村に対する助言に関する事務を除く。）とする。この場合においては、次項及び第三項において準用する第百七十四条の三十一の二第二項において特別の定めがあるものを除き、老人福祉法及び同令並びに医療介護総合確保法第九条中都道府県に関する規定（前段括弧内に掲げる事務に係る規定を除く。）は、中核市に関する規定として中核市に適用があるものとする。

2　前項の場合においては、老人福祉法第十四条、第十四条の三及び第十五条第二項中「及び都道府県」とあるのは「、都道府県及び中核市」と、同条第三項中「市町村」とあるのは「中核市以外の市町村」と、同条第五項及び同法第十六条第一項中「及び都道府県」とあるのは「、都道府県及び中核市」と、同条第二項中「市町村」とあるのは「中核市以外の市町村」と、同法第十七条第一項及び第二項第一号から第三号までの規定中「特別養護老人ホーム」とあるのは「特別養護老人ホーム（これらのうち都道府県が設置するものを除く。）」と、同項第四号中「養護老人ホーム」とあるのは「養護老人ホーム（都道府県が設置するものを除く。）」と、同条第三項中「特別養護老人ホームの設置者」とあるのは「特別養護老人ホームの設置者（都道府県を除く。）」と、同法第十八条第一項中「老人居宅生活支援事業を行う者」とあるのは「老人居宅生活支援事業を行う者（都道府県を除く。）」と、「老人介護支援センターの設置者」とあるのは「老人介護支援センターの設置者（都道府県を除く。）」と、同条第二項中「特別養護老人ホーム」とあるのは「特別養護老人ホーム（これらのうち都道府県が設置するものを除く。）」と、同法第十八条の二第一項中「認知症対応型老人共同生活援助事業を行う者」とあるのは「認知症対応型老人共同生活援助事業を行う者（都道府県を除く。）」と、同条第二項中「老人居宅生活支援事業を行う者」とあるのは「老人居宅生活支援事業を行う者（都道府県を除く。）」と、「老人介護支援センターの設置者」とあるのは「老人介護支援センターの設置者（都道府県を除く。）」と、同法第十九条第一項中「特別養護老人ホームの設置者」とあるのは「特別養護老人ホームの設置者（都道府県を除く。）」とする。

3　第百七十四条の三十一の二第二項及び第四項の規定は、中核市について準用する。この場合において、同条第二項中「前項」とあるのは「第百七十四条の四十九の十第一項」と、同条第四項中「第二百五十二条の十九第二項」とあるのは「第二百五十二条の二十二第二項」と読み替えるものとする。

（**母子保健に関する事務**）

第百七十四条の四十九の十一　地方自治法第二百五十二条の二十二第一項の規定により、中核市が処理する母子保健に関する事務は、母子保健法及び母子保健法施行令の規定により、都道府県が処理することとされている事務とする。この場合においては、次項において準用する第百七十四条の三十一の三第三項において特別の定めがあるものを除き、同法及び同令中都道府県に関する規定は、中核市に関する規定として中核市に適用があるものとする。

2　第百七十四条の三十一の三第二項及び第三項の規定は、中核市について準用する。この場合において、同条第二項中「前項」とあり、同条第三項中「第一項」とあるのは、「第百七十四条の四十九の十一第一項」と読み替えるものとする。

（**介護保険に関する事務**）

第百七十四条の四十九の十一の二　地方自治法第二百五十二条の二十二第一項の規定により、中核市が処理する介護保険に関する事務は、介護保険法第四章第三節及び第四節並びに第五章第二節、第五節及び第六節並びに同法第百五条及び第百十四条の八において準用する医療法第九条第二項及び第三十条の規定により、都道府県が処理することとされている事務（介護保険法第七十条第六項、第八十六条第三項、第九十四条第六項及び第百七条第六項の規定による関係市町村長に対する意見の求め等、同法第七十条第七項及び第八項並びに第百十五条の二第四項及び第五項の規定による関係市町村長に対する通知等並びに同法第七十五条の二、第八十九条の二、第九十九条の二、第百十四条及び第百十五条の六の規定による都道府県知事による連絡調整又は援助等に関する事務を除く。）とする。この場合においては、次項及び第三項において特別の定めがあるものを除き、介護保険法第四章第三節及び第四節並びに第五章第二節及び第四節から第六節まで並びに同法第百五条及び第百十四条の八において準用する医療法第九条第二項及び第三十条の規定中都道府県に関する規定（前段括弧内に掲げる事務に係る規定を除く。）は、中核市に関する規定として中核市に適用があるものとする。

2　前項の場合においては、介護保険法第七十条第十一項、第七十六条の二第五項、第七十七条第二項、第九十一条の二第五項、第九十二条第二項、第百条第三項、第百三条第五項、第百四条第二項、第百十四条の二第三項、第百十四条の五第五項、第百十四条の六第二項、第百十五条の八第五項、第百十五条の九第二項、第百十五条の三十五第六項及び第百十五条の四十四の二第八項の規定は、適用しない。

3　第一項の場合においては、介護保険法第七十条第一項中「ごとに行う」とあるのは「ごとに行う。この場合において、中核市の市長は、当該指定が特定施設入居者生活介護に係るものであるときは、あらかじめ、都道府県知事の同意を得なければならない」と、同条第四項及び第五項中「第百十八条第二項第一号」とあるのは「第百十七条第二項第一号」と、「都道府県介護保険事業支援計画」とあるのは「市町村介護保険事業計画」と、同条第九項中「第六項又は前項の意見を勘案し」とあるのは「第百十七条第一項に規定する市町村介護保険事業計画との調整を図る見地から」と、同条第十項中「都道府県知事に対し、訪問介護、通所介護その他の厚生労働省令で定める居宅サービス（当該市町村の区域に所在する事業所が行うものに限る。）に係る第四十一条第一項本文の指定について、厚生労働省令で定めるところにより、当該市町村」とあるのは「当該中核市」と、「必要な協議を求めることができる。この場合において、当該都道府県知事は、その求めに応じなければならない」とあるのは「、当該中核市の区域に所在する事業所が行う居宅サービス（訪問介護、通所介護その他の厚生労働省令で定めるものに限る。以下この項において同じ。）につき第一項の申請があった場合において、厚生労働省令で定める基準に従って、第四十一条第一項本文の指定をしないこととし、又は同項本文の指定を行うに当たって、定期巡回・随時対応型訪問介護看護等の事業の適正な運営を確保するために必要と認める条件を付することができる」と、同項第一号中「居宅サービス（この項の規定により協議を行うものとされたものに限る。以下この号及び次項において同じ。）」とあるのは「居宅サービス」と、同法第七十八条中「事項を」とあるのは「事項を都道府県知事に届け出るとともに、これを」と、同法第七十八条の二の二第五項中「ものは」とあるのは「ものから」と、「又は障害者総合支援法」とあるのは「について同法第二十一条の五の二十第四項の規定による事業の廃止若しくは休止の届出があったとき、又は障害者総合支援法」と、「を廃止し、又は休止しようとするときは、厚生労働省令で定めるところにより、その廃止又は休止の日の一月前までに、その旨を当該指定を行った市町村長に届け出なければならない。この場合において、当該」とあるのは「について障害者総合支援法第四十六条第二項の規定による事業の廃止若しくは休止の」と、同法第九十三条中「事項を」とあるのは「事項を都道府県知事に届け出るとともに、これを」と、同法第九十四条第一項中「ならない」とあるのは「ならない。この場合において、中核市の市長は、当該許可をしようとするときは、あらかじめ、都道府県知事の同意を得なければならない」と、同条第五項中「第百十八条第二項第一号」とあるのは「第百十七条第二項第一号」と、「都道府県介護保険事業支援計画」とあるのは「市町村介護保険事業計画」と、同法第百四条の二中「事項を」とあるのは「事項を都道府県知事に届け出るとともに、これを」と、同法第百七条第一項中「ならない」とあるのは「ならない。この場合において、中核市の市長は、当該許可をしようとするときは、あらかじめ、都道府県知事の同意を得なければならない」と、同条第五項中「第百十八条第二項第一号」とあるのは「第百十七条第二項第一号」と、「都道府県介護保険事業支援計画」とあるのは「市町村介護保険事業計画」と、同法第百十四条の七中「事項を」とあるのは「事項を都道府県知事に届け出るとともに、これを」と、同法第百十五条の二第六項中「前項の意見を勘案し」とあるのは「第百十七条第一項に規定する市町村介護保険事業計画との調整を図る見地から」

と、同法第百十五条の十中「事項を」とあるのは「事項を都道府県知事に届け出るとともに、これを」と、同法第百十五条の十二の二第五項中「ものは」とあるのは「ものから」と、「又は障害者総合支援法第二十九条第一項に規定する指定障害福祉サービスの事業（当該指定に係る事業所において行うものに限る。）を廃止し」とあるのは「を廃止し」と、「ならない。この場合において、当該」とあるのは「について障害者総合支援法第四十六条第二項の規定による事業の廃止又は休止の届出があったときも」と、同法第百十五条の三十三第二項中「指定を」とあるのは「指定若しくは許可を」と、同条第三項中「指定に」とあるのは「指定又は許可に」と、同法第百十五条の三十五第五項中「指定地域密着型サービス事業者、指定居宅介護支援事業者、指定地域密着型介護予防サービス事業者又は指定介護予防支援事業者」とあるのは「介護サービス事業者」と、「指定を」とあるのは「指定又は許可を」と、同条第七項中「指定地域密着型サービス事業者、指定居宅介護支援事業者、指定地域密着型介護予防サービス事業者又は指定介護予防支援事業者」とあるのは「介護サービス事業者」と、「指定を取り消し」とあるのは「指定若しくは許可を取り消し」と、「指定の」とあるのは「指定若しくは許可の」と、「指定をした」とあるのは「指定又は許可をした」と、同法第百十五条の四十四の二第七項中「指定地域密着型サービス事業者、指定居宅介護支援事業者、指定地域密着型介護予防サービス事業者又は指定介護予防支援事業者」とあるのは「介護サービス事業者」と、「指定を」とあるのは「指定又は許可を」と、同条第九項中「指定地域密着型サービス事業者、指定居宅介護支援事業者、指定地域密着型介護予防サービス事業者又は指定介護予防支援事業者」とあるのは「介護サービス事業者」と、「指定を取り消し」とあるのは「指定若しくは許可を取り消し」と、「指定の」とあるのは「指定若しくは許可の」と、「指定をした」とあるのは「指定又は許可をした」と読み替えるものとする。

（障害者の自立支援に関する事務）

第百七十四条の四十九の十二　地方自治法第二百五十二条の二十二第一項の規定により、中核市が処理する障害者の自立支援に関する事務は、障害者の日常生活及び社会生活を総合的に支援するための法律第二章第二節第三款及び第五款、第三節第一款及び第三款、第四節並びに第七節、第七十八条第一項、第四章並びに第九十三条第二号（同項に関する部分に限る。）並びに障害者の日常生活及び社会生活を総合的に支援するための法律施行令第四十条の規定により、都道府県が処理することとされている事務（同法第三十六条第六項及び第七項（これらの規定を同法第四十一条第四項及び第五十一条の十九第二項（同法第五十一条の二十一第二項において準用する場合を含む。）において準用する場合を含む。）の規定による関係市町村長に対する通知等、同法第四十七条の二第一項（同法第五十一条の二十六第一項において準用する場合を含む。）の規定による都道府県知事による連絡調整又は援助、同法第五十一条の十一及び第七十四条第二項の規定による協力その他市町村に対する必要な援助、同法第五十二条、第五十三条、第五十四条第一項、第二項（同法第五十九条第一項の規定による指定自立支援医療機関の指定に関する部分を除く。）及び第三項、第五十六条、第五十七条、第五十八条第一項及び第五項並びに第七十三条第四項並びに同令第三十二条第一項、第三十三条第一項及び第三十五条第一号の規定による自立支援医療費の支給等、同法第七十六条の三第五項及び第七項の規定による市町村長に対する通知、同法第七十八条第一項の規定による意思疎通支援を行う者の派遣に係る市町村相互間の連絡調整、中核市が行う同法第七十九条第一項各号に掲げる事業に係る同法第八十一条の規定による質問等、同法第八十二条第一項の規定による制限又は停止の命令及び同条第二項の規定による施設の設備又は運営の改善の命令等、中核市が設置する障害者支援施設に係る同法第八十五条第一項の規定による質問等及び同法第八十六条第一項の規定による事業の停止又は廃止の命令並びに同法第七十八条第一項の規定による意思疎通支援を行う者の派遣に係る市町村相互間の連絡調整に係る同法第九十三条第二号の規定による費用の支弁に関する事務を除く。）とする。この場合においては、次項及び第三項において特別の定めがあるものを除き、同法及び同令中都道府県に関する規定（前段括弧内に掲げる事務に係る規定を除く。）は、中核市に関する規定として中核市に適用があるものとする。

2　前項の場合においては、障害者の日常生活及び社会生活を総合的に支援するための法律第三十六条第一項（同法第四十一条第四項において準用する場合を含む。）中「ごとに行う」とあるのは「ごとに行う。この場合において、中核市の市長は、当該指定が次項に規定する特定障害福祉サービスに係るものであるときは、あらかじめ、都道府県知事の同意を得なければならない」と、同法第三十六条第八項（同法第四十一条第四項及び第五十一条の十九第二項（同法第五十一条の二十一第二項において準用する場合を含む。）において準用する場合を含む。）中「前項の意見を勘案し」とあるのは「第八十八条第一項に規定する市町村障害福祉計画との調整を図る見地から」と、同法第三十八条第一項（同法第四十一条第四項において準用する場合を含む。）中「行う」とあるのは「行う。この場合において、中核市の市長は、当該指定をしようとするときは、あらかじめ、都道府県知事の同意を得なければならない」と、同法第四十一条の二第五項中「ものは」とあるのは「ものから」と、「又は同法」とあるのは「について同法第七十八条の五第二項の規定による事業の廃止若しくは休止の届出があったとき、又は同法」と、「を廃止し、又は休止しようとするときは、主務省令で定めるところにより、その廃止又は休止の日の一月前までに、その旨を当該指定を行った都道府県知事に届け出なければならない。この場合において、当該」とあるのは「について同法第百十五条の十五第二項の規定による事業の廃止若しくは休止の」と、同法第五十一条中「旨を」とあるのは「旨を都道府県知事に届け出るとともに、これを」と、同法第五十一条の三第二項及び第五十一条の四第五項中「指定都市若しくは中核市の長」とあるのは「都道府県知事」と、「関係都道府県知事」とあるのは「関係中核市の市長」と、同法第五十一条の三第三項及び第四項並びに第五十一条の三十二第三項中「指定都市若しくは中核市の長」とあるのは「都道府県知事」と、同条第二項中「主務大臣」とあるのは「主務大臣又は都道府県知事」と、「以下この項及び次条第五項」とあるのは「次条第五項」と、「「関係都道府県知事」とあるのは「「関係中核市の市長」と、「、都道府県知事が前項の権限を行うときは関係市町村長と、指定都市又は中核市の長が同項の権限を行うときは関係都道府県知事と密接な」とあるのは「密接な」と、同条第四項中「、都道府県知事又は指定都市若しくは中核市の長」とあるのは「又は都道府県知事」と、同法第五十一条の三十三第五項中「、都道府県知事又は指定都市若しくは中核市の長」とあるのは「又は都道府県知事」と、「関係都道府県知事」とあるのは「関係中核市の市長」と、同法第五十四条第二項中「医療機関（」とあるのは「医療機関（障害者の日常生活及び社会生活を総合的に支援するための法律施行令第一条の二第三号に規定する精神通院医療に係るものを除く。」と、同法第六十六条第一項中「自立支援医療の実施」とあるのは「自立支援医療（障害者の日常生活及び社会生活を総合的に支援するための法律施行令第一条の二第三号に規定する精神通院医療を除く。）の実施」と、同法第六十七条第一項中「自立支援医療を」とあるのは「自立支援医療（障害者の日常生活及び社会生活を総合的に支援するための法律施行令第一条の二第三号に規定する精神通院医療を除く。）を」と、同法第七十三条第一項中「指定自立支援医療機関、療養介護医療を行う指定障害福祉サービス事業者等又は基準該当療養介護医療を行う基準該当事業所若しくは基準該当施設（以下この条において「公費負担医療機関」という。）」とあるのは「指定自立支援医療機関」と、「並びに自立支援医療費、療養介護医療費及び基準該当療養介護医療費（以下この条及び第七十五条において「自立支援医療費等」という。）」とあるのは「及び自立支援医療費（障害者の日常生活及び社会生活を総合的に支援するための法律施行令第一条の二第三号に規定する精神通院医療に係るものを除く。以下この条において同じ。）」と、「公費負担医療機関が第五十八条第五項（第七十条第二項において準用する場合を含む。）」とあるのは「指定自立支援医療機関が第五十八条第五項」と、「自立支援医療費等の」とあるのは「自立支援医療費の」と、同条第三項中「公費負担医療機関」とあるのは「指定自立支援医療機関」と、「自立支援医療費等」とあるのは「自立支援医療費」と、同法第七十九条第二項及び第四項中「及び都道府県」とあるのは「、都道府県及び中核市」と、同法第八十条第一項中「障害福祉サービス事業」とあるのは「障害福祉サービス事業（都道府県が行うものを除く。次項において同じ。）」と、「福祉ホーム」とあるのは「福祉ホーム（いずれも都道府県が設置するものを除く。次項において同じ。）」と、同条第三項及び同法第八十一条第一項中「設置者」とあるのは「設置者（いずれも都道府県を除く。）」と、同法第八十二条第一項中「移動支援事業を行う者」とあるのは「移動支援事業を行う者（都道府県を除く。）」と、同条第二項中「福祉ホームの設置者」とあるのは「福祉ホームの設置者（いずれも都道府県を除く。）」と、同法第八十三条第三項中「市町村」とあるのは「中核市以外の市町村」と、同法第八十四条第一項中「障害者支援施設」とあるのは「障害者支援施設（都道府県が設置するものを除く。次項において同じ。）」と、障害者の日常生活及び社会生活を総合的に支援するための法律施行令第四十三条の七第一項中「市町村」とあるのは「中核市以外の市町村」と、同条第二項中「市町村長」とあるのは「市町村長（中核市の市長を除く。）」とする。

3　第百七十四条の三十二第二項及び第四項の規定は、中核市について準用する。この場合において、同条第二項中「前項」とあるのは「第百七十四条の四十九の十二第一項」と、同条第四項中「第二百五十二条の十九第二項」とあるのは「第二百五十二条の二十二第二項」と読み替えるものとする。

（生活困窮者の自立支援に関する事務）

第百七十四条の四十九の十三　地方自治法第二百五十二条の二十二第一項の規定により、中核市が処理する生活困窮者の自立支援に関する事務は、生活困窮者自立支援法第十六条第一項から第三項まで及び第二十一条第二項の規定により、都道府県が処理することとされている事務とする。この場合においては、同法第十六条第一項から第三項まで及び第二十一条第二項の規定中都道府県に関する規定は、中核市に関する規定として中核市に適用があるものとする。

（食品衛生に関する事務）

第百七十四条の四十九の十四　地方自治法第二百五十二条の二十二第一項の規定により、中核市が処理する食品衛生に関する事務は、食品衛生法及び食品衛生法施行令の規定により、都道府県が処理することとされている事務（同法第四十八条第六項第三号及び同令第十五条から第二十条までの規定による登録養成施設の登録等、同項第四号並びに同令第二十一条、第二十四条第三項、第二十五条、第二十六条、第二十八条から第三十条まで、第三十二条、第三十三条第一項及び第三十四条の規定による登録講習会の登録等、同法第五十四条の規定による条例の制定並びに同令第九条第一項第一号及び同条第二項において準用する同令第十五条から第二十条までの規定による同号の養成施設の登録等に関する事務を除く。）とする。この場合においては、同法及び同令中都道府県に関する規定（前段括弧内に掲げる事務に係る規定を除く。）は、中核市に関する規定として中核市に適用があるものとする。

２　第百七十四条の三十四第二項の規定は、中核市について準用する。この場合において、同項中「前項」とあるのは、「第百七十四条の四十九の十四第一項」と読み替えるものとする。

第百七十四条の四十九の十五　削除〔平二七・二政令四〇〕

（結核の予防に関する事務）

第百七十四条の四十九の十六　地方自治法第二百五十二条の二十二第一項の規定により、中核市が処理する結核の予防に関する事務は、感染症の予防及び感染症の患者に対する医療に関する法律及び感染症の予防及び感染症の患者に対する医療に関する法律施行令の規定により、都道府県が処理することとされている事務（同法第五十三条の二第三項の規定による定期の健康診断の実施の指示及び同法第五十八条第十七号に掲げる費用の支弁に関する事務を除く。）とする。この場合においては、次項において特別の定めがあるものを除き、同法及び同令中都道府県に関する規定（前段括弧内に掲げる事務に係る規定を除く。）は、中核市に関する規定として中核市に適用があるものとする。

２　前項の場合においては、感染症の予防及び感染症の患者に対する医療に関する法律第五十三条の七第一項中「保健所長（その場所が保健所設置市等の区域内であるときは、保健所長及び保健所設置市等の長）」とあるのは「保健所長」と、「都道府県知事」とあるのは「中核市の市長」とする。

３　第百七十四条の三十七第二項及び第四項の規定は、中核市について準用する。この場合において、同条第二項中「前項」とあるのは「第百七十四条の四十九の十六第一項」と、同条第四項中「第二百五十二条の十九第二項」とあるのは「第二百五十二条の二十二第二項」と読み替えるものとする。

第百七十四条の四十九の十七　削除〔平二三・一一政令三六二〕

（土地区画整理事業に関する事務）

第百七十四条の四十九の十八　地方自治法第二百五十二条の二十二第一項の規定により、中核市が処理する土地区画整理事業に関する事務は、土地区画整理法及び土地区画整理法施行令の規定により、都道府県が処理することとされている事務（同法第三条第四項若しくは第五項又は第三条の二若しくは第三条の三の規定により都道府県若しくは中核市若しくは国土交通大臣又は独立行政法人都市再生機構若しくは地方住宅供給公社が施行する土地区画整理事業に係る事務並びに同法第四十一条第四項（同法第七十八条第四項及び第百十条第七項において準用する場合を含む。）の規定による滞納処分の認可及び同法第百二十七条の二第一項の規定による審査請求の裁決で中核市がした処分に係るものに関する事務を除く。）とする。この場合においては、次項及び第三項において準用する第百七十四条の三十九第二項において特別の定めがあるものを除き、同法及び同令中都道府県に関する規定（前段括弧内に掲げる事務に係る規定を除く。）は、中核市に関する規定として中核市に適用があるものとする。

２　前項の場合においては、土地区画整理法第九条第三項、第二十一条第三項、第三十九条第四項及び第五十一条の九第三項中「国土交通大臣及び関係市町村長に」とあるのは「国土交通大臣に」と、同法第十一条第七項中「国土交通省令で定めるところにより、施行地区を管轄する市町村長を経由して」とあるのは「国土交通省令で定めるところにより」と、同法第二十条第一項中「施行地区となるべき区域（同項に規定する認可の申請にあっては、施行地区）を管轄する市町村長に、当該事業計画を二週間公衆の縦覧に供させなければならない」とあるのは「当該事業計画を二週間公衆の縦覧に供しなければならない」と、同法第二十九条第一項中「組合は、施行地区を管轄する市町村長を経由して」とあるのは「組合は」と、同法第五十一条の八第一項中「施行地区となるべき区域を管轄する市町村長に、当該規準及び事業計画を二週間公衆の縦覧に供させなければならない」とあるのは「当該規準及び事業計画を二週間公衆の縦覧に供しなければならない」と、同法第七十五条中「区画整理会社は都道府県知事及び市町村長」とあるのは「区画整理会社は中核市の市長」と、同法第百二十三条第一項中「都道府県知事は個人施行者、組合、区画整理会社又は市町村に対し、市町村長は」とあるのは「都道府県知事は中核市に対し、中核市の市長は」と、土地区画整理法施行令第一条の二中「第九条第三項（法第十条第三項において準用する場合を含む。）、第二十一条第三項、第三十九条第四項、第五十一条の九第三項（法第五十一条の十第二項において準用する場合を含む。）」とあるのは「第四条第一項、第十条第一項、第十四条第一項若しくは第三項、第三十九条第一項、第五十一条の二第一項又は第五十一条の十第一項の規定による認可をした場合においては、遅滞なく、施行地区又は設計の概要を表示する図書を公衆の縦覧に供する旨、縦覧場所及び縦覧時間を公告した上で、その図書を公衆の縦覧に供し、法」とする。

3　第百七十四条の三十九第二項の規定は、中核市について準用する。この場合において、同項中「前項」とあるのは「第百七十四条の四十九の十八第一項」と、「第五十五条第一項後段、第八十六条第二項」とあるのは「第八十六条第二項」と読み替えるものとする。

（屋外広告物の規制に関する事務）

第百七十四条の四十九の十九　地方自治法第二百五十二条の二十二第一項の規定により、中核市が処理する屋外広告物の規制に関する事務は、屋外広告物法の規定により、都道府県が処理することとされている事務とする。この場合においては、同法中都道府県に関する規定は、中核市に関する規定として中核市に適用があるものとする。

第百七十四条の四十九の二十　削除〔平二七・一政令三〇〕

第八章　外部監査契約に基づく監査

第一節　通則

（外部監査契約を締結できる者）

第百七十四条の四十九の二十一　地方自治法第二百五十二条の二十八第一項第三号に規定する政令で定める者は、次に掲げる期間を通算した期間が十年以上になる者又は会計検査、監査若しくは財務に関する行政事務に関する総務大臣の指定した研修を修了した者で次に掲げる期間を通算した期間が五年以上になるものとする。

一　会計検査院において会計検査に関する行政事務を管理し若しくは監督することを職務とする職又は会計検査に関する行政事務に関する高度の知識若しくは経験を必要とする事務を処理することを職務とする職として総務省令で定めるものに在職した期間

二　都道府県又は指定都市若しくは中核市の監査委員として在職した期間

三　都道府県又は指定都市若しくは中核市において監査に関する行政事務を管理し若しくは監督することを職務とする職又は監査に関する行政事務に関する高度の知識若しくは経験を必要とする事務を処理することを職務とする職として総務省令で定めるものに在職した期間（地方自治法第二百条第一項又は第二項の規定により置かれた事務局に属する職員として在職した期間に限る。）

四　都道府県又は指定都市若しくは中核市の会計管理者（地方自治法の一部を改正する法律（平成十八年法律第五十三号。第百七十四条の五十第一項第十一号において「平成十八年改正法」という。）による改正前の地方自治法第百六十八条第一項に規定する出納長又は同条第二項に規定する収入役を含む。次号において同じ。）として在職した期間

五　都道府県又は指定都市若しくは中核市において会計事務を管理し若しくは監督することを職務とする職又は会計事務に関する高度の知識若しくは経験を必要とする事務を処理することを職務とする職として総務省令で定めるものに在職した期間（会計管理者の権限に属する事務を処理させるための組織に属する職員として在職した期間に限る。）

六　都道府県又は指定都市若しくは中核市において予算の調製に関する事務を管理し若しくは監督することを職務とする職又は予算の調製に関する事務に関する高度の知識若しくは経験を必要とする事務を処理することを職務とする職として総務省令で定めるものに在職した期間（地方自治法第百五十八条の規定により設けられた予算に関する事務を分掌させるための組織で総務省令で定めるものに属する職員として在職した期間に限る。）

（外部監査契約を締結してはならない普通地方公共団体の職員であつた者の範囲）

第百七十四条の四十九の二十二　地方自治法第二百五十二条の二十八第三項第十号に規定する当該普通地方公共団体の職員で政令で定めるものは、当該普通地方公共団体の常勤の職員（地方分権の推進を図るための関係法律の整備等に関する法律第一条の規定による改正前の地方自

治法附則第八条の規定により官吏とされていた職員及び警察法第五十六条第一項に規定する地方警務官を含む。）及び地方公務員法第二十二条の四第一項に規定する短時間勤務の職を占める職員とする。

（地方自治法第二百五十二条の三十二第一項の規定による協議の手続）

第百七十四条の四十九の二十三　地方自治法第二百五十二条の三十第一項に規定する外部監査人（以下「外部監査人」という。）は、同法第二百五十二条の三十二第一項の規定により監査委員に協議をしようとするときは、あらかじめ、監査の事務を補助させようとする者の氏名及び住所、監査の事務を補助させることが必要である理由、監査の事務を補助させようとする期間その他総務省令で定める事項を記載した書面を監査委員に提出しなければならない。

第二節　包括外部監査契約に基づく監査

（包括外部監査契約の締結の手続等）

第百七十四条の四十九の二十四　地方自治法第二百五十二条の三十六第四項に規定する包括外部監査対象団体（次条において「包括外部監査対象団体」という。）の長は、同法第二百五十二条の三十六第一項又は第二項の規定により同法第二百五十二条の二十七第二項に規定する包括外部監査契約（以下この節において「包括外部監査契約」という。）を締結しようとするときは、同法第二百五十二条の三十六第五項各号に掲げる事項その他必要な事項を記載した契約書を作成しなければならない。

第百七十四条の四十九の二十五　包括外部監査対象団体の長は、地方自治法第二百五十二条の三十六第一項又は第二項の規定により包括外部監査契約を締結する際に、当該包括外部監査契約を締結しようとする相手方が同法第二百五十二条の二十八第一項各号のいずれかに該当する者であることを証する書面（同条第二項の規定により包括外部監査契約を締結しようとする場合には、税理士（税理士となる資格を有する者を含む。）であることを証する書面。次項において「包括外部監査契約を締結しようとする相手方の資格を証する書面」という。）その他総務省令で定める書面を徴さなければならない。

2　包括外部監査対象団体の長は、前項の規定により徴した包括外部監査契約を締結しようとする相手方の資格を証する書面又はその写しを、当該包括外部監査対象団体の規則で定める期間、一般の閲覧に供さなければならない。

（包括外部監査契約を締結しなければならない市）

第百七十四条の四十九の二十六　地方自治法第二百五十二条の三十六第一項第二号に規定する政令で定める市は、指定都市及び中核市とする。

（包括外部監査契約で定めるべき事項）

第百七十四条の四十九の二十七　地方自治法第二百五十二条の三十六第五項第三号に規定する包括外部監査契約に基づく監査のために必要な事項として政令で定めるものは、包括外部監査契約を締結した者に支払うべき監査に要する費用の支払方法とする。

（包括外部監査契約を締結したときに告示すべき事項）

第百七十四条の四十九の二十八　地方自治法第二百五十二条の三十六第六項に規定する政令で定める事項は、次に掲げる事項とする。

一　包括外部監査契約を締結した者の氏名及び住所

二　包括外部監査契約を締結した者に支払うべき監査に要する費用の支払方法

（地方自治法第二百五十二条の三十八第一項の規定による協議）

第百七十四条の四十九の二十九　地方自治法第二百五十二条の三十八第一項の規定による協議が調つたときは、監査委員は、当該協議が調つたことを証する書面を同法第二百五十二条の二十九に規定する包括外部監査人（以下「包括外部監査人」という。）に交付しなければならない。

第三節　個別外部監査契約に基づく監査

（事務の監査の請求に係る個別外部監査の請求の手続）

第百七十四条の四十九の三十　地方自治法第七十五条第一項の規定により普通地方公共団体の事務の監査の請求をしようとする代表者で、同法第二百五十二条の三十九第一項の規定により同法第七十五条第一項の請求に係る監査について監査委員の監査に代えて同法第二百五十二条の二十七第三項に規定する個別外部監査契約（以下「個別外部監査契約」という。）に基づく監査によることを求めようとするもの（第百七十四条の四十九の三十六において「事務の監査の請求に係る個別外部監査請求代表者」という。）は、第九十九条において準用する第九十一条第一項の規定により同項の証明書の交付を申請するときは、同項の請求書に、同項に規定する事項のほか当該請求書に係る請求に係る監査について監査委員の監査に代えて個別外部監査契約に基づく監査によることを求める旨及びその理由（千字以内）を総務省令で定めるところにより記載しなければならない。

2　監査委員は、前項の規定により監査委員の監査に代えて個別外部監査契約に基づく監査によることを求める旨及びその理由が記載された第九十九条において準用する第九十一条第一項の請求書（以下この条において「事務の監査の請求に係る個別外部監査請求書」という。）を添えて同項の申請があつたときは、同項の証明書に、当該証明書に係る請求に係る監査について監査委員の監査に代えて個別外部監査契約に基づく監査によることが求められている旨を総務省令で定めるところにより記載しなければならない。

3　監査委員は、事務の監査の請求に係る個別外部監査請求書を添えて第九十九条において準用する第九十一条第一項の申請があつた場合において、第九十九条において準用する第九十一条第二項の告示を行うときは、併せて当該告示に係る請求に係る監査について監査委員の監査に代えて個別外部監査契約に基づく監査によることが求められている旨を告示しなければならない。

4　地方自治法第二百五十二条の三十九第一項の規定による同法第七十五条第一項の請求に係る監査について監査委員の監査に代えて個別外部監査契約に基づく監査によることの求めは、第九十九条において準用する第九十六条第一項の請求を事務の監査の請求に係る個別外部監査請求書をもつてすることにより行うものとする。

（事務の監査の請求に係る監査について個別外部監査契約に基づく監査によることを求める理由等の告示等）

第百七十四条の四十九の三十一　監査委員は、地方自治法第二百五十二条の三十九第三項の規定により請求の要旨を公表するときは、併せて当該請求に係る監査について監査委員の監査に代えて個別外部監査契約に基づく監査によることが求められている旨及びその理由を告示し、かつ、公衆の見やすいその他の方法により公表しなければならない。

（地方自治法第二百五十二条の三十九第五項の個別外部監査契約の締結の手続等）

第百七十四条の四十九の三十二　普通地方公共団体の長は、地方自治法第二百五十二条の三十九第五項の規定により同項の個別外部監査契約を締結しようとするときは、同条第八項各号に掲げる事項その他必要な事項を記載した契約書を作成しなければならない。

第百七十四条の四十九の三十三　普通地方公共団体の長は、地方自治法第二百五十二条の三十九第五項の規定により同項の個別外部監査契約を締結する際に、当該個別外部監査契約を締結しようとする相手方が同法第二百五十二条の二十八第一項各号のいずれかに該当する者であることを証する書面（同条第二項の規定により同法第二百五十二条の三十九第五項の個別外部監査契約を締結しようとする場合にあつては、税理士（税理士となる資格を有する者を含む。）であることを証する書面。次項において「個別外部監査契約を締結しようとする相手方の資格を証する書面」という。）その他総務省令で定める書面を徴さなければならない。

2　普通地方公共団体の長は、前項の規定により徴した個別外部監査契約を締結しようとする相手方の資格を証する書面又はその写しを、当該普通地方公共団体の規則で定める期間、一般の閲覧に供さなければならない。

（地方自治法第二百五十二条の三十九第五項の個別外部監査契約で定めるべき事項）

第百七十四条の四十九の三十四　地方自治法第二百五十二条の三十九第八項第四号に規定する個別外部監査契約に基づく監査のために必要な事項として政令で定めるものは、同条第五項の個別外部監査契約を締結した者に支払うべき監査に要する費用の支払方法とする。

（地方自治法第二百五十二条の三十九第五項の個別外部監査契約を締結したときに告示すべき事項）

第百七十四条の四十九の三十五　地方自治法第二百五十二条の三十九第九項に規定する政令で定める事項は、次に掲げる事項とする。

一　個別外部監査契約を締結した者の氏名及び住所

二　個別外部監査契約を締結した者に支払うべき監査に要する費用の支払方法

三　個別外部監査契約が当該個別外部監査契約を締結した普通地方公共団体の包括外部監査人と締結されたものである場合には、その旨

（監査の結果の報告の告示等）

第百七十四条の四十九の三十六　監査委員は、地方自治法第二百五十二条の三十九第十二項の規定による事務の監査の結果を事務の監査の請求に係る個別外部監査請求代表者に通知するとともに、これを告示し、かつ、公衆の見やすいその他の方法により公表しなければならない。

（事務の監査の請求に係る個別外部監査の請求への包括外部監査契約に関する規定の準用）

第百七十四条の四十九の三十七　第百七十四条の四十九の二十九の規定は、地方自治法第二百五十二条の三十九第二項に規定する事務の監査の請求に係る個別外部監査の請求に係る事項についての同法第二百五十二条の二十九に規定する個別外部監査人（以下「個別外部監査人」という。）の監査について準用する。この場合において、第百七十四条の四十九の二十九中「地方自治法第二百五十二条の三十八第一項」とあるのは、「地方自治法第二百五十二条の三十九第十四項において準用する同法第二百五十二条の三十八第一項」と読み替えるものとする。

（議会からの個別外部監査の請求への事務の監査の請求に係る個別外部監査の請求に関する規定等の準用）

第百七十四条の四十九の三十八　第百七十四条の四十九の三十二から第百七十四条の四十九の三十五までの規定は、地方自治法第二百五十二条の四十第三項の規定によ

る通知があつた場合について準用する。この場合において、第百七十四条の四十九の三十二中「地方自治法第二百五十二条の三十九第五項」とあるのは「地方自治法第二百五十二条の四十第四項において準用する同法第二百五十二条の三十九第五項」と、「同条第八項各号」とあるのは「同法第二百五十二条の四十第四項において準用する同法第二百五十二条の三十九第八項各号」と、第百七十四条の四十九の三十三第一項中「地方自治法第二百五十二条の三十九第五項」とあるのは「地方自治法第二百五十二条の四十第四項において準用する同法第二百五十二条の三十九第五項」と、「同法第二百五十二条の三十九第五項」とあるのは「同法第二百五十二条の四十第四項において準用する同法第二百五十二条の三十九第五項」と、第百七十四条の四十九の三十四中「地方自治法第二百五十二条の三十九第八項第四号」とあるのは「地方自治法第二百五十二条の四十第四項において準用する同法第二百五十二条の三十九第八項第四号」と、「同条第五項」とあるのは「同法第二百五十二条の四十第四項において準用する同法第二百五十二条の三十九第五項」と、第百七十四条の四十九の三十五中「地方自治法第二百五十二条の三十九第九項」とあるのは「地方自治法第二百五十二条の四十第四項において準用する同法第二百五十二条の三十九第九項」と読み替えるものとする。

2　第百七十四条の四十九の二十九の規定は、地方自治法第二百五十二条の四十第二項に規定する議会からの個別外部監査の請求に係る事項についての個別外部監査人の監査について準用する。この場合において、第百七十四条の四十九の二十九中「地方自治法第二百五十二条の三十八第一項」とあるのは、「地方自治法第二百五十二条の四十第六項において準用する同法第二百五十二条の三十八第一項」と読み替えるものとする。

（長からの個別外部監査の要求への事務の監査の請求に係る個別外部監査の請求に関する規定等の準用）

第百七十四条の四十九の三十九　第百七十四条の四十九の三十二から第百七十四条の四十九の三十五までの規定は、地方自治法第二百五十二条の四十一第三項の規定による通知があつた場合について準用する。この場合において、第百七十四条の四十九の三十二中「地方自治法第二百五十二条の三十九第五項」とあるのは「地方自治法第二百五十二条の四十一第四項において準用する同法第二百五十二条の三十九第五項」と、「同条第八項各号」とあるのは「同法第二百五十二条の四十一第四項において準用する同法第二百五十二条の三十九第八項各号」と、第百七十四条の四十九の三十三第一項中「地方自治法第二百五十二条の三十九第五項」とあるのは「地方自治法第二百五十二条の四十一第四項において準用する同法第二百五十二条の三十九第五項」と、「同法第二百五十二条の三十九第五項」とあるのは「同法第二百五十二条の四十一第四項において準用する同法第二百五十二条の三十九第五項」と、第百七十四条の四十九の三十四中「地方自治法第二百五十二条の三十九第八項第四号」とあるのは「地方自治法第二百五十二条の四十一第四項において準用する同法第二百五十二条の三十九第八項第四号」と、「同条第五項」とあるのは「同法第二百五十二条の四十一第四項において準用する同法第二百五十二条の三十九第五項」と、第百七十四条の四十九の三十五中「地方自治法第二百五十二条の三十九第九項」とあるのは「地方自治法第二百五十二条の四十一第四項において準用する同法第二百五十二条の三十九第九項」と読み替えるものとする。

2　第百七十四条の四十九の二十九の規定は、地方自治法第二百五十二条の四十一第二項に規定する長からの個別外部監査の要求に係る事項についての個別外部監査人の監査について準用する。この場合において、第百七十四条の四十九の二十九中「地方自治法第二百五十二条の三十八第一項」とあるのは、「地方自治法第二百五十二条の四十一第六項において準用する同法第二百五十二条の三十八第一項」と読み替えるものとする。

（財政的援助を与えているもの等に係る個別外部監査の要求への事務の監査の請求に係る個別外部監査の請求に関する規定等の準用）

第百七十四条の四十九の四十　第百七十四条の四十九の三十二から第百七十四条の四十九の三十五までの規定は、地方自治法第二百五十二条の四十二第三項の規定による通知があつた場合について準用する。この場合において、第百七十四条の四十九の三十二中「地方自治法第二百五十二条の三十九第五項」とあるのは「地方自治法第二百五十二条の四十二第四項において準用する同法第二百五十二条の三十九第五項」と、「同条第八項各号」とあるのは「同法第二百五十二条の四十二第四項において準用する同法第二百五十二条の三十九第八項各号」と、第百七十四条の四十九の三十三第一項中「地方自治法第二百五十二条の三十九第五項」とあるのは「地方自治法第二百五十二条の四十二第四項において準用する同法第二百五十二条の三十九第五項」と、「同法第二百五十二条の三十九第五項」とあるのは「同法第二百五十二条の四十二第四項において準用する同法第二百五十二条の三十九第五項」と、第百七十四条の四十九の三十四中「地方自治法第二百五十二条の三十九第八項第四号」とあるのは「地方自治法第二百五十二条の四十二第四項において準用する同法第二百五十二条の三十九第八項第四号」と、「同条第五項」とあるのは「同法第二百五十二条の四十二第四項において準用する同法第二百五十二条の三十九第五項」と、第百七十四条の四十九の三十五中「地方自治法第二百五十二条の三十九第九項」とあるのは「地方自治法第二百五十二条の四十二第四項において準用する同法第二百五十二条の三十九第九項」と読み替えるものとする。

2　第百七十四条の四十九の二十九の規定は、地方自治法第二百五十二条の四十二第二項に規定する財政的援助を与えているもの等に係る個別外部監査の要求に係る事項についての個別外部監査人の監査について準用する。この場合において、第百七十四条の四十九の二十九中「地方自治法第二百五十二条の三十八第一項」とあるのは、「地方自治法第二百五十二条の四十二第六項において準用する同法第二百五十二条の三十八第一項」と読み替えるものとする。

（住民監査請求に係る個別外部監査の請求の手続）

第百七十四条の四十九の四十一　地方自治法第二百五十二条の四十三第一項の規定による同法第二百四十二条第一項の請求に係る監査について監査委員の監査に代えて個別外部監査契約に基づく監査によることの求めは、同項の規定による必要な措置の請求を第百七十二条第一項の文書で同項に規定する事項のほか当該文書に係る請求に係る監査について監査委員の監査に代えて個別外部監査契約に基づく監査によることを求める旨及びその理由を総務省令で定めるところにより記載したものをもつてすることにより行うものとする。

（住民監査請求に係る個別外部監査の請求への事務の監査の請求に係る個別外部監査の請求に関する規定等の準用）

第百七十四条の四十九の四十二　第百七十四条の四十九の三十二から第百七十四条の四十九の三十五までの規定は、地方自治法第二百五十二条の四十三第二項前段の規定による通知があつた場合について準用する。この場合において、第百七十四条の四十九の三十二中「地方自治法第二百五十二条の三十九第五項」とあるのは「地方自治法第二百五十二条の四十三第三項において準用する同法第二百五十二条の三十九第五項」と、「同条第八項各号」とあるのは「同法第二百五十二条の四十三第三項において準用する同法第二百五十二条の三十九第八項各号」と、第百七十四条の四十九の三十三第一項中「地方自治法第二百五十二条の三十九第五項」とあるのは「地方自治法第二百五十二条の四十三第三項において準用する同法第二百五十二条の三十九第五項」と、「同法第二百五十二条の三十九第五項」とあるのは「同法第二百五十二条の四十三第三項において準用する同法第二百五十二条の三十九第五項」と、第百七十四条の四十九の三十四中「地方自治法第二百五十二条の三十九第八項第四号」とあるのは「地方自治法第二百五十二条の四十三第三項において準用する同法第二百五十二条の三十九第八項第四号」と、「同条第五項」とあるのは「同法第二百五十二条の四十三第三項において準用する同法第二百五十二条の三十九第五項」と、第百七十四条の四十九の三十五中「地方自治法第二百五十二条の三十九第九項」とあるのは「地方自治法第二百五十二条の四十三第三項において準用する同法第二百五十二条の三十九第九項」と読み替えるものとする。

2　第百七十四条の四十九の二十九の規定は、地方自治法第二百五十二条の四十三第二項に規定する住民監査請求に係る個別外部監査の請求に係る事項についての個別外部監査人の監査について準用する。この場合において、第百七十四条の四十九の二十九中「地方自治法第二百五十二条の三十八第一項」とあるのは、「地方自治法第二百五十二条の四十三第六項において準用する同法第二百五十二条の三十八第一項」と読み替えるものとする。

第四節　雑則

（普通地方公共団体等への情報提供）

第百七十四条の四十九の四十三　総務大臣は、地方自治法第二百五十二条の二十七第一項に規定する外部監査契約（以下「外部監査契約」という。）の円滑な締結及び適正な履行に資するため、普通地方公共団体及び普通地方公共団体と外部監査契約を締結しようとする者又は外部監査契約を締結した者に対し、外部監査契約を締結した者に支払うべき監査に要する費用の額の算定方法その他の外部監査契約の締結及び履行に関し必要な情報の提供を行うものとする。

第九章　恩給並びに都道府県又は市町村の退職年金及び退職一時金の基礎となるべき在職期間の通算

第百七十四条の五十　この章において「都道府県の職員」とは、都道府県の退職年金及び退職一時金に関する条例（以下この章において「退職年金条例」という。）の適用を受ける職員（都道府県の退職年金条例の適用を受ける市町村立学校職員給与負担法（昭和二十三年法律第百三十五号）第一条及び第二条に規定する職員を含む。）で次に掲げる者をいう。

一　知事、副知事及び地方自治法第百七十二条第一項に規定する職員
二　地方自治法第百三十八条第三項に規定する議会の事務局長及び書記
三　地方自治法第百九十一条第一項に規定する選挙管理委員会の書記
四　地方自治法第百九十五条第一項に規定する監査委員で常勤のもの及び同法第二百条第一項に規定する監査委員の事務を補助する書記
五　地方公務員法第九条の二第一項に規定する人事委員会の委員で常勤のもの及び同法第十二条第一項に規定する事務職員
六　地方教育行政の組織及び運営に関する法律（昭和三十一年法律第百六十二号）第十八条第一項に規定する職員
七　地方教育行政の組織及び運営に関する法律第三十一条第二項に規定する職員
八　学校教育法第一条に規定する学校の職員で次に掲げるもの
イ　大学の学長、教授、常時勤務に服することを要する講師及び助手
ロ　高等学校の校長、教諭、養護教諭、助教諭及び養護助教諭
ハ　中学校又は小学校の校長、教諭及び養護教諭並びに幼稚園の園長、教諭及び養護教諭
ニ　事務職員又は技術職員
九　特別区が連合して維持する消防の消防職員
十　漁業法（昭和二十四年法律第二百六十七号）第百三十七条第六項に規定する海区漁業調整委員会の書記、同法第百五十一条において準用する同法第百三十七条第六項の規定により置かれる連合海区漁業調整委員会の書記及び同法第百七十三条において準用する同法第百三十七条第六項の規定により置かれる内水面漁場管理委員会の書記
十一　平成十八年改正法による改正前の地方自治法第百六十八条第一項に規定する出納長
十二　地方自治法の一部を改正する法律（昭和二十七年法律第三百六号）による改正前の地方自治法第百六十八条第一項に規定する副出納長
十三　地方自治法の一部を改正する法律（昭和二十五年法律第百四十三号）による改正前の地方自治法第百三十八条第一項に規定する議会の書記長及び書記
十四　地方教育行政の組織及び運営に関する法律の一部を改正する法律（平成二十六年法律第七十六号）による改正前の地方教育行政の組織及び運営に関する法律第十六条第一項に規定する教育長
十五　旧教育委員会法（昭和二十三年法律第百七十号）第四十一条第一項に規定する教育長及び同法第四十五条第一項に規定する職員
十六　旧教育委員会法第六十六条第二項に規定する職員
十七　教育委員会法の一部を改正する法律（昭和二十五年法律第百六十八号）による改正前の旧教育委員会法第六十六条第四項に規定する職員
十八　学校教育法の一部を改正する法律（平成十七年法律第八十三号）による改正前の学校教育法第五十八条第一項に規定する助教授
十九　学校教育法等の一部を改正する法律（平成十八年法律第八十号）第一条の規定による改正前の学校教育法第一条に規定する盲学校、聾学校又は養護学校の校長、教諭及び養護教諭
二十　特別区が連合して維持していた警察の警察職員
二十一　農業委員会法の一部を改正する法律（昭和二十九年法律第百八十五号）による改正前の農業委員会法（昭和二十六年法律第八十八号）第三十四条において準用する同法第二十条第一項の規定により置かれた都道府県農業委員会の書記
二十二　旧農地調整法施行令（昭和二十一年勅令第三十八号）第三十一条において準用する同令第十八条第一項の規定により置かれた都道府県農地委員会の書記
二十三　農地調整法施行令の一部を改正する政令（昭和二十四年政令第二百二十四号）による改正前の旧農地調整法施行令第四十三条において準用する同令第三十三条第一項の規定により置かれた都道府県農地委員会の書記
二十四　旧食糧確保臨時措置法施行令（昭和二十三年政令第二百四十七号）第三十三条において準用する同令第三十条第一項の規定により置かれた都道府県農業調整委員会の書記

② この章において「市町村の教育職員」とは、市町村の退職年金条例の適用を受ける学校教育法第一条に規定する大学、高等学校及び幼稚園の職員並びに市町村の教育事務に従事する職員で次に掲げる者をいう。
一　学校教育法第一条に規定する大学、高等学校及び幼稚園の職員で次に掲げるもの
イ　大学の学長、教授、常時勤務に服することを要する講師及び助手
ロ　高等学校の校長、教諭、養護教諭、助教諭及び養護助教諭
ハ　幼稚園の園長、教諭及び養護教諭
二　教育職員免許法（昭和二十四年法律第百四十七号）

第四条第二項に規定する普通免許状（教育職員免許法施行法（昭和二十四年法律第百四十八号）第一条第一項の表の第一号及び第六号から第九号までの上欄に掲げる教員の免許状を含む。次号において同じ。）を有する職員で次に掲げるもの
イ　地方教育行政の組織及び運営に関する法律第十八条第二項に規定する職員
ロ　地方教育行政の組織及び運営に関する法律第三十一条第一項に規定する学校の事務職員又は技術職員
ハ　地方教育行政の組織及び運営に関する法律第三十一条第二項に規定する職員
ニ　大学に関する教育に関する事務に従事する職員
三　学校教育法の一部を改正する法律（平成十七年法律第八十三号）による改正前の学校教育法第五十八条第一項に規定する助教授
四　教育職員免許法第四条第二項に規定する普通免許状を有する職員で次に掲げるもの
イ　地方教育行政の組織及び運営に関する法律の一部を改正する法律（平成二十六年法律第七十六号）による改正前の地方教育行政の組織及び運営に関する法律第十六条第一項に規定する教育長
ロ　旧教育委員会法第四十一条第一項に規定する教育長及び同法第四十五条第二項に規定する職員
ハ　旧教育委員会法第六十六条第一項に規定する学校の事務職員又は技術職員
ニ　旧教育委員会法第六十六条第二項に規定する職員
ホ　教育委員会法の一部を改正する法律（昭和二十五年法律第百六十八号）による改正前の旧教育委員会法第六十六条第四項に規定する職員
ヘ　旧教育委員会法第三条の規定により教育委員会が当該市町村に設置されるまでの間において、当該市町村の教育関係の部課又は学校以外の教育機関に属していた職員

③　この章において次の各号に掲げる用語の意義は、当該各号に定めるところによる。
一　公務員　恩給法第十九条に規定する公務員（同法同条に規定する公務員とみなされる者を含む。）をいう。
二　恩給　恩給法第二条第一項に規定する恩給をいう。
三　普通恩給　恩給法第二条第一項に規定する普通恩給をいう。
四　普通恩給権　普通恩給を受ける権利をいう。
五　最短恩給年限　普通恩給についての最短年限をいう。
六　一時恩給　恩給法第二条第一項に規定する一時恩給をいう。
七　一時恩給年限　一時恩給についての最短年限をいう。
八　扶助料　恩給法第二条第一項に規定する扶助料をいう。
九　扶助料権　扶助料を受ける権利をいう。
十　一時扶助料　恩給法第二条第一項に規定する一時扶助料をいう。
十一　退職年金　退職年金条例に規定する普通恩給に相当する給付をいう。
十二　退職年金権　退職年金を受ける権利をいう。
十三　最短年金年限　退職年金についての最短年限をいう。
十四　退職一時金　退職年金条例に規定する一時恩給に相当する給付をいう。
十五　最短一時金年限　退職一時金についての最短年限をいう。
十六　遺族年金　退職年金条例に規定する扶助料に相当する給付をいう。
十七　遺族年金権　遺族年金を受ける権利をいう。
十八　遺族一時金　退職年金条例に規定する一時扶助料に相当する給付をいう。
十九　教育職員　第一項第八号イからハまで、第十八号及び第十九号に掲げる職員をいう。
二十　準教育職員　学校教育法第一条に規定する高等学校の常時勤務に服することを要する講師並びに同条に規定する中学校、小学校又は幼稚園の助教諭、養護助教諭及び常時勤務に服することを要する講師並びに学校教育法等の一部を改正する法律（平成十八年法律第八十号）第一条の規定による改正前の学校教育法第一条に規定する盲学校、聾学校又は養護学校の助教諭、養護助教諭及び常時勤務に服することを要する講師をいう。
二十一　代用教員等　旧小学校令（明治三十三年勅令第三百四十四号）第四十二条に規定する代用教員、旧国民学校令（昭和十六年勅令第百四十八号）第十九条の規定により准訓導の職務を行う者及び旧幼稚園令（大正十五年勅令第七十四号）第十条の規定により保姆の代用とされる者であつたものに相当するものをいう。

第百七十四条の五十の二　地方自治法第二百五十二条の十八第一項但書及び附則第七条第一項但書に規定する政令で定める基準は、左の通りとする。
一　最短年金年限が十七年であること。
二　退職年金の年額が、在職期間が十七年の場合におい

ては、退職当時の給料年額の百五十分の五十に相当する金額であり、在職期間が十七年をこえる場合においては、当該金額にそのこえる年数一年につき退職当時の給料年額の百五十分の一に相当する金額を加えた金額であること。

第百七十四条の五十一　都道府県又は市町村は、公務員であつた者（普通恩給権、都道府県の退職年金権又は市町村の退職年金権を有する者を除く。以下次項において同じ。）で引き続いて当該都道府県の職員又は当該市町村の教育職員となつたものが退職（在職中の死亡を含む。以下本章において同じ。）した場合において、当該就職前の公務員としての在職期間、都道府県の職員としての在職期間及び市町村の教育職員としての在職期間（以下本章中「当該就職前の在職期間」という。）と当該就職後の在職期間とを合算して当該都道府県又は当該市町村の最短年金年限に達しないときは、当該就職後の在職期間に引き続く当該就職前の在職期間（以下本章中「接続在職期間」という。）を当該就職後の在職期間に通算するものとする。

②　都道府県又は市町村は、公務員であつた者で当該都道府県の職員又は当該市町村の教育職員となつたものが退職した場合において、当該就職前の在職期間と当該就職後の在職期間とを合算して当該都道府県又は当該市町村の最短年金年限に達するときは、当該就職前の在職期間を当該就職後の在職期間に通算するものとする。

③　都道府県又は市町村は、普通恩給権、都道府県の退職年金権又は市町村の退職年金権を有する公務員であつた者で当該都道府県の職員又は当該市町村の教育職員となつたものが退職した場合において、当該就職後の在職期間が一年以上であるとき（当該就職後の在職期間と接続在職期間とを合算して一年以上であるときを含む。以下次条第三項及び第百七十四条の五十三第三項において同じ。）は、当該就職前の在職期間を当該就職後の在職期間に通算するものとする。但し、当該就職前の在職期間と当該就職後の在職期間とを合算しても当該都道府県又は当該市町村の最短年金年限に達しないときは、この限りでない。

第百七十四条の五十二　都道府県又は市町村は、他の都道府県の職員若しくは他の市町村の教育職員又は都道府県の職員若しくは市町村の教育職員であつた者（普通恩給権、都道府県の退職年金権又は市町村の退職年金権を有する者を除く。以下次項において同じ。）で引き続いて当該都道府県の職員又は当該市町村の教育職員となつたものが退職した場合において、当該就職前の在職期間と当該就職後の在職期間とを合算して当該都道府県又は当該市町村の最短年金年限に達しないときは、接続在職期間を当該就職後の在職期間に通算するものとする。

②　都道府県又は市町村は、他の都道府県の職員若しくは他の市町村の教育職員又は都道府県の職員若しくは市町村の教育職員であつた者で当該都道府県の職員又は当該市町村の教育職員となつたものが退職した場合において、当該就職前の在職期間と当該就職後の在職期間とを合算して当該都道府県又は当該市町村の最短年金年限に達するときは、当該就職前の在職期間を当該就職後の在職期間に通算するものとする。

③　都道府県又は市町村は、普通恩給権、都道府県の退職年金権若しくは市町村の退職年金権を有する他の都道府県の職員若しくは他の市町村の教育職員又は都道府県の職員若しくは市町村の教育職員であつた者で当該都道府県の職員又は当該市町村の教育職員となつたものが退職した場合において、当該就職後の在職期間が一年以上であるときは、当該就職前の在職期間を当該就職後の在職期間に通算するものとする。但し、当該就職前の在職期間と当該就職後の在職期間とを合算しても当該都道府県又は当該市町村の最短年金年限に達しないときは、この限りでない。

第百七十四条の五十三　都道府県の職員又は市町村の教育職員であつた者（普通恩給権、都道府県の退職年金権又は市町村の退職年金権を有する者を除く。以下次項において同じ。）で引き続いて公務員となつたものが退職した場合において、当該就職前の在職期間と当該就職後の在職期間とを合算して最短恩給年限に達しないときは、接続在職期間を当該就職後の在職期間に通算する。

②　都道府県の職員又は市町村の教育職員であつた者で公務員となつたもの（公務員となり、公務員を退職し、更に公務員となつたものを含む。以下次項において同じ。）が退職した場合において、当該就職前の在職期間と当該就職後の在職期間とを合算して最短恩給年限に達するときは、当該就職前の在職期間を当該就職後の在職期間に通算する。

③　都道府県の退職年金権若しくは市町村の退職年金権を有する都道府県の職員又は市町村の教育職員であつた者（普通恩給権を有する者を除く。）で公務員となつたものが退職した場合において、当該就職後の在職期間が一年以上であるときは、当該就職前の在職期間を当該就職後の在職期間に通算する。但し、当該就職前の在職期間と当該就職後の在職期間とを合算しても最短恩給年限に達しないときは、この限りでない。

第百七十四条の五十四　都道府県又は市町村が当該都道府県の職員又は当該市町村の教育職員としての在職期間に

通算すべき公務員としての在職期間は、恩給の基礎となるべき在職期間によるものとする。

② 都道府県又は市町村は、当該都道府県の職員としての在職期間に通算すべき他の都道府県の職員若しくは市町村の教育職員としての在職期間又は当該市町村の教育職員としての在職期間に通算すべき都道府県の職員若しくは他の市町村の教育職員としての在職期間は、次条に規定する公務員としての在職期間に通算されるべき都道府県の職員又は市町村の教育職員としての在職期間の計算の例により計算するものとする。

③ 都道府県又は市町村は、当該都道府県の教育職員又は当該市町村の教育職員（第百七十四条の五十第二項第一号及び第三号に掲げる者に限る。以下次項まで並びに次条第一項第四号及び第二項において同じ。）としての在職期間に引き続く当該都道府県の準教育職員又は当該市町村の準教育職員としての在職期間の二分の一に相当する期間を当該都道府県の教育職員又は当該市町村の教育職員としての在職期間に通算することとしている場合においては、当該都道府県の教育職員若しくは準教育職員又は当該市町村の教育職員若しくは準教育職員としての在職期間に引き続く他の都道府県若しくは市町村又は都道府県若しくは他の市町村の準教育職員としての在職期間の二分の一に相当する期間（当該都道府県又は市町村が、当該都道府県の職員又は当該市町村の教育職員の退職年金の算定の基礎となるべき在職期間に、当該都道府県の教育職員又は当該市町村の教育職員としての在職期間に引き続く当該都道府県の準教育職員又は当該市町村の準教育職員としての在職期間の二分の一に相当する期間を通算することとするほか、当該二分の一に相当する期間を加えることとしている場合（次項において「当該都道府県等の準教育職員としての在職期間の二分の一に相当する期間を加えることとしている場合」という。）には、当該都道府県の職員又は当該市町村の教育職員の退職年金の算定の基礎となるべき在職期間については、当該他の都道府県若しくは市町村又は都道府県若しくは他の市町村の準教育職員としての在職期間の二分の一に相当する期間に当該二分の一に相当する期間を加えた期間）を当該都道府県の教育職員又は当該市町村の教育職員としての在職期間に通算するものとする。ただし、当該都道府県又は当該市町村と同様の措置を他の都道府県若しくは市町村又は都道府県若しくは他の市町村が講じていない場合は、この限りでない。

④ 前項に規定するもののほか、都道府県又は市町村は、当該都道府県等の準教育職員としての在職期間の二分の一に相当する期間を加えることとしている場合において、当該都道府県の職員又は当該市町村の教育職員の退職年金の算定の基礎となるべき在職期間に、当該都道府県の準教育職員又は当該市町村の準教育職員を退職した後において当該都道府県の教育職員又は当該市町村の教育職員となつた者のうち、当該都道府県の準教育職員又は当該市町村の準教育職員を入営、組織の改廃その他その者の事情によらないで引き続いて勤務することを困難とする理由（以下この項及び次条第二項において「入営等の理由」という。）により退職した者及び当該都道府県の教育職員又は当該市町村の教育職員となるため当該都道府県の準教育職員又は当該市町村の準教育職員を退職した者の当該都道府県の準教育職員又は当該市町村の準教育職員としての在職期間を加えることとしているときは、当該都道府県の職員又は当該市町村の教育職員の退職年金の算定の基礎となるべき在職期間については、他の都道府県若しくは市町村又は都道府県若しくは他の市町村の準教育職員を退職した後において当該都道府県の教育職員又は当該市町村の教育職員となつた者のうち、当該他の都道府県若しくは市町村又は都道府県若しくは他の市町村の準教育職員を入営等の理由により退職した者及び当該都道府県の教育職員又は当該市町村の教育職員となるため当該他の都道府県若しくは市町村又は都道府県若しくは他の市町村の準教育職員を退職した者の当該他の都道府県若しくは市町村又は都道府県若しくは他の市町村の準教育職員としての在職期間を当該都道府県の教育職員又は当該市町村の教育職員としての在職期間に通算するものとする。この場合においては、前項ただし書の規定を準用する。

⑤ 前二項に規定するもののほか、都道府県又は市町村は、当該都道府県の職員又は当該市町村の教育職員の退職年金の算定の基礎となるべき在職期間に、当該都道府県の教育職員（第百七十四条の五十第一項第八号ハに掲げる者に限る。以下この項及び次条第一項第六号において同じ。）又は当該市町村の教育職員（第百七十四条の五十第二項第一号ハに掲げる者に限る。以下この項及び次条第一項第六号において同じ。）を退職した者で、その後において当該都道府県の代用教員等又は当該市町村の代用教員等となり引き続き当該都道府県の教育職員又は当該市町村の教育職員となつたもの（当該都道府県の代用教員等又は当該市町村の代用教員等が引き続き当該都道府県の準教育職員（学校教育法第一条に規定する高等学校の常時勤務に服することを要する講師を除く。以下この項及び次条第一項第六号において同じ。）又は当該市町村の準教育職員（同法第一条に規定する幼稚園の助教諭、養護助教諭及び常時勤務に服することを要する

講師に限る。以下この項及び次条第一項第六号において同じ。）となり、更に引き続き当該都道府県の教育職員又は当該市町村の教育職員となつたものを含む。）に係る当該都道府県の代用教員等又は当該市町村の代用教員等としての在職期間が通算することとされている場合において、当該都道府県の職員又は当該市町村の教育職員の退職年金の算定の基礎となるべき在職期間については、他の都道府県の教育職員若しくは市町村の教育職員又は都道府県の教育職員若しくは他の市町村の教育職員を当該都道府県の教育職員又は当該市町村の教育職員と、他の都道府県の準教育職員若しくは市町村の準教育職員又は都道府県の準教育職員若しくは他の市町村の準教育職員を当該都道府県の準教育職員又は当該市町村の準教育職員と、他の都道府県若しくは市町村の代用教員等又は都道府県若しくは他の市町村の代用教員等を当該都道府県の代用教員等又は当該市町村の代用教員等とみなしたならば当該他の都道府県若しくは市町村の代用教員等又は都道府県若しくは他の市町村の代用教員等としての在職期間が当該都道府県の教育職員又は当該市町村の教育職員としての在職期間に通算されることとなるときは、当該他の都道府県若しくは市町村の代用教員等又は都道府県若しくは他の市町村の代用教員等としての在職期間を通算するものとする。この場合においては、第三項ただし書の規定を準用する。

第百七十四条の五十五　公務員としての在職期間に通算すべき都道府県の職員又は市町村の教育職員としての在職期間には、次の各号に掲げる在職期間が都道府県の職員又は市町村の教育職員としての在職期間に通算されることとなつている場合においては、これらの期間（当該都道府県又は当該市町村が、当該都道府県の職員又は当該市町村の教育職員の退職年金の算定の基礎となるべき在職期間に、第四号に掲げる期間を通算するほか、同号に掲げる期間に相当する期間を加算し、又は通算することとしている場合（次項において「当該都道府県等の準教育職員としての在職期間の二分の一に相当する期間の加算等をすることとしている場合」という。）には、普通恩給の算定の基礎となるべき公務員としての在職期間については、当該相当する期間を含む。）を含むものとする。

一　都道府県の職員であつた者で地方自治法の一部を改正する法律（昭和三十一年法律第百四十七号）附則第十項の規定により引き続いて指定都市の職員となつたものが、更に引き続いて都道府県の職員となつた場合における当該指定都市の職員としての在職期間

二　都の職員であつた者で引き続いて特別区の職員となつたものが、更に引き続いて都の職員となつた場合における当該特別区の職員としての在職期間

三　次に掲げる場合における旧日本住宅公団、旧愛知用水公団、旧農地開発機械公団、旧日本道路公団、旧首都高速道路公団、旧阪神高速道路公団、旧森林開発公団、旧原子燃料公社、旧公営企業金融公庫、旧労働福祉事業団又は旧雇用促進事業団（以下この号において「公団等」という。）の役員又は職員（以下この号において「役員等」という。）としての在職期間（当該在職期間と都道府県の職員としての在職期間（第百七十四条の五十一又は第百七十四条の五十二の規定により都道府県の職員としての在職期間に通算されるべき公務員又は他の都道府県の職員若しくは市町村の教育職員としての在職期間を含む。以下この号及び第五号において同じ。）又は市町村の教育職員としての在職期間（第百七十四条の五十一又は第百七十四条の五十二の規定により市町村の教育職員としての在職期間に通算されるべき公務員又は都道府県の職員若しくは他の市町村の教育職員としての在職期間を含む。以下この号において同じ。）とを合算して都道府県又は市町村の最短年金年限に達する場合に限る。）

イ　公団等の設立の際現に都道府県の職員又は市町村の教育職員であつた者が、公団等の設立の際又はその後において都道府県の職員としての在職期間又は市町村の教育職員としての在職期間が最短年金年限に達することなく引き続いて公団等の役員等となり、更に引き続いて都道府県の職員又は市町村の教育職員となつた場合

ロ　公団等の設立の際現に都道府県の職員又は市町村の教育職員であつた者が、引き続いて公務員となり、その公務員としての在職期間（第百七十四条の五十三の規定により公務員としての在職期間に通算されるべき都道府県の職員又は市町村の教育職員としての在職期間を含む。）が最短恩給年限に達することなく引き続いて公団等の役員等となり、更に引き続いて公務員となり、更に引き続いて都道府県の職員又は市町村の教育職員となつた場合

ハ　公団等の設立の際現に公務員であつた者が、引き続いて都道府県の職員又は市町村の教育職員となり、その都道府県の職員としての在職期間又は市町村の教育職員としての在職期間が最短年金年限に達することなく公団等の役員等となり、更に引き続いて都道府県の職員又は市町村の教育職員となつた場合

四　都道府県の教育職員又は市町村の教育職員としての

在職期間に引き続く当該都道府県の準教育職員又は当該市町村の準教育職員としての在職期間（前条第三項の規定により当該都道府県の教育職員としての在職期間又は当該市町村の教育職員としての在職期間に通算されるべき他の都道府県若しくは市町村又は都道府県若しくは他の市町村の準教育職員としての在職期間を含む。）の二分の一に相当する在職期間

五　旧国民医療法（昭和十七年法律第七十号）に規定する日本医療団に勤務していた者で日本医療団の業務の都道府県への引継ぎに伴い、引き続いて都道府県の職員となつたものの日本医療団の職員としての在職期間のうち昭和二十二年五月三日以後の期間（当該期間と都道府県の職員としての在職期間とを合算して都道府県の最短年金年限に達する場合に限る。）

六　都道府県の教育職員又は市町村の教育職員を退職した者が、その後において当該都道府県の代用教員等又は当該市町村の代用教員等となり引き続き当該都道府県の教育職員又は当該市町村の教育職員となつた場合（当該都道府県の代用教員等又は当該市町村の代用教員等が引き続き当該都道府県の準教育職員又は当該市町村の準教育職員となり、更に引き続き当該都道府県の教育職員又は当該市町村の教育職員となつた場合を含む。）における当該都道府県の代用教員等又は当該市町村の代用教員等としての在職期間（前条第五項の規定により当該都道府県の教育職員としての在職期間又は当該市町村の教育職員としての在職期間に通算されるべき他の都道府県若しくは市町村の代用教員等又は都道府県若しくは他の市町村の代用教員等としての在職期間を含む。）のうち昭和二十二年五月三日以後における期間

②　前項に規定するもののほか、普通恩給の算定の基礎となるべき公務員としての在職期間に通算すべき都道府県の職員又は市町村の教育職員としての在職期間には、都道府県の準教育職員又は市町村の準教育職員を退職した後において当該都道府県の教育職員又は当該市町村の教育職員となつた者のうち、当該都道府県の準教育職員又は当該市町村の準教育職員を入営等の理由により退職した者及び当該都道府県の教育職員又は当該市町村の教育職員となるため当該都道府県の準教育職員又は当該市町村の準教育職員を退職した者の当該都道府県の準教育職員又は当該市町村の準教育職員としての在職期間（前条第四項の規定により当該都道府県の教育職員としての在職期間又は当該市町村の教育職員としての在職期間に通算されるべき他の都道府県若しくは市町村又は都道府県若しくは他の市町村の準教育職員としての在職期間を含む。以下この項において「当該都道府県等の準教育職員としての在職期間」という。）が都道府県の職員又は市町村の教育職員の退職年金の算定の基礎となるべき在職期間に加えられ、又は通算されることとなつている場合（当該都道府県等の準教育職員としての在職期間の二分の一に相当する期間の加算等をすることとしている場合に限る。）においては、当該都道府県等の準教育職員としての在職期間を含むものとする。

③　公務員としての在職期間に通算すべき第百七十四条の五十第一項第二十三号に規定する都道府県の職員としての在職期間は、昭和二十二年五月三日以後の在職期間に限る。

④　前三項に規定するもののほか、公務員としての在職期間に通算すべき都道府県の職員又は市町村の教育職員としての在職期間は、恩給法第二十条第一項に規定する文官としての恩給の基礎となるべき在職期間の計算の例により計算する。

第百七十四条の五十六　都道府県又は市町村は、都道府県の退職年金権を有しない当該都道府県の職員であつた者又は市町村の退職年金権を有しない当該市町村の教育職員であつた者が引き続いて他の都道府県の職員、市町村の教育職員若しくは公務員又は都道府県の職員、他の市町村の教育職員若しくは公務員となつたときは、当該就職後の在職期間に接続する当該都道府県の職員としての在職期間（第百七十四条の五十一第一項又は第百七十四条の五十二第一項の規定により都道府県の職員としての在職期間に通算されるべき公務員又は都道府県の職員若しくは市町村の教育職員としての在職期間を含む。以下第百七十四条の五十八第一項及び第百七十四条の五十九において同じ。）又は当該市町村の教育職員としての在職期間（第百七十四条の五十一第一項又は第百七十四条の五十二第一項の規定により市町村の教育職員としての在職期間に通算されるべき公務員又は都道府県の職員若しくは市町村の教育職員としての在職期間を含む。以下第百七十四条の五十八第一項及び第百七十四条の五十九において同じ。）に係る退職一時金を支給しないものとする。

②　普通恩給権を有しない公務員であつた者が引き続いて都道府県の職員又は市町村の教育職員となつたときは、当該就職後の在職期間に接続する公務員としての在職期間（第百七十四条の五十三第一項の規定により公務員としての在職期間に通算されるべき都道府県の職員又は市町村の教育職員としての在職期間を含む。以下第百七十四条の五十八第一項及び第百七十四条の五十九において同じ。）に係る一時恩給は、これを支給しない。

第百七十四条の五十七　都道府県又は市町村は、当該都道府県の退職年金権を有する者又は当該市町村の退職年金権を有する者が他の都道府県の職員、市町村の教育職員若しくは公務員又は都道府県の職員、他の市町村の教育職員若しくは公務員となつた場合においては、当該就職の日の属する月の翌月から当該他の都道府県の職員、市町村の教育職員若しくは公務員又は当該都道府県の職員、他の市町村の教育職員若しくは公務員を退職した日の属する月までの間に係る退職年金の支給を停止し、その者について都道府県の退職年金権若しくは遺族年金権、市町村の退職年金権若しくは遺族年金権又は普通恩給権若しくは扶助料権が発生したときは、当該都道府県の退職年金権又は当該市町村の退職年金権を消滅させるものとする。

②　普通恩給権を有する公務員であつた者が都道府県の職員又は市町村の教育職員となつた場合においては、当該就職の日の属する月の翌月から当該都道府県の職員又は市町村の教育職員を退職した日の属する月までの間に係る普通恩給の支給は、これを停止する。

③　月の末日に公務員、都道府県の職員又は市町村の教育職員を退職した者（普通恩給権、都道府県の退職年金権又は市町村の退職年金権を有する者に限る。）が、その月の翌月の初日に都道府県の職員若しくは市町村の教育職員に就職した場合、公務員、他の都道府県の職員若しくは市町村の教育職員に就職した場合又は公務員、都道府県の職員若しくは他の市町村の教育職員に就職した場合における普通恩給、都道府県の退職年金又は市町村の退職年金の支給の停止については、前二項の規定にかかわらず、当該就職した月から停止するものとする。

第百七十四条の五十八　都道府県又は市町村は、第百七十四条の五十一第二項又は第百七十四条の五十二第二項の場合において、左の各号に掲げる者に退職年金を支給するときは、当該各号に掲げる額の十五分の一に相当する額を減じた額をもつて退職年金の年額とするものとする。

一　公務員、他の都道府県の職員若しくは市町村の教育職員又は公務員、都道府県の職員若しくは他の市町村の教育職員であつた者で引き続いて当該都道府県の職員又は当該市町村の教育職員となつたもののうち、接続在職期間の直前に、これに引き続かない最短一時恩給年限以上の公務員としての在職期間でその年数一年を二月に換算した月数内に接続在職期間が始まるもの（以下本号中「前在職期間」という。）を有する者　換算月数と前在職期間が終る月の翌月から接続在職期間が始まる月までの月数との差月数を前在職期間に対して受けた一時恩給の額の算出の基礎となつた俸給月額の二分の一に乗じて得た額

二　公務員、他の都道府県の職員若しくは市町村の教育職員又は公務員、都道府県の職員若しくは他の市町村の教育職員であつた者で引き続いて当該都道府県の職員又は当該市町村の教育職員となつたもののうち、接続在職期間の直前に、これに引き続かない最短一時金年限以上の他の都道府県の職員としての在職期間若しくは市町村の教育職員としての在職期間又は都道府県の職員としての在職期間若しくは他の市町村の教育職員としての在職期間でその年数一年を二月に換算した月数内に接続在職期間が始まるもの（以下本号中「前在職期間」という。）を有する者　換算月数と前在職期間が終る月の翌月から接続在職期間が始まる月までの月数との差月数を前在職期間に対して受けた退職一時金の額の算出の基礎となつた給料月額の二分の一に乗じて得た額

三　公務員、他の都道府県の職員若しくは市町村の教育職員又は公務員、都道府県の職員若しくは他の市町村の教育職員であつた者で引き続くことなく当該都道府県の職員又は当該市町村の教育職員となつたもののうち、当該就職後の在職期間の直前に、最短一時恩給年限以上の公務員としての在職期間、最短一時金年限以上の他の都道府県の職員としての在職期間若しくは市町村の教育職員としての在職期間又は最短一時金年限以上の都道府県の職員としての在職期間若しくは他の市町村の教育職員としての在職期間でその年数一年を二月に換算した月数内に当該就職後の在職期間が始まるもの（以下本号中「前在職期間」という。）を有する者　換算月数と前在職期間が終る月の翌月から当該就職後の在職期間が始まる月までの月数との差月数を前在職期間に対して受けた一時恩給又は退職一時金の額の算出の基礎となつた俸給月額又は給料月額の二分の一に乗じて得た額

②　都道府県又は市町村は、第百七十四条の五十一第二項又は第百七十四条の五十二第二項の場合において、前項各号に掲げる者が在職中死亡したことにより遺族年金を支給するときは、当該各号に掲げる額の三十分の一に相当する額を減じた額をもつて遺族年金の年額とするものとする。

第百七十四条の五十九　第百七十四条の五十三第二項の場合において、左の各号に掲げる者に普通恩給を支給するときは、当該各号に掲げる額の十五分の一に相当する額を減じた額をもつて普通恩給の年額とする。

一　都道府県の職員又は市町村の教育職員であつた者で

引き続いて公務員となつたもののうち、接続在職期間の直前に、これに引き続かない最短一時恩給年限以上の公務員としての在職期間でその年数一年を二月に換算した月数内に接続在職期間が始まるもの（以下本号中「前在職期間」という。）を有する者　換算月数と前在職期間が終る月の翌月から接続在職期間が始まる月までの月数との差月数を前在職期間に対して受けた一時恩給の額の算出の基礎となつた俸給月額の二分の一に乗じて得た額

二　都道府県の職員又は市町村の教育職員であつた者で引き続いて公務員となつたもののうち、接続在職期間の直前に、これに引き続かない最短一時金年限以上の都道府県の職員としての在職期間又は市町村の教育職員としての在職期間でその年数一年を二月に換算した月数内に接続在職期間が始まるもの（以下本号中「前在職期間」という。）を有する者　換算月数と前在職期間が終る月の翌月から接続在職期間が始まる月までの月数との差月数を前在職期間に対して受けた退職一時金の額の算出の基礎となつた給料月額の二分の一に乗じて得た額

三　都道府県の職員又は市町村の教育職員であつた者で引き続くことなく公務員となつたもののうち、当該就職後の在職期間の直前に、最短一時金年限以上の都道府県の職員としての在職期間又は市町村の教育職員としての在職期間でその年数一年を二月に換算した月数内に当該就職後の在職期間が始まるもの（以下本号中「前在職期間」という。）を有する者　換算月数と前在職期間が終る月の翌月から当該就職後の在職期間が始まる月までの月数との差月数を前在職期間に対して受けた退職一時金の額の算出の基礎となつた給料月額の二分の一に乗じて得た額

第百七十四条の六十　都道府県又は市町村は、第百七十四条の五十一第三項又は第百七十四条の五十二第三項の場合において、普通恩給権を有する者に退職年金を支給するときは、その者の受ける普通恩給の年額に相当する額を減じた額をもつて退職年金の年額とするものとする。

②　都道府県又は市町村は、第百七十四条の五十一第三項又は第百七十四条の五十二第三項の場合において、普通恩給権を有する者が在職中死亡したことにより遺族年金を支給するときは、その者の遺族の受ける扶助料の年額に相当する額を減じた額をもつて遺族年金の年額とするものとする。

第百七十四条の六十一　都道府県又は市町村は、第百七十四条の五十一第三項又は第百七十四条の五十二第三項の場合において、当該都道府県又は当該市町村の最短年金年限に達しない者があるときは、その者の第百七十四条の五十一第三項又は第百七十四条の五十二第三項に規定する当該就職後の在職期間に係る退職一時金又は遺族一時金を支給しないものとする。ただし、当該就職後の在職期間に係る退職一時金又は遺族一時金を支給すべき相当の理由があるときは、この限りでない。

②　第百七十四条の五十三第三項の場合において、最短恩給年限に達しない者があるときは、その者の同条同項に規定する当該就職後の在職期間に係る一時恩給又は一時扶助料は、これを支給しない。

第百七十四条の六十二　都道府県又は市町村は、他の都道府県若しくは市町村の退職年金権を有する者又は都道府県若しくは他の市町村の退職年金権を有する者が当該都道府県の職員又は当該市町村の教育職員となつたとき、及びその者が退職したときは、すみやかにその旨をその者に退職年金を支給する他の都道府県若しくは市町村又は都道府県若しくは他の市町村に通知するものとする。

②　前項に規定する退職の通知をする場合においては、その者について当該市町村の退職年金権若しくは遺族年金権又は当該都道府県の退職年金権若しくは遺族年金権が発生しないときはその旨を、当該都道府県の退職年金権若しくは遺族年金権又は当該市町村の退職年金権若しくは遺族年金権が発生するときはその退職年金権又は遺族年金権の裁定をした旨をあわせて通知するものとする。

③　都道府県又は市町村は、普通恩給権を有する者が当該都道府県の職員又は当該市町村の教育職員となつたとき、及びその者が退職したときは、すみやかにその旨をその者の普通恩給権の裁定庁に通知するものとする。

第百七十四条の六十三　都道府県又は市町村の退職年金権を有する者が公務員となつたとき、及びその者が退職したときは、その者の任命権者は、すみやかにその旨をその者に退職年金を支給する都道府県又は市町村に通知しなければならない。

②　前項に規定する退職の通知をする場合において、その者について普通恩給権又は扶助料権が発生しないときは、あわせてその旨を通知しなければならない。

③　第百七十四条の五十三第三項の規定により在職期間を通算されるべき者について普通恩給権又は扶助料権の裁定をしたときは、その裁定庁は、すみやかにその旨をその者に退職年金を支給する都道府県又は市町村に通知しなければならない。

第百七十四条の六十四　都道府県又は市町村は、普通恩給権、他の都道府県の退職年金権若しくは市町村の退職年金権を有する者又は普通恩給権、都道府県の退職年金権

若しくは他の市町村の退職年金権を有する者が当該都道府県の職員又は当該市町村の教育職員となつたときは、その者に、すみやかにその旨を当該普通恩給権の裁定庁又は当該退職年金を支給する都道府県若しくは市町村に届け出させるものとする。

② 都道府県又は市町村の退職年金権を有する者が公務員となつたときは、その者は、すみやかにその旨を当該都道府県又は当該市町村に届け出なければならない。

第百七十四条の六十五　恩給法第二条第一項に規定する増加恩給又はこれに相当する都道府県若しくは市町村の退職年金条例に規定する給付を受ける権利を有するに至つた者の恩給の基礎となるべき在職期間と都道府県又は市町村の退職年金条例の規定による退職年金及び退職一時金の基礎となるべき在職期間の通算については、前十四条の規定に準じて、別に政令で定める。

第十章　補則

第百七十五条　削除〔昭三七・九政令三九一〕

第百七十六条　地方自治法第二百五十四条の公示の人口の調査期日以後において、都道府県又は郡（北海道にあつては支庁長の管轄区域本章中以下これに同じ。）の境界にわたつて市町村の廃置分合若しくは境界変更があつた場合、都道府県又は郡の境界にわたつて市町村の境界が確定した場合、従来地方公共団体の区域に属しなかつた地域を都道府県若しくは市町村の区域に編入した場合、郡の区域内において市の設置があつた場合若しくは町村が市となつた場合又は市が町村となつた場合においては当該区域に現住者がない場合を除く外、都道府県又は郡の区域の人口は、左の区分により都道府県知事の告示した人口による。

一　郡にあつては、地方自治法第二百五十四条又はこの政令第百七十七条の規定による町村の人口を集計したもの

二　都道府県にあつては、地方自治法第二百五十四条若しくはこの政令第百七十七条の規定による市町村の人口を集計したもの又は従来地方公共団体の区域に属しなかつた地域を都道府県の区域に編入したときは編入の日の現在により都道府県知事の調査した当該地域の人口を都道府県の人口に加えたもの

② 前項第一号の規定は、郡の区域をあらたに画し又はこれを変更した場合に、同項第二号の規定は、都道府県の廃置分合又は境界変更があつた場合にこれを準用する。

第百七十七条　地方自治法第二百五十四条の公示の人口の調査期日以後において、市町村の廃置分合若しくは境界変更があつた場合、従来地方公共団体の区域に属しなかつた地域を市町村の区域に編入した場合又は市町村の境界が確定した場合においては、当該区域に現住者がない場合を除く外、関係市町村の人口は、左の区分により都道府県知事の告示した人口による。

一　数市町村の全部の区域を以て一市町村を設置した場合又は一市町村若しくは数市町村の全部の区域を他の市町村の区域に編入した場合においては、関係市町村の官報で公示された最近の国勢調査若しくはこれに準ずる全国的な人口調査の結果による人口を集計したもの

二　前号以外の場合においては、当該市町村の官報で公示された最近の国勢調査若しくはこれに準ずる全国的な人口調査の結果による人口を廃置分合、境界変更又は境界確定のあつた日の現在により都道府県知事の調査した人口に比例して算出した当該区域の官報で公示された最近の国勢調査若しくはこれに準ずる全国的な人口調査の結果による人口若しくはその人口を集計したもの又はその人口を関係市町村の官報で公示された最近の国勢調査若しくはこれに準ずる全国的な人口調査の結果による人口に加え若しくは関係市町村の官報で公示された最近の国勢調査若しくはこれに準ずる全国的な人口調査の結果による人口から差し引いたもの

三　従来地方公共団体の区域に属しなかつた地域を市町村に編入したときは、編入の日の現在により都道府県知事の調査した当該区域の人口を関係市町村の官報で公示された最近の国勢調査若しくはこれに準ずる全国的な人口調査の結果による人口に加えたもの

四　従来地方公共団体の区域に属しなかつた地域を以て市町村を設置した場合においては、設置の日の現在により当該地域について都道府県知事の調査したもの

② 前項の規定は、指定都市の区若しくは総合区を新たに設け、又はこれらの区域を変更した場合にこれを準用する。

第百七十八条　郡の区域内において町村が市となつたときは、郡の区域も、また自ら変更する。

② 市が町村となつたときは、その町村の属すべき郡の区域は、都道府県知事が当該都道府県の議会の議決を経てこれを定め、総務大臣に届け出なければならない。

③ 前項の場合においては、総務大臣は、直ちにその旨を告示するとともに、これを国の関係行政機関の長に通知しなければならない。

④ 地方自治法第七条第八項の規定は、第二項の規定による処分にこれを準用する。

第百七十八条の二　地方自治法第二百五十五条の五第一項

に規定する審査請求（以下この条において「審査請求」という。）についての行政不服審査法（平成二十六年法律第六十八号）の規定の適用については、次の表の上欄に掲げる同法の規定中同表の中欄に掲げる字句は、それぞれ同表の下欄に掲げる字句とする。

第十一条第二項	第九条第一項の規定により指名された者（以下「審理員」という。）	自治紛争処理委員
第十三条第一項及び第二項、第二十五条第七項並びに第二十八条	審理員	自治紛争処理委員
第二十九条第一項	審理員	自治紛争処理委員
	指名された	任命された
第二十九条第二項及び第五項、第三十条、第三十一条、第三十二条第三項、第三十三条から第三十七条まで、第三十八条第一項から第三項まで及び第五項、第三十九条、第四十条並びに第四十一条第一項及び第二項	審理員	自治紛争処理委員
第四十一条第三項	審理員が	自治紛争処理委員が
	審理員意見書	自治紛争処理委員意見書
第四十二条	審理員は	自治紛争処理委員は
	審理員意見書	自治紛争処理委員意見書
第四十四条	行政不服審査会等から諮問に対する答申を受けたとき（前条第一項の規定による諮問を要しない場合（同項第二号又は第三号に該当する場合を除く。）にあっては審理員意見書が提出されたとき、同項第二号又は第三号に該当する場合にあっては同項第二号又は第三号に規定する議を経たとき）	自治紛争処理委員意見書が提出されたとき
第五十条第一項第四号	審理員意見書又は行政不服審査会等若しくは審議会等の答申書	自治紛争処理委員意見書
第五十条第二項	第四十三条第一項の規定による行政不服審査会等への諮問を要しない場合には、前項の裁決書には、審理員意見書	前項の裁決書には、自治紛争処理委員意見書

② 審査請求については、行政不服審査法施行令第一条及び第二条の規定は適用しないものとし、同令の他の規定の適用については、次の表の上欄に掲げる同令の規定中同表の中欄に掲げる字句は、それぞれ同表の下欄に掲げる字句とする。

第三条第二項	審理員	自治紛争処理委員
	指名されている	任命されている
第八条、第九条並びに第十三条第一項及び第二項	審理員	自治紛争処理委員
第十五条第一項第五号	若しくは特定意見聴取、法	、法
第十六条	審理員は	自治紛争処理委員は
	審理員意見書	自治紛争処理委員意見書

③ 審査請求に関しては、次に掲げる事項は、自治紛争処理委員の合議によるものとする。

一 第一項の規定により読み替えて適用する行政不服審査法（以下この項において「読替え後の行政不服審査法」という。）第十一条第二項の規定による総代の互選を命ずる決定

二 読替え後の行政不服審査法第十三条第一項の規定に

自治令

よる利害関係人（同項に規定する利害関係人をいう。次号において同じ。）が審査請求に参加することの許可についての決定

三　読替え後の行政不服審査法第十三条第二項の規定による利害関係人に審査請求への参加を求める決定

四　読替え後の行政不服審査法第三十一条第一項ただし書の規定による申立人（同項本文に規定する申立人をいう。次号において同じ。）に口頭意見陳述（同条第二項に規定する口頭意見陳述をいう。同号において同じ。）の機会を与えないことの決定

五　読替え後の行政不服審査法第三十一条第三項の規定による申立人が補佐人とともに口頭意見陳述に出頭することの許可についての決定

六　読替え後の行政不服審査法第三十二条第三項の規定による証拠書類若しくは証拠物又は書類その他の物件を提出すべき相当の期間の決定

七　読替え後の行政不服審査法第三十三条の規定による物件の提出要求及び提出された物件を留め置くことについての決定

八　読替え後の行政不服審査法第三十四条の規定による参考人の陳述及び鑑定の要求についての決定

九　読替え後の行政不服審査法第三十五条第一項の規定による必要な場所の検証についての決定

十　読替え後の行政不服審査法第三十七条第一項の規定による審理関係人（読替え後の行政不服審査法第二十八条に規定する審理関係人をいう。次号において同じ。）の意見の聴取を行うことの決定

十一　読替え後の行政不服審査法第三十七条第二項の規定による音声の送受信により通話をすることができる方法によつて審理関係人の意見の聴取を行うことの決定

十二　読替え後の行政不服審査法第三十七条第三項の規定による審理手続の終結の予定時期の決定又は変更

十三　読替え後の行政不服審査法第三十八条第一項の規定による閲覧又は交付の拒否の決定

十四　読替え後の行政不服審査法第三十八条第三項の規定による閲覧の日時及び場所の決定

十五　読替え後の行政不服審査法第三十八条第五項の規定による手数料の減免についての決定

十六　読替え後の行政不服審査法第三十九条の規定による審理手続の併合又は分離についての決定

十七　読替え後の行政不服審査法第四十条の規定による執行停止の意見書の提出についての決定

十八　読替え後の行政不服審査法第四十一条第一項及び第二項の規定による審理手続の終結についての決定

十九　読替え後の行政不服審査法第四十二条第一項の規定による同項に規定する自治紛争処理委員意見書の作成についての決定

二十　前項の規定により読み替えて適用する行政不服審査法施行令第八条の規定による映像と音声の送受信により相手の状態を相互に認識しながら通話をすることができる方法によつて審理を行うことの決定

第百七十八条の三　地方自治法第二百五十五条の五第一項に規定する審査の申立て又は審決の申請（以下この条において「審査の申立て等」という。）についての同法第二百五十八条第一項において準用する行政不服審査法（第九条を除く。）の規定の適用については、次の表の上欄に掲げる同法の規定中同表の中欄に掲げる字句は、それぞれ同表の下欄に掲げる字句とする。

上欄	中欄	下欄
第十一条第二項	第九条第一項の規定により指名された者（以下「審理員」という。）	自治紛争処理委員
第十三条第一項及び第二項	審理員	自治紛争処理委員
第二十五条第七項	審理員	自治紛争処理委員
	第四十条	地方自治法第二百五十八条第一項において準用する第四十条
第二十八条	審理員	自治紛争処理委員
第二十九条第一項	審理員	自治紛争処理委員
	指名された	任命された
第二十九条第二項及び第五項	審理員	自治紛争処理委員
第三十条第一項	前条第五項	地方自治法第二百五十八条第一項において準用する前条第五項
	審理員	自治紛争処理委員
第三十条第二項	第四十条	地方自治法第二百五十八条第一項において準用する第四十条

	審理員	自治紛争処理委員
第三十条第三項	審理員	自治紛争処理委員
第三十一条第一項	審理員	自治紛争処理委員
	第四十一条第二項第二号	地方自治法第二百五十八条第一項において準用する第四十一条第二項第二号
第三十一条第二項	前項本文	地方自治法第二百五十八条第一項において準用する前項本文
	審理員	自治紛争処理委員
第三十一条第三項から第五項まで	審理員	自治紛争処理委員
第三十二条第三項	前二項	地方自治法第二百五十八条第一項において準用する前二項
	審理員	自治紛争処理委員
第三十三条、第三十四条及び第三十五条第一項	審理員	自治紛争処理委員
第三十五条第二項	審理員	自治紛争処理委員
	前項	地方自治法第二百五十八条第一項において準用する前項
第三十六条	審理員	自治紛争処理委員
第三十七条第一項	審理員	自治紛争処理委員
	第三十一条	地方自治法第二百五十八条第一項において準用する第三十一条
第三十七条第二項	審理員	自治紛争処理委員
	前項	地方自治法第二百五十八条第一項において準用する前項
第三十七条第三項	審理員	自治紛争処理委員
	前二項	地方自治法第二百五十八条第一項において準用する前二項
	第三十一条	同条第一項において準用する第三十一条
	第四十一条第一項	同項において準用する第四十一条第一項
第三十八条第一項	第四十一条第一項	地方自治法第二百五十八条第一項において準用する第四十一条第一項
	審理員	自治紛争処理委員
	第二十九条第四項各号	同法第二百五十八条第一項において準用する第二十九条第四項各号
	第三十二条第一項	同法第二百五十八条第一項において準用する第三十二条第一項
	次項	同法第二百五十八条第一項において準用する次項
第三十八条第二項	審理員	自治紛争処理委員
	前項	地方自治法第二百五十八条第一項において準用する前項
	同項	同条第一項において準用する前項
第三十八条第三項	審理員	自治紛争処理委員

	第一項	地方自治法第二百五十八条第一項において準用する第一項
第三十八条第五項	審理員	自治紛争処理委員
	前項	地方自治法第二百五十八条第一項において準用する前項
第四十条及び第四十一条第一項	審理員	自治紛争処理委員
第四十一条第二項	前項	地方自治法第二百五十八条第一項において準用する前項
	審理員	自治紛争処理委員
第四十一条第二項第一号	第二十九条第二項	地方自治法第二百五十八条第一項において準用する第二十九条第二項
	第三十条第一項後段	地方自治法第二百五十八条第一項において準用する第三十条第一項後段
	第三十条第二項後段	地方自治法第二百五十八条第一項において準用する第三十条第二項後段
	第三十二条第三項	地方自治法第二百五十八条第一項において準用する第三十二条第三項
	第三十三条前段	地方自治法第二百五十八条第一項において準用する第三十三条前段
第四十一条第三項	審理員が	自治紛争処理委員が地方自治法第二百五十八条第一項において準用する
	次条第一項	同条第一項において準用する次条第一項
	審理員意見書	自治紛争処理委員意見書
	同条第二項及び第四十三条第二項	同法第二百五十八条第一項において準用する次条第二項
第四十二条	審理員は	自治紛争処理委員は
	審理員意見書	自治紛争処理委員意見書
第四十四条	行政不服審査会等から諮問に対する答申を受けたとき（前条第一項の規定による諮問を要しない場合（同項第二号又は第三号に該当する場合を除く。）にあっては審理員意見書が提出されたとき、同項第二号又は第三号に該当する場合にあっては同項第二号又は第三号に規定する議を経たとき）	自治紛争処理委員意見書が提出されたとき
第五十条第一項第四号	第一号	地方自治法第二百五十八条第一項において準用する第一号
	審理員意見書又は行政不服審査会等若しくは審議会等の答申書	自治紛争処理委員意見書
第五十条第二項	第四十三条第一項の規定による行政不服審査会等への諮問を要しない場合には、	地方自治法第二百五十八条第一項において準用する
	審理員意見書	自治紛争処理委員意見書

②　審査の申立て等については、第百七十八条の五において準用する行政不服審査法施行令第一条及び第二条の規

定は適用しないものとし、第百七十八条の五において準用する同令の他の規定の適用については、次の表の上欄に掲げる同令の規定中同表の中欄に掲げる字句は、それぞれ同表の下欄に掲げる字句とする。

第三条第二項	審理員	自治紛争処理委員
	指名されている	任命されている
第八条、第九条並びに第十三条第一項及び第二項	審理員	自治紛争処理委員
第十六条	審理員は	自治紛争処理委員は
	審理員意見書	意見書

③　審査の申立て等に関しては、前条第三項（第十六号を除く。）の規定を準用する。

第百七十八条の四　前二条に規定するものを除くほか、地方自治法第二百五十五条の五第一項の規定による自治紛争処理委員の審理の手続の細目は、総務省令で定める。

第百七十八条の五　第百七十八条の三第二項及び同条第三項において準用する第百七十八条の二第三項第二十号に特別の定めがあるものを除くほか、地方自治法第二百五十八条第一項に規定する異議の申出、審査の申立て又は審決の申請については、行政不服審査法施行令第一章（第十五条第一項第一号及び第二項並びに第十七条を除く。）の規定を準用する。この場合において、同令第十五条第一項第五号中「若しくは特定意見聴取、法」とあるのは、「、法」と読み替えるものとする。

第百七十九条　地方自治法第二百六十条第一項の規定による処分で、旧耕地整理法（明治四十二年法律第三十号）による耕地整理、土地改良法（昭和二十四年法律第百九十五号）による土地改良事業（換地処分を伴うものに限る。）、土地区画整理法による土地区画整理事業又は大都市地域における住宅及び住宅地の供給の促進に関する特別措置法（昭和五十年法律第六十七号）による住宅街区整備事業の施行地区についてするものの効力は、住居表示に関する法律（昭和三十七年法律第百十九号）第二条第一号に規定する街区方式により住居を表示する場合を除き、旧耕地整理法第三十条第四項の規定による換地処分の認可の告示の日、土地改良法第五十四条第四項（同法第八十九条の二第十項、第九十六条及び第九十六条の四第一項において準用する場合を含む。）の規定による換地処分の公告があつた日の翌日又は土地区画整理法第百三条第四項（大都市地域における住宅及び住宅地の供給の促進に関する特別措置法第八十三条において準用する場合を含む。）の規定による換地処分の公告があつた日の翌日からそれぞれ生ずるものとする。

第百八十条　地方自治法第二百六十一条第二項の規定による通知を受理したときは、当該普通地方公共団体の長は、直ちにその旨を選挙管理委員会に通知しなければならない。

②　地方自治法第二百六十一条第二項の規定による市町村長に対する通知をしようとするときは、総務大臣は、関係のある都道府県知事を経なければならない。

③　前項の規定により関係のある都道府県知事が地方自治法第二百六十一条第二項の規定による市町村長に対する通知を受けたときは、直ちにその旨を都道府県の選挙管理委員会に通知しなければならない。

④　前項の規定による通知は、地方自治法第二百六十二条第一項において準用する公職選挙法第百十九条第二項及び第百二十条第三項の規定の適用については、これを同法第百二十条第一項の規定による届出とみなす。

第百八十一条　地方自治法第二百六十一条第三項の規定による賛否の投票の期日は、都道府県にあつては少くともその三十日前に、市町村にあつては少くともその二十日前に、これを告示しなければならない。

②　選挙管理委員会は、前項又は地方自治法第二百六十二条第一項において準用する公職選挙法第百十九条第三項の規定による告示の際併せて当該法律及びその要旨を告示するとともに、投票所の入口その他公衆の見易い場所を選び、これを掲示しなければならない。

第百八十二条　地方自治法第二百六十一条第三項の賛否の投票については、市町村の選挙管理委員会（指定都市においては、区（総合区を含む。第三項において同じ。）の選挙管理委員会）は、関係区域の選挙人名簿に登録された者で同一の政党その他の政治団体に属さないものの中から開票区ごとに三人以上五人以下の開票立会人を選任し、これを開票管理者に通知しなければならない。

②　前項の規定は、選挙立会人について準用する。この場合において、同項中「市町村の選挙管理委員会（指定都市においては、区（総合区を含む。第三項において同じ。）の選挙管理委員会）」とあるのは「当該投票に関する事務を管理する選挙管理委員会」と、「開票区ごとに三人」とあるのは「三人」と、「開票管理者」とあるのは「選挙長」と読み替えるものとする。

③　第一項の規定による市町村の選挙管理委員会の職務は、地方自治法第二百六十二条第一項において準用する

公職選挙法第十八条第二項の規定により数市町村の区域の全部又は一部を合わせて開票区が設けられた場合には関係市町村の選挙管理委員会が協議して定めた市町村の選挙管理委員会（その協議が調わないときは、都道府県の選挙管理委員会）が、同項の規定により指定都市の数区の区域の全部又は一部を合わせて開票区が設けられた場合には当該指定都市の選挙管理委員会が指定した区の選挙管理委員会が、それぞれ行う。

第百八十三条　地方自治法第二百六十一条第三項の賛否の投票の結果が判明したときは、選挙管理委員会は、直ちにこれを公表しなければならない。

②　地方自治法第二百六十一条第四項の規定による報告をするときは、都道府県知事を経由してこれをしなければならない。

第百八十四条　公職選挙法施行令第九条の二、第十条の二、第二十二条の二、第二十四条第一項及び第二項、第二十五条から第二十九条まで、第三十一条から第三十四条の二まで、第三十五条第一項（引き続き都道府県の区域内に住所を有することの確認に関する部分を除く。）及び第二項、第三十六条、第三十七条、第三十九条から第四十四条まで、第四十四条の二（在外選挙人名簿に関する部分を除く。）、第四十五条、第四十六条、第四十八条第一項から第四項まで、第四章の二（第四十八条の三（同令第四十九条の五第二項及び第九十三条第一項に関する部分に限る。）を除く。）、第四十九条の三、第四章の四、第五章（第五十条第五項（引き続き都道府県の区域内に住所を有することの確認に関する部分に限る。）及び第七項、第五十三条第一項（引き続き都道府県の区域内に住所を有することの確認に関する部分及び同令第五十九条の七第一項に規定する南極選挙人証の交付を受けた者に関する部分に限る。）、第五十五条第六項及び第七項、同条第八項及び第九項（公職選挙法第四十九条第七項及び第九項の規定による投票に関する部分に限る。）、第五十六条第一項及び第五項（衆議院比例代表選出議員の選挙に関する部分及び参議院比例代表選出議員の選挙に関する部分に限る。）、第五十九条の三第一項（在外投票に関する部分に限る。）、同条第五項（在外選挙人名簿に関する部分に限る。）、第五十九条の四第三項及び第四項（引き続き都道府県の区域内に住所を有することの確認に関する部分に限る。）、第五十九条の五（衆議院比例代表選出議員の選挙に関する部分及び参議院比例代表選出議員の選挙に関する部分に限る。）、第五十九条の五の四第三項、第六項及び第七項（引き続き都道府県の区域内に住所を有することの確認に関する部分に限る。）、第五十九条の六から第五十九条の八まで、第六十条第二項（同法第四十九条第七項から第九項までの規定による投票に関する部分に限る。）、第六十一条第一項（在外選挙人名簿に関する部分に限る。）、同条第四項、同条第五項（在外選挙人の不在者投票に関する部分に限る。）、第六十二条第二項並びに第六十三条第二項及び第三項（同法第四十九条第七項から第九項までの規定による投票に関する部分に限る。）を除く。）、第六十六条、第六十七条第一項から第六項まで、第六十八条、第七十条の三、第七十一条（在外投票に関する部分を除く。）、第七十二条から第七十四条まで、第七十五条（在外選挙人名簿に関する部分を除く。）、第七十六条（在外投票に関する部分を除く。）、第七十七条、第七十八条第一項から第四項まで、第八十条、第八十一条、第八十三条の二から第八十五条まで、第八十六条第一項、第八十七条第一項、第十章、第百二十九条第一項、第百三十一条第一項、第二項（在外選挙人名簿に関する部分を除く。）及び第三項、第百三十一条の二、第百四十二条第一項（同法第四十九条第一項の規定による投票に関する部分に限る。）及び第二項、第百四十二条の二（同法第四十九条第七項及び第九項の規定による投票に関する部分を除く。）、第百四十二条の三並びに第百四十六条の規定は、地方自治法第二百六十一条第三項の賛否の投票について準用する。この場合において、次の表の上欄に掲げる同令の規定中同表の中欄に掲げる字句は、それぞれ同表の下欄に掲げる字句に読み替えるものとする。

第二十二条の二	その抄本を用いて選挙された衆議院議員、参議院議員又は地方公共団体の議会の議員若しくは長の任期間	賛否の投票の結果が確定するまでの間
第四十一条第四項	公職の候補者（公職の候補者たる参議院名簿登載者を含む。）の氏名若しくは衆議院名簿届出政党等若しくは参議院名簿届出政党等の名称若しくは略称又は公職の候補者に対して	賛否又は
第四十五条	当該選挙に係る衆議院議員、参議院議員又は地方公共団体の議会の議員若しくは長の任期間（当該選挙に用いなかつた投票用紙にあつては、次の各号に掲げ	賛否の投票の結果が確定するまでの間

	る選挙の区分に応じ、当該各号に定める期間）	
第五十六条第一項及び第二項	当該選挙の公職の候補者一人の氏名	賛否
第五十六条第四項	公職の候補者一人の氏名	賛否
第五十六条第五項	公職の候補者の氏名	賛否
第五十九条の五	当該選挙の公職の候補者一人の氏名	賛否
第五十九条の五の二	公職の候補者一人の氏名	賛否
第七十二条	同一の公職の候補者（公職の候補者たる参議院名簿登載者を含む。）、同一の衆議院名簿届出政党等又は同一の参議院名簿届出政党等の得票数（参議院名簿届出政党等の得票数にあつては、当該参議院名簿届出政党等に係る各参議院名簿登載者（当該選挙の期日において公職の候補者たる者に限る。）の得票数を含むものをいう。）	賛否の投票数
第七十三条	各公職の候補者（公職の候補者たる参議院名簿登載者を含む。）、各衆議院名簿届出政党等又は各参議院名簿届出政党等の得票数（各参議院名簿届出政党等の得票数にあつては、当該参議院名簿届出政党等に係る各参議院名簿登載者（当該選挙の期日において公職の候補者たる者に限る。）の得票数を含むものをいう。）	賛否の投票数
第七十七条第一項	当該選挙に係る衆議院議員、参議院議員又は地方公共団体の議会の議員若しくは長の任期間	賛否の投票の結果が確定するまでの間
第八十四条	各公職の候補者（公職の候補者たる参議院名簿登載者を含む。）、各衆議院名簿届出政党等又は各参議院名簿届出政党等の得票総数（各参議院名簿届出政党等の得票総数にあつては、当該参議院名簿届出政党等に係る各参議院名簿登載者（当該選挙の期日において公職の候補者たる者に限る。）の得票総数を含むものをいう。）	賛否の投票総数
第八十六条第一項	当該選挙に係る衆議院議員、参議院議員又は地方公共団体の議会の議員若しくは長の任期間	賛否の投票の結果が確定するまでの間

第百八十五条 公職選挙法第二百六十三条第一号から第四号まで及び第五号の規定は、地方自治法第二百六十一条第三項の賛否の投票について準用する。

第百八十六条 地方自治法第二百六十二条第一項の規定により、同法第二百六十一条第三項の賛否の投票に公職選挙法中普通地方公共団体の選挙に関する規定を準用する場合には、次の表の上欄に掲げる同法の規定中同表の中欄に掲げる字句は、それぞれ同表の下欄に掲げる字句に読み替えるものとする。

第四十六条第一項	当該選挙の公職の候補者一人の氏名	賛否
第四十六条の二第一項	条例で	選挙管理委員会が
	投票用紙に氏名が印刷された公職の候補者のうちその投票しようとするもの一人に対して、投票用紙の記号を記載する欄	一の普通地方公共団体のみに適用される特別法に賛成するときは投票用紙の賛成の記載欄に○の記号を、これに反対するときは反対の記載欄

第四十六条の二第二項	第四十八条第一項	地方自治法第二百六十二条第一項において準用する第四十八条第一項
	当該選挙の公職の候補者の氏名	賛否
	公職の候補者（公職の候補者たる参議院名簿登載者を含む。）一人の氏名	が指示する賛否
	公職の候補者一人に対して	の指示に従い賛成の記載欄又は反対の記載欄に
	第六十八条第一項第一号	同法第二百六十二条第一項において準用する第六十八条第一項第一号
	「公職の候補者の氏名」	「賛否をともに」
	公職の候補者に対して○の記号	賛成の記載欄及び反対の記載欄のいずれにも○の記号を
	公職の候補者の氏名のほか、他事を記載したもの。ただし、職業、身分、住所又は敬称の類を記入したものは、この限りでない。	賛否のほか、他事を記載したもの
	公職の候補者の氏名を自書しないもの	賛否を自書しないもの
	公職の候補者の何人	賛否
	公職の候補者のいずれに対して○の記号	賛成の記載欄又は反対の記載欄のいずれに対して○の記号を記載したか
第四十八条第一項	当該選挙の公職の候補者の氏名	賛否
第四十八条第二項	公職の候補者（公職の候補者たる参議院名簿登載者を含む。）一人の氏名、一の衆議院名簿届出政党等の名称若しくは略称又は一の参議院名簿届出政党等の名称若しくは略称	賛否
第五十二条	被選挙人の氏名又は政党その他の政治団体の名称若しくは略称	賛否
第六十二条第九項	第二項	地方自治法施行令第百八十二条第一項又は第三項
第六十八条第一項第四号	二人以上の公職の候補者の氏名を	賛否をともに
第六十八条第一項第六号及び第七号	公職の候補者の氏名	賛否
第六十八条第一項第八号	公職の候補者の何人を記載したか	賛否
第七十一条	当該選挙にかかる議員又は長の任期間	賛否の投票の結果が確定するまでの間
第七十六条	第六十二条（第八項を除く。）	地方自治法第二百六十二条第一項において準用する第六十二条第九項本文及び第十一項
第八十条第一項	各公職の候補者（公職の候補者たる参議院名簿登載者を含む。第三項において同じ。）、各衆議院名簿届出政党等又は各参議院名簿届出政党等の得票総数（各参議院名簿届出政党等の得票総数にあつては、当該参議院名簿届出政党等に係る各参議院名簿登載者（当該選挙の期日において公職の候補者たる者に限る。）の得票総数を含むものをいう。第三項において同じ。）	賛否の投票総数
第八十条第二項	各公職の候補者の得票総数	賛否の投票総数

第八十条第三項	各公職の候補者、各衆議院名簿届出政党等又は各参議院名簿届出政党等の得票総数	賛否の投票総数
第八十三条第二項	当該選挙に係る議員又は長の任期間	賛否の投票の結果が確定するまでの間
第八十三条第三項	当該選挙にかかる議員又は長の任期間	賛否の投票の結果が確定するまでの間
第百三十五条	第八十八条に掲げる者	投票管理者、開票管理者及び選挙長
第百三十八条第二項	特定の候補者の氏名若しくは政党その他の政治団体の名称	一の普通地方公共団体のみに適用される特別法についての賛否
第百三十八条の三	公職に就くべき者	一の普通地方公共団体のみに適用される特別法についての賛否
第二百六条第一項	当選	賛否の投票の結果
	第百一条の三第二項又は第百六条第二項の規定による告示の日	地方自治法施行令第百八十三条第一項の公表の日
第二百七条第二項	地方公共団体の議会の議員及び長の当選	賛否の投票の結果
第二百九条第一項	当選	賛否の投票の結果
第二百十九条第一項	おける当選	おける賛否の投票の結果
第二百二十六条第二項、第二百二十七条及び第二百二十八条第一項	被選挙人の氏名	賛否
第二百三十七条の二第一項	公職の候補者（公職の候補者たる参議院名簿登載者を含む。）の氏名若しくは衆議院名簿届出政党等若しくは参議院名簿届出政党等の名称若しくは略称又は公職の候補者に対して	賛否又は
	指示する	指示に従い
第二百三十七条の二第二項	公職の候補者（公職の候補者たる参議院名簿登載者を含む。）の氏名又は衆議院名簿届出政党等若しくは参議院名簿届出政党等の名称若しくは略称	賛否
第二百五十五条第一項	公職の候補者（公職の候補者たる参議院名簿登載者を含む。以下この条及び次条において同じ。）一人の氏名、一の衆議院名簿届出政党等の名称若しくは略称又は一の参議院名簿届出政党等の名称若しくは略称	賛否
	公職の候補者の氏名、衆議院名簿届出政党等の名称若しくは略称又は参議院名簿届出政党等の名称若しくは略称	賛否
第二百五十五条第三項	公職の候補者一人の氏名、一の衆議院名簿届出政党等の名称若しくは略称又は一の参議院名簿届出政党等の名称若しくは略称	賛否
	公職の候補者の氏名、衆議院名簿届出政党等の名称若しくは略称又は参議院名簿届出政党等の名称若しくは略称	賛否

② 地方自治法第二百六十二条第一項の規定により、同法第二百六十一条第三項の賛否の投票に公職選挙法中普通地方公共団体の選挙に関する規定を準用する場合には、同法の規定中地方公共団体の議会の議員及び長の選挙に関する部分は、地方自治法第二百六十一条第三項の賛否の投票に関する規定とみなす。

第百八十七条 地方自治法第二百六十二条第一項の規定に

より、同法第二百六十一条第三項の賛否の投票に公職選挙法中普通地方公共団体の選挙に関する規定を準用する場合には、同法第一条から第四条まで、第五条の二から第五条の十まで、第九条第一項、第十条、第十一条第三項、第十一条の二、第十二条第一項、第二項及び第四項、第十三条から第十六条まで、第二十条から第三十五条まで、第三十七条第三項及び第四項、第三十八条第三項、第四十一条の二第一項（選挙区に関する部分に限る。）及び第五項（同法第四十六条第二項及び第三項、第百六十五条の二、第百七十五条第一項並びに第二百一条の十二第二項に関する部分に限る。）、第四十二条（在外選挙人名簿に関する部分に限る。）、第四十四条第三項（引き続き都道府県の区域内に住所を有することの確認に関する部分に限る。）、第四十六条第二項及び第三項、第四十六条の二第二項（同法第六十八条第一項第二号及び第五号、第八十六条の四並びに第百二十六条に関する部分に限る。）及び第三項（公職の候補者に関する部分に限る。）、第四十八条の二第五項（同法第四十六条第二項及び第三項に関する部分に限る。）、第四十九条第七項から第九項まで、第四十九条の二、第五十五条（在外選挙人名簿に関する部分に限る。）、第五十六条（在外選挙人名簿に関する部分に限る。）、第六十一条第三項及び第四項、第六十二条第一項から第八項まで、第九項ただし書及び第十項、第六十八条第一項第二号、第三号、第五号及び第六号ただし書、第二項並びに第三項、第六十八条の二、第六十八条の三、第七十五条第二項、第七十六条（同法第六十二条第九項本文及び第十一項に関する部分を除く。）、第七十七条第二項、第八十一条、第八十四条後段、第九章、第九十五条から第百六条まで、第百八条、第十一章、第百二十六条、第百二十七条、第百二十九条から第百三十四条まで、第百三十六条の二第二項、第百三十七条の三、第百三十九条ただし書、第百四十条の二（選挙運動のために使用される自動車又は船舶の上においてする連呼行為に関する部分に限る。）、第百四十一条から第百四十七条の二まで、第百四十八条第二項及び第三項、第百四十八条の二から第百五十一条の二まで、第百五十一条の五、第百五十二条、第百六十一条から第百六十四条の五まで、第百六十四条の七、第百六十五条の二、第百六十七条から第百七十二条の二まで、第百七十五条から第百七十八条の三まで、第百七十九条第一項及び第三項、第百七十九条の二から第百九十七条まで、第百九十七条の二第二項から第五項まで、第百九十九条の二から第百九十九条の五まで、第十四章の二、第十四章の三、第二百四条、第二百五条第二項から第五項まで、第二百八条、第二百九条第二項、第二百九条の二から第二百十一条まで、第二百十六条、第二百十七条、第二百十九条第一項（行政事件訴訟法第二十五条から第二十九条まで及び第三十一条に関する部分に限る。）及び第二項、第二百二十条第二項、第二百二十一条第三項、第二百二十二条から第二百二十三条の二まで、第二百二十四条の二、第二百二十四条の三、第二百三十五条、第二百三十五条の二第二号及び第三号、第二百三十五条の三、第二百三十五条の四第二号、第二百三十五条の六、第二百三十六条第一項及び第二項、第二百三十六条の二、第二百三十八条の二、第二百三十九条第一項第二号及び第二項、第二百三十九条の二第一項、第二百四十条、第二百四十一条第一号、第二百四十二条、第二百四十三条第一項第二号から第九号まで及び第二項、第二百四十四条第一項第二号から第五号の二まで、第七号及び第八号並びに第二項、第二百四十五条から第二百四十七条まで、第二百四十九条の二から第二百四十九条の五まで、第二百五十一条から第二百五十二条の三まで、第二百五十三条の二から第二百五十四条の二まで、第二百五十五条第四項から第六項まで、第二百五十五条の二から第二百六十二条まで、第二百六十三条、第二百六十四条第一項から第三項まで、第二百六十六条から第二百六十八条まで、第二百六十九条の二、第二百七十条第一項（在外選挙人名簿及び在外投票に関する部分に限る。）、同条第二項（公職選挙法第四十九条第一項及び第四項の規定による投票に関する部分を除く。）、第二百七十条の二（同法第四十九条第七項及び第九項の規定による投票に関する部分に限る。）並びに第二百七十一条から第二百七十二条までの規定は、地方自治法第二百六十一条第三項の賛否の投票については、準用しない。

第百八十八条　地方自治法第八十五条第一項及び第二百六十二条第一項において準用する公職選挙法中普通地方公共団体の選挙に関する規定並びにこの政令第百条の二乃至第百九条の二、第百十一条乃至第百十五条、第百十六条の二乃至第百十八条及び第百八十条乃至前条の規定は、地方自治法第二百六十一条第三項の賛否の投票を普通地方公共団体の選挙又は同法第七十六条第三項の規定による解散の投票若しくは同法第八十条第三項及び第八十一条第二項の規定による解職の投票と同時に行う場合にこれを準用する。但し、同法第二百六十一条第三項の賛否の投票については、公職選挙法第六十二条第一項の規定並びに同法第七十六条中同法第六十二条第一項に関する部分は、この限りでない。

②　前項の場合においては、第百八十二条第一項の規定による通知は、公職選挙法第六十二条第一項の規定の準用については、これを同条第一項の規定による届出とみな

す。

第百八十八条の二　地方自治法第二百六十一条第三項の賛否の投票が同法第二百六十二条第一項において準用する公職選挙法第二百二条、第二百三条、第二百六条又は第二百七条の規定による異議の申出、審査の申立て又は訴訟の結果無効となつた場合においては、選挙管理委員会は、当該異議の申出若しくは審査の申立てに対する決定若しくは裁決が確定した日又は当該訴訟につき同法第二百二十条第一項後段の規定による通知を受けた日から四十日以内に再投票に付さなければならない。

② 前項の再投票の期日は、都道府県にあつては少くともその三十日前に、市町村にあつては少くともその二十日前に、これを告示しなければならない。

③ 前項に定めるもののほか、第一項の再投票については、当該再投票を地方自治法第二百六十一条第三項の賛否の投票とみなして、同法第二百六十一条第三項の賛否の投票に関する規定を適用する。

第百八十九条　削除〔平一一・一〇政令三二四〕

第百九十条　都の議会の解散の投票、議会の議員及び長の解職の投票並びに都に関する地方自治法第二百六十一条第三項の賛否の投票については、同法又はこの政令中特別の定があるものを除く外、市に関する規定は、特別区にこれを適用する。この場合においては、公職選挙法第二百六十六条及び公職選挙法施行令第百三十八条の規定を準用する。

② 指定都市における都道府県及び指定都市の議会の解散の投票、議会の議員及び長の解職の投票並びに当該都道府県及び指定都市に関する地方自治法第二百六十一条第三項の賛否の投票については、同法又はこの政令中特別の定めがあるものを除くほか、市に関する規定は、区及び総合区にこれを適用する。この場合においては、公職選挙法第二百六十九条並びに公職選挙法施行令第百四十一条の二及び第百四十一条の三の規定を準用する。

第三編　特別地方公共団体

第一章　削除〔昭三一・七政令二五三〕

第百九十一条から第二百八条まで　削除〔昭三一・七政令二五三〕

第二章　特別区

（特別区の廃置分合又は境界変更への普通地方公共団体の廃置分合又は境界変更に関する規定の準用）

第二百九条　第一条の二から第四条までの規定は、地方自治法第二百八十一条の四第一項又は第八項の規定により特別区の設置があつた場合について準用する。

2 第五条、第六条、第百三十条第一項、第百七十六条第一項及び第百七十七条第一項の規定中市に関する部分は、地方自治法第二百八十一条の四第一項、第三項、第八項又は第十項の規定により特別区の廃置分合又は境界変更があつた場合について準用する。

3 第二百二十三条、第二百二十四条及び第二百二十八条の規定中市に関する部分は、前項において準用する第百三十条第一項の事務の引継ぎについて準用する。

4 第百三十一条の規定は、第二項において準用する第百三十条第一項並びに前項において準用する第二百二十三条、第二百二十四条及び第二百二十八条の場合について準用する。

第二百十条から第二百十条の九まで　削除〔昭四九・六政令二〇三〕

（特別区財政調整交付金の総額）

第二百十条の十　地方自治法第二百八十二条第二項に規定する特別区財政調整交付金（以下「交付金」という。）の総額は、同項に規定する地方税法第五条第二項に掲げる税のうち同法第七百三十四条第一項及び第二項（第二号に係る部分に限る。）の規定により都が課するものの収入額と法人の行う事業に対する事業税の収入額（同法第七十二条の二十四の七第九項の規定により同法第七百三十四条第四項に規定する標準税率を超える税率で事業税を課する場合には、法人の行う事業に対する事業税の収入額に相当する額から当該額に地方税法施行令（昭和二十五年政令第二百四十五号）第五十七条の二の七第一項に規定する標準税率超過率を乗じて得た額を控除した額）に同法第七百三十四条第四項に規定する政令で定める率を乗じて得た額を統計法（平成十九年法律第五十三号）第二条第四項に規定する基幹統計である事業所統計の最近に公表された結果による各市町村及び特別区の従業者数で按分して得た額のうち特別区に係る額との合算額に条例で定める割合を乗じて得た額（次条第二項及び第三項において「交付金総額」という。）とする。

（交付金の種類）

第二百十条の十一　交付金の種類は、普通交付金及び特別交付金とする。

2 普通交付金の総額は、交付金総額に一定の割合（次項において「普通交付金に係る割合」という。）を乗じて得た額とする。

3 特別交付金の総額は、交付金総額に一から普通交付金に係る割合を控除して得た割合を乗じて得た額とする。

（交付金の交付）

第二百十条の十二　普通交付金は、地方自治法第二百八十

一条第二項の規定により特別区が処理することとされている事務の処理に要する経費につき、地方交付税法（昭和二十五年法律第二百十一号）第十一条から第十三条までに規定する算定方法におおむね準ずる算定方法により算定した財政需要額（次項及び第二百十条の十五において「基準財政需要額」という。）が、地方税法第七百三十六条第一項の規定により読み替えられた同法第一条第二項において準用する同法第五条第二項の規定により特別区が課する税（以下この項において「特別区が課する税」という。）、同法第七百三十四条第三項において準用する同法第七十一条の二十六第一項の規定により特別区に交付するものとされる利子割に係る交付金（以下この項において「利子割交付金」という。）、同法第七百三十四条第三項において準用する同法第七十一条の四十七第一項の規定により特別区に交付するものとされる配当割に係る交付金（以下この項において「配当割交付金」という。）、同法第七百三十四条第三項において準用する同法第七十一条の六十七第一項の規定により特別区に交付するものとされる株式等譲渡所得割に係る交付金（以下この項において「株式等譲渡所得割交付金」という。）、同法第七十二条の百十五第一項及び第二項の規定により特別区に交付するものとされる地方消費税に係る交付金（以下この項において「地方消費税交付金」という。）、同法第百三条の規定により特別区に交付するものとされるゴルフ場利用税に係る交付金（以下この項において「ゴルフ場利用税交付金」という。）並びに同法第百七十七条の六第一項の規定により特別区に交付するものとされる環境性能割に係る交付金（以下この項において「環境性能割交付金」という。）の収入額並びに地方揮発油譲与税法（昭和三十年法律第百十三号）、自動車重量譲与税法（昭和四十六年法律第九十号）、航空機燃料譲与税法（昭和四十七年法律第十三号）及び森林環境税及び森林環境譲与税に関する法律（平成三十一年法律第三号）の規定により特別区に譲与するものとされる地方揮発油譲与税、自動車重量譲与税、航空機燃料譲与税及び森林環境譲与税の額につき、特別区が課する税にあつては地方交付税法第十四条第二項に規定する基準税率に係る率を百分の八十五とし、利子割交付金にあつては同条第一項の利子割交付金の収入見込額の百分の七十五の率を百分の八十五とし、配当割交付金にあつては同項の配当割交付金の収入見込額の百分の七十五の率を百分の八十五とし、株式等譲渡所得割交付金にあつては同項の株式等譲渡所得割交付金の収入見込額の百分の七十五の率を百分の八十五とし、地方消費税交付金にあつては同項の地方消費税交付金の収入見込額の百分の七十五の率を百分の八十五とし、ゴルフ場利用税交付金にあつては同項のゴルフ場利用税交付金の収入見込額の百分の七十五の率を百分の八十五とし、環境性能割交付金にあつては同項の環境性能割交付金の収入見込額の百分の七十五の率を百分の八十五とし、同項及び同条第三項に規定する算定方法におおむね準ずる算定方法により算定した財政収入額（次項及び第二百十条の十五において「基準財政収入額」という。）を超える特別区に対して、次項に定めるところにより交付する。

2　各特別区に対して交付すべき普通交付金の額は、当該特別区の基準財政需要額が基準財政収入額を超える額（以下この項において「財源不足額」という。）とする。ただし、各特別区について算定した財源不足額の合算額（以下この章において「財源不足額合算額」という。）が普通交付金の総額を超える場合においては、次の式により算定した額とする。

$$\text{当該特別区の財源不足額} - \text{当該特別区の基準財政需要額} \times \frac{\text{財源不足額合算額} - \text{普通交付金の総額}}{\text{基準財政需要額が基準財政収入額を超える特別区の基準財政需要額の合算額}}$$

3　各年度において、普通交付金の総額が前項ただし書の規定により算定した各特別区に対して交付すべき普通交付金の合算額に満たない場合には、当該不足額は、当該年度の特別交付金の総額を減額してこれに充てるものとする。

4　特別交付金は、普通交付金の額の算定期日後に生じた災害等のため特別の財政需要があり、又は財政収入の減少があることその他特別の事情があると認められる特別区に対し、当該事情を考慮して交付する。

（特別交付金の額の変更）

第二百十条の十三　各年度において、普通交付金の総額が財源不足額合算額を超える場合においては、当該超過額は、当該年度の特別交付金の総額に加算するものとする。

（条例で定める割合の変更）

第二百十条の十四　普通交付金の総額が引き続き財源不足額合算額と著しく異なることとなる場合においては、地方自治法第二百八十二条第二項に規定する条例で定める割合の変更を行うものとする。

（報告）

第二百十条の十五　地方自治法第二百八十二条第三項の規定による報告は、同条第一項の条例に基づいて交付金を交付した後速やかに、特別区ごとの交付金の額、基準財政需要額及び基準財政収入額の算定方法その他交付金の交付に関する事項についてしなければならない。

（都区協議会）

第二百十条の十六　都区協議会は、地方自治法第二百八十二条の二第二項の規定による意見を述べるほか、都及び特別区の事務の処理について、都と特別区及び特別区相互の間の連絡調整を図るために必要な協議を行う。

2　都区協議会は、委員十六人をもつて組織する。

3　委員は、次に掲げる者をもつて充てる。

一　都知事

二　都知事が、その補助機関たる職員のうちから指名する者　七人

三　特別区の区長が特別区の区長の中から協議により指名する者　八人

4　特別区の区長である委員の任期は、二年とする。ただし、補欠の委員の任期は、前任者の残任期間とする。

5　都区協議会に会長を置き、委員の互選によつて定める。

6　会長は、都区協議会の事務を掌理し、都区協議会を代表する。

7　会長に事故があるとき、又は会長が欠けたときは、会長があらかじめ指定する委員がその職務を代理する。

8　都区協議会は、必要があると認めるときは、関係のある公の機関の長に対し、資料の提出、意見の開陳、説明その他必要な協力を求めることができる。

9　都区協議会の経費は、都及び特別区が支弁する。

10　前各項に定めるもののほか、都区協議会に関し必要な事項は、都区協議会が定める。

（特別区に係る建築基準法の適用の特例）

第二百十条の十七　建築基準法（昭和二十五年法律第二百一号）第九十七条の三第一項及び第四項の場合においては、同法第十二条第一項、第二項及び第四項、第十四条、第十六条、第十八条第一項、第二項及び第二十五項、第七十条第四項、第七十二条第二項、第七十三条第二項並びに第七十八条第一項中「建築主事を置く市町村」とあるのは、「特別区」とする。

第三章　地方公共団体の組合

第一節　一部事務組合

（代表理事等）

第二百十一条　地方自治法第二百八十七条の三第二項に規定する理事会（第三項及び第四項において「理事会」という。）に、代表理事一人を置く。

2　代表理事は、理事が互選する。

3　代表理事は、理事会に関する事務を処理し、理事会を代表する。

4　前三項に定めるもののほか、理事会の組織及び運営に関し必要な事項は、理事会が定める。

（通知すべき議決事件）

第二百十一条の二　地方自治法第二百八十七条の四に規定する一部事務組合の議会の議決すべき事件のうち政令で定める重要なものは、次に掲げる事件とする。

一　条例を設け、又は改廃すること。

二　予算を定めること。

三　決算を認定すること。

四　前三号に掲げる事件のほか、重要な事件として一部事務組合の規約で定める事件

（特例一部事務組合に関する読替え）

第二百十一条の三　地方自治法第二百九十二条の規定によりこの政令中都道府県、市又は町村に関する規定を特例一部事務組合（同法第二百八十七条の二第二項に規定する特例一部事務組合をいう。）に準用する場合には、第百二十一条の四第二項中「地方自治法第九十八条第一項に規定する議会」とあるのは「地方自治法第二百八十七条の二第七項において準用する同法第九十八条第一項に規定する特例一部事務組合の構成団体の議会」と、第百二十一条の五第二項中「地方自治法第百条第一項に規定する議会」とあるのは「地方自治法第二百八十七条の二第七項において準用する同法第百条第一項に規定する特例一部事務組合の構成団体の議会」と、第百七十四条の四十九の三十八第二項中「地方自治法第二百五十二条の四十第二項に規定する議会からの個別外部監査の請求」とあるのは「地方自治法第二百八十七条の二第十項において準用する同法第二百五十二条の四十第二項に規定する特例一部事務組合の構成団体の議会からの個別外部監査の請求」と読み替えるものとする。

第二節　広域連合

（広域連合の条例の制定又は改廃の請求への地方自治法等の規定の準用等）

第二百十二条　地方自治法第二百九十一条の六第一項の規定により、広域連合の条例の制定又は改廃の請求に同法第二編第五章（第七十五条第六項後段、第八十条第四項後段、第八十五条及び第八十六条第四項後段を除く。）の規定を準用する場合には、同法第七十四条第五項中「普通地方公共団体の選挙管理委員会」とあり、並びに同法第七十四条の二第七項及び第十項中「都道府県の選挙管理委員会」とあるのは、「広域連合の選挙管理委員会」と読み替えるものとする。

2　地方自治法第二百九十一条の六第一項の規定により、広域連合の条例の制定又は改廃の請求に同法第二編第五章（第七十五条第六項後段、第八十条第四項後段、第八

十五条及び第八十六条第四項後段を除く。）の規定を準用する場合には、同法第七十四条の二第八項、第七十五条第一項から第五項まで及び第六項前段、第七十六条から第七十九条まで、第八十条第一項から第三項まで及び第四項前段、第八十一条から第八十四条まで、第八十六条第一項から第三項まで及び第四項前段、第八十七条並びに第八十八条の規定は、広域連合の条例の制定又は改廃の請求については、準用しない。

第二百十二条の二　第九十一条から第九十八条まで、第九十八条の二、第九十八条の三第二項及び第九十八条の四の規定は、地方自治法第二百九十一条の六第一項において準用する同法第七十四条第一項の規定による広域連合の条例の制定又は改廃の請求について準用する。この場合において、次の表の上欄に掲げる規定中同表の中欄に掲げる字句は、それぞれ同表の下欄に掲げる字句に読み替えるものとする。

第九十一条第三項から第五項まで	地方自治法第七十四条第六項各号	地方自治法第二百九十一条の六第一項において準用する同法第七十四条第六項各号
第九十二条第一項	地方自治法第七十四条第一項に規定する選挙権を有する者（以下この編において「選挙権を有する者」という。）	地方自治法第二百九十一条の六第一項において準用する同法第七十四条第一項に規定する請求権を有する者（以下この編において「請求権を有する者」という。）
第九十二条第二項	選挙権を有する者	請求権を有する者
第九十二条第三項	都道府県及び指定都市にあつては二箇月以内、指定都市以外の市町村にあつては一箇月以内	二箇月以内
第九十二条第三項ただし書	地方自治法第七十四条第七項	地方自治法第二百九十一条の六第一項において準用する同法第七十四条第七項
	都道府県及び指定都市にあつては六十二日以内、指定都市以外の市町村にあつては三十一日以内	六十二日以内
第九十二条第四項	地方自治法第七十四条第七項	地方自治法第二百九十一条の六第一項において準用する同法第七十四条第七項
第九十三条	都道府県に関する請求にあつては市町村ごとに、指定都市に関する請求にあつては区又は総合区ごとに	市町村ごとに
第九十三条の二第一項	都道府県又は指定都市	広域連合
第九十四条第一項	地方自治法第七十四条第五項	地方自治法第二百九十一条の六第一項において準用する同法第七十四条第五項
	選挙権を有する者	請求権を有する者
	都道府県又は指定都市に関する請求にあつては十日以内、指定都市以外の市町村に関する請求にあつては五日以内	十日以内
第九十五条の二	地方自治法第七十四条の二第一項	地方自治法第二百九十一条の六第一項において準用する同法第七十四条の二第一項
第九十五条の三	地方自治法第七十四条の二第五項	地方自治法第二百九十一条の六第一項において準用する同法第七十四条の二第五項
第九十五条の四	地方自治法第七十四条の二第六項	地方自治法第二百九十一条の六第一項において準用する同法第七十四条の二第六項
第九十六条第一項	地方自治法第七十四条	地方自治法第二百

	第一項	九十一条の六第一項において準用する同法第七十四条第一項
	同法第七十四条の二第六項	同法第二百九十一条の六第一項において準用する同法第七十四条の二第六項
	、都道府県又は指定都市に関する請求にあつては十日以内、指定都市以外の市町村に関する請求にあつては五日以内	十日以内
	同法第七十四条第五項	同法第二百九十一条の六第一項において準用する同法第七十四条第五項
	選挙権を有する者	請求権を有する者
第九十六条第二項	地方自治法第七十四条の二第十項	地方自治法第二百九十一条の六第一項において準用する同法第七十四条の二第十項
第九十七条第一項	地方自治法第七十四条第五項	地方自治法第二百九十一条の六第一項において準用する同法第七十四条第五項
	選挙権を有する者	請求権を有する者
第九十七条第二項	都道府県又は指定都市に関する請求にあつては五日以内、指定都市以外の市町村に関する請求にあつては三日以内	五日以内
第九十八条第二項	地方自治法第七十四条第三項	地方自治法第二百九十一条の六第一項において準用する同法第七十四条第三項
第九十八条の二第一項及び第二項	地方自治法第七十四条第四項	地方自治法第二百九十一条の六第一項において準用する同法第七十四条第四項

（広域連合の事務監査の請求への地方自治法等の規定の準用等）

第二百十二条の三 地方自治法第二百九十一条の六第一項の規定により、広域連合の事務の監査の請求に同法第二編第五章（第七十五条第六項後段、第八十条第四項後段、第八十五条及び第八十六条第四項後段を除く。）の規定を準用する場合には、同法第七十四条第五項中「普通地方公共団体の選挙管理委員会」とあり、並びに同法第七十五条第六項前段において準用する同法第七十四条の二第七項及び第十項中「都道府県の選挙管理委員会」とあるのは、「広域連合の選挙管理委員会」と読み替えるものとする。

2 地方自治法第二百九十一条の六第一項の規定により、広域連合の事務の監査の請求に同法第二編第五章（第七十五条第六項後段、第八十条第四項後段、第八十五条及び第八十六条第四項後段を除く。）の規定を準用する場合には、同法第七十四条から第七十四条の四まで、第七十五条第六項前段（同法第七十四条の二第八項の準用に係る部分に限る。）、第七十六条から第七十九条まで、第八十条第一項から第三項まで及び第四項前段、第八十一条から第八十四条まで、第八十六条第一項から第三項まで及び第四項前段、第八十七条並びに第八十八条の規定は、広域連合の事務の監査の請求については、準用しない。

第二百十二条の四 第九十一条から第九十八条まで、第九十八条の三第二項及び第九十八条の四の規定は、地方自治法第二百九十一条の六第一項において準用する同法第七十五条第一項の規定による広域連合の事務の監査の請求について準用する。この場合において、次の表の上欄に掲げる規定中同表の中欄に掲げる字句は、それぞれ同表の下欄に掲げる字句に読み替えるものとする。

第九十一条第一項及び第二項	普通地方公共団体の長	広域連合の監査を行う機関
第九十一条第三項から第五項まで	地方自治法第七十四条第六項各号	地方自治法第二百九十一条の六第一項において準用する同法第七十五条第六項前段において準用する同法第

		七十四条第六項各号
	普通地方公共団体の長	広域連合の監査を行う機関
第九十二条第一項	地方自治法第七十四条第一項に規定する選挙権を有する者（以下この編において「選挙権を有する者」という。）	地方自治法第二百九十一条の六第一項において準用する同法第七十四条第一項に規定する請求権を有する者（以下この編において「請求権を有する者」という。）
第九十二条第二項	選挙権を有する者	請求権を有する者
第九十二条第三項	都道府県及び指定都市にあつては二箇月以内、指定都市以外の市町村にあつては一箇月以内	二箇月以内
第九十二条第三項ただし書	地方自治法第七十四条第七項	地方自治法第二百九十一条の六第一項において準用する同法第七十五条第六項前段において準用する同法第七十四条第七項
	都道府県及び指定都市にあつては六十二日以内、指定都市以外の市町村にあつては三十一日以内	六十二日以内
第九十二条第四項	地方自治法第七十四条第七項	地方自治法第二百九十一条の六第一項において準用する同法第七十五条第六項前段において準用する同法第七十四条第七項
第九十三条	都道府県に関する請求にあつては市町村ごとに、指定都市に関する請求にあつては区又は総合区ごとに	市町村ごとに
第九十三条の二第一項	都道府県又は指定都市	広域連合
第九十四条第一項	地方自治法第七十四条第五項	地方自治法第二百九十一条の六第一項において準用する同法第七十五条第六項前段において準用する同法第七十四条第五項
	選挙権を有する者	請求権を有する者
	都道府県又は指定都市に関する請求にあつては十日以内、指定都市以外の市町村に関する請求にあつては五日以内	十日以内
第九十五条の二	地方自治法第七十四条の二第一項	地方自治法第二百九十一条の六第一項において準用する同法第七十五条第六項前段において準用する同法第七十四条の二第一項
第九十五条の三	地方自治法第七十四条の二第五項	地方自治法第二百九十一条の六第一項において準用する同法第七十五条第六項前段において準用する同法第七十四条の二第五項
第九十五条の四	地方自治法第七十四条の二第六項	地方自治法第二百九十一条の六第一項において準用する同法第七十五条第六項前段において準用する同法第七十四条の二第六項
第九十六条第一項	地方自治法第七十四条第一項	地方自治法第二百九十一条の六第一項において準用する同法第七十五条第一項

	同法第七十四条の二第六項	同法第二百九十一条の六第一項において準用する同法第七十五条第六項前段において準用する同法第七十四条の二第六項
	、都道府県又は指定都市に関する請求にあつては十日以内、指定都市以外の市町村に関する請求にあつては五日以内	十日以内
	同法第七十四条第五項	同法第二百九十一条の六第一項において準用する同法第七十五条第六項前段において準用する同法第七十四条第五項
第九十六条第二項	選挙権を有する者	請求権を有する者
	地方自治法第七十四条の二第十項	地方自治法第二百九十一条の六第一項において準用する同法第七十五条第六項前段において準用する同法第七十四条の二第十項
第九十七条第一項	地方自治法第七十四条第五項	地方自治法第二百九十一条の六第一項において準用する同法第七十五条第六項前段において準用する同法第七十四条第五項
	選挙権を有する者	請求権を有する者
	普通地方公共団体の長	広域連合の監査を行う機関
第九十七条第二項	都道府県又は指定都市に関する請求にあつては五日以内、指定都市以外の市町村に関する請求にあつては三日以内	五日以内
第九十八条第一項	普通地方公共団体の長	広域連合の監査を行う機関
第九十八条第二項	普通地方公共団体の長	広域連合の監査を行う機関
	第七十四条第三項の規定による議会の審議	第二百九十一条の六第一項において準用する同法第七十五条第三項の規定による事務の監査

（広域連合の議会の解散の請求への地方自治法等の規定の準用等）

第二百十三条　地方自治法第二百九十一条の六第一項の規定により、広域連合の議会の解散の請求に同法第二編第五章（第七十五条第六項後段、第八十条第四項後段、第八十五条及び第八十六条第四項後段を除く。）の規定を準用する場合には、次の表の上欄に掲げる同法の規定中同表の中欄に掲げる字句は、それぞれ同表の下欄に掲げる字句に読み替えるものとする。

第七十六条第四項において準用する第七十四条第五項	五十分の一	三分の一（その総数が四十万を超え八十万以下の場合にはその四十万を超える数に六分の一を乗じて得た数と四十万に三分の一を乗じて得た数とを合算して得た数、その総数が八十万を超える場合にはその八十万を超える数に八分の一を乗じて得た数と四十万に六分の一を乗じて得た数と四十万に三分の一を乗じて得た数とを合算して得た数）
	普通地方公共団体の選挙管理委員会	広域連合の選挙管理委員会
第七十六条第四項	都道府県の選挙管理委	広域連合の選挙管

において準用する第七十四条の二第七項及び第十項	員会	理委員会
第七十六条第一項	普通地方公共団体の選挙管理委員会	広域連合の選挙管理委員会
第七十六条第三項	選挙人	広域連合の選挙人
第七十七条	普通地方公共団体の議会の議長	広域連合の議会の議長並びに広域連合を組織する地方公共団体の議会において当該広域連合の議会の議員を選挙する広域連合にあつては当該広域連合を組織する地方公共団体の議会の議長
	都道府県知事	広域連合の長（第二百九十一条の十三において準用する第二百八十七条の三第二項の規定により長に代えて理事会を置く広域連合にあつては、理事会。以下同じ。）
	市町村長	広域連合の長

2　地方自治法第二百九十一条の六第一項の規定により、広域連合の議会の解散の請求に同法第二編第五章（第七十五条第六項後段、第八十条第四項後段、第八十五条及び第八十六条第四項後段を除く。）の規定を準用する場合には、同法第七十四条から第七十四条の四まで、第七十五条第一項から第五項まで及び第六項前段、第七十六条第四項（同法第七十四条の二第八項の準用に係る部分に限る。）、第八十条第一項から第三項まで及び第四項前段、第八十一条から第八十四条まで、第八十六条第一項から第三項まで及び第四項前段、第八十七条並びに第八十八条の規定並びに広域連合を組織する地方公共団体の議会において当該広域連合の議会の議員を選挙する広域連合の議会の解散の請求にあつては同法第七十九条の規定は、広域連合の議会の解散の請求については、準用しない。

3　広域連合を組織する地方公共団体の議会において当該広域連合の議会の議員を選挙する広域連合に係る地方自治法第二百九十一条の六第一項において準用する同法第七十六条第一項の規定による広域連合の議会の解散の請求は、同条第三項の規定による解散の投票のあつた日から一年間は、することができない。

第二百十三条の二　第九十一条から第九十七条まで、第九十八条第一項、第九十八条の三第二項及び第九十八条の四の規定は、地方自治法第二百九十一条の六第一項において準用する同法第七十六条第一項の規定による広域連合の議会の解散の請求について準用する。この場合において、次の表の上欄に掲げる規定中同表の中欄に掲げる字句は、それぞれ同表の下欄に掲げる字句に読み替えるものとする。

第九十一条第一項及び第二項	普通地方公共団体の長	広域連合の選挙管理委員会
第九十一条第三項から第五項まで	地方自治法第七十四条第六項各号	地方自治法第二百九十一条の六第一項において準用する同法第七十六条第四項において準用する同法第七十四条第六項各号
	普通地方公共団体の長	広域連合の選挙管理委員会
第九十二条第一項	地方自治法第七十四条第一項に規定する選挙権を有する者（以下この編において「選挙権を有する者」という。）	地方自治法第二百九十一条の六第一項において準用する同法第七十四条第一項に規定する請求権を有する者（以下この編において「請求権を有する者」という。）
第九十二条第二項	選挙権を有する者	請求権を有する者
第九十二条第三項	都道府県及び指定都市にあつては二箇月以内、指定都市以外の市町村にあつては一箇月以内	二箇月以内
第九十二条第三項ただし書	地方自治法第七十四条第七項	地方自治法第二百九十一条の六第一

第九十二条第四項	都道府県及び指定都市にあつては六十二日以内、指定都市以外の市町村にあつては三十一日以内	六十二日以内
	地方自治法第七十四条第七項	地方自治法第二百九十一条の六第一項において準用する同法第七十六条第四項において準用する同法第七十四条第七項
第九十三条	都道府県に関する請求にあつては市町村ごとに、指定都市に関する請求にあつては区又は総合区ごとに	市町村ごとに
第九十三条の二第一項	都道府県又は指定都市	広域連合
第九十四条第一項	地方自治法第七十四条第五項	地方自治法第二百九十一条の六第一項において準用する同法第七十六条第四項において準用する同法第七十四条第五項
第九十五条の二	選挙権を有する者	請求権を有する者
	五十分の一	三分の一（その総数が四十万を超え八十万以下の場合にはその四十万を超える数に六分の一を乗じて得た数と四十万に三分の一を乗じて得た数とを合算して得た数、その総数が八十万を超える場合にはその八十万を超える数に八分の一を乗じて得た数と四十万に六分の一を乗じて得た数と四十万に三分の一を乗じて得た数とを合算して得た数）
	都道府県又は指定都市に関する請求にあつては十日以内、指定都市以外の市町村に関する請求にあつては五日以内	十日以内
	地方自治法第七十四条の二第一項	地方自治法第二百九十一条の六第一項において準用する同法第七十六条第四項において準用する同法第七十四条の二第一項
第九十五条の三	地方自治法第七十四条の二第五項	地方自治法第二百九十一条の六第一項において準用する同法第七十六条第四項において準用する同法第七十四条の二第五項
第九十五条の四	地方自治法第七十四条の二第六項	地方自治法第二百九十一条の六第一項において準用する同法第七十六条第四項において準用する同法第七十四条の二第六項
第九十六条第一項	地方自治法第七十四条第一項	地方自治法第二百九十一条の六第一項において準用する同法第七十六条第一項
	同法第七十四条の二第六項	同法第二百九十一条の六第一項において準用する同法第七十六条第四項において準用する同法第七十四条の二第六項

上欄	中欄	下欄
	、都道府県又は指定都市に関する請求にあつては十日以内、指定都市以外の市町村に関する請求にあつては五日以内	十日以内
	同法第七十四条第五項	同法第二百九十一条の六第一項において準用する同法第七十六条第四項において準用する同法第七十四条第五項
	選挙権を有する者	請求権を有する者
	五十分の一	三分の一（その総数が四十万を超え八十万以下の場合にはその四十万を超える数に六分の一を乗じて得た数と四十万に三分の一を乗じて得た数とを合算して得た数、その総数が八十万を超える場合にはその八十万を超える数に八分の一を乗じて得た数と四十万に六分の一を乗じて得た数と四十万に三分の一を乗じて得た数とを合算して得た数）
第九十六条第二項	地方自治法第七十四条の二第十項	地方自治法第二百九十一条の六第一項において準用する同法第七十六条第四項において準用する同法第七十四条の二第十項
第九十七条第一項	地方自治法第七十四条第五項	地方自治法第二百九十一条の六第一項において準用する同法第七十六条第四項において準用する同法第七十四条第五項
	選挙権を有する者	請求権を有する者
	五十分の一	三分の一（その総数が四十万を超え八十万以下の場合にはその四十万を超える数に六分の一を乗じて得た数と四十万に三分の一を乗じて得た数とを合算して得た数、その総数が八十万を超える場合にはその八十万を超える数に八分の一を乗じて得た数と四十万に六分の一を乗じて得た数と四十万に三分の一を乗じて得た数とを合算して得た数）
第九十七条第二項	普通地方公共団体の長	広域連合の選挙管理委員会
	都道府県又は指定都市に関する請求にあつては五日以内、指定都市以外の市町村に関する請求にあつては三日以内	五日以内
第九十八条第一項	普通地方公共団体の長	広域連合の選挙管理委員会

（広域連合の議会の解散の投票の投票区等）

第二百十三条の三　広域連合の議会の解散の投票の投票区及び開票区は、当該広域連合の区域内の市町村の議会の議員の選挙の投票区及び開票区による。

（広域連合の議会の解散の投票への公職選挙法等の規定の準用等）

第二百十三条の四　第百条の二から第百二条まで、第百四条、第百五条、第百七条、第百九条の二及び第百九条の三の規定は、広域連合の議会の解散の投票について準用する。この場合において、次の表の上欄に掲げる規定中同表の中欄に掲げる字句は、それぞれ同表の下欄に掲げる字句に読み替えるものとする。

自治令

第百条の二第一項	前条	第二百十三条の二
第百条の二第二項	都道府県に関する請求にあつては少くともその三十日前に、市町村に関する請求にあつては少くともその二十日前に	少なくともその三十日前に
第百四条第一項	第百条	第二百十三条の二
第百五条及び第百九条の三第一項	地方自治法第八十五条第一項	地方自治法第二百九十一条の六第七項
第百九条の三第二項	都道府県に関する請求にあつては少くともその三十日前に、市町村に関する請求にあつては少くともその二十日前に	少なくともその三十日前に

第二百十三条の五　公職選挙法施行令第二十二条の二、第二十四条第一項及び第二項、第二十五条から第二十九条まで、第三十一条から第三十四条まで、第三十五条第一項（引き続き都道府県の区域内に住所を有することの確認に関する部分を除く。）及び第二項、第三十六条、第三十七条、第三十九条から第四十四条まで、第四十四条の二（在外選挙人名簿に関する部分を除く。）、第四十五条、第四十六条、第四十八条第一項から第四項まで、第四十八条の二、第四章の二（第四十八条の三（同令第四十九条の五第二項、第九十三条第一項及び第百四条に関する部分に限る。）を除く。）、第四十九条の三、第四章の四、第五章（第五十条第五項及び第七項、第五十三条第一項（引き続き都道府県の区域内に住所を有することの確認に関する部分及び同令第五十九条の七第一項に規定する南極選挙人証の交付を受けた者に関する部分に限る。）、第五十五条第六項及び第七項、同条第八項及び第九項（公職選挙法第四十九条第七項及び第九項の規定による投票に関する部分に限る。）、第五十六条第一項及び第五項（衆議院比例代表選出議員の選挙に関する部分及び参議院比例代表選出議員の選挙に関する部分に限る。）、第五十九条の三第一項（在外投票に関する部分に限る。）、同条第五項（在外選挙人名簿に関する部分に限る。）、第五十九条の四第三項、同条第四項（引き続き都道府県の区域内に住所を有することの確認に関する部分に限る。）、第五十九条の五（衆議院比例代表選出議員の選挙に関する部分及び参議院比例代表選出議員の選挙に関する部分に限る。）、第五十九条の五の四第三項、同条第六項及び第七項（引き続き都道府県の区域内に住所を有することの確認に関する部分に限る。）、第五十九条の六から第五十九条の八まで、第六十条第二項（同法第四十九条第七項から第九項までの規定による投票に関する部分に限る。）、第六十一条第一項（在外選挙人名簿に関する部分に限る。）、同条第四項、同条第五項（在外選挙人の不在者投票に関する部分に限る。）、第六十二条第二項並びに第六十三条第二項及び第三項（同法第四十九条第七項から第九項までの規定による投票に関する部分に限る。）を除く。）、第六十六条、第六十七条第一項から第六項まで、第六十八条、第六十九条（政党その他の政治団体に関する部分を除く。）、第七十条の二第一項（政党その他の政治団体に関する部分、候補者届出政党に関する部分、衆議院名簿届出政党等に関する部分及び参議院名簿届出政党等に関する部分を除く。）、第七十条の三、第七十条の四第一項本文、第二項本文及び第三項、第七十条の五第一項、第三項、第五項、第六項、第八項及び第十項、第七十条の六第一項、第三項、第五項、第六項、第八項、第十項、第十一項、第十三項及び第十五項、第七十条の七第一項本文、第二項本文、第三項、第四項本文、第五項本文及び第六項、第七十条の八、第七十一条（在外投票に関する部分を除く。）、第七十二条から第七十四条まで、第七十五条（在外選挙人名簿に関する部分を除く。）、第七十六条（在外投票に関する部分を除く。）、第七十七条、第七十八条第一項から第四項まで、第八十条から第八十二条まで、第八十三条の二から第八十五条まで、第八十六条第一項、第八十七条第一項、第百八条第一項及び第三項（衆議院比例代表選出議員の選挙に関する部分及び参議院比例代表選出議員の選挙に関する部分並びに推薦届出者に関する部分及び候補者届出政党に関する部分を除く。）、第百二十九条第一項、第百三十一条第一項、第二項（在外選挙人名簿に関する部分を除く。）及び第三項、第百三十一条の二、第百四十二条第一項（同法第四十九条第一項の規定による投票に関する部分に限る。）及び第二項、第百四十二条の二（同法第四十九条第七項及び第九項の規定による投票に関する部分を除く。）、第百四十二条の三並びに第百四十六条第二項の規定並びに都道府県の加入する広域連合にあつては同令第三十四条の二並びに第五十条第五項、第五十九条の四第三項及び第五十九条の五の四第三項（引き続き都道府県の区域内に住所を有することの確認に関する部分を除く。）の規定は、広域連合の議会の解散の投票について準用する。この場合において、次の表の上欄に掲げる同令の規定中同

表の中欄に掲げる字句は、それぞれ同表の下欄に掲げる字句に読み替えるものとする。

第二十二条の二	その抄本を用いて選挙された衆議院議員、参議院議員又は地方公共団体の議会の議員若しくは長の任期間	解散の投票の結果が確定するまでの間
第三十五条第一項	により都道府県	により広域連合（都道府県の加入するものに限る。）を組織する都道府県
	規定する引き続き当該都道府県	規定する引き続き当該広域連合
第四十一条第四項	公職の候補者（公職の候補者たる参議院名簿登載者を含む。）の氏名若しくは衆議院名簿届出政党等若しくは参議院名簿届出政党等の名称若しくは略称又は公職の候補者に対して	賛否又は
第四十五条	当該選挙に係る衆議院議員、参議院議員又は地方公共団体の議会の議員若しくは長の任期間（当該選挙に用いなかつた投票用紙にあつては、次の各号に掲げる選挙の区分に応じ、当該各号に定める期間）	解散の投票の結果が確定するまでの間
第五十条第五項	当該選挙	当該広域連合を組織する都道府県の議会の議員及び長の選挙
第五十三条第一項	により当該	により当該広域連合（都道府県の加入するものに限る。）を組織する都道府県の議会の議員及び長の
第五十六条第一項及び第二項	当該選挙の公職の候補者一人の氏名	賛否
第五十六条第四項	公職の候補者一人の氏名	賛否
第五十六条第五項	公職の候補者の氏名	賛否
第五十九条の四第三項	当該選挙	当該広域連合を組織する都道府県の議会の議員及び長の選挙
第五十九条の四第四項	により当該	により当該広域連合（都道府県の加入するものに限る。）を組織する都道府県の議会の議員及び長の
第五十九条の五	当該選挙の公職の候補者一人の氏名	賛否
第五十九条の五の二	公職の候補者一人の氏名	賛否
第五十九条の五の四第三項	当該選挙	当該広域連合を組織する都道府県の議会の議員及び長の選挙
第五十九条の五の四第七項	により当該	により当該広域連合（都道府県の加入するものに限る。）を組織する都道府県の議会の議員及び長の
第六十九条	公職の候補者、候補者届出政党、衆議院名簿届出政党等又は参議院名簿届出政党等	広域連合の議会又はその解散請求代表者
第七十条の二第一項	公職の候補者の届出に係る者については当該公職の候補者の氏名	広域連合の議会の届出に係る者については当該広域連合の議会の名称、解散請求代表者の届出に係る者については当該解散請求代表者の氏名
第七十条の五第一項、第三項、第六項及び第八項並びび	二人	各々三人
	一人	各々二人

に第七十条の六第一項、第三項、第六項、第八項、第十一項及び第十三項		
第七十二条	同一の公職の候補者（公職の候補者たる参議院名簿登載者を含む。）、同一の衆議院名簿届出政党等又は同一の参議院名簿届出政党等の得票数（参議院名簿届出政党等の得票数にあつては、当該参議院名簿届出政党等に係る各参議院名簿登載者（当該選挙の期日において公職の候補者たる者に限る。）の得票数を含むものをいう。）	賛否の投票数
第七十三条	各公職の候補者（公職の候補者たる参議院名簿登載者を含む。）、各衆議院名簿届出政党等又は各参議院名簿届出政党等の得票数（各参議院名簿届出政党等の得票数にあつては、当該参議院名簿届出政党等に係る各参議院名簿登載者（当該選挙の期日において公職の候補者たる者に限る。）の得票数を含むものをいう。）	賛否の投票数
第七十七条第一項	当該選挙に係る衆議院議員、参議院議員又は地方公共団体の議会の議員若しくは長の任期間	解散の投票の結果が確定するまでの間
第八十四条	各公職の候補者（公職の候補者たる参議院名簿登載者を含む。）、各衆議院名簿届出政党等又は各参議院名簿届出政党等の得票総数（各参議院名簿届出政党等の得票総数にあつては、当該参議院名簿届出政党等に係る各参議院名簿登載者（当該選挙の期日において公職の候補者たる者に限る。）の得票総数を含むものをいう。）	賛否の投票総数
第八十六条第一項	当該選挙に係る衆議院議員、参議院議員又は地方公共団体の議会の議員若しくは長の任期間	解散の投票の結果が確定するまでの間
第百八条第一項	設置者が公職の候補者	設置者が広域連合の議会
	当該公職の候補者の氏名	当該広域連合の議会の名称、設置者が解散請求代表者である場合には当該解散請求代表者の氏名

2　前項の規定により、広域連合の議会の解散の投票に公職選挙法施行令の規定を準用する場合には、同令の規定中都道府県の議会の議員及び長の選挙に関する部分は広域連合の議会の解散の投票に関する規定、都道府県の選挙管理委員会に関する部分（同令第五十五条第二項及び第四項第二号を除く。）は広域連合の選挙管理委員会に関する規定とみなす。

第二百十三条の六　地方自治法第二百九十一条の六第七項の規定により、広域連合の議会の解散の投票に公職選挙法中普通地方公共団体の選挙に関する規定を準用する場合には、次の表の上欄に掲げる同法の規定中同表の中欄に掲げる字句は、それぞれ同表の下欄に掲げる字句に読み替えるものとする。

第三十七条第二項	有する者	有する者（当該解散の請求を受けている広域連合の議会の議員又はその解散請求代表者を除く。）
第三十八条第三項	公職の候補者	広域連合の議会の議員又はその解散請求代表者
第四十四条第三項	により	により広域連合（都道府県の加入

		するものに限る。）を組織する
	、引き続き当該都道府県	、引き続き当該広域連合
第四十六条第一項	当該選挙の公職の候補者一人の氏名	賛否
第四十六条の二第一項	条例で	選挙管理委員会が
	投票用紙に氏名が印刷された公職の候補者のうちその投票しようとするもの一人に対して、投票用紙の記号を記載する欄	広域連合の議会の解散に賛成するときは投票用紙の賛成の記載欄に○の記号を、これに反対するときは反対の記載欄
第四十六条の二第二項	第四十八条第一項	地方自治法第二百九十一条の六第七項において準用する第四十八条第一項
	当該選挙の公職の候補者の氏名	賛否
	公職の候補者（公職の候補者たる参議院名簿登載者を含む。）一人の氏名	が指示する賛否
	公職の候補者一人に対して	の指示に従い賛成の記載欄又は反対の記載欄に
	第六十八条第一項第一号	同法第二百九十一条の六第七項において準用する第六十八条第一項第一号
	「公職の候補者の氏名」	「賛否をともに」
	公職の候補者に対して○の記号	賛成の記載欄及び反対の記載欄のいずれにも○の記号を
	公職の候補者の氏名のほか、他事を記載したもの。ただし、職業、身分、住所又は敬称の類を記入したものは、この限りでない。	賛否のほか、他事を記載したもの
	公職の候補者の氏名を自書しないもの	賛否を自書しないもの
	公職の候補者の何人	賛否
	公職の候補者のいずれに対して○の記号	賛成の記載欄又は反対の記載欄のいずれに対して○の記号を記載したか
第四十八条第一項	当該選挙の公職の候補者の氏名	賛否
第四十八条第二項	公職の候補者（公職の候補者たる参議院名簿登載者を含む。）一人の氏名、一の衆議院名簿届出政党等の名称若しくは略称又は一の参議院名簿届出政党等の名称若しくは略称	賛否
第五十二条	被選挙人の氏名又は政党その他の政治団体の名称若しくは略称	賛否
第六十一条第二項	有する者	有する者（当該解散の請求を受けている広域連合の議会の議員又はその解散請求代表者を除く。）
第六十二条第一項	一人を定め	各々二人を定め
第六十二条第二項第一号	公職の候補者	広域連合の議会の解散請求代表者
第六十二条第十項	公職の候補者	広域連合の議会の議員又はその解散請求代表者
第六十八条第一項第四号	二人以上の公職の候補者の氏名を	賛否をともに
第六十八条第一項第六号及び第七号	公職の候補者の氏名	賛否

第六十八条第一項第八号	公職の候補者の何人を記載したか	賛否
第七十一条	当該選挙にかかる議員又は長の任期間	解散の投票の結果が確定するまでの間
第七十五条第三項	有する者	有する者（当該解散の請求を受けている広域連合の議会の議員又はその解散請求代表者を除く。）
第八十条第一項	各公職の候補者（公職の候補者たる参議院名簿登載者を含む。第三項において同じ。）、各衆議院名簿届出政党等又は各参議院名簿届出政党等の得票総数（各参議院名簿届出政党等の得票総数にあつては、当該参議院名簿届出政党等に係る各参議院名簿登載者（当該選挙の期日において公職の候補者たる者に限る。）の得票総数を含むものをいう。第三項において同じ。）	賛否の投票総数
第八十条第二項	各公職の候補者の得票総数	賛否の投票総数
第八十条第三項	各公職の候補者、各衆議院名簿届出政党等又は各参議院名簿届出政党等の得票総数	賛否の投票総数
第八十三条第二項	当該選挙に係る議員又は長の任期間	解散の投票の結果が確定するまでの間
第八十三条第三項	当該選挙にかかる議員又は長の任期間	解散の投票の結果が確定するまでの間
第百条第五項	前各項	地方自治法施行令第二百十三条の四において準用する同令第百二条
第百三十一条第一項第四号	公職の候補者一人	広域連合の議会又はその解散請求代表者
第百三十二条	第百二十九条の規定にかかわらず、選挙の当日においても	広域連合の議会の解散の投票の当日は
第百三十八条第二項	特定の候補者の氏名若しくは政党その他の政治団体の名称	広域連合の議会の解散の賛否
第百三十八条の三	公職に就くべき者	広域連合の議会の解散の賛否
第百六十六条ただし書	第百六十一条の規定による個人演説会、政党演説会又は政党等演説会	地方自治法施行令第二百十三条の四において準用する同令第百七条の規定による演説会等
第百七十八条	第百条第一項から第四項まで	地方自治法施行令第二百十三条の四において準用する同令第百二条
	同条第五項	第百条第五項
第百九十九条の二第一項	公職の候補者又は公職の候補者となろうとする者（公職にある者を含む。以下この条において「公職の候補者等」という。）	広域連合の議会の議員又はその解散請求代表者（以下第百九十九条の四までにおいて「解散請求代表者等」という。）
	寄附を	寄附（当該投票に関するもの又は通常一般の社交の程度を超えるものに限る。以下この条において同じ。）を
	当該公職の候補者等	当該解散請求代表者等
第百九十九条の二第二項から第四項まで	公職の候補者等	解散請求代表者等
第百九十九条の三	公職の候補者又は公職の候補者となろうとす	解散請求代表者等

	る者（公職にある者を含む。）	
	団体は	団体は、当該投票に関し
第百九十九条の四	公職の候補者又は公職の候補者となろうとする者（公職にある者を含む。）	解散請求代表者等
	公職の候補者若しくは公職の候補者となろうとする者（公職にある者を含む。）	解散請求代表者等
第二百六条第一項	その当選	その解散の投票の結果
	第百一条の三第二項又は第百六条第二項の規定による告示の日	地方自治法第二百九十一条の六第一項において準用する同法第七十七条の規定による公表の日
第二百七条第二項	議員及び長の当選	解散の投票の結果
第二百九条第一項	当選	解散の投票の結果
第二百十九条第一項	における当選	における解散の投票の結果
第二百二十一条第三項第一号	公職の候補者	広域連合の議会の議員

第二百二十一条第三項第二号	選挙運動を総括主宰した者	広域連合の議会の解散請求代表者
第二百二十二条第た者	前条第三項各号に掲げる者	広域連合の議会の議員又はその解散請求代表者
第二百二十三条第三項	第二百二十一条第三項各号に掲げる者	広域連合の議会の議員又はその解散請求代表者
第二百二十六条第二項、第二百二十七条及び第二百二十八条第一項	被選挙人の氏名	賛否
第二百三十七条の二第一項	公職の候補者（公職の候補者たる参議院名簿登載者を含む。）の氏名若しくは衆議院名簿届出政党等若しくは参議院名簿届出政党等の名称若しくは略称又は公職の候補者に対して	賛否又は
	指示する	指示に従い
第二百三十七条の二第二項	公職の候補者（公職の候補者たる参議院名簿登載者を含む。）の氏名又は衆議院名簿届出政党等若しくは参議院名簿届出政党等の名称若しくは略称	賛否

第二百四十九条の二第五項	公職の候補者等	広域連合の議会の議員又はその解散請求代表者（第七項において「解散請求代表者等」という。）
第二百四十九条の二第七項	公職の候補者等	解散請求代表者等
第二百五十三条の二第一項及び第二百五十四条	当選人	広域連合の議会の議員若しくは議員であつた者又はその解散請求代表者
第二百五十五条第一項	公職の候補者（公職の候補者たる参議院名簿登載者を含む。以下この条及び次条において同じ。）一人の氏名、一の衆議院名簿届出政党等の名称若しくは略称又は一の参議院名簿届出政党等の名称若しくは略称	賛否
	公職の候補者の氏名、衆議院名簿届出政党等の名称若しくは略称又は参議院名簿届出政党等の名称若しくは略称	賛否
第二百五十五条第三項	公職の候補者一人の氏名、一の衆議院名簿届	賛否

自治令

出政党等の名称若しくは略称又は一の参議院名簿届出政党等の名称若しくは略称	
公職の候補者の氏名、衆議院名簿届出政党等の名称若しくは略称又は参議院名簿届出政党等の名称若しくは略称	賛否

2　地方自治法第二百九十一条の六第七項の規定により、広域連合の議会の解散の投票に公職選挙法中普通地方公共団体の選挙に関する規定を準用する場合には、同法の規定中都道府県の議会の議員及び長の選挙に関する部分は広域連合の議会の解散の投票に関する規定、公職の候補者又は推薦届出者に関する部分は広域連合の議会又はその解散請求代表者に関する規定、都道府県の選挙管理委員会に関する部分は広域連合の選挙管理委員会に関する規定とみなす。

第二百十三条の七　地方自治法第二百九十一条の六第七項の規定により、広域連合の議会の解散の投票に公職選挙法中普通地方公共団体の選挙に関する規定を準用する場合には、同法第一条から第四条まで、第五条の二から第五条の十まで、第九条、第十条、第十一条第三項、第十一条の二、第十二条第一項、第二項及び第四項、第十三条から第十八条まで、第二十条から第三十五条まで、第三十七条第三項及び第四項、第四十一条の二第一項（選挙区に関する部分に限る。）及び第五項（同法第四十六条第二項及び第三項、第百六十五条の二、第百七十五条第一項並びに第二百一条の十二第二項に関する部分に限る。）、第四十二条（在外選挙人名簿に関する部分に限る。）、第四十四条第三項（都道府県の加入する広域連合にあつては、引き続き都道府県の区域内に住所を有することの確認に関する部分に限る。）、第四十六条第二項及び第三項、第四十六条の二第二項（同法第六十八条第一項第二号及び第五号、第八十六条の四並びに第百二十六条に関する部分に限る。）及び第三項（公職の候補者に関する部分に限る。）、第四十八条の二第五項（同法第四十六条第二項及び第三項に関する部分に限る。）、第四十九条第七項から第九項まで、第四十九条の二、第五十五条（在外選挙人名簿に関する部分に限る。）、第五十六条（在外選挙人名簿に関する部分に限る。）、第六十一条第三項及び第四項、第六十二条第二項第二号から第四号まで、第三項から第五項まで、第八項ただし書及び第九項ただし書、第六十八条第一項第二号、第三号、第五号及び第六号ただし書、第二項並びに第三項、第六十八条の二、第六十八条の三、第七十五条第二項、第七十七条第二項、第八十一条、第八十四条後段、第八十六条から第九十九条の二まで、第百条第一項から第四項まで及び第六項から第九項まで、第百一条から第百六条まで、第百八条、第十一章、第十二章、第百二十九条、第百三十条第一項第一号から第三号まで、第百三十一条第一項第一号から第三号まで及び第五号並びに第三項、第百三十六条の二第二項、第百三十九条ただし書、第百四十条の二（選挙運動のために使用される自動車又は船舶の上においてする連呼行為に関する部分に限る。）、第百四十一条から第百四十七条の二まで、第百四十八条第二項及び第三項、第百四十八条の二から第百五十一条の二まで、第百五十一条の五、第百五十二条、第百六十一条から第百六十四条の五まで、第百六十四条の七、第百六十五条の二、第百六十七条から第百七十二条の二まで、第百七十五条から第百七十七条まで、第百七十八条の二、第百七十八条の三、第百七十九条第一項及び第三項、第百七十九条の二から第百九十七条まで、第百九十七条の二第二項から第五項まで、第百九十九条の五、第十四章の二、第十四章の三、第二百二条第二項、第二百四条、第二百五条第二項から第五項まで、第二百六条第二項、第二百八条、第二百九条第二項、第二百九条の二から第二百十一条まで、第二百十三条（訴訟に関する部分を除く。）、第二百十六条、第二百十七条、第二百十九条第一項（行政事件訴訟法第二十五条から第二十九条まで及び第三十一条に関する部分に限る。）及び第二項、第二百二十条第二項、第二百二十一条第三項第三号及び第四号、第二百二十三条の二、第二百二十四条の二、第二百二十四条の三、第二百三十五条の二第二号及び第三号、第二百三十五条の三、第二百三十五条の四第二号、第二百三十五条の六、第二百三十六条第一項及び第二項、第二百三十六条の二、第二百三十八条の二、第二百三十九条第二項、第二百三十九条の二第一項、第二百四十条第二項、第二百四十二条第二項、第二百四十三条第一項第二号から第九号まで及び第二項、第二百四十四条第一項第二号から第五号の二まで、第七号及び第八号並びに第二項、第二百四十六条、第二百四十七条、第二百四十九条の二第三項及び第六項、第二百四十九条の五、第二百五十一条から第二百五十一条の五まで、第二百五十二条の二、第二百五十二条の三、第二百五十四条の二、第二百五十五条第四項から第六項まで、第二百五十五条の二から第二百六十二条まで、第二百六十三条、第二百六十四条第一項第一号（公職選挙法第二百六十三条第五号の三、第六号、第十号及び第十一号に掲げる費用に関する部分に限る。）及び第二項から第四項まで、第二百六十六条から第二百六十八条まで、第二百六十九条の二、第二百七十条第一項（在外選挙人名簿及び在外投票に関する部分に限る。）、同条第二項（同法第四十九条第一項及び第四項の規定による投票に関する部分を除く。）、第二百七十条の二（同法第四十九条第七項及び第九項の規定による投票に関する部分に限る。）並びに第二百七十一条から第二百七十二条までの規定は、広域連合の議会の解散の投票については、準用しない。

（広域連合の議会の議員の解職の請求への地方自治法等の規定の準用等）

第二百十四条　地方自治法第二百九十一条の六第一項の規定により、広域連合の議会の議員の解職の請求に同法第二編第五章（第七十五条第六項後段、第八十条第四項後段、第八十五条及び第八十六条第四項後段を除く。）の規定を準用する場合には、次の表の上欄に掲げる同法の規定中同表の中欄に掲げる字句は、それぞれ同表の下欄に掲げる字句に読み替えるものとする。

上欄	中欄	下欄
第八十条第四項前段において準用する第七十四条第五項	五十分の一	三分の一（その総数が四十万を超え八十万以下の場合にはその四十万を超える数に六分の一を乗じて得た数と四十万に三分の一を乗じて得た数とを合算して得た数、その総数が八十万を超える場合にはその八十万を超える数に八分の一を乗じて得た数と四十万に六分の一を乗じて得た数と四十万に三分の一を乗じて得た数とを合算して得た数）
第八十条第四項前段において準用する第七十四条の二第七項及び第十項	普通地方公共団体の選挙管理委員会	広域連合の選挙管理委員会
	都道府県の選挙管理委員会	広域連合の選挙管理委員会
第八十条第一項	所属の選挙区	広域連合の選挙人の投票により当該広域連合の議会の議員を選挙する広域連合にあつては所属の選挙区、広域連合を組織する地方公共団体の議会において当該広域連合の議会の議員を選挙する広域連合にあつては当該議員を選挙した議会が置かれている地方公共団体の区域（以下この項及び第三項において「選挙区等」という。）
	普通地方公共団体の選挙管理委員会	広域連合の選挙管理委員会
	当該選挙区	当該選挙区等
	この場合において	広域連合の選挙人の投票により当該広域連合の議会の議員を選挙する広域連合において
第八十条第三項	当該選挙区	当該選挙区等
	選挙人	広域連合の選挙人
	この場合において	広域連合の選挙人の投票により当該広域連合の議会の議員を選挙する広域連合において
第八十二条第一項	普通地方公共団体の選挙管理委員会	広域連合の選挙管理委員会
	普通地方公共団体の議会の関係議員及び議長	広域連合の議会の関係議員及び議長並びに広域連合を組織する地方公共団体の議会において当該広域連合の議会の議員を選挙する広域連合にあ

	つては当該関係議員を選挙した議会の議長
都道府県知事	広域連合の長（第二百九十一条の十三において準用する第二百八十七条の三第二項の規定により長に代えて理事会を置く広域連合にあつては、理事会。以下同じ。）
市町村長	広域連合の長

２　地方自治法第二百九十一条の六第一項の規定により、広域連合の議会の議員の解職の請求に同法第二編第五章（第七十五条第六項後段、第八十条第四項後段、第八十五条及び第八十六条第四項後段を除く。）の規定を準用する場合には、同法第七十四条から第七十四条の四まで、第七十五条第一項から第五項まで及び第六項前段、第七十六条から第七十九条まで、第八十条第四項前段（同法第七十四条の二第八項の準用に係る部分に限る。）、第八十一条、第八十二条第二項、第八十六条第一項から第三項まで及び第四項前段、第八十七条並びに第八十八条の規定並びに広域連合を組織する地方公共団体の議会において当該広域連合の議会の議員を選挙する広域連合の議会の議員の解職の請求にあつては同法第八十四条ただし書の規定は、広域連合の議会の議員の解職の請求については、準用しない。

第二百十四条の二　第九十一条から第九十七条まで、第九十八条の三第二項及び第九十八条の四の規定は、地方自治法第二百九十一条の六第一項において準用する同法第八十条第一項の規定による広域連合の議会の議員の解職の請求について準用する。この場合において、次の表の上欄に掲げる規定中同表の中欄に掲げる字句は、それぞれ同表の下欄に掲げる字句に読み替えるものとする。

第九十一条第一項及び第二項	普通地方公共団体の長	広域連合の選挙管理委員会
第九十一条第三項から第五項まで	地方自治法第七十四条第六項各号	地方自治法第二百九十一条の六第一項において準用する同法第八十条第四項前段において準用する同法第七十四条第六項各号
	普通地方公共団体の長	広域連合の選挙管理委員会
第九十二条第一項	地方自治法第七十四条第一項に規定する選挙権を有する者（以下この編において「選挙権を有する者」という。）	地方自治法第二百九十一条の六第一項において準用する同法第七十四条第一項に規定する請求権を有する者（以下この編において「請求権を有する者」という。）
第九十二条第二項	選挙権を有する者	請求権を有する者
第九十二条第三項	都道府県及び指定都市にあつては二箇月以内、指定都市以外の市町村にあつては一箇月以内	二箇月以内
第九十二条第三項ただし書	地方自治法第七十四条第七項	地方自治法第二百九十一条の六第一項において準用する同法第八十条第四項前段において準用する同法第七十四条第七項
	都道府県及び指定都市にあつては六十二日以内、指定都市以外の市町村にあつては三十一日以内	六十二日以内
第九十二条第四項	地方自治法第七十四条第七項	地方自治法第二百九十一条の六第一項において準用する同法第八十条第四項前段において準用する同法第七十四条第七項
第九十三条	都道府県に関する請求にあつては市町村ごとに、指定都市に関する請求にあつては区又は総合区ごとに	市町村ごとに

第九十三条の二第一項	都道府県又は指定都市	広域連合
第九十四条第一項	地方自治法第七十四条第五項	地方自治法第二百九十一条の六第一項において準用する同法第八十条第四項前段において準用する同法第七十四条第五項
	選挙権を有する者	請求権を有する者
	五十分の一	三分の一（その総数が四十万を超え八十万以下の場合にはその四十万を超える数に六分の一を乗じて得た数と四十万に三分の一を乗じて得た数とを合算して得た数、その総数が八十万を超える場合にはその八十万を超える数に八分の一を乗じて得た数と四十万に六分の一を乗じて得た数と四十万に三分の一を乗じて得た数とを合算して得た数）
	都道府県又は指定都市に関する請求にあつては十日以内、指定都市以外の市町村に関する請求にあつては五日以内	十日以内
第九十五条の二	地方自治法第七十四条の二第一項	地方自治法第二百九十一条の六第一項において準用する同法第八十条第四項前段において準用する同法第七十四条の二第一項
第九十五条の三	地方自治法第七十四条の二第五項	地方自治法第二百九十一条の六第一項において準用する同法第八十条第四項前段において準用する同法第七十四条の二第五項
第九十五条の四	地方自治法第七十四条の二第六項	地方自治法第二百九十一条の六第一項において準用する同法第八十条第四項前段において準用する同法第七十四条の二第六項
第九十六条第一項	地方自治法第七十四条第一項	地方自治法第二百九十一条の六第一項において準用する同法第八十条第一項
	同法第七十四条の二第六項	同法第二百九十一条の六第一項において準用する同法第八十条第四項前段において準用する同法第七十四条の二第六項
	、都道府県又は指定都市に関する請求にあつては十日以内、指定都市以外の市町村に関する請求にあつては五日以内	十日以内
	同法第七十四条第五項	同法第二百九十一条の六第一項において準用する同法第八十条第四項前段において準用する同法第七十四条第五項
	選挙権を有する者	請求権を有する者
	五十分の一	三分の一（その総数が四十万を超え八十万以下の場合にはその四十万を超える数に六分の一を乗じて得た数と四十万に三分の一を乗じて得た数

自治令

		とを合算して得た数、その総数が八十万を超える場合にはその八十万を超える数に八分の一を乗じて得た数と四十万に六分の一を乗じて得た数と四十万に三分の一を乗じて得た数とを合算して得た数）
第九十六条第二項	地方自治法第七十四条の二第十項	地方自治法第二百九十一条の六第一項において準用する同法第八十条第四項前段において準用する同法第七十四条の二第十項
第九十七条第一項	地方自治法第七十四条第五項	地方自治法第二百九十一条の六第一項において準用する同法第八十条第四項前段において準用する同法第七十四条第五項
	選挙権を有する者	請求権を有する者
	五十分の一	三分の一（その総数が四十万を超え八十万以下の場合にはその四十万を超える数に六分の一を乗じて得た数と四十万に三分の一を乗じて得た数とを合算して得た数、その総数が八十万を超える場合にはその八十万を超える数に八分の一を乗じて得た数と四十万に六分の一を乗じて得た数と四十万に三分の一を乗じて得た数とを合算して得た数）
	普通地方公共団体の長	広域連合の選挙管理委員会
第九十七条第二項	都道府県又は指定都市に関する請求にあつては五日以内、指定都市以外の市町村に関する請求にあつては三日以内	五日以内
第九十八条第一項	普通地方公共団体の長	広域連合の選挙管理委員会

（広域連合の議会の議員の解職の投票への公職選挙法等の規定の準用等）

第二百十四条の三　第百条の二、第百四条、第百五条、第百七条、第百九条の二、第百九条の三、第百十一条、第百十二条、第二百十三条の三、第二百十三条の五第二項、第二百十三条の六第二項及び第四項並びに第二百十三条の七（公職選挙法第十二条第一項第五号に関する部分を除く。）の規定は、広域連合の議会の議員の解職の投票について準用する。この場合において、次の表の上欄に掲げる規定中同表の中欄に掲げる字句は、それぞれ同表の下欄に掲げる字句に読み替えるものとする。

第百条の二第一項	前条	第二百十四条の二
第百条の二第二項	都道府県に関する請求にあつては少くともその三十日前に、市町村に関する請求にあつては少くともその二十日前に	少なくともその三十日前に
第百四条第一項	第百条	第二百十四条の二
第百五条及び第百九条の三第一項	地方自治法第八十五条第一項	地方自治法第二百九十一条の六第七項
第百九条の三第二項	都道府県に関する請求にあつては少くともその三十日前に、市町村に関する請求にあつては少くともその二十日前に	少なくともその三十日前に

第二百十四条の四　公職選挙法施行令第二十二条の二、第二十四条第一項及び第二項、第二十五条から第二十九条

まで、第三十一条から第三十四条まで、第三十五条第一項（引き続き都道府県の区域内に住所を有することの確認に関する部分を除く。）及び第二項、第三十六条、第三十七条、第三十九条から第四十四条まで、第四十四条の二（在外選挙人名簿に関する部分を除く。）、第四十五条、第四十六条、第四十八条第一項から第四項まで、第四十八条の二、第四章の二（第四十八条の三（同令第四十九条の五第二項、第九十三条第一項及び第百四条に関する部分に限る。）を除く。）、第四十九条の三、第四章の四、第五章（第五十条第五項及び第七項、第五十三条第一項（引き続き都道府県の区域内に住所を有することの確認に関する部分及び同令第五十九条の七第一項に規定する南極選挙人証の交付を受けた者に関する部分に限る。）、第五十五条第六項及び第七項、同条第八項及び第九項（公職選挙法第四十九条第七項及び第九項の規定による投票に関する部分に限る。）、第五十六条第一項及び第五項（衆議院比例代表選出議員の選挙に関する部分及び参議院比例代表選出議員の選挙に関する部分に限る。）、第五十九条の三第一項（在外投票に関する部分に限る。）、同条第五項（在外選挙人名簿に関する部分に限る。）、第五十九条の四第三項、同条第四項（引き続き都道府県の区域内に住所を有することの確認に関する部分に限る。）、第五十九条の五（衆議院比例代表選出議員の選挙に関する部分及び参議院比例代表選出議員の選挙に関する部分に限る。）、第五十九条の五の四第三項、同条第六項及び第七項（引き続き都道府県の区域内に住所を有することの確認に関する部分に限る。）、第五十九条の六から第五十九条の八まで、第六十条第二項（同法第四十九条第七項から第九項までの規定による投票に関する部分に限る。）、第六十一条第一項（在外選挙人名簿に関する部分に限る。）、同条第四項、同条第五項（在外選挙人の不在者投票に関する部分に限る。）、第六十二条第二項並びに第六十三条第二項及び第三項（同法第四十九条第七項から第九項までの規定による投票に関する部分に限る。）を除く。）、第六十六条、第六十七条第一項から第六項まで、第六十八条、第六十九条（政党その他の政治団体に関する部分を除く。）、第七十条の二第一項（政党その他の政治団体に関する部分、候補者届出政党に関する部分、衆議院名簿届出政党等に関する部分及び参議院名簿届出政党等に関する部分を除く。）、第七十条の三、第七十条の四第一項本文、第二項本文及び第三項、第七十条の五第一項、第三項、第五項、第六項、第八項及び第十項、第七十条の六第一項、第三項、第五項、第六項、第八項、第十項、第十一項、第十三項及び第十五項、第七十条の七第一項本文、第二項本文、第三項、第四項本文、第五項本文及び第六項、第七十条の八、第七十一条（在外投票に関する部分を除く。）、第七十二条から第七十四条まで、第七十五条（在外選挙人名簿に関する部分を除く。）、第七十六条（在外投票に関する部分を除く。）、第七十七条、第七十八条第一項から第四項まで、第八十条から第八十二条まで、第八十三条の二から第八十五条まで、第八十六条第一項、第八十七条第一項、第百八条第一項及び第三項（衆議院比例代表選出議員の選挙に関する部分及び参議院比例代表選出議員の選挙に関する部分並びに推薦届出者に関する部分及び候補者届出政党に関する部分を除く。）、第百二十九条第一項、第百三十一条第一項、第二項（在外選挙人名簿に関する部分を除く。）及び第三項、第百三十一条の二、第百四十二条第一項（同法第四十九条第一項の規定による投票に関する部分に限る。）及び第二項、第百四十二条の二（同法第四十九条第七項及び第九項の規定による投票に関する部分を除く。）、第百四十二条の三並びに第百四十六条第二項の規定並びに都道府県の加入する広域連合にあつては同令第三十四条の二並びに第五十条第五項、第五十九条の四第三項及び第五十九条の五の四第三項（引き続き都道府県の区域内に住所を有することの確認に関する部分を除く。）の規定は、広域連合の議会の議員の解職の投票について準用する。この場合において、次の表の上欄に掲げる同令の規定中同表の中欄に掲げる字句は、それぞれ同表の下欄に掲げる字句に読み替えるものとする。

第二十二条の二	その抄本を用いて選挙された衆議院議員、参議院議員又は地方公共団体の議会の議員若しくは長の任期間	解職の投票の結果が確定するまでの間
第三十五条第一項	により都道府県	により広域連合（都道府県の加入するものに限る。）を組織する都道府県
	規定する引き続き当該都道府県	規定する引き続き当該広域連合
第四十一条第四項	公職の候補者（公職の候補者たる参議院名簿登載者を含む。）の氏名若しくは衆議院名簿届出政党等若しくは参議院名簿届出政党等の	賛否又は

	名称若しくは略称又は公職の候補者に対して	
第四十五条	当該選挙に係る衆議院議員、参議院議員又は地方公共団体の議会の議員若しくは長の任期間（当該選挙に用いなかつた投票用紙にあつては、次の各号に掲げる選挙の区分に応じ、当該各号に定める期間）	解職の投票の結果が確定するまでの間
第五十条第五項	当該選挙	当該広域連合を組織する都道府県の議会の議員及び長の選挙
第五十三条第一項	により当該	により当該広域連合（都道府県の加入するものに限る。）を組織する都道府県の議会の議員及び長の
第五十六条第一項及び第二項	当該選挙の公職の候補者一人の氏名	賛否
第五十六条第四項	公職の候補者一人の氏名	賛否
第五十六条第五項	公職の候補者の氏名	賛否
第五十九条の四第三項	当該選挙	当該広域連合を組織する都道府県の議会の議員及び長の選挙
第五十九条の四第四項	により当該	により当該広域連合（都道府県の加入するものに限る。）を組織する都道府県の議会の議員及び長の
第五十九条の五	当該選挙の公職の候補者一人の氏名	賛否
第五十九条の五の二	公職の候補者一人の氏名	賛否
第五十九条の五の四第三項	当該選挙	当該広域連合を組織する都道府県の議会の議員及び長の選挙
第五十九条の五の四第七項	により当該	により当該広域連合（都道府県の加入するものに限る。）を組織する都道府県の議会の議員及び長の
第六十九条	公職の候補者、候補者届出政党、衆議院名簿届出政党等又は参議院名簿届出政党等	広域連合の議会の議員又はその解職請求代表者
第七十条の二第一項	公職の候補者の届出に係る者については当該公職の候補者の氏名	議員の届出に係る者については当該議員の氏名、解職請求代表者の届出に係る者については当該解職請求代表者の氏名
第七十条の五第一項、第三項、第六項及び第八項並びに第七十条の六第一項、第三項、第六項、第八項、第十一項及び第十三項	二人	各々三人
	一人	各々二人
第七十二条	同一の公職の候補者（公職の候補者たる参議院名簿登載者を含む。）、同一の衆議院名簿届出政党等又は同一の参議院名簿届出政党等の得票数（参議院名簿届出政党等の得票数にあつては、当該参議院名簿届出政党等に係る各参議院名簿登載者（当該選挙の期日において公職の候補者たる者に限る。）の得票数を含むものをいう。）	賛否の投票数
第七十三条	各公職の候補者（公職の候補者たる参議院名	賛否の投票数

	簿登載者を含む。）、各衆議院名簿届出政党等又は各参議院名簿届出政党等の得票数（各参議院名簿届出政党等の得票数にあつては、当該参議院名簿届出政党等に係る各参議院名簿登載者（当該選挙の期日において公職の候補者たる者に限る。）の得票数を含むものをいう。）	
第七十七条第一項	当該選挙に係る衆議院議員、参議院議員又は地方公共団体の議会の議員若しくは長の任期間	解職の投票の結果が確定するまでの間
第八十四条	各公職の候補者（公職の候補者たる参議院名簿登載者を含む。）、各衆議院名簿届出政党等又は各参議院名簿届出政党等の得票総数（各参議院名簿届出政党等の得票総数にあつては、当該参議院名簿届出政党等に係る各参議院名簿登載者（当該選挙の期日において公職の候補者たる者に限る。）の得票総数を含むものをいう。）	賛否の投票総数
第八十六条第一項	当該選挙に係る衆議院議員、参議院議員又は地方公共団体の議会の議員若しくは長の任期間	解職の投票の結果が確定するまでの間
第百八条第一項	設置者が公職の候補者	設置者
	である場合には当該公職の候補者の氏名	の氏名

第二百十四条の五　地方自治法第二百九十一条の六第七項の規定により、広域連合の議会の議員の解職の投票に公職選挙法中普通地方公共団体の選挙に関する規定を準用する場合には、次の表の上欄に掲げる同法の規定中同表の中欄に掲げる字句は、それぞれ同表の下欄に掲げる字句に読み替えるものとする。

第三十七条第二項	有する者	有する者（当該解職の請求を受けている広域連合の議会の議員又はその解職請求代表者を除く。）
第四十四条第三項	により	により広域連合（都道府県の加入するものに限る。）を組織する
	、引き続き当該都道府県	、引き続き当該広域連合
第四十六条第一項	当該選挙の公職の候補者一人の氏名	賛否
第四十六条の二第一項	条例で	選挙管理委員会が
	投票用紙に氏名が印刷された公職の候補者のうちその投票しようとするもの一人に対して、投票用紙の記号を記載する欄	広域連合の議会の議員の解職に賛成するときは投票用紙の賛成の記載欄に〇の記号を、これに反対するときは反対の記載欄
第四十六条の二第二項	第四十八条第一項	地方自治法第二百九十一条の六第七項において準用する第四十八条第一項
	当該選挙の公職の候補者の氏名	賛否
	公職の候補者（公職の候補者たる参議院名簿登載者を含む。）一人の氏名	が指示する賛否
	公職の候補者一人に対して	の指示に従い賛成の記載欄又は反対の記載欄に
	第六十八条第一項第一号	同法第二百九十一条の六第七項において準用する第六十八条第一項第一

		号
	「公職の候補者の氏名」	「賛否をともに」
	公職の候補者に対して○の記号	賛成の記載欄及び反対の記載欄のいずれにも○の記号を
	公職の候補者の氏名のほか、他事を記載したもの。ただし、職業、身分、住所又は敬称の類を記入したものは、この限りでない。	賛否のほか、他事を記載したもの
	公職の候補者の氏名を自書しないもの	賛否を自書しないもの
	公職の候補者の何人	賛否
	公職の候補者のいずれに対して○の記号	賛成の記載欄又は反対の記載欄のいずれに対して○の記号を記載したか
第四十八条第一項	当該選挙の公職の候補者の氏名	賛否
第四十八条第二項	公職の候補者（公職の候補者たる参議院名簿登載者を含む。）一人の氏名、一の衆議院名簿届出政党等の名称若しくは略称又は一の参	賛否
	議院名簿届出政党等の名称若しくは略称	
第五十二条	被選挙人の氏名又は政党その他の政治団体の名称若しくは略称	賛否
第六十一条第二項	有する者	有する者（当該解職の請求を受けている広域連合の議会の議員又はその解職請求代表者を除く。）
第六十二条第一項	一人を定め	各々二人を定め
第六十二条第二項第一号	公職の候補者	広域連合の議会の議員の解職請求代表者
第六十二条第十項	公職の候補者	解職の請求を受けている広域連合の議会の議員又はその解職請求代表者
第六十八条第一項第四号	二人以上の公職の候補者の氏名を	賛否をともに
第六十八条第一項第六号及び第七号	公職の候補者の氏名	賛否
第六十八条第一項第八号	公職の候補者の何人を記載したか	賛否
第七十一条	当該選挙にかかる議員	解職の投票の結果
	又は長の任期間	が確定するまでの間
第七十五条第三項	有する者	有する者（当該解職の請求を受けている広域連合の議会の議員又はその解職請求代表者を除く。）
第八十条第一項	各公職の候補者（公職の候補者たる参議院名簿登載者を含む。第三項において同じ。）、各衆議院名簿届出政党等又は各参議院名簿届出政党等の得票総数（各参議院名簿届出政党等の得票総数にあつては、当該参議院名簿届出政党等に係る各参議院名簿登載者（当該選挙の期日において公職の候補者たる者に限る。）の得票総数を含むものをいう。第三項において同じ。）	賛否の投票総数
第八十条第二項	各公職の候補者の得票総数	賛否の投票総数
第八十条第三項	各公職の候補者、各衆議院名簿届出政党等又は各参議院名簿届出政党等の得票総数	賛否の投票総数

第八十三条第二項	当該選挙に係る議員又は長の任期間	解職の投票の結果が確定するまでの間
第八十三条第三項	当該選挙にかかる議員又は長の任期間	解職の投票の結果が確定するまでの間
第百条第五項	前各項	地方自治法施行令第二百十四条の三において準用する同令第百十二条
第百三十一条第一項第五号	公職の候補者一人	広域連合の議会の議員又はその解職請求代表者
第百三十二条	第百二十九条の規定にかかわらず、選挙の当日においても	広域連合の議会の議員の解職の投票の当日は
第百三十八条第二項	特定の候補者の氏名若しくは政党その他の政治団体の名称	広域連合の議会の議員の解職の賛否
第百三十八条の三	公職に就くべき者	広域連合の議会の議員の解職の賛否
第百六十六条ただし書	第百六十一条の規定による個人演説会、政党演説会又は政党等演説会	地方自治法施行令第二百十四条の三において準用する同令第百七条の規定による演説会等
第百七十八条	第百条第一項から第四項まで	地方自治法施行令第二百十四条の三において準用する同令第百十二条
	同条第五項	第百条第五項
第百九十九条の二第一項	公職の候補者又は公職の候補者となろうとする者（公職にある者を含む。以下この条において「公職の候補者等」という。）	解職の請求を受けている広域連合の議会の議員又はその解職請求代表者（以下第百九十九条の四までにおいて「解職請求代表者等」という。）
	寄附を	寄附（当該投票に関するもの又は通常一般の社交の程度を超えるものに限る。以下この条において同じ。）を
	当該公職の候補者等	当該解職請求代表者等
第百九十九条の二第二項から第四項まで	公職の候補者等	解職請求代表者等
第百九十九条の三	公職の候補者又は公職の候補者となろうとする者（公職にある者を含む。）	解職請求代表者等
	団体は	団体は、当該投票に関し
第百九十九条の四	公職の候補者又は公職の候補者となろうとする者（公職にある者を含む。）	解職請求代表者等
	公職の候補者若しくは公職の候補者となろうとする者（公職にある者を含む。）	解職請求代表者等
第二百六条第一項	その当選	その解職の投票の結果
	第百一条の三第二項又は第百六条第二項の規定による告示の日	地方自治法第二百九十一条の六第一項において準用する同法第八十二条第一項の規定による公表の日
第二百七条第二項	議員及び長の当選	議員の解職の投票の結果
第二百九条第一項	当選	解職の投票の結果
第二百十九条第一項	おける当選	おける解職の投票の結果
第二百二十一条第三項第一号	公職の候補者	解職の請求を受けている広域連合の議会の議員

第二百二十一条第三項第二号	選挙運動を総括主宰した者	広域連合の議会の議員の解職請求代表者
第二百二十二条第三項	前条第三項各号に掲げる者	解職の請求を受けている広域連合の議会の議員又はその解職請求代表者
第二百二十三条第三項	第二百二十一条第三項各号に掲げる者	解職の請求を受けている広域連合の議会の議員又はその解職請求代表者
第二百二十六条第二項、第二百二十七条及び第二百二十八条第一項	被選挙人の氏名	賛否
第二百三十七条の二第一項	公職の候補者（公職の候補者たる参議院名簿登載者を含む。）の氏名若しくは衆議院名簿届出政党等若しくは参議院名簿届出政党等の名称若しくは略称又は公職の候補者に対して	賛否又は
	指示する	指示に従い
第二百三十七条の二第二項	公職の候補者（公職の候補者たる参議院名簿登載者を含む。）の氏名又は衆議院名簿届出政党等若しくは参議院名簿届出政党等の名称若しくは略称	賛否
第二百四十九条の二第五項	公職の候補者等	広域連合の議会の議員又はその解職請求代表者（第七項において「解職請求代表者等」という。）
第二百四十九条の二第七項	公職の候補者等	解職請求代表者等
第二百五十三条の二第一項及び第二百五十四条	当選人	広域連合の議会の議員若しくは議員であつた者又はその解職請求代表者
第二百五十五条第一項	公職の候補者（公職の候補者たる参議院名簿登載者を含む。以下この条及び次条において同じ。）一人の氏名、一の衆議院名簿届出政党等の名称若しくは略称又は一の参議院名簿届出政党等の名称若しくは略称	賛否
	公職の候補者の氏名、衆議院名簿届出政党等の名称若しくは略称又は参議院名簿届出政党等の名称若しくは略称	賛否
第二百五十五条第三項	公職の候補者一人の氏名、一の衆議院名簿届出政党等の名称若しくは略称又は一の参議院名簿届出政党等の名称若しくは略称	賛否
	公職の候補者の氏名、衆議院名簿届出政党等の名称若しくは略称又は参議院名簿届出政党等の名称若しくは略称	賛否

2 公職選挙法第十二条第三項及び第百三十一条第一項第四号の規定は、第二百十四条の三の規定にかかわらず、広域連合の議会の議員の解職の投票については、準用しない。

（広域連合の長の解職の請求への地方自治法等の規定の準用等）

第二百十五条 地方自治法第二百九十一条の六第一項の規定により、広域連合の長（同法第二百八十七条の三第二項の規定により長に代えて理事会を置く広域連合にあつては、理事。以下この条から第二百十五条の五までにおいて同じ。）の解職の請求に同法第二編第五章（第七十五条第六項後段、第八十条第四項後段、第八十五条及び第八十六条第四項後段を除く。）の規定を準用する場合には、次の表の上欄に掲げる同法の規定中同表の中欄に掲げる字句は、それぞれ同表の下欄に掲げる字句に読み替えるものとする。

第八十一条第二項において準用する第七十四条第五項	五十分の一	三分の一（その総数が四十万を超え八十万以下の場合にはその四十万を超える数に六分の一を乗じて得た数と四十万に三分の一を乗じて得た数とを合算して得た数、その総数が八十万を超える場合にはその八十万を超える数に八分の一を乗じて得た数と四十万に六分の一を乗じて得た数と四十万に三分の一を乗じて得た数とを合算して得た数）
	普通地方公共団体の選挙管理委員会	広域連合の選挙管理委員会
第八十一条第二項において準用する第七十四条の二第七項及び第十項	都道府県の選挙管理委員会	広域連合の選挙管理委員会
第八十一条第二項において準用する第七十六条第三項	選挙人	広域連合の選挙人
第八十一条第一項	普通地方公共団体の選挙管理委員会	広域連合の選挙管理委員会
第八十二条第二項	前条第二項	第二百九十一条の六第一項において準用する第八十一条第二項において準用する第七十六条第三項
	普通地方公共団体の長及び議会の議長	広域連合の長（第二百九十一条の十三において準用する第二百八十七条の三第二項の規定により長に代えて理事会を置く広域連合にあつては、理事会）及び議会の議長並びに広域連合を組織する地方公共団体の長の投票により当該広域連合の長（第二百九十一条の十三において準用する第二百八十七条の三第二項の規定により長に代えて理事会を置く広域連合にあつては、理事会）を選挙する広域連合にあつては当該広域連合を組織する地方公共団体の長

2　地方自治法第二百九十一条の六第一項の規定により、広域連合の長の解職の請求に同法第二編第五章（第七十五条第六項後段、第八十条第四項後段、第八十五条及び第八十六条第四項後段を除く。）の規定を準用する場合には、同法第七十四条から第七十四条の四まで、第七十五条第一項から第五項まで及び第六項前段、第七十六条から第七十九条まで、第八十条第一項から第三項まで及び第四項前段、第八十一条第二項（同法第七十四条の二第八項の準用に係る部分に限る。）、第八十二条第一項、第八十六条第一項から第三項まで及び第四項前段、第八十七条並びに第八十八条の規定並びに広域連合を組織する地方公共団体の長の投票により当該広域連合の長を選挙する広域連合の長の解職の請求にあつては同法第八十四条ただし書の規定は、広域連合の長の解職の請求については、準用しない。

第二百十五条の二　第九十一条から第九十七条まで、第九十八条第一項、第九十八条の三第二項及び第九十八条の四の規定は、地方自治法第二百九十一条の六第一項において準用する同法第八十一条第一項の規定による広域連合の長の解職の請求について準用する。この場合において、次の表の上欄に掲げる規定中同表の中欄に掲げる字句は、それぞれ同表の下欄に掲げる字句に読み替えるものとする。

第九十一条第一項及び第二項	普通地方公共団体の長	広域連合の選挙管理委員会
第九十一条第三項から第五項まで	地方自治法第七十四条第六項各号	地方自治法第二百九十一条の六第一

		項において準用する同法第八十一条第二項において準用する同法第七十四条第六項各号
	普通地方公共団体の長	広域連合の選挙管理委員会
第九十二条第一項	地方自治法第七十四条第一項に規定する選挙権を有する者（以下この編において「選挙権を有する者」という。）	地方自治法第二百九十一条の六第一項において準用する同法第七十四条第一項に規定する請求権を有する者（以下この編において「請求権を有する者」という。）
第九十二条第二項	選挙権を有する者	請求権を有する者
第九十二条第三項	都道府県及び指定都市にあつては二箇月以内、指定都市以外の市町村にあつては一箇月以内	二箇月以内
第九十二条第三項ただし書	地方自治法第七十四条第七項	地方自治法第二百九十一条の六第一項において準用する同法第八十一条第二項において準用する同法第七十四条第七項
	都道府県及び指定都市にあつては六十二日以内、指定都市以外の市町村にあつては三十一日以内	六十二日以内
第九十二条第四項	地方自治法第七十四条第七項	地方自治法第二百九十一条の六第一項において準用する同法第八十一条第二項において準用する同法第七十四条第七項
第九十三条	都道府県に関する請求にあつては市町村ごとに、指定都市に関する請求にあつては区又は総合区ごとに	市町村ごとに
第九十三条の二第一項	都道府県又は指定都市	広域連合
第九十四条第一項	地方自治法第七十四条第五項	地方自治法第二百九十一条の六第一項において準用する同法第八十一条第二項において準用する同法第七十四条第五項
	選挙権を有する者	請求権を有する者
	五十分の一	三分の一（その総数が四十万を超え八十万以下の場合にはその四十万を超える数に六分の一を乗じて得た数と四十万に三分の一を乗じて得た数とを合算して得た数、その総数が八十万を超える場合にはその八十万を超える数に八分の一を乗じて得た数と四十万に六分の一を乗じて得た数と四十万に三分の一を乗じて得た数とを合算して得た数）
第九十五条の二	都道府県又は指定都市に関する請求にあつては十日以内、指定都市以外の市町村に関する請求にあつては五日以内	十日以内
	地方自治法第七十四条の二第一項	地方自治法第二百九十一条の六第一項において準用する同法第八十一条第二項において準用する同法第七十四条の二第一項
第九十五条の三	地方自治法第七十四条	地方自治法第二百

	の二第五項	九十一条の六第一項において準用する同法第八十一条第二項において準用する同法第七十四条の二第五項
第九十五条の四	地方自治法第七十四条の二第六項	地方自治法第二百九十一条の六第一項において準用する同法第八十一条第二項において準用する同法第七十四条の二第六項
第九十六条第一項	地方自治法第七十四条第一項	地方自治法第二百九十一条の六第一項において準用する同法第八十一条第一項
	同法第七十四条の二第六項	同法第二百九十一条の六第一項において準用する同法第八十一条第二項において準用する同法第七十四条の二第六項
	、都道府県又は指定都市に関する請求にあつては十日以内、指定都市以外の市町村に関する請求にあつては五日以内	十日以内
	同法第七十四条第五項	同法第二百九十一条の六第一項において準用する同法第八十一条第二項において準用する同法第七十四条第五項
	選挙権を有する者	請求権を有する者
	五十分の一	三分の一（その総数が四十万を超え八十万以下の場合にはその四十万を超える数に六分の一を乗じて得た数と四十万に三分の一を乗じて得た数とを合算して得た数、その総数が八十万を超える場合にはその八十万を超える数に八分の一を乗じて得た数と四十万に六分の一を乗じて得た数と四十万に三分の一を乗じて得た数とを合算して得た数）
第九十六条第二項	地方自治法第七十四条の二第十項	地方自治法第二百九十一条の六第一項において準用する同法第八十一条第二項において準用する同法第七十四条の二第十項
第九十七条第一項	地方自治法第七十四条第五項	地方自治法第二百九十一条の六第一項において準用する同法第八十一条第二項において準用する同法第七十四条第五項
	選挙権を有する者	請求権を有する者
	五十分の一	三分の一（その総数が四十万を超え八十万以下の場合にはその四十万を超える数に六分の一を乗じて得た数と四十万に三分の一を乗じて得た数とを合算して得た数、その総数が八十万を超える場合にはその八十万を超える数に八分の一を乗じて得た数と四十万に六分の一を乗じて得た数と四十万に三分の一を乗じて得た数とを合算して得た数）

自治令

	普通地方公共団体の長	広域連合の選挙管理委員会
第九十七条第二項	都道府県又は指定都市に関する請求にあつては五日以内、指定都市以外の市町村に関する請求にあつては三日以内	五日以内
第九十八条第一項	普通地方公共団体の長	広域連合の選挙管理委員会

（広域連合の長の解職の投票への公職選挙法等の規定の準用等）

第二百十五条の三　第百条の二、第百四条、第百五条、第百七条、第百九条の二、第百九条の三、第百十一条、第百十二条、第二百十三条の三、第二百十三条の五第二項、第二百十三条の六第二項及び第二百十三条の七の規定は、広域連合の長の解職の投票について準用する。この場合において、次の表の上欄に掲げる規定中同表の中欄に掲げる字句は、それぞれ同表の下欄に掲げる字句に読み替えるものとする。

第百条の二第一項	前条	第二百十五条の二
第百条の二第二項	都道府県に関する請求にあつては少くともその三十日前に、市町村に関する請求にあつては少くともその二十日前に	少なくともその三十日前に
第百四条第一項	第百条	第二百十五条の二
第百五条及び第百九条の三第一項	地方自治法第八十五条第一項	地方自治法第二百九十一条の六第七項
第百九条の三第二項	都道府県に関する請求にあつては少くともその三十日前に、市町村に関する請求にあつては少くともその二十日前に	少なくともその三十日前に

第二百十五条の四　公職選挙法施行令第二十二条の二、第二十四条第一項及び第二項、第二十五条から第二十九条まで、第三十一条から第三十四条まで、第三十五条第一項（引き続き都道府県の区域内に住所を有することの確認に関する部分を除く。）及び第二項、第三十六条、第三十七条、第三十九条から第四十四条まで、第四十四条の二（在外選挙人名簿に関する部分を除く。）、第四十五条、第四十六条、第四十八条第一項から第四項まで、第四十八条の二、第四章の二（第四十八条の三（同令第四十九条の五第二項、第九十三条第一項及び第百四条に関する部分に限る。）を除く。）、第四十九条の三、第四章の四、第五章（第五十条第五項及び第七項、第五十三条第一項（引き続き都道府県の区域内に住所を有することの確認に関する部分及び同令第五十九条の七第一項に規定する南極選挙人証の交付を受けた者に関する部分に限る。）、第五十五条第六項及び第七項、同条第八項及び第九項（公職選挙法第四十九条第七項及び第九項の規定による投票に関する部分に限る。）、第五十六条第一項及び第五項（衆議院比例代表選出議員の選挙に関する部分及び参議院比例代表選出議員の選挙に関する部分に限る。）、第五十九条の三第一項（在外投票に関する部分に限る。）、同条第五項（在外選挙人名簿に関する部分に限る。）、第五十九条の四第三項、同条第四項（引き続き都道府県の区域内に住所を有することの確認に関する部分に限る。）、第五十九条の五（衆議院比例代表選出議員の選挙に関する部分及び参議院比例代表選出議員の選挙に関する部分に限る。）、第五十九条の五の四第三項、同条第六項及び第七項（引き続き都道府県の区域内に住所を有することの確認に関する部分に限る。）、第五十九条の六から第五十九条の八まで、第六十条第二項（同法第四十九条第七項から第九項までの規定による投票に関する部分に限る。）、第六十一条第一項（在外選挙人名簿に関する部分に限る。）、同条第四項、同条第五項（在外選挙人の不在者投票に関する部分に限る。）、第六十二条第二項並びに第六十三条第二項及び第三項（同法第四十九条第七項から第九項までの規定による投票に関する部分に限る。）を除く。）、第六十六条、第六十七条第一項から第六項まで、第六十八条、第六十九条（政党その他の政治団体に関する部分を除く。）、第七十条の二第一項（政党その他の政治団体に関する部分、候補者届出政党に関する部分、衆議院名簿届出政党等に関する部分及び参議院名簿届出政党等に関する部分を除く。）、第七十条の三、第七十条の四第一項本文、第二項本文及び第三項、第七十条の五第一項、第三項、第五項、第六項、第八項及び第十項、第七十条の六第一項、第三項、第五項、第六項、第八項、第十項、第十一項、第十三項及び第十五項、第七十条の七第一項本文、第二項本文、第三項、第四項本文、第五項本文及び第六項、第七十条の八、第七十一条（在外投

票に関する部分を除く。）、第七十二条から第七十四条まで、第七十五条（在外選挙人名簿に関する部分を除く。）、第七十六条（在外投票に関する部分を除く。）、第七十七条、第七十八条第一項から第四項まで、第八十条から第八十二条まで、第八十三条の二から第八十五条まで、第八十六条第一項、第八十七条第一項、第百八条第一項及び第三項（衆議院比例代表選出議員の選挙に関する部分及び参議院比例代表選出議員の選挙に関する部分並びに推薦届出者に関する部分及び候補者届出政党に関する部分を除く。）、第百二十九条第一項、第百三十一条第一項、第二項（在外選挙人名簿に関する部分を除く。）及び第三項、第百三十一条の二、第百四十二条第一項（同法第四十九条第一項の規定による投票に関する部分に限る。）及び第二項、第百四十二条の二（同法第四十九条第七項及び第九項の規定による投票に関する部分を除く。）、第百四十二条の三並びに第百四十六条第二項の規定並びに都道府県の加入する広域連合にあつては同令第三十四条の二並びに第五十条第五項、第五十九条の四第三項及び第五十九条の五の四第三項（引き続き都道府県の区域内に住所を有することの確認に関する部分を除く。）の規定は、広域連合の長の解職の投票について準用する。この場合において、次の表の上欄に掲げる同令の規定中同表の中欄に掲げる字句は、それぞれ同表の下欄に掲げる字句に読み替えるものとする。

第二十二条の二	その抄本を用いて選挙された衆議院議員、参議院議員又は地方公共団体の議会の議員若しくは長の任期間	解職の投票の結果が確定するまでの間
第三十五条第一項	により都道府県	により広域連合（都道府県の加入するものに限る。）を組織する都道府県
	規定する引き続き当該都道府県	規定する引き続き当該広域連合
第四十一条第四項	公職の候補者（公職の候補者たる参議院名簿登載者を含む。）の氏名若しくは衆議院名簿届出政党等若しくは参議院名簿届出政党等の名称若しくは略称又は公職の候補者に対して	賛否又は
第四十五条	当該選挙に係る衆議院議員、参議院議員又は地方公共団体の議会の議員若しくは長の任期間（当該選挙に用いなかつた投票用紙にあつては、次の各号に掲げる選挙の区分に応じ、当該各号に定める期間）	解職の投票の結果が確定するまでの間
第五十条第五項	当該選挙	当該広域連合を組織する都道府県の議会の議員及び長の選挙
第五十三条第一項	により当該	により当該広域連合（都道府県の加入するものに限る。）を組織する都道府県の議会の議員及び長の
第五十六条第一項及び第二項	当該選挙の公職の候補者一人の氏名	賛否
第五十六条第四項	公職の候補者一人の氏名	賛否
第五十六条第五項	公職の候補者の氏名	賛否
第五十九条の四第三項	当該選挙	当該広域連合を組織する都道府県の議会の議員及び長の選挙
第五十九条の四第四項	により当該	により当該広域連合（都道府県の加入するものに限る。）を組織する都道府県の議会の議員及び長の
第五十九条の五	当該選挙の公職の候補者一人の氏名	賛否
第五十九条の五の二	公職の候補者一人の氏名	賛否
第五十九条の五の四第三項	当該選挙	当該広域連合を組織する都道府県の議会の議員及び長

		の選挙
第五十九条の五の四第七項	により当該	により当該広域連合（都道府県の加入するものに限る。）を組織する都道府県の議会の議員及び長の
第六十九条	公職の候補者、候補者届出政党、衆議院名簿届出政党等又は参議院名簿届出政党等	広域連合の長（地方自治法第二百九十一条の十三において準用する同法第二百八十七条の三第二項の規定により長に代えて理事会を置く広域連合にあつては、理事。以下同じ。）又はその解職請求代表者
第七十条の二第一項	公職の候補者の届出に係る者については当該公職の候補者の氏名	広域連合の長の届出に係る者については当該広域連合の長の氏名、解職請求代表者の届出に係る者については当該解職請求代表者の氏名
第七十条の五第一項、第三項、第六項及び第八項並びに第七十条の六第一項、第三項、第六項、第八項、第十一項及び第十三項	二人	各々三人
	一人	各々二人
第七十二条	同一の公職の候補者（公職の候補者たる参議院名簿登載者を含む。）、同一の衆議院名簿届出政党等又は同一の参議院名簿届出政党等の得票数（参議院名簿届出政党等の得票数にあつては、当該参議院名簿届出政党等に係る各参議院名簿登載者（当該選挙の期日において公職の候補者たる者に限る。）の得票数を含むものをいう。）	賛否の投票数
第七十三条	各公職の候補者（公職の候補者たる参議院名簿登載者を含む。）、各衆議院名簿届出政党等又は各参議院名簿届出政党等の得票数（各参議院名簿届出政党等の得票数にあつては、当該参議院名簿届出政党等に係る各参議院名簿登載者（当該選挙の期日において公職の候補者たる者に限る。）の得票数を含むものをいう。）	賛否の投票数
第七十七条第一項	当該選挙に係る衆議院議員、参議院議員又は地方公共団体の議会の議員若しくは長の任期間	解職の投票の結果が確定するまでの間
第八十四条	各公職の候補者（公職の候補者たる参議院名簿登載者を含む。）、各衆議院名簿届出政党等又は各参議院名簿届出政党等の得票総数（各参議院名簿届出政党等の得票総数にあつては、当該参議院名簿届出政党等に係る各参議院名簿登載者（当該選挙の期日において公職の候補者たる者に限る。）の得票総数を含むものをいう。）	賛否の投票総数
第八十六条第一項	当該選挙に係る衆議院議員、参議院議員又は地方公共団体の議会の議員若しくは長の任期間	解職の投票の結果が確定するまでの間
第百八条第一項	設置者が公職の候補者	設置者
	である場合には当該公職の候補者の氏名	の氏名

第二百十五条の五　地方自治法第二百九十一条の六第七項の規定により、広域連合の長の解職の投票に公職選挙法中普通地方公共団体の選挙に関する規定を準用する場合には、次の表の上欄に掲げる同法の規定中同表の中欄に掲げる字句は、それぞれ同表の下欄に掲げる字句に読み替えるものとする。

第三十七条第二項	有する者	有する者（当該解職の請求を受けている広域連合の長（地方自治法第二百九十一条の十三において準用する同法第二百八十七条の三第二項の規定により長に代えて理事会を置く広域連合にあつては、理事。以下同じ。）又はその解職請求代表者を除く。）
第四十四条第三項	により	により広域連合（都道府県の加入するものに限る。）を組織する
	、引き続き当該都道府県	、引き続き当該広域連合
第四十六条第一項	当該選挙の公職の候補者一人の氏名	賛否
第四十六条の二第一項	条例で	選挙管理委員会が
	投票用紙に氏名が印刷された公職の候補者のうちその投票しようとするもの一人に対して、投票用紙の記号を記載する欄	広域連合の長の解職に賛成するときは投票用紙の賛成の記載欄に○の記号を、これに反対するときは反対の記載欄
第四十六条の二第二項	第四十八条第一項	地方自治法第二百九十一条の六第七項において準用する第四十八条第一項
	当該選挙の公職の候補者の氏名	賛否
	公職の候補者（公職の候補者たる参議院名簿登載者を含む。）一人の氏名	が指示する賛否
	公職の候補者一人に対して	の指示に従い賛成の記載欄又は反対の記載欄に
	第六十八条第一項第一号	同法第二百九十一条の六第七項において準用する第六十八条第一項第一号
	「公職の候補者の氏名」	「賛否をともに」
	公職の候補者に対して○の記号	賛成の記載欄及び反対の記載欄のいずれにも○の記号を
	公職の候補者の氏名のほか、他事を記載したもの。ただし、職業、身分、住所又は敬称の類を記入したものは、この限りでない。	賛否のほか、他事を記載したもの
	公職の候補者の氏名を自書しないもの	賛否を自書しないもの
	公職の候補者の何人	賛否
	公職の候補者のいずれに対して○の記号	賛成の記載欄又は反対の記載欄のいずれに対して○の記号を記載したか
第四十八条第一項	当該選挙の公職の候補者の氏名	賛否
第四十八条第二項	公職の候補者（公職の候補者たる参議院名簿登載者を含む。）一人の氏名、一の衆議院名簿届出政党等の名称若しくは略称又は一の参議院名簿届出政党等の名称若しくは略称	賛否

第五十二条	被選挙人の氏名又は政党その他の政治団体の名称若しくは略称	賛否
第六十一条第二項	有する者	有する者（当該解職の請求を受けている広域連合の長又はその解職請求代表者を除く。）
第六十二条第一項	一人を定め	各々二人を定め
第六十二条第二項第一号	公職の候補者	広域連合の長の解職請求代表者
第六十二条第十項	公職の候補者	解職の請求を受けている広域連合の長又はその解職請求代表者
第六十八条第一項第四号	二人以上の公職の候補者の氏名を	賛否をともに
第六十八条第一項第六号及び第七号	公職の候補者の氏名	賛否
第六十八条第一項第八号	公職の候補者の何人を記載したか	賛否
第七十一条	当該選挙にかかる議員又は長の任期間	解職の投票の結果が確定するまでの間
第七十五条第三項	有する者	有する者（当該解職の請求を受けている広域連合の長又はその解職請求代表者を除く。）
第八十条第一項	各公職の候補者（公職の候補者たる参議院名簿登載者を含む。第三項において同じ。）、各衆議院名簿届出政党等又は各参議院名簿届出政党等の得票総数（各参議院名簿届出政党等の得票総数にあつては、当該参議院名簿届出政党等に係る各参議院名簿登載者（当該選挙の期日において公職の候補者たる者に限る。）の得票総数を含むものをいう。第三項において同じ。）	賛否の投票総数
第八十条第二項	各公職の候補者の得票総数	賛否の投票総数
第八十条第三項	各公職の候補者、各衆議院名簿届出政党等又は各参議院名簿届出政党等の得票総数	賛否の投票総数
第八十三条第二項	当該選挙に係る議員又は長の任期間	解職の投票の結果が確定するまでの間
第八十三条第三項	当該選挙にかかる議員又は長の任期間	解職の投票の結果が確定するまでの間
第百条第五項	前各項	地方自治法施行令第二百十五条の三において準用する同令第百十二条
第百三十一条第一項第四号	公職の候補者一人	広域連合の長又はその解職請求代表者
第百三十二条	第百二十九条の規定にかかわらず、選挙の当日においても	広域連合の長の解職の投票の当日は
第百三十八条第二項	特定の候補者の氏名若しくは政党その他の政治団体の名称	広域連合の長の解職の賛否
第百三十八条の三	公職に就くべき者	広域連合の長の解職の賛否
第百六十六条ただし書	第百六十一条の規定による個人演説会、政党演説会又は政党等演説会	地方自治法施行令第二百十五条の三において準用する同令第百七条の規定による演説会等
第百七十八条	第百条第一項から第四項まで	地方自治法施行令第二百十五条の三において準用する同令第百十二条
	同条第五項	第百条第五項

第百九十九条の二第一項	公職の候補者又は公職の候補者となろうとする者（公職にある者を含む。以下この条において「公職の候補者等」という。）	解職の請求を受けている広域連合の長又はその解職請求代表者（以下第百九十九条の四までにおいて「解職請求代表者等」という。）
	寄附を	寄附（当該投票に関するもの又は通常一般の社交の程度を超えるものに限る。以下この条において同じ。）を
	当該公職の候補者等	当該解職請求代表者等
第百九十九条の二第二項から第四項まで	公職の候補者等	解職請求代表者等
第百九十九条の三	公職の候補者又は公職の候補者となろうとする者（公職にある者を含む。）	解職請求代表者等
	団体は	団体は、当該投票に関し
第百九十九条の四	公職の候補者又は公職の候補者となろうとする者（公職にある者を含む。）	解職請求代表者等
	公職の候補者若しくは公職の候補者となろうとする者（公職にある者を含む。）	解職請求代表者等
第二百六条第一項	その当選	その解職の投票の結果
	第百一条の三第二項又は第百六条第二項の規定による告示の日	地方自治法第二百九十一条の六第一項において準用する同法第八十二条第二項の規定による公表の日
第二百七条第二項	議会の議員及び長の当選	長の解職の投票の結果
第二百九条第一項	当選	解職の投票の結果
第二百十九条第一項	おける当選	おける解職の投票の結果
第二百二十一条第三項第一号	公職の候補者	解職の請求を受けている広域連合の長
第二百二十一条第三項第二号	選挙運動を総括主宰した者	広域連合の長の解職請求代表者
第二百二十二条第三項	前条第三項各号に掲げる者	広域連合の長又はその解職請求代表者
第二百二十三条第三項	第二百二十一条第三項各号に掲げる者	広域連合の長又はその解職請求代表者
第二百二十六条第二項、第二百二十七条及び第二百二十八条第一項	被選挙人の氏名	賛否
第二百三十七条の二第一項	公職の候補者（公職の候補者たる参議院名簿登載者を含む。）の氏名若しくは衆議院名簿届出政党等若しくは参議院名簿届出政党等の名称若しくは略称又は公職の候補者に対して	賛否又は
	指示する	指示に従い
第二百三十七条の二第二項	公職の候補者（公職の候補者たる参議院名簿登載者を含む。）の氏名又は衆議院名簿届出政党等若しくは参議院名簿届出政党等の名称若しくは略称	賛否
第二百四十九条の二第五項	公職の候補者等	広域連合の長又はその解職請求代表者（第七項において「解職請求代表者等」という。）

第二百四十九条の二第七項	公職の候補者等	解職請求代表者等
第二百五十三条の二第一項及び第二百五十四条	当選人	広域連合の長若しくは長であつた者又はその解職請求代表者
第二百五十五条第一項	公職の候補者（公職の候補者たる参議院名簿登載者を含む。以下この条及び次条において同じ。）一人の氏名、一の衆議院名簿届出政党等の名称若しくは略称又は一の参議院名簿届出政党等の名称若しくは略称	賛否
	公職の候補者の氏名、衆議院名簿届出政党等の名称若しくは略称又は参議院名簿届出政党等の名称若しくは略称	賛否
第二百五十五条第三項	公職の候補者一人の氏名、一の衆議院名簿届出政党等の名称若しくは略称又は一の参議院名簿届出政党等の名称若しくは略称	賛否
	公職の候補者の氏名、衆議院名簿届出政党等の名称若しくは略称又は参議院名簿届出政党等の名称若しくは略称	賛否

（同時投票を行う場合の公職選挙法等の規定の準用）

第二百十五条の六　地方自治法第二百九十一条の六第七項において準用する公職選挙法中普通地方公共団体の選挙に関する規定、同法第百十九条第一項、第百二十三条及び第百二十七条の規定、公職選挙法施行令第九十七条、第九十八条及び第百六条の規定並びに第二百十三条の三から第二百十三条の七まで、第二百十四条の三から第二百十四条の五まで及び第二百十五条の三から第二百十五条の五までの規定は、地方自治法第二百九十一条の六第七項の規定により同条第一項において準用する同法第七十六条第三項の規定による解散の投票並びに同法第八十条第三項及び第八十一条第二項の規定による解職の投票を同時に行う場合について準用する。

（解職の請求の対象となる広域連合の職員）

第二百十六条　地方自治法第二百九十一条の六第一項に規定する広域連合の職員で政令で定めるものは、副知事若しくは副市町村長若しくは監査委員に相当する者として当該広域連合の規約で定める者又は選挙管理委員とする。

（広域連合の職員の解職の請求への地方自治法等の規定の準用等）

第二百十六条の二　地方自治法第二百九十一条の六第一項の規定により、広域連合の職員の解職の請求に同法第二編第五章（第七十五条第六項後段、第八十条第四項後段、第八十五条及び第八十六条第四項後段を除く。）の規定を準用する場合には、同法第八十六条第四項前段において準用する同法第七十四条第五項中「五十分の一」とあるのは「三分の一（その総数が四十万を超え八十万以下の場合にはその四十万を超える数に六分の一を乗じて得た数と四十万に三分の一を乗じて得た数とを合算して得た数、その総数が八十万を超える場合にはその八十万を超える数に八分の一を乗じて得た数と四十万に六分の一を乗じて得た数と四十万に三分の一を乗じて得た数とを合算して得た数）」と、「普通地方公共団体の選挙管理委員会」とあるのは「広域連合の選挙管理委員会」と、同法第八十六条第四項前段において準用する同法第七十四条の二第七項及び第十項中「都道府県の選挙管理委員会」とあるのは「広域連合の選挙管理委員会」と読み替えるものとする。

2　地方自治法第二百九十一条の六第一項の規定により、広域連合の職員の解職の請求に同法第二編第五章（第七十五条第六項後段、第八十条第四項後段、第八十五条及び第八十六条第四項後段を除く。）の規定を準用する場合には、同法第七十四条から第七十四条の四まで、第七十五条第一項から第五項まで及び第六項前段、第七十六条から第七十九条まで、第八十条第一項から第三項まで及び第四項前段、第八十一条から第八十四条まで並びに第八十六条第四項前段（同法第七十四条の二第八項の準用に係る部分に限る。）の規定は、広域連合の職員の解職の請求については、準用しない。

第二百十六条の三　第九十一条から第九十八条まで、第九十八条の三第二項及び第九十八条の四の規定は、地方自治法第二百九十一条の六第一項において準用する同法第八十六条第一項の規定による広域連合の職員の解職の請求について準用する。この場合において、次の表の上欄に掲げる規定中同表の中欄に掲げる字句は、それぞれ同表の下欄に掲げる字句に読み替えるものとする。

第九十一条第三項から第五項まで	地方自治法第七十四条第六項各号	地方自治法第二百九十一条の六第一項において準用する同法第八十六条第四項前段において準用する同法第七十四条第六項各号
第九十二条第一項	地方自治法第七十四条第一項に規定する選挙権を有する者（以下この編において「選挙権を有する者」という。）	地方自治法第二百九十一条の六第一項において準用する同法第七十四条第一項に規定する請求権を有する者（以下この編において「請求権を有する者」という。）
第九十二条第二項	選挙権を有する者	請求権を有する者
第九十二条第三項	都道府県及び指定都市にあつては二箇月以内、指定都市以外の市町村にあつては一箇月以内	二箇月以内
第九十二条第三項ただし書	地方自治法第七十四条第七項	地方自治法第二百九十一条の六第一項において準用する同法第八十六条第四項前段において準用する同法第七十四条第七項
	都道府県及び指定都市にあつては六十二日以内、指定都市以外の市町村にあつては三十一日以内	六十二日以内
第九十二条第四項	地方自治法第七十四条第七項	地方自治法第二百九十一条の六第一項において準用する同法第八十六条第四項前段において準用する同法第七十四条第七項
第九十三条	都道府県に関する請求にあつては市町村ごとに、指定都市に関する請求にあつては区又は総合区ごとに	市町村ごとに
第九十三条の二第一項	都道府県又は指定都市	広域連合
第九十四条第一項	地方自治法第七十四条第五項	地方自治法第二百九十一条の六第一項において準用する同法第八十六条第四項前段において準用する同法第七十四条第五項
	選挙権を有する者	請求権を有する者
	五十分の一	三分の一（その総数が四十万以下の場合にはその四十万を超える数に六分の一を乗じて得た数と四十万に三分の一を乗じて得た数とを合算して得た数、その総数が八十万を超える場合にはその八十万を超える数に八分の一を乗じて得た数と四十万に六分の一を乗じて得た数と四十万に三分の一を乗じて得た数とを合算して得た数）
第九十五条の二	都道府県又は指定都市に関する請求にあつては十日以内、指定都市以外の市町村に関する請求にあつては五日以内	十日以内
	地方自治法第七十四条の二第一項	地方自治法第二百九十一条の六第一項において準用する同法第八十六条第四項前段において準用する同法第七十四条の二第一

		項
第九十五条の三	地方自治法第七十四条の二第五項	地方自治法第二百九十一条の六第一項において準用する同法第八十六条第四項前段において準用する同法第七十四条の二第五項
第九十五条の四	地方自治法第七十四条の二第六項	地方自治法第二百九十一条の六第一項において準用する同法第八十六条第四項前段において準用する同法第七十四条の二第六項
第九十六条第一項	地方自治法第七十四条第一項	地方自治法第二百九十一条の六第一項において準用する同法第八十六条第一項
	同法第七十四条の二第六項	同法第二百九十一条の六第一項において準用する同法第八十六条第四項前段において準用する同法第七十四条の二第六項
	、都道府県又は指定都市に関する請求にあつては十日以内、指定都市以外の市町村に関する請求にあつては五日以内	十日以内
	同法第七十四条第五項	同法第二百九十一条の六第一項において準用する同法第八十六条第四項前段において準用する同法第七十四条第五項
	選挙権を有する者	請求権を有する者
	五十分の一	三分の一（その総数が四十万を超え八十万以下の場合にはその四十万を超える数に六分の一を乗じて得た数と四十万に三分の一を乗じて得た数とを合算して得た数、その総数が八十万を超える場合にはその八十万を超える数に八分の一を乗じて得た数と四十万に六分の一を乗じて得た数と四十万に三分の一を乗じて得た数とを合算して得た数）
第九十六条第二項	地方自治法第七十四条の二第十項	地方自治法第二百九十一条の六第一項において準用する同法第八十六条第四項前段において準用する同法第七十四条の二第十項
第九十七条第一項	地方自治法第七十四条第五項	地方自治法第二百九十一条の六第一項において準用する同法第八十六条第四項前段において準用する同法第七十四条第五項
	選挙権を有する者	請求権を有する者
	五十分の一	三分の一（その総数が四十万を超え八十万以下の場合にはその四十万を超える数に六分の一を乗じて得た数と四十万に三分の一を乗じて得た数とを合算して得た数、その総数が八十万を超える場合にはその八十万を超える数に八分の一を乗じて得た数

		と四十万に六分の一を乗じて得た数と四十万に三分の一を乗じて得た数とを合算して得た数）
第九十七条第二項	都道府県又は指定都市に関する請求にあつては五日以内、指定都市以外の市町村に関する請求にあつては三日以内	五日以内
第九十八条第二項	地方自治法第七十四条第三項	地方自治法第二百九十一条の六第一項において準用する同法第八十六条第三項

（広域連合の事務の監査の請求に係る個別外部監査の請求への地方自治法等の規定の準用等）

第二百十六条の四　地方自治法第二百九十一条の六第六項の規定により、個別外部監査契約に基づく監査によることが求められた広域連合の事務の監査の請求に係る事項についての個別外部監査人の監査に同法第二百五十二条の三十八第一項、第二項及び第四項から第六項までの規定を準用する場合においては、同条第二項及び第四項中「包括外部監査対象団体」とあるのは「個別外部監査契約を締結した広域連合」と、同条第六項中「前条第五項」とあるのは「第二百九十一条の六第一項において準用する次条第十二項」と、「包括外部監査対象団体」とあるのは「個別外部監査契約を締結した広域連合」と読み替えるものとする。

第二百十六条の五　第百七十四条の四十九の三十から第百七十四条の四十九の三十六までの規定は、地方自治法第二百九十一条の六第一項において準用する同法第二百五十二条の三十九第一項の規定により個別外部監査契約に基づく監査によることが求められた同法第二百九十一条の六第一項において準用する同法第七十五条第一項の規定による広域連合の事務の監査の請求について準用する。この場合において、次の表の上欄に掲げる規定中同表の中欄に掲げる字句は、それぞれ同表の下欄に掲げる字句に読み替えるものとする。

第百七十四条の四十九の三十	監査委員	広域連合の監査を行う機関
	第九十九条	第二百十二条の四
第百七十四条の四十九の三十一	監査委員	広域連合の監査を行う機関
	地方自治法第二百五十二条の三十九第三項	地方自治法第二百九十一条の六第一項
第百七十四条の四十九の三十二	地方自治法第二百五十二条の三十九第五項	地方自治法第二百九十一条の六第一項
	同条第八項各号	同項
第百七十四条の四十九の三十三第一項	地方自治法第二百五十二条の三十九第五項	地方自治法第二百九十一条の六第一項
	同法第二百五十二条の三十九第五項	同法第二百九十一条の六第一項
第百七十四条の四十九の三十四	地方自治法第二百五十二条の三十九第八項第四号	地方自治法第二百九十一条の六第一項
	同条第五項	同項
第百七十四条の四十九の三十五	地方自治法第二百五十二条の三十九第九項	地方自治法第二百九十一条の六第一項
第百七十四条の四十九の三十六	監査委員	広域連合の監査を行う機関
	地方自治法第二百五十二条の三十九第十二項	地方自治法第二百九十一条の六第一項

第二百十六条の六　第百七十四条の四十九の二十九の規定は、地方自治法第二百九十一条の六第一項において準用する同法第二百五十二条の三十九第一項の規定により個別外部監査契約に基づく監査によることが求められた同法第二百九十一条の六第一項において準用する同法第七十五条第一項の規定による広域連合の事務の監査の請求に係る事項についての個別外部監査人の監査について準用する。この場合において、第百七十四条の四十九の二十九中「地方自治法第二百五十二条の三十八第一項」とあるのは「地方自治法第二百九十一条の六第六項」と、「監査委員」とあるのは「広域連合の監査を行う機関」と読み替えるものとする。

（広域連合の規約の変更の要請の請求への地方自治法等の規定の準用等）

第二百十七条 地方自治法第二百九十一条の六第五項の規定により、広域連合の規約の変更の要請の請求に同法の規定を準用する場合においては、同法第七十四条第五項中「五十分の一」とあるのは「三分の一（その総数が四十万を超え八十万以下の場合にあつてはその四十万を超える数に六分の一を乗じて得た数と四十万に三分の一を乗じて得た数とを合算して得た数、その総数が八十万を超える場合にあつてはその八十万を超える数に八分の一を乗じて得た数と四十万に六分の一を乗じて得た数と四十万に三分の一を乗じて得た数とを合算して得た数）」と、「普通地方公共団体の選挙管理委員会」とあるのは「広域連合の選挙管理委員会」と、同法第七十四条の二第七項及び第十項中「都道府県の選挙管理委員会」とあるのは「広域連合の選挙管理委員会」と読み替えるものとする。

２ 地方自治法第二百九十一条の六第五項の規定により、広域連合の規約の変更の要請の請求に同法の規定を準用する場合においては、同法第七十四条の二第八項の規定は、広域連合の規約の変更の要請の請求については、準用しない。

第二百十七条の二 第九十一条から第九十七条まで、第九十八条第一項、第九十八条の三第二項及び第九十八条の四の規定は、地方自治法第二百九十一条の六第二項の規定による広域連合の規約の変更の要請の請求について準用する。この場合において、次の表の上欄に掲げる規定中同表の中欄に掲げる字句は、それぞれ同表の下欄に掲げる字句に読み替えるものとする。

第九十一条第三項から第五項まで	地方自治法第七十四条第六項各号	地方自治法第二百九十一条の六第五項において準用する同法第七十四条第六項各号
第九十二条第一項	地方自治法第七十四条第一項に規定する選挙権を有する者（以下この編において「選挙権を有する者」という。）	地方自治法第二百九十一条の六第二項に規定する請求権を有する者（以下この編において「請求権を有する者」という。）
第九十二条第二項	選挙権を有する者	請求権を有する者
第九十二条第三項	都道府県及び指定都市にあつては二箇月以内、指定都市以外の市町村にあつては一箇月以内	二箇月以内
第九十二条第三項ただし書	地方自治法第七十四条第七項	地方自治法第二百九十一条の六第五項において準用する同法第七十四条第七項
	都道府県及び指定都市にあつては六十二日以内、指定都市以外の市町村にあつては三十一日以内	六十二日以内
第九十二条第四項	地方自治法第七十四条第七項	地方自治法第二百九十一条の六第五項において準用する同法第七十四条第七項
第九十三条	都道府県に関する請求にあつては市町村ごとに、指定都市に関する請求にあつては区又は総合区ごとに	市町村ごとに
第九十三条の二第一項	都道府県又は指定都市	広域連合
第九十四条第一項	地方自治法第七十四条第五項	地方自治法第二百九十一条の六第五項において準用する同法第七十四条第五項
	選挙権を有する者	請求権を有する者
	五十分の一	三分の一（その総数が四十万を超え八十万以下の場合にはその四十万を超える数に六分の一を乗じて得た数と四十万に三分の一を乗じて得た数とを合算して得た数、その総数が八十万を超える場合にはその八十万を

		超える数に八分の一を乗じて得た数と四十万に六分の一を乗じて得た数と四十万に三分の一を乗じて得た数とを合算して得た数）
	都道府県又は指定都市に関する請求にあつては十日以内、指定都市以外の市町村に関する請求にあつては五日以内	十日以内
第九十五条の二	地方自治法第七十四条の二第一項	地方自治法第二百九十一条の六第五項において準用する同法第七十四条の二第一項
第九十五条の三	地方自治法第七十四条の二第五項	地方自治法第二百九十一条の六第五項において準用する同法第七十四条の二第五項
第九十五条の四	地方自治法第七十四条の二第六項	地方自治法第二百九十一条の六第五項において準用する同法第七十四条の二第六項
第九十六条第一項	地方自治法第七十四条第一項	地方自治法第二百九十一条の六第二項
	同法第七十四条の二第六項	同条第五項において準用する同法第七十四条の二第六項
	、都道府県又は指定都市に関する請求にあつては十日以内、指定都市以外の市町村に関する請求にあつては五日以内	十日以内
	同法第七十四条第五項	同法第二百九十一条の六第五項において準用する同法第七十四条第五項
	選挙権を有する者	請求権を有する者
	五十分の一	三分の一（その総数が四十万を超え八十万以下の場合にはその四十万を超える数に六分の一を乗じて得た数と四十万に三分の一を乗じて得た数とを合算して得た数、その総数が八十万を超える場合にはその八十万を超える数に八分の一を乗じて得た数と四十万に六分の一を乗じて得た数と四十万に三分の一を乗じて得た数とを合算して得た数）
第九十六条第二項	地方自治法第七十四条の二第十項	地方自治法第二百九十一条の六第五項において準用する同法第七十四条の二第十項
第九十七条第一項	地方自治法第七十四条第五項	地方自治法第二百九十一条の六第五項において準用する同法第七十四条第五項
	選挙権を有する者	請求権を有する者
	五十分の一	三分の一（その総数が四十万を超え八十万以下の場合にはその四十万を超える数に六分の一を乗じて得た数と四十万に三分の一を乗じて得た数とを合算して得た数、その総数が八十万を超える場合にはその八十万を超える数に八分の

		一を乗じて得た数と四十万に六分の一を乗じて得た数と四十万に三分の一を乗じて得た数とを合算して得た数）
第九十七条第二項	都道府県又は指定都市に関する請求にあつては五日以内、指定都市以外の市町村に関する請求にあつては三日以内	五日以内

（一部事務組合に関する規定の準用）

第二百十七条の三　第二百十一条の規定は、地方自治法第二百九十一条の十三において準用する同法第二百八十七条の三第二項の規定により長に代えて理事会を置く広域連合について準用する。

第三節　雑則

（数都道府県にわたる広域連合に関する特例）

第二百十八条　総務大臣は、市町村及び特別区の広域連合で数都道府県にわたるものに係る地方自治法第二百八十四条第三項、第二百九十一条の三第一項本文及び第二百九十一条の十第一項の許可をしたときは直ちにその旨を告示するとともに、国の関係行政機関の長に通知し、同法第二百八十五条の二第一項の規定による勧告をしたときは直ちにその旨を国の関係行政機関の長に通知しなければならない。

（規約による特別の定め）

第二百十八条の二　市町村及び特別区の組合に関しては、第一条の二から第六条までの規定にかかわらず、規約で特別の定めをすることができる。

第四章　財産区

第二百十九条　地方自治法第二百九十六条の六第二項の規定により裁定を申請しようとする市町村若しくは特別区の長若しくは議会、財産区の議会若しくは総会又は財産区管理会は、紛争に係る事実その他必要な事項を記載した文書を以てこれをしなければならない。

第二百二十条　都道府県知事は、地方自治法第二百九十六条の六第二項の規定による裁定をしようとするときは、予め当事者の意見を聴かなければならない。

②　都道府県知事は、関係人の出頭を求め、又は当事者若しくは関係人に対し裁定のため必要な記録の提出を求めることができる。

③　都道府県は、条例の定めるところにより、前項の規定により出頭した関係人の要した実費を弁償しなければならない。

第二百二十一条　裁定は、文書を以てこれをし、その理由を附けて当事者に交付しなければならない。財産区のある市町村の市町村長又は特別区の区長が当事者でない場合においては、これらの者に対しても、これを交付しなければならない。

第二百二十二条　前編第五章の規定は、財産区について準用する。ただし、条例で特別の定めを設けることができる。

第四編　補則

（事務の区分）

第二百二十三条　都道府県が第五条第一項後段、第六条、第百八十条第一項から第三項まで、第百八十一条、同条第三項、第百八十二条第二項において準用する同条第一項、同条第三項、第百八十三条並びに第百八十八条の二第一項及び第二項の規定により処理することとされている事務並びに第百八十四条において準用する公職選挙法施行令の規定及び第百八十八条の二第三項の規定により適用する地方自治法第二百六十一条第三項の賛否の投票に関する規定により処理することとされている事務は、第一号法定受託事務とする。

2　都が第二百九条第二項において準用する第五条第一項後段及び第六条の規定により処理することとされている事務は、第一号法定受託事務とする。

3　市町村が第百八十条第一項、第百八十一条、第百八十二条第一項（同条第二項において準用する場合を含む。）、第百八十三条第一項並びに第百八十八条の二第一項及び第二項の規定により処理することとされている事務並びに第百八十四条において準用する公職選挙法施行令の規定及び第百八十八条の二第三項の規定により適用する地方自治法第二百六十一条第三項の賛否の投票に関する規定により処理することとされている事務は、第一号法定受託事務とする。

第二百二十四条　市町村が第九十一条第二項及び第四項、第九十三条の二第一項、第九十四条第三項及び第四項並びに第九十五条の二の規定（第九十九条、第百条、第百十条、第百十六条及び第百二十一条において準用する場合を含む。）により処理することとされている事務（都道府県に対する請求に係るものに限る。）、第百条の二第二項、第百四条第二項、第百七条第一項第三号及び第三項並びに第百九条の三第一項及び第二項の規定（第百十三条及び第百十六条の二において準用する場合を含む。）並びに第百九条の三第三項（第百十三条及び第百十六条の二において準用する場合を含む。）において適用する普通地方公共団体の議会の解散の投票に関する規定により処理することとされている事務（都道府県に対する請求に係るものに限る。）並びに第百六条、第百十四条及び第百十七条において準用する公職選挙法施行令の規定により処理することとされている事務（都道府県に対する請求に係るものに限る。）は、第二号法定受託事務とする。

附　則（抄）

第一条　この政令は、公布の日から、これを施行する。

第二条　東京都制施行令、道府県制施行令、市制町村制施行令、昭和四年勅令第百八十九号（市制第六十五条の名誉職参事会員の定数に関する件）、昭和十八年勅令第四百四十六号（町村制を施行しない島の指定に関する件）及び昭和十九年勅令第百十九号（町又は字の区域等の変更に関する件）は、これを廃止する。但し、東京都制施行令第百二十四条乃至第百二十八条、第百三十一条、第百三十六条乃至第百四十四条、第百四十六条及び第百四十七条の規定は、なお、その効力を有する。

②　東京都官制、北海道庁官制、地方官官制、都庁府県等臨時職員等設置制及び地方世話部官制は、これを廃止する。但し、地方自治法附則において準用され又はよることとされている範囲内においては、なお、その効力を有する。

第三条　他の命令中に東京都制施行令、道府県制施行令、府県制施行令又は市制町村制施行令の規定を掲げている場合においては、この政令中これらの規定に相当する規定があるときは、命令で特別の規定を設ける場合を除く外、各〻この政令中のこれらの規定に相当する規定を指しているものとする。

第四条　削除（令二・三政令六一）

第五条　削除（平一一・一〇政令三二一）

第六条　地方自治法附則第十条第一項の事務のうち陸軍の軍人軍属であつた者に関するもので樺太に関するものは北海道、朝鮮及び台湾に関するものは福岡県においてこれを処理しなければならない。

第七条　地方公共団体は、当分の間、公共工事の前払金保証事業に関する法律（昭和二十七年法律第百八十四号）第五条の規定に基づき登録を受けた保証事業会社の保証に係る公共工事に要する経費については、当該経費の三割（当該経費のうち総務省令で定めるものにつき当該割合によることが適当でないと認められる特別の事情があるときは、総務省令で定めるところにより、当該割合に三割以内の割合を加え、又は当該割合から一割以内の割合を減じて得た割合）を超えない範囲内に限り、前金払をすることができる。

第七条の二　当分の間、普通交付金の交付に係る第二百十条の十二第一項の規定の適用については、同項中「額に」とあるのは「額並びに道路交通法（昭和三十五年法律第百五号）附則第十六条第一項の規定により特別区に交付するものとされる交通安全対策特別交付金の額に」と、「利子割交付金にあつては同条第一項」とあるのは「同法附則第七条の二第二項に規定する百分の二十五の率を百分の十五とし、利子割交付金にあつては同法第十四条第一項」と、「ゴルフ場利用税交付金にあつては同項」とあるのは「同法附則第七条の三第二項に規定する百分の二十五の率を百分の十五とし、ゴルフ場利用税交付金にあつては同法第十四条第一項」と、「同条第三項」とあるのは「同条第三項並びに同法附則第六条の四、第七条の二第二項及び第七条の三第二項」とする。

第八条　地方自治法附則第二十条の五第一項に規定する政令で定める期間は、地方自治法の一部を改正する法律（昭和四十五年法律第一号）の施行の日から二年間とする。

別表第一 第一号法定受託事務（第一条関係）

備考 この表の下欄の用語の意義及び字句の意味は、上欄に掲げる政令における用語の意義及び字句の意味によるものとする。

政令	事務
砂防法施行規程（明治三十年勅令第三百八十二号）	この命令の規定により地方公共団体が処理することとされている事務のうち次に掲げるもの 一 第二条及び第六条から第八条までの規定により都道府県が処理することとされている事務 二 第七条及び第八条の規定により市町村が処理することとされている事務
公有水面埋立法施行令（大正十一年勅令第百九十四号）	第一条第一項（第三十条において準用する場合を含む。）及び第二項（第一条第四項において準用する場合を含む。）、第二条（第三十条において準用する場合を含む。）、第六条（第三十条において準用する場合を含む。）並びに第二十七条第二項（第三十一条において準用する場合を含む。）の規定により都道府県又は指定都市が処理することとされている事務
健康保険法施行令（大正十五年勅令第二百四十三号）	第六十一条第一項の規定により市町村（特別区を含む。）が処理することとされている事務
人口動態調査令（昭和二十一年勅令第四百四十七号）	第三条から第五条までの規定により市町村又は都道府県が処理することとされている事務
災害救助法施行令（昭和二十二年政令第二百二十五号）	この政令の規定により都道府県又は救助実施市（第一号において「都道府県等」という。）が処理することとされている事務のうち次に掲げるもの 一 第三条、第五条並びに第八条第二項第二号及び第三号の規定により都道府県等が処理することとされている事務 二 第十七条第一項及び第二項の規定により都道府県が処理することとされている事務
最高裁判所裁判官国民審査法施行令（昭和二十三年政令第百二十二号）	この政令の規定により地方公共団体が処理することとされている事務
予防接種法施行令（昭和二十三年政令第百九十七号）	一 第五条（臨時の予防接種に係る部分に限る。）の規定により都道府県が処理することとされている事務 二 第五条（臨時の予防接種に係る部分に限る。）及び第十六条（第二十三条において準用する場合を含む。）の規定により市町村が処理することとされている事務
検察審査会法施行令（昭和二十三年政令第三百五十四号）	第二条の規定により市町村が処理することとされている事務
土地改良法施行令（昭和二十四年政令第二百九十五号）	第五十一条の二、第七十二条第一項並びに第七十九条第一項、第三項及び第五項の規定により都道府県が処理することとされている事務
漁業法施行令（昭和二十五年政令第三十号）	第十条第一項、第二項、第四項及び第五項の規定により都道府県が処理することとされている事務
私立学校法施行令（昭和二十五年政令第三十一号）	第六条、第七条第二項及び第八条の規定により都道府県が処理することとされている事務並びに同項の規定により指定都市等が処理することとされている事務
公職選挙法施行令（昭和二十五年政令第八十九号）	この政令の規定により地方公共団体が処理することとされている事務のうち、次に掲げるもの 一 衆議院議員又は参議院議員の選挙に関し、都道府県が処理することとされている事務 二 都道府県が第十九条第三項及び第二十二条（これらの規定を第二十三条の十六において読み替えて準用する場合を含む。）の規定により処理することとされている事務、第二十三条の二第二項の規定により処理することとされている事務並びに第百十条の五第四項及び第五項の規定により処理することとされている事務（衆議院議員又は参議院議員の選挙における公職の候補者又は公職の候補者となろうとする者（公職にある者を含む。以下この号において「国の選挙の公職の候補者等」という。）及び法第百九十九条の五第一項に規定する後援団体で当該国の選挙の公職の候補者等に係るものの政治活動のために掲示される法第百四十三条第十六項第一号に規定する立札及び看板の類に係る事務に限る。） 三 都道府県、指定都市又は中核市が第五十九条の二第一号及び第二号並びに第五十九条の三の

	二第一項の規定により処理することとされている事務 四　衆議院議員又は参議院議員の選挙に関し、市町村が処理することとされている事務 五　選挙人名簿又は在外選挙人名簿に関し、市町村が処理することとされている事務 六　市町村が第五十九条の三第一項、第四項及び第五項、第五十九条の三の二第二項及び第四項から第六項まで並びに第五十九条の三の三第一項及び第三項の規定により処理することとされている事務
生活保護法施行令（昭和二十五年政令第百四十八号）	第一条第二項及び第三項の規定並びに第八条第二項及び第三項（これらの規定を第八条の二において準用する場合を含む。）の規定により都道府県、市及び福祉事務所を設置する町村が処理することとされている事務
精神保健及び精神障害者福祉に関する法律施行令（昭和二十五年政令第百五十五号）	第二条の二、第二条の二の二、第二条の二の三第三項及び第四項、第二条の二の四並びに第二条の二の五の規定により都道府県が処理することとされている事務
建築基準法施行令（昭和二十五年政令第三百三十八号）	第八条の二第一項（第八条の五第五項において準用する場合を含む。）の規定により都道府県が処理することとされている事務
公共土木施設災害復旧事業費国庫負担法施行令（昭和二十六年政令第百七号）	第五条第二項、第六条第三項（第七条第四項において準用する場合を含む。）、第六条の二第二項（第六条の三第二項において準用する場合を含む。）、第八条並びに第十二条第一項（同項第五号の規定中意見を付する事務に関する部分を除く。）、同条第二項及び第四項の規定により都道府県が処理することとされている事務
道路運送法施行令（昭和二十六年政令第二百五十号）	第三条第一項及び第六条第一項の規定により都道府県が処理することとされている事務
土地収用法施行令（昭和二十六年政令第三百四十二号）	この政令の規定により地方公共団体が処理することとされている事務のうち、次の各号に掲げるもの（法第十七条第一項各号に掲げる事業又は法第二十七条第二項若しくは第四項の規定により国土交通大臣の事業の認定を受けた事業に関するものに限る。） 一　都道府県が第一条の三、第一条の四、第一条の六、第一条の七、第一条の七の三、第一条の七の五第一項、第一条の九、第一条の十、第一条の十四、第五条第一項及び第三項並びに第六条の三の規定により処理することとされている事務 二　市町村が第五条第四項の規定により処理することとされている事務
漁船損害等補償法施行令（昭和二十七年政令第六十八号）	第五条第一項及び第三項並びに第七条第一項から第四項までの規定により都道府県が処理することとされている事務
戦傷病者戦没者遺族等援護法施行令（昭和二十七年政令第百四十三号）	第十一条及び第十二条の規定により都道府県が処理することとされている事務並びに第十一条の規定により市町村（特別区を含む。）が処理することとされている事務
物価統制令施行令（昭和二十七年政令第三百十九号）	第十一条第一項の規定により都道府県が処理することとされている事務
地方公営企業法施行令（昭和二十七年政令第四百三号）	第二十八条第一項及び第二項の規定により都道府県が処理することとされている事務（総務大臣への経由に係るものに限る。）
農地法施行令（昭和二十七年政令第四百四十五号）	この政令の規定により都道府県又は市町村が処理することとされている事務のうち、次の各号及び第三十八条第二項各号に掲げるもの以外のもの 一　第三条第二項の規定により市町村（指定市町村に限る。）が処理することとされている事務（同一の事業の目的に供するため四ヘクタールを超える農地を農地以外のものにする行為に係るものを除く。） 二　第九条第一項の規定により市町村が処理することとされている事務 三　第九条第三項（同条第九項において読み替えて準用する場合を含む。）の規定により都道府県が処理することとされている事務 四　第九条第七項の規定により指定市町村が処理することとされている事務 五　第十条第二項の規定により市町村（指定市町

	村に限る。）が処理することとされている事務（同一の事業の目的に供するため四ヘクタールを超える農地又はその農地と併せて採草放牧地について法第三条第一項本文に掲げる権利を取得する行為に係るものを除く。） 六　第二十二条第二項の規定により市町村が処理することとされている事務（意見を付する事務に限る。）
道路法施行令（昭和二十七年政令第四百七十九号）	この政令の規定により地方公共団体が処理することとされている事務のうち次に掲げるもの 一　都道府県、指定市又は法第十七条第二項の規定により都道府県の同意を得た市が指定区間外の国道の道路管理者として処理することとされている事務（第二十三条第八項（第二十六条第一項において読み替えて準用する場合を含む。）において読み替えて準用する第二十三条第一項及び第二項（これらの規定を第二十六条第一項において読み替えて準用する場合を含む。）の規定並びに第三十五条の四の規定により処理することとされているものを除く。） 二　指定市以外の市町村が法第十七条第四項の規定による歩道の新設等又は法第四十八条の二十二第一項の規定による歩行者利便増進改築等を行う者として国道に関し処理することとされている事務（第三十五条の四の規定により処理することとされているものを除く。） 三　都道府県が法第十七条第八項の規定による維持又は災害復旧に関する工事を行う者として国道に関し処理することとされている事務（第三十五条の四の規定により処理することとされているものを除く。）
中小漁業融資保証法施	第十二条第一項及び第三項の規定により都道府県が処理することとされている事務
行令（昭和二十八年政令第十六号）	
未帰還者留守家族等援護法施行令（昭和二十八年政令第二百十一号）	第四条の規定により都道府県が処理することとされている事務
食品衛生法施行令（昭和二十八年政令第二百二十九号）	第三十七条の規定により都道府県、保健所を設置する市又は特別区が処理することとされている事務
栄養士法施行令（昭和二十八年政令第二百三十一号）	第一条第二項及び第三項（第五条第五項及び第六条第七項において準用する場合を含む。）、第三条第四項、第四条第二項、第五条第二項、第六条第六項、第八条第二項及び第四項、第九条前段（第十二条第二項において準用する場合を含む。）並びに第十三条から第十五条までの規定により都道府県が処理することとされている事務
家畜伝染病予防法施行令（昭和二十八年政令第二百三十五号）	第五条第一項及び第二項（これらの規定を第七条において準用する場合を含む。）の規定により都道府県又は市町村が処理することとされている事務
狂犬病予防	一　第五条（法第六条第九項の規定による処分に
法施行令（昭和二十八年政令第二百三十六号）	係る部分を除く。次号において同じ。）及び第七条第四項の規定により都道府県が処理することとされている事務 二　第五条、第六条及び第七条第四項の規定により保健所を設置する市又は特別区が処理することとされている事務
軌道法に規定する国土交通大臣の権限に属する事務で都道府県が処理するものを定める政令（昭和二十八年政令第二百五十七号）	第一条第一項から第四項まで、同条第五項において準用する軌道法施行令第二条第一項及び第三条並びに第一条第七項から第十項までの規定により都道府県又は指定都市が処理することとされている事務
軌道法施行令（昭和二十八年政令第二百五十八号）	第一条第二項、第五条第一項、同条第二項において準用する第二条第一項及び第三条、第六条第一項及び第二項、同条第三項において準用する第二条第一項及び第三条、第七条から第八条まで、第十一条の二並びに第十六条の規定により都道府県又は指定都市が処理することとされている事務
小型漁船の総トン数の測度に関する政令（昭和二十八年政令第二百五十九号）	第一条第一項及び第三項の規定により都道府県が処理することとされている事務

船員法第百四条第一項の規定により市町村が処理する事務に関する政令（昭和二十八年政令第二百六十号）	第一項の規定により市町村が処理することとされている事務
信用保証協会法施行令（昭和二十八年政令第二百七十一号）	第六条第一項及び第二項の規定により都道府県又は市町村が処理することとされている事務
他の都府県又は他の都府県内の公共団体に砂防工事の費用を負担させる場合の手続に関する政令（昭和二十八年政令第三百十二号）	第一条第一項前段の規定により都府県が処理することとされている事務
死体解剖保存法施行令（昭和二十八年政令第三百八十一号）	第一条第一項、第三条第二項及び第五項並びに第四条の規定により都道府県が処理することとされている事務
医師法施行令（昭和二十八年政令第三百八十二号）	第三条、第五条第二項、第六条第一項、第八条第二項、第九条第二項及び第五項並びに第十条の規定により都道府県が処理することとされている事務
歯科医師法施行令（昭和二十八年政令第三百八十三号）	第三条、第五条第二項、第六条第一項、第八条第二項、第九条第二項及び第五項並びに第十条の規定により都道府県が処理することとされている事務
診療放射線技師法施行令（昭和二十八年政令第三百八十五号）	第一条の二、第一条の四第二項、第二条第一項、第三条第二項及び第四条第一項の規定により都道府県が処理することとされている事務
保健師助産師看護師法施行令（昭和二十八年政令第三百八十六号）	第一条の三第一項、第三条第五項、第四条第三項、第五条第二項、第六条第四項、第七条第六項及び第八条第五項の規定により都道府県が処理することとされている事務（第三条第五項、第四条第三項、第五条第二項、第六条第四項、第七条第六項及び第八条第五項の規定により処理することとされている事務にあつては、准看護師に係るものを除く。）
自衛隊法施行令（昭和二十九年政令第百七十九号）	第百十四条から第百二十条までの規定により都道府県又は市町村が処理することとされている事務、第百六十一条第二項の規定により河川法（昭和三十九年法律第百六十七号）第九条第二項に規定する指定区間内の一級河川及び同法第五条第一項に規定する二級河川に関して都道府県又は指定都市が処理することとされている事務並びに第百三十三条（第百四十四条において準用する場合を含む。）、第百三十四条、第百三十五条（第百四十四条において準用する場合を含む。）、第百三十七条第二項（第百四十四条において準用する場合を含む。）、第百三十九条第二項、第百四十条において準用する災害救助法施行令第八条第二項第二号及び第百四十一条第二項の規定により都道府県が処理することとされている事務
奄美群島振興開発特別措置法施行令（昭和二十九年政令第二百三十九号）	第二十六条及び第二十七条の規定により鹿児島県が処理することとされている事務
建設機械抵当法施行令（昭和二十九年政令第二百九十四号）	一　第三条第一項の規定により都道府県が処理する第四条から第十条までの事務 二　附則第二項及び附則第四項において準用する第十条の規定により都道府県が処理する事務
土地区画整理法施行令（昭和三十年政令第四十七号）	第一条の二の規定により市町村が処理することとされている事務（国土交通大臣、都道府県、独立行政法人都市再生機構又は地方住宅供給公社（市のみが設立したものを除く。）が施行する土地区画整理事業に係るものに限る。）
歯科技工士法施行令	第一条の二、第三条第二項、第四条第一項、第五条第二項、第六条第二項及び第五項並びに第七条

（昭和三十年政令第二百二十八号）	の規定により都道府県が処理することとされている事務
地方教育行政の組織及び運営に関する法律施行令（昭和三十一年政令第二百二十一号）	第十一条の規定により都道府県が処理することとされている事務
租税特別措置法施行令（昭和三十二年政令第四十三号）	一 第十九条第十一項及び第十二項第四号、第十九条の六第三項、第二十五条の四第二項及び第十七項、第三十八条の五第九項及び第十項第四号並びに第四十条の四第二項及び第三項の規定により都道府県が処理することとされている事務 二 第十九条第十一項及び第十二項第四号、第十九条の六第三項、第二十六条第二十二項（同条第三十二項において準用する場合を含む。）、第三十八条の五第九項及び第十項第四号、第四十条の六第四項、第六項、第十項、第十五項、第十八項第二号、第四十四項及び第五十一項第四号（第四十条の七第五十五項において準用する場合を含む。）、第四十条の七第二項、第五項、第九項、第十九項第二号及び第四十九項、第四十条の七の六第十七項第四号、第四十条の九第四項、第四十一条並びに第四十二条第一項の規定により市町村が処理することとされている事務
引揚者給付金等支給法施行令（昭和三十二年政令第百十二号）	第八条及び第九条の規定により都道府県が処理することとされている事務並びに第八条の規定により市町村（特別区を含む。）が処理することとされている事務
国土開発幹線自動車道建設法施行令（昭和三十二年政令第百五十一号）	第四条及び第五条第二項の規定により都道府県が処理することとされている事務
自然公園法施行令（昭和三十二年政令第二百九十八号）	附則第二項及び第三項の規定により都道府県が処理することとされている事務
国有提供施設等所在市町村助成交付金に関する法律施行令（昭和三十二年政令第三百二十一号）	第六条第一項及び第二項の規定により都道府県が処理することとされている事務
学校保健安全法施行令（昭和三十三年政令第百七十四号）	第十条第三項の規定により都道府県が処理することとされている事務
義務教育諸学校等の施設費の国庫負担等に関する法律施行令（昭和三十三年政令第百八十九号）	第二条第二項（同項後段の必要な意見を付する部分を除く。）の規定により都道府県が処理することとされている事務
臨床検査技師等に関する法律施行令（昭和三十三年政令第二百二十六号）	第一条、第三条第二項、第四条第一項、第五条第二項、第六条第二項及び第五項並びに第七条の規定により都道府県が処理することとされている事務
国民健康保険法施行令（昭和三十三年政令第三百六十二号）	第七条、第十五条第一項、第二十三条第二項及び第二十五条の規定により都道府県が処理することとされている事務
国民健康保険の国庫負担金等の算定に関する政令（昭和三十四年政令第四十一号）	第五条第十項及び第十一項の規定により都道府県が処理することとされている事務

未帰還者に関する特別措置法施行令（昭和三十四年政令第五十一号）	第一条の二及び第二条の規定により都道府県が処理することとされている事務
国民年金法施行令（昭和三十四年政令第百八十四号）	第一条の二の規定により市町村が処理することとされている事務
小売商業調整特別措置法施行令（昭和三十四年政令第二百四十二号）	第四条、第六条第一項、第九条第二項及び第十条の規定により都道府県が処理することとされている事務
医薬品、医療機器等の品質、有効性及び安全性の確保等に関する法律施行令（昭和三十六年政令第十一号）	一　第四条第二項及び第三項において読み替えて適用される同条第一項、第五条第二項並びに同条第四項及び第五項において読み替えて適用される同条第二項、第六条第二項及び第四項並びに同条第五項及び第六項において読み替えて適用される同条第二項及び第四項、第七条第一項並びに同条第二項及び第三項において読み替えて適用される同条第一項、第八条第二項及び第三項において読み替えて適用される同条第一項、第十一条第二項及び第三項において読み替えて適用される同条第一項、第十二条第二項並びに同条第四項及び第五項において読み替えて適用される同条第二項、第十三条第二項及び第四項並びに同条第五項及び第六項において読み替えて適用される同条第二項及び第四項、第十四条第一項並びに同条第二項及び第三項において読み替えて適用される同条第一項、第十五条第二項及び第三項において読み替えて適用される同条第一項、第十六条の三第二項において読み替えて適用される同条第一項、第十六条の四第二項及び同条第四項において読み替えて適用される同条第二項、第十六条の五第二項及び第四項並びに同条第五項において読み替えて適用される同条第二項及び第四項、第十六条の六第一項及び同条第二項において読み替えて適用される同条第一項、第十六条の七第二項において読み替えて適用される同条第一項、第十九条第二項及び第三項において読み替えて適用される同条第一項、第二十二条第三項において読み替えて適用される同条第一項（第七十二条第一項において準用する場合を含む。）、第二十三条、第二十四条第三項において読み替えて適用される同条第一項（第七十二条第一項において準用する場合を含む。）、第二十六条の二、第二十六条の四第六項において読み替えて適用される同条第二項、第二十六条の五第七項において読み替えて適用される同条第二項及び第四項、第二十六条の六第三項において読み替えて適用される同条第一項、第三十二条の三第三項において読み替えて適用される同条第一項、第三十二条の五、第三十二条の六第三項において読み替えて適用される同条第一項、第三十七条第二項において読み替えて適用される同条第一項、第三十七条の二第二項及び同条第四項において読み替えて適用される同条第二項、第三十七条の三第二項及び第四項並びに同条第五項において読み替えて適用される同条第二項及び第四項、第三十七条の四第一項及び同条第二項において読み替えて適用される同条第一項、第三十七条の五第二項において読み替えて適用される同条第一項、第三十七条の八第二項において読み替えて適用される同条第一項（第五十五条において準用する場合を含む。）、第三十七条の九第二項及び同条第四項において読み替えて適用される同条第二項（これらの規定を第五十五条において準用する場合を含む。）、第三十七条の十第二項及び第四項並びに同条第五項において読み替えて適用される同条第二項及び第四項（これらの規定を第五十五条において準用する場合を含む。）、第三十七条の十一第一項及び同条第二項において読み替えて適用される同条第一項（これらの規定を第五十五条において準用する場合を含む。）、第三十七条の十二第二項において読み替えて適用される同条第一項（第五十五条において準用する場合を含む。）、第四十三条の三第二項において読み替えて適用される同条第一項、第四十三条の四第二項及び同条第四項において読み替えて適用される同条第二項、第四十三条の五第二項及び第四項並びに同条第五項において読み替えて適用される同条第二項及び第四項、第四十三条の六第一項及び同条第二項において読み替えて適用される同条第一項、第四十三条の七第二項において読み替えて適用される同条第一項、第四十三条の十一第一項、第四十三条の十二第二項及び第四項、第四十三条の十三、第五十八条から第六十条まで、第六十一条第二項、第七十三条、第七十四条第一項、第七十四条の二第一項、第七十四条の三第一項、第七十四条の四第六項において読み替えて適用される同条第三項及び第四項並びに第八十条第一項から第四項までの規定により都道府県が処理することとされている事務

	二　第四条第二項において読み替えて適用される同条第一項、第五条第四項において読み替えて適用される同条第二項、第六条第五項において読み替えて適用される同条第二項及び第四項、第七条第二項において読み替えて適用される同条第一項、第八条第二項において読み替えて適用される同条第一項、第十一条第二項において読み替えて適用される同条第一項、第十二条第四項において読み替えて適用される同条第二項、第十三条第五項において読み替えて適用される同条第二項及び第四項、第十四条第二項において読み替えて適用される同条第一項、第十五条第二項において読み替えて適用される同条第一項、第十九条第二項において読み替えて適用される同条第一項、第七十四条の四第六項において読み替えて適用される同条第三項及び第四項並びに第八十条第一項の規定により保健所を設置する市又は特別区が処理することとされている事務
薬剤師法施行令（昭和三十六年政令第十三号）	第三条、第五条第二項、第六条第一項、第八条第二項、第九条第二項及び第五項並びに第十条の規定により都道府県が処理することとされている事務
車両制限令（昭和三十六年政令第二百六十五号）	この政令の規定により都道府県、指定市又は法第十七条第二項の規定により都道府県の同意を得た市が指定区間外の国道の道路管理者として処理することとされている事務
農業信用保証保険法施行令（昭和三十六年政令第三百四十八号）	第八条第一項及び第三項の規定により都道府県が処理することとされている事務
畜産経営の安定に関する法律施行令（昭和三十六年政令第三百八十七号）	第五条第一項から第三項まで及び第十六条第五項の規定により都道府県が処理することとされている事務
農業協同組合法施行令（昭和三十七年政令第二百七十一号）	第三十二条第五項ただし書の規定により都道府県が処理することとされている事務並びに第六十三条第一項、第三項及び第五項の規定により都道府県が処理することとされている事務（法第十条第一項第三号の事業を行う農業協同組合連合会に係るものに限る。）
電気用品安全法施行令（昭和三十七年政令第三百二十四号）	第五条第一項の規定により都道府県又は市が処理することとされている法第四十五条第一項、第四十六条第一項及び第四十六条の二第一項に規定する事務並びに第五条第二項の規定により都道府県又は市が処理することとされている事務
地方公務員等共済組合法施行令（昭和三十七年政令第三百五十二号）	第六十七条第一項及び第三項の規定により都道府県が処理することとされている事務
戦没者等の妻に対する特別給付金支給法施行令（昭和三十八年政令第百二十五号）	第一条第三項及び第四項、第二条並びに第三条の規定により都道府県が処理することとされている事務並びに第二条の規定により市町村（特別区を含む。）が処理することとされている事務
戦傷病者特別援護法施行令（昭和三十八年政令第三百五十八号）	第九条の二、第十三条及び附則第八条の規定により都道府県が処理することとされている事務
新住宅市街地開発法施行令（昭和三十八年政令第三百六十五号）	第十五条第二項の規定により市町村が処理することとされている事務（都道府県又は地方住宅供給公社（市のみが設立したものを除く。）が施行する新住宅市街地開発事業に係るものに限る。）
義務教育諸学校の教科用図書の無償措置に関する法律施行令（昭和三十九年政令第十四号）	第一条第二項、第二条、第四条、第五条第二項及び第六条第二項の規定により都道府県が処理することとされている事務並びに第一条第二項及び第二条の規定により市町村が処理することとされている事務
漁業災害補償法施行令（昭和三十	第一条第一項、第三項及び第五項並びに第七条第三項（第八条第三項、第九条第七項、第十五条第三項及び第十八条の五第四項において準用する場

九年政令第二百九十三号）	合を含む。）の規定により都道府県が処理することとされている事務
河川法施行令（昭和四十年政令第十四号）	この政令の規定により地方公共団体が処理することとされている事務のうち次に掲げるもの 一　第二条第一項又は第二項の規定により、指定区間内の一級河川に関して都道府県又は指定都市が処理することとされている事務 二　第九条の二第二項、第十条の四第三項、第十五条第一項及び第二項（第十五条の四第二項、第十六条の四第二項、第十六条の五第四項、第十六条の八第二項、第三十四条第二項及び第三十五条の二第二項において準用する場合を含む。）、第十五条の四第一項、第十六条の四第一項、第十六条の五第一項及び第二項、第十六条の六、第十六条の八第一項、第十六条の九第三項、第十六条の十第二項、第十六条の十一第一項、第十六条の十二、第十六条の十三、第二十二条第二項及び第四項、第三十四条第一項、第三十五条の二第一項、第三十八条の三第二項、第三十八条の八、第三十九条の三第二項、第三十九条の四、第三十九条の六、第三十九条の七並びに第四十三条第三項の規定により、二級河川に関して都道府県又は指定都市が処理することとされている事務
所得税法施行令（昭和四十年政令第九十六号）	第二百十七条の二第二項及び第三項の規定により都道府県が処理することとされている事務
法人税法施行令（昭和	第七十七条の四第二項及び第三項の規定により都道府県が処理することとされている事務
四十年政令第九十七号）	
戦没者等の遺族に対する特別弔慰金支給法施行令（昭和四十年政令第百八十三号）	第一条第三項及び第四項、第二条並びに第三条の規定により都道府県が処理することとされている事務並びに第二条の規定により市町村（特別区を含む。）が処理することとされている事務
理学療法士及び作業療法士法施行令（昭和四十年政令第三百二十七号）	第一条、第三条第二項、第四条第一項、第五条第二項、第六条第二項及び第五項並びに第七条の規定により都道府県が処理することとされている事務
戦傷病者等の妻に対する特別給付金支給法施行令（昭和四十一年政令第二百二十七号）	第二条第三項及び第四項、第三条並びに第四条の規定により都道府県が処理することとされている事務並びに第三条の規定により市町村（特別区を含む。）が処理することとされている事務
流通業務市街地の整備に関する法律施行令（昭和四十	第八条第二項の規定により市町村が処理することとされている事務（都道府県又は独立行政法人都市再生機構が施行する流通業務団地造成事業に係るものに限る。）
二年政令第三号）	
戦没者の父母等に対する特別給付金支給法施行令（昭和四十二年政令第百八十八号）	第一条第三項及び第四項、第二条並びに第三条の規定により都道府県が処理することとされている事務並びに第二条の規定により市町村（特別区を含む。）が処理することとされている事務
引揚者等に対する特別交付金の支給に関する法律施行令（昭和四十二年政令第二百二十六号）	第三条から第六条までの規定により地方公共団体が処理することとされている事務
地価公示法施行令（昭和四十四年政令第百八十号）	第一条第一項の規定により市町村（特別区を含む。）が処理することとされている事務
都市再開発法施行令（昭和四十四年政令第二百三十二号）	この政令の規定により市町村が処理することとされている事務のうち次に掲げるもの 一　第二条の二及び第五十条第二項に規定する事務（都道府県又は機構等（市のみが設立した地方住宅供給公社を除く。）が施行する市街地再開発事業に係るものに限る。） 二　第三条に規定する事務（機構等（市のみが設

	立した地方住宅供給公社を除く。）が施行する市街地再開発事業に係るものに限る。）
農薬取締法施行令（昭和四十六年政令第五十六号）	第四条第一項、第三項、第五項及び第六項の規定により都道府県が処理することとされている事務
視能訓練士法施行令（昭和四十六年政令第二百四十六号）	第一条、第三条第二項、第四条第一項、第五条第二項、第六条第二項及び第五項並びに第七条の規定により都道府県が処理することとされている事務
廃棄物の処理及び清掃に関する法律施行令（昭和四十六年政令第三百号）	第七条の四において読み替えて準用する第五条の五、第六条の七の二、第十三条及び第十六条の四の規定により都道府県が行うこととされている事務
沖縄の復帰に伴う国税関係法令の適用の特別措置等に関する政令（昭和四十七年政令第百五十一号）	第百十五条第一項の規定により沖縄県が処理することとされている事務
新都市基盤整備法施行令（昭和四十七年政令第四百三十一号）	第十九条の二において準用する土地区画整理法施行令第一条の二及び第三十四条第二項の規定により市町村が処理することとされている事務（都道府県が施行する新都市基盤整備事業に係るものに限る。）
生活関連物資等の買占め及び売惜しみに対する緊急措置に関する法律施行令（昭和四十八年政令第二百号）	第二条第一項及び第二項の規定により地方公共団体が処理することとされている事務
国民生活安定緊急措置法施行令（昭和四十九年政令第四号）	第四条第一項の規定により地方公共団体が処理することとされている事務
雇用保険法施行令（昭和五十年政令第二十五号）	第一条第一項の規定により都道府県が処理することとされている事務
租税特別措置法施行令の一部を改正する政令	附則第十一条第三項及び第五項において準用する租税特別措置法施行令第四十条の六第十五項第二号の規定により市町村が処理することとされている事務
（昭和五十年政令第六十号）	
文化財保護法施行令（昭和五十年政令第二百六十七号）	第五条第一項（第五号に係る部分を除く。）、第三項（第二号に係る部分を除く。）及び第四項の規定により都道府県又は市が処理することとされている事務並びに第六条第一項第一号及び第二項各号に掲げる事務のうち同条の規定により認定市町村が処理することとされているもの
大都市地域における住宅及び住宅地の供給の促進に関する特別措置法施行令（昭和五十年政令第三百六号）	第十四条において準用する土地区画整理法施行令第一条の二の規定により市町村が処理することとされている事務（都府県又は独立行政法人都市再生機構若しくは地方住宅供給公社（市のみが設立したものを除く。）が施行する住宅街区整備事業に係るものに限る。）
飼料の安全性の確保及び品質の改善に関する法律施行令（昭和五十一年政令第百九十八号）	この政令の規定により都道府県が処理することとされている事務のうち、次に掲げるもの（製造業者又は輸入業者に係るものに限る。） 一　第十一条第三項の規定により都道府県が処理することとされている法第五十五条第一項の規定による報告の徴取並びに法第五十六条第一項の規定による立入検査、質問及び収去（法第二章の規定の施行に関するものに限る。） 二　第十一条第四項の規定により都道府県が処理することとされている法第五十六条第七項の規定による公表及び第十一条第六項の規定による報告（前号に掲げる事務に係るものに限る。）

国勢調査令（昭和五十五年政令第九十八号）	一　第十一条の二第一項及び第二項、第十一条の三第二項及び第三項、第十二条第四項及び第五項、第十二条の二並びに第十五条第一項の規定により都道府県が行うこととされている事務 二　第六条第三項から第六項まで、第七条第一項、第八条第一項及び第二項、第十一条、第十一条の二第一項、第十一条の三第二項、第十二条第一項から第四項まで、第十二条の二第一項、第十三条第一項並びに第十五条第二項の規定により市町村が行うこととされている事務
労働金庫法施行令（昭和五十七年政令第四十六号）	第十一条第一項及び第二項の規定により都道府県が処理することとされている事務
鉄道線路の道路への敷設の許可手続を定める政令（昭和六十二年政令第七十八号）	第一条第一項及び第三項並びに第二条（申請に対する意見を付する事務に係る部分を除く。）の規定により都道府県又は指定都市が処理することとされている事務
肉用子牛生産安定等特別措置法施行令（昭和六十三年政令第三百四十七号）	第八条の規定により都道府県が処理することとされている事務
旅券法施行令（平成元年政令第百二十二号）	第六条第一項の規定により都道府県が処理することとされている事務
特定農地貸付けに関する農地法等の特例に関する法律施行令（平成元年政令第二百五十八号）	第四条の規定により市町村が処理することとされている事務
水産業協同組合法施行令（平成五年政令第三百二十八号）	第三条第二項及び第三項並びに第三十条第一項、第三項及び第五項の規定により都道府県が処理することとされている事務（法第十一条第一項第四号の事業を行う漁業協同組合、法第八十七条第一項第四号の事業を行う漁業協同組合連合会又は法第九十七条第一項第二号の事業を行う水産加工業協同組合連合会に係るものに限る。）
計量法施行令（平成五年政令第三百二十九号）	第三十条第一項、第三十一条、第三十二条、第三十五条、第三十六条及び第三十七条の規定により都道府県が処理することとされている事務
協同組織金融機関の優先出資に関する法律施行令（平成五年政令第三百九十八号）	第二十四条第一項及び第二項の規定により都道府県が処理することとされている事務
原子爆弾被爆者に対する援護に関する法律施行令（平成七年政令第二十六号）	第二条、第三条第一項及び第二項、第四条、第五条、第六条、第八条第一項、第三項及び第四項、第十一条から第十三条まで（第十二条及び第十三条の規定を第十六条において準用する場合を含む。）、第十五条並びに第二十二条第一項の規定により都道府県並びに広島市及び長崎市が処理することとされている事務
租税特別措置法施行令の一部を改正する政令（平成七年政令第百五十八号）	附則第二十八条第三項及び第十二項の規定により市町村が処理することとされている事務
中国残留邦人等の円滑な帰国の促進並びに永住帰国した中国残留邦人等及び特定配偶者の自立の支援に関する法律施行令（平成八年政令第十八号）	第八条第三項の規定により市町村（特別区を含む。）が処理することとされている事務、法第十四条第四項（法第十五条第三項又は改正法附則第四条第二項において準用する場合を含む。以下同じ。）においてその例によることとされる生活保護法施行令第一条第二項及び第三項の規定により都道府県、市及び社会福祉法に規定する福祉に関する事務所を設置する町村が処理することとされている事務並びに第二十二条第十二号の規定により読み替えて適用する道州制特別区域における広域行政の推進に関する法律（平成十八年法律第百十六号）第十二条第一項及び第二項の規定により読み替えて適用する生活保護法の規定（法第十四条第四項においてその例による場合に限る。）により道州制特別区域における広域行政の推進に関する法律に規定する特定広域団体が処理することとされている同法に規定する特定事務等

密集市街地における防災街区の整備の促進に関する法律施行令（平成九年政令第三百二十四号）	この政令の規定により市町村が処理することとされている事務のうち次に掲げるもの 一 第二十五条及び第五十三条第二項に規定する事務（都道府県、独立行政法人都市再生機構又は地方住宅供給公社（市のみが設立したものを除く。次号において同じ。）が施行する防災街区整備事業に係るものに限る。） 二 第二十六条に規定する事務（独立行政法人都市再生機構又は地方住宅供給公社が施行する防災街区整備事業に係るものに限る。）
出入国管理及び難民認定法施行令（平成十年政令第百七十八号）	第三条の規定により市町村が処理することとされている事務
大深度地下の公共的使用に関する特別措置法施行令（平成十二年政令第五百号）	この政令の規定により地方公共団体が処理することとされている事務のうち、次に掲げるもの（法第十一条第一項の事業に関するものに限る。） 一 都道府県が第八条第四項、第九条において準用する第八条第一項及び第三項並びに第十条及び第十一条において準用する土地収用法施行令第五条第一項及び第三項の規定により処理することとされている事務 二 市町村が第八条第一項及び第三項、同条第四項（第九条において準用する場合を含む。）並びに第十条及び第十一条において準用する土地収用法施行令第五条第四項の規定により処理することとされている事務
平和条約国籍離脱者等である戦没者遺族等に対する弔慰金等の支給に関する法律施行令（平成十三年政令第八号）	第五条及び第六条の規定により都道府県が処理することとされている事務並びに第五条の規定により市町村（特別区を含む。）が処理することとされている事務
原子爆弾被爆者に対する援護に関する法律施行令の一部を改正する政令（平成十四年政令第百四十八号）	附則第二条第一項の規定により都道府県並びに広島市及び長崎市が処理することとされている事務
独立行政法人水資源機構法施行令（平成十五年政令第三百二十九号）	第二十七条並びに第二十八条第二項ただし書及び第三項の規定により都道府県が処理することとされている事務
独立行政法人農業者年金基金法施行令（平成十五年政令第三百四十三号）	第三十六条第一項及び第三項の規定により都道府県が処理することとされている事務
武力攻撃事態等における国民の保護のための措置に関する法律施行令（平成十六年政令第二百七十五号）	この政令の規定により地方公共団体が処理することとされている事務（都道府県警察が処理することとされているものを除く。）
特定障害者に対する特別障害給付金の支給に関する法律施行令（平成十七年政令第五十六号）	第十一条の規定により市町村が処理することとされている事務
租税特別措置法施行令の一部を改正する政令（平成十七年政令第百三号）	附則第三十三条第三項及び第二十四項の規定により市町村が処理することとされている事務
前期高齢者交付金及び後期高齢者医療の国庫	第五条第一項及び第二項（これらの規定を第十二条において準用する場合を含む。）の規定により都道府県が処理することとされている事務

負担金の算定等に関する政令（平成十九年政令第三百二十五号）	
犯罪による収益の移転防止に関する法律施行令（平成二十年政令第二十号）	第二十二条第五項から第七項まで、第二十三条第四項及び第五項、第二十九条第六項から第八項まで並びに第三十条第三項から第五項までの規定により都道府県が処理することとされている事務
犯罪利用預金口座等に係る資金による被害回復分配金の支払等に関する法律施行令（平成二十年政令第百九十二号）	第三条第七項及び第八項並びに第四条第六項及び第七項の規定により都道府県が処理することとされている事務
障害のある児童及び生徒のための教科用特定図書等の普及の促進等に関する法律施行令（平成二十年政令第二百八十一号）	第一条第二項、第二条、第四条、第五条第二項及び第六条第二項の規定により都道府県が処理することとされている事務並びに第一条第二項及び第二条の規定により市町村が処理することとされている事務
統計法施行令（平成二十年政令第三百三十四号）	第四条第一項の規定により都道府県又は市町村が行うこととされている事務（統計調査員の設置に関する事務、都道府県知事に対する統計調査員の候補者の推薦に関する事務、統計調査員の身分を示す証票の交付に関する事務並びに統計調査員の報酬及び費用の交付に関する事務並びにこれらの事務に附帯する事務を除く。）
地域における歴史的風致の維持及び向上に関する法律施行令（平成二十年政令第三百三十七号）	第六条第一項各号に掲げる事務のうち、同条の規定により町村が処理することとされているもの
地方公共団体の財政の健全化に関する法律施行令（平成十九年政令第三百九十七号）	第二十二条第一項の規定により都道府県が処理することとされている事務
ハンセン病問題の解決の促進に関する法律第十九条に規定する援護に関する政令（平成二十一年政令第二十二号）	第二条第二項（同条第五項において準用する場合を含む。）、第六項、第七項、第九項、第十項及び第十三項並びに第三条の規定により都道府県が処理することとされている事務
日本国憲法の改正手続に関する法律施行令（平成二十二年政令第百三十五号）	この政令の規定により地方公共団体が処理することとされている事務
東日本大震災による被害を受けた公共土木施設の災害復旧事業等に係る工事の国等による代行に関する法律施行令（平成二十三年政令第百十四号）	第十三条において準用する第十二条第一項及び第四項の規定により県が処理することとされている事務（同項に規定する事務にあつては、海岸法施行令（昭和三十一年政令第三百三十二号）第一条の五第一項第一号、第十二号、第十五号、第十六号、第二十二号、第二十五号、第三十一号（海岸協力団体による届出の受理に係る部分を除く。）、第三十二号又は第三十五号に掲げる権限に係る事務を行つたときの通知に係るものに限る。）
日本国との平和条約に	第一条、第二条及び第四条から第六条までの規定により市町村が処理することとされている事務

基づき日本の国籍を離脱した者等の出入国管理に関する特例法施行令（平成二十三年政令第四百二十号）	
出入国管理及び難民認定法及び日本国との平和条約に基づき日本の国籍を離脱した者等の出入国管理に関する特例法の一部を改正する等の法律の施行に伴う関係政令の整備及び経過措置に関する政令（平成二十三年政令第四百二十一号）	第十六条、第十七条、第十九条において準用する出入国管理及び難民認定法施行令第三条、第二十二条第一項（第二十四条第四項において準用する場合を含む。）、第二十二条第二項から第四項まで、同条第五項において準用する日本国との平和条約に基づき日本の国籍を離脱した者等の出入国管理に関する特例法施行令第一条及び第二条、第二十三条第一項、同条第二項において準用する同令第一条及び第二条、第二十四条第一項から第三項まで、同条第五項において準用する同令第一条及び第二条並びに第二十六条において準用する同令第四条の規定により市町村が処理することとされている事務
新型インフ	この政令の規定により地方公共団体が処理するこ
ルエンザ等対策特別措置法施行令（平成二十五年政令第百二十二号）	ととされている事務（第四条の規定によりその例によることとされる災害対策基本法施行令（昭和三十七年政令第二百八十八号）第二十条の二の規定により都道府県警察が処理することとされているもの及び第四条の三において準用する同令第二十八条第四項の規定により地方公共団体が処理することとされているものを除く。）
大規模災害からの復興に関する法律施行令（平成二十五年政令第二百三十七号）	第二十二条において準用する第二十一条第一項及び第四項の規定により都道府県が処理することとされている事務（同項に規定する事務にあつては、海岸法施行令第一条の五第一項第一号、第十二号、第十五号、第十六号、第二十二号、第二十五号、第三十一号（海岸協力団体による届出の受理に係る部分を除く。）、第三十二号又は第三十五号に掲げる権限に係る事務を行つたときの通知に係るものに限る。）
食品表示法第十五条の規定による権限の委任等に関する政令（平成二十七年政令第六十八号）	第七条第一項第三号（法第六条第八項の規定による業務の全部又は一部を停止すべきことの命令に係る部分を除く。）、第四号、第五号及び第六号（法第八条第七項の規定による委託に係る部分を除く。）の規定により都道府県、保健所を設置する市又は特別区が処理することとされている事務
行政手続における特定の個人を識別するための番号の利用等に関する法律施行	附則第三条第一項において準用する法附則第三条第三項の規定及び附則第三条第四項において準用する法附則第三条第一項において準用する法第八条第一項の規定により市町村が処理することとされている事務
令（平成二十六年政令第百五十五号）	
衆議院議員選挙区画定審議会設置法施行令（平成六年政令第四十号）	第四条の規定により都道府県が処理することとされている事務
民間公益活動を促進するための休眠預金等に係る資金の活用に関する法律施行令（平成二十九年政令第二十四号）	第四条第七項及び第八項並びに第五条第六項及び第七項の規定により都道府県が処理することとされている事務
農業保険法施行令（平成二十九年政令第二百六十三号）	第十八条の規定により都道府県が処理することとされている事務
都市農地の貸借の円滑化に関する法律施行令	第二条において読み替えて準用する特定農地貸付けに関する農地法等の特例に関する法律施行令第四条の規定により市町村（特別区を含む。）が処理することとされている事務

（平成三十年政令第二百三十四号）	
年金生活者支援給付金の支給に関する法律施行令（平成三十年政令第三百六十四号）	第十五条第一項の規定により市町村（特別区を含む。）が処理することとされている事務
特定患者等の郵便等を用いて行う投票方法の特例に関する法律施行令（令和三年政令第百七十五号）	この政令の規定及びこの政令の規定により準用し、又は読み替えて適用する公職選挙法施行令の規定により、衆議院議員又は参議院議員の選挙に関し、都道府県又は市町村が処理することとされている事務
都市鉄道等利便増進法施行令（平成十七年政令第二百二十一号）	第一条第二項及び第四項の規定により都道府県又は指定都市が処理することとされている事務
地域公共交通の活性化及び再生に関する法律施行令（平成十九年政令第二百九十七号）	第一条第二項及び第四項の規定により都道府県又は指定都市が処理することとされている事務
都市の低炭素化の促進に関する法律施行令（平成二十四年政令第二百八十六号）	第六条第二項及び第四項の規定により都道府県又は指定都市が処理することとされている事務
農林水産物及び食品の輸出の促進に関する法律施行令（令和二年政令第七十三号）	第十一条第一項の規定により都道府県又は指定市町村が処理することとされている事務（同一の事業の目的に供するため四ヘクタールを超える農地を農地以外のものにする行為又は同一の事業の目的に供するため四ヘクタールを超える農地若しくはその農地と併せて採草放牧地について農地法第三条第一項本文に規定する権利を取得する行為に係る法第三十七条第一項に規定する輸出事業計画に係るものに限る。）
森林環境税及び森林環境譲与税に関する法律施行令（令和四年政令第三百号）	第二条第一項の規定により都道府県が処理することとされている事務
預貯金者の意思に基づく個人番号の利用による預貯金口座の管理等に関する法律施行令（令和六年政令第二十号）	第三条第五項及び第六項並びに第四条第四項及び第五項の規定により都道府県が処理することとされていいる事務

別表第二 第二号法定受託事務（第一条関係）

備考 この表の下欄の用語の意義及び字句の意味は、上欄に掲げる政令における用語の意義及び字句の意味によるものとする。

政令	事務
母体保護法施行令（昭和二十四年政令第十六号）	第七条及び第九条の規定により保健所を設置する市又は特別区が処理することとされている事務
身体障害者福祉法施行令（昭和二十五年政令第七十八号）	第四条（第十条第二項において準用する場合を含む。）、第八条第一項、第九条第二項から第五項まで及び第十二条第一項の規定により市町村が処理することとされている事務
公職選挙法施行令（昭和二十五年政令第八十九号）	この政令の規定により、都道府県の議会の議員又は長の選挙に関し、市町村が処理することとされている事務
精神保健及び精神障害者福祉に関する法律施行令（昭和二十五年政令第百五十五号）	第五条、第六条の二、第七条第二項から第五項まで、第八条、第九条第三項、第十条第三項及び第十条の二第二項の規定により市町村が処理することとされている事務
土地収用法施行令（昭和二十六年政令第三百四十二号）	この政令の規定により地方公共団体が処理することとされている事務のうち、市町村が第五条第四項の規定により処理することとされている事務（法第十七条第二項に規定する事業（法第二十七条第二項又は第四項の規定により国土交通大臣の事業の認定を受けた事業を除く。）に関するものに限る。）
農地法施行令（昭和二十七年政令第四百四十五号）	この政令の規定により市町村が処理することとされている事務のうち、次に掲げるもの 一 第三条第二項の規定により市町村（指定市町村を除く。）が処理することとされている事務（同一の事業の目的に供するため四ヘクタールを超える農地を農地以外のものにする行為に係るものを除く。） 二 第十条第二項の規定により市町村（指定市町村を除く。）が処理することとされている事務（同一の事業の目的に供するため四ヘクタールを超える農地又はその農地と併せて採草放牧地について法第三条第一項本文に掲げる権利を取得する行為に係るものを除く。）
土地区画整理法施行令（昭和三十年政令第四十七号）	この政令の規定により市町村が処理することとされている事務のうち次に掲げるもの 一 第一条の二に規定する事務（個人施行者、組合、区画整理会社、市町村又は市のみが設立した地方住宅供給公社が施行する土地区画整理事業に係るものに限る。） 二 第三条に規定する事務（法第二十条第一項（法第三十九条第二項において準用する場合を含む。）又は第五十一条の八第一項（法第五十一条の十第二項において準用する場合を含む。）の規定に係るものに限る。） 三 第六条第三項及び第六十八条に規定する事務
首都圏の近郊整備地帯及び都市開発区域の整備に関する法律施行令（昭和三十四年政令第二百四十号）	第六条第二項の規定により市町村が処理することとされている事務（都県が施行する工業団地造成事業に係るものに限る。）
新住宅市街地開発法施行令（昭和三十八年政令第三百六十五号）	この政令の規定により市町村が処理することとされている事務のうち次に掲げるもの 一 第十三条の規定により処理することとされている事務 二 第十五条第二項の規定により処理することとされている事務（地方公共団体（都道府県を除く。）又は地方住宅供給公社（市のみが設立したものに限る。）が施行する新住宅市街地開発事業に係るものに限る。）
近畿圏の近郊整備区域及び都市開発区域の整備及び開発に関する法律施行令（昭和四十年政令第百五十七号）	第八条第二項の規定により市町村が処理することとされている事務（府県が施行する工業団地造成事業に係るものに限る。）
流通業務市街地の整備に関する法	第八条第二項の規定により市町村が処理することとされている事務（都道府県以外の地方公共団体が施行する流通業務団地造成事業に係るものに限

律施行令（昭和四十二年政令第三号）	る。）
都市再開発法施行令（昭和四十四年政令第二百三十二号）	この政令の規定により市町村が処理することとされている事務のうち次に掲げるもの 一　第二条の二及び第五十条第二項に規定する事務（個人施行者、組合、再開発会社、市町村又は市のみが設立した地方住宅供給公社が施行する市街地再開発事業に係るものに限る。） 二　第三条に規定する事務（組合、再開発会社及び市のみが設立した地方住宅供給公社が施行する市街地再開発事業に係るものに限る。） 三　第八条第三項に規定する事務
新都市基盤整備法施行令（昭和四十七年政令第四百三十一号）	第十九条の二において準用する土地区画整理法施行令第一条の二及び第三十四条第二項の規定により市町村が処理することとされている事務（市町村が施行する新都市基盤整備事業に係るものに限る。）
大都市地域における住宅及び住宅地の供給の促進に関する特別措置法施行令（昭和五十年政令第三百六号）	この政令の規定により市町村が処理することとされている事務のうち次に掲げるもの 一　第十四条において準用する土地区画整理法施行令第一条の二に規定する事務（個人施行者、住宅街区整備組合、市町村又は市のみが設立した地方住宅供給公社が施行する住宅街区整備事業に係るものに限る。） 二　第十七条において準用する土地区画整理法施行令第六条第三項及び第十九条において準用する同令第六十八条に規定する事務 三　第二十条において準用する土地区画整理法施行令第三条に規定する事務（法第五十一条において準用する土地区画整理法第二十条第一項（法第五十一条において準用する土地区画整理法第三十九条第二項において準用する場合を含む。）の規定に係るものに限る。） 四　第四十三条第二項に規定する事務
計量法施行令（平成五年政令第三百二十九号）	第四十一条第二項の規定により都道府県知事が法第百二十七条第一項、第二項及び第四項に規定する経済産業大臣の権限に属する事務を行うこととされている場合における同条第二項から第四項までの規定により特定市町村が処理することとされている事務
密集市街地における防災街区の整備の促進に関する法律施行令（平成九年政令第三百二十四号）	この政令の規定により市町村が処理することとされている事務のうち次に掲げるもの 一　第二十五条及び第五十三条第二項に規定する事務（個人施行者、事業組合、事業会社、市町村又は地方住宅供給公社（市のみが設立したものに限る。次号において同じ。）が施行する防災街区整備事業に係るものに限る。） 二　第二十六条に規定する事務（事業組合、事業会社又は地方住宅供給公社が施行する防災街区整備事業に係るものに限る。） 三　第二十八条において準用する都市再開発法施行令第八条第三項に規定する事務
大深度地下の公共的使用に関する特別措置法施行令（平成十二年政令第五百号）	この政令の規定により地方公共団体が処理することとされている事務のうち、市町村が第八条第一項及び第三項、同条第四項（第九条において準用する場合を含む。）並びに第十条及び第十一条において準用する土地収用法施行令第五条第四項の規定により処理することとされている事務（法第十一条第二項の事業に関するものに限る。）
地方公共団体の議会の議員及び長の選挙に係る電磁的記録式投票機を用いて行う投票方法等の特例に関する法律施行令（平成十四年政令第十九号）	この政令の規定及びこの政令の規定により読み替えて適用する公職選挙法施行令の規定により、都道府県の議会の議員又は長の選挙に関し、市町村が処理することとされている事務
マンションの建替え等の円滑化に関する法律施行令（平成十四年政令第三百六十七号）	第一条、第二条（第十五条において準用する場合を含む。）、第四条第四項（第二十九条及び第三十九条において準用する場合を含む。）、第二十五条第二項（第三十四条第二項及び第四十二条第二項において準用する場合を含む。）及び第三十六条の規定により町村が処理することとされている事務
統計法施行令（平成二十年政令第三百三十四号）	第四条第一項の規定により市町村が行うこととされている事務のうち、都道府県知事に対する統計調査員の候補者の推薦に関する事務、統計調査員の身分を示す証票の交付に関する事務並びに統計調査員の報酬及び費用の交付に関する事務並びにこれらの事務に附帯する事務
特定患者等の郵便等を用いて行う投票方法の	この政令の規定及びこの政令の規定により準用し、又は読み替えて適用する公職選挙法施行令の規定により、都道府県の議会の議員又は長の選挙に関し、市町村が処理することとされている事務

特例に関する法律施行令（令和三年政令第百七十五号）	

別表第三（第百二十一条の二の二関係）

工事又は製造の請負	
都道府県	千円 五〇〇、〇〇〇
指定都市	三〇〇、〇〇〇
市（指定都市を除く。次表において同じ。）	一五〇、〇〇〇
町村	五〇、〇〇〇

別表第四（第百二十一条の二の二関係）

不動産若しくは動産の買入れ若しくは売払い（土地については、その面積が都道府県にあつては一件二万平方メートル以上、指定都市にあつては一件一万平方メートル以上、市町村にあつては一件五千平方メートル以上のものに係るものに限る。）又は不動産の信託の受益権の買入れ若しくは売払い	
都道府県	千円 七〇、〇〇〇
指定都市	四〇、〇〇〇
市	二〇、〇〇〇
町村	七、〇〇〇

別表第五（第百六十七条の二関係）

区分	団体	金額
一　工事又は製造の請負	都道府県及び指定都市	二百五十万円
	市町村（指定都市を除く。以下この表において同じ。）	百三十万円
二　財産の買入れ	都道府県及び指定都市	百六十万円
	市町村	八十万円
三　物件の借入れ	都道府県及び指定都市	八十万円
	市町村	四十万円
四　財産の売払い	都道府県及び指定都市	五十万円
	市町村	三十万円
五　物件の貸付け		三十万円
六　前各号に掲げるもの以外のもの	都道府県及び指定都市	百万円
	市町村	五十万円

附　則（昭二三・七・三一政令二〇四）

第一条　この政令は、昭和二十三年八月一日から、これを施行する。

第二条　地方自治法の一部を改正する法律（昭和二十三年法律第百七十九号。以下昭和二十三年法律第百七十九号という。）附則第二条第二項の変更に係る区域の住民で選挙人名簿に登載されている者の総数の三分の一の数は、同項の市町村の選挙管理委員会において、選挙人名簿確定後直ちにこれを告示しなければならない。

第三条　地方自治法施行令第九十一条、第九十二条、第九十四条から第九十七条まで、第九十八条第一項及び第百四条第一項の規定は、昭和二十三年法律第百七十九号附則第二条第二項の規定による市町村の区域の変更の請求にこれを準用する。但し、第九十一条中「当該普通地方公共団体の長」とあるのは「当該市町村の選挙管理委員会」、第九十二条第一項中「地方自治法第七十四条第四項」とあるのは「昭和二十三年法律第百七十九号附則第二条」、同条第三項中「当該普通地方公共団体の長」とあるのは「当該市町村の長」、同条第四項中「一箇月」とあるのは「二十日」、第九十四条第一項中「地方自治法第七十四条第四項」とあるのは「地方自治法施行令の一部を改正する政令（昭和二十三年政令第二百四号）附則第二条」、第九十五条の二、第九十五条の三又は第九十五条の四中「地方自治法第七十四条の二第三項」、「地方自治法第七十四条の二第五項」又は「地方自治法第七十四条の二第六項」とあるのは「昭和二十三年法律第百七十九号附則第二条第十項」、第九十六条中「地方自治法第七十四条第一項」とあるのは「昭和二十三年法律第百七十九号附則第二条第二項」、「同法第七十四条の二第六項」とあるのは「昭和二十三年法律第百七十九号附則第二条第十項」、「同法第七十四条第四項」とあるのは「地方自治法施行令の一部を改正する政令（昭和二十三年政令第百七十九号）附則第二条」、「五十分の一」とあるのは「三分の一」、第九十七条第一項中「地方自治法第七十四条第四項」とあるのは「地方自治法施行令の一部を改正する政令（昭和二十三年政令第二百四号）附則第二条」、同条同項及び第九十八条第一項中「普通地方公共団体の長」とあるのは「当該市町村の選挙管理委員会」、第百四条第一項中「弁明の要旨」とあるのは「市町村の区域の変更の請求に関する意見の要旨」、「弁明書」とあるのは「意見書」と読み替えるものとする。

第四条　昭和二十三年法律第百七十九号附則第二条第四項の場合においては、前条において準用する地方自治法施行令第九十六条の請求を受理した市町村の選挙管理委員会は、前条において準用する地方自治法施行令第九十八条第一項の規定による手続をするとともに、直ちにその旨並びに市町村区域変更請求代表者の住所氏名及び請求の要旨を同法附則第二条第二項の規定による区域が属していた現に存する他の市町村の選挙管理委員会に通知し、あわせて選挙人名簿又はその抄本中関係部分を送付しなければならない。

② 前項の規定により通知を受けた市町村の選挙管理委員会は、その旨並びに市町村区域変更請求代表者の住所氏名及び請求の要旨を告示し、且つ、公衆の見やすいその他の方法により公表しなければならない。

③ 昭和二十三年法律第百七十九号附則第二条第四項の場合においては、前条において準用する地方自治法施行令第百四条第一項の意見書を徴した市町村の選挙管理委員会は、直ちにこれを同法附則第二条第二項の規定による区域が属していた現に存する他の市町村の管理委員会に送付しなければならない。但し、意見書の提出がないときは、この限りでない。

第五条　昭和二十三年法律第百七十九号附則第二条第三項の投票の投票区及び開票区は、当該投票に関する事務を管理する市町村の選挙管理委員会がこれを設け、附則第六条の告示の際あわせてその区画を告示しなければならない。

第六条　附則第三条において準用する地方自治法施行令第九十六条の規定による市町村区域変更請求書に記載した請求の要旨及び同令第百四条第一項の規定による意見書に記載した意見の要旨は、昭和二十三年法律第百七十九号附則第二条第九項において準用する公職選挙法（昭和二十五年法律第百号）第三十三条第三項の告示の際あわせてこれを告示するとともに、投票所の入口その他公衆の見やすい場所を選び、原文のままこれを掲示しなければならない。但し、意見書の提出がないときは、意見の要旨については、この限りでない。

第七条　昭和二十三年法律第百七十九号附則第二条第三項の投票については、当該投票に関する事務を管理する市町村の選挙管理委員会は、関係区域の選挙人名簿に記載された者で同一の政党その他の団体に属さないもののうちから、開票区ごとに三人以上五人以下の開票立会人を選任し、これを開票管理者に通知しなければならない。

②　前項の規定は、選挙立会人にこれを準用する。

第八条　昭和二十三年法律第百七十九号附則第二条第三項の投票の結果が判明したときは、当該投票に関する事務を管理する市町村の選挙管理委員会は、直ちにこれを市町村区域変更請願代表者に通知し、且つ、これを公表するとともに、関係市町村長及び都道府県知事に報告しなければならない。その投票の結果が確定したときも、また、同様とする。

第八条の二　昭和二十三年法律第百七十九号附則第二条第十項の規定により、同条第二項の規定による請求者の署名に地方自治法（昭和二十二年法律第六十七号）第七十四条の二の規定を準用する場合においては、同条第一項中「二十日」とあるのは「十四日」、同条第二項中「七日」とあるのは「五日」、同条第五項中「十四日」とあるのは「十日」と読み替えるものとする。

第九条　公職選挙法施行令（昭和二十五年政令第八十九号）第二十三条、第二十四条第一項及び第二項、第二十五条乃至第二十九条、第三十一条乃至第四十六条、第四十八条、第五章、第六十七条第一項乃至第四項、第六十八条、第七十一条乃至第八十一条、第八十四条、第八十五条、第八十六条第一項並びに第八十七条の規定は、昭和二十三年法律第百七十九号附則第二条第三項の投票にこれを準用する。但し、第二十三条中「その名簿又は抄本を用いて選挙された衆議院議員、参議院議員、地方公共団体の議会の議員若しくは長又は教育委員会の委員の任期間」とあるのは「賛否の投票の結果の確定するまでの間」、第三十九条又は第四十一条第四項中「候補者一人の氏名」又は「候補者の氏名」とあるのは「賛否」、第四十五条中「当該選挙に係る衆議院議員、参議院議員、地方公共団体の議会の議員若しくは長又は教育委員会の委員の任期間」とあるのは「賛否の投票の結果の確定するまでの間」、第五十六条第一項、第三項若しくは第四項、第五十八条又は第五十九条第五項中「当該選挙の候補者一人の氏名」、「候補者一人の氏名」又は「候補者の氏名」とあるのは「賛否」、第七十二条又は第七十三条中「同一の候補者の得票数」又は「各候補者の得票数」とあるのは「賛否の投票数」、第七十七条第一項中「当該選挙に係る衆議院議員、参議院議員、地方公共団体の議会の議員若しくは長又は教育委員会の委員の任期間」とあるのは「賛否の投票の結果の確定するまでの間」、第八十四条中「各候補者の得票総数」とあるのは「賛否の投票総数」、第八十六条第一項中「当該選挙に係る衆議院議員、参議院議員、地方公共団体の議会の議員若しくは長又は教育委員会の委員の任期間」とあるのは「賛否の投票の結果の確定するまでの間」と読み替えるものとする。

②　昭和二十三年法律第百七十九号附則第二条第二項の規定による区域が属していた現に存する他の市町村の選挙管理委員会は、前項において準用する公職選挙法施行令第七十五条の規定により選挙人名簿又はその抄本中関係部分の返付があつたときは、直ちにこれを変更に係る区域の属する市町村の選挙管理委員会に返付しなければならない。

第十条　昭和二十三年法律第百七十九号附則第二条第十項の規定により、同条第三項の投票に公職選挙法中普通地方公共団体の選挙に関する規定を準用する場合においては、同法第四十六条第一項又は第四十八条第一項中「当該選挙の公職の候補者一人の氏名」又は「当該選挙の公職の候補者の氏名」若しくは「その候補者一人の氏名」とあるのは「賛否」、同法第六十二条第十項中「第二項」とあるのは「地方自治法施行令の一部を改正する政令（昭和二十三年政令第二百四号）附則第七条第一項」、同法第六十八条第一項第五号乃至第七号中「公職の候補者の氏名」又は「公職の候補者の何人を記載したか」とあるのは「賛否」、同法第七十一条中「当該選挙にかかる議員、長又は委員の任期間」とあるのは「賛否の投票の結果の確定するまでの間」、同法第七十六条中「第六十二条（開票立会人）」とあるのは「第六十二条第十項」、同法第八十条中「各公職の候補者の得票総数」とあるのは「賛否の投票総数」、同法第八十三条第二項及び第三項中「当該選挙にかかる議員、長又は委員の任期間」とあるのは「賛否の投票の結果の確定するまでの間」、同法第百三十五条中「第八十八条（立候補制限を受ける選挙事務関係者）に掲げる者」とあるのは「投票管理者、開票管理者及び選挙長」、同法第二百六条第一項中「当選」とあるのは「賛否の投票の結果」、「第百一条第二項（当選人決定の告示）又は第百六条第二項（当選人がない場合等の告示）の告示の日」とあるのは「地方自治法施行令の一部を改正する政令（昭和二十三年政令第二百四号）附則第八条の規定による公表の日」、同法第二百九条中「当選」とあるのは「賛否の投票の結果」、同法第二百六十三条中「国庫」とあるのは「関係市町村」と読み替えるものとする。

②　昭和二十三年法律第百七十九号附則第二条第十項の規定により、同条第三項の投票に公職選挙法中普通地方公共団体の選挙に関する規定を準用する場合においては、同法中衆議院議員、参議院議員、地方公共団体の議会の議員及び長並びに教育委員会の委員又は地方公共団体の議会の議員及び長並びに教育委員会の委員の選挙に関する規定は、昭和二十三年法律第百七十九号附則第二条第三項の投票に関する規定とみなす。

第十一条　昭和二十三年法律第百七十九号附則第二条第十項の規定により、同条第三項の投票に公職選挙法中普通地方公共団体の選挙に関する規定を準用する場合においては、同法第三条、第四条、第八条、第九条第一項、第十条、第十二条第一項、第二項、第四項及び第五項、第十三条乃至第十六条、第二十条乃至第三十二条、第三十三条第一項、第二項及び第四項乃至第七項、第三十四条、第三十五条、第三十七条第三項、第三十八条第三項、第六十一条第三項、第六十二条第一項乃至第九項及び第十項但書、第六十八条第一項第二号乃至第四号、第五号但書、第二項及び第三項、第七十五条第二項、第七十六条（第六十二条第十項本文に関する部分を除く。）、第七十七条第二項、第八十一条、第九章、第九十五条乃至第百六条、第百八条、第十一章、第十二章、第百二十九条乃至第百三十四条、第百三十八条第一項但書、第百四十一条乃至第百四十七条、第百四十九条乃至第百六十五条、第百六十七条乃至第百七十八条、第百七十九条第一項及び第三項、第百八十条乃至第百九十八条、第百九十九条第一号、第二百一条第三項、第二百二条第二項、第二百四条、第二百六条第二項、第二百八条、第二百十条乃至第二百十二条、第二百十四条、第二百十六条、第二百十七条、第二百十九条、第二百二十条第二項、第二百四十三条第二号乃至第五号及び第七号乃至第九号、第二百四十四条第二号乃至第六号、第二百四十五条乃至第二百四十七条、第二百五十一条、第二百五十六条乃至第二百六十二条、第二百六十三条第五号乃至第十号及び第十二号、第二百六十四条乃至第二百六十八条、第二百七十一条、第二百七十二条並びに第二百七十三条第一項の規定は、昭和二十三年法律第百七十九号附則第二条第三項の投票については、これを準用しない。

附　則（昭二七・八・一五政令三四五）（抄）

1　この政令は、昭和二十七年九月一日から施行する。但し、第二百十条の六及び第二百十条の七の規定は、昭和二十七年度から適用する。

2　この政令施行の際改正前の地方自治法第二百八十三条において適用される改正前の同法第七条の規定により既にその申請がなされている特別区の境界変更の手続に関しては、改正後の地方自治法施行令第二百九条第一項から第五項までの規定にかかわらず、なお、従前の例による。

3　改正後の地方自治法施行の際現にその手続が開始されている特別区の区長の選挙により当選人と定められた者は、改正後の地方自治法第二百八十一条の二第一項の規定にかかわらず、なお、従前の例により区長の職に就き、且つ、在職するものとする。

4　この政令施行の際現に特別区に配属されている都の吏員は、改正後の地方自治法施行令第二百十条第一項及び第二百十条の二の規定により配属されたものとみなす。

5　改正後の地方自治法施行の際現にその職にある副収入役は、改正後の地方自治法第百六十八条第五項の規定にかかわらず、その者が選任された日から起算して四年以内に限り、なお、従前の例により在職するものとする。

6　改正後の地方自治法第二百八十一条第二項各号に掲げる事務で左に掲げるものは、昭和二十八年三月三十一日までに特別区に引き継がなければならない。

一　主として当該特別区の区域内の交通の用に供する道路の設置及び管理に関する事務

二　公共溝渠の管理に関する事務

附　則（昭二七・八・二九政令三六九）

1　この政令は、昭和二十七年九月一日から施行する。但し、衆議院議員の選挙に関しては、次の総選挙から施行する。

2　この政令施行の際現に選挙又は投票の期日が告示されている選挙又は投票に関しては、なお従前の例による。

3　この政令施行の際現にその手続が開始されている直接請求又は解職若しくは解任の請求については、なお従前の例による。

附　則（昭二八・三・三一政令五四）

この政令は、昭和二十八年四月一日から施行する。

附　則（昭二九・七・三一政令二二八）

この政令は、公布の日から施行する。

附　則（昭三〇・二・二八政令二三）

この政令は、昭和三十年三月一日から施行する。

附　則（昭三〇・一二・一政令三一四）

この政令は、公布の日から施行する。

附　則（昭三一・六・四政令一六三）

この政令は、公布の日から施行する。

附　則（昭三一・六・三〇政令二二二）（抄）

（施行期日）

1　この政令は、昭和三十一年十月一日から施行する。ただし、第一条（地方自治法施行令第二百十条の四第二号及び第二百十条の八の改正規定に係る部分を除く。）、第二条、第四条、第五条、第八条中文部省組織令第七条の改正規定に係る部分及び第十二条並びに附則第三項の規定は、公布の日から施行する。

附　則（昭三一・七・三一政令二五三）（抄）

（施行期日）

1　この政令は、地方自治法の一部を改正する法律（昭和三十一年法律第百四十七号。附則第一項ただし書に係る部分を除く。）の施行の日（昭和三十一年九月一日）から施行する。

（関係勅令の廃止）

2　五大都市行政監督特例（大正十五年勅令第二百十二号）は、廃止する。

（指定都市への事務引継に関する経過措置）

3　改正後の第百七十四条の二十六から第百七十四条の四十一までの規定により、地方自治法第二百五十二条の十九第一項の指定都市（以下「指定都市」という。）の区域内についてもっぱら指定都市又は指定都市の市長その他の機関（以下本項中「指定都市等」という。）のみが処理し、又は管理し、及び執行することとなる事務については、指定都市等は、昭和三十一年十一月一日から当該事務を処理し、又は管理し、及び執行するものとし、当該指定都市を包括する都道府県又は当該都道府県知事その他の当該都道府県の機関は、当該事務に係る書類、帳簿その他の物件で引継を必要とするものを同日までに指定都市等に引き継がなければならない。

4　地方自治法の一部を改正する法律（以下「改正法」という。）附則第十項に規定する政令で定める基準は、次の各号の一に掲げるものとする。

一　改正法附則第九項及び前項の規定による事務の引継に伴い、指定都市へ移管されることとなる都道府県の施設に勤務していること。

二　担当区域が指定都市の区域であること。

5　改正法附則第十一項に規定する手当（以下本条中「調整手当」という。）の支給に関する条例の基準は、次のとおりとする。

一　調整手当の額は、改正法附則第十項の規定により指定都市の職員となつた者が、指定都市の職員となつた際受けることとなつた給料の額と、従前その者が都道府県において受けていた給料の額との差額に相当する額とする。ただし、その者の給料の額が昭和三十一年四月一日以後において定期の昇給その他給料が増額されるべき通常の理由がないのにかかわらず増額されたものと認められる場合には、従前その者が都道府県において受けていた給料の額を仮に定めることができるものとすること。

二　調整手当が支給されることとなつた指定都市の職員について、指定都市の職員となつた日以後、降任、降給、減給、給料表間の異動、給料表の改訂等の理由に基き、その者の給料の額が減少した場合には、その者に対する調整手当の支給に関しては、これらの理由に基く給料の額の減少がなかつたものとすること。

三　調整手当が支給されることとなつた指定都市の職員について、指定都市の職員となつた日以後、昇任、昇給、給料表間の異動、給料表の改訂等の理由に基き、その者の給料の額が増加した場合には、その増加した日の前日においてその者の受けていた調整手当の額からその者の給料の増加した額に相当する額を控除して得た額を調整手当として支給するものとすること。

6　改正法附則第十二項の規定により都道府県の退職手当を受けようとする職員は、指定都市の職員となつた日から一月以内に、都道府県知事にその旨を申し出なければならない。この場合において、都道府県が当該職員に退職手当を支給したときは、都道府県知事は、指定都市の市長にその旨を通知するものとする。

7　昭和三十一年十一月一日において現に効力を有する都道府県知事その他の都道府県の機関が行つた許可、認可等の処分その他の行為又は同日において現にこれらの機関に対して行つている許可、認可等の申請その他の行為で、同日以後において指定都市の市長その他の機関が管理し、及び執行することとなる事務に係るものは、同日以後においては、指定都市の市長その他の機関の行つた許可、認可等の処分その他の行為又はこれらの機関に対して行つた許可、認可等の申請その他の行為とみなす。

8　改正法の施行の際現に効力を有する都道府県知事その他の都道府県の機関が指定都市又は指定都市の市長その他の機関に対して行つた許可、認可等の処分で、改正法施行の日以後においては主務大臣が行うこととなるものは、同日以後においては、主務大臣の行つた許可、認可等の処分とみなす。

9　都道府県は、昭和三十一年十月三十一日以前において母子福祉資金の貸付等に関する法律の規定により貸付金の貸付を受けた者であつて同年十一月一日現在において指定都市の区域内に住所を有するものに対して有する当該貸付金に係る債権を当該指定都市に譲渡するものとし、指定都市の市長は、遅滞なくその旨を貸付を受けた者に通知するものとする。この場合においては、当該貸付金は、同法第十三条の規定の適用については、指定都市が同条第一項の規定による国の貸付を受けて貸し付けたものとみなすものとし、同項の規定による指定都市に対する国の貸付金の額は厚生大臣が大蔵大臣と協議して定める額とする。

10　前項の場合における債権の譲渡価格及び支払条件は、厚生大臣が自治庁長官及び大蔵大臣と協議して定めるところによる。

（改正前の地方自治法第百五十五条第二項の市の区に関する経過措置）

11　改正前の地方自治法第百五十五条第二項の市の区及びその事務所又はその出張所は、それぞれ指定都市の区及びその事務所又はその出張所となるものとし、同項に基いて制定されている条例は、改正後の同法第二百五十二条の二十第一項及び第二項に基いて制定された条例とみなす。

12　改正前の地方自治法第百五十五条第二項の市の区の区長、助役、収入役、選挙管理委員又は補充員その他の職員は、それぞれ指定都市の区の長、助役、収入役、選挙管理委員又は補充員その他の相当の職員となるものとする。この場合において、選挙管理委員又は補充員の任期の計算については、当該市における選挙管理委員又は補充員としての期間を通算するものとする。

附　則（昭三一・一二・六政令三四九）

この政令は、公布の日から施行する。

附　則（昭三二・三・二〇政令二一）

（施行期日）

第一条　この政令は、公布の日から施行し、昭和三十一年九月一日（以下「適用日」という。）以後都道府県の職員若しくは公務員を退職した者又は都道府県の職員若しくは公務員として在職中死亡した者について適用する。

（従前の一時恩給等を受けた都道府県の職員に関する経過措置）

第二条　都道府県は、公務員又は他の都道府県の職員であつた者で引き続いて当該都道府県の職員となつたもののうち、当該就職後の在職期間に引き続く当該就職前の公務員としての在職期間及び都道府県の職員としての在職期間（以下「接続在職期間」という。）に対して適用日前に給付事由が発生した一時恩給（以下「従前の一時恩給」という。）若しくは退職一時金（以下「従前の退職一時金」という。）又は従前の一時恩給及び従前の退職一時金を受けた者について退職一時金又は遺族一時金を支給するときは、それぞれその受けた従前の一時恩給若しくは従前の退職一時金の額又は従前の一時恩給及び従前の退職一時金の額の合算額に相当する額を減じた額をもつて退職一時金又は遺族一時金の額とするものとする。

2　従前の一時恩給若しくは従前の退職一時金又は従前の一時恩給及び従前の退職一時金を受けた都道府県の職員について、この政令による改正後の地方自治法施行令（以下「新令」という。）中次の表の上欄に掲げる規定が適用される場合においては、同表の中欄に掲げる字句は、それぞれ当該下欄に掲げる字句とする。

上欄	中欄	下欄
第百七十四条の五十八第一項第一号	前在職期間に対して受けた一時恩給の額の算出の基礎となつた俸給月額の二分の一に乗じて得た額	前在職期間に対して受けるべき一時恩給の額の算出の基礎となるべき俸給月額の二分の一に乗じて得た額に、前在職期間に対して受けた従前の一時恩給若しくは従前の退職一時金の額又は従前の一時恩給及び従前の退職一時金の額の合算額を前在職期間に対して受けるべき一時恩給の額で除して得た数（以下「一時恩給修正率」という。）を乗じて得た額と接続在職期間に対して受けた従前の一時恩給若しくは従前の退職一時金の額又は従前の一時恩給及び従前の退職一時金の額の合算額との合計額

第百七十四条の五十八第一項第二号	前在職期間に対して受けた退職一時金の額の算出の基礎となつた給料月額の二分の一に乗じて得た額	前在職期間に対して受けるべき退職一時金の額の算出の基礎となるべき給料月額の二分の一に乗じて得た額に、前在職期間に対して受けた従前の退職一時金若しくは従前の一時恩給の額又は従前の退職一時金及び従前の一時恩給の額の合算額を前在職期間に対して受けるべき退職一時金の額で除して得た数（以下「退職一時金修正率」という。）を乗じて得た額と接続在職期間に対して受けた従前の一時恩給若しくは従前の退職一時金の額又は従前の一時恩給及び従前の退職一時金の額の合算額との合計額
第百七十四条の五十八第一項第三号	前在職期間に対して受けた一時恩給又は退職一時金の額の算出の基礎となつた俸給月額又は給料月額の二分の一に乗じて得た額	前在職期間に対して受けるべき一時恩給又は退職一時金の額の算出の基礎となるべき俸給月額又は給料月額の二分の一に乗じて得た額に一時恩給修正率又は退職一時金修正率を乗じて得た額

3　都道府県は、公務員又は他の都道府県の職員であつた者で引き続いて当該都道府県の職員となつたもののうち、接続在職期間に対して従前の一時恩給若しくは従前の退職一時金又は従前の一時恩給及び従前の退職一時金を受けた者（前項の規定の適用を受ける者を除く。）に退職年金を支給するときは、それぞれその受けた従前の一時恩給若しくは従前の退職一時金の額又は従前の一時恩給及び従前の退職一時金の額の合算額の十五分の一に相当する額を減じた額をもつて退職年金の年額とするものとする。

4　都道府県は、前項に規定する者が在職中死亡したことにより遺族年金を支給するときは、その接続在職期間に対して受けた従前の一時恩給若しくは従前の退職一時金の額又は従前の一時恩給及び従前の退職一時金の額の合算額の三十分の一に相当する額を減じた額をもつて遺族年金の年額とするものとする。

（従前の一時恩給等を受けた公務員に関する経過措置）

第三条　都道府県の職員であつた者で引き続いて公務員となつたもののうち、接続在職期間に対して従前の一時恩給若しくは従前の退職一時金又は従前の一時恩給及び従前の退職一時金の支給を受けた者について一時恩給又は一時扶助料を支給するときは、それぞれその受けた従前の一時恩給若しくは従前の退職一時金の額又は従前の一時恩給及び従前の退職一時金の額の合算額に相当する額を減じた額をもつて一時恩給又は一時扶助料の額とする。

2　従前の一時恩給若しくは従前の退職一時金又は従前の一時恩給及び従前の退職一時金を受けた公務員について、新令中次の表の上欄に掲げる規定が適用される場合においては、同表の中欄に掲げる字句は、それぞれ当該下欄に掲げる字句とする。

第百七十四条の五十九第一号	前在職期間に対して受けた一時恩給の額の算出の基礎となつた俸給月額の二分の一に乗じて得た額	前在職期間に対して受けるべき一時恩給の額の算出の基礎となるべき俸給月額の二分の一に乗じて得た額に一時恩給修正率を乗じて得た額と接続在職期間に対して受けた従前の一時恩給若しくは従前の退職一時金の額又は従前の一時恩給及び従前の退職一時金の額の合算額との合計額
第百七十四条の五十九第二号	前在職期間に対して受けた退職一時金の額の算出の基礎となつた給料月額の二分の一に乗じて得た額	前在職期間に対して受けるべき退職一時金の額の算出の基礎となるべき給料月額の二分の一に乗じて得た額に退職一時金修正率を乗じて得た額と接続在職期間に対して受けた従前の一時恩給若しくは従前の退職一時金の額又は従前の一時恩給及び従前の退職一時金の額の合算額との合計額
第百七十四条の五十九第三号	前在職期間に対して受けた退職一時金の額の算出の基礎となつた給料月額の二分の一に乗じて得た額	前在職期間に対して受けるべき退職一時金の額の算出の基礎となるべき給料月額の二分の一に乗じて得た額に退職一時金修正率を乗じて得た額

3　都道府県の職員であつた者で引き続いて公務員となつたもののうち、接続在職期間に対して従前の一時恩給若しくは従前の退職一時金又は従前の一時恩給及び従前の退職一時金を受けた者（前項の規定の適用を受ける者を除く。）に普通恩給を支給

するときは、それぞれその受けた従前の一時恩給若しくは従前の退職一時金の額又は従前の一時恩給及び従前の退職一時金の額の合算額の十五分の一に相当する額を減じた額をもつて普通恩給の年額とする。

（普通恩給権等を有する都道府県の職員に関する経過措置）

第四条　都道府県は、新令第八章の規定に従つて改正された都道府県の退職年金条例（以下「新条例」という。）の施行の際現に在職する普通恩給権又は他の都道府県の退職年金権を有する当該都道府県の職員については、その申出により同令同章の規定による在職期間の通算を選択することができるものとし、新条例の施行の日から起算して五十日以内に当該申出をさせるものとする。

2　前項の規定は、普通恩給権又は他の都道府県の退職年金権を有する都道府県の職員であつた者で、適用日以後新条例の施行の日の前日までに都道府県の職員を退職したもの又は適用日以後新条例の施行の日の前日までに都道府県の職員を退職した後死亡したもの（都道府県の職員として在職中死亡した者を含む。）の遺族について準用する。

第五条　普通恩給権を有する者で前条第一項の規定により在職期間の通算を選択する旨の申出をしたものに、新令第百七十四条の五十七第二項の規定を適用する場合においては、同令同条同項中「当該就職の日の属する月の翌月から」とあるのは、「地方自治法施行令の一部を改正する政令（昭和三十二年政令第二十一号）附則第四条第一項の規定により在職期間の通算を選択する旨の申出をした旨の通知を受けた日の属する月の翌月から」と、同令第百七十四条の六十二第三項及び第百七十四条の六十四第一項の規定を適用する場合においては、これらの規定中「当該都道府県の職員となつたとき」とあるのは、「地方自治法施行令の一部を改正する政令（昭和三十二年政令第二十一号）附則第四条第一項の規定により在職期間の通算を選択する旨の申出をしたとき」とする。

2　都道府県の退職年金権を有する者で前条第一項の規定により在職期間の通算を選択する旨の申出をしたものに、新令第百七十四条の五十七第一項の規定を適用する場合においては、同令同条同項中「当該就職の日の属する月の翌月から」とあるのは、「地方自治法施行令の一部を改正する政令（昭和三十二年政令第二十一号）附則第四条第一項の規定により在職期間の通算を選択する旨の申出をした旨の通知を受けた日の属する月の翌月から」と、同令第百七十四条の六十二第一項及び第百七十四条の六十四第一項の規定を適用する場合においては、これらの規定中「当該都道府県の職員となつたとき」とあるのは、「地方自治法施行令の一部を改正する政令（昭和三十二年政令第二十一号）附則第四条第一項の規定により在職期間の通算を選択する旨の申出をしたとき」とする。

（退職年金権を有する公務員に関する経過措置）

第六条　この政令の施行の際現に在職する都道府県の退職年金権を有する公務員は、その申出により新令第八章の規定による在職期間の通算を選択することができるものとし、この政令の施行の日から起算して九十日以内に当該申出をその者の任命権者にしなければならない。

2　前項の規定は、都道府県の退職年金権を有する公務員であつた者で、適用日以後この政令の施行の日の前日までに公務員を退職したもの又は適用日以後この政令の施行の日の前日までに公務員を退職した後死亡したもの（公務員として在職中死亡した者を含む。）の遺族について準用する。

第七条　前条第一項の規定により在職期間の通算を選択する旨の申出をしたものに、新令第百七十四条の五十七第一項の規定を適用する場合においては、同令同条同項中「当該就職の日の属する月の翌月から」とあるのは、「地方自治法施行令の一部を改正する政令（昭和三十二年政令第二十一号）附則第六条第一項の規定により在職期間の通算を選択する旨の申出をした旨の通知を受けた日の属する月の翌月から」と、同令第百七十四条の六十三第一項及び第百七十四条の六十四第二項の規定を適用する場合においては、これらの規定中「公務員となつたとき」とあるのは、「地方自治法施行令の一部を改正する政令（昭和三十二年政令第二十一号）附則第六条第一項の規定により在職期間の通算を選択する旨の申出をしたとき」とする。

（適用日前に普通恩給権等を有していた者の在職期間の通算に関する特例）

第八条　都道府県は、新令第八章の規定により公務員又は他の都道府県の職員としての在職期間を通算されるべき者で適用日前に普通恩給権を有することとなつたものについては、その者が適用日前において最短一時金年限以上の他の都道府県の職員としての在職期間を有していても、同令第百七十四条の五十一第三項及び第百七十四条の五十二第三項の規定にかかわらず、当該在職期間を当該都道府県の職員としての在職期間に通算しないものとする。

2　都道府県は、新令第八章の規定により公務員又は他の都道府県の職員としての在職期間を通算されるべき者で適用日前に他の都道府県の退職年金権を有することとなつたものについては、その者が適用日前において最短一時恩給年限以上の公務員としての在職期間又は最短一時金年限以上の当該他の都道府県以外の都道府県の職員としての在職期間を有していても、同令第百七十四条の五十一第三項及び第百七十四条の五十二第三項の規定にかかわらず、当該在職期間を当該都道府県の職員としての在職期間に通算しないものとする。

3　新令第八章の規定により公務員又は他の都道府県の職員としての在職期間を通算されるべき者で適用日前に都道府県の退職年金権を有することとなつたものについては、その者が適用日前において最短一時金年限以上の当該都道府県以外の都道府県の職員としての在職期間を有していても、同令第百七十四条の五十三第三項の規定にかかわらず、当該在職期間を公務員としての在職期間に通算しない。

（普通恩給等を受けた在職期間を有する都道府県の職員に関する経過措置）

第九条　都道府県は、新令第八章の規定により公務員又は他の都道府県の職員としての在職期間を通算されるべき者で、普通恩給又は他の都道府県の退職年金を受けた在職期間を有するものに退職年金を支給するときは、その受けた普通恩給又は退職年金の額（以下本条中「普通恩給等受給額」という。）に相当する額に達するまで退職年金の支給額から控除し、その者が死亡したことにより遺族年金を支給することとなるときは、普通恩給等受給額からすでに控除した額に相当する額を控除した額の二分の一に相当する額に達するまで遺族年金の支給額から控除するものとする。

2　都道府県は、新令第八章の規定により公務員又は他の都道府県の職員としての在職期間を通算されるべき者で、普通恩給又は他の都道府県の退職年金を受けた在職期間を有するものが当該都道府県の職員として在職中死亡したことにより遺族年金を支給するときは、その受けた普通恩給等受給額の二分の一に相当する額に達するまで遺族年金の支給額から控除するものとする。

（退職年金を受けた在職期間を有する公務員に関する経過措置）

第十条　新令第八章の規定により都道府県の職員としての在職期間を通算されるべき者で退職年金を受けた在職期間を有するものについて普通恩給権の裁定をしたときは、その裁定庁は、すみやかにその旨をその者に退職年金を支給する都道府県に通知しなければならない。

2　前項の通知を受けた都道府県は、当該普通恩給権を有することとなつた者に、その普通恩給の基礎となつた公務員又は他の都道府県の職員としての在職期間について支給した退職年金の額に相当する額を納付させるものとする。

3　前二項の規定は、新令第八章の規定により都道府県の職員としての在職期間を通算されるべき者で退職年金を受けた在職期間を有するものが公務員として在職中死亡した場合について準用する。この場合において、前項中「退職年金の額」とあるのは、「退職年金の額の二分の一の額」と読み替えるものとする。

（適用日以後新条例又はこの政令の施行の日の前日までに退職した者に関する経過措置）

第十一条　都道府県は、附則第四条第二項において準用する同条第一項の規定の適用がある場合を除き、適用日以後新条例の施行の日の前日までに都道府県の職員を退職した者又は適用日以後新条例の施行の日の前日までに都道府県の職員を退職した後死亡した者（都道府県の職員として在職中死亡した者を含む。）の遺族については、その申出により新令第八章の規定による在職期間の通算を選択しないことができるものとし、新条例の施行の日から起算して五十日以内に当該申出をさせるものとする。

2　附則第六条第二項において準用する同条第一項の規定の適用がある場合を除き、適用日以後この政令の施行の日の前日までに公務員を退職した者又は適用日以後この政令の施行の日の前日までに公務員を退職した後死亡した者（公務員として在職中死亡した者を含む。）の遺族は、その申出により新令第八章の規定による在職期間の通算を選択しないことができるものとし、この政令の施行の日から起算して九十日以内にその者の恩給の裁定庁に当該申出をしなければならない。

（在職期間の通算を選択しなかつた者に関する特例）

第十二条　附則第四条若しくは第六条の規定による在職期間の通算を選択する旨の申出をしなかつた者又は前条の規定による在職期間の通算を選択しない旨を申し出た者の在職期間の通算については、新令第八章の規定は適用せず、なお従前の例による。

附　則（昭三二・四・一〇政令六二）（抄）

（施行期日）

1　この政令は、地方税法の一部を改正する法律（昭和三十二年法律第六十号。附則第一条ただし書に係る部分を除く。）の施行の日（昭三二・四・一二）から施行する。〔ただし書略〕

附　則（昭三二・四・二七政令七九）（抄）

（施行期日）

1　この政令は、公布の日から施行する。

附　則（昭三二・六・三政令一二八）（抄）

（施行期日）

1　この政令は、公布の日から施行し、昭和三十二年四月二十五日から適用する。

附　則（昭三二・六・二一政令一五二）（抄）

（施行期日）

1　この政令は、公布の日から施行する。

附　則（昭三二・六・二八政令一六一）（抄）

1　この政令は、公布の日から施行する。

附　則（昭三二・一二・一二政令三三六）（抄）

（施行期日）

1　この政令は、昭和三十二年十二月十四日から施行する。

附　則（昭三三・五・二九政令一四五）（抄）

（施行期日）

1　この政令は、昭和三十三年六月一日から施行する。

附　則（昭三三・五・三一政令一五五）

（施行期日）

1　この政令は、昭和三十三年六月一日から施行し、改正後の第百四十七条の規定は、昭和三十二年度の歳入歳出の決算上生じた剰余金から適用する。

（指定都市の町又は字の区域に関する経過措置）

2　指定都市の区域内の町又は字に関し、この政令の施行前に改正前の第百七十九条第一項の規定により指定都市の議会に諮られ、この政令の施行の際まだ同項の規定による処分がされていないものについては、なお従前の例による。

附　則（昭三四・三・三一政令七二）（抄）

（施行期日）

1　この政令は、昭和三十四年四月一日から施行する。

附　則（昭三四・四・二八政令一五四）

（施行期日）

第一条　この政令は、公布の日から施行し、この政令による改正後の地方自治法施行令（以下「新令」という。）第八章並びに附則第二条、第三条、第八条、第九条及び第十二条の規定は、昭和三十四年三月三十一日（以下「適用日」という。）以後都道府県の職員、市町村の教育職員若しくは公務員を退職した者又は都道府県の職員、市町村の教育職員若しくは公務員として在職中死亡した者について適用する。

（従前の一時恩給等を受けた都道府県の職員等に関する経過措置）

第二条　都道府県又は市町村は、市町村の教育職員であつた者で引き続いて当該都道府県の職員となつたもの又は公務員、都道府県の職員若しくは他の市町村の教育職員であつた者で引き続いて当該市町村の教育職員となつたもののうち、当該就職後の在職期間に引き続く当該就職前の公務員としての在職期間、都道府県の職員としての在職期間及び市町村の教育職員としての在職期間（以下「接続在職期間」という。）に対して適用日前に給付事由が発生した一時恩給（以下「従前の一時恩給」という。）若しくは退職一時金（以下「従前の退職一時金」という。）又は従前の一時恩給及び従前の退職一時金を受けた者について退職一時金又は遺族一時金を支給するときは、それぞれその受けた従前の一時恩給若しくは従前の退職一時金の額又は従前の一時恩給及び従前の退職一時金の額の合算額に相当する額を減じた額をもつて退職一時金又は遺族一時金の額とするものとする。

2　従前の一時恩給若しくは従前の退職一時金又は従前の一時恩給及び従前の退職一時金を受けた都道府県の職員又は市町村の教育職員について、新令中次の表の上欄に掲げる規定が適用される場合においては、同表の中欄に掲げる字句は、それぞれ当該下欄に掲げる字句とする。

第百七十四条の五十八第一項第一号	前在職期間に対して受けた一時恩給の額の算出の基礎となつた俸給月額の二分の一に乗じて得た額	前在職期間に対して受けるべき一時恩給の額の算出の基礎となるべき俸給月額の二分の一に乗じて得た額に、前在職期間に対して受けた従前の一時恩給若しくは従前の退職一時金の額又は従前の一時恩給及び従前の退職一時金の額の合算額を前在職期間に対して受けるべき一時恩給の額で除して得た数（以下「一時恩給修正率」という。）を乗じて得た額と接続在職期間に対して受けた従前の一時恩給若しくは従前の退職一時金の額又は従前の一時恩給及び従前の退職一時金の額の合算額との合計額
第百七十四条の五十八第一項第二号	前在職期間に対して受けた退職一時金の額の算出の基礎となつた給料月額の二分の一に乗じて得た額	前在職期間に対して受けるべき退職一時金の額の算出基礎となるべき給料月額の二分の一に乗じて得た額に、前在職期間に対して受けた従前の退職一時金若しくは従前の一時恩給の額又は従前の退職一時金及び従前の一時恩給の額の合算額を前在職期間に対して受けるべき退職一時金の額で除して得た数（以下「退職一時金修正率」という。）を乗じて得た額と接続在職期間に対して受けた従前の一時恩給若しくは従前の退職一時金の額又は従前の一時恩給及び従前の退職一時金の額の合算額との合計額
第百七十四条の五十八第一項第三号	前在職期間に対して受けた一時恩給又は退職一時金の額の算出の基礎となつた俸給月額又は給料月額の二分の一に乗じて得た額	前在職期間に対して受けるべき一時恩給又は退職一時金の額の算出の基礎となるべき俸給月額又は給料月額の二分の一に乗じて得た額に一時恩給修正率又は退職一時金修正率を乗じて得た額

3　都道府県又は市町村は、市町村の教育職員であつた者で引き続いて当該都道府県の職員となつたもの又は公務員、都道府県の職員若しくは他の市町村の教育職員であつた者で引き続いて当該市町村の教育職員となつたもののうち、接続在職期間に対して従前の一時恩給若しくは従前の退職一時金又は従前の一時恩給及び従前の退職一時金を受けた者（前項の規定の適用を受ける者を除く。）に退職年金を支給するときは、それぞれその受けた従前の一時恩給若しくは従前の退職一時金の額又は従前の一時恩給及び従前の退職一時金の額の合算額の十五分の一に相当する額を減じた額をもつて退職年金の年額とするものとする。

4　都道府県又は市町村は、前項に規定する者が在職中死亡したことにより遺族年金を支給するときは、その接続在職期間に対して受けた従前の一時恩給若しくは従前の退職一時金の額又は従前の一時恩給及び従前の退職一時金の額の合算額の三十分の一に相当する額を減じた額をもつて遺族年金の年額とするものとする。

（従前の一時恩給等を受けた公務員に関する経過措置）

第三条　市町村の教育職員であつた者で引き続いて公務員となつたもののうち、接続在職期間に対して従前の一時恩給若しくは従前の退職一時金又は従前の一時恩給及び従前の退職一時金の支給を受けた者について一時恩給又は一時扶助料を支給するときは、それぞれその受けた従前の一時恩給若しくは従前の退職一時金の額又は従前の一時恩給及び従前の退職一時金の額の合算額に相当する額を減じた額をもつて一時恩給又は一時扶助料の額とする。

2　従前の一時恩給若しくは従前の退職一時金又は従前の一時恩給及び従前の退職一時金を受けた公務員について、新令中次の表の上欄に掲げる規定が適用される場合においては、同表の中欄に掲げる字句は、それぞれ当該下欄に掲げる字句とする。

第百七十四条の五十九第一号	前在職期間に対して受けた一時恩給の額の算出の基礎となつた俸給月額の二分の一に乗じて得た額	前在職期間に対して受けるべき一時恩給の額の算出の基礎となるべき俸給月額の二分の一に乗じて得た額に一時恩給修正率を乗じて得た額と接続在職期間に対して受けた従前の一時恩給若しくは従前の退職一時金の額又は従前の一時恩給及び従前の退職一時金の額の合算額との合計額
第百七十四条の五十九第二号	前在職期間に対して受けた退職一時金の額の算出の基礎となつた給料月額の二分の一に乗じて得た額	前在職期間に対して受けるべき退職一時金の額の算出の基礎となるべき給料月額の二分の一に乗じて得た額に退職一時金修正率を乗じて得た額と接続在職期間に対して受けた従前の一時恩給若しくは従前の退職一時金の額又は従前の一時恩給及び従前の退職一時金の額の合算額との合計額
第百七十四条の五十九第三号	前在職期間に対して受けた退職一時金の額の算出の基礎となつた給料月額の二分の一に乗じて得た額	前在職期間に対して受けるべき退職一時金の額の算出の基礎となるべき給料月額の二分の一に乗じて得た額に退職一時金修正率を乗じて得た額

3　市町村の教育職員であつた者で引き続いて公務員となつたもののうち、接続在職期間に対して従前の一時恩給若しくは従前の退職一時金又は従前の一時恩給及び従前の退職一時金を受けた者（前項の規定の適用を受ける者を除く。）に普通恩給を支給するときは、それぞれその受けた従前の一時恩給若しくは従前の退職一時金の額又は従前の一時恩給及び従前の退職一時金の額の合算額の十五分の一に相当する額を減じた額をもつて普通恩給の年額とする。

（市町村の退職年金権を有する都道府県の職員等に関する経過措置）

第四条　都道府県又は市町村は、新令第八章の規定に従つて改正された都道府県の退職年金条例（以下「都道府県の新条例」という。）又は市町村の退職年金条例（以下「市町村の新条例」という。）の施行の際現に在職する市町村の退職年金権を有する当該都道府県の職員又は普通恩給権、都道府県の退職年金権若しくは他の市町村の退職年金権を有する当該市町村の教育職員については、その申出により同令同章の規定による在職期間の通算を選択することができるようにするものとし、都道府県の新条例又は市町村の新条例の施行の日から起算して五十日以内に当該申出をさせるものとする。

2　前項の規定は、市町村の退職年金権を有する都道府県の職員であつた者又は普通恩給権、都道府県の退職年金権若しくは他の市町村の退職年金権を有する市町村の教育職員であつた者で、適用日以後都道府県の新条例若しくは市町村の新条例の施行の日の前日までに都道府県の職員若しくは市町村の教育職員を退職したもの又は適用日以後都道府県の新条例若しくは市町村の新条例の施行の日の前日までに都道府県の職員若しくは市町村の教育職員を退職した後死亡したもの（都道府県の職員又は市町村の教育職員として在職中死亡した者を含む。）の遺族について準用する。

第五条　市町村の退職年金権を有する都道府県の職員で前条第一項の規定により在職期間の通算を選択する旨の申出をしたものに、新令第百七十四条の五十七第一項の規定を適用する場合においては、同令同条同項中「当該就職の日の属する月の翌月から」とあるのは、「地方自治法施行令の一部を改正する政令（昭和三十四年政令第百五十四号）附則第四条第一項の規定により在職期間の通算を選択する旨の通知を受けた日の属する月の翌月から」と、同令第百七十四条の六十二第一項及び第百七十四条の六十四第一項の規定を適用する場合においては、これらの規定中「当該都道府県の職員又は市町村の教育職員となつたとき」とあるのは、「地方自治法施行令の一部を改正する政令（昭和三十四年政令第百五十四号）附則第四条第一項の規定により在職期間の通算を選択する旨の申出をしたとき」とする。

2　普通恩給権を有する市町村の教育職員で前条第一項の規定により在職期間の通算を選択する旨の申出をしたものに、新令第百七十四条の五十七第二項の規定を適用する場合においては、同令同条同項中「当該就職の日の属する月の翌月から」とあるのは、「地方自治法施行令の一部を改正する政令（昭和三十四年政令第百五十四号）附則第四条第一項の規定により在職期間の通算を選択する旨の申出をした旨の通知を受けた日の属する月の翌月から」と、同令第百七十四条の六十二第三項及び第百七十四条の六十四第一項の規定を適用する場合においては、これらの規定中「当該市町村の教育職員となつたとき」とあるのは、「地方自治法施行令の一部を改正する政令（昭和三十四年政令第百五十四号）附則第四条第一項の規定により在職期間の通算を選択する旨の申出をしたとき」とする。

3　都道府県の退職年金権又は他の市町村の退職年金権を有する市町村の教育職員で前条第一項の規定により在職期間の通算を選択する旨の申出をしたものに、新令第百七十四条の五十七第一項の規定を適用する場合においては、同令同条同項中「当該就職の日の属する月の翌月から」とあるのは、「地方自治法施行令の一部を改正する政令（昭和三十四年政令第百五十四号）附則第四条第一項の規定により在職期間の通算を選択する旨の申出をした旨の通知を受けた日の属する月の翌月から」と、同令第百七十四条の六十二第一項及び第百七十四条の六十四第一項の規定を適用する場合においては、これらの規定中「当該市町村の教育職員となつたとき」とあるのは、「地方自治法施行令の一部を改正する政令（昭和三十四年政令第百五十四号）附則第四条第一項の規定により在職期間の通算を選択する旨の申出をしたとき」とする。

（市町村の退職年金権を有する公務員に関する経過措置）

第六条　この政令の施行の際現に在職する市町村の退職年金権を有する公務員は、その申出により新令第八章の規定による在職期間の通算を選択することができるものとし、この政令の施行の日から起算して九十日以内に当該申出をその者の任命権者にしなければならない。

２　前項の規定は、市町村の退職年金権を有する公務員であつた者で、適用日以後この政令の施行の日の前日までに公務員を退職したもの又は適用日以後この政令の施行の日の前日までに公務員を退職した後死亡したもの（公務員として在職中死亡した者を含む。）の遺族について準用する。

第七条　前条第一項の規定により在職期間の通算を選択する旨の申出をした公務員に、新令第百七十四条の五十七第一項の規定を適用する場合においては、同令同条同項中「当該就職の日の属する月の翌月から」とあるのは、「地方自治法施行令の一部を改正する政令（昭和三十四年政令第百五十四号）附則第六条第一項の規定により在職期間の通算を選択する旨の申出をした旨の通知を受けた日の属する月の翌月から」と、同令第百七十四条の六十三第一項の規定を適用する場合においては、同令同条同項中「公務員となつたとき」とあるのは、「地方自治法施行令の一部を改正する政令（昭和三十四年政令第百五十四号）附則第六条第一項の規定により在職期間の通算を選択する旨の申出をしたとき」と、同令第百七十四条の六十四第二項の規定を適用する場合においては、同令同条同項中「公務員となつたとき」とあるのは、「地方自治法施行令の一部を改正する政令（昭和三十四年政令第百五十四号）附則第六条第一項の規定により在職期間の通算を選択する旨の申出をしたとき」とする。

（適用日前に市町村の退職年金権等を有していた者の在職期間の通算の特例）

第八条　都道府県は、新令第八章の規定により公務員又は他の都道府県の職員としての在職期間を通算されるべき者で適用日前に市町村の退職年金権を有することとなつたものについては、その者が適用日前において最短一時恩給年限以上の公務員としての在職期間又は最短一時金年限以上の他の都道府県の職員としての在職期間を有していても、同令第百七十四条の五十一第三項及び第百七十四条の五十二第三項の規定にかかわらず、当該在職期間を当該都道府県の職員としての在職期間に通算しないものとする。

２　都道府県は、新令第八章の規定により市町村の教育職員としての在職期間を通算されるべき者で適用日前に普通恩給権、他の都道府県の退職年金権又は市町村の退職年金権を有することとなつたものについては、その者が適用日前において最短一時金年限以上の市町村の教育職員としての在職期間を有していても、同令第百七十四条の五十二第三項の規定にかかわらず、当該在職期間を当該都道府県の職員としての在職期間に通算しないものとする。

３　市町村は、新令第八章の規定により公務員、都道府県の職員又は他の市町村の教育職員としての在職期間を通算されるべき者で適用日前に普通恩給権、都道府県の退職年金権又は他の市町村の退職年金権を有することとなつたものについては、その者が適用日前において最短一時恩給年限以上の公務員としての在職期間、最短一時金年限以上の都道府県の職員としての在職期間又は最短一時金年限以上の当該市町村以外の市町村の教育職員としての在職期間を有していても、同令第百七十四条の五十一第三項及び第百七十四条の五十二第三項の規定にかかわらず、当該在職期間を当該市町村の教育職員としての在職期間に通算しないものとする。

４　新令第八章の規定により市町村の教育職員としての在職期間を通算されるべき者で適用日前に普通恩給権、都道府県の退職年金権又は市町村の退職年金権を有することとなつたものについては、その者が適用日前において最短一時金年限以上の市町村の教育職員としての在職期間を有していても、同令第百七十四条の五十三第三項の規定にかかわらず、当該在職期間を公務員としての在職期間に通算しない。

（市町村の退職年金を受けた在職期間を有する都道府県の職員等に関する経過措置）

第九条　都道府県又は市町村は、新令第八章の規定により市町村の教育職員としての在職期間又は公務員、都道府県の職員若しくは他の市町村の教育職員としての在職期間を通算されるべき者で、市町村の退職年金又は普通恩給、都道府県の退職年金若しくは他の市町村の退職年金を受けた在職期間を有するものに退職年金を支給するときは、その受けた退職年金又は普通恩給の額（以下本条中「退職年金等受給額」という。）に相当する額に達するまで退職年金の支給額から控除し、その者が死亡したことにより遺族年金を支給することとなるときは、退職年金等受給額からすでに控除した額に相当する額を控除した額の二分の一に相当する額に達するまで遺族年金の支給額から控除するものとする。

２　都道府県又は市町村は、新令第八章の規定により市町村の教育職員としての在職期間又は公務員、都道府県の職員若しくは他の市町村の教育職員としての在職期間を通算されるべき者で、市町村の退職年金又は普通恩給、都道府県の退職年金若しくは他の市町村の退職年金を受けた在職期間を有するものが当該都道府県の職員又は当該市町村の教育職員として在職中死亡したことにより遺族年金を支給するときは、その受けた退職年金等受給額の二分の一に相当する額に達するまで遺族年金の支給額から控除するものとする。

（市町村の退職年金を受けた在職期間を有する公務員に関する経過措置）

第十条　新令第八章の規定により市町村の教育職員としての在職期間を通算されるべき者で市町村の退職年金を受けた在職期間を有するものについて普通恩給権の裁定をしたときは、その裁定庁は、すみやかにその旨をその者に退職年金を支給する市町村に通知しなければならない。

２　前項の通知を受けた市町村は、当該普通恩給権を有することとなつた者に、その普通恩給の基礎となつた公務員、都道府県の職員又は他の市町村の教育職員としての在職期間について支給した退職年金の額に相当する額を納付させるものとする。

３　前二項の規定は、新令第八章の規定により市町村の教育職員としての在職期間を通算されるべき者で市町村の退職年金を受けた在職期間を有するものが公務員として在職中死亡した場合について準用する。この場合において、前項中「退職年金の額」とあるのは、「退職年金の額の二分の一の額」と読み替えるものとする。

（適用日以後都道府県の新条例若しくは市町村の新条例又はこの政令の施行の日の前日までに退職した者に関する経過措置）

第十一条　都道府県は、附則第四条第二項において準用する同条第一項の規定の適用がある場合を除き、適用日以後都道府県の新条例の施行の日の前日までに都道府県の職員を退職した者又は適用日以後都道府県の新条例の施行の日の前日までに都道府県の職員を退職した後死亡した者（都道府県の職員として在職中死亡した者を含む。）の遺族について、市町村は、附則第四条第二項において準用する同条第一項の適用がある場合を除き、適用日以後市町村の新条例の施行の日の前日までに市町村の教育職員を退職した者又は適用日以後市町村の新条例の施行の日の前日までに市町村の教育職員を退職した後死亡した者（市町村の教育職員としての在職中死亡した者を含む。）の遺族について、それぞれその申出により新令第八章の規定による在職期間の通算を選択しないことができるようにするものとし、当該申出は、都道府県の新条例又は市町村の新条例の施行の日から起算して五十日以内にさせるものとする。

2　附則第六条第二項において準用する同条第一項の規定の適用がある場合を除き、適用日以後この政令の施行の日の前日までに公務員を退職した者又は適用日以後この政令の施行の日の前日までに公務員を退職した後死亡した者（公務員として在職中死亡した者を含む。）の遺族は、その申出により新令第八章の規定による在職期間の通算を選択しないことができるものとし、この政令の施行の日から起算して九十日以内にその者の恩給の裁定庁に当該申出をしなければならない。

（在職期間の通算を選択しなかつた者に関する特例）

第十二条　附則第四条若しくは第六条の規定による在職期間の通算を選択する旨の申出をしなかつた者又は前条の規定による在職期間の通算を選択しない旨を申し出た者の在職期間の通算については、新令第八章の規定は適用せず、なお従前の例による。

（加算年を基礎とする退職年金又は遺族年金の年額の特例）

第十三条　都道府県又は市町村は、新令第八章の規定により公務員としての在職期間を通算されるべき者で、当該在職期間のうちに旧軍人、旧準軍人若しくは旧軍属（恩給法の一部を改正する法律（昭和二十八年法律第百五十五号。以下「法律第百五十五号」という。）附則第十条第一項に規定する旧軍人、旧準軍人若しくは旧軍属をいう。以下この項において同じ。）としての在職期間又は同法による廃止前の恩給法の特例に関する件（昭和二十一年勅令第六十八号）第二条第二項に規定する加算年を含むものに退職年金を支給するときは、その者の在職期間（旧軍人、旧準軍人又は旧軍属としての在職期間にあつては実在職期間とし、旧軍人以外の公務員（旧軍属を除く。）としての在職期間にあつては同項に規定する加算年を除いた在職期間とする。以下この条において同じ。）の年数に応じ、次の各号に定める率を退職年金の基礎となるべき給料年額に乗じて得た額（普通恩給権を有する者にあつては、当該普通恩給の年額に相当する額を減じた額）をもつて退職年金の年額とするものとする。

一　在職期間の年数が最短年金年限である場合にあつては、百五十分の五十

二　在職期間の年数が最短年金年限をこえる場合にあつては、百五十分の五十に最短年金年限をこえる年数一年につき百五十分の一を加えたもの

三　在職期間の年数が最短年金年限未満である場合にあつては、百五十分の五十から最短年金年限に不足する年数一年につき百五十分の二・五を減じたもの。ただし、百五十分の二十五を下らないものとする。

2　都道府県又は市町村は、前項に規定する者が在職中死亡したことにより遺族年金を支給するときは、同項各号に掲げる場合の区分に応じ、退職年金の基礎となるべき給料年額に当該各号に定める率を乗じて得た額を基礎として計算した遺族年金の年額に相当する額（扶助料権を有する遺族にあつては、当該扶助料の年額に相当する額を減じた額）をもつて遺族年金の年額とするものとする。

3　在職期間の年数が四十年未満の者で、六十歳以上のもの又は退職年金条例に規定する公務傷病年金又は傷病年金を受ける六十歳未満のものに支給する退職年金及び在職期間の年数が四十年未満の者の遺族で、六十歳以上のもの又は六十歳未満の妻若しくは子に支給する遺族年金（前項の規定の適用を受ける遺族年金を除く。）の年額の算定の基礎となる退職年金についての第一項の規定の適用に関しては、同項中「在職期間（旧軍人、旧準軍人又は旧軍属としての在職期間にあつては実在職期間とし、旧軍人以外の公務員（旧軍属を除く。）としての在職期間にあつては同項に規定する加算年を除いた在職期間とする。以下この条において同じ。）」とあるのは「在職期間」と、同項第二号中「最短年金年限をこえる年数」とあるのは「最短年金年限をこえ在職期間の年数が四十年に達するまでの年数」とし、同項第三号に定める率は、百五十分の五十とする。

4　在職期間の年数が四十年未満の者の遺族で、六十歳以上のもの又は六十歳未満の妻若しくは子に支給する遺族年金についての第二項の規定の適用に関しては、同項中「同項各号に掲げる」とあるのは「次項の規定によつて読み替えられた前項各号に掲げる」と、「当該各号に定める率」とあるのは「同項第一号又は第三号に掲げる場合にあつては百五十分の五十、同項第二号に掲げる場合にあつては次項の規定によつて読み替えられた同号に定める率」とする。

5　第三項に規定する退職年金及び遺族年金を除き、在職期間の年数が退職年金についての最短年金年限未満の者で五十五歳以上のものに支給する退職年金及び在職期間の年数が退職年金についての最短年金年限未満の者の遺族で五十五歳以上のものに支給する遺族年金（第二項の規定の適用を受ける遺族年金を除く。）の年額の算定の基礎となる退職年金についての第一項第三号の規定の適用に関しては、同号に定める率は、百五十分の五十とする。

6　第四項に規定する遺族年金を除き、在職期間の年数が退職年金についての最短年金年限未満の者の遺族で五十五歳以上のものに支給する遺族年金についての第二項の規定の適用に関しては、同項中「同項各号に掲げる場合の区分に応じ、退職年金の基礎となるべき給料年額に当該各号に定める率」とあるのは、「退職年金の基礎となるべき給料年額に百五十分の五十」とする。

（旧軍人の一時恩給を受けた者に支給する退職年金の額の特例）

第十四条　都道府県又は市町村は、新令第八章の規定により公務

員としての在職期間を通算されるべき者のうち、法律第百五十五号附則第十条又は第十一条の規定により旧軍人（恩給法の一部を改正する法律（昭和二十一年法律第三十一号）による改正前の恩給法第二十一条第一項に規定する軍人をいう。）の一時恩給を受けた者で昭和二十八年八月一日に都道府県の職員又は市町村の教育職員として在職していたものに退職年金を支給するときは、当該一時恩給の額の十五分の一に相当する額を減じた額をもつて退職年金の年額とするものとする。

（除算された実在職年の算入に伴う措置）

第十五条　都道府県又は市町村は、新令第八章の規定により公務員としての在職期間を通算されるべき者のうち、昭和三十一年九月一日から昭和三十五年六月三十日までの間に退職した都道府県の職員又は適用日から昭和三十五年六月三十日までの間に退職した市町村の教育職員で、法律第百五十五号附則第二十四条第一項又は第二十四条の二の規定により恩給の基礎となる在職年に算入されなかつた公務員としての在職期間をその者の公務員としての在職期間に算入することによつてその者の在職期間が最短年金年限に達することとなるもの又はその遺族については、昭和三十五年七月から退職年金又は遺族年金を支給し、これらの規定の適用を受けて計算された公務員としての在職期間を基礎とする退職年金又は遺族年金を受ける者については、同年七月分から、これらの規定により恩給の基礎となる在職年に算入されなかつた公務員としての在職期間を通算してその年額を改定するものとする。

２　前項の規定は、法律第百五十五号附則第二十四条の四第二項各号に掲げる者に相当する者については、適用しないものとする。

３　第一項の規定により新たに退職年金又は遺族年金を支給されることとなる者が、同一の都道府県の職員又は同一の市町村の教育職員に係る一時恩給、退職一時金又は遺族一時金で昭和二十八年八月一日以後に給付事由が発生したものを受けた者である場合においては、当該退職年金又は遺族年金の年額は、退職年金については当該一時恩給、退職一時金又は遺族一時金の額（その者が二以上のこれらのものを受けた者であるときは、その合算額とし、既に国庫又は都道府県若しくは市町村に返還されたものは、控除するものとする。）の十五分の一に相当する額を、遺族年金についてはこれらの金額の三十分の一に相当する額をそれぞれその年額から控除した額とするものとする。

附　則（昭三四・七・二四政令二六三）（抄）

１　この政令は、公布の日から施行する。

附　則（昭三四・一二・四政令三四四）（抄）

（施行期日）

１　この政令は、昭和三十四年十二月二十三日から施行する。

附　則（昭三五・五・一七政令一二八）（抄）

（施行期日）

１　この政令は、公布の日から施行する。

附　則（昭三五・六・三〇政令一八五）

この政令は、自治庁設置法の一部を改正する法律の施行の日（昭和三十五年七月一日）から施行する。

附　則（昭三六・四・三〇政令一二二）（抄）

（施行期日）

第一条　この政令は、地方税法の一部を改正する法律（昭和三十六年法律第七十四号。以下「改正法」という。）（同法附則第一条ただし書に係る部分を除く。）の施行の日〔昭三六・五・一〕から施行する。〔ただし書略〕

附　則（昭三六・六・一九政令二〇六）（抄）

（施行期日）

第一条　この政令は、公布の日から施行する。〔後略〕

附　則（昭三六・九・五政令三〇二）

この政令は、公布の日から施行する。ただし、第一条中地方自治法施行令第百七十四条の五十四第一項及び第百七十四条の五十五第一項の改正規定は、昭和三十六年十月一日から施行する。

附　則（昭三六・一一・二〇政令三七九）

この政令は、公布の日から施行する。

附　則（昭三七・四・二七政令一七二）（抄）

（施行期日）

１　この政令は、公布の日から施行する。

附　則（昭三七・五・二一政令二一〇）

この政令は、公布の日から施行する。

附　則（昭三七・七・二七政令三〇六）

（施行期日）

１　この政令は、昭和三十七年八月十日から施行する。

（選挙期日が公示されている選挙等に関する経過措置）

２　この政令の施行の際現にその選挙又は投票の期日が公示され、又は告示されている選挙又は投票については、なお従前の例による。

（手続が開始されている直接請求等に関する経過措置）

３　この政令の施行の際現にその手続が開始されている直接請求又は解職の請求については、なお従前の例による。

（罰則に関する経過措置）

４　この政令の施行前にした行為及び前二項の規定により従前の例により行なわれる選挙若しくは投票又は直接請求若しくは解職の請求に関してこの政令の施行後にした行為に対する罰則の適用については、なお従前の例による。

附　則（昭三七・九・二九政令三九一）

１　この政令は、行政不服審査法（昭和三十七年法律第百六十号）の施行の日（昭和三十七年十月一日）から施行する。

２　この政令による改正後の規定は、この政令の施行前にされた行政庁の処分その他この政令の施行前に生じた事項についても適用する。ただし、この政令による改正前の規定によつて生じた効力を妨げない。

３　この政令の施行前に提起された訴願、審査の請求、異議の申立てその他の不服申立て（以下「訴願等」という。）については、この政令の施行後も、なお従前の例による。この政令の施行前にされた訴願等の裁決、決定その他の処分（以下「裁決等」という。）又はこの政令の施行前に提起された訴願等につきこの政令の施行後にされる裁決等にさらに不服がある場合の訴願等についても、同様とする。

４　前項に規定する訴願等で、この政令の施行後は行政不服審査法による不服申立てをすることができることとなる処分に係るものは、この政令による改正後の規定の適用については、同法による不服申立てとみなす。

附　則（昭三七・九・二九政令三九二）

この政令は、昭和三十七年十月一日から施行する。

附　則（昭三八・一・二八政令八）

この政令は、公布の日から施行する。

附　則（昭三八・七・一一政令二四七）（抄）

（施行期日）

第一条　この政令は、昭和三十八年八月一日から施行〔中略〕する。

附　則（昭三八・七・一一政令二四八）（抄）

（施行期日）

1　この政令は、昭和三十八年八月一日から施行する。

附　則（昭三八・七・一九政令二六六）（抄）

（施行期日）

1　この政令は、公布の日から施行する。

附　則（昭三八・八・一五政令三〇六）（抄）

（施行期日及び適用区分）

第一条　この政令中予算の調製に関する改正規定は昭和三十九年一月一日から、その他の規定は同年四月一日から施行する。ただし、改正後の地方自治法施行令（以下「新令」という。）の規定中予算の調製及び決算に係る部分は、昭和三十九年度の予算及び決算から適用する。

（地方自治法第百九十五条第三項ただし書の市を指定する政令の廃止）

第二条　地方自治法第百九十五条第三項ただし書の市を指定する政令（昭和三十三年政令第三十七号）は、廃止する。

（歳入の繰上充用に関する経過措置）

第三条　昭和三十八年度分に係る歳入の繰上充用については、なお従前の例による。

（指定金融機関等に関する経過措置）

第四条　この政令（予算の調製に関する改正規定を除く。以下同じ。）の施行の際現に改正前の地方自治法施行令（以下「旧令」という。）第百六十五条の規定による本金庫又は支金庫とされている銀行又はその他の者は、新令の規定による指定金融機関又は指定代理金融機関とみなす。

2　この政令の施行の際現に旧令第百六十六条第二項又は第三項の規定により普通地方公共団体に属する現金の収納の事務を取り扱つている銀行又はその他の者は、新令の規定による収納代理金融機関とみなす。

（債権に関する経過措置）

第五条　新令第百七十一条の規定は、この政令の施行前に履行期限が到来した債権についても、これを適用する。

2　新令第七十一条の二の規定は、この政令の施行前に地方自治法の一部を改正する法律（昭和三十八年法律第九十九号）による改正前の地方自治法第二百二十五条第一項の規定により督促した債権についても、これを適用する。

3　前二項に定めるもののほか、新令第一編第五章第八節第三款の規定は、この政令の施行前に発生した債権についても、これを適用する。

附　則（昭三八・九・二〇政令三三二）

この政令は、昭和三十八年十月一日から施行する。

附　則（昭三八・一二・二七政令三九三）

この政令中予算の調製に関する規定に係る部分は昭和三十九年一月一日から、その他の規定に係る部分は同年四月一日から施行し、改正後の地方自治法施行令の規定中予算の調製に関する規定に係る部分は、昭和三十九年度の予算から適用する。

附　則（昭三九・七・一政令二二四）（抄）

（施行期日）

第一条　この政令は、公布の日から施行する。

附　則（昭三九・八・二五政令二七七）（抄）

（施行期日）

1　この政令は、公布の日から施行する。ただし、〔中略〕附則第六項（地方自治法施行令（昭和二十二年政令第十六号）第百六条、第百十四条、第百十七条及び第百八十四条を改める部分に限る。）〔中略〕の規定は昭和三十九年十二月一日から〔中略〕施行する。

附　則（昭三九・八・二七政令二七八）

この政令は、昭和三十九年九月一日から施行する。

附　則（昭三九・一一・一六政令三四七）（抄）

（施行期日）

1　この政令は、昭和四十年四月一日から施行する。

（旧東京都制施行令の効力）

2　地方自治法施行令附則第二条ただし書の規定によりなお効力を有する旧東京都制施行令第百四十六条及び第百四十七条の規定は、地方自治法第二百八十一条第二項第十三号から第二十号までに掲げる事務及び同法第二百八十一条の三第二項に規定する特別区の区長の権限に属する事務に関しては、その適用はないものとする。

（許認可等に関する経過措置）

3　昭和四十年四月一日において現に効力を有する都知事その他の都の機関が行なつた許可、認可等の処分その他の行為又は同日において現にこれらの機関に対して行なつている許可、認可等の申請その他の行為で、同日以後において特別区の区長その他の機関が管理し、及び執行することとなる事務に係るものは、同日以後においては、特別区の区長その他の機関が行なつた許可、認可等の処分その他の行為又はこれらの機関に対して行なつた許可、認可等の申請その他の行為とみなす。

附　則（昭三九・一一・三〇政令三五八）（抄）

1　この政令は、土地改良法の一部を改正する法律の施行の日（昭和三十九年十二月一日）から施行する。〔ただし書略〕

附　則（昭四〇・六・一〇政令一九八）（抄）

（施行期日）

1　この政令は、公布の日から施行する。

附　則（昭四〇・一二・二八政令三八五）（抄）

（施行期日）

第一条　この政令は、昭和四十一年一月一日から施行する。

附　則（昭四一・三・二九政令五九）

この政令は、昭和四十一年四月一日から施行する。

附　則（昭四一・六・一三政令一八二）

この政令は、公布の日から施行する。

附　則（昭四一・七・五政令二三九）（抄）

（施行期日）

第一条　この政令の規定は、次の各号に掲げる区分に従い、当該各号に定める日〔昭四二・四・一〕から施行する。

（地方自治法施行令の一部改正）

第十条〔略〕

2　前項の規定による改正後の地方自治法施行令第百四十五条第二項の規定は、昭和四十二年度の予算及び決算から適用する。

附　則（昭四一・八・一〇政令二八四）（抄）

1　この政令は、公布の日から施行する。

附　則（昭四一・八・一五政令二八六）（抄）

（施行期日）

第一条　この政令は、昭和四十一年九月三十日から施行する。

附　則（昭四一・九・二九政令三三八）

この政令は、昭和四十一年十月一日から施行する。

附　則（昭四一・一〇・二〇政令三五二）

この政令は、昭和四十二年一月一日から施行する。

附　則（昭四二・八・一政令二二五）（抄）

（施行期日）

1　この政令は、公布の日から施行する。

附　則（昭四二・九・三〇政令三一九）

この政令は、昭和四十二年十月一日から施行する。

附　則（昭四三・四・二七政令一〇七）（抄）

（施行期日）

第一条　この政令は、昭和四十三年七月一日から施行する。

（地方自治法施行令の一部改正）

第三条〔略〕

2　前項の規定による改正後の地方自治法施行令第二百十条の十三第一項の規定は、昭和四十三年度分の特別区財政調整交付金から適用する。

附　則（昭四三・一二・二七政令三四二）

この政令は、昭和四十四年一月一日から施行する。

附　則（昭四四・四・一四政令九四）

1　この政令は、昭和四十四年五月一日から施行する。

2　この政令の施行の際現にその手続が開始されている直接請求については、なお従前の例による。

附　則（昭四四・五・一六政令一一八）（抄）

（施行期日）

第一条　この政令は、昭和四十四年七月二十日から施行する。

附　則（昭四四・六・一二政令一五六）

1　この政令は、昭和四十五年四月一日から施行する。

2　特別徴収義務者が昭和四十五年四月中に地方税法（昭和二十五年法律第二百二十六号）第三百二十一条の五第一項の規定により徴収すべき特別徴収税額に係る市町村民税及び道府県民税については、改正後の地方自治法施行令第百四十二条第一項第一号の規定にかかわらず、なお従前の例による。

附　則（昭四四・六・一三政令一五八）（抄）

（施行期日）

第一条　この政令は、法の施行の日（昭和四十四年六月十四日）から施行する。

附　則（昭四四・八・二五政令二二八）（抄）

（施行期日）

第一条　この政令は、昭和四十四年九月一日から施行する。

附　則（昭四四・八・二六政令二三二）（抄）

（施行期日）

第一条　この政令は、公布の日から施行する。

附　則（昭四四・一二・一六政令二九五）（抄）

（施行期日等）

1　この政令は、公布の日から施行し、改正後の地方自治法施行令第百七十四条の五十五の規定は、昭和四十四年十月一日から適用する。

（琉球政府等の職員としての在職期間中に普通恩給等を受けた都道府県の職員等に関する経過措置）

2　都道府県又は市町村は、改正後の地方自治法施行令第八章の規定により、次に掲げる期間を都道府県の職員又は市町村の教育職員としての在職期間に通算されるべき者又はその遺族に退職年金又は遺族年金を支給する場合において、当該各号に掲げる期間中に支給を受けた普通恩給又は退職年金があるときは、その支給を受けた普通恩給又は退職年金の額の十五分の一（遺族年金にあつては、三十分の一）に相当する額をその年額から控除するものとする。

一　改正後の地方自治法施行令第百七十四条の五十五第一項第一号の二に規定する奄美群島の区域において琉球政府等の職員として在職した期間

二　恩給法等の一部を改正する法律（昭和四十四年法律第九十一号）附則第十三条第二項に規定する琉球諸島民政府職員としての在職期間

3　前項に規定する退職年金又は遺族年金について地方自治法施行令の一部を改正する政令（昭和三十二年政令第二十一号）附則第九条及び地方自治法施行令の一部を改正する政令（昭和三十四年政令第百五十四号）附則第九条の規定を適用する場合には、これらの規定中「その受けた退職年金又は普通恩給の額」とあるのは、「その受けた退職年金又は普通恩給の額（地方自治法施行令の一部を改正する政令（昭和四十四年政令第二百九十五号）附則第二項各号に掲げる期間中に受けた額を除く。）」とする。

附　則（昭四五・三・一二政令一四）

この政令は、公布の日から施行する。

附　則（昭四五・六・二九政令二〇二）（抄）

（施行期日）

第一条　この政令は、公布の日から施行する。

附　則（昭四五・七・六政令二一三）（抄）

（施行期日）

1　この政令は、公布の日から施行する。

附　則（昭四五・九・二九政令二八九）

この政令は、昭和四十五年十月一日から施行する。

附　則（昭四五・一二・二政令三三三）（抄）

（施行期日）

1　この政令は、建築基準法の一部を改正する法律（昭和四十五年法律第百九号。以下「改正法」という。）の施行の日（昭和四十六年一月一日）から施行する。

附　則（昭四六・三・三〇政令六二）（抄）

（施行期日）

第一条　この政令は、昭和四十六年四月一日から施行する。〔ただし書略〕

附　則（昭四六・七・三政令二四〇）（抄）

1　この政令は、公布の日から施行する。

3　前項の規定による改正後の地方自治法施行令第二百十条の十三第一項の規定は、昭和四十六年度分の特別区財政調整交付金から適用する。

附　則（昭四七・四・二八政令一一七）

この政令は、沖縄の復帰に伴う特別措置に関する法律（昭和四十六年法律第百二十九号）の施行の日（昭和四十七年五月十五日）から施行する。

附　則（昭四七・七・一七政令二八四）（抄）

（施行期日）

第一条　この政令は、昭和四十七年九月一日から施行する。〔ただし書略〕

　　附　則（昭四七・九・三〇政令三五五）（抄）

1　この政令は、昭和四十七年十月一日から施行する。

（施行期日）

　　附　則（昭四七・一〇・三一政令三九〇）（抄）

1　この政令は、昭和四十八年一月一日から施行する。

（施行期日）

　　附　則（昭四七・一一・一七政令三九九）（抄）

1　この政令は、土地改良法の一部を改正する法律（昭和四十七年法律第三十七号）の施行の日（昭和四十七年十一月二十二日）から施行する。

　　附　則（昭四八・一〇・一政令二九八）

この政令は、公布の日から施行する。

　　附　則（昭四九・六・一〇政令二〇三）（抄）

（施行期日）

第一条　この政令は、公布の日から施行する。ただし、第二百九条の七から第二百九条の十二までを削る改正規定、第二百十条から第二百十条の九まで及び第二百十条の十三第一項の改正規定、第二百十条の十九及び第二百十条の二十に係る改正規定、附則第四条及び第五条に係る改正規定、附則第六条の次に一条を加える改正規定並びに次条から附則第二十二条までの規定（以下「特別区に関する改正規定」という。）は、昭和五十年四月一日から施行する。

（旧東京都制施行令の効力）

第二条　地方自治法施行令附則第二条第一項ただし書の規定によりなおその効力を有することとされる旧東京都制施行令（昭和十八年勅令第五百九号）第百四十七条の規定は、法律又はこれに基づく政令により市に属する事務で地方自治法第二百八十一条第二項の規定により特別区が処理することとされているもの並びに同法第二百八十一条の三第一項の規定により特別区の区長が管理し、及び執行することとされている事務に関しては、その適用はないものとする。

（許認可等に関する経過措置）

第三条　特別区に関する改正規定の施行の際現に効力を有する都知事その他の都の機関が行つた許可、認可等の処分その他の行為又は特別区に関する改正規定の施行の際現にこれらの機関に対して行つている許可、認可等の申請その他の行為で、特別区に関する改正規定の施行の日以後において特別区の区長その他の機関が管理し、及び執行することとなる事務に係るものは、同日以後においては、特別区の区長その他の機関が行つた許可、認可等の処分その他の行為又はこれらの機関に対して行つた許可、認可等の申請その他の行為とみなす。

2　特別区に関する改正規定の施行の際特別区の存する区域において現に効力を有する建築基準法（昭和二十五年法律第二百一号）第七十条第一項に規定する建築協定については、都が同法第六十九条の規定に基づき制定した条例は、特別区に関する改正規定の施行の日以後特別区により同条の規定に基づく条例が制定施行されるまでの間は、当該特別区が同条の規定に基づき制定した条例としての効力を有するものとする。

（特別区に引き継がれた職員に関する経過措置）

第四条　特別区に関する改正規定の施行の日において地方自治法の一部を改正する法律（昭和四十九年法律第七十一号）附則第五条の規定により特別区に引き継がれた職員（以下この条において「特別区に引き継がれた職員」という。）で特別区に関する改正規定の施行の際現に休職を命ぜられているものの休職又は特別区に引き継がれた職員に対する同日前の事案に係る懲戒処分に関しては、なお従前の例による。この場合において、同日以後懲戒処分を行うこととなるときは、当該懲戒処分に係る者の任命権者が懲戒処分を行うものとする。

2　特別区に引き継がれた職員が特別区に関する改正規定の施行の際現に受けている地方公務員法（昭和二十五年法律第二百六十一号）第三十八条第一項の許可は、当該許可の有効期間の残余の期間（その期間が三月を超えるものにあつては、三月間）については、当該許可に係る者の任命権者が行つたものとみなす。

3　特別区に関する改正規定の施行の日前に、特別区に引き継がれた職員に対して行われた不利益処分に関する説明書の交付、不服申立て、審査及び審査の結果採るべき措置に関しては、なお従前の例による。

　　附　則（昭四九・六・一三政令二〇五）（抄）

（施行期日）

第一条　この政令は、〔中略〕昭和四十九年六月十五日から施行する。

　　附　則（昭四九・一二・二五政令三九四）（抄）

（施行期日）

1　この政令は、〔中略〕昭和五十年三月一日から施行する。

　　附　則（昭五〇・三・一四政令三三）（抄）

1　この政令は、昭和五十年四月一日から施行する。

　　附　則（昭五〇・九・二六政令二七七）（抄）

1　この政令は、昭和五十一年一月一日から施行する。

　　附　則（昭五〇・九・二七政令二八二）（抄）

1　この政令は、昭和五十年十月十四日から施行する。

2　この政令による改正後の〔中略〕地方自治法施行令（昭和二十二年政令第十六号）第百六条、第百八条第一項、第百九条、第百十四条、第百十五条第一項、第百十七条、第百十八条、第百八十四条、第百八十六条第一項及び第百八十七条〔中略〕の規定は、この政令の施行の日以後その期日を公示され又は告示される選挙又は投票について適用し、同日の前日までにその期日を公示され又は告示された選挙又は投票については、なお従前の例による。

　　附　則（昭五〇・一〇・二四政令三〇六）（抄）

（施行期日）

第一条　この政令は、法の施行の日（昭和五十年十一月一日）から施行する。

　　附　則（昭五〇・一一・二〇政令三二九）

1　この政令は、公布の日から施行する。

2　第一条の規定による改正後の地方自治法施行令第百七十四条の五十四及び第百七十四条の五十五並びに第二条の規定による改正後の地方自治法施行令の一部を改正する政令附則第十三条の規定は、昭和五十年八月分以後の月分の退職年金若しくは遺族年金又は普通恩給若しくは扶助料について適用する。

　　附　則（昭五一・三・三一政令五八）（抄）

（施行期日）

第一条　この政令は、昭和五十一年四月一日から施行する。〔た

だし書略〕

（地方自治法施行令の一部改正に伴う経過措置）

第十二条　第五条の規定による改正後の地方自治法施行令第二百十条の十三第一項の規定は、昭和五十一年度分の特別区財政調整交付金から適用する。

附　則（昭五一・六・三〇政令一八〇）

1　この政令は、昭和五十一年七月一日から施行する。

2　改正後の地方自治法施行令の一部を改正する政令附則第十三条の規定は、昭和五十一年七月分以後の月分の退職年金又は遺族年金について適用する。

附　則（昭五二・三・九政令二五）（抄）

（施行期日）

第一条　この政令は、昭和五十二年三月十五日から施行する。

附　則（昭五二・六・七政令一八二）

1　この政令は、昭和五十二年八月一日から施行する。

2　改正後の地方自治法施行令の一部を改正する政令附則第十三条第四項の規定は、昭和五十二年八月分以後の月分の退職年金又は遺族年金について適用する。

附　則（昭五二・七・二二政令二四〇）

1　この政令は、公布の日から施行する。

2　この政令の施行の際現に効力を有する地方自治法第九十六条第一項第五号の規定に基づく条例が改正後の地方自治法施行令第百二十一条の二第一項及び別表第一に規定する基準（以下「新令の基準」という。）に適合しないこととなる場合における同号に規定する契約に係る基準については、昭和五十二年十二月三十一日以前において新令の基準に従い当該条例の改正が行われるまでの間に限り、なお従前の例による。

附　則（昭五三・六・一政令二二一）

1　この政令は、昭和五十三年十月一日から施行する。

2　改正後の地方自治法施行令の一部を改正する政令附則第十三条の規定は、昭和五十三年十月分以後の月分の退職年金又は遺族年金について適用する。

附　則（昭五四・九・二六政令二五九）

1　この政令は、昭和五十四年十月一日から施行する。

2　第一条の規定による改正後の地方自治法施行令及び第二条の規定による改正後の地方自治法施行令の一部を改正する政令の規定は、昭和五十四年十月分以後の月分の退職年金若しくは遺族年金又は普通恩給若しくは扶助料について適用する。

附　則（昭五四・一二・二五政令三〇四）

この政令は、公布の日から施行する。

附　則（昭五五・五・三一政令一五三）

1　この政令は、昭和五十五年十二月一日から施行する。

2　改正後の地方自治法施行令の一部を改正する政令附則第十三条の規定は、昭和五十五年十二月分以後の月分の退職年金又は遺族年金について適用する。

附　則（昭五六・四・一四政令一二三）（抄）

（施行期日）

1　この政令は、公職選挙法の一部を改正する法律（昭和五十六年法律第二十号）の施行の日（昭和五十六年五月十八日）から施行する。

附　則（昭五六・八・三政令二六八）（抄）

（施行期日）

第一条　この政令は、昭和五十六年十月一日から施行する。

附　則（昭五七・一・七政令三）（抄）

（施行期日）

第一条　この政令は、昭和四十二年度以後における地方公務員等共済組合法の年金の額の改定等に関する法律等の一部を改正する法律（昭和五十六年法律第七十三号）第四条の規定の施行の日（昭和五十七年四月一日）から施行する。

附　則（昭五七・一・一六政令六）（抄）

（施行期日）

第一条　この政令は、昭和五十七年四月一日から施行する。

附　則（昭五七・七・二三政令二〇二）

この政令は、公布の日から施行する。

附　則（昭五七・九・一政令二四〇）

この政令は、昭和五十七年十月一日から施行する。

附　則（昭五七・一〇・一政令二八一）（抄）

（施行期日）

1　この政令は、土地区画整理法の一部を改正する法律（昭和五十七年法律第五十二号）の施行の日（昭和五十七年十月二日）から施行する。〔ただし書略〕

附　則（昭五七・一一・二四政令三〇三）

この政令は、昭和五十八年四月一日から施行する。

附　則（昭五八・一・二一政令六）（抄）

（施行期日）

第一条　この政令は、老人保健法の施行の日（昭和五十八年二月一日）から施行する。

附　則（昭五八・二・二二政令一六）（抄）

（施行期日等）

第一条　この政令は、公布の日から施行する。

第四条　第二条から第五条までの規定による改正後の地方自治法施行令（中略）の規定は、施行日以後にその期日を告示される投票、審査又は選挙について適用し、施行日の前日までにその期日を告示された投票、審査又は選挙については、なお従前の例による。

附　則（昭五八・三・八政令一九）

この政令は、公布の日から施行する。

附　則（昭五八・五・一六政令一〇五）（抄）

1　この政令は、公布の日から施行する。

3　第二条の規定による改正後の地方自治法施行令第二百十条の十三第一項の規定は、昭和五十八年度分の特別区財政調整交付金から適用する。

附　則（昭五八・七・一五政令一六一）（抄）

（施行期日）

第一条　この政令は、地方公務員等共済組合法の一部を改正する法律（昭和五十八年法律第五十九号。以下「昭和五十八年法律第五十九号」という。）の施行の日（昭和五十九年四月一日）から施行する。

附　則（昭五八・一一・二九政令二四二）（抄）

（施行期日）

第一条　この政令は、公布の日から施行する。

（改正後の地方自治法施行令等の適用区分）

第三条　第二条の規定による改正後の地方自治法施行令（中略）の規定は、施行日から起算して三月を経過した日以後その期日を告示される投票又は選挙について適用し、施行日から起算して三月を経過した日前にその期日を告示される投票又は選挙については、なお従前の例による。

附　則（昭五八・一二・一〇政令二五五）

この政令は、公布の日から施行する。〔ただし書略〕

附　則（昭五九・三・一三政令二六）

この政令は、公布の日から施行する。

附　則（昭五九・三・一六政令三二）（抄）

1　この政令は、昭和五十九年四月一日から施行する。

附　則（昭五九・三・一七政令三五）（抄）

（施行期日）

第一条　この政令は、国家公務員及び公共企業体職員に係る共済組合制度の統合等を図るための国家公務員共済組合法等の一部を改正する法律の施行の日（昭和五十九年四月一日）から施行する。

附　則（昭五九・四・二七政令一一六）

この政令は、昭和五十九年十月一日から施行する。

附　則（昭六〇・三・一五政令三一）（抄）

（施行期日）

第一条　この政令は、昭和六十年四月一日から施行する。

附　則（昭六〇・三・二六政令四一）

この政令は、公布の日から施行する。

附　則（昭六〇・七・一二政令二二五）（抄）

1　〔前略〕第十条の規定（地方自治法施行令第百七十四条の二十六第一項及び第三項の改正規定、同項の次に一項を加える改正規定並びに第百七十四条の二十七第二項、第百七十四条の三十一第二項及び第百七十四条の四十二第二号の改正規定に限る。）は、地方公共団体の事務に係る国の関与等の整理、合理化等に関する法律附則第一条第五号に定める日（昭和六十一年一月十二日）から施行する。

附　則（昭六〇・八・二政令二四六）

この政令は、浄化槽法の施行の日（昭和六十年十月一日）から施行する。

附　則（昭六一・三・二八政令三九）

この政令は、公布の日から施行する。

附　則（昭六一・三・三一政令八三）

この政令は、昭和六十一年四月一日から施行する。

附　則（昭六一・五・八政令一五〇）

この政令は、公布の日から施行する。

附　則（昭六一・五・三〇政令一八六）

この政令は、公布の日から施行する。

附　則（昭六二・一・一三政令四）（抄）

1　この政令は、昭和六十二年四月一日から施行する。

附　則（昭六二・三・二〇政令五四）（抄）

（施行期日）

第一条　この政令は、昭和六十二年四月一日から施行する。

附　則（昭六二・三・三一政令八五）

この政令は、公布の日から施行する。

附　則（昭六三・三・三一政令六七）

この政令は、公布の日から施行する。

附　則（昭六三・三・三一政令七七）（抄）

（施行期日）

第一条　この政令は、昭和六十三年四月一日から施行する。〔ただし書略〕

附　則（昭六三・四・八政令八七）（抄）

（施行期日）

1　この政令は、公布の日から施行する。

附　則（昭六三・七・一二政令二二二）（抄）

（施行期日）

第一条　この政令は、農用地開発公団法の一部を改正する法律（以下「改正法」という。）の施行の日（昭和六十三年七月二十三日）から施行する。

附　則（昭六三・一二・三〇政令三六三）（抄）

（施行期日）

第一条　この政令は、昭和六十四年四月一日から施行する。〔ただし書略〕

附　則（昭六三・一二・三〇政令三六五）

この政令は、昭和六十四年四月一日から施行する。

附　則（平元・三・二九政令七四）

この政令は、公布の日から施行する。

附　則（平二・一・二六政令九）

この政令は、平成二年二月一日から施行する。

附　則（平二・二・一七政令一五）

この政令は、へい獣処理場等に関する法律の一部を改正する法律の施行の日（平成二年五月一日）から施行する。

附　則（平二・三・三〇政令八二）

この政令は、公布の日から施行する。

附　則（平二・一一・九政令三二五）（抄）

（施行期日）

1　この政令は、大都市地域における住宅地等の供給の促進に関する特別措置法の一部を改正する法律（平成二年法律第六十二号）の施行の日（平成二年十一月二十日）から施行する。

附　則（平二・一二・七政令三四七）（抄）

この政令は、平成三年一月一日から施行する。ただし、〔中略〕第七条中地方自治法施行令第百七十四条の二十六第五項の改正規定（「並びに第五十五条」を「、第五十五条並びに第五十五条の二」に改める部分に限る。）、同条第六項の改正規定（「第五十一条第一号」を「第五十一条第一号の二」に改める部分に限る。）、同令第百七十四条の二十八第五項の改正規定（「第三十七条の二各号列記以外の部分」を「同法第三十七条の二第一項」に改める部分及び「同条第五号」を「同項第五号」に改める部分に限る。）及び同令第百七十四条の三十一の二第二項の改正規定（「第二十四条第一項」の下に「及び第二項」を加える部分に限る。）〔中略〕は、同年四月一日から施行する。

附　則（平三・三・二九政令五八）

この政令は、公布の日から施行する。

附　則（平三・四・二政令一〇三）（抄）

（施行期日）

第一条　この政令は、公布の日から施行する。

附　則（平三・九・二五政令三〇四）（抄）

（施行期日）

第一条　この政令は、平成三年十月一日から施行する。

附　則（平四・三・二七政令五三）

この政令は、公布の日から施行する。

附　則（平四・九・三〇政令三一一）（抄）

1　この政令は、平成五年四月一日から施行する。

附　則（平四・一二・一六政令三七八）（抄）

（施行期日）

1　〔前略〕地方自治法施行令（昭和二十二年政令第十六号）第百六条、第百十四条、第百十七条及び第百八十四条の改正規定（「第百四十七条第一項及び第二項」を「第百四十六条第一項及び第二項」に改める部分に限る。）は、次の総選挙から施行する。

附　則（平五・三・一二政令三四）

1　この政令は、公布の日から施行する。

2　この政令の施行の際現に効力を有する地方自治法第九十六条第一項第五号の規定に基づく条例が改正後の地方自治法施行令第百二十一条の二第一項及び別表第一に規定する基準（以下「新令の基準」という。）に適合しないこととなる場合における同号の契約に係る基準については、平成五年十月三十一日以前においては新令の基準に従い当該条例の改正が行われるまでの間に限り、なお従前の例による。

附　則（平五・三・二六政令五七）

この政令は、公布の日から施行する。

附　則（平五・一二・一政令三七八）（抄）

この政令は、平成六年四月一日から施行する。〔ただし書略〕

附　則（平六・三・三〇政令八九）

この政令は、公布の日から施行する。

附　則（平六・七・一政令二二三）

この政令は、公布の日から施行する。

附　則（平六・七・八政令二二四）

この政令は、地方自治法の一部を改正する法律（平成六年法律第四十八号）附則第一項ただし書に規定する規定の施行の日から施行する。

附　則（平六・八・一七政令二六六）（抄）

（施行期日）

第一条　この政令は、平成六年十月一日から施行する。〔ただし書略〕

附　則（平六・九・二政令二八二）（抄）

（施行期日）

第一条　この政令は、平成六年十月一日から施行する。〔ただし書略〕

附　則（平六・九・一九政令三〇三）（抄）

（施行期日）

第一条　この政令は、行政手続法の施行の日（平成六年十月一日）から施行する。

附　則（平六・一一・一一政令三五一）

この政令は、公布の日から施行する。

附　則（平六・一一・二五政令三六九）（抄）

（施行期日）

第一条　この政令は、公職選挙法の一部を改正する法律（平成六年法律第二号）の施行の日から施行する。

（改正後の地方自治法施行令等の適用区分）

第五条　第二条から第五条までの規定による改正後の地方自治法施行令、最高裁判所国民審査法施行令、漁業法施行令及び農業委員会等に関する法律施行令の規定は、施行日以後にその期日を告示される投票、審査又は選挙について適用し、施行日の前日までにその期日を告示された投票、審査又は選挙については、なお従前の例による。

2　〔略〕

附　則（平六・一二・二一政令三九七）

この政令は、地方自治法の一部を改正する法律（平成六年法律第四十八号）中〔中略〕第二編第十二章の改正規定並びに別表第二第一号（十一）の改正規定、同号（十二）の次に次のように加える改正規定（中核市に係る部分に限る。）、別表第四第一号（一の四）中「指定都市」の下に「及び中核市」を加え、同号中（一の四）を（一の五）とし、（一の三）を（一の四）とし、（一の二）の次に次のように加える改正規定（「指定都市」の下に「及び中核市」を加える部分に限る。）、同号（十七）の改正規定、同号（十九の三）の改正規定（「指定都市」の下に「及び中核市」を加える部分に限る。）、同号（十九の七）、（十九の九）、（十九の十一）、（二十一の二）及び（二十三）の改正規定、同号（二十三）の次に次のように加える改正規定、同表第三号（四）の改正規定並びに別表第七第二号の表の改正規定の施行の日（平成七年四月一日）から施行する。

附　則（平六・一二・二六政令四一一）（抄）

（施行期日）

第一条　この政令は、ガス事業法の一部を改正する法律（平成六年法律第四十二号）の施行の日（平成七年三月一日）から施行する。

附　則（平七・三・二九政令一〇二）（抄）

（施行期日）

1　この政令は、平成七年四月一日から施行する。

附　則（平七・三・三一政令一四一）

この政令は、公布の日から施行する。

附　則（平七・五・二四政令二一四）（抄）

（施行期日）

1　この政令は、都市再開発法等の一部を改正する法律の一部の施行の日（平成七年五月二十五日）から施行する。

附　則（平七・六・一四政令二三七）

1　この政令は、地方自治法の一部を改正する法律中地方自治法目次の改正規定（「第三章　地方公共団体の組合」を

「第三章　地方公共団体の組合
　第一節　総則
　第二節　一部事務組合
　第三節　広域連合
　第四節　全部事務組合
　第五節　役場事務組合
　第六節　雑則」

に改める部分に限る。）及び第三編第三章の改正規定の施行の日（平成七年六月十五日）から施行する。

2　改正後の地方自治法施行令第百六条、第百八条、第百九条（同令第百十三条及び第百十六条の二において準用する場合を含む。）、第百十三条から第百十五条まで、第百十七条、第百十八条、第百八十六条及び第百八十七条の規定は、この政令の施行の日以後にその期日を告示される投票について適用し、同日の前日までにその期日を告示された投票については、なお従前の例による。

附　則（平七・一〇・一八政令三五九）（抄）

（施行期日）

第一条　この政令は、電気事業法の一部を改正する法律（以下「改正法」という。）の施行の日（平成七年十二月一日）から施行する。

附則（平七・一二・二〇政令四一八）（抄）

（施行期日）

第一条　この政令は、公布の日から施行する。

附則（平八・一・四政令一）

（施行期日）

1　この政令は、平成八年四月一日（次項において「施行日」という。）から施行する。

（経過措置）

2　この政令の施行の際精神保健及び精神障害者福祉に関する法律の規定により都道府県若しくは都道府県知事その他の都道府県の機関がした処分その他の行為で現にその効力を有するもの又は施行日前に同法の規定により都道府県知事に対してなされた申請、届出その他の行為（以下「申請等」という。）で、施行日以後において地方自治法第二百五十二条の十九第一項の指定都市（以下「指定都市」という。）又は指定都市の市長その他の機関が処理し又は管理し及び執行することとなる事務に係るものは、施行日以後においては、指定都市若しくは指定都市の市長その他の機関のした処分その他の行為又は指定都市の市長に対してなされた申請等とみなす。ただし、施行日前に精神保健及び精神障害者福祉に関する法律に基づき行われ、又は行われるべきであった措置に関する費用の支弁、負担及び徴収については、なお従前の例による。

附則（平八・三・二五政令四七）

この政令は、平成八年四月一日から施行する。

附則（平八・三・二七政令五〇）

この政令は、公布の日から施行する。

附則（平八・八・二三政令二四八）（抄）

（施行期日）

1　この政令は、公営住宅法の一部を改正する法律の施行の日（平成八年八月三十日）から施行する。

附則（平九・二・一九政令一七）（抄）

（施行期日）

第一条　この政令は、平成九年四月一日から施行する。

（地方自治法施行令の一部改正に伴う経過措置）

第三条　第三条の規定による改正後の地方自治法施行令（次項において「新地方自治法施行令」という。）第二百十条の十三第一項の規定は、平成九年度分の特別区財政調整交付金から適用する。

2　平成九年度分の特別区財政調整交付金に係る新地方自治法施行令第二百十条の十三第一項に規定する基準財政収入額の算定に限り、同項中「交通安全対策特別交付金の額並びに地方税法等の一部を改正する法律（平成六年法律第百十一号。以下この項において「地方税法等改正法」という。）附則第十四条第一項の規定により特別区に譲与するものとされる廃止前の消費譲与税に相当する額（以下この項において「消費譲与税相当額」という。）」と、「自動車取得税交付金の収入見込額の百分の七十五の率を百分の八十五とし」とあるのは「自動車取得税交付金の収入見込額の百分の七十五の率を百分の八十五とし、消費譲与税相当額にあつては地方税法等改正法附則第二十一条第一項の消費譲与税相当額の収入見込額の百分の七十五の率を百分の八十五とし」と、「同条第一項及び」とあるのは「地方交付税法第十四条第一項及び」と、「同法附則第七条」とあるのは「同法附則第七条並びに地方税法等改正法附則第二十一条」とする。

附則（平九・三・一九政令三七）（抄）

（施行期日）

第一条　この政令は、平成九年四月一日から施行する。

（経過措置）

第二条　この政令の施行の際社会福祉事業法第七章の規定により都道府県知事がした処分その他の行為で現にその効力を有するもの又はこの政令の施行の日（以下この条において「施行日」という。）前に同章の規定により都道府県知事に対してなされた申請、届出その他の行為（以下この条において「申請等」という。）で、施行日以後において地方自治法第二百五十二条の十九第一項の指定都市又は同法第二百五十二条の二十二第一項の中核市の市長（以下この条において「指定都市等の市長」という。）が管理し及び執行することとなる事務に係るものは、施行日以後においては、指定都市等の市長のした処分その他の行為又は指定都市等の市長に対してなされた申請等とみなす。

附則（平九・三・二六政令七一）

この政令は、公布の日から施行する。

附則（平九・三・二八政令八四）（抄）

（施行期日）

第一条　この政令は、平成九年四月一日から施行する。

附則（平九・九・二五政令二九一）（抄）

（施行期日）

第一条　この政令は、平成十年四月一日から施行する。

附則（平九・一二・一九政令三六四）

この政令は、平成十年一月一日から施行する。

附則（平一〇・一・三〇政令一六）（抄）

（施行期日）

第一条　この政令は、公職選挙法の一部を改正する法律（平成九年法律第百二十七号）の施行の日（平成十年六月一日）から施行する。

附則（平一〇・二・一八政令二四）（抄）

（施行期日）

第一条　この政令は、平成十年四月一日から施行する。ただし、（中略）次条から附則第四条までの規定は、平成十一年四月一日から施行する。

附則（平一〇・三・二七政令七四）

この政令は、公布の日から施行する。

附則（平一〇・七・二三政令二六〇）

この政令は、地方自治法の一部を改正する法律（平成九年法律第六十七号）附則第一条第二号に掲げる規定の施行の日（平成十年十月一日）から施行する。

附則（平一〇・一一・二六政令三七二）

この政令は、平成十一年四月一日から施行する。

附則（平一〇・一二・一一政令三八八）（抄）

（施行期日）

第一条　この政令は、平成十一年五月一日から施行する。ただし、（中略）附則第六条中地方自治法施行令（昭和二十二年政令第十六号）第百六条の改正規定、同令第百九条の改正規定（「第三十七条第三項及び第四項」の下に「、第四十二条（在外選挙人名簿に関する部分に限る。）」を加える部分、「第四十六条の二」の下に「、第四十九条の二、第五十五条（在外選挙人名簿に関する部分に限る。）、第五十六条（在外選挙人名簿に関する部分に限る。）」を加える部分、「第二百六十三条第五号の二」を「第二百六十三条第四号の二、第四号の三及び第五号の二」に改める部分（第四号の三に係る部分に限る。）及び「から第二百六十八条まで」の下に「、第二百六十九条の二、第二百七十条第一項（在外選挙人名簿及び在外投票に関する部分に限る。）及び第二項、第二百七十条の二（在外投票に関する部分に限る。）」を加える部分（第二百六十九条の二に係る部分、第二百七十条第二項中在外投票に関する部分に係る部分及び第二百七十条の二に係る部分に限る。）に限る。）、同令第百十四条、第百十七条及び第百八十四条の改正規定、同令第百八十七条の改正規定（「第三十八条第三項」の下に「、第四十二条（在外選挙人名簿に関する部分に限る。）」を加える部分、「第四十六条の二」の下に「、第四十九条の二、第五十五条（在外選挙人名簿に関する部分に限る。）、第五十六条（在外選挙人名簿に関する部分に限る。）」を加える部分、「第二百六十三条第五号の二」を「第二百六十三条第四号の二、第四号の三及び第五号の二」に改める部分（第四号の三に係る部分に限る。）及び「から第二百六十八条まで」の下に「、第二百六十九条の二、第二百七十条第一項（在外選挙人名簿及び在外投票に関する部分に限る。）及び第二項、第二百七十条の二（在外投票に関する部分に限る。）」を加える部分（第二百六十九条の二に係る部分、第二百七十条第二項中在外投票に関する部分に係る部分及び第二百七十条の二に係る部分に限る。）に限る。）、同令第二百十三条の五の改正規定、同令第二百十三条の七の改正規定（「第三十七条第三項及び第四項」の下に「、第四十二条（在外選挙人名簿に関する部分に限る。）」を加える部分、「第四十六条の二」の下に「、第四十九条の二、第五十五条（在外選挙人名簿に関する部分に限る。）、第五十六条（在外選挙人名簿に関する部分に限る。）」を加える部分、「第二百六十三条第五号の二」を「第二百六十三条第四号の二、第四号の三及び第五号の二」に改める部分（第四号の三に係る部分に限る。）及び「から第二百六十八条まで」の下に「、第二百六十九条の二、第二百七十条第一項（在外選挙人名簿及び在外投票に関する部分に限る。）及び第二項、第二百七十条の二（在外投票に関する部分に限る。）」を加える部分（第二百六十九条の二に係る部分、第二百七十条第二項中在外投票に関する部分に係る部分及び第二百七十条の二に係る部分に限る。）並びに同令第二百十四条の四及び第二百十五条の四の改正規定〔中略〕の規定は、平成十二年五月一日から施行する。

附　則（平一〇・一二・二八政令四二一）

この政令は、平成十一年四月一日から施行する。

附　則（平一一・一・一三政令五）

この政令は、建築基準法の一部を改正する法律の一部の施行の日（平成十一年五月一日）から施行する。

附　則（平一一・二・一七政令二五）

この政令は、公布の日から施行する。

附　則（平一一・三・二五政令四八）

この政令は、公布の日から施行する。

附　則（平一一・八・一八政令二五六）（抄）

（施行期日）

第一条　この政令は、都市基盤整備公団法（以下「公団法」という。）の一部の施行の日（平成十一年十月一日）から施行する。

附　則（平一一・九・二〇政令二七六）（抄）

（施行期日）

第一条　この政令は、雇用・能力開発機構法（以下「法」という。）の一部の施行の日（平成十一年十月一日）から施行する。

附　則（平一一・九・二九政令三〇六）（抄）

（施行期日）

第一条　この政令は、平成十一年十月一日から施行する。

（地方自治法施行令の一部改正に伴う経過措置）

第二条　この政令の施行の日（以下「施行日」という。）以後に改正後の緑資源公団法（昭和三十一年法律第八十五号。以下「新法」という。）附則第十三条第一項の規定により公団が旧農用地整備公団法（昭和四十九年法律第四十三号）附則第十九条第一項の業務のうち農用地開発公団法の一部を改正する法律（昭和六十三年法律第四十四号）による改正前の農用地開発公団法（以下「旧農用地開発公団法」という。）第十九条第一項第一号イ若しくはロの事業又は新法附則第十三条第一項の業務のうち旧農用地整備公団法第十九条第一項第一号イの事業を行う場合には、地方自治法施行令第百七十九条中「の事業」とあるのは「の事業若しくは同法附則第十三条第一項に規定する旧農用地整備公団法（昭和四十九年法律第四十三号）附則第十九条第一項の業務のうち農用地開発公団法の一部を改正する法律（昭和六十三年法律第四十四号）による改正前の農用地開発公団法第十九条第一項第一号イ若しくはロの事業若しくは緑資源公団法附則第十三条第一項の業務のうち旧農用地整備公団法第十九条第一項第一号イの事業」と、「並びに緑資源公団法第二十二条の四第二項」とあるのは「、緑資源公団法第二十二条の四第二項、同法附則第十三条第二項の規定によりなおその効力を有するものとされる旧農用地整備公団法附則第十九条第二項の規定によりなおその効力を有するものとされる農用地開発公団法の一部を改正する法律による改正前の農用地開発公団法第二十三条第二項並びに緑資源公団法附則第十三条第二項の規定によりなおその効力を有するものとされる旧農用地整備公団法第二十三条第二項」とする。

附　則（平一一・一〇・一政令三一二）（抄）

（施行期日）

第一条　この政令は、地方自治法等の一部を改正する法律（平成十年法律第五十四号。以下「法」という。）の施行の日（平成十二年四月一日。以下「施行日」という。）から施行する。〔ただし書略〕

（旧東京都制施行令の効力）

第二条　地方自治法施行令附則第二条第一項ただし書の規定によりなおその効力を有することとされる旧東京都制施行令（昭和十八年勅令第五百九号）第百四十七条の規定は、法律又はこれに基づく政令により市に属する事務で地方自治法（昭和二十二年法律第六十七号）第二百八十一条第二項の規定により特別区が処理することとされているもの並びに同法第二百八十一条の七第一項の規定により特別区の区長が管理し、及び執行することとされている事務に関しては、その適用はないものとする。

（地方自治法施行令の一部改正に伴う経過措置）

第三条　この政令の施行の際現に第一条の規定による改正前の地

方自治法施行令（以下「旧地方自治法施行令」という。）第二百九条第二項の規定により関係特別区の同意を得ている特別区の廃置分合又は境界変更の手続については、なお従前の例による。

2　この政令の施行の際現に旧地方自治法施行令第二百九条の二第一項の規定により関係市町村の申請がされている都内の市町村の区域の全部又は一部による特別区の設置の手続については、なお従前の例による。

3　この政令の施行の際現に旧地方自治法施行令第二百九条の三第一項の規定により関係市町村の申請がされている都内の市町村の廃置分合又は境界変更を伴う特別区の境界変更の手続については、なお従前の例による。

4　この政令の施行の際現に旧地方自治法施行令第二百九条の四第一項の規定により都並びに関係のある道府県及び市町村の申請がされている都と道府県との境界にわたる特別区の境界の変更の手続については、なお従前の例による。

5　この政令の施行の際現に旧地方自治法施行令第二百九条の五第一項の規定により関係特別区の申請がされている特別区の境界に関する争論又は同項の規定により職権により地方自治法第二百五十一条の規定による調停に付されている特別区の境界に関する争論については、なお従前の例による。

6　この政令の施行の際現に旧地方自治法施行令第二百九条の六第一項後段の規定により都並びに関係のある道府県及び市町村の同意を得ている公有水面のみに係る特別区の境界変更で都と道府県との境界にわたるものの手続については、なお従前の例による。

7　施行日前において旧地方自治法施行令第二百十条の十及び第二百十条の十四第一項の規定により都が納付させなければならないこととされていた納付金の納付については、なお従前の例による。

（都が設置した一般廃棄物処理施設に関する経過措置）

第十条　法附則第六条に規定する一般廃棄物処理施設（次条において「都設置一般廃棄物処理施設」という。）を都が施行日に特別区に譲渡した場合にあっては、特別区は、同条に規定する届出を行った都の地位を承継する。

第十一条　都設置一般廃棄物処理施設を都が施行日以後において引き続き保有している場合にあっては、当該都設置一般廃棄物処理施設を設置する都は、廃棄物の処理及び清掃に関する法律（昭和四十五年法律第百三十七号。以下この条及び次条において「廃棄物処理法」という。）第八条第一項の許可を受けたものとみなす。

2　前項の規定により廃棄物処理法第八条第一項の許可を受けたものとみなされた都が施行日後に都設置一般廃棄物処理施設を特別区に譲渡した場合にあっては、特別区は、当該許可を受けたものとみなされた都の地位に相当する廃棄物処理法第九条の三第一項の規定による届出に係る地位を承継したものとみなす。

（一般廃棄物に係る支障の除去等の措置に関する経過措置）

第十二条　都が講じた廃棄物処理法第十九条の四第一項に規定する支障の除去等の措置（法第十七条の規定による改正前の地方自治法の一部を改正する法律（昭和四十九年法律第七十一号）附則第二十四条の規定により読み替えて適用される法第十四条の規定による改正前の廃棄物処理法第二十三条の三の規定により読み替えて適用される廃棄物処理法第十九条の四第一項第一号に掲げる場合に限る。）に係る廃棄物処理法第十九条の五第二項の規定による費用の負担については、なお従前の例による。

（許認可等に関する経過措置）

第十三条　施行日前に法による改正前のそれぞれの法律若しくはこの政令による改正前のそれぞれの政令の規定により都知事その他の都の機関が行った許可等の処分その他の行為（以下この条において「処分等の行為」という。）又は施行日前に法による改正前のそれぞれの法律若しくはこの政令による改正前のそれぞれの政令の規定によりこれらの機関に対してされた許可等の申請その他の行為（以下この条において「申請等の行為」という。）で、施行日において特別区の区長その他の機関がこれらの行為に係る行政事務を行うこととなるものは、別段の定めがあるもののほか、施行日以後における法による改正後のそれぞれの法律又はこの政令による改正後のそれぞれの政令の適用については、法による改正後のそれぞれの法律若しくはこの政令による改正後のそれぞれの政令の相当規定によりされた処分等の行為又は申請等の行為とみなす。

2　施行日前に法による改正前のそれぞれの法律又はこの政令による改正前のそれぞれの政令の規定により都知事その他の機関に対し報告、届出その他の手続をしなければならない事項で、施行日前にその手続がされていないものについては、別段の定めがあるもののほか、これを、法による改正後のそれぞれの法律又はこの政令による改正後の政令の相当規定により特別区の区長その他の相当の機関に対して報告、届出その他の手続をしなければならない事項についてその手続がされていないものとみなして、法による改正後のそれぞれの法律又はこの政令による改正後のそれぞれの政令の規定を適用する。

（職員の引継ぎ）

第十四条　施行日の前日において現に都又は都知事若しくは都の委員会その他の機関が処理し、又は管理し、及び執行している事務で施行日以後法律又はこれに基づく政令により特別区又は特別区の区長若しくは特別区の委員会その他の機関が処理し、又は管理し、及び執行することとなるもの（次項において「特定事務」という。）に専ら従事していると認められる都の職員（以下この条において「特定都職員」という。）は、施行日において、都において正式任用されていた者にあっては引き続き当該特別区の相当の職員に正式任用され、都において条件付採用期間中であった者にあっては引き続き条件付きで当該特別区の相当の職員となるものとする。

2　施行日前に、地方自治法第二百五十二条の十七第一項の規定に基づき特別区の区長又は委員会若しくは委員が特定事務の処理又は管理及び執行のため派遣を求め、その求めに応じて六年以内の期間を定めて施行日から派遣することとされた特定都職員は、前項の規定にかかわらず、その派遣の期間が満了する日の翌日において、都において正式任用されていた者にあっては引き続き当該特別区の相当の職員に正式任用され、都において条件付採用期間中であった者にあっては引き続き条件付きで当該特別区の相当の職員となるものとする。

3　前二項の規定により引き続き条件付きで特別区の相当の職員となる者の当該特別区における条件付採用期間には、その者の都における条件付採用期間を通算するものとする。

4　特定都職員でその引継ぎについて第一項又は第二項の規定により難いものをいずれの特別区が引き継ぐかについては、都知事と各特別区の区長とが協議して定めるものとする。

（罰則に関する経過措置）

第十五条　この政令の施行前にした行為及びこの政令の附則において従前の例によることとされる場合におけるこの政令の施行後にした行為に対する罰則の適用については、なお従前の例による。

附　則（平一一・一〇・一四政令三二四）（抄）

（施行期日）

第一条　この政令は、平成十二年四月一日から施行する。ただし、次の各号に掲げる規定は、当該各号に定める日から施行する。

一　〔略〕

二　第一条中地方自治法施行令第九十二条第五項第四号の改正規定、第七条中公職選挙法施行令第八条第一項の改正規定及び附則第九条の規定　平成十五年一月一日

（地方自治法施行令の一部改正に伴う経過措置）

第二条　この政令の施行の際現に行われている第一条の規定による改正前の地方自治法施行令（以下「旧地方自治法施行令」という。）第百七十四条の四十九の十七の規定により中核市又は中核市の市長その他の機関に適用される都市計画法第三十四条第十号及び都市計画法施行令第三十六条第一項第三号ハの規定により開発審査会の議を経ることとされている手続のうちこの政令の施行の日（以下「施行日」という。）前に当該議を経たものについては、第一条の規定による改正後の地方自治法施行令（以下「新地方自治法施行令」という。）第百七十四条の四十九の十七第一項の規定にかかわらず、都市計画法第三十四条第十号の規定（開発審査会の議を経る部分に限る。）及び都市計画法施行令第三十六条第一項第三号ハの規定（開発審査会の議を経る部分に限る。）は、適用しない。

2　旧地方自治法施行令第百七十四条の四十九の十七の規定により中核市又は中核市の市長その他の機関に適用される地方分権の推進を図るための関係法律の整備等に関する法律第四百三十七条の規定による改正前の都市計画法（以下「旧都市計画法」という。）第二十九条、第三十五条の二第一項、第四十一条第二項ただし書、第四十二条第一項ただし書若しくは第四十三条第一項の規定又はこれらの規定に基づく処分に違反した者に対する旧都市計画法第八十一条第一項の規定に基づく監督処分に係る旧都市計画法第五十条第一項又は第四項の規定による審査請求又は再審査請求については、新地方自治法施行令第百七十四条の四十九の十七第一項の規定にかかわらず、なお従前の例による。

第三条　施行日前に旧地方自治法施行令第二百十九条第二項の規定によりされた承認又はこの政令の施行の際現に同項の規定によりされている承認の申請は、それぞれ新地方自治法施行令第二百十九条第二項の規定によりされた同意又は協議の申出とみなす。

第四条　新地方自治法施行令附則第二条第一項ただし書の規定によりなおその効力を有することとされる旧東京都制施行令（昭和十八年勅令第五百九号）第百四十七条の規定は、法律又はこれに基づく政令により市が処理することとされている事務で地方自治法第二百八十一条第二項の規定により特別区が処理することとされているものに関しては、その適用はないものとする。

附　則（平一一・一一・一〇政令三五二）（抄）

（施行期日）

第一条　この政令は、平成十二年四月一日から施行する。

附　則（平一一・一一・一二政令三五四）（抄）

（施行期日）

第一条　この政令は、平成十二年五月一日から施行する。〔ただし書略〕

附　則（平一一・一二・八政令三九三）（抄）

（施行期日）

第一条　この政令は、平成十二年四月一日から施行する。〔ただし書略〕

附　則（平一一・一二・一〇政令四〇一）

この政令は、鉄道事業法の一部を改正する法律附則第一条の政令で定める日（平成十二年三月一日）から施行する。

附　則（平一一・一二・二七政令四三一）（抄）

（施行期日）

第一条　この政令は、平成十二年三月二十一日から施行する。

附　則（平一二・一・二一政令一一）

この政令は、精神保健及び精神障害者福祉に関する法律等の一部を改正する法律の施行の日（平成十二年四月一日）から施行する。

附　則（平一二・二・一六政令三七）（抄）

（施行期日）

第一条　この政令は、平成十二年四月一日から施行する。

附　則（平一二・三・三政令五五）（抄）

1　この政令は、平成十二年四月一日から施行する。

附　則（平一二・三・二九政令一一七）

この政令は、公布の日から施行する。

附　則（平一二・三・三一政令一四四）（抄）

（施行期日）

第一条　この政令は、平成十二年四月一日から施行する。〔ただし書略〕

附　則（平一二・三・三一政令一四五）（抄）

（施行期日）

第一条　この政令は、平成十二年四月一日から施行する。〔ただし書略〕

附　則（平一二・三・三一政令一四八）（抄）

（施行期日）

第一条　この政令は、平成十二年四月一日から施行する。〔ただし書略〕

附　則（平一二・三・三一政令一六九）（抄）

（施行期日）

第一条　この政令は、〔中略〕公布の日から施行する。

附　則（平一二・三・三一政令一八九）（抄）

1　この政令は、平成十二年四月一日から施行する。

附　則（平一二・四・一九政令二〇一）

この政令は、平成十三年四月一日から施行する。

附　則（平一二・四・二八政令二一六）（抄）

（施行期日）

第一条　この政令は、大豆なたね交付金暫定措置法及び農産物価格安定法の一部を改正する法律の施行の日（平成十二年五月十日）から施行する。

附　則（平一二・五・一七政令二二三）（抄）

（施行期日）

第一条　この政令は、公布の日から施行する。〔ただし書略〕

（直接請求の署名を求めることができない期間に関する経過措置）

第三条　この政令の施行の日の前日までにこれを行うべき事由が生じた選挙に係る地方自治法第七十四条第五項（同法第七十五条第五項、第七十六条第四項、第八十条第四項、第八十一条第二項、第八十六条第四項、地方教育行政の組織及び運営に関する法律（昭和三十一年法律第百六十二号）第八条第二項において準用する場合を含む。）並びに第二百九十一条の六第一項及び第五項並びに市町村の合併の特例に関する法律（昭和四十年法律第六号）第四条の二第十三項において準用する場合を含む。）に規定する政令で定める期間については、なお従前の例による。

（罰則に関する経過措置）

第四条　この政令の施行前にした行為及び前条においてなお従前の例によることとされる場合におけるこの政令の施行後にした行為に対する罰則の適用については、なお従前の例による。

附　則（平一二・六・七政令三〇四）（抄）

1　この政令は、内閣法の一部を改正する法律（平成十一年法律第八十八号）の施行の日（平成十三年一月六日）から施行する。〔ただし書略〕

附　則（平一二・六・七政令三三四）

この政令は、平成十二年六月三十日から施行する。

附　則（平一二・六・二三政令三五六）（抄）

（施行期日）

第一条　この政令は、公布の日から施行する。

附　則（平一二・九・二二政令四三四）（抄）

（施行期日）

第一条　この政令は、〔中略〕平成十三年四月一日から施行する。

附　則（平一二・一〇・一二政令四四八）（抄）

（施行期日）

第一条　この政令は、平成十三年四月一日から施行する。〔ただし書略〕

附　則（平一二・一〇・一八政令四五七）（抄）

（施行期日）

第一条　この政令は、河川法の一部を改正する法律の施行の日（平成十二年十月二十日）から施行する。

附　則（平一二・一一・一〇政令四七二）（抄）

（施行期日）

1　この政令は、児童虐待の防止等に関する法律の施行の日（平成十二年十一月二十日）から施行する。

附　則（平一二・一一・二二政令四八五）

この政令は、公布の日から施行する。

附　則（平一二・一二・六政令五〇〇）（抄）

（施行期日）

第一条　この政令は、法の施行の日（平成十三年四月一日）から施行する。

附　則（平一二・一二・一三政令五〇八）（抄）

（施行期日）

第一条　この政令は、平成十三年一月一日から施行する。〔ただし書略〕

附　則（平一二・一二・二七政令五三六）（抄）

（施行期日）

第一条　この政令は、公布の日から施行する。

附　則（平一二・一二・二七政令五五〇）（抄）

1　この政令は、平成十三年四月一日から施行する。

附　則（平一三・一・一七政令八）（抄）

（施行期日）

1　この政令は、法の施行の日（平成十三年四月一日）から施行する。

附　則（平一三・二・二政令二三）（抄）

（施行期日）

第一条　この政令は、農地法の一部を改正する法律の施行の日（平成十三年三月一日）から施行する。

附　則（平一三・三・三〇政令九五）

この政令は、公布の日から施行する。

附　則（平一三・三・三〇政令九八）（抄）

（施行期日）

第一条　この政令は、都市計画法及び建築基準法の一部を改正する法律（以下「改正法」という。）の施行の日（平成十三年五月十八日。以下「施行日」という。）から施行する。

附　則（平一三・三・三〇政令一四一）（抄）

（施行期日）

第一条　この政令は、平成十三年四月一日から施行する。〔ただし書略〕

附　則（平一三・七・四政令二三六）（抄）

（施行期日）

第一条　この政令は、障害者等に係る欠格事由の適正化等を図るための医師法等の一部を改正する法律の施行の日（平成十三年七月十六日）から施行する。

附　則（平一三・九・五政令二八六）（抄）

（施行期日）

第一条　この政令は、平成十四年一月一日から施行する。

附　則（平一三・九・五政令二八七）（抄）

（施行期日）

第一条　この政令は、平成十四年四月一日から施行する。

附　則（平一三・九・一九政令三〇六）（抄）

（施行期日）

第一条　この政令は、〔中略〕次の各号に掲げる規定は、当該各号に定める日から施行する。

一　〔略〕

二　〔前略〕次条〔中略〕の規定　平成十三年十月一日

附　則（平一三・一〇・一九政令三三三）（抄）

（施行期日）

第一条　この政令は、平成十四年四月一日から施行する。

附　則（平一三・一一・七政令三四七）（抄）

（施行期日）

第一条　この政令は、公布の日から施行する。

附　則（平一三・一一・二六政令三六三）（抄）

（施行期日）
第一条 この政令は、平成十四年一月一日から施行する。

附 則（平一三・一一・三〇政令三七九）（抄）

（施行期日）
第一条 この政令は、平成十四年四月一日から施行する。

附 則（平一三・一一・三〇政令三八三）（抄）

（施行期日）
第一条 この政令は、小型船舶の登録等に関する法律（以下「法」という。）の施行の日（平成十四年四月一日）から施行する。

附 則（平一三・一二・一九政令四一三）（抄）

（施行期日）
第一条 この政令は、水道法の一部を改正する法律の施行の日（平成十四年四月一日）から施行する。

附 則（平一四・一・一七政令四）（抄）

（施行期日）
第一条 この政令は、保健婦助産婦看護婦法の一部を改正する法律の施行の日（平成十四年三月一日）から施行する。

附 則（平一四・一・三〇政令一九）（抄）

（施行期日）
第一条 この政令は、法の施行の日（平成十四年二月一日）から施行する。

（適用区分）
第二条 この政令の規定は、この政令の施行の日以後その期日を告示される地方公共団体の議会の議員又は長の選挙について適用する。

附 則（平一四・三・二五政令五五）

この政令は、公布の日から施行する。ただし、第百四十三条第一項第三号の改正規定は、平成十四年四月一日から施行する。

附 則（平一四・三・三〇政令九五）（抄）

（施行期日）
第一条 この政令〔中略〕は、平成十四年九月一日から施行する。

附 則（平一四・三・三一政令一〇一）（抄）

（施行期日）
第一条 この政令は、平成十四年四月一日から施行する。

附 則（平一四・三・三一政令一〇五）（抄）

（施行期日）
第一条 この政令は、平成十四年四月一日から施行する。ただし、次の各号に掲げる規定は、当該各号に定める日から施行する。

一～四 〔略〕

五 〔前略〕附則〔中略〕第三十七条中地方自治法施行令（昭和二十二年政令第十六号）別表第一租税特別措置法施行令（昭和三十二年政令第四十三号）の項の改正規定（「第二十条の二第六項」を「第二十条の二第七項」に改める部分に限る。） 都市再開発法等の一部を改正する法律（平成十四年法律第十一号。以下「都市再開発法等改正法」という。）の施行の日〔平一四・六・一〕

六～九 〔略〕

附 則（平一四・四・一政令一四八）（抄）

（施行期日）
第一条 この政令は、平成十四年六月一日から施行する。〔ただし書略〕

（経過措置）
第二条 この政令の施行の際現に被爆者健康手帳の交付を受けたことのある者であって国内に居住地及び現在地を有しないもの（以下この項において「非居住者」という。）がこの政令の施行の日以後最初にこの政令による改正後の第五条の届出をした場合において、当該届出を受理した都道府県知事（広島市又は長崎市にあっては、当該市の長とする。以下この項において同じ。）は、当該非居住者がこの政令の施行前最後に国内に有した居住地（居住地を有しなかったときは、その現在地）の都道府県知事（以下この項において「最後の居住地の都道府県知事」という。）にその旨を通知しなければならない。ただし、当該届出を受理した都道府県知事と最後の居住地の都道府県知事とが同一であるときは、この限りではない。

2 前項の規定により都道府県並びに広島市及び長崎市が処理することとされている事務は、地方自治法（昭和二十二年法律第六十七号）第二条第九項第一号に規定する第一号法定受託事務とする。

附 則（平一四・四・五政令一五七）（抄）

（施行期日）
第一条 この政令は、公布の日から施行する。

附 則（平一四・五・二九政令一八四）（抄）

（施行期日）
第一条 この政令は、土地収用法の一部を改正する法律の施行の日（平成十四年七月十日）から施行する。

附 則（平一四・五・三一政令一八八）

この政令は、都市再開発法等の一部を改正する法律の施行の日（平成十四年六月一日）から施行する。

附 則（平一四・六・五政令一九七）（抄）

（施行期日）
第一条 この政令は、平成十五年四月一日から施行する。

附 則（平一四・六・二五政令二三七）

この政令は、牛海綿状脳症対策特別措置法の施行の日（平成十四年七月四日）から施行する。

附 則（平一四・七・一二政令二五四）（抄）

（施行期日）
1 この政令は、平成十四年十月一日から施行する。

附 則（平一四・七・一二政令二五六）（抄）

（施行期日）
第一条 この政令は、平成十五年十一月二十九日から施行する。〔ただし書略〕

附 則（平一四・七・二六政令二六一）（抄）

（施行期日）
第一条 この政令は、法の施行の日（平一五・一・六）から施行する。

附 則（平一四・八・一政令二七一）（抄）

（施行期日）
第一条 この政令は、平成十四年八月一日から施行する。〔ただし書略〕

附 則（平一四・八・三〇政令二八二）（抄）

（施行期日）
第一条 この政令は、平成十四年十月一日から施行する。

附　則（平一四・一〇・二政令三〇七）（抄）

（施行期日）

第一条　この政令は、平成十五年一月一日から施行する。

附　則（平一四・一一・一三政令三三二）（抄）

（施行期日）

1　この政令は、平成十五年四月一日から施行する。

附　則（平一四・一二・一一政令三六七）（抄）

（施行期日）

第一条　この政令は、法の施行の日（平成十四年十二月十八日）から施行する。

附　則（平一四・一二・一八政令三八五）（抄）

（施行期日）

第一条　この政令は、平成十五年四月一日から施行する。

附　則（平一五・一・八政令三）（抄）

第一条　この政令は、平成十五年四月一日から施行する。

（施行期日）

第一条　この政令は、農薬取締法の一部を改正する法律の施行の日（平成十五年三月十日）から施行する。

附　則（平一五・一・二二政令一四）（抄）

（施行期日）

第一条　この政令は、平成十五年三月一日から施行する。

附　則（平一五・一・三一政令二八）（抄）

（施行期日）

第一条　この政令は、行政手続等における情報通信の技術の利用に関する法律の施行の日（平成十五年二月三日）から施行する。

附　則（平一五・三・三一政令一二八）（抄）

（施行期日）

第一条　この政令は、平成十五年四月一日から施行する。ただし、次の各号に掲げる規定は、当該各号に定める日から施行する。

一～三　〔略〕

四　〔前略〕第二条中地方自治法施行令第二百十条の十二第一項の改正規定（「同法第一条第二項において地方税法施行令第三十五条の二十一の規定による読替えをして準用する」を削る部分を除く。）〔後略〕　平成十六年一月一日

五～八　〔略〕

附　則（平一五・三・三一政令一三九）（抄）

（施行期日）

第一条　この政令は、平成十五年四月一日から施行する。〔ただし書略〕

附　則（平一五・三・三一政令一五〇）（抄）

（施行期日）

第一条　この政令は、平成十五年四月一日から施行する。

附　則（平一五・六・二〇政令二六九）（抄）

（施行期日）

第一条　この政令は、食品の安全性の確保のための農林水産省関係法律の整備等に関する法律の施行の日（平成十五年七月一日）から施行する。

附　則（平一五・六・二〇政令二七一）（抄）

（施行期日）

第一条　この政令は、飼料の安全性の確保及び品質の改善に関する法律の一部を改正する等の法律（以下「改正法」という。）の施行の日（平成十五年七月一日）から施行する。

附　則（平一五・六・二七政令二九三）（抄）

（施行期日）

第一条　この政令は、平成十五年十月一日から施行する。〔ただし書略〕

附　則（平一五・七・四政令三〇四）（抄）

（施行期日）

第一条　この政令は、公布の日から起算して十日を経過した日から施行する。

（この政令の失効）

第二条　この政令は、施行の日から起算して一年を経過した日に、その効力を失う。〔ただし書略〕

附　則（平一五・七・四政令三〇五）（抄）

（施行期日）

第一条　この政令は、公布の日から起算して十日を経過した日から施行する。

（この政令の失効）

第二条　この政令は、施行の日から起算して一年を経過した日に、その効力を失う。

附　則（平一五・七・二四政令三一七）（抄）

（施行期日）

第一条　この政令は、公職選挙法の一部を改正する法律（平成十五年法律第六十九号）の施行の日（平成十五年十二月一日）から施行する。〔ただし書略〕

附　則（平一五・七・二四政令三二九）（抄）

（施行期日）

第一条　この政令は、公布の日から施行する。ただし、附則第八条から第四十三条までの規定〔中略〕は、平成十五年十月一日から施行する。

附　則（平一五・七・三〇政令三四三）（抄）

（施行期日）

第一条　この政令は、公布の日から施行する。ただし、附則第十八条から第三十四条までの規定は、平成十五年十月一日から施行する。

附　則（平一五・八・一政令三五〇）（抄）

（施行期日）

第一条　この政令は、食品衛生法等の一部を改正する法律の施行の日（平成十五年八月二十九日）から施行する。

附　則（平一五・八・二九政令三七五）（抄）

（施行期日）

第一条　この政令は、平成十五年九月二日から施行する。

（経過措置）

第二条　改正後の第百五十二条第一項及び第二項の規定は、同条第一項各号に掲げる法人（同条第二項の規定により同条第一項第二号に掲げる法人とみなされる法人を含む。）のこの政令の施行の日前の直近に終了した事業年度（以下この条において「直近の事業年度」という。）以後の事業年度に係る地方自治法第二百四十三条の三第二項の規定による同項の書類の作成及び議会への提出（以下この条において「書類の作成等」という。）について適用し、当該法人の直近の事業年度前の事業年度に係る書類の作成等については、なお従前の例による。

附　則（平一五・九・一〇政令四〇四）（抄）

（施行期日）

1　この政令は、平成十五年十月一日から施行する。

附　則（平一五・九・二五政令四三八）（抄）

（施行期日）

第一条　この政令は、公布の日から施行する。ただし、附則（中略）第十一条から第三十三条までの規定は、平成十五年十月一日から施行する。

附　則（平一五・一〇・一政令四四五）（抄）

（施行期日）

第一条　この政令は、公職選挙法の一部を改正する法律（平成十五年法律第六十九号）附則第一条第二号に掲げる規定の施行の日（平成十六年四月一日）から施行する。〔ただし書略〕

附　則（平一五・一〇・一政令四四七）（抄）

（施行期日）

第一条　この政令は、平成十六年四月一日から施行する。〔ただし書略〕

附　則（平一五・一〇・一政令四四八）（抄）

（施行期日）

第一条　この政令は、平成十六年四月一日から施行する。

附　則（平一五・一〇・八政令四五四）（抄）

（施行期日）

1　この政令は、公布の日から施行する。

附　則（平一五・一〇・二二政令四五九）（抄）

（施行期日）

第一条　この政令は、感染症の予防及び感染症の患者に対する医療に関する法律及び検疫法の一部を改正する法律（平成十五年法律第百四十五号）の施行の日から施行する。

附　則（平一五・一二・三政令四七六）（抄）

この政令は、平成十六年四月一日から施行する。〔ただし書略〕

附　則（平一五・一二・三政令四八三）（抄）

（施行期日）

第一条　この政令は、平成十六年四月一日から施行する。

附　則（平一五・一二・三政令四八七）（抄）

（施行期日）

第一条　この政令は、平成十六年四月一日から施行する。

附　則（平一五・一二・一〇政令五〇五）（抄）

（施行期日）

第一条　この政令は、食品衛生法等の一部を改正する法律（以下「改正法」という。）附則第一条第三号に掲げる規定の施行の日（平成十六年二月二十七日）から施行する。

附　則（平一五・一二・一七政令五二〇）（抄）

（施行期日）

第一条　この政令は、平成十六年四月一日から施行する。

附　則（平一五・一二・一七政令五二一）

この政令は、平成十六年四月一日から施行する。

附　則（平一五・一二・一七政令五二三）（抄）

（施行期日）

第一条　この政令は、密集市街地における防災街区の整備の促進に関する法律等の一部を改正する法律の施行の日（平成十五年十二月十九日）から施行する。

附　則（平一五・一二・一九政令五三五）（抄）

（施行期日）

第一条　この政令は、薬事法及び採血及び供血あつせん業取締法の一部を改正する法律の施行の日（平成十七年四月一日）から施行する。〔ただし書略〕

附　則（平一五・一二・二五政令五三七）（抄）

（施行期日）

第一条　この政令は、公職選挙法の一部を改正する法律（平成十五年法律第百二十七号）の施行の日（平成十六年三月一日）から施行する。〔ただし書略〕

附　則（平一五・一二・二五政令五五六）（抄）

（施行期日）

第一条　この政令は、公布の日から施行する。ただし、附則第十条から第三十四条までの規定は、平成十六年四月一日から施行する。

附　則（平一六・二・二五政令二七）（抄）

（施行期日）

第一条　この政令は、公布の日から施行する。

附　則（平一六・三・一九政令四九）（抄）

（施行期日）

第一条　この政令は、公布の日から施行する。ただし、第一章（中略）の規定は、平成十六年四月一日から施行する。

附　則（平一六・三・二四政令五九）

この政令は、電気通信事業法及び日本電信電話株式会社等に関する法律の一部を改正する法律附則第一条第三号に掲げる規定の施行の日（平成十六年四月一日）から施行する。

附　則（平一六・三・三一政令一〇五）（抄）

（施行期日）

第一条　この政令は、平成十六年四月一日から施行する。〔ただし書略〕

附　則（平一六・三・三一政令一一一）（抄）

（施行期日）

第一条　この政令は、児童福祉法等の一部を改正する法律の施行の日（平成十六年四月一日）から施行する。

附　則（平一六・四・一政令一五六）（抄）

（施行期日）

第一条　この政令は、公布の日から施行する。

附　則（平一六・四・九政令一六〇）（抄）

最終改正　平一八・八・一八政令二七三

（施行期日）

第一条　この政令は、平成十六年七月一日から施行する。〔ただし書略〕

（地方自治法施行令の一部改正に伴う経過措置）

第十七条　この政令の施行前に都市公団により首都圏の近郊整備地帯及び都市開発区域の整備に関する法律（昭和三十三年法律第九十八号）第二条第五項の工業団地造成事業が施行された土地について附則第二十六条の規定による改正前の首都圏の近郊整備地帯及び都市開発区域の整備に関する法律施行令（昭和三十四年政令第二百四十号）第六条第二項の規定により市町村が処理することとされている事務及びこの政令の施行前に都市公団により近畿圏の近郊整備区域及び都市開発区域の整備及び開発に関する法律（昭和三十九年法律第百四十五号）第二条第四項の工業団地造成事業が施行された土地について附則第三十七条の規定による改正前の近畿圏の近郊整備区域及び都市開発区域の整備及び開発に関する法律施行令（昭和四十年政令第百五

十七号）第八条第二項の規定により市町村が処理することとされている事務については、それぞれ、前条の規定による改正前の地方自治法施行令別表第一首都圏の近郊整備地帯及び都市開発区域の整備に関する法律施行令（昭和三十四年政令第二百四十号）の項及び近畿圏の近郊整備区域及び都市開発区域の整備及び開発に関する法律施行令（昭和四十年政令第百五十七号）の項の規定は、この政令の施行後も、なおその効力を有する。

2　機構が法附則第十二条第一項の規定により施行する新住宅市街地開発法（昭和三十八年法律第百三十四号）第二条第一項の新住宅市街地開発事業に対する前条の規定による改正後の地方自治法施行令別表第一新住宅市街地開発法施行令（昭和三十八年政令第三百六十五号）の項の規定の適用については、同項中「又は」とあるのは、「、独立行政法人都市再生機構又は」とする。

附　則（平一六・七・三〇政令二五一）

この政令は、地方公務員法及び地方公共団体の一般職の任期付職員の採用に関する法律の一部を改正する法律の施行の日（平成十六年八月一日）から施行する。

附　則（平一六・九・一五政令二七五）（抄）

（施行期日）

第一条　この政令は、法の施行の日（平成十六年九月十七日）から施行する。

附　則（平一六・九・二九政令二九四）（抄）

この政令は、平成十六年十月一日から施行する。〔ただし書略〕

附　則（平一六・一〇・六政令三〇三）（抄）

（施行期日）

第一条　この政令は、結核予防法の一部を改正する法律の施行の日（平成十七年四月一日）から施行する。

附　則（平一六・一〇・二〇政令三一八）（抄）

（施行期日）

1　この政令は、破産法の施行の日（平成十七年一月一日）から施行する。

附　則（平一六・一一・八政令三四四）（抄）

（施行期日）

第一条　この政令は、地方自治法の一部を改正する法律の施行の日（平成十六年十一月十日）から施行する。ただし、第九十二条第五項及び第六項の改正規定、第百七十八条第四項の改正規定〔中略〕は、平成十七年四月一日から施行する。

附　則（平一六・一二・一政令三七三）（抄）

（施行期日）

第一条　この政令は、労働組合法の一部を改正する法律（以下「改正法」という。）の施行の日（平成十七年一月一日）から施行する。

附　則（平一六・一二・一七政令四〇二）

この政令は、児童福祉法の一部を改正する法律の施行の日（平成十七年一月一日）から施行する。

附　則（平一六・一二・二二政令四一二）

この政令は、児童福祉法の一部を改正する法律附則第一条第三号に掲げる規定の施行の日（平成十七年四月一日）から施行する。

附　則（平一六・一二・二七政令四二五）（抄）

（施行期日）

第一条　この政令は、金融機関等による顧客等の本人確認等に関する法律の一部を改正する法律の施行の日（平成十六年十二月三十日）から施行する。

附　則（平一六・一二・二八政令四二九）（抄）

（施行期日）

第一条　この政令は、法の施行の日（平成十六年十二月三十日）から施行する。

附　則（平一七・三・九政令三七）

この政令は、民法の一部を改正する法律の施行の日（平成十七年四月一日）から施行する。

附　則（平一七・三・一八政令五五）（抄）

（施行期日）

第一条　この政令は、平成十七年四月一日から施行する。

（地方自治法施行令の一部改正に伴う経過措置）

第四条　旧市町村の合併の特例に関する法律附則第二条第二項の規定によりなおその効力を有するものとされる同法第六条第二項の規定により定数が増加する場合において行う増員選挙については、前条の規定による改正前の地方自治法施行令第九十二条第五項第四号及び第七号の規定は、この政令の施行の日以後も、なおその効力を有する。

附　則（平一七・三・一八政令五六）（抄）

（施行期日）

第一条　この政令は、平成十七年四月一日から施行する。

附　則（平一七・三・三一政令九四）（抄）

（施行期日）

第一条　この政令は、平成十七年四月一日から施行する。〔ただし書略〕

附　則（平一七・三・三一政令一〇三）（抄）

（施行期日）

第一条　この政令は、平成十七年四月一日から施行する。ただし、次の各号に掲げる規定は、当該各号に定める日から施行する。

一～五　〔略〕

六　〔前略〕附則〔中略〕第三十八条（別表第一租税特別措置法施行令（昭和三十二年政令第四十三号）の項第一号中「第二十条の二第十項」を「第二十条の二第十一項」に、「第三十八条の四第二十項」を「第三十八条の四第二十一項」に改める部分に限る。）の規定　民間事業者の能力を活用した市街地の整備を推進するための都市再生特別措置法等の一部を改正する法律（平成十七年法律第三十四号）附則第一条ただし書に規定する日〔平一七・四・二七〕

七～十四　〔略〕

附　則（平一七・三・三一政令一〇六）（抄）

（施行期日）

1　この政令は、国の補助金等の整理及び合理化等に伴う義務教育費国庫負担法等の一部を改正する法律の施行の日（平成十七年四月一日）から施行する。

附　則（平一七・四・一政令一四三）（抄）

（施行期日）

第一条　この政令は、国の補助金等の整理及び合理化等に伴う国民健康保険法等の一部を改正する法律（以下「一部改正法」という。）の施行の日（平成十七年四月一日）から施行する。

附　則（平一七・四・一政令一五〇）（抄）

（施行期日）

第一条　この政令は、公布の日から施行する。

附　則（平一七・五・二七政令一九二）（抄）

（施行期日）

第一条　この政令は、建築物の安全性及び市街地の防災機能の確保等を図るための建築基準法等の一部を改正する法律（以下「改正法」という。）の施行の日（平成十七年六月一日。附則第四条において「施行日」という。）から施行する。

附　則（平一七・六・一政令二〇三）（抄）

この政令は、施行日（平成十七年十月一日）から施行する。〔ただし書略〕

附　則（平一七・六・二九政令二三〇）（抄）

（施行期日）

第一条　この政令は、平成十七年七月一日から施行する。

附　則（平一七・八・一五政令二七八）（抄）

（施行期日）

第一条　この政令は、公布の日から施行し、この政令による改正後の国民健康保険の国庫負担金及び被用者保険等保険者拠出金等の算定等に関する政令第四条の二の規定は、平成十七年度分の都道府県調整交付金から適用する。

附　則（平一七・一〇・二一政令三二二）

この政令は、民間事業者の能力を活用した市街地の整備を推進するための都市再生特別措置法等の一部を改正する法律の施行の日（平成十七年十二月二十四日）から施行する。

附　則（平一七・一一・二四政令三五〇）（抄）

（施行期日）

第一条　この政令は、児童福祉法の一部を改正する法律附則第一条第四号に掲げる規定の施行の日（平成十八年四月一日）から施行する。

附　則（平一八・一・二五政令一〇）（抄）

（施行期日）

第一条　この政令は、平成十八年四月一日から施行する。〔ただし書略〕

附　則（平一八・一・二七政令一二）（抄）

（施行期日）

第一条　この政令は、平成十八年二月一日から施行する。

附　則（平一八・三・二七政令七〇）（抄）

（施行期日）

第一条　この政令は、臨床検査技師、衛生検査技師等に関する法律の一部を改正する法律（以下「平成十七年改正法」という。）の施行の日〔平一八・四・一〕から施行する。

（地方自治法施行令の一部改正に伴う経過措置）

第四条　附則第二条第一項の規定によりなお効力を有することとされた旧令第三条、第五条第二項、第六条第一項、第七条第二項、第八条第二項及び第五項並びに第九条の規定により都道府県が処理することとされている事務については、前条の規定による改正前の地方自治法施行令別表第一臨床検査技師、衛生検査技師等に関する法律施行令（昭和三十三年政令第二百二十六号）の項の規定は、なおその効力を有する。

附　則（平一八・三・三一政令一三五）（抄）

（施行期日）

第一条　この政令は、平成十八年四月一日から施行する。ただし、次の各号に掲げる規定は、当該各号に定める日から施行する。

一～六　〔略〕

七　〔前略〕附則〔中略〕第五十四条〔中略〕の規定　会社法（平成十七年法律第八十六号）の施行の日〔平一八・五・一〕

八～十　〔略〕

附　則（平一八・三・三一政令一五一）（抄）

（施行期日）

1　この政令は、平成十八年四月一日から施行する。

附　則（平一八・三・三一政令一五四）（抄）

（施行期日）

第一条　この政令は、平成十八年四月一日から施行する。〔ただし書略〕

附　則（平一八・三・三一政令一五五）（抄）

（施行期日）

第一条　この政令は、国の補助金等の整理及び合理化等に伴う児童手当法等の一部を改正する法律（以下「一部改正法」という。）の施行の日（平成十八年四月一日）から施行する。

（地方自治法施行令の一部改正に伴う経過措置）

第七条　一部改正法の施行前に作成された一部改正法第七条の規定による改正前の地域における公的介護施設等の計画的な整備等の促進に関する法律（平成元年法律第六十四号）第六条第一項に規定する施設生活環境改善計画に掲載された同条第二項第二号に掲げる施設に係る施設を設置する者又は施設において地域における公的介護施設等の計画的な整備等の促進に関する法律第二条第一項に規定する介護給付等対象サービス等を提供している者については、前条の規定による改正前の地方自治法施行令（以下「旧地方自治法施行令」という。）第百七十四条の三十一の二第一項及び第百七十四条の四十九の十第一項の規定は、この政令の施行後も、なおその効力を有する。この場合において、旧地方自治法施行令第百七十四条の三十一の二第一項及び第百七十四条の四十九の十第一項中「第六条、第七条及び第九条」とあるのは、「国の補助金等の整理及び合理化等に伴う児童手当法等の一部を改正する法律（平成十八年法律第二十号）第七条の規定による改正前の介護施設整備法第九条第二項」とする。

附　則（平一八・四・一九政令一七四）（抄）

この政令は、会社法の施行の日（平成十八年五月一日）から施行する。

附　則（平一八・四・二八政令一八七）（抄）

（施行期日）

第一条　この政令は、会社法の施行の日（平成十八年五月一日）から施行する。

附　則（平一八・六・二政令二〇八）（抄）

（施行期日）

第一条　この政令は、公布の日から起算して十日を経過した日から施行する。

（この政令の失効）

第二条　この政令は、施行の日から起算して一年を経過した日に、その効力を失う。ただし、その時までにした行為に対する罰則の適用及びその時までに第二条第一項において準用する法

第五十八条（第五号から第九号までを除く。）の規定により支弁する費用又は同項において準用する法第六十一条第二項若しくは第三項の規定により負担する負担金については、この政令は、その時以後も、なおその効力を有する。

附　則（平一八・六・八政令二一三）（抄）

（施行期日）

第一条　この政令は、公布の日から施行する。

附　則（平一八・八・三〇政令二八六）（抄）

（施行期日）

第一条　この政令は、平成十八年十月一日から施行する。

附　則（平一八・九・一五政令二九九）（抄）

（施行期日）

1　この政令は、平成十八年十月一日から施行する。

附　則（平一八・九・二六政令三一九）（抄）

（施行期日）

第一条　この政令は、平成十八年十月一日から施行する。

（地方自治法施行令の一部改正に伴う経過措置）

第五条　施行日から障害者自立支援法附則第一条第三号に掲げる規定の施行の日の前日までの間は、第六条の規定による改正後の地方自治法施行令第百六十七条の二第一項第三号中「行う施設」とあるのは、「行う施設、同法附則第四十一条第一項、第四十八条若しくは第五十八条第一項の規定によりなお従前の例により運営をすることができることとされた同法附則第三十五条の規定による改正前の身体障害者福祉法（昭和二十四年法律第二百八十三号）第二十九条に規定する身体障害者更生施設、同法第三十一条に規定する身体障害者授産施設、障害者自立支援法附則第四十六条の規定による改正前の精神保健及び精神障害者福祉に関する法律（昭和二十五年法律第百二十三号）第五十条の二第三項に規定する精神障害者授産施設、同条第五項に規定する精神障害者福祉工場、障害者自立支援法附則第五十二条の規定による改正前の知的障害者福祉法（昭和三十五年法律第三十七号）第二十一条の六に規定する知的障害者更生施設若しくは同法第二十一条の七に規定する知的障害者授産施設」とする。

附　則（平一八・一〇・二七政令三三七）（抄）

（施行期日）

第一条　この政令は、平成十八年十一月一日から施行する。〔ただし書略〕

附　則（平一八・一一・一〇政令三五五）

この政令は、精神病院の用語の整理等のための関係法律の一部を改正する法律の施行の日（平成十八年十二月二十三日）から施行する。

附　則（平一八・一一・二二政令三六一）（抄）

（施行期日）

第一条　この政令は、平成十九年四月一日から施行する。ただし、第百五十七条の次に一条を加える改正規定、第百六十九条の三の改正規定、第二百二十条第一項の表第二百三十一条の二第三項及び第五項の項の次に一項を加える改正規定、同表第二百三十八条の五第三項及び第五項の項の改正規定、同条第二項の表の改正規定及び第二百二十四条第三項の表の改正規定〔中略〕は、平成十八年十一月二十四日から施行する。

（出納長及び収入役に関する経過措置）

第二条　地方自治法の一部を改正する法律（平成十八年法律第五十三号。以下「改正法」という。）附則第三条第一項の規定により出納長又は収入役として在職するものとされた者の解職の請求については、この政令による改正前の地方自治法施行令（以下「旧令」という。）第百二十一条の規定は、なおその効力を有する。

2　改正法附則第三条第一項の規定により出納長又は収入役として在職するものとされた者は、この政令による改正後の地方自治法施行令第百五十一条、第百五十六条、第百五十七条、第百五十八条、第百五十八条の二、第百六十四条から第百六十五条の五まで、第百六十八条、第百六十八条の三から第百六十八条の七まで、第百七十条の五、第百七十四条の四十四及び第百七十四条の四十五の規定の適用については、これらの規定に規定する会計管理者とみなす。

（事務の引継ぎに関する経過措置）

第三条　この政令の施行の日（以下この条において「施行日」という。）前に出納長又は収入役の更迭があった場合における施行日以後の事務の引継ぎについては、旧令第百二十四条第一項及び第二項前段、第百二十五条、第百二十八条並びに第百三十一条の規定は、なおその効力を有する。この場合において、旧令第百二十四条第一項中「前任者」とあるのは「その者」と、「後任者」とあるのは「当該普通地方公共団体の会計管理者（地方自治法の一部を改正する法律（平成十八年法律第五十三号）附則第三条第一項の規定により出納長又は収入役として在職するものとされた者がある場合にあつては、当該出納長又は収入役。次項において同じ。）」と、同条第二項前段中「後任者」とあるのは「会計管理者」と、「副出納長又は副収入役（地方自治法第百七十条第五項又は第六項の規定により出納長又は収入役の職務を代理すべき吏員を含む。以下この項において同じ。）」とあるのは「当該普通地方公共団体の長の補助機関である職員」とする。

第四条　改正法附則第三条第一項の規定により出納長又は収入役として在職するものとされた者の更迭があった場合においては、その者は、退職の日から出納長にあっては十五日以内、収入役にあっては十日以内にその担任する事務を当該普通地方公共団体の会計管理者に引き継がなければならない。

2　前項の場合において、特別の事情によりその担任する事務を会計管理者に引き継ぐことができないときは、これを当該普通地方公共団体の長の補助機関である職員に引き継がなければならない。

第五条　前条の規定による事務の引継ぎをする場合においては、引継ぎをする者において現金、書類、帳簿その他の物件の目録及び引継書を作成し、引継書に引継ぎの旨及び引継ぎの年月日を記載し、引継ぎをする者及び引継ぎを受ける者において引継書に連署し、現金、書類、帳簿その他の物件及びこれらの物件の目録とともに引継ぎをしなければならない。

2　前項の規定により作成すべき現金、書類、帳簿その他の物件についての目録は、現に作成してある目録により引継ぎをする時の現況を確認することができる場合においては、その目録をもって代えることができる。

第六条　正当な理由がなくて前二条の規定による事務の引継ぎをしない者に対しては、都道府県に係る事務の引継ぎにあっては総務大臣、市町村に係る事務の引継ぎにあっては都道府県知事は、十万円以下の過料を科することができる。

（過料に関する経過措置）

第七条　この政令の施行前にした行為に対する過料に関する規定の適用については、なお従前の例による。

附　則（平一八・一二・一五政令三八一）（抄）

（施行期日）

第一条　この政令は、平成十九年四月一日から施行する。

附　則（平一八・一二・一五政令三八二）（抄）

（施行期日）

第一条　この政令は、平成十九年四月一日から施行する。

（地方自治法施行令の一部改正に伴う経過措置）

第三条　第二条の規定による改正後の地方自治法施行令附則第七条の四の規定は、平成十九年度以後の年度分の特別区財政調整交付金について適用する。

附　則（平一九・一・一九政令九）（抄）

（施行期日）

第一条　この政令は、平成十九年四月一日から施行する。

附　則（平一九・二・九政令二一）（抄）

（施行期日）

第一条　この政令は、法の施行の日（平成十九年十二月十日）から施行する。

附　則（平一九・二・二三政令二九）（抄）

（施行期日）

第一条　この政令は、公職選挙法の一部を改正する法律（平成十八年法律第九十三号）附則第一条第二号に掲げる規定の施行の日（平成十九年三月一日）から施行する。

附　則（平一九・二・二三政令三三）（抄）

（施行期日）

第一条　この政令は、平成十九年三月一日から施行する。

附　則（平一九・三・二政令三九）

この政令は、一般社団法人及び一般財団法人に関する法律の施行の日〔平二〇・一二・一〕から施行する。

附　則（平一九・三・九政令四四）（抄）

（施行期日）

第一条　この政令は、感染症の予防及び感染症の患者に対する医療に関する法律等の一部を改正する法律の施行の日（平成十九年六月一日）から施行する。ただし、〔中略〕第六条〔中略〕の規定は、平成十九年四月一日から施行する。

附　則（平一九・三・一六政令四九）（抄）

（施行期日）

第一条　この政令は、建築物の安全性の確保を図るための建築基準法等の一部を改正する法律（以下「改正法」という。）の施行の日（平成十九年六月二十日）から施行する。〔ただし書略〕

附　則（平一九・三・二二政令五五）（抄）

（施行期日）

第一条　この政令は、平成十九年四月一日から施行する。

附　則（平一九・三・二八政令六九）（抄）

（施行期日）

1　この政令は、平成十九年四月一日から施行する。

附　則（平一九・三・三〇政令九二）（抄）

（施行期日）

第一条　この政令は、平成十九年四月一日から施行する。ただし、次の各号に掲げる規定は、当該各号に定める日から施行する。

一～十　〔略〕

十一　〔前略〕附則〔中略〕第四十五条〔中略〕の規定　都市再生特別措置法等の一部を改正する法律（平成十九年法律第十九号）の施行の日

十二～十四　〔略〕

附　則（平一九・八・三政令二三五）（抄）

改正　平二四・七・二五政令二〇二

（施行期日）

第一条　この政令は、平成十九年十月一日から施行する。〔ただし書略〕

（地方自治法施行令の一部改正に伴う経過措置）

第十一条　この政令の施行の際現に存する旧郵便振替法第三十八条第二項第一号に規定する払出証書及び旧郵便為替法第二十条第一項に規定する郵便為替証書については、第九条の規定による改正前の地方自治法施行令第百五十六条第一項の規定は、なおその効力を有する。

2　郵政民営化法第百七条の規定の適用がある間における第九条の規定による改正後の地方自治法施行令第百六十八条の規定の適用については、同条第一項中「一の金融機関」とあるのは「一の金融機関（郵政民営化法（平成十七年法律第九十七号）第九十四条に規定する郵便貯金銀行を除く。）」と、同条第二項中「一の金融機関」とあるのは「一の金融機関（郵政民営化法第百八条第一号に規定する内閣総理大臣及び総務大臣が告示する区域にその主たる事務所が所在する市町村以外の市町村にあつては、同法第九十四条に規定する郵便貯金銀行を除く。）」とする。

附　則（平一九・九・二五政令三〇四）（抄）

（施行期日）

1　この政令は、都市再生特別措置法等の一部を改正する法律の施行の日（平成十九年九月二十八日）から施行する。

附　則（平一九・一二・二七政令三九二）（抄）

（施行期日）

第一条　この政令は、平成二十年四月一日から施行する。

附　則（平一九・一二・二八政令三九七）（抄）

（施行期日）

第一条　この政令は、平成二十一年四月一日から施行する。〔ただし書略〕

附　則（平一九・一二・二八政令四〇〇）（抄）

（施行期日）

第一条　この政令は、平成二十年一月一日から施行する。

附　則（平二〇・二・一政令二〇）（抄）

（施行期日）

第一条　この政令は、法附則第一条第一号に掲げる規定の施行の日（平成二十年三月一日）から施行する。

附　則（平二〇・二・八政令二四）（抄）

（施行期日）

第一条　この政令は、平成二十年三月一日から施行する。

附　則（平二〇・二・一四政令二五）（抄）

（施行期日）

第一条　この政令は、平成二十年三月一日から施行する。

（適用区分等）

第二条　この政令による改正後の地方自治法施行令（以下この条において「新令」という。）第百六十七条の四第二項の規定は、一般競争入札に参加しようとする者がこの政令の施行の日（以下「施行日」という。）以後の事実により同項各号のいずれかに該当すると認められるときについて適用し、施行日前の事実によりこの政令による改正前の地方自治法施行令（以下この条において「旧令」という。）第百六十七条の四第二項各号のいずれかに該当すると認められる者については、なお従前の例による。

2　旧令第百六十七条の十の二第四項の規定により普通地方公共団体の長が落札者決定基準に関し学識経験を有する者の意見を聴いた契約については、なお従前の例による。

3　施行日から障害者自立支援法（平成十七年法律第百二十三号）附則第一条第三号に掲げる規定の施行の日の前日までの間における新令第百六十七条の二第一項第三号の規定の適用については、同号中「障害福祉サービス事業を行う施設」とあるのは、「障害福祉サービス事業を行う施設、障害者自立支援法附則第四十一条第一項、第四十八条若しくは第五十八条第一項の規定によりなお従前の例により運営をすることができることとされた同法附則第三十五条の規定による改正前の身体障害者福祉法（昭和二十四年法律第二百八十三号）第二十九条に規定する身体障害者更生援護施設、同法第三十一条に規定する身体障害者授産施設、障害者自立支援法附則第四十六条の規定による改正前の精神保健及び精神障害者福祉に関する法律（昭和二十五年法律第百二十三号）第五十条の二第三項に規定する精神障害者授産施設、同条第五項に規定する精神障害者福祉工場、障害者自立支援法附則第五十二条の規定による改正前の知的障害者福祉法（昭和三十五年法律第三十七号）第二十一条の六に規定する知的障害者更生施設若しくは同法第二十一条の七に規定する知的障害者授産施設」とする。

附　則（平二〇・三・一九政令五一）（抄）

（施行期日）

第一条　この政令は、平成二十年四月一日から施行する。

附　則（平二〇・三・三一政令一一六）（抄）

（施行期日）

第一条　この政令は、平成二十年四月一日から施行する。

附　則（平二〇・三・三一政令一一七）

この政令は、平成二十年四月一日から施行する。

附　則（平二〇・三・三一政令一二七）（抄）

（施行期日）

第一条　この政令は、平成二十年四月一日から施行する。〔ただし書略〕

附　則（平二〇・四・三〇政令一五五）（抄）

（施行期日）

第一条　この政令は、公布の日から施行する。ただし、次の各号に掲げる規定は、当該各号に定める日から施行する。

一・二　〔略〕

三　〔前略〕附則〔中略〕第十六条から第十九条までの規定　一般社団法人及び一般財団法人に関する法律（平成十八年法律第四十八号）の施行の日（平成二十年十二月一日）

（地方自治法施行令の一部改正に伴う経過措置）

第十七条　附則第十三条第二項（寄附金控除の対象となる公益の増進に著しく寄与する法人に対する寄附金等に関する経過措置）の規定によりなおその効力を有するものとされる旧令第二百十七条第一項第三号（公益の増進に著しく寄与する法人の範囲）の規定により都道府県が処理することとされている事務については、前条の規定による改正前の地方自治法施行令別表第一所得税法施行令（昭和四十年政令第九十六号）の項の規定は、なおその効力を有する。

附　則（平二〇・四・三〇政令一五六）（抄）

（施行期日）

第一条　この政令は、公布の日から施行する。ただし、次の各号に掲げる規定は、当該各号に定める日から施行する。

一・二　〔略〕

三　〔前略〕附則〔中略〕第二十九条から第三十一条までの規定　一般社団法人及び一般財団法人に関する法律（平成十八年法律第四十八号）の施行の日（平成二十年十二月一日）

（地方自治法施行令の一部改正に伴う経過措置）

第三十条　附則第十二条第二項（公益の増進に著しく寄与する法人の範囲等に関する経過措置）の規定によりなおその効力を有するものとされる旧令第七十七条第一項第三号（公益の増進に著しく寄与する法人の範囲）の規定により都道府県が処理することとされている事務については、前条の規定による改正前の地方自治法施行令別表第一法人税法施行令（昭和四十年政令第九十七号）の項の規定は、なおその効力を有する。

附　則（平二〇・四・三〇政令一六一）（抄）

（施行期日）

第一条　この政令は、公布の日から施行する。ただし、次の各号に掲げる規定は、当該各号に定める日から施行する。

一～四　〔略〕

五　〔前略〕附則〔中略〕第六十四条並びに第六十五条の規定　一般社団法人及び一般財団法人に関する法律（平成十八年法律第四十八号）の施行の日（平成二十年十二月一日）

六・七　〔略〕

（地方自治法施行令の一部改正に伴う経過措置）

第六十五条　附則第五十七条第一項の規定によりなおその効力を有するものとされる旧令第四十条の三第一項第三号の規定により都道府県が処理することとされている事務については、前条の規定による改正前の地方自治法施行令別表第一租税特別措置法施行令（昭和三十二年政令第四十三号）の項第一号の規定は、なおその効力を有する。

附　則（平二〇・五・二政令一七五）（抄）

（施行期日）

第一条　この政令は、感染症の予防及び感染症の患者に対する医療に関する法律及び検疫法の一部を改正する法律の施行の日（平二〇・五・一二）から施行する。

附　則（平二〇・六・六政令一九二）（抄）

（施行期日）

第一条　この政令は、平成二十年六月二十一日から施行する。〔ただし書略〕

附　則（平二〇・七・四政令二一八）（抄）

（施行期日）

第一条　この政令は、刑事訴訟法等の一部を改正する法律（平成十六年法律第六十二号）附則第一条第二号に掲げる規定（同法

第三条中検察審査会法第一条第一項の改正規定を除く。）の施行の日（平成二十一年五月二十一日）から施行する。ただし、〔中略〕次条から附則第四条〔中略〕までの規定は、裁判員の参加する刑事裁判に関する法律等の一部を改正する法律（平成十九年法律第六十号）附則第一条第一号に掲げる規定の施行の日（平成二十年七月十五日）から施行する。

附 則（平二〇・七・一六政令二二六）

この政令は、平成二十年十月一日から施行する。ただし、第二十条及び第二十五条の規定は、公布の日から施行する。

附 則（平二〇・八・二〇政令二五四）（抄）

（施行期日）

第一条 この政令は、地方自治法の一部を改正する法律（以下「改正法」という。）の施行の日（平成二十年九月一日）から施行する。

附 則（平二〇・八・二九政令二七〇）（抄）

（施行期日）

第一条 この政令は、信用保証協会法の一部を改正する法律の施行の日（平成二十年九月一日）から施行する。

附 則（平二〇・九・一二政令二八一）（抄）

（施行期日）

第一条 この政令は、法の施行の日（平成二十年九月十七日）から施行し、平成二十一年度において使用される教科用特定図書等から適用する。

附 則（平二〇・九・一二政令二八三）（抄）

（施行期日）

第一条 この政令は、平成二十年十月一日から施行する。〔ただし書略〕

附 則（平二〇・一〇・二二政令三二四）

この政令は、公布の日から施行する。

附 則（平二〇・一〇・三一政令三三四）（抄）

（施行期日）

第一条 この政令は、法の施行の日（平成二十一年四月一日）から施行する。

附 則（平二〇・一〇・三一政令三三七）（抄）

（施行期日）

1 この政令は、法の施行の日（平成二十年十一月四日）から施行する。

附 則（平二一・二・一六政令二二）（抄）

（施行期日）

第一条 この政令は、平成二十一年四月一日から施行する。

附 則（平二一・三・一三政令三六）

この政令は、平成二十一年四月一日から施行する。

附 則（平二一・三・二五政令五三）（抄）

（施行期日）

1 この政令は、平成二十一年四月一日から施行する。

附 則（平二一・三・三一政令一〇〇）（抄）

（施行期日）

第一条 この政令は、平成二十一年四月一日から施行する。〔ただし書略〕

（地方自治法施行令の一部改正に伴う経過措置）

第十一条 前条の規定による改正後の地方自治法施行令（次項において「新地方自治法施行令」という。）第二百十条の十二第一項の規定は、平成二十一年度分の同項に規定する基準財政収入額の算定から適用し、平成二十年度以前の年度における同項に規定する基準財政収入額の算定については、なお従前の例による。

2 平成二十一年度における新地方自治法施行令第二百十条の十二第一項の規定の適用については、同項中「（以下この項において「自動車取得税交付金」という。）」とあるのは「（地方税法等の一部を改正する法律（平成二十一年法律第九号。以下この項において「地方税法等改正法」という。）第一条の規定による改正前の地方税法第六百九十九条の三十二第一項の規定により特別区に交付するものとされる自動車取得税に係る交付金を含む。以下この項において「自動車取得税交付金」という。）」と、「及び航空機燃料譲与税法（昭和四十七年法律第十三号）」とあるのは「、航空機燃料譲与税法（昭和四十七年法律第十三号）及び地方税法等改正法附則第十四条第二項の規定によりなお効力を有することとされる地方税法等改正法第三条の規定による改正前の地方道路譲与税法（昭和三十年法律第百十三号）」と、「及び航空機燃料譲与税の額」とあるのは「、航空機燃料譲与税及び地方道路譲与税の額」とする。

附 則（平二一・三・三一政令一〇八）（抄）

（施行期日）

第一条 この政令は、平成二十一年四月一日から施行する。ただし、次の各号に掲げる規定は、当該各号に定める日から施行する。

一～三 〔略〕

四 〔前略〕附則第四十六条中地方自治法施行令（昭和二十二年政令第十六号）別表第一租税特別措置法施行令（昭和三十二年政令第四十三号）の項第二号の改正規定（「第四十条の八第四項」を「第四十条の九第四項」に改める部分を除く。） 農地法等の一部を改正する法律（平成二十一年法律第五十七号）の施行の日（平二一・一二・一五）

五～七 〔略〕

附 則（平二一・五・二九政令一四二）（抄）

（施行期日）

第一条 この政令は、公布の日から施行する。

附 則（平二一・一〇・二一政令二四九）

この政令は、平成二十二年四月一日から施行する。ただし、第二条中地方自治法施行令第百七十四条の四十九の二第三項の改正規定は、公布の日から施行する。

附 則（平二一・一二・一一政令二八五）（抄）

（施行期日）

第一条 この政令は、農地法等の一部を改正する法律（以下「改正法」という。）の施行の日（平成二十一年十二月十五日）から施行する。〔ただし書略〕

附 則（平二二・二・一五政令一三）（抄）

（施行期日）

第一条 この政令は、自然公園法及び自然環境保全法の一部を改正する法律（以下「改正法」という。）の施行の日（平成二十二年四月一日）から施行する。

附 則（平二二・三・一七政令二九）（抄）

（施行期日）

第一条 この政令は、平成二十二年四月一日から施行する。

附 則（平二二・三・三一政令七一）（抄）

（施行期日）

1　この政令は、平成二十二年四月一日から施行する。

附　則（平二二・三・三一政令七八）（抄）

（施行期日）

第一条　この政令は、平成二十二年四月一日から施行する。

附　則（平二二・四・一政令九二）（抄）

（施行期日）

第一条　この政令は、公布の日から施行する。

附　則（平二二・五・一四政令一三五）（抄）

（施行期日）

第一条　この政令は、法の施行の日（平成二十二年五月十八日）から施行する。

附　則（平二二・一二・二二政令二四八）（抄）

（施行期日）

第一条　この政令は、廃棄物の処理及び清掃に関する法律の一部を改正する法律（以下「改正法」という。）の施行の日（平成二十三年四月一日）から施行する。

附　則（平二三・四・二七政令一一〇）

この政令は、公布の日から施行する。

附　則（平二三・四・二九政令一一四）（抄）

（施行期日）

1　この政令は、公布の日から施行する。

附　則（平二三・五・二七政令一五一）（抄）

改正　平二四・三・二八政令五九

（施行期日）

第一条　この政令は、平成二十三年六月一日から施行する。〔ただし書略〕

（地方自治法施行令の一部改正に伴う経過措置）

第四条　存続共済会に対する第二条の規定による改正後の地方自治法施行令第百六十九条の二第四号の規定の適用については、同号中「及び地方公務員共済組合連合会」とあるのは、「、地方公務員共済組合連合会及び地方公務員等共済組合法の一部を改正する法律（平成二十三年法律第五十六号）附則第二十三条第一項第三号に規定する存続共済会」とする。

附　則（平二三・六・八政令一六五）（抄）

（施行期日）

第一条　この政令は、公布の日から施行する。

附　則（平二三・六・一七政令一七〇）（抄）

（施行期日）

第一条　この政令は、家畜伝染病予防法の一部を改正する法律（以下「改正法」という。）の施行の日（平成二十三年七月一日）から施行する。〔ただし書略〕

附　則（平二三・六・三〇政令一九九）（抄）

（施行期日）

第一条　この政令は、公布の日から施行する。〔ただし書略〕

附　則（平二三・七・二九政令二三五）（抄）

（施行期日）

第一条　この政令は、地方自治法の一部を改正する法律の施行の日（平成二十三年八月一日）から施行する。

（地方自治法施行令の一部改正に伴う経過措置）

第二条　第一条の規定による改正後の地方自治法施行令（以下この条において「新令」という。）第九十一条第三項から第五項まで（これらの規定を新令第九十九条、第百条、第百十条、第百十六条、第百二十一条、第二百十二条の二、第二百十二条の四、第二百十三条の二、第二百十四条の二、第二百十五条の二、第二百十六条の三及び第二百十七条の二において準用する場合を含む。）、第百八条第一項、第百九条（新令第百十三条及び第百十六条の二において準用する場合を含む。）、第百十五条第一項、第百十八条、第二百十三条の六第一項、第二百十三条の七（新令第二百十四条の三及び第二百十五条の三において準用する場合を含む。）、第二百十四条の五第一項及び第二百十五条の五の規定は、この政令の施行の日以後に新令第九十一条第二項（新令第九十九条、第百条、第百十条、第百十六条、第百二十一条、第二百十二条の二、第二百十二条の四、第二百十三条の二、第二百十四条の二、第二百十五条の二、第二百十六条の三及び第二百十七条の二において準用する場合を含む。）の規定による告示が行われる直接請求について適用し、この政令の施行の日の前日までに第一条の規定による改正前の地方自治法施行令（以下この条において「旧令」という。）第九十一条第二項（旧令第九十九条、第百条、第百十条、第百十六条、第百二十一条、第二百十二条の二、第二百十二条の四、第二百十三条の二、第二百十四条の二、第二百十五条の二、第二百十六条の三及び第二百十七条の二において準用する場合を含む。）の規定による告示が行われた直接請求については、なお従前の例による。

附　則（平二三・八・五政令二五二）

この政令は、公布の日から施行する。

附　則（平二三・八・三〇政令二七二）（抄）

（施行期日）

第一条　この政令は、平成二十四年四月一日から施行する。

附　則（平二三・八・三〇政令二七八）

この政令は、公布の日から施行する。

附　則（平二三・九・二二政令二九六）

この政令は、平成二十三年十月一日から施行する。

附　則（平二三・九・三〇政令三〇五）（抄）

（施行期日）

第一条　この政令は、予防接種法及び新型インフルエンザ予防接種による健康被害の救済等に関する特別措置法の一部を改正する法律（平成二十三年法律第八十五号）附則第一条ただし書に規定する規定の施行の日（平成二十三年十月一日）から施行する。

附　則（平二三・一一・二四政令三四八）（抄）

（施行期日）

第一条　この政令は、地域の自主性及び自立性を高めるための改革の推進を図るための関係法律の整備に関する法律附則第一条第一号に掲げる規定の施行の日（平成二十三年十一月三十日）から施行する。ただし、〔中略〕次条の規定は、平成二十四年四月一日から施行する。

附　則（平二三・一一・二八政令三六一）（抄）

（施行期日）

第一条　この政令は、地域の自主性及び自立性を高めるための改革の推進を図るための関係法律の整備に関する法律附則第一条第一号に掲げる規定の施行の日（平成二十三年十一月三十日）から施行する。ただし、第一条（地方自治法施行令第百七十九条及び別表第一道路法施行令（昭和二十七年政令第四百七十九号）の項の改正規定を除く。）〔中略〕の規定は、平成二十四年四月一日から施行する。

附 則（平二三・一一・二八政令三六三）（抄）

（施行期日）

第一条 この政令は、地域の自主性及び自立性を高めるための改革の推進を図るための関係法律の整備に関する法律附則第一条第一号に掲げる規定の施行の日（平成二十三年十一月三十日）から施行する。ただし、〔中略〕附則第三条の規定は、平成二十四年四月一日から施行する。

附 則（平二三・一二・二政令三七六）（抄）

（施行期日）

第一条 この政令は、平成二十四年四月一日から施行する。〔ただし書略〕

（地方自治法施行令の一部改正に伴う経過措置）

第四条 平成三十年三月三十一日までの間における第七条の規定による改正後の地方自治法施行令第百七十四条の三十一の四及び第百七十四条の四十九の十一の二の規定の適用については、同令第百七十四条の三十一の四第一項中「第六節までの規定に」とあるのは「第六節まで並びに健康保険法等の一部を改正する法律（平成十八年法律第八十三号）附則第百三十条の二第一項の規定によりなおその効力を有するものとされた同法第二十六条の規定による改正前の介護保険法（以下「平成十八年旧介護保険法」という。）第四十八条第一項第三号及び第五章第五節第三款の規定に」と、「同法」とあるのは「介護保険法」と、「第百十五条の六第一項」とあるのは「第百十五条の六第一項並びに平成十八年旧介護保険法第百十一条の二第一項」と、「第六節までの規定中」とあるのは「第六節まで並びに平成十八年旧介護保険法第四十八条第一項第三号及び第五章第五節第三款の規定中」と、同条第二項中「第百十五条の三十五第六項」とあるのは「第百十五条の三十五第六項並びに平成十八年旧介護保険法第百十五条の三十五第六項」と、同条第三項中「読み替える」とあるのは「、平成十八年旧介護保険法第百十五条中「事項を」とあるのは「事項を都道府県知事に届け出るとともに、これを」と、平成十八年旧介護保険法第百十五条の三十五第五項及び第七項中「指定地域密着型サービス事業者、指定地域密着型介護予防サービス事業者又は指定介護予防支援事業者」とあるのは「介護サービス事業者」と読み替える」と、同令第百七十四条の四十九の十一の二第一項中「第六節まで」とあるのは「第六節まで並びに平成十八年旧介護保険法第四十八条第一項第三号及び第五章第五節第三款」と、「同法」とあるのは「介護保険法」と、「第百十五条の六第一項」とあるのは「第百十五条の六第一項並びに平成十八年旧介護保険法第百十一条の二第一項」と、同条第二項中「読み替える」とあるのは「、平成十八年旧介護保険法第百十五条中「事項を」とあるのは「事項を都道府県知事に届け出るとともに、これを」と、平成十八年旧介護保険法第百十五条の三十五第五項及び第七項中「指定地域密着型サービス事業者、指定地域密着型介護予防サービス事業者又は指定介護予防支援事業者」とあるのは「介護サービス事業者」と読み替える」とする。

附 則（平二三・一二・一六政令三九六）

この政令は、民法等の一部を改正する法律の施行の日（平成二十四年四月一日）から施行する。

附 則（平二三・一二・二一政令四〇七）（抄）

（施行期日）

第一条 この政令は、平成二十四年四月一日から施行する。ただし、〔中略〕第十一条〔中略〕の規定は、平成二十五年四月一日から施行する。

附 則（平二三・一二・二六政令四一〇）（抄）

（施行期日）

第一条 この政令は、公布の日から施行する。

附 則（平二三・一二・二六政令四二一）（抄）

（施行期日）

第一条 この政令は、改正法施行日（平成二十四年七月九日）から施行する。ただし、次の各号に掲げる規定は、当該各号に定める日から施行する。

一 第三条〔中略〕の規定 改正法附則第一条第四号に掲げる規定の施行の日（平成二十四年一月十三日）

二 〔略〕

三 第四条〔中略〕の規定 平成二十四年六月九日

四 〔略〕

附 則（平二三・一二・二六政令四二四）（抄）

（施行期日）

第一条 この政令は、平成二十四年四月一日から施行する。

附 則（平二四・二・三政令二六）（抄）

（施行期日）

第一条 この政令は、平成二十四年四月一日から施行する。〔ただし書略〕

（地方自治法施行令の一部改正に伴う経過措置）

第二条 第四条の規定の施行前に旧自立支援法の規定によりされた指定等の処分その他の行為（以下この項において「処分等の行為」という。）又は同条の規定の施行の際現に旧自立支援法の規定によりされている指定の申請及び辞退の届出（以下この項において「申請等の行為」という。）で、同条の規定の施行の日においてこれらの行為に係る行政事務を行うべき者が異なることとなるものは、同日以後における新自立支援法の適用については、新自立支援法の相当規定によりされた処分等の行為又は申請等の行為とみなす。

2 第四条の規定の施行前に旧自立支援法の規定により都道府県知事に対し届出その他の手続をしなければならない事項で、同条の規定の施行の日前にその手続がされていないものについては、これを、新自立支援法の相当規定により地方自治法（昭和二十二年法律第六十七号）第二百五十二条の十九第一項の指定都市又は同法第二百五十二条の二十二第一項の中核市に対して届出その他の手続をしなければならない事項についてその手続がされていないものとみなして、新自立支援法の規定を適用する。

附 則（平二四・三・二六政令五六）（抄）

（施行期日）

1 この政令は、改正法の施行の日（平成二十五年四月一日）から施行する。〔ただし書略〕

附 則（平二四・三・三〇政令九六）（抄）

（施行期日）

第一条 この政令は、平成二十四年四月一日から施行する。

附 則（平二四・三・三一政令一〇五）（抄）

（施行期日）

第一条　この政令は、平成二十四年四月一日から施行する。〔ただし書略〕

附　則（平二四・四・二五政令一三七）

この政令は、地方自治法の一部を改正する法律附則第一条ただし書に規定する規定の施行の日（平成二十四年五月一日）から施行する。

附　則（平二五・一・一八政令五）

この政令は、平成二十五年四月一日から施行する。

附　則（平二五・一・三〇政令一九）（抄）

（施行期日）

第一条　この政令は、平成二十五年七月一日から施行する。

附　則（平二五・二・六政令二八）（抄）

（施行期日）

第一条　この政令は、地方自治法の一部を改正する法律附則第一条ただし書に規定する規定の施行の日（平成二十五年三月一日）から施行する。

（地方自治法施行令の一部改正に伴う経過措置）

第二条　第一条の規定による改正後の地方自治法施行令（以下この条及び次条において「新令」という。）第九十二条、第九十三条の二第一項、第九十四条第一項（署名し印を押した者の総数の要件に関する部分を除く。）、第九十六条第一項（有効署名の総数の要件に関する部分を除く。）及び第九十七条第二項（これらの規定を新令第九十九条、第百条、第百十条、第百十六条、第百二十一条、第百二十二条の二、第二百十二条の四、第二百十三条の二、第二百十四条の二、第二百十五条の二、第二百十六条の三及び第二百十七条の二並びに第四条の規定による改正後の地方教育行政の組織及び運営に関する法律施行令第三条第一項において準用する場合を含む。）の規定は、この政令の施行の日以後に新令第九十一条第二項（新令第九十九条、第百条、第百十条、第百十六条、第百二十一条、第百二十二条の二、第二百十二条の四、第二百十三条の二、第二百十四条の二、第二百十五条の二、第二百十六条の三及び第二百十七条の二並びに第四条の規定による改正後の地方教育行政の組織及び運営に関する法律施行令第三条第一項において準用する場合を含む。）の規定による告示が行われる直接請求について適用し、この政令の施行の日の前日までに第一条の規定による改正前の地方自治法施行令（以下この項及び次条において「旧令」という。）第九十一条第二項（旧令第九十九条、第百条、第百十条、第百十六条、第百二十一条、第百二十二条の二、第二百十二条の四、第二百十三条の二、第二百十四条の二、第二百十五条の二、第二百十六条の三及び第二百十七条の二並びに第四条の規定による改正前の地方教育行政の組織及び運営に関する法律施行令第三条第一項において準用する場合を含む。）の規定による告示が行われた直接請求については、なお従前の例による。

2　附則第六条の規定による改正後の漁業法施行令（昭和二十五年政令第三十号）第二十二条において準用する新令第九十七条第二項の規定は、この政令の施行の日以後に附則第六条の規定による改正後の漁業法施行令第十条第三項の規定による告示が行われる直接請求について適用し、この政令の施行の日の前日までに附則第六条の規定による改正前の漁業法施行令第十条第三項の規定による告示が行われた直接請求については、なお従前の例による。

第三条　新令第百六条、第百八条第一項、第百九条（新令第百十三条及び第百十六条の二において準用する場合を含む。）、第百十四条、第百十五条第一項、第百十七条及び第百十八条（これらの規定を新令第百二十条及び第百八十八条第一項において準用する場合を含む。）、第百八十四条、第百八十六条第一項及び第百八十七条（これらの規定を新令第百八十八条第一項において準用する場合を含む。）並びに第二百十三条の五第一項、第二百十三条の六第一項、第二百十三条の七（新令第二百十四条の三及び第二百十五条の三において準用する場合を含む。）、第二百十四条の四、第二百十四条の五第一項、第二百十五条の四及び第二百十五条の五（これらの規定を新令第二百十五条の六において準用する場合を含む。）の規定は、この政令の施行の日以後に新令第百条の二第二項（新令第百十三条及び第百十六条の二（これらの規定を新令第百二十条及び第百八十八条第一項において準用する場合を含む。）、第百二十条、第百八十八条第一項並びに第二百十三条の四、第二百十四条の三及び第二百十五条の三（これらの規定を新令第二百十五条の六において準用する場合を含む。）において準用する場合を含む。）、第百九条の三第二項（新令第百十三条、第百十六条の二、第二百十三条の四、第二百十四条の三及び第二百十五条の三において準用する場合を含む。）、第百八十一条第一項又は第百八十八条の二第二項の規定による期日の告示が行われる投票について適用し、この政令の施行の日の前日までに旧令第百条の二第二項（旧令第百十三条及び第百十六条の二（これらの規定を旧令第百二十条及び第百八十八条第一項において準用する場合を含む。）、第百二十条、第百八十八条第一項並びに第二百十三条の四、第二百十四条の三及び第二百十五条の三（これらの規定を旧令第二百十五条の六において準用する場合を含む。）において準用する場合を含む。）、第百九条の三第二項（旧令第百十三条、第百十六条の二、第二百十三条の四、第二百十四条の三及び第二百十五条の三において準用する場合を含む。）、第百八十一条第一項又は第百八十八条の二第二項の規定による期日の告示が行われた投票については、なお従前の例による。

（罰則に関する経過措置）

第五条　この政令の施行前にした行為並びに附則第二条第一項（中略）の規定によりなお従前の例によることとされる場合におけるこの政令の施行後にした行為に対する罰則の適用については、なお従前の例による。

附　則（平二五・二・一五政令三五）

（施行期日）

第一条　この政令は、平成二十五年四月一日から施行する。

（経過措置）

第二条　この政令の施行の際障害者の日常生活及び社会生活を総合的に支援するための法律（以下「法」という。）若しくは障害者の日常生活及び社会生活を総合的に支援するための法律施行令（以下「令」という。）の規定により都道府県知事がした処分その他の行為で現にその効力を有するもの又はこの政令の施行の日（以下「施行日」という。）前に法若しくは令の規定により都道府県知事に対してなされた申請その他の行為で、施行日以後において市町村長（特別区の区長を含む。以下同じ。）が処理し、又は管理し、及び執行することとなる事務に係るものは、施行日以後においては、市町村長のした処分その他の行為又は市町村長に対してなされた申請その他の行為とみなす。ただし、施行日前に法に基づき支給され、又は支給されるべきであった自立支援医療費の支給に関する費用の支弁、負担及び徴収については、なお従前の例による。

2 施行日前に法又は令の規定により都道府県知事に対し報告その他の手続をしなければならない事項についてその手続がされていないもので、施行日以後法又は令の規定により市町村長に対して行うべきこととなるものは、施行日以後においては、市町村長に対して報告その他の手続をしなければならない事項についてその手続がされていないものとみなす。

附　則（平二五・三・一三政令五四）（抄）

（施行期日）

第一条 この政令は、平成二十六年四月一日から施行する。

附　則（平二五・三・三〇政令一一四）（抄）

（施行期日）

第一条 この政令は、平成二十五年四月一日から施行する。〔ただし書略〕

附　則（平二五・四・一二政令一二二）（抄）

（施行期日）

第一条 この政令は、法の施行の日（平成二十五年四月十三日）から施行する。

附　則（平二五・四・二六政令一二九）（抄）

（施行期日）

1 この政令は、公布の日から起算して十日を経過した日から施行する。

附　則（平二五・五・三一政令一六九）（抄）

（施行期日）

第一条 この政令は、平成二十八年一月一日から施行する。ただし、次の各号に掲げる規定は、当該各号に定める日から施行する。

一 〔前略〕附則〔中略〕第二十一条の規定　平成二十五年六月一日

二～五 〔略〕

附　則（平二五・六・一二政令一七三）（抄）

（施行期日）

第一条 この政令は、平成二十八年一月一日から施行する。〔ただし書略〕

附　則（平二五・七・五政令二一四）（抄）

（施行期日）

第一条 この政令は、水防法及び河川法の一部を改正する法律の施行の日（平成二十五年七月十一日）から施行する。

附　則（平二五・八・一九政令二三七）（抄）

（施行期日）

第一条 この政令は、法附則第一条ただし書に規定する規定の施行の日（平成二十五年八月二十日）から施行する。

附　則（平二五・九・二六政令二八五）（抄）

（施行期日）

第一条 この政令は、災害対策基本法等の一部を改正する法律附則第一条第一号に掲げる規定の施行の日（平成二十五年十月一日）から施行する。〔ただし書略〕

附　則（平二五・一一・七政令三〇七）

この政令は、平成二十六年四月一日から施行する。

附　則（平二五・一一・二七政令三一九）（抄）

（施行期日）

1 この政令は、平成二十六年四月一日から施行する。

附　則（平二六・一・一六政令八）（抄）

（施行期日）

第一条 この政令は、平成二十六年四月一日から施行する。

附　則（平二六・二・五政令二五）（抄）

（施行期日）

1 この政令は、薬事法及び薬剤師法の一部を改正する法律の施行の日（平成二十六年六月十二日）から施行する。

附　則（平二六・三・三一政令一三三）（抄）

（施行期日）

1 この政令は、平成二十六年四月一日から施行する。

附　則（平二六・三・三一政令一四五）（抄）

（施行期日）

第一条 この政令は、平成二十六年四月一日から施行する。〔ただし書略〕

附　則（平二六・四・一八政令一六四）

この政令は、平成二十六年七月一日から施行する。

附　則（平二六・六・二五政令二二五）（抄）

（施行期日）

1 この政令は、公布の日から施行する。

（地方自治法施行令の一部改正に伴う経過措置）

2 地域における医療及び介護の総合的な確保を推進するための関係法律の整備等に関する法律（以下この項及び次項において「医療介護総合確保推進法」という。）附則第三条第二項の規定によりなおその効力を有することとされた医療介護総合確保推進法第一条の規定による改正前の地域における公的介護施設等の計画的な整備等の促進に関する法律（平成元年法律第六十四号。次項において「旧介護施設整備法」という。）第七条の規定により都道府県が処理することとされている事務については、第二条の規定による改正前の地方自治法施行令（以下この項において「旧地方自治法施行令」という。）第百七十四条の三十一の二第一項及び第百七十四条の四十九の十第一項の規定は、この政令の施行後も、なおその効力を有する。この場合において、旧地方自治法施行令第百七十四条の三十一の二第一項中「地域における公的介護施設等の計画的な整備等の促進に関する法律」とあるのは「地域における医療及び介護の総合的な確保を推進するための関係法律の整備等に関する法律（平成二十六年法律第八十三号）附則第三条第二項の規定によりなおその効力を有することとされた同法第一条の規定による改正前の地域における公的介護施設等の計画的な整備等の促進に関する法律」と、「介護施設整備法」とあるのは「旧介護施設整備法」と、旧地方自治法施行令第百七十四条の四十九の十第一項中「介護施設整備法」とあるのは「旧介護施設整備法」とする。

附　則（平二六・七・一六政令二五六）（抄）

（施行期日）

1 この政令は、公布の日から起算して十日を経過した日から施行する。

附　則（平二六・七・三〇政令二六九）（抄）

（施行期日）

第一条 この政令は、改正法の施行の日（平成二十六年十一月二十五日）から施行する。

附　則（平二六・八・六政令二七一）（抄）

（施行期日）

1　この政令は、海岸法の一部を改正する法律の施行の日（平成二十六年八月十日）から施行する。

附　則（平二六・八・二〇政令二八三）（抄）

（施行期日）

1　この政令は、マンションの建替えの円滑化等に関する法律の一部を改正する法律の施行の日（平成二十六年十二月二十四日）から施行する。

附　則（平二六・八・二〇政令二八九）（抄）

（施行期日）

1　この政令は、平成二十六年十月一日から施行する。

附　則（平二六・九・三政令二九一）（抄）

（施行期日）

第一条　この政令は、平成二十七年四月一日から施行する。

附　則（平二六・九・三政令三〇〇）（抄）

（施行期日）

第一条　この政令は、子ども・子育て支援法の施行の日（平二七・四・一）から施行する。〔ただし書略〕

附　則（平二六・九・一九政令三〇八）（抄）

（施行期日）

1　この政令は、建設業法等の一部を改正する法律の施行の日（平成二十七年四月一日）から施行する。

附　則（平二六・九・二五政令三一三）（抄）

（施行期日）

1　この政令は、平成二十六年十月一日から施行する。〔ただし書略〕

附　則（平二六・一〇・二九政令三四五）（抄）

（施行期日）

第一条　この政令は、地方自治法の一部を改正する法律（平成二十六年法律第四十二号）附則第一条第一号に掲げる規定の施行の日（平成二十六年十一月一日）から施行する。

（経過措置）

第二条　この政令による改正後の地方自治法施行令（以下この条において「新令」という。）第百六十七条の四第二項第一号（新令第百六十七条の十一第一項及び第百六十七条の十四において準用する場合を含む。）の規定は、地方自治法第二百三十四条第一項の規定による一般競争入札、指名競争入札又はせり売り（次項において「一般競争入札等」という。）に参加しようとする者がこの政令の施行の日（以下この条において「施行日」という。）以後の事実により同号に該当すると認められるときについて適用し、施行日前の事実によりこの政令による改正前の地方自治法施行令（以下この項において「旧令」という。）第百六十七条の四第二項第一号（旧令第百六十七条の十一第一項及び第百六十七条の十四において準用する場合を含む。）に該当すると認められる者については、なお従前の例による。

2　新令第百六十七条の四第二項第六号（新令第百六十七条の十一第一項及び第百六十七条の十四において準用する場合を含む。）の規定は、一般競争入札等に参加しようとする者が施行日以後の事実により同号に該当すると認められるときについて適用する。

附　則（平二六・一一・一二政令三五七）（抄）

（施行期日）

第一条　この政令は、平成二十七年一月一日から施行する。〔ただし書略〕

附　則（平二六・一二・三政令三八三）（抄）

（施行期日）

1　この政令は、海岸法の一部を改正する法律附則第一条ただし書に規定する規定の施行の日（平成二十六年十二月十日）から施行する。〔ただし書略〕

附　則（平二六・一二・一九政令四〇五）（抄）

（施行期日）

第一条　この政令は、平成二十七年四月一日から施行する。〔ただし書略〕

附　則（平二六・一二・二四政令四一二）（抄）

（施行期日）

1　この政令は、子ども・子育て支援法の施行の日（平二七・四・一）から施行する。

附　則（平二七・一・九政令一）（抄）

（施行期日）

第一条　この政令は、平成二十八年四月一日から施行する。ただし、次の各号に掲げる規定は、当該各号に定める日から施行する。

一　〔前略〕附則第五条〔中略〕の規定　感染症の予防及び感染症の患者に対する医療に関する法律の一部を改正する法律（次号において「改正法」という。）附則第一条第二号に掲げる規定の施行の日〔平二六・一一・二一〕から起算して二月を経過した日

二　〔略〕

附　則（平二七・一・二一政令一一）（抄）

（施行期日）

第一条　この政令は、建築基準法の一部を改正する法律の施行の日（平成二十七年六月一日）から施行する。

附　則（平二七・一・三〇政令三〇）（抄）

（施行期日）

第一条　この政令は、地方自治法の一部を改正する法律（次条において「改正法」という。）の施行の日（平成二十八年四月一日）から施行する。ただし、第一条中地方自治法施行令〔中略〕第二編第八章第三節の節名を削る改正規定及び同令第百七十四条の四十九の二十の改正規定〔中略〕並びに次条〔中略〕の規定は、平成二十七年四月一日から施行する。

（地方自治法施行令の一部改正に伴う経過措置）

第二条　施行時特例市（改正法附則第二条に規定する施行時特例市をいう。以下同じ。）については、第一条の規定による改正前の地方自治法施行令第百七十四条の四十九の二十の規定は、なおその効力を有する。この場合において、同条第一項中「地方自治法第二百五十二条の二十六の三第一項の規定により、特例市が処理する土地区画整理事業に関する事務」とあるのは「地方自治法の一部を改正する法律（平成二十六年法律第四十二号）附則第二条に規定する施行時特例市（以下この条において「施行時特例市」という。）」と、「特例市若しくは」とあるのは「施行時特例市若しくは」と、「特例市がした」とあるのは「施行時特例市がした」と、「事務を除く。）」とあるのは

「事務を除く。」を処理するもの」と、「特例市に」とあるのは「施行時特例市に」と、同条第二項中「特例市の市長」とあるのは「地方自治法の一部を改正する法律（平成二十六年法律第四十二号）附則第二条に規定する施行時特例市（第百二十三条第一項において「施行時特例市」という。）の市長」と、「特例市に対し、特例市」とあるのは「施行時特例市に対し、施行時特例市」と、同条第三項中「特例市」とあるのは「施行時特例市」と、「第百七十四条の四十九の二十第一項」とあるのは「地方自治法施行令等の一部を改正する政令（平成二十七年政令第三十号）附則第二条の規定によりなおその効力を有するものとされた第百七十四条の四十九の二十第一項」とする。

附 則（平二七・二・四政令三八）（抄）

（施行期日）

第一条 この政令は、平成二十七年四月一日から施行する。

（地方自治法施行令の一部改正に伴う経過措置）

第三条 改正法附則第二条第一項の場合においては、第二条の規定による改正後の地方自治法施行令第百七十四条の二十、第百七十四条の二十一第一項、第百七十四条の二十二第一項並びに第百七十四条の二十三第一項及び第三項の規定は適用せず、第二条の規定による改正前の地方自治法施行令第百七十四条の二十、第百七十四条の二十一第一項、第百七十四条の二十二第一項並びに第百七十四条の二十三第一項及び第三項の規定は、なおその効力を有する。

附 則（平二七・二・四政令四〇）（抄）

（施行期日）

第一条 この政令は、平成二十七年四月一日から施行する。

附 則（平二七・二・一二政令四二）（抄）

この政令は、平成二十七年四月一日から施行する。〔ただし書略〕

附 則（平二七・三・六政令六八）（抄）

（施行期日）

第一条 この政令は、法の施行の日（平成二十七年四月一日）から施行する。

附 則（平二七・三・三一政令一二八）（抄）

（施行期日）

第一条 この政令は、平成二十七年四月一日から施行する。〔ただし書略〕

（地方自治法施行令の一部改正に伴う経過措置）

第五条 施行日から起算して一年を超えない期間内において、医療法第十八条の規定に基づく指定都市の条例が制定施行されるまでの間は、当該指定都市の属する都道府県が同条の規定に基づき条例で定める基準は、当該指定都市が同条の規定に基づき条例で定める基準とみなす。

2 施行日から起算して一年を超えない期間内において、医療法第二十一条の規定に基づく指定都市の条例が制定施行されるまでの間は、当該指定都市の属する都道府県が同条の規定に基づき条例で定める基準は、当該指定都市が同条の規定に基づき条例で定める基準とみなす。

附 則（平二七・三・三一政令一三八）（抄）

（施行期日）

第一条 この政令は、平成二十七年四月一日から施行する。〔ただし書略〕

附 則（平二七・八・七政令二八七）（抄）

（施行期日）

1 この政令は、公布の日から施行する。

附 則（平二七・八・二六政令二九七）（抄）

（施行期日）

1 この政令は、平成二十七年十月一日から施行する。

附 則（平二七・九・一八政令三三六）（抄）

（施行期日）

1 この政令は、公布の日から施行する。ただし、次の各号に掲げる規定は、当該各号に定める日から施行する。

一 〔前略〕次項の規定 行政手続における特定の個人を識別するための番号の利用等に関する法律の施行の日（平成二十七年十月五日）

二 〔略〕

附 則（平二七・一〇・三〇政令三六七）（抄）

（施行期日）

第一条 この政令は、公職選挙法の一部を改正する法律の施行の日〔平二七・一一・五〕から施行する。〔ただし書略〕

附 則（平二七・一一・二六政令三九二）（抄）

（施行期日）

第一条 この政令は、行政不服審査法の施行の日（平成二十八年四月一日）から施行する。

附 則（平二七・一二・一六政令四一六）

この政令は、公布の日から施行する。

附 則（平二七・一二・二四政令四四〇）（抄）

（施行期日）

第一条 この政令は、平成二十八年四月一日から施行する。

附 則（平二八・一・一五政令六）（抄）

（施行期日）

1 この政令は、建築基準法の一部を改正する法律附則第一条第三号に掲げる規定の施行の日（平成二十八年六月一日）から施行する。

附 則（平二八・一・二九政令二七）（抄）

（施行期日）

第一条 この政令は、平成二十八年四月一日から施行する。

附 則（平二八・二・三政令三四）（抄）

（施行期日）

1 この政令は、地域の自主性及び自立性を高めるための改革の推進を図るための関係法律の整備に関する法律附則第一条第二号に掲げる規定の施行の日（平成二十八年三月三十一日）から施行する。

附 則（平二八・二・一七政令四三）（抄）

（施行期日）

第一条 この政令は、改正法施行日（平成二十八年四月一日）から施行する。〔ただし書略〕

附 則（平二八・三・三一政令一三三）（抄）

最終改正 令元・六・二一政令三三

（施行期日）

第一条 この政令は、平成二十八年四月一日から施行する。ただし、次の各号に掲げる規定は、当該各号に定める日から施行する。

一～四 〔略〕

四の二 第六条（第四号の四に掲げる改正規定を除く。）及び

附則第十四条第四項の規定　平成三十一年四月一日
四の三　〔略〕
四の四　第六条中地方自治法施行令第二百十条の十の改正規定及び附則第十四条第一項から第三項までの規定　令和二年四月一日
五～十三　〔略〕

（地方自治法施行令の一部改正に伴う経過措置）
第十四条　令和二年度における改正法附則第三十五条の規定による改正後の地方自治法（昭和二十二年法律第六十七号）第二百八十二条第一項の規定により特別区に対し交付すべき同条第二項に規定する特別区財政調整交付金（以下この条において「新特別区財政調整交付金」という。）の交付に係る第六条の規定による改正後の地方自治法施行令（次項及び第三項において「新地方自治法施行令」という。）第二百十条の十の規定の適用については、同条中「収入額（」とあるのは「収入額（令和元年十月一日から令和二年三月三十一日までの間に納付された法人の行う事業に対する事業税の収入額を含む。）（」と、「収入額に」とあるのは「収入額（令和元年十月一日から令和二年三月三十一日までに納付された法人の行う事業に対する事業税の収入額を含む。）に」と、「統計法（平成十九年法律第五十三号）第二条第四項に規定する基幹統計である事業所統計の最近に公表された結果による各市町村及び特別区の従業者数」とあるのは「地方税法等の一部を改正する等の法律（平成二十八年法律第十三号）附則第三十六条第三項の規定により読み替えられた地方自治法第二百八十二条第二項に規定する各市町村の市町村民税の法人税割額及び地方税法第五条第二項第一号に掲げる税のうち同法第七百三十四条第二項（第二号に係る部分に限る。）の規定により都が課する都民税の法人税割額」とする。

2　令和三年度における新特別区財政調整交付金の交付に係る新地方自治法施行令第二百十条の十の規定の適用については、同条中「額を統計法」とあるのは「額（以下この条において「事業税額」という。）の三分の二に相当する額を地方税法等の一部を改正する等の法律（平成二十八年法律第十三号）附則第三十六条第三項の規定により読み替えられた地方自治法（以下この条において「読替え後の地方自治法」という。）第二百八十二条第二項に規定する統計法」と、「従業者数」とあるのは「従業者数で、事業税額の三分の二に相当する額を読替え後の地方自治法第二百八十二条第二項に規定する市町村民税の法人税割額及び地方税法第五条第二項第一号に掲げる税のうち同法第七百三十四条第二項（第二号に係る部分に限る。）の規定により都が課する都民税の法人税割額」とする。

3　令和四年度における新特別区財政調整交付金の交付に係る新地方自治法施行令第二百十条の十の規定の適用については、同条中「額を統計法」とあるのは「額（以下この条において「事業税額」という。）の三分の一に相当する額を地方税法等の一部を改正する等の法律（平成二十八年法律第十三号）附則第三十六条第三項の規定により読み替えられた地方自治法（以下この条において「読替え後の地方自治法」という。）第二百八十二条第二項に規定する統計法」と、「従業者数」とあるのは「従業者数で、事業税額の三分の一に相当する額を読替え後の地方自治法第二百八十二条第二項に規定する市町村民税の法人税割額及び地方税法第五条第二項第一号に掲げる税のうち同法第七百三十四条第二項（第二号に係る部分に限る。）の規定により都が課する都民税の法人税割額」とする。

4　平成三十年度分までの改正法附則第三十五条の規定による改正前の地方自治法第二百八十二条第一項の規定により特別区に対し交付すべき同条第二項に規定する特別区財政調整交付金に係る第六条の規定による改正前の地方自治法施行令第二百十条の十二第一項に規定する基準財政収入額の算定については、なお従前の例による。

附　則（平二八・三・三一政令一四一）

この政令は、平成二十八年四月一日から施行する。

附　則（平二八・三・三一政令一五九）（抄）

（施行期日）
第一条　この政令は、平成二十八年四月一日から施行する。〔ただし書略〕

附　則（平二八・五・一八政令二二一）（抄）

（施行期日）
第一条　この政令は、公布の日から施行する。

附　則（平二八・五・二七政令二二七）（抄）

（施行期日）
第一条　この政令は、公職選挙法等の一部を改正する法律（平成二十七年法律第四十三号）の施行の日（平二八・六・一九）から施行する。〔ただし書略〕

附　則（平二八・五・二七政令二二八）（抄）

（施行期日）
1　この政令は、公布の日から施行する。

附　則（平二八・六・三政令二三四）

（施行期日）
1　この政令は、公布の日から施行する。

附　則（平二八・八・一八政令二八四）（抄）

（施行期日）
1　この政令は、平成二十八年十月一日から施行する。

附　則（平二八・一一・二八政令三六〇）（抄）

改正　令元・六・二一政令三三

（施行期日）
第一条　この政令は、公布の日から施行する。ただし、〔中略〕第四条〔中略〕及び附則第三条の規定は、令和二年四月一日から施行する。

（地方自治法施行令の一部改正に伴う経過措置）
第三条　第四条の規定による改正後の地方自治法施行令（以下この条において「新地方自治法施行令」という。）第二百十条の十二第一項の規定は、令和二年度分の地方税法等の一部を改正する等の法律（平成二十八年法律第十三号。以下この条において「地方税法等改正法」という。）附則第三十五条の規定による改正後の地方自治法第二百八十二条第一項の規定により特別区に対し交付すべき同条第二項に規定する特別区財政調整交付金に係る新地方自治法施行令第二百十条の十二第一項に規定する基準財政収入額の算定から適用し、令和元年度分までの地方税法等改正法附則第三十五条の規定による改正前の地方自治法第二百八十二条第一項の規定により特別区に対し交付すべき同条第二項に規定する特別区財政調整交付金に係る第四条の規定による改正前の地方自治法施行令第二百十条の十二第一項に規定する基準財政収入額の算定については、なお従前の例による。

附　則（平二九・一・二五政令七）（抄）

改正　平三〇・七・一一政令二〇六

（施行期日）

1　この政令は、環太平洋パートナーシップに関する包括的及び先進的な協定が日本国について効力を生ずる日〔平三〇・一二・二七〕から施行する。〔ただし書略〕

附　則（平二九・二・一七政令二四）（抄）

（施行期日）

1　この政令は、法（第五十一条及び第五十二条第一項を除く。）の施行の日〔平三〇・一・一〕から施行する。〔ただし書略〕

附　則（平二九・三・二三政令四〇）（抄）

（施行期日）

第一条　この政令は、第五号施行日（平成二十九年四月一日）から施行する。〔ただし書略〕

附　則（平二九・三・二九政令六三）（抄）

（施行期日）

第一条　この政令は、平成二十九年四月一日から施行する。

附　則（平二九・三・三一政令八二）

（施行期日）

第一条　この政令は、平成二十九年四月一日から施行する。

（経過措置）

第二条　この政令の施行の日（以下この条において「施行日」という。）前に医療法（昭和二十三年法律第二百五号）第七条第三項の規定により付された許可、同条第五項の規定により付された条件、同法第二十七条の二第一項の規定によりされた勧告、同条第二項の規定によりされた命令若しくは医療法施行令（昭和二十三年政令第三百二十六号）第三条の三若しくは第四条第二項の規定によりされた届出又はこの政令の施行の際現にされている同法第七条第三項の許可の申請で、施行日においてこれらの行為に係る行政事務を行うべき者が異なることとなるものは、施行日以後におけるこの政令による改正後の地方自治法施行令第百七十四条の三十五の規定により読み替えて適用する医療法（以下この項及び第三項において「読替え後の医療法」という。）及び同条の規定により読み替えて適用する医療法施行令（以下この項及び次項において「読替え後の医療法施行令」という。）の規定の適用については、それぞれ読替え後の医療法第七条第三項の規定により付された許可、同条第五項の規定により付された条件、読替え後の医療法第二十七条の二第一項の規定によりされた勧告、同条第二項の規定によりされた命令若しくは読替え後の医療法施行令第三条の三若しくは第四条第二項の規定によりされた届出又は読替え後の医療法第七条第三項の許可の申請とみなす。この場合において、読替え後の医療法施行令第三条の三後段及び第四条第二項後段の規定は、適用しない。

2　施行日前に医療法施行令第三条の三又は第四条第二項の規定により都道府県知事に対し届出をしなければならない事項で、施行日前にその届出がされていないものについては、これを、読替え後の医療法施行令第三条の三又は第四条第二項の規定により指定都市の市長に対して届出をしなければならない事項についてその届出がされていないものとみなして、これらの規定を適用する。

3　施行日から起算して一年を超えない期間内において、読替え後の医療法第二十一条第二項の規定に基づく指定都市の条例が制定施行されるまでの間は、当該指定都市の属する都道府県が医療法第二十一条第二項の規定に基づき条例で定める基準は、当該指定都市が読替え後の医療法第二十一条第二項の規定に基づき条例で定める基準とみなす。

附　則（平二九・三・三一政令九八）（抄）

（施行期日）

第一条　この政令は、平成二十九年四月一日から施行する。

附　則（平二九・三・三一政令一一四）（抄）

（施行期日）

第一条　この政令は、平成二十九年四月一日から施行する。〔ただし書略〕

附　則（平二九・三・三一政令一一九）（抄）

（施行期日）

1　この政令は、平成二十九年四月一日から施行する。

附　則（平二九・四・七政令一三一）（抄）

（施行期日）

第一条　この政令は、公職選挙法の一部を改正する法律（平成二十八年法律第二十五号）及び公職選挙法の一部を改正する法律（平成二十八年法律第九十三号）の施行の日（平成二十九年四月十日）から施行する。

附　則（平二九・五・三一政令一五三）（抄）

（施行期日）

第一条　この政令は、公職選挙法及び最高裁判所裁判官国民審査法の一部を改正する法律の施行の日（平成二十九年六月一日から）施行する。

附　則（平二九・七・一四政令一九〇）（抄）

（施行期日）

第一条　この政令は、衆議院議員選挙区画定審議会設置法及び公職選挙法の一部を改正する法律（平成二十八年法律第四十九号）附則第一条ただし書に規定する規定の施行の日〔平二九・七・一六〕から施行する。

附　則（平二九・九・一五政令二四一）（抄）

（施行期日）

1　この政令は、土地改良法等の一部を改正する法律の施行の日（平成二十九年九月二十五日）から施行する。

附　則（平二九・一〇・二五政令二六三）（抄）

（施行期日）

第一条　この政令は、平成三十年四月一日から施行する。

附　則（平二九・一〇・二七政令二七一）

この政令は、平成三十年四月一日から施行する。

附　則（平二九・一一・二七政令二九〇）（抄）

（施行期日）

第一条　この政令は、法の施行の日（平成三十年四月一日）から施行する。〔ただし書略〕

附　則（平二九・一二・一三政令三〇三）（抄）

（施行期日）

第一条　この政令は、平成三十年四月一日から施行する。〔ただし書略〕

附　則（平二九・一二・二〇政令三一三）

この政令は、児童福祉法及び児童虐待の防止等に関する法律の一部を改正する法律の施行の日（平成三十年四月二日）から施行する。

附　則（平二九・一二・二七政令三二二）

（施行期日）

1　この政令は、公布の日から施行する。ただし、第百七十四条の三十九第三項の改正規定及び次項の規定は、平成三十年四月一日から施行する。

（経過措置）

2　この政令による改正後の地方自治法施行令第百七十四条の三十九第三項の規定は、地方自治法施行令第百七十四条の三十九第一項の規定により地方自治法第二百五十二条の十九第一項の指定都市（以下この項において「指定都市」という。）に適用があるものとされる土地区画整理法（昭和二十九年法律第百十九号）第五十五条第一項の規定による事業計画の縦覧の開始の日（以下この項において「縦覧開始日」という。）が前項ただし書に規定する規定の施行の日（以下この項において「一部施行日」という。）以後である土地区画整理事業に係る指定都市の事務の処理について適用し、縦覧開始日が一部施行日前である土地区画整理事業に係る指定都市の事務の処理については、なお従前の例による。

附　則（平三〇・一・三一政令二三）（抄）

（施行期日）

1　この政令は、廃棄物の処理及び清掃に関する法律の一部を改正する法律（平成二十九年法律第六十一号）の施行の日（平成三十年四月一日）から施行する。

附　則（平三〇・三・一六政令四九）（抄）

（施行期日）

1　この政令は、平成三十年四月一日から施行する。

附　則（平三〇・三・二二政令五四）

この政令は、平成三十年四月一日から施行する。

附　則（平三〇・三・二二政令五五）（抄）

改正　令二・八・七政令二四三

（施行期日）

第一条　この政令は、平成三十年四月一日から施行する。〔ただし書略〕

（地方自治法施行令の適用に関する経過措置）

第五条　令和六年三月三十一日までの間における地方自治法施行令第百七十四条の三十一の四及び第百七十四条の四十九の十一の二の規定の適用については、同令第百七十四条の三十一の四第一項中「の規定により、都道府県が」とあるのは「並びに健康保険法等の一部を改正する法律（平成十八年法律第八十三号）附則第百三十条の二第一項の規定によりなおその効力を有するものとされた同法第二十六条の規定による改正前の介護保険法（以下この条及び第百七十四条の四十九の十一の二において「旧介護保険法」という。）第四十八条第一項第三号並びに第五章第五節第三款及び第十節並びに健康保険法等の一部を改正する法律の一部の施行に伴う関係政令の整理に関する政令（平成二十三年政令第三百七十五号）第一条の規定による改正前の介護保険法施行令（以下この項において「旧介護保険法施行令」という。）第四章第四節の規定により、都道府県が」と、「第百十五条の六」とあるのは「第百十五条の六並びに旧介護保険法第百十一条の二」と、「同法第百十五条の三十五第五項及び第七項」とあるのは「介護保険法第百十五条の三十五第五項及び第七項並びに旧介護保険法第百十五条の三十五第五項及び第七項」と、「同令」とあるのは「介護保険法施行令」と、「の規定中」とあるのは「並びに旧介護保険法第四十八条第一項第三号並びに第五章第五節第三款及び第十節並びに旧介護保険法施行令第四章第四節の規定中」と、同条第二項中「第百十五条の九第二項」とあるのは「第百十五条の九第二項並びに旧介護保険法第百十三条の二第五項及び第百十四条第二項」と、同条第三項中「読み替える」とあるのは「、旧介護保険法第百十五条中「事項を」とあるのは「事項を都道府県知事に届け出るとともに、これを」と、旧介護保険法第百十五条の三十五第六項中「指定居宅サービス事業者、指定居宅介護支援事業者若しくは指定介護予防サービス事業者又は指定介護老人福祉施設、介護老人保健施設若しくは指定介護療養型医療施設の開設者」とあり、及び「指定居宅サービス事業者、指定居宅介護支援事業者、指定介護予防サービス事業者、指定介護老人福祉施設若しくは指定介護療養型医療施設」とあるのは「介護サービス事業者」と、「介護老人保健施設の許可」とあるのは「許可」と読み替える」と、同令第百七十四条の四十九の十一の二第一項中「第三十条」とあるのは「第三十条並びに旧介護保険法第四十八条第一項第三号及び第五章第五節第三款」と、「第百十五条の六」とあるのは「第百十五条の六並びに旧介護保険法第百十一条の二」と、同条第二項中「第百十五条の三十五第六項」とあるのは「第百十五条の三十五第六項並びに旧介護保険法第百十三条の二第五項、第百十四条第二項及び第百十五条の三十五第六項」と、同条第三項中「読み替える」とあるのは「、旧介護保険法第百十五条中「事項を」とあるのは「事項を都道府県知事に届け出るとともに、これを」と、旧介護保険法第百十五条の三十五第五項中「指定地域密着型サービス事業者、指定地域密着型介護予防サービス事業者又は指定介護予防支援事業者」とあるのは「介護サービス事業者」と、「指定を」とあるのは「指定又は許可を」と、同条第七項中「指定地域密着型サービス事業者、指定地域密着型介護予防サービス事業者又は指定介護予防支援事業者」とあるのは「介護サービス事業者」と、「指定を取り消し」とあるのは「指定若しくは許可を取り消し」と、「指定の」とあるのは「指定若しくは許可の」と、「指定をした」とあるのは「指定又は許可をした」と読み替える」とする。

附　則（平三〇・三・二八政令六五）

（施行期日）

第一条　この政令は、平成三十年四月一日から施行する。

（経過措置）

第二条　この政令の施行の日（以下「施行日」という。）前に介護保険法（平成九年法律第百二十三号）第六十九条の三十八若しくは第百十五条の三十五第二項から第四項まで若しくは第六項の規定により都道府県知事がした処分その他の行為又は施行日前に同法第六十九条の三十八第一項若しくは第百十五条の三十五第一項の規定により都道府県知事に対してされた報告で、施行日以後において地方自治法第二百五十二条の十九第一項に規定する指定都市（以下「指定都市」という。）の市長が管理し、及び執行することとなる事務に係るものは、施行日以後においては、この政令による改正後の地方自治法施行令（第三項において「新令」という。）第百七十四条の三十一の四の規定により読み替えて適用する介護保険法（以下この項及び次項において「読替え後の介護保険法」という。）第六十九条の三十八若しくは第百十五条の三十五第二項から第四項まで若しくは第六項の規定により指定都市の市長がした処分その他の行為又は読替え後の介護保険法第六十九条の三十八第一項若しくは第百十五条の三十五第一項の規定により指定都市の市長に対してされた報告とみなす。

2　施行日前に介護保険法第六十九条の三十八第一項又は第百十五条の三十五第一項の規定により都道府県知事に対して報告しなければならない事項についてその報告がされていないもので、施行日以後において指定都市の市長に対してするべきこととなるものは、施行日以後においては、読替え後の介護保険法第六十九条の三十八第一項又は第百十五条の三十五第一項の規定により指定都市の市長に対して報告しなければならない事項についてその報告がされていないものとみなす。

3　施行日前に介護保険法施行令（平成十年政令第四百十二号）第三十七条の七第一項の規定により同項に規定する調査員養成研修の課程を修了した者は、新令第百七十四条の三十一の四第一項の規定により指定都市に適用があるものとされる介護保険法施行令第三十七条の七第一項の規定により同項に規定する調査員養成研修の課程を修了した者とみなす。

附　則（平三〇・三・三〇政令九二）（抄）

（施行期日）

1　この政令は、平成三十年四月一日から施行する。

（地方自治法施行令の一部改正に伴う経過措置）

2　第一条の規定による改正後の地方自治法施行令（以下この項において「新地方自治法施行令」という。）第五条第六項の規定は、この政令の施行の日（次項において「施行日」という。）以後に新地方自治法施行令第五条第三項の規定による決算の認定に関する議案が否決される場合について適用する。

附　則（平三〇・三・三一政令一二五）（抄）

（施行期日）

第一条　この政令は、平成三十年四月一日から施行する。〔ただし書略〕

附　則（平三〇・三・三一政令一四五）（抄）

（施行期日）

第一条　この政令は、平成三十年四月一日から施行する。ただし、次の各号に掲げる規定は、当該各号に定める日から施行する。

一〜十三　〔略〕

十四　〔前略〕附則〔中略〕第五十一条の規定　都市農地の貸借の円滑化に関する法律（平成三十年法律第六十八号）の施行の日〔平三〇・九・一〕

十五・十六　〔略〕

附　則（平三〇・五・三〇政令一七三）（抄）

（施行期日）

第一条　この政令は銀行法等の一部を改正する法律（以下「改正法」という。）の施行の日（平成三十年六月一日）から施行する。〔ただし書略〕

附　則（平三〇・五・三〇政令一七五）（抄）

（施行期日）

1　この政令は、医療法等の一部を改正する法律の施行の日（平成三十年六月一日）から施行する。

附　則（平三〇・六・八政令一八五）（抄）

（施行期日）

1　この政令は、公布の日から施行する。

附　則（平三〇・六・二七政令一八九）

この政令は、公布の日から施行する。

附　則（平三〇・七・二五政令二一六）

この政令は、公布の日から施行する。

附　則（平三〇・八・一政令二三四）（抄）

（施行期日）

1　この政令は、法の施行の日（平成三十年九月一日）から施行する。

附　則（平三〇・九・二八政令二八〇）（抄）

（施行期日）

第一条　この政令は、道路法等の一部を改正する法律の施行の日（平成三十年九月三十日）から施行する。

附　則（平三〇・九・二八政令二八四）（抄）

（施行期日）

1　この政令は、平成三十年十月一日から施行する。

附　則（平三〇・一〇・一七政令二九一）（抄）

改正　令元・六・二八政令四四

（施行期日）

第一条　この政令は、地域の自主性及び自立性を高めるための改革の推進を図るための関係法律の整備に関する法律の施行の日（令和元年六月一日）から施行する。ただし、〔中略〕附則第三条の規定は、令和二年四月一日から施行する。

附　則（平三〇・一〇・二四政令二九九）（抄）

（施行期日）

第一条　この政令は、公職選挙法の一部を改正する法律の施行の日〔平三〇・一〇・二五〕から施行する。

附　則（平三〇・一一・九政令三一一）（抄）

（施行期日）

1　この政令は、農業経営基盤強化促進法等の一部を改正する法律の施行の日（平成三十年十一月十六日）から施行する。〔ただし書略〕

附　則（平三〇・一二・二八政令三五九）（抄）

（施行期日）

1　この政令は、平成三十一年四月一日から施行する。

附　則（平三〇・一二・二八政令三六四）（抄）

改正　令元・六・二八政令四四

（施行期日）

第一条　この政令は、法の施行の日（令和元年十月一日）から施行する。

附　則（平三一・一・三〇政令一八）（抄）

（施行期日）

1　この政令は、平成三十一年四月一日から施行する。

附　則（平三一・三・一五政令三八）（抄）

（施行期日）

1　この政令は、平成三十一年四月一日から施行する。

附　則（平三一・三・二五政令五六）

この政令は、平成三十一年四月一日から施行する。

附　則（平三一・三・二九政令八八）（抄）

（施行期日）

第一条　この政令は、平成三十一年四月一日から施行する。

附　則（平三一・三・二九政令一〇二）（抄）

改正　令和元・六・二八政令四四

（施行期日）

第一条　この政令は、平成三十一年四月一日から施行する。ただし、次の各号に掲げる規定は、当該各号に定める日から施行する。

一　〔前略〕附則〔中略〕第四十四条〔中略〕の規定　令和元年六月一日

二〜十二　〔略〕

附　則（平三一・三・三〇政令一三一）（抄）

（施行期日）

第一条　この政令は、平成三十一年四月一日から施行する。〔ただし書略〕

附　則（令元・五・三一政令一五）（抄）

（施行期日）

第一条　この政令は、令和元年六月一日から施行する。

附　則（令元・九・一一政令九二）

この政令は、成年被後見人等の権利の制限に係る措置の適正化等を図るための関係法律の整備に関する法律の施行の日〔令元・九・一四〕から施行する。

附　則（令元・九・一一政令九七）（抄）

（施行期日）

1　この政令は、令和二年四月一日から施行する。

附　則（令元・一〇・九政令一二三）（抄）

（施行期日）

第一条　この政令は、食品衛生法等の一部を改正する法律（次条において「改正法」という。）附則第一条第三号に掲げる規定の施行の日（令和三年六月一日）から施行する。〔ただし書略〕

附　則（令元・一一・八政令一五六）（抄）

（施行期日）

第一条　この政令は、令和二年四月一日から施行する。〔ただし書略〕

附　則（令元・一一・一五政令一五九）

この政令は、令和二年四月一日から施行する。

附　則（令元・一二・一三政令一八三）（抄）

（施行期日）

第一条　この政令は、情報通信技術の活用による行政手続等に係る関係者の利便性の向上並びに行政運営の簡素化及び効率化を図るための行政手続等における情報通信の技術の利用に関する法律等の一部を改正する法律（次条において「改正法」という。）の施行の日（令和元年十二月十六日）から施行する。

附　則（令二・一・二八政令一一）（抄）

改正　令二・一・三一政令二三

（施行期日）

1　この政令は、公布の日から起算して四日を経過した日から施行する。

附　則（令二・二・一三政令二八）（抄）

（施行期日）

1　この政令は、公布の日の翌日から施行する。

附　則（令二・三・一一政令四二）（抄）

（施行期日）

1　この政令は、公布の日から起算して四日を経過した日から施行する。

附　則（令二・三・二六政令六〇）（抄）

（施行期日）

1　この政令は、公布の日の翌日から施行する。

附　則（令二・三・二七政令六一）（抄）

（施行期日）

1　この政令は、令和二年四月一日から施行する。

附　則（令二・三・二七政令六二）（抄）

（施行期日）

1　この政令は、令和二年四月一日から施行する。

附　則（令二・三・三一政令一〇九）（抄）

（施行期日）

第一条　この政令は、令和二年四月一日から施行する。〔ただし書略〕

附　則（令二・三・三一政令一二一）（抄）

（施行期日）

第一条　この政令は、令和二年四月一日から施行する。〔ただし書略〕

附　則（令二・六・二四政令二〇一）（抄）

（施行期日）

1　この政令は、家畜伝染病予防法の一部を改正する法律（令和二年法律第十六号）の施行の日（令和二年七月一日）から施行する。

附　則（令二・六・二六政令二〇七）（抄）

（施行期日）

第一条　この政令は、令和四年四月一日から施行する。

附　則（令二・七・八政令二一七）（抄）

（施行期日）

第一条　この政令は、改正法施行日（令和二年十二月一日）から施行する。〔ただし書略〕

（地方自治法施行令の一部改正に伴う経過措置）

第三条　改正法附則第十五条第二項の規定により在任するものとされた海区漁業調整委員会の委員に係る地方自治法（昭和二十二年法律第六十七号）第二百四十三条の二第一項に規定する政令で定める基準については、第七条の規定による改正後の地方自治法施行令第百七十三条第一項第一号の規定にかかわらず、なお従前の例による。

附　則（令二・七・二八政令二二八）（抄）

この政令は、医薬品、医療機器等の品質、有効性及び安全性の確保等に関する法律等の一部を改正する法律（以下「改正法」という。）の施行の日（令和二年九月一日）から施行する。〔ただし書略〕

附　則（令二・八・七政令二四三）（抄）

（施行期日）

1　この政令は、公布の日から施行する。

附　則（令二・八・二八政令二五四）（抄）

（施行期日）

1　この政令は、公布の日の翌日から施行する。

附　則（令二・九・四政令二六四）（抄）

改正　令三・三・三一政令一〇七

（施行期日）

第一条　この政令は、令和四年四月一日から施行する。〔ただし書略〕

附　則（令二・九・九政令二七一）

この政令は、令和二年十月一日から施行する。

附　則（令二・一一・二〇政令三三九）（抄）

（施行期日）

第一条　この政令は、道路法等の一部を改正する法律の施行の日（令和二年十一月二十五日）から施行する。

附　則（令二・一二・九政令三四六）

この政令は、公布の日から施行する。

附　則（令三・一・五政令一）（抄）

この政令は、医薬品、医療機器等の品質、有効性及び安全性の確保等に関する法律等の一部を改正する法律（以下「改正法」という。）附則第一条第二号に掲げる規定の施行の日（令和三年八月一日）から施行する。〔ただし書略〕

附　則（令三・二・三政令二五）（抄）

（施行期日）

第一条　この政令は、改正法の施行の日（令和三年二月三日から起算して一〇日を経過した日）から施行する。

附　則（令三・三・三一政令一〇七）（抄）

（施行期日）

第一条　この政令は、令和三年四月一日から施行する。ただし、次の各号に掲げる規定は、当該各号に定める日から施行する。

一・二　〔略〕

三　第四条〔中略〕の規定　令和四年一月四日

四～七　〔略〕

附　則（令三・三・三一政令一一九）（抄）

（施行期日）

第一条　この政令は、令和三年四月一日から施行する。〔ただし書略〕

附　則（令三・六・一八政令一七四）（抄）

（施行期日）

第一条　この政令は、踏切道改良促進法等の一部を改正する法律附則第一条第一号に掲げる規定の施行の日（令和三年六月二十日）から施行する。

附　則（令三・六・一八政令一七五）（抄）

（施行期日）

1　この政令は、法の施行の日〔令和三年六月一八日から起算して五日を経過した日〕から施行する。

附　則（令三・六・二五政令一八二）（抄）

（施行期日）

1　この政令は、地域の自主性及び自立性を高めるための改革の推進を図るための関係法律の整備に関する法律の施行の日（令和三年五月二六日から起算して三月を経過した日）から施行する。

附　則（令三・七・二一政令二〇九）（抄）

（施行期日）

1　この政令は、令和五年四月一日から施行する。

附　則（令三・八・二五政令二三七）

この政令は、令和三年九月一日から施行する。

附　則（令三・九・一七政令二五八）（抄）

（施行期日）

1　この政令は、自然公園法の一部を改正する法律（令和三年法律第二十九号）の施行の日（令和四年四月一日）から施行する。

附　則（令三・九・二七政令二六五）（抄）

（施行期日）

1　この政令は、マンションの管理の適正化の推進に関する法律及びマンションの建替え等の円滑化に関する法律の一部を改正する法律（令和二年法律第六十二号）の施行の日（令和四年四月一日）から施行する。

附　則（令三・一二・二二政令三三七）（抄）

（施行期日）

第一条　この政令は、令和四年四月一日から施行する。

附　則（令四・二・九政令三九）（抄）

（施行期日）

1　この政令は、令和四年五月一日から施行する。

附　則（令四・二・二四政令四六）（抄）

（施行期日）

1　この政令は、公布の日から施行する。

附　則（令四・三・二五政令八四）（抄）

（施行期日）

第一条　この政令は、令和四年四月一日から施行する。

附　則（令四・三・三〇政令一二九）（抄）

（施行期日）

1　この政令は、令和五年四月一日から施行する。

附　則（令四・三・三一政令一三三）（抄）

（施行期日）

第一条　この政令は、令和四年四月一日から施行する。〔ただし書略〕

附　則（令四・三・三一政令一四八）（抄）

（施行期日）

第一条　この政令は、令和四年四月一日から施行する。〔ただし書略〕

附　則（令四・三・三一政令一五〇）（抄）

（施行期日）

1　この政令は、令和五年四月一日から施行する。〔ただし書略〕

附　則（令四・六・一〇政令二一一）

（施行期日）

1　この政令は、公布の日から施行する。

（経過措置）

2　この政令の施行前に締結された契約に係る地方自治法施行令附則第七条第二項に規定する経費についての同条第一項の規定の適用については、なお従前の例による。

附　則（令四・七・一政令二四五）（抄）

（施行期日）

1　この政令は、公布の日から施行する。

附　則（令四・八・一〇政令二七九）（抄）

（施行期日）

第一条　この政令は、農林水産物及び食品の輸出の促進に関する法律等の一部を改正する法律の施行の日（令和四年十月一日）から施行する。〔ただし書略〕

附　則（令四・九・九政令三〇〇）（抄）

（施行期日）

第一条　この政令は、令和六年一月一日から施行する。

附　則（令四・一〇・五政令三三三）（抄）

（施行期日）

第一条　この政令は、旅券法の一部を改正する法律の施行の日（令和五年三月二十七日）から施行する。

附　則（令四・一二・九政令三七七）（抄）

最終改正　令六・三・二九政令一一六

この政令は、公布の日から施行する。〔ただし書略〕

附　則（令五・二・一〇政令三三）（抄）

（施行期日）

第一条　この政令は、最高裁判所裁判官国民審査法の一部を改正する法律の施行の日（令和五年二月十七日）から施行する。

附　則（令五・三・一政令四二）

この政令は、地方自治法の一部を改正する法律（令和四年法律第百一号）の施行の日（令和五年三月一日）から施行する。

附　則（令五・三・二三政令七一）（抄）

（施行期日）

1　この政令は、令和五年四月一日から施行する。

附　則（令五・三・三〇政令一二六）（抄）

（施行期日）

第一条　この政令は、令和五年四月一日から施行する。

附　則（令五・三・三一政令一四五）（抄）

（施行期日）

第一条　この政令は、令和五年四月一日から施行する。〔ただし書略〕

附　則（令五・五・二六政令一九二）（抄）

（施行期日）

1　この政令は、令和六年四月一日から施行する。〔ただし書略〕

附　則（令五・八・一四政令二六一）（抄）

（施行期日）

第一条　この政令は、新型インフルエンザ等対策特別措置法及び内閣法の一部を改正する法律の施行の日（令和五年九月一日）から施行する。

附　則（令五・九・二九政令二九三）

この政令は、地域の自主性及び自立性を高めるための改革の推進を図るための関係法律の整備に関する法律附則第一条第三号に掲げる規定の施行の日（令和六年四月一日）から施行する。

附　則（令五・一一・二九政令三四〇）（抄）

（施行期日）

1　この政令は、全世代対応型の社会保障制度を構築するための健康保険法等の一部を改正する法律附則第一条第六号に掲げる規定の施行の日（令和六年三月一日）から施行する。

附　則（令六・一・一七政令八）（抄）

（施行期日）

1　この政令は、令和六年四月一日から施行する。

附　則（令六・一・一九政令一二）（抄）

（施行期日）

第一条　この政令は、令和六年四月一日から施行する。

（地方自治法施行令の一部改正に伴う経過措置）

第二条　普通地方公共団体の長は、令和八年三月三十一日までの間は、なお従前の例により、この政令の施行の日（以下「施行日」という。）の前日において第一条の規定による改正前の地方自治法施行令（次項及び附則第四条において「旧地方自治法施行令」という。）第百五十八条第一項、第百五十八条の二第一項又は第百六十五条の三第一項の規定により現に公金の徴収若しくは収納又は支出に関する事務（以下この項において「従前の公金事務」という。）を行わせている者（地方自治法の一部を改正する法律（次条及び附則第四条において「改正法」という。）による改正後の地方自治法（昭和二十二年法律第六十七号。次条及び附則第四条において「新地方自治法」という。）第二百四十三条の二第一項の規定による指定を受けた者を除く。）に当該従前の公金事務を行わせることができる。

2　地方自治法施行令の一部を改正する政令（令和四年政令第二百十一号）の施行の日から施行日の前日までの間に締結された契約に係る旧地方自治法施行令附則第七条第二項に規定する経費については、第一条の規定による改正後の地方自治法施行令附則第七条の規定にかかわらず、なお従前の例による。

附　則（令六・一・三一政令二〇）（抄）

（施行期日）

1　この政令は、法の施行の日（令和六年四月一日）から施行する。

附　則（令六・二・九政令二七）

この政令は、令和六年四月一日から施行する。

附　則（令六・二・二六政令四一）

この政令は、令和六年四月一日から施行する。

附　則（令六・三・三〇政令一三五）

この政令は、令和六年四月一日から施行する。

附　則（令六・三・三〇政令一六一）（抄）

（施行期日）

第一条　この政令は、令和六年四月一日から施行する。

附　則（令六・六・一四政令二〇九）（抄）

（施行期日）

1　この政令は、令和七年四月一日から施行する。

(注) 次の法律の附則第六条により地方自治法施行令が改正されたが、公益信託に関する法律（令和六年法律第三十号）の施行の日から施行となるため、一部改正法の形式で掲載した。

○所得税法施行令の一部を改正する政令

令六・三・三〇
政令一四一

（地方自治法施行令の一部改正）

第六条 地方自治法施行令（昭和二十二年政令第十六号）の一部を次のように改正する。

別表第一所得税法施行令（昭和四十年政令第九十六号）の項を削る。

附 則（抄）

（施行期日）

第一条 この政令は、令和六年四月一日から施行する。ただし、次の各号に掲げる規定は、当該各号に定める日から施行する。

一 〔略〕

二 〔前略〕附則〔中略〕第六条、第七条〔中略〕の規定 公益信託に関する法律（令和六年法律第三十号）の施行の日〔令和六年五月二二日から起算して二年を超えない範囲内において政令で定める日〕

（地方自治法施行令の一部改正に伴う経過措置）

第七条 附則第四条の規定によりなおその効力を有するものとされる旧令第二百十七条の二第三項の規定により都道府県が処理することとされている事務については、前条の規定による改正前の地方自治法施行令別表第一所得税法施行令（昭和四十年政令第九十六号）の項の規定は、なおその効力を有する。

(注) 次の法律の附則第一〇条により地方自治法施行令が改正されたが、公益信託に関する法律（令和六年法律第三十号）の施行の日から施行となるため、一部改正法の形式で掲載した。

○法人税法施行令等の一部を改正する政令

令六・三・三〇
政令一四二

（地方自治法施行令の一部改正）

第十条 地方自治法施行令（昭和二十二年政令第十六号）の一部を次のように改正する。

別表第一法人税法施行令（昭和四十年政令第九十七号）の項を削る。

附 則（抄）

（施行期日）

第一条 この政令は、令和六年四月一日から施行する。ただし、次の各号に掲げる規定は、当該各号に定める日から施行する。

一・二 〔略〕

三 〔前略〕附則〔中略〕第十条及び第十一条の規定 公益信託に関する法律（令和六年法律第三十号）の施行の日〔令和六年五月二二日から起算して二年を超えない範囲内において政令で定める日〕

（地方自治法施行令の一部改正に伴う経過措置）

第十一条 附則第四条の規定によりなおその効力を有するものとされる旧令第七十七条の四第三項の規定により都道府県が処理することとされている事務については、前条の規定による改正前の地方自治法施行令別表第一法人税法施行令（昭和四十年政令第九十七号）の項の規定は、なおその効力を有する。

(注) 次の法律の附則第二五条により地方自治法施行令が改正されたが、公益信託に関する法律（令和六年法律第三十号）の施行の日から施行となるため、一部改正法の形式で掲載した。

○租税特別措置法施行令の一部を改正する政令

令六・三・三〇
政令一五一

（地方自治法施行令の一部改正）

第二十五条 地方自治法施行令（昭和二十二年政令第十六号）の一部を次のように改正する。

別表第一租税特別措置法施行令（昭和三十二年政令第四十三号）の項第一号中「第十七項、」を「第十七項並びに」に改め、「並びに第四十条の四第二項及び第三項」を削る。

附 則（抄）

（施行期日）

第一条 この政令は、令和六年四月一日から施行する。ただし、次の各号に掲げる規定は、当該各号に定める日から施行する。

一・二 〔略〕

三 〔前略〕附則〔中略〕第二十五条及び第二十六条の規定 公益信託に関する法律（令和六年法律第三十号）の施行の日〔令和六年五月二二日から起算して二年を超えない範囲内において政令で定める日〕

四〜六 〔略〕

（地方自治法施行令の一部改正に伴う経過措置）

第二十六条 附則第二十一条の規定によりなおその効力を有するものとされる旧令第四十条の四第三項の規定により都道府県が処理することとされている事務については、前条の規定による改正前の地方自治法施行令別表第一租税特別措置法施行令（昭和三十二年政令第四十三号）の項第一号の規定は、なおその効力を有する。

○地方公務員法

昭二五・一二・一三
法　二　六　一

最終改正　令四・六・一七法六八

目次〔略〕

第一章　総則

（この法律の目的）

第一条　この法律は、地方公共団体の人事機関並びに地方公務員の任用、人事評価、給与、勤務時間その他の勤務条件、休業、分限及び懲戒、服務、退職管理、研修、福祉及び利益の保護並びに団体等人事行政に関する根本基準を確立することにより、地方公共団体の行政の民主的かつ能率的な運営並びに特定地方独立行政法人の事務及び事業の確実な実施を保障し、もつて地方自治の本旨の実現に資することを目的とする。

【参照条文】
【地方公共団体―自治法一の二・一の三・二　【地方公務員―法三・四　自治法一七二　【地方自治の本旨―憲法九二　自治法一　【地公法を読み替えて適用される職員―地教法四七　地教令七
※　自治法　公企法　地公労法　地教法　教特法　地独法等

（この法律の効力）

第二条　地方公務員（地方公共団体のすべての公務員をいう。）に関する従前の法令又は条例、地方公共団体の規則若しくは地方公共団体の機関の定める規程の規定がこの法律の規定に抵触する場合には、この法律の規定が、優先する。

【参照条文】
【条例・規則―自治法一四～一六

（一般職に属する地方公務員及び特別職に属する地方公務員）

第三条　地方公務員（地方公共団体及び特定地方独立行政法人（地方独立行政法人法（平成十五年法律第百十八号）第二条第二項に規定する特定地方独立行政法人をいう。以下同じ。）の全ての公務員をいう。以下同じ。）の職は、一般職と特別職とに分ける。

2　一般職[1]は、特別職に属する職以外の一切の職とする。

3　特別職[2]は、次に掲げる職とする。

一　就任について公選又は地方公共団体の議会の選挙、議決若しくは同意によることを必要とする職

一の二　地方公営企業の管理者及び企業団の企業長の職

二　法令又は条例、地方公共団体の規則若しくは地方公共団体の機関の定める規程により設けられた委員及び委員会（審議会その他これに準ずるものを含む。）[3]の構成員の職で臨時又は非常勤のもの

二の二　都道府県労働委員会の委員の職で常勤のもの

三　臨時又は非常勤の顧問、参与、調査員、嘱託員及びこれらの者に準ずる者の職（専門的な知識経験又は識見を有する者が就く職であつて、当該知識経験又は識見に基づき、助言、調査、診断その他総務省令で定める事務を行うものに限る。）

三の二　投票管理者、開票管理者、選挙長、選挙分会長、審査分会長、国民投票分会長、投票立会人、開票立会人、選挙立会人、審査分会立会人、国民投票分会立会人その他総務省令で定める者の職

四　地方公共団体の長、議会の議長その他地方公共団体の機関の長の秘書の職で条例で指定するもの

五　非常勤の消防団員及び水防団員の職

六　特定地方独立行政法人の役員

【参照条文】
③【公選によるもの＝【議会の議員・地方公共団体の長―自治法一七・一三九　【特別区の区長―自治法二八三・一三九　【農業委員会の委員の一部―農委法四・八　【議会の選挙によるもの＝【選挙管理委員―自治法一八二
【議会の同意によるもの＝【副知事・副市町村長―自治法一六二　【監査委員―自治法一九六　【人事、公平委員会の委員―法九の二　【公安委員会の委員―警察法三九　【教育委員会の委員―地教法四
【農業委員会の委員―農委法四　【固定資産評価員―地税法四〇四　【固定資産評価審査委員会の委員―地税法四二三　【収用委員会の委員―収用法五二
【法令に基づく委員＝【農業共済保険審査会の委員―農業保険法二二二　【漁業調整委員会の委員―漁業法一三四　【海区漁業調整委員会の委員―漁業法一三八　【水防協議会の委員―水防法三四　【公民館運営審議会の委員―社教法三〇　【社会教育委員―社教法一五　【国民健康保険運営協議会の委員―国保法一一　【児童委員―児福法一六　【児童福祉審議会の委員―児福法九　【民生委員推薦会の委員―民委法八　【建築審査会の委員―建基法七九
【臨時又は非常勤の顧問等＝【専門委員―自治法一七四
【消防団員＝消組法二二

【水防団員＝水防法六
【特定地方独立行政法人の役員―地独法四七

【実　例】

1・2）●臨時又は非常勤の学校医の職は、特別職に該当する。（昭二六・二・六行実）

●一般職の職員を引き続き特別職の秘書に任用する場合には、その者が一般職を退職することが必要である。（昭二六・三・一三行実）

●民生委員は、非常勤特別職の地方公務員である。（昭二六・三・一四、同二六・八・二七行実）

●法第三条第三項に掲げる職員の職は、恒久的でない職または常時勤務することを必要としない職であり、かつ職業的公務員の職でない点において一般職に属する職と異なるものと解せられる。（昭三五・七・二八行実）

●国の指定統計調査事務に従事する統計調査員のうち、地方公共団体の長の任命に係るものは特別職の地方公務員である。（昭三五・九・一九行実）

●スポーツ振興法第一九条に規定する体育指導委員は特別職に該当する。（昭四二・二・二〇行実）

●明るく正しい選挙推進協議会委員は地方公務員に該当しない。（昭四三・六・二〇行実）

3）●本条における「臨時の職」とは職自体が恒久ではなく臨時であるものをいい、その限定されている存続期間の具体的長短は問わない。（昭二八・七・三行実）

（この法律の適用を受ける地方公務員）

第四条　この法律の規定は、一般職に属するすべての地方公務員（以下「職員」という。）に適用する。

2　この法律の規定は、法律に特別の定がある場合を除く外、特別職に属する地方公務員には適用しない。

【参照条文】

②【特別の定―法九の二12　警察法四二1　公企法七の二11等

【実　例】

※●地公法第一二条第二項の規定により人事委員会の委員長が、事務局長の職を兼ねた場合、委員の職は特別職であるが、事務局長の職は一般職に属するから事務局長たる地位について、地方公務員法の適用がある。（昭二六・二・二四行実）

※●特別職たる者に、一般職たる者の行なう事務の取扱を兼ねて行なわせている場合は、一般職に属する地方公務員として同時に地方公務員法の全面的適用をも受けるものである。（昭二六・五・一〇行実）

※●公選法第三七条、第六一条および第六五条に規定する投票管理者、開票管理者および選挙長は、参議院全国選出（現行法では、衆議院及び参議院比例代表選出）議員の選挙に係る選挙長を除いて、本法第二条に規定する地方公務員である。（昭二七・九・一〇行実）

（人事委員会及び公平委員会並びに職員に関する条例の制定）

第五条　地方公共団体は、法律[1]に特別の定がある場合を除く外、この[2]法律に定める根本基準に従い、条例[4]で、人事委員会又は公平委員会の設置、職員に適用される基準の実施その他職員に関する事項[3]について必要な規定を定めるものとする。但し、その条例[4]は、この法律の精神に反するものであつてはならない。

2　第七条第一項又は第二項の規定により人事委員会を置く地方公共団体においては、前項の条例を制定し、又は改廃しようとするときは、当該地方公共団体の議会において、人事委員会の意見を聞[5]かなければならない。

【参照条文】

②【人事委員会の設置―法七1・2　【公平委員会の設置―法七3　【人事委員会の権限―法八

※国公法三・一三

【実　例】

1）●第一項中「法律に特別の定がある場合」とは、法律が条例以外のものをもつて定めるべき旨を規定している場合を指すものと解する。（昭二六・一一・二〇行実）

●第一項中「法律に特別の定がある場合」の法律とは、地方公務員法を含むすべての法律を指すものと解する。（昭二六・一一・二七行実）

2）●法第五条第一項の「この法律」の中には地方公務員に適用される特例法は含まれない。（昭二七・一一・二四行実）

3）●第五条第一項中「その他職員に関する事項」とは、職員の定数等の組織上の事項に関するものを除く外、職員（の人事行政）に関する事項全般に及ぶものと解する。（昭二八・四・七行実）

4）●表彰の均衡と公正を保持するため、知事、教育委員会、人事委員会、監査委員、選挙管理委員会等の各事務部局の職員に共通する「職員の表彰に関する条例」（仮称）を設けることは適当と解する。（昭二七・二・二八行実）

5）●職員定数条例の制定、改廃については、議会において本条の規定による人事委員会の意見を聞く必要はない。（昭二六・一〇・一〇行実）

●法第八条第一項第三号の規定による人事委員会の意見に基づいて条例を制定、改廃する場合であつても、議会において、あらためて人事委員会の意見を聞かなければならない。（昭二七・七・七行実）

●法第五条に基づき職員に適用される基準の実施その他職員に関する事項についての条例を制定する場合、同条第二項により議会において人事委員会の意見のあるなしにかかわらずこれを聞かずに議決したときは、瑕疵ある行政行為として解してさしつかえない。（昭二七・七・七行実）

●教育長の給与に関する条例を制定、改廃しようとするときは、議会は、人事委員会の意見を聞かなければならない。（昭二八・二・二三行実）

●都道府県において、市町村立学校職員の給与、勤務時間その他の勤務条件に関する条例を制定、改廃しようとするときは、当該都道府県の議会は人事委員会の意見を聞かなければならない。（昭三一・九・一七、同三一・一一・一六行実）

●県費負担教職員の任免、分限、懲戒、給与、勤務時間その他の勤務条件に関する条例に対し、人事委員会は地方公務員法第五条第二項の職務権限を有する。（昭三一・一一・一六行実）

●職員の給与に関する条例を自治法第一七九条第一項に基づき専決処分することはできると解するが、この場合には、知事が人事委員会の意見を聞くことが適当である。（昭三八・一・一八行実）

第二章　人事機関

（任命権者）

第六条　地方公共団体の長、議会の議長、選挙管理委員会、代表監査委員、教育委員会、人事委員会及び公平委員会並びに警視総監、道府県警察本部長、市町村の消防長（特別区が連合して維持する消防の消防長を含む。）その他法令又は条例に基づく任命権者は、法律に特別の定めがある場合を除くほか、この法律並びにこれに基づく条例、地方公共団体の規則及び地方公共団体の機関の定める規程に従い、それぞれ職員の任命、人事評価（任用、給与、分限その他の人事管理の基礎とするために、職員がその職務を遂行するに当たり発揮した能力及び挙げた業績を把握した上で行われる勤務成績の評価をいう。以下同じ。）、休職、免職及び懲戒等を行う権限を有するものとする。

2　前項の任命権者は、同項に規定する権限の一部をその補助機関たる上級の地方公務員に委任することができる。

【参照条文】

①【任命権者＝【地方公共団体の長―自治法一七二2　同法施行令一二〇・一二一【都道府県労働委員会職員―労組法一九の一二　【議長―自治法一三八5　【選挙管理委員会―自治法一九三　【監査委員（代表監査委員）―自治法二〇〇5　【教育委員会―地教法二一Ⅲ　【人事、公平委員会―法一二7　【警視総監・警察本部長―警察法五五3　【消防長―消組法一五1　【地方公営企業の管理者―公企法一五1　【農業委員会―農委法二六3　【海区漁業調整委員会―漁業法一三八　【内水面漁場管理委員会―漁業法一七二　【特別の定―教特法四～六・九・一〇・一一・一五　地教法三四・三七　警察法五五3　消組法一五

※　国公法五五

【実　例】

1）●任命権の複委任はできない。（昭二七・一・二五行実）

（人事委員会又は公平委員会の設置）

第七条　都道府県及び地方自治法（昭和二十二年法律第六十七号）第二百五十二条の十九第一項の指定都市は、条例で人事委員会を置くものとする。

2　前項の指定都市以外の市で人口（官報で公示された最近の国勢調査又はこれに準ずる人口調査の結果による人口をいう。以下同じ。）十五万以上のもの及び特別区は、条例で人事委員会又は公平委員会を置くものとする。

3　人口十五万未満の市、町、村及び地方公共団体の組合は、条例で公平委員会を置くものとする。

4　公平委員会を置く地方公共団体は、議会の議決を経て定める規約により、公平委員会を置く他の地方公共団体と共同して公平委員会を置き、又は他の地方公共団体の人事委員会に委託して次条第二項に規定する公平委員会の事務を処理させることができる。

【参照条文】

【人事、公平委員会―自治法一八〇の五・二〇二の二【委員会の共同設置―自治法二五二の七～二五二の一三　【事務の委託―自治法二五二の一四～二五二の一六　【事務の代替執行―自治法二五二の一六の二～二五二の一六の四　【特別区―自治法二八一【地方公共団体の組合―自治法二八四

【実　例】

●（1）A町、B村及びC村が共同して公平委員会を設置している場合においてA町及びB村がいわゆる合体合併した場合は、当該公平委員会は消滅するものと解する。

（2）A町がB村をいわゆる吸収合併した場合は、A町及びC村の共同設置した機関として存続するものと解する。

（3）町村合併により公平委員会が消滅するとすれば、当該公平委員会において審理中の当該事案は地方自治法施行令第五条の規定により承継されるものと解する。（昭三一・八・二九行実）

●法第七条第四項の規定に基づき、県人事委員会に公平委員会の事務を委託している町村が、合併関係町村となり町村合併をした場合、旧委託町村及び合併町村と県人事委員会の公平事務委託関係は次の事例の場合存続しない。

（1）委託村A、委託していないB町を廃し、その区域をもってB町を置いた場合

（2）委託村Cを廃し、その区域の一部を委託してい

ないD町に編入した場合

(3) 委託村C、委託していないE町を廃し、Cの区域の一部及びEの区域をもってE町を置いた場合

(4) 委託村G、委託村Hを廃し、その区域をもってI町を置いた場合（昭三一・一一・一四行実）

●事案係属中であっても、共同設置の公平委員会の事務は、関係町村の議会の議決があれば県人事委員会に委託することができる。（昭三二・一・七行実）

●公平委員会の事務を受託した場合において、受託前から係属中の事案については、改めて不服申立書を提出させる必要はない。（昭四二・三・一七行実）

●事務委託をした町村公平委員会に登録されていた職員団体は、受託した県人事委員会に登録されたものとして取り扱つてさしつかえないが、町村の登録条例に適合していた職員団体が県の登録条例に適合しないときは、第五三条第六項の規定を適用して処理すべきである。（昭四二・七・三一行実）

（人事委員会又は公平委員会の権限）

第八条 人事委員会は、次に掲げる事務を処理する。

一 人事行政に関する事項について調査し、人事記録に関することを管理し、及びその他人事に関する統計報告を作成すること。

二 人事評価、給与、勤務時間その他の勤務条件、研修、厚生福利制度その他職員に関する制度について絶えず研究を行い、その成果を地方公共団体の議会若しくは長又は任命権者に提出[1]すること。

三 人事機関及び職員に関する条例の制定又は改廃に関し、地方公共団体の議会及び長に意見[2]を申し出ること。

四 人事行政の運営に関し、任命権者に勧告[3]すること。

五 給与、勤務時間その他の勤務条件に関し講ずべき措置について地方公共団体の議会及び長に勧告すること。

六 職員の競争試験及び選考並びにこれらに関する事務を行うこと。

七 削除

八 職員の給与がこの法律及びこれに基く条例に適合して行われることを確保するため必要な範囲において、職員に対する給与の支払を監理[4]すること。

九 職員の給与、勤務時間その他の勤務条件に関する措置の要求を審査[5]し、判定し、及び必要な措置を執ること。

十 職員に対する不利益な処分についての審査請求に対する裁決をすること。

十一 前二号に掲げるものを除くほか、職員の苦情を処理すること。

十二 前各号に掲げるものを除く外、法律又は条例に基きその権限に属せしめられた事務

2 公平委員会は、次に掲げる事務を処理する。

一 職員の給与、勤務時間その他の勤務条件に関する措置の要求を審査[5]し、判定し、及び必要な措置を執ること。

二 職員に対する不利益な処分についての審査請求に対する裁決をすること。

三 前二号に掲げるものを除くほか、職員の苦情を処理すること。

四 前三号に掲げるものを除くほか、法律に基づきその権限に属せしめられた事務

3 人事委員会は、第一項第一号、第二号、第六号、第八号及び第十二号に掲げる事務で人事委員会規則で定めるものを当該地方公共団体の他の機関又は人事委員会の事務局長に委任[6]することができる。

4 人事委員会又は公平委員会は、第一項第十一号又は第二項第三号に掲げる事務を委員又は事務局長に委任することができる。

5 人事委員会又は公平委員会は、法律又は条例に基づきその権限に属せしめられた事務に関し、人事委員会規則又は公平委員会規則を制定することができる。

6 人事委員会又は公平委員会は、法律又は条例に基くその権限の行使に関し必要があるときは、証人を喚問し、又は書類若しくはその写の提出を求め[7]ることができる。

7 人事委員会又は公平委員会は、人事行政に関する技術的及び専門的な知識、資料その他の便宜の授受のため、国若しくは他の地方公共団体の機関又は特定地方独立行政法人との間に協定を結ぶことができる。

8 第一項第九号及び第十号又は第二項第一号及び第二号の規定により人事委員会又は公平委員会に属せしめられた権限に基く人事委員会又は公平委員会の決定（判定を含む。）及び処分は、人事委員会規則又は公平委員会規則で定める手続により、人事委員会又は公平委員会によつてのみ審査される。

9 前項の規定は、法律問題につき裁判所に出訴する権利に影響を及ぼすものではない。

【参照条文】【人事・公平委員会の決定及び処分の審査―憲七六 裁判所法三】【出訴する権利―憲三二・七六 裁判所法三】【本条の特例―公企法三九1】

⑦・⑧ ※ 国公法三3・4

【実　例】

1・2）●給料以外の給与についての調査研究の結果を

地公法

議会及び長に報告または勧告する場合は、法第八条第一項第二号または第三号の規定によるのが相当である。（昭二六・一二・一九行実）

2・3）●人事委員会が職員の給与に関し、法第八条第一項第三号あるいは第四号の規定に基づき意見の申出あるいは勧告をなす場合は、同法第二四条第三項の制約を受ける。（昭二六・一一・三〇行実）

3）●地公法の中で勧告のことを規定してあるのは給与（第二六条）、研修（第三九条）、勤務成績の評定（第四〇条）及び勤務条件の措置の要求審査の結果に基づく必要な措置（第四七条）であるが、第八条第一項第四号にいう「人事行政の運営に関し」とは、これらのことだけに限られないが、職員の任用とか配置換（不利益処分の審査の請求のない場合）とかの個々の問題であつてその性質が一般的でないものについて勧告することは、法の趣旨とするところではないものと解する。（昭二七・三・三行実）

4）●人事委員会は職員に対する給与の支払を監理することができるが、この場合の監理は給与の支払のみについてであつて、任命権者の給与決定の枠内にまで入つて監理することはできない。（昭二七・九・三〇行実）

5）●恩給を受ける権利その他恩給給与額の決定についての異議は、自治法第二〇六条第一項の規定によるべきもので、公平委員会に対する審査の請求はできない。（昭三三・三・一六行実）

6）●(1)　準立法的又は準司法的権限の行使を除く軽易な事件については、合議制の趣旨に反しない限り、必ずしも人事委員会の委員長の専決を許さない趣旨ではない。

(2)　委員会は、法律又は条例に規定された事項以外に、委員会の一般的運営について包括的な規則を定める権限はない。

(3)　人事委員会は、法第八条第一項第九号及び第十号並びに第四項に掲げるものを除き、その他の権限は事務局長に委任することはできるが、委員長には委任できない。（昭二六・八・一五行実）

●事務局長は、人事委員会から委任された権限を再委任することはできない。（昭二七・一・二五行実）

●人事委員会がその処分に関する行政訴訟において当事者となり、訴訟代理人を選任して当該訴訟を遂行することは、法第八条第三項による委任しうる職務と解してよい。（昭三一・一一・二〇行実）

7）●委員会は、検察庁その他の官公署、民間の会社、工場からも書類の提出を求める権限を有する。（昭二八・六・二六行実）

※●人事委員会は、その事務処理に伴う必要な予算執行の権限は有せず、人事委員会は、単に長に対しその必要な経費支出命令を事実上要求し得るに過ぎず、事務処理上においてはこの支出命令はすべて長の部課により発せられるものと解せられる。（昭二六・八・一五行実）

※●人事委員会の判定について不服があつても、任命権者その他地方公共団体の機関から出訴することはできないが、同判定につき職員から出訴し、原判定が取り消された場合は、地方公共団体は控訴することはできる。（昭二七・一・九行実）

※●県費負担教職員についての人事委員会の権限は、都道府県の条例で定めるべきこととされている事項および都道府県教育委員会の権限とされている事項についてのみ及ぶものと解する。（昭三一・一一・一六行実）

（抗告訴訟の取扱い）

第八条の二　人事委員会又は公平委員会は、人事委員会又は公平委員会の行政事件訴訟法（昭和三十七年法律第百三十九号）第三条第二項に規定する処分又は同条第三項に規定する裁決に係る同法第十一条第一項（同法第三十八条第一項において準用する場合を含む。）の規定による地方公共団体を被告とする訴訟について、当該地方公共団体を代表する。

（公平委員会の権限の特例等）

第九条　公平委員会を置く地方公共団体は、条例で定めるところにより、公平委員会が、第八条第二項各号に掲げる事務のほか、職員の競争試験及び選考並びにこれらに関する事務を行うこととすることができる。

2　前項の規定により同項に規定する事務を行うこととされた公平委員会（以下「競争試験等を行う公平委員会」という。）を置く地方公共団体に対する第七条第四項の規定の適用については、同項中「公平委員会を置く地方公共団体」とあるのは「競争試験等を行う公平委員会（第九条第二項に規定する競争試験等を行う公平委員会をいう。以下この項において同じ。）を置く地方公共団体」と、「、公平委員会」とあるのは「、競争試験等を行う公平委員会」と、「公平委員会を置き、又は他の地方公共団体の人事委員会に委託して次条第二項に規定する公平委員会の事務を処理させる」とあるのは「競争試験等を行う公平委員会を置く」とする。

3　競争試験等を行う公平委員会は、第一項に規定する事務で公平委員会規則で定めるものを当該地方公共団体の他の機関又は競争試験等を行う公平委員会の事務局長に委任することができる。

（人事委員会又は公平委員会の委員）

第九条の二　人事委員会又は公平委員会は、三人の委員をもつて組織する。

2　委員は、人格が高潔で、地方自治の本旨及び民主的で能率的な事務の処理に理解があり、かつ、人事行政に関し識見を有する者のうちから、議会の同意を得て、地方公共団体の長が選任する。

3 第十六条第一号、第二号若しくは第四号のいずれかに該当する者又は第六十条から第六十三条までに規定する罪を犯し、刑に処せられた者は、委員となることができない。

4 委員の選任については、そのうちの二人が、同一の政党に属する者となることとなつてはならない。

5 委員のうち二人以上が同一の政党に属することとなつた場合には、これらの者のうち一人を除く他の者は、地方公共団体の長が議会の同意を得て罷免するものとする。ただし、政党所属関係について異動のなかつた者を罷免することはできない。

6 地方公共団体の長は、委員が心身の故障のため職務の遂行に堪えないと認めるとき、又は委員に職務上の義務違反その他委員たるに適しない非行があると認めるときは、議会の同意を得て、これを罷免することができる。この場合においては、議会の常任委員会又は特別委員会において公聴会を開かなければならない。

7 委員は、前二項の規定による場合を除くほか、その意に反して罷免されることがない。

8 委員は、第十六条第一号、第三号又は第四号のいずれかに該当するに至つたときは、その職を失う。

9 委員は、地方公共団体の議会の議員及び当該地方公共団体の地方公務員（第七条第四項の規定により公平委員会の事務の処理の委託を受けた地方公共団体の人事委員会の委員については、他の地方公共団体に公平委員会の事務の処理を委託した地方公共団体の地方公務員を含む。）の職（執行機関の附属機関の委員その他の構成員の職を除く。）を兼ねることができない。

10 委員の任期は、四年とする。ただし、補欠委員の任期は、前任者の残任期間とする。

11 人事委員会の委員は、常勤又は非常勤とし、公平委員会の委員は、非常勤とする。

12 第三十条から第三十八条までの規定は常勤の人事委員会の委員の服務について、第三十条から第三十四条まで、第三十六条及び第三十七条の規定は非常勤の人事委員会の委員及び公平委員会の委員の服務について、それぞれ準用する。

【参照条文】

④・⑤【政党—政資法三2

⑥【常任委員会—自治法一〇九　【特別委員会—自治法一〇九　【公聴会—自治法一一五の二

※ 国公法五～八

【実　例】

※●公平委員を民生委員推薦委員会の委員として選任することはできない。（昭二六・八・三行実）

※●公平委員会の委員は政党人であることを法律上認めながら、他方政治的行為の制限を加えることは矛盾するように考えられるが、公平委員会の営む公平機能については、その公正の確保が特に必要であり、委員がその職務を行なうに当つては、いやしくも一党一派に偏するようなことがあつてはならないので、その服務については法第三六条の規定が準用されているのである。なお、公平委員会の委員は、たんなる政党人であることを認められてはいるが、政党に属する者が委員となることが原則であるというのではなく、また、一般職の職員でも、たんに政党に属することは認められているものである。（昭二七・三・一三行実）

※●人事委員会の委員の任期の起算日は、選任発令の日からであつて、前委員の任期満了した日の翌日からではない。（昭三〇・一〇・一行実）

※●公平委員会の委員が全員総辞職した場合、法附則第五項の適用はない。（昭三八・五・一一行実）

（人事委員会又は公平委員会の委員長）

第十条 人事委員会又は公平委員会は、委員のうちから委員長を選挙しなければならない。

2 委員長は、委員会に関する事務を処理し、委員会を代表する。

3 委員長に事故があるとき、又は委員長が欠けたときは、委員長の指定する委員が、その職務を代理する。

【参照条文】

【委員会の事務—法八

（人事委員会又は公平委員会の議事）

第十一条 人事委員会又は公平委員会は、三人の委員[1]が出席しなければ会議を開くことができない。

2 人事委員会又は公平委員会は、会議を開かなければ公務の運営又は職員の福祉若しくは利益の保護に著しい支障が生ずると認められる十分な理由があるときは、前項の規定にかかわらず、二人の委員が出席すれば会議を開くことができる。

3 人事委員会又は公平委員会の議事は、出席委員の過半数で決する。

4 人事委員会又は公平委員会の議事は、議事録として記録して置かなければならない。

5 前各項に定めるものを除くほか、人事委員会又は公平委員会の議事に関し[2]必要な事項は、人事委員会又は公平委員会が定める。

【参照条文】

①・②【人事、公平委員会の委員の数—法九の二1

【実　例】
●人事委員会又は公平委員会の委員と配偶者、同居の親族又は四親等以内の血族もしくは三親等以内の姻族の関係にある者に係る事案については、委員は委員会議から除斥する等の規定を委員会規則に設けることは、人事委員会又は公平委員会の委員について規定する法第九条の趣旨及び委員会の議事について規定する同法第一一条の規定に鑑みれば、同委員を同会議から除斥することが許されないことは明瞭である。（昭二六・六・二〇行実）
●人事委員会の委員の会議において、傍聴人を取締ることは、法第一一条第四項に規定する「人事委員……の議事に関し必要な事項」に含まれるものであるから、法第八条第四項の規定に基づき所要の人事委員会規則を制定することはできるものである。（昭二六・一一・二〇行実）
※●人事委員会がその処分に関する行政訴訟において当事者となり、訴訟代理人を選任して当該訴訟を遂行することは、法第八条第三項による委任しうる職務と解してよい。（昭三一・一一・二〇行実）
※●委員会の会議で決定すべき事項を、会議を招集することなく、持ち回りによつて決定することはできない。（昭三四・三・二七行実）

（人事委員会及び公平委員会の事務局又は事務職員）
第十二条　人事委員会に事務局を置き、事務局に事務局長その他の事務職員[1]を置く。
2　人事委員会は、第九条の二第九項の規定にかかわらず、委員[2]に事務局長の職を兼ねさせることができる。
3　事務局長は、人事委員会の指揮監督を受け、事務局の局務を掌理する。
4　第七条第二項の規定により人事委員会を置く地方公共団体は、第一項の規定にかかわらず、事務局を置かないで事務職員を置くことができる。
5　公平委員会に、事務職員を置く。
6　競争試験等を行う公平委員会を置く地方公共団体は、前項の規定にかかわらず、事務局を置き、事務局に事務局長その他の事務職員を置くことができる。
7　第一項及び第四項又は前二項の事務職員は、人事委員会又は公平委員会がそれぞれ任免[3]する。
8　第一項の事務局の組織は、人事委員会が定める。
9　第一項及び第四項から第六項までの事務職員の定数は、条例で定める。
10　第二項及び第三項の規定は第六項の事務局長について準用する。この場合において、第二項及び第三項中「人事委員会」とあるのは「競争試験等を行う公平委員会」と、第八項中「第一項の事務局」とあるのは「第六項の事務局」と、「人事委員会」とあるのは「競争試験等を行う公平委員会」と読み替えるものとする。

【参照条文】
【事務職員―自治法一七二1】【職員の兼職、事務従事等―自治法一八〇の三】【組織等に関する長の総合調整権―自治法一八〇の四】

【実　例】
1）●人事委員会事務局に特別職の臨時または非常勤の嘱託員を置くことができると解され、その法的根拠は、法第一二条であり、定数を条例で定める必要がない。（昭三七・八・六行実）
2）●人事委員会の事務局長が人事委員会の委員に任命され事務局長を兼務する場合「人事委員会委員の給料額及び報酬並びにその支給方法に関する条例」による特別職としての委員の給料を支給せず、一般職としての給与を支給することは差支えないが、特別職としての給料又は報酬の支給については、特別職の職員の給与に関する法律第一四条の規定を参考として条例で調整措置を講ずることが適当である。（昭三〇・九・一四行実）
●第二項の規定により、人事委員会の委員である者が事務局長を兼ねている場合任期満了により委員の職を退くときは、当然に事務局長の職も退くこととなる。従つて、引き続きこの者を事務局長に任用しておくためには、あらためて採用を発令する必要がある。（昭三六・七・六行実）
●現行公務員制度は、職につくことと公務員の身分をもつことを不可分としているので、地方公務員法第一二条第二項により、人事委員会の委員が事務局長の職を兼ねた場合は、一般職に関する地方公務員法の適用をも受けるものである。（昭四三・一〇・二二行実）
3）●法第一二条第六項によると公平委員会事務職員は公平委員会が任免することになつているが公平委員長のみの了承のもとに行われた任用は違法である。（昭三八・九・九行実）
※●公平委員会には事務職員のみを置く旨規定してあるが共同設置の場合、事務局を設置しても違法ではないが、一般的にはその必要がないものと解される。（昭二六・八・二三行実）
●公平委員会に事務局を置くことは、法律の予想するところではない。（昭四〇・一〇・六行実）

第三章　職員に適用される基準

第一節　通則

（平等取扱いの原則）
第十三条　全て国民は、この法律の適用について、平等に取り扱われなければならず、人種、信条、性別、社会的身分若しくは門地によつて、又は第十六条第四号に該当する場合を除くほか、政治的意見若しくは政治的所属関係によつて、差別されてはならない。

【参照条文】
【平等取扱―法一八の二　憲法一四　【罰則―法六〇Ⅰ
※　国公法二七　労基法三　労組法五　職安法三

【実例・判例・注釈】
1）●「すべて国民」には、外国人は含まない。（昭二六・八・一五行実）
●本件勧奨退職制度は、行政職の男子と女子とで退職勧奨年齢を一〇歳も異にするものであつて、その区別について合理的な理由があると認めるに足りる証拠はないから、前記制度は、もつぱら女子であることのみを理由として差別的取扱いをするものであつて、地方公務員法第一三条に反し違法なものであるといわなければならない。（平一三・一・一五地裁判）
●地方公共団体が、公権力行使等地方公務員（住民の権利義務を直接形成し、その範囲を確定するなどの公権力の行使に当たる行為を行い、若しくは地方公共団体の重要な施策に関する決定を行い、又はこれらに参画することを職務とする地方公務員）の職とこれに昇任するのに必要な職務経験を積むべき職とを包含する一体的な管理職の任用制度を構築した上で、日本国民である職員に限って管理職に昇任することができることとするのは、合理的な理由に基づく区別であり、労働基準法三条にも、憲法一四条一項にも違反しない。
　地方公共団体は、管理職に昇任すればいずれは公権力行使等地方公務員に就任することのあることを前提とする一体的な管理職の任用制度を設けていたから、地方公共団体が管理職昇任の資格要件として日本の国籍を有することを定めたことは、労働基準法三条にも、憲法一四条一項にも違反しない。（平一七・一・二六最高裁）
参考　地方公務員の中でも、管理職は、地方公共団体の公権力を行使し、又は公の意思の形成に参画するなど地方公共団体の行う統治作用に関わる蓋然性の高い職であるから、地方公務員に採用された外国人が日本国籍を有する者と同様当然に管理職に任用される権利を保障されているとすることは、国民主権の原理に照らして問題があるといわざるを得ない。しかしながら、公権力を行使することなく、公の意思の形成に参画する蓋然性も少ない管理職を含めてすべての管理職について、国民主権の原理によって外国人をこれに任用することは一切禁じられていると解することは相当でなく、職務の内容、権限と統治作用との関わり方及びその程度によって、外国人を任用することが許されない管理職とそれが許される管理職とを分別して考える必要がある。後者の管理職については、わが国に在住する外国人をこれに任用することは、国民主権の原理に反するものではなく、したがって、憲法第二二条第一項、第一四条第一項の規定による保障が及ぶものと解するのが相当である。（平九・一一・二六東京高二審（上告））
○合理的差別＝地方公務員制度において、例えば、政治的行為の制限について一般職員と教育公務員もしくは企業職員を差別していること、職員の労働基本権について警察職員、消防職員または企業職員を差別していることなどは合理的な差別であると解されている。

（情勢適応の原則）
第十四条　地方公共団体は、この法律に基いて定められた給与、勤務時間その他の勤務条件が社会一般の情勢に適応するように、随時、適当な措置を講じなければならない。
2　人事委員会は、随時、前項の規定により講ずべき措置について地方公共団体の議会及び長に勧告することができる。

【参照条文】
【給与、勤務時間その他の勤務条件の根本基準―法二四～二六の三　【措置要求―法四六・四七・四八
※　国公法二八

【通　知】
●情勢適応の原則は、地方公共団体が職員の給与、勤務時間等の勤務条件が社会一般の情勢に適応するように必要な措置を講ずる義務があることを明らかにしたものであり、給料表に関する人事委員会の勧告（第二六条）あるいは勤務条件に関する措置の要求の審査の結果に基づく人事委員会又は公平委員会の措置等（第四七条）の場合のみならず、この法律の運営にあたつて常に考慮されなければならない。（昭二六・一・一〇通知）

第二節　任用

（任用の根本基準）
第十五条　職員の任用[1]は、この法律の定めるところにより、受験成績、人事評価その他の能力の実証[2]に基づいて行わなければならない。

【参照条文】
【任用―法一七1・二二の二・二二の三1・4　【人事評価―法二三～二三の四　地教法四四　教特法五の二　【罰則―法六一Ⅱ
※　国公法三三1

【注　釈】
1）○任用とは、任命権者が特定の人を特定の職員の職につけることをいうのであつて、正式任用は、採用、昇任、降任または転任のいずれか一の方法によ

つて行なわれ、例外的に本法第二二条の三第一項又は第四項の規定によつて臨時的任用の方法によつて行なわれる。

２）○その他の能力の実証とは、教員、医師、薬剤師、看護婦、保健婦、自動車運転手など法律に基づく免許制度がある場合に、その免許を有すること、あるいはタイピスト養成機関を卒業したこと、特定の職務に関して、一定の勤務経歴を有すること、一定の学歴を有することなど公務遂行能力を有すると認めるに足る客観的な事実があることをいう。

（定義）

第十五条の二　この法律において、次の各号に掲げる用語の意義は、当該各号に定めるところによる。

一　採用　職員以外の者を職員の職に任命すること（臨時的任用を除く。）をいう。

二　昇任　職員をその職員が現に任命されている職より上位の職制上の段階に属する職員の職に任命することをいう。

三　降任　職員をその職員が現に任命されている職より下位の職制上の段階に属する職員の職に任命することをいう。

四　転任　職員をその職員が現に任命されている職以外の職員の職に任命することであつて前二号に定めるものに該当しないものをいう。

五　標準職務遂行能力　職制上の段階の標準的な職（職員の職に限る。以下同じ。）の職務を遂行する上で発揮することが求められる能力として任命権者が定めるものをいう。

２　前項第五号の標準的な職は、職制上の段階及び職務の種類に応じ、任命権者が定める。

３　地方公共団体の長及び議会の議長以外の任命権者は、標準職務遂行能力及び第一項第五号の標準的な職を定めようとするときは、あらかじめ、地方公共団体の長に協議しなければならない。

【参照条文】

【受験の資格―法一九　【選考による採用―法二一の二　【昇任の方法―法二一の三　【降任及び転任の方法―法二一の五

※　国公法三四　教特法一〇

㊟　次条中、点線の左側は、令和四年六月一七日から起算して三年を超えない範囲内において政令で定める日〔令七・六・一〕から施行となる。

（欠格条項）

第十六条　次の各号のいずれかに該当する者は、条例で定める場合を除くほか、職員となり、又は競争試験若しくは選考を受けることができない。

一　禁錮［拘禁刑］以上の刑に処せられ、その執行を終わるまで又はその執行を受けることがなくなるまでの者

二　当該地方公共団体において懲戒免職の処分を受け、当該処分の日から二年を経過しない者

三　人事委員会又は公平委員会の委員の職にあつて、第六十条から第六十三条までに規定する罪を犯し、刑に処せられた者

四　日本国憲法施行の日以後において、日本国憲法又はその下に成立した政府を暴力で破壊することを主張する政党その他の団体を結成し、又はこれに加入した者

【参照条文】

【競争試験及び選考―法一八　【失職―法二八4　【禁錮以上の刑―刑法九・一一～一三　【懲戒免職―法二九・附9　【政党その他の団体―政資法三　破壊活動防止法四3

※　国公法三八

【実例・判例】

１）●懲戒免職の処分を受け、二年を経過しない者であつても、当該処分を受けた地方公共団体以外の地方公共団体の職員となることはさしつかえない。（昭二六・二・一行実）

※●一　欠格者の採用は当然無効である。

二　この間のその者の行なつた行為は、事実上の公務員の理論により有効である。（瑕疵ある行政行為の解釈）

三　この間の給料は、その間労務の提供があるので返還の必要はない。

四　退職手当は支給しない。

五　共済組合に対する本人の掛金中、長期の分については、共済組合から本人に返還する（相当の利子をつけ）。短期の分については、医療給付があつたものとして、相殺し、返還しない。

六　異動通知の方法としては、「無効宣言」に類する「採用自体が無効であるので登庁の要なし」とするような通知書で足りる。（昭四一・三・三一行実）

※●地公法二八条四項、一六条一号は、禁錮以上の刑に処せられた者が地方公務員として公務に従事する場合には、その者の公務に対する住民の信頼が損なわれるのみならず、当該地方公共団体の公務一般に対する住民の信頼も損なわれるおそれがあるため、かかる者を公務の執行から排除することにより公務に対する住民の信頼を確保することを目的としているものである。

※●地公法二八条四項、一六条二号（現行法では一号）に基づく失職の効果は禁錮以上の刑に処せられ

たことにより発生するものであつて、任命権者による行政処分により発生するものではないから、行政処分における公正な手続の要請はこれを考慮する余地がない。（平元・一・一七最裁判）

（任命の方法）

第十七条　職員の職[1]に欠員を生じた場合においては、任命権者は、採用、昇任、降任又は転任のいずれかの方法により、職員を任命する[2]ことができる。

２　人事委員会（競争試験等を行う公平委員会を含む。以下この節において同じ。）を置く地方公共団体においては、人事委員会は、前項の任命の方法のうちのいずれによるべきかについての一般的基準を定めることができる。

【参照条文】
【任命権者―法六　【人事委員会―法七～一二　【試験機関―法一八
※　国公法三五・三六　教特法三1・一一・一五　警察法五五　消組法一五

【実例・法制意見・判例】

１）●警察官の階級中、警視、警部、警部補、巡査部長、巡査は、本条の「職員の職」に該当する。（昭二九・九・四行実）

２）●一般職に属する国家公務員の任命又は免職の効力は、任命権者の任命又は免職の意思表示が相手方の了知し得べき状態に置かれたときに発生する。（昭二五・一一・一八法制意見）

●定数条例に定める職員の定数に欠員のない場合には、併任することは、できないものと解する。（昭三一・七・一八行実）

※　●同一地方公共団体内の機関相互の人事交流における発令形式については従来前の勤務機関の退職の発令をまつて、新しい勤務機関では新任の発令をしてきたが、人事の交流の円滑化その他服務の宣誓等の関係よりして国で行なつている出向の形式をとり発令して差し支えない。（昭二六・八・二行実）

※　●人事院規則八―一二に規定されているような「配置換」及び「併任」については、本条第一項に規定する「昇任、降任又は転任」に含まれるものと解されるので、条例で当該制度を創設する必要はない。（昭二七・九・三〇行実）

※　●組織上の名称を用いて補職することは、地方自治法施行規程第一八条の規定とは無関係であつて、さしつかえないものと解する。（昭二七・一一・一一行実）

※　●本法第二二条第二項の臨時的任用の場合を除き、一般職に属する職員の任用について任期を限つて採用することは、労働基準法第一四条の規定に違反しないかぎり、できる場合があるものと解する。（昭二七・一一・二四行実）

※　●公務員が辞職を申し出ても、免職の発令をしない限り、その身分は存続するが、特別の理由のない限り、相当期間内に辞職を承認すべきものと解する。（昭二八・九・二四行実）

※　●恒久の職員の職への職員の任用は、特別の事情がない限り、その期間を限定せずして行われるべきものである。（昭二九・三・一行実）

※　●同一地方公共団体内においては任命権者を異にする異動にあたり、送出機関においては出向を命じ、受入機関側においては転任の場合と同様の発令形式をとることとしてさしつかえない。その際職員の意思にかかわらず、任命権者間の了解により任命権の発動として処理してさしつかえないが、当該異動が降任となる場合においては、地公法第二八条第一項に違反してはならない。（昭二九・五・二七行実）

※　●市町村の職員を研修生として無給の県事務吏員に任命してさしつかえない。この場合その職員は、条例定数外として取り扱つてさしつかえない。（昭二九・六・二九行実）

※　●教育職員の場合、臨時免許状の有効期間の満了と同時に、当該教育職員としての地位を失うものと解される。（昭二九・一一・九行実）

※　●職員を採用する際に身元保証人を置き身元保証書を提出させることは、職員の任用上の制限とならず、かつ、身分上の差別待遇とならない限りさしつかえない。なお、身元保証ニ関スル法律にてい触してはならない。（昭三〇・六・一六、同三三・八・五行実）

※　●特別の事情のあるものを除き、恒久的な職について、雇用期間を限定して職員を任用することは適当でない。（昭三一・二・一八行実）

※　●地方公営企業法の適用を受ける企業職員の職の設置については、同法第一〇条に規定する企業管理規程をもつて定めることが適当である。（昭三三・一・六行実）

※　●条例定数をこえた任用行為は、当然に無効とはいえないが、取消しうべき行為に該当するので、条例定数をこえる当該任用行為は直ちに取り消すべきである。（昭四一・一〇・九行実）

※　●企業局から知事部局への出向について、当該職員の同意は必要でない。（昭四一・一一・九行実）

※　●社会教育法第一五条第二項第二号に規定する社会教育委員に外国人を委嘱することは適当でない。（昭四四・六・一六行実）

※　●⑴従事する職務は、一般の学校給食調理業務で、⑵一日の勤務時間は、常勤の学校給食調理員の勤務時間よりも短く、かつ、一週間の勤務時間は、常勤の学校給食調理員の勤務時間の四分の三以下であり、⑶主として学校給食が実施される期間のみ職務に従事し、⑷給与は、職務に従事した日又は時間に応じて支払われる、いわゆるパートタイム職員は、一般的には一般職に属する非常勤職員と解される。

（昭五九・一二・二三行実）

※●いわゆる採用内定の通知は、単に採用発令の手続を支障なく行うための事実上の行為にすぎなく、採用内定の取消しは行訴法第三条第二項にいう行政庁の処分その他公権力の行使にあたる行為には該当せず抗告訴訟の対象とはならない。（昭五七・五・二七最裁判）

※●転任処分は、他に特段の事情の認められない限り、不利益を伴うものでなく、その取消しを求める法律上の利益はない。（昭六一・一〇・二三最裁判）

※●任用期間を限って任用された職員は、期限の経過をもって当然退職する。（昭六二・六・一八最裁判）

（**採用の方法**）

第十七条の二　人事委員会を置く地方公共団体においては、職員の採用は、競争試験によるものとする。ただし、人事委員会規則（競争試験等を行う公平委員会を置く地方公共団体においては、公平委員会規則。以下この節において同じ。）で定める場合には、選考（競争試験以外の能力の実証に基づく試験をいう。以下同じ。）によることを妨げない。

2　人事委員会を置かない地方公共団体においては、職員の採用は、競争試験又は選考によるものとする。

3　人事委員会（人事委員会を置かない地方公共団体においては、任命権者とする。以下この節において「人事委員会等」という。）は、正式任用になつてある職に就いていた職員が、職制若しくは定数の改廃又は予算の減少に基づく廃職又は過員によりその職を離れた後において、再びその職に復する場合における資格要件、採用手続及び採用の際における身分に関し必要な事項を定めることができる。

【参照条文】
※国公法三六　教特法三1・一一・一五

（**試験機関**）

第十八条　採用のための競争試験（以下「採用試験」という。）又は選考は、人事委員会等が行うものとする。ただし、人事委員会等は、他の地方公共団体の機関との協定によりこれと共同して、又は国若しくは他の地方公共団体の機関との協定によりこれらの機関に委託して、採用試験又は選考を行うことができる。

【参照条文】
【事務の委託―自治法二五二の一四～二五二の一六】
【採用候補者名簿―法二一】
※国公法四二・四八

【実　例】

※●職員の採用又は昇任につき人事委員会が選考を行なう場合、その選考は、職務遂行能力を有するかどうかを選考の基準に基づいて判定するものであり、選考の基準に含まれない事由に基づいて、選考を裁量によつて左右することは許されない。（昭二八・九・七行実）

※●人事委員会を置かない地方公共団体の任命権者が当該地方公共団体の他の任命権者との協議により、これと共同して又はこれに委託して競争試験又は選考を行なうことはさしつかえない。（昭三六・六・三行実）

（**採用試験の公開平等**）

第十八条の二　採用試験は、人事委員会等の定める受験の資格を有する全ての国民に対して平等の条件で公開されなければならない。

【参照条文】
※国公法四六

（**受験の阻害及び情報提供の禁止**）

第十八条の三　試験機関に属する者その他職員は、受験を阻害し、又は受験に不当な影響を与える目的をもつて特別若しくは秘密の情報を提供してはならない。

【参照条文】
※国公法四一　罰則―法六一Ⅲ

（**受験の資格要件**）

第十九条　人事委員会等は、受験者に必要な資格として職務の遂行上必要であつて最少かつ適当な限度の客観的かつ画一的な要件を定めるものとする。

【参照条文】
【採用試験―法一八】　【平等取扱―法一三　憲法一四】
【欠格条項―法一六】
※国公法四四・四七

【実　例】

※●一般の警察吏員の職については男性、看護婦の職については女性にそれぞれ限り、また、特にへき遠の地に勤務する職員の職については当該地域の近辺に居住する者に限り、それぞれ受験できることとする等、当該職の職務の遂行上必要な最少かつ適当の限度の客観的かつ画一的要件と認められる限り、性別又は住所地により受験資格を限定することはさしつかえないものと解される。（昭二八・六・二六行実）

※●昇任試験を行なうにあたり、人事委員会の指定した職に、一定年数勤務に服した者でなければならない等の受験資格を定めることは、地方公務員法第一九条第二項の規定に違反しない限りさしつかえない

ものと解される。（昭二八・八・二八行実）

（採用試験の目的及び方法）

第二十条 採用試験は、受験者が、当該採用試験に係る職の属する職制上の段階の標準的な職に係る標準職務遂行能力及び当該採用試験に係る職についての適性を有するかどうかを正確に判定することをもつてその目的とする。

2 採用試験は、筆記試験その他の人事委員会等が定める方法により行うものとする。

【参照条文】

※ 国公法四五・四五の二・四五の三

（採用候補者名簿の作成及びこれによる採用）

第二十一条 人事委員会を置く地方公共団体における採用試験による職員の採用については、人事委員会は、試験ごとに採用候補者名簿を作成するものとする。

2 採用候補者名簿には、採用試験において合格点以上を得た者の氏名及び得点を記載するものとする。

3 採用候補者名簿による職員の採用は、任命権者が、人事委員会の提示する当該名簿に記載された者の中から行うものとする。

4 採用候補者名簿に記載された者の数が採用すべき者の数よりも少ない場合その他の人事委員会規則で定める場合には、人事委員会は、他の最も適当な採用候補者名簿に記載された者を加えて提示することを妨げない。

5 前各項に定めるものを除くほか、採用候補者名簿の作成及びこれによる採用の方法に関し必要な事項は、人事委員会規則で定めなければならない。

【参照条文】

※ 国公法五〇〜五三・五六

【実 例】

1）●任用候補者名簿の作成については性別によつて差別することはできないものと解する。（昭二八・六・三行実）

※ ●任用欠格者が誤つて任用候補者名簿に登載された場合、当該任用は当然無効であるが、そのため他の者の任用の効力が失われるものではない。（昭二六・八・一五行実）

（選考による採用）

第二十一条の二 選考は、当該選考に係る職の属する職制上の段階の標準的な職に係る標準職務遂行能力及び当該選考に係る職についての適性を有するかどうかを正確に判定することをもつてその目的とする。

2 選考による職員の採用は、任命権者が、人事委員会等の行う選考に合格した者の中から行うものとする。

3 人事委員会等は、その定める職員の職について前条第一項に規定する採用候補者名簿がなく、かつ、人事行政の運営上必要であると認める場合においては、その職の採用試験又は選考に相当する国又は他の地方公共団体の採用試験又は選考に合格した者を、その職の選考に合格した者とみなすことができる。

【参照条文】【定義―法一五の二】

※ 国公法五七

（昇任の方法）

第二十一条の三 職員の昇任は、任命権者が、職員の受験成績、人事評価その他の能力の実証に基づき、任命しようとする職の属する職制上の段階の標準的な職に係る標準職務遂行能力及び当該任命しようとする職についての適性を有すると認められる者の中から行うものとする。

【参照条文】【定義―法一五の二】

※ 国公法五八1 教特法三1・一一・一五

（昇任試験又は選考の実施）

第二十一条の四 任命権者が職員を人事委員会規則で定める職（人事委員会を置かない地方公共団体においては、任命権者が定める職）に昇任させる場合には、当該職について昇任のための競争試験（以下「昇任試験」という。）又は選考が行われなければならない。

2 人事委員会は、前項の人事委員会規則を定めようとするときは、あらかじめ、任命権者の意見を聴くものとする。

3 昇任試験は、人事委員会等の指定する職に正式に任用された職員に限り、受験することができる。

4 第十八条から第二十一条までの規定は、第一項の規定による職員の昇任試験を実施する場合について準用する。この場合において、第十八条の二中「定める受験の資格を有する全ての国民」とあるのは「指定する職に正式に任用された全ての職員」と、第二十一条中「職員の採用」とあるのは「職員の昇任」と、「採用候補者名簿」とあるのは「昇任候補者名簿」と、同条第四項中「採用すべき」とあるのは「昇任させるべき」と、同条第五項中「採用の方法」とあるのは「昇任の方法」と読み替えるものとする。

5 第十八条並びに第二十一条の二第一項及び第二項の規定は、第一項の規定による職員の昇任のための選考を実施する場合について準用する。この場合において、同条第二項中「職員の採用」とあるのは、「職員の昇任」と読み替えるものとする。

【参照条文】
【定義―法一五の二

（**降任及び転任の方法**）

第二十一条の五　任命権者は、職員を降任させる場合には、当該職員の人事評価その他の能力の実証に基づき、任命しようとする職の属する職制上の段階の標準的な職に係る標準職務遂行能力及び当該任命しようとする職についての適性を有すると認められる職に任命するものとする。

2　職員の転任は、任命権者が、職員の人事評価その他の能力の実証に基づき、任命しようとする職の属する職制上の段階の標準的な職に係る標準職務遂行能力及び当該任命しようとする職についての適性を有すると認められる者の中から行うものとする。

【参照条文】
【定義―法一五の二
※　国公法五八1 2　教特法四・五

（**条件付採用**）

第二十二条　職員の採用は、全て条件付のものとし、当該職員がその職において六月の期間を勤務し、その間その職務を良好な成績で遂行したときに、正式のものとなるものとする。この場合において、人事委員会等は、人事委員会規則（人事委員会を置かない地方公共団体においては、地方公共団体の規則。第二十二条の四第一項及び第二十二条の五第一項において同じ。）で定めるところにより、条件付採用の期間を一年を超えない範囲内で延長することができる。

【参照条文】
【※条件附採用職員・臨時的任用職員の分限等―法二九の二　【臨時の職―法三　自治法一七二3
※　地教法四〇　教特法一二　国公法五九・六〇

【実例・判例】
1）●法第二二条第一項に規定する条件附採用期間は、労基法第二一条第四号に規定する「試の使用期間」と解すべきであるので、条件附期間中の地方公務員が一四日を超えて引き続き使用されるに至った場合においては、労基法第二〇条の適用がある。（昭三八・一一・四行実）

※　●町村合併による新町の発足により従前の旧町村の正式職員であった者が新たに新町の職員として任命された場合に、条件附任用に関する同条第一項がこれに適用されて条件附採用となり、身分保障を失うに至るというように解すべきではない。（昭三五・七・二一最裁判）

（**会計年度任用職員の採用の方法等**）

第二十二条の二　次に掲げる職員（以下この条において「会計年度任用職員」という。）の採用は、第十七条の二第一項及び第二項の規定にかかわらず、競争試験又は選考によるものとする。

一　一会計年度を超えない範囲内で置かれる非常勤の職（第二十二条の四第一項に規定する短時間勤務の職を除く。）（次号において「会計年度任用の職」という。）を占める職員であつて、その一週間当たりの通常の勤務時間が常時勤務を要する職を占める職員の一週間当たりの通常の勤務時間に比し短い時間であるもの

二　会計年度任用の職を占める職員であつて、その一週間当たりの通常の勤務時間が常時勤務を要する職を占める職員の一週間当たりの通常の勤務時間と同一の時間であるもの

2　会計年度任用職員の任期は、その採用の日から同日の属する会計年度の末日までの期間の範囲内で任命権者が定める。

3　任命権者は、前二項の規定により会計年度任用職員を採用する場合には、当該会計年度任用職員にその任期を明示しなければならない。

4　任命権者は、会計年度任用職員の任期が第二項に規定する期間に満たない場合には、当該会計年度任用職員の勤務実績を考慮した上で、当該期間の範囲内において、その任期を更新することができる。

5　第三項の規定は、前項の規定により任期を更新する場合について準用する。

6　任命権者は、会計年度任用職員の採用又は任期の更新に当たつては、職務の遂行に必要かつ十分な任期を定めるものとし、必要以上に短い任期を定めることにより、採用又は任期の更新を反復して行うことのないよう配慮しなければならない。

7　会計年度任用職員に対する前条の規定の適用については、同条中「六月」とあるのは、「一月」とする。

（**臨時的任用**）

第二十二条の三　人事委員会を置く地方公共団体においては、任命権者は、人事委員会規則で定めるところにより、常時勤務を要する職に欠員を生じた場合において、緊急のとき、臨時の職に関するとき、又は採用候補者名簿（第二十一条の四第四項において読み替えて準用する第二十一条第一項に規定する昇任候補者名簿を含む。）がないときは、人事委員会の承認を得て、六月を超えな

い期間で臨時的任用を行うことができる。この場合において、任命権者は、人事委員会の承認を得て、当該臨時的任用を六月を超えない期間で更新することができるが、再度更新することはできない。

2 前項の場合において、人事委員会は、臨時的に任用される者の資格要件を定めることができる。

3 人事委員会は、前二項の規定に違反する臨時的任用を取り消すことができる。

4 人事委員会を置かない地方公共団体においては、任命権者は、地方公共団体の規則で定めるところにより、常時勤務を要する職に欠員を生じた場合において、緊急のとき、又は臨時の職に関するときは、六月を超えない期間で臨時的任用を行うことができる。この場合において、任命権者は、当該臨時的任用を六月を超えない期間で更新することができるが、再度更新することはできない。

5 臨時的任用は、正式任用に際して、いかなる優先権をも与えるものではない。

6 前各項に定めるもののほか、臨時的に任用された職員に対しては、この法律を適用する。

（定年前再任用短時間勤務職員の任用）

第二十二条の四 任命権者は、当該任命権者の属する地方公共団体の条例年齢以上退職者（条例で定める年齢に達した日以後に退職（臨時的に任用される職員その他の法律により任期を定めて任用される職員及び非常勤職員が退職する場合を除く。）をした者をいう。以下同じ。）を、条例で定めるところにより、従前の勤務実績その他の人事委員会規則で定める情報に基づく選考により、短時間勤務の職（当該職を占める職員の一週間当たりの通常の勤務時間が、常時勤務を要する職でその職務が当該短時間勤務の職と同種の職を占める職員の一週間当たりの通常の勤務時間に比し短い時間である職をいう。以下同じ。）に採用することができる。ただし、条例年齢以上退職者がその者を採用しようとする短時間勤務の職に係る定年退職日相当日（短時間勤務の職を占める職員が、常時勤務を要する職でその職務が当該短時間勤務の職と同種の職を占めているものとした場合における第二十八条の六第一項に規定する定年退職日をいう。第三項及び第四項において同じ。）を経過した者であるときは、この限りでない。

2 前項の条例で定める年齢は、国の職員につき定められている国家公務員法（昭和二十二年法律第百二十号）第六十条の二第一項に規定する年齢を基準として定めるものとする。

3 第一項の規定により採用された職員（以下この条及び第二十九条第三項において「定年前再任用短時間勤務職員」という。）の任期は、採用の日から定年退職日相当日までとする。

4 任命権者は、条例年齢以上退職者のうちその者を採用しようとする短時間勤務の職に係る定年退職日相当日を経過していない者以外の者を当該短時間勤務の職に採用することができず、定年前再任用短時間勤務職員のうち当該定年前再任用短時間勤務職員を昇任し、降任し、又は転任しようとする短時間勤務の職に係る定年退職日相当日を経過していない定年前再任用短時間勤務職員以外の職員を当該短時間勤務の職に昇任し、降任し、又は転任することができない。

5 任命権者は、定年前再任用短時間勤務職員を、常時勤務を要する職に昇任し、降任し、又は転任することができない。

6 第一項の規定による採用については、第二十二条の規定は、適用しない。

【参照条文】
※ 国公法六〇の二

第二十二条の五 地方公共団体の組合を組織する地方公共団体の任命権者は、前条第一項本文の規定によるほか、当該地方公共団体の組合の条例年齢以上退職者を、条例で定めるところにより、従前の勤務実績その他の人事委員会規則で定める情報に基づく選考により、短時間勤務の職に採用することができる。

2 地方公共団体の組合の任命権者は、前条第一項本文の規定によるほか、当該地方公共団体の組合を組織する地方公共団体の条例年齢以上退職者を、条例で定めるところにより、従前の勤務実績その他の地方公共団体の組合の規則（競争試験等を行う公平委員会を置く地方公共団体の組合においては、公平委員会規則）で定める情報に基づく選考により、短時間勤務の職に採用することができる。

3 前二項の場合においては、前条第一項ただし書及び第三項から第六項までの規定を準用する。

第三節 人事評価

（人事評価の根本基準）

第二十三条 職員の人事評価は、公正に行われなければならない。

2 任命権者は、人事評価を任用、給与、分限その他の人事管理の基礎として活用するものとする。

【参照条文】
【任命権者―法六】【任用の根本基準―法一五】【昇

地公法

任の方法―法二一の三　【降任及び転任の方法―法二一の五　【給与等の根本基準―法二四　【降任、免職、休職等―法二八

※　国公法七〇の二

（人事評価の実施）

第二十三条の二　職員の執務については、その任命権者は、定期的に人事評価を行わなければならない。

2　人事評価の基準及び方法に関する事項その他人事評価に関し必要な事項は、任命権者が定める。

3　前項の場合において、任命権者が地方公共団体の長及び議会の議長以外の者であるときは、同項に規定する事項について、あらかじめ、地方公共団体の長に協議しなければならない。

【参照条文】

※　地教法四四　教特法五の二　国公法七〇の三

（人事評価に基づく措置）

第二十三条の三　任命権者は、前条第一項の人事評価の結果に応じた措置を講じなければならない。

【参照条文】

※　国公法七〇の四

（人事評価に関する勧告）

第二十三条の四　人事委員会は、人事評価の実施に関し、任命権者に勧告することができる。

第四節　給与、勤務時間その他の勤務条件

（給与、勤務時間その他の勤務条件の根本基準）

第二十四条　職員の給与は、その職務と責任に応ずるものでなければならない。

2　職員の給与は、生計費並びに国及び他の地方公共団体の職員並びに民間事業の従事者の給与その他の事情を考慮して定められなければならない。

3　職員は、他の職員の職を兼ねる場合においても、これに対して給与を受けてはならない。[1]

4　職員の勤務時間その他職員の給与以外の勤務条件を定めるに当つては、国及び他の地方公共団体の職員との間に権衡を失しないように適当な考慮が払われなければならない。

5　職員の給与[2]、勤務時間[3]その他の勤務条件[4]は、条例で定める。

【参照条文】

【給与―自治法二〇四～二〇四の二　【本条の特例―公企法三九1

※　公企法三八　地教法四二　教特法一三　国公法六二・一〇六　労基法二四～二八・三二～四一の二　地独法五三1Ⅰ

【実例・判例】

1）●一般職の職員が特別職の職を兼ねた場合、その給与を支給しても本条第四項には該当しないが、重複給与はさけるべきである。なお、その特別職が、その職員の職務の性質上当然に兼ねるべきものである場合には、特別職としての報酬を別に受けることは適当でない。（昭二六・三・一二行実）

●一般知事部局と企業部局との間に期末手当等の支給額に差がある場合、双方兼務（併任）の職員（通常の給与は一般部局の方から受けている）に対してその差額に相当する部分を企業局から支給することは、当該支給額がすでに一般部局の方から受けた期末手当等の額の算出の基礎となつた在職期間、勤務期間等を基礎として決定されるものである場合においては、重複給与となる。（昭二九・五・六行実）

●職員に対し表彰を行ない、あわせて支給する記念品、褒賞金は、地方自治法第二〇四条の二に言うところの給与その他の給付に含まないと解する。（昭三一・一一・二〇行実）

●市職員が他会計の（組合立伝染病隔離病舎組合又は森林組合）事務を兼務している場合に、給料月額を事務分量に按分し双方より支給してさしつかえない。（昭三六・六・九行実）

2）●本法第二二条（現行第二二条の三）の規定に基づく臨時的任用職員の給与については、他の職員と同様に給与に関する条例を適用すべきものであるが、同条例中に特別の定めをしてさしつかえない。（昭三六・六・五行実）

●退職手当の支給を受けた後において給与改訂が行なわれた場合においても、その差額金については、請求がなくても支給できる。（昭四三・一・二九行実）

●勤勉手当の一律支給を、成績によつてその額に差をつけて支給する方法に改めても、労働慣行を無視したことにはならない。（昭四三・六・二一行実）

3）●自治法施行規程第二九条（現一条）に規定する都道府県庁の執務時間は、法第二四条第六項中職員の勤務時間に関する部分が当該都道府県に適用された後においては、同項に規定する職員の勤務時間とは全く別のものであるから、法第二四条第六項の規定が適用された後といえども同項の規定によることなく依然として地方自治法施行規程第二九条の規程によるべきものである。（昭二六・五・一行実）

4）●通信教育の面接授業に参加する期間日数を年次有給休暇以外の特別休暇とすることは、法第三九条の研修であればさしつかえない。（昭二七・八・二六行実）

●職員から請願のため特別休暇を請求されたときは、労基法第七条の規定の趣旨からみても、任命権者は、拒むことができる。（昭三五・七・二八行実）

※ ●地方公共団体は、その職員に給与を支給すべきであるが、職員が公務員としての地位に基づいて有する給与請求権の支分権である具体的給与の請求権を放棄することができないとはいえない。（昭二八・七・二七行実）

※ ●非常勤職員の報酬を日額をもつて定めるか月額をもつて定めるかは、その者の職務内容および勤務態様等を考慮して具体的実情に応じて自主的に判断すべきものである。（昭三一・七・三一行実）

※ ●一般的には、職員が講演等を依頼されて所属の長の許可を得て行なつた場合に当該職員に対して支出する講師謝礼金は、その職員の職務外のものとして行なわれた場合に贈られる謝礼金であつても、職務上のものとして行なわれた場合に車代等のいわゆる実費を弁償する意味で贈られる謝礼金であつても、いずれも給与とは認められないから、報償費より支出することはさしつかえない。（昭三四・五・一三行実）

●最高裁における上告棄却の決定により一審判決による有罪が確定し、町長の当選が無効とされた場合、給料等については、当選の日にさかのぼつて返還を求め得るが、町に対するその間の労務の提供があるので両者を等価とみなして相殺することができる。（昭四三・五・一七行実）

※ ●労働基準法第三九条の規定に基づく年次有給休暇は、その請求権が同法第一一五条に規定する時効によつて消滅しない限り翌年に繰り越し得る。（昭二八・八・一五行実）

※ ●(1) 労働者が休暇の時季指定をしたときは、使用者が時季変更権の行使をしないかぎり、年次有給休暇が成立し、当該労働日における就労義務が消滅するのであつて、労働者による「休暇の請求」や、これに対する使用者の「承認」の観念を容れる余地はない。

(2) 年次有給休暇の利用目的は労基法の関知しないところであり、休暇をどのように利用するかは、使用者の干渉を許さない労働者の自由である。（昭四八・三・二最裁判）

（給与に関する条例及び給与の支給）

第二十五条 職員の[1]給与は、前条第五項の規定による給与に関する条例に基づいて支給されなければならず、また、これに基づかずには、いかなる金銭又は有価物も職員に支給しては[2]ならない。

2 職員の給与は、法律又は[3]条例により特に認められた場合を除き、通貨で、[4]直接職員に、その[5]全額を支払わなければならない。

3 給与に関する[6]条例には、次に掲げる事項を規定するものとする。

一 給料表
二 等級別基準職務表
三 昇給の基準に関する事項
四 時間外勤務手当、夜間勤務手当及び休日勤務手当に関する事項
五 前号に規定するものを除くほか、地方自治法第二百四条第二項に規定する手当を支給する場合には、当該手当に関する事項
六 非常勤の職その他勤務条件の特別な職があるときは、これらについて行う給与の調整に関する事項
七 前各号に規定するものを除くほか、給与の支給方法及び支給条件に関する事項

4 前項第一号の給料表には、職員の職務の複雑、困難及び責任の度に基づく等級ごとに明確な給料額の幅を定めていなければならない。

5 第三項第二号の等級別基準職務表には、職員の職務を前項の等級ごとに分類する際に基準となるべき職務の内容を定めていなければならない。

【参照条文】
【報酬・給与に関する条例―自治法二〇三～二〇四の二 【本条の特例―公企法三九1 地独法五三1I
※ 国公法六三～六五 労基法二四1

【実例・通知・判例】

(1) ●職務の遂行上必要な被服等の支給は本条第一項の給与に含まれない。（昭二七・九・三行実）

(2) ●職員の表彰の副賞として金品を授与することは本条第一項の規定に反しない。（昭二七・二・二八行実）

(3) ●地方公務員法第二五条第二項の規定に基づく条例は、次の要件を満たす給与の口座振込については必要としない。
①給与の口座振込は、職員の意思に基づいているものであること。
②職員が指定する本人名義の預金又は貯金の口座に振り込まれること。
③振り込まれた給与の全額が、所定の給与支払日に払い出し得る状況にあること。（昭五〇・四・八通知）

(4) ●公務員の給与は、労働基準法第二四条の規定により直接本人に支払うことになつているが、この場合委任状により受任者に一括して支払うことはできない。（昭二七・一一・二六行実）

(5) ●前月中に生じた給与の減額事由に基づき減額すべき給与額は、著しく遅延しない限り、翌月分以降の給与から減額することができる。（昭四一・一一・二五行実）

(6) ●給料の特別調整額（管理職手当）は、労基法第三七条に規定する深夜の割増賃金に相当する額を含む

よう定めることが適当である。（昭二八・三・二〇行実）

●職員の給与、勤務時間その他の勤務条件に関する事項を全面的に規則で定めるよう条例で委任することはできない。（昭二七・一一・一八行実）

●超過勤務手当、休日給および夜勤手当の額は、労働基準法第三七条に規定する基準を下回ることはできないものと解する。（昭二九・三・二三行実）

●結核性疾患のため校長としての身分を保有したまま休職にされた校長に対しては、管理職手当を支給することはできない。（昭三五・二・二四文部省委初一〇九）

●給料の特別調整額の支給を受けるものと指定された職に本務として在職する職員が、併任又は兼務を命ぜられた特別調整額の支給を受けない職の職務に従事した場合、当該職員に対して超過勤務手当を支給することはできない。（昭三六・八・二一行実）

●定期昇給は、絶対的な権利または義務ではない。（昭三八・一二・二行実）

●一般にＰＴＡ、同窓会など任意団体の事務は法第三五条に規定する「地方公共団体がなすべき責を有する職務」には含まれないと解されるので、地方公共団体の職員が正規の勤務時間外に当該任意団体の事務に従事してもこれに対し時間外勤務手当を支給することはできない。また、地方公共団体の職員でないかぎり、給与は支給できない。（昭三九・一一・二〇行実）

●一般行政事務に従事する職員の給与と単純な労務に雇用される職員との給料を同一の給料表で定めることは適当でない。（昭四一・一〇・二六行実）

※●給与条例の定期昇給に関する規定は、要件をみたした職員に対して昇給に関する処分についての実体上又は手続上の権利を与えたものとは解されない。（昭五五・七・一〇最裁判）

（給料表に関する報告及び勧告）

第二十六条　人事委員会は、毎年少くとも一回、給料表が適当であるかどうかについて、地方公共団体の議会及び長に同時に報告するものとする。給与を決定する諸条件の変化により、給料表に定める給料額を増減することが適当であると認めるときは、あわせて適当な勧告をすることができる。

【参照条文】
【給料表―法二五　【本条の特例―公企法三九1　地独法1Ⅰ
※　国公法六七

【実　例】

1）●(1)　本法第二六条後段の勧告は、給料水準を全般的に改定する必要がある場合ならびに同条前段の規定により同一の職務の級における給料の幅を改定する必要がある場合にも行なうことができる。

(2)　給料以外の給与についての調査研究の結果を議会及び長に報告又は勧告する場合は、地方公務員法第八条第一項第二号又は第三号の規定によるのが相当である。（昭二六・一二・一九行実）

（修学部分休業）

第二十六条の二　任命権者は、職員（臨時的に任用される職員その他の法律により任期を定めて任用される職員及び非常勤職員を除く。以下この条及び次条において同じ。）が申請した場合において、公務の運営に支障がなく、かつ、当該職員の公務に関する能力の向上に資すると認めるときは、条例で定めるところにより、当該職員が、大学その他の条例で定める教育施設における修学のため、当該修学に必要と認められる期間として条例で定める期間中、一週間の勤務時間の一部について勤務しないこと（以下この条において「修学部分休業」という。）を承認することができる。

2　前項の規定による承認は、修学部分休業をしている職員が休職又は停職の処分を受けた場合には、その効力を失う。

3　職員が第一項の規定による承認を受けて勤務しない場合には、条例で定めるところにより、減額して給与を支給するものとする。

4　前三項に定めるもののほか、修学部分休業に関し必要な事項は、条例で定める。

【参照条文】
【本条の特例―公企法三九1

（高齢者部分休業）

第二十六条の三　任命権者は、高年齢として条例で定める年齢に達した職員が申請した場合において、公務の運営に支障がないと認めるときは、条例で定めるところにより、当該職員が当該条例で定める年齢に達した日以後の日で当該申請において示した日から当該職員に係る定年退職日（第二十八条の六第一項に規定する定年退職日をいう。）までの期間中、一週間の勤務時間の一部について勤務しないこと（次項において「高齢者部分休業」という。）を承認することができる。

2　前条第二項から第四項までの規定は、高齢者部分休業について準用する。

【参照条文】
【本条の特例―公企法三九1

第四節の二　休業

（休業の種類）

第二十六条の四　職員の休業は、自己啓発等休業、配偶者同行休業、育児休業及び大学院修学休業とする。

2　育児休業及び大学院修学休業については、別に法律で定めるところによる。

【参照条文】
【育児休業―地方公務員の育児休業等に関する法律】
【大学院修学休業―教特法二六～二八】

（自己啓発等休業）

第二十六条の五　任命権者は、職員（臨時的に任用される職員その他の法律により任期を定めて任用される職員及び非常勤職員を除く。以下この条及び次条（第八項及び第九項を除く。）において同じ。）が申請した場合において、公務の運営に支障がなく、かつ、当該職員の公務に関する能力の向上に資すると認めるときは、条例で定めるところにより、当該職員が、三年を超えない範囲内において条例で定める期間、大学等課程の履修（大学その他の条例で定める教育施設の課程の履修をいう。第五項において同じ。）又は国際貢献活動（国際協力の促進に資する外国における奉仕活動（当該奉仕活動を行うために必要な国内における訓練その他の準備行為を含む。）のうち職員として参加することが適当であると認められるものとして条例で定めるものに参加することをいう。第五項において同じ。）のための休業（以下この条において「自己啓発等休業」という。）をすることを承認することができる。

2　自己啓発等休業をしている職員は、自己啓発等休業を開始した時就いていた職又は自己啓発等休業の期間中に異動した職を保有するが、職務に従事しない。

3　自己啓発等休業をしている期間については、給与を支給しない。

4　自己啓発等休業の承認は、当該自己啓発等休業をしている職員が休職又は停職の処分を受けた場合には、その効力を失う。

5　任命権者は、自己啓発等休業をしている職員が当該自己啓発等休業の承認に係る大学等課程の履修又は国際貢献活動を取りやめたことその他条例で定める事由に該当すると認めるときは、当該自己啓発等休業の承認を取り消すものとする。

6　前各項に定めるもののほか、自己啓発等休業に関し必要な事項は、条例で定める。

【参照条文】
【本条の特例―公企法三九1】

（配偶者同行休業）

第二十六条の六　任命権者は、職員が申請した場合において、公務の運営に支障がないと認めるときは、条例で定めるところにより、当該申請をした職員の勤務成績その他の事情を考慮した上で、当該職員が、三年を超えない範囲内において条例で定める期間、配偶者同行休業（職員が、外国での勤務その他の条例で定める事由により外国に住所又は居所を定めて滞在するその配偶者（届出をしないが事実上婚姻関係と同様の事情にある者を含む。第五項及び第六項において同じ。）と、当該住所又は居所において生活を共にするための休業をいう。以下この条において同じ。）をすることを承認することができる。

2　配偶者同行休業をしている職員は、当該配偶者同行休業を開始した日から引き続き配偶者同行休業をしようとする期間が前項の条例で定める期間を超えない範囲内において、条例で定めるところにより、任命権者に対し、配偶者同行休業の期間の延長を申請することができる。

3　配偶者同行休業の期間の延長は、条例で定める特別の事情がある場合を除き、一回に限るものとする。

4　第一項の規定は、配偶者同行休業の期間の延長の承認について準用する。

5　配偶者同行休業の承認は、当該配偶者同行休業をしている職員が休職若しくは停職の処分を受けた場合又は当該配偶者同行休業に係る配偶者が死亡し、若しくは当該職員の配偶者でなくなつた場合には、その効力を失う。

6　任命権者は、配偶者同行休業をしている職員が当該配偶者同行休業に係る配偶者と生活を共にしなくなつたことその他条例で定める事由に該当すると認めるときは、当該配偶者同行休業の承認を取り消すものとする。

7　任命権者は、第一項又は第二項の規定による申請があつた場合において、当該申請に係る期間（以下この項及び次項において「申請期間」という。）について職員の配置換えその他の方法によつて当該申請をした職員の業務を処理することが困難であると認めるときは、条例で定めるところにより、当該業務を処理するため、次の各号に掲げる任用のいずれかを行うことができる。この場合において、第二号に掲げる任用は、申請期間について一年を超えて行うことができない。

一　申請期間を任用の期間（以下この条において「任期」という。）の限度として行う任期を定めた採用

二　申請期間を任期の限度として行う臨時的任用

8　任命権者は、条例で定めるところにより、前項の規定により任期を定めて採用された職員の任期が申請期間に満たない場合には、当該申請期間の範囲内において、そ

の任期を更新することができる。

9 任命権者は、第七項の規定により任期を定めて採用された職員を、任期を定めて採用した趣旨に反しない場合に限り、その任期中、他の職に任用することができる。

10 第七項の規定に基づき臨時的任用を行う場合には、第二十二条の三第一項から第四項までの規定は、適用しない。

11 前条第二項、第三項及び第六項の規定は、配偶者同行休業について準用する。

【参照条文】
【本条の特例―公企法三九1

第五節 分限及び懲戒

（分限及び懲戒の基準）

第二十七条 全て職員の分限及び懲戒については、公正でなければならない。

2 職員は、この法律で定める事由による場合でなければ、その意に反して[1]、降任[2]され、又は免職されず、この法律又は条例で定める事由による場合でなければ、その意に反して、休職[3]され、又は降給[4]されることがない。

3 職員は、この法律で定める事由による場合でなければ、懲戒処分を受けることがない。

【参照条文】
【分限―法二八 【懲戒―法二九 【身分の保障―憲法七八 国公法七五 裁判所法四八 会検法八 教特法五・六 【特例―地教法四〇・四七の二
※ 国公法七四・七五 【本条第二項の適用除外―法二九の二

【実例・判例】

1) ●「意に反して」とは、「同意を要しないで一方的に」という意味と解する。（昭二八・一〇・二二行実）

2) ●降任（降格）に伴い給料の下がることは「降給」ではない。（昭二八・一二・二三行実）

3) ●廃職又は過員を休職事由とすることは分限制度の趣旨にかんがみ、適当でない。（昭三四・七・二四行実）

●次の事由を休職の事由として条例で定めることは適当でない。
(1) 刑事起訴になるまでの間を休職にすること。
(2) 運転手が免許停止を受けた場合、その期間を休職にすること。（昭四四・四・二一行実）

4) ●教員から指導主事及び社会教育主事以外の事務局職員に転ずる場合において、職務の級は変らなくても職務と責任の変更により「号」（給料）が下がる場合は、本条第二項の「降給」には該当しない。（昭二八・一〇・六行実）

●第二項の規定に基づき、条例で降給の事由を定めるにあたつては、職員の身分保障の趣旨よりして、できるだけ明確に規定するとともに当該事由は職員個々について処分を行なう必要があるものに限られるべきものと解する。なお、赤字財政の再建を行なうため経費の節減を図る場合を降給の事由として条例で規定すること自体は法律的には不可能ではないが、全職員について、給料を一律に下げる場合は、給与条例の改正等の方法により行なうことが適当と思料される。（昭三〇・一〇・一二行実）

※ ●公務員の退職願の撤回は、免職辞令の交付があるまでは、原則として自由であるが、辞令交付前においても、これを撤回することが信義に反すると認められるような特段の事情がある場合には許されない。（昭三四・六・二六最裁判）

（降任、免職、休職等）

第二十八条 職員が、次の各号に掲げる場合のいずれかに該当するときは、その意に反して、これを降任し、又は免職することができる。

一 人事評価又は勤務の状況を示す事実に照らして、勤務実績がよくない場合

二 心身の故障のため、職務の遂行に支障があり、又はこれに堪えない場合

三 前二号に規定する場合のほか、その職に必要な適格性を欠く場合

四 職制若しくは定数[1]の改廃又は予算の減少により廃職又は過員を生じた場合[2]

2 職員が、次の各号に掲げる場合のいずれかに該当するときは、その意に反して、これを休職[3]することができる。

一 心身の故障のため、長期の休養を要する場合[4]

二 刑事事件に関し起訴された場合[5]

3 職員の意に反する降任、免職、休職及び降給の手続及び効果は、法律に特別の定めがある場合を除くほか、条例で定めなければならない。

4 職員は、第十六条各号（第二号を除く。）のいずれかに該当するに至つたとき[6]は、条例に特別の定めがある場合を除くほか、その職を失う。

【参照条文】
【※不利益処分の審査請求―法四九～五一の二 【人事評価の根本基準―法二三 【定数―自治法一七二3等 【刑事事件の起訴―刑訴法二四七・二五六 【特例―地教法四七の二 【本条第一項ないし第三項の適用除外―法二九の二

【実例・判例】

※ 国公法七六～八一 人規一一―四

1) ●休職者を、その市町村職員の定数外として取り扱うことはできる。（昭二七・一一・二三行実）

●第一項第四号にいう「定数」とは、法令の根拠に基づいて決定された職員数を指すものと解され、また「予算の減少」とは、必ずしも予算の絶対額の積極的減少のみを指すものではなく、予算の絶対額における減少はなくても当該予算額算定の基礎が変更されそのため当初予算額によつて支弁されるべき職員数又は事業量若しくは事務量の減少を余儀なくされ、廃職又は過員を生ずるに至つたような場合をも含むものと解される。（昭二八・六・八行実）

2) ●法第二八条第一項第四号の規定による処分に際して具体的に何人を対象とするかについての一般的合理的基準としては、同項第一号から第三号までに規定する事項が考えられるものではあるが、法的には、法の原則規定にてい触しない限りにおいて任命権者の裁量を許すものであつて、その範囲内では、当不当の問題は別として、違法の問題は生じえないと解される。（昭二七・五・七行実）

3) ●休職を命ぜられて休職中の職員から自発的に退職の願出があつた場合、これに対し依願退職を発令することはさしつかえない。この場合、復職を命ずることなく、休職のまま、退職させてさしつかえない。（昭二七・一〇・二四行実）

●法上における休職は、第二七条第二項または第二八条第二項各号の場合に限られるもので、設問（母親を看病するという他動的理由）の場合休職を命ずることはできない。（昭三八・一〇・二九行実）

●分限休職と分限降任の二つの処分を併せ行うことは可能である。（昭四三・三・九行実）

4) ●労働基準法第五一条（病者の就業禁止）の規定により業務につくことを禁止しなければならない場合の取扱いについては、国が人事院規則一〇―四（職員の保健及び安全保持）第一六条第二項（現行＝第二四条第二項）の規定により業務につくことを禁止する場合の取扱いに準じて取り扱うことが適当であると解するが、本条第二項第一号に該当する場合には、休職発令することは差支えない。（昭三五・二・一五行実）

5) ●職員が採用される以前に刑事事件に関し起訴されており、採用後に起訴の事実を知つた場合でも休職処分にすることができる。（昭三七・六・一四行実）

●職員団体のための専従休職者が刑事事件に関し起訴された場合、休職処分を行なうことができる。（昭三八・九・二〇行実）

6) ●職員が第四項の規定に該当する場合においては、判決確定の日をもつて失職する旨通知することが適当であり、かつ、書面で通知する場合においても、その通知書の日付は、必ずしも判決確定の日付による必要はないものと解する。（昭二八・一二・一〇行実）

※ ●処分説明書の交付は、法第四九条の規定により義務づけられたものであつて、分限処分の効果とは無関係であり、当該処分は、「その旨を記載した書面」を交付することによつてその効力を生ずるものと解する。（昭二七・九・二〇行実）

※ ●過去に遡つて免職処分を行うことはできない。（昭二七・九・三〇行実）

※ ●交通事故を起こし有罪となつた職員について、平素の勤務成績を勘案し、情状により失職しないものとする旨の規定を条例に設けることは、一般的には、適切なものとは考えられない。（昭三四・一・八行実）

※ ●課長が法第二八条により休職処分をうけたときも休職されたとき占めていた職を保有する。また、課長を休職処分にしたとき後任者の課長を別に発令することができる。（昭三六・一二・二一行実）

※ ●地方公務員が禁錮以上の刑に処せられた場合には、任命権者による何らの処分も必要とせず法律上当然に失職し、執行猶予期間満了後に初めて失職の通知がなされたものだとしても失職の効力に影響はない。（昭六一・七・八大阪高裁判、平元・一・一七最裁判）

（管理監督職勤務上限年齢による降任等）

第二十八条の二　任命権者は、管理監督職（地方自治法第二百四条第二項に規定する管理職手当を支給される職員の職及びこれに準ずる職であつて条例で定める職をいう。以下この節において同じ。）を占める職員でその占める管理監督職に係る管理監督職勤務上限年齢に達している職員について、異動期間（当該管理監督職勤務上限年齢に達した日の翌日から同日以後における最初の四月一日までの間をいう。以下この節において同じ。）（第二十八条の五第一項から第四項までの規定により延長された期間を含む。以下この項において同じ。）に、管理監督職以外の職又は管理監督職勤務上限年齢が当該職員の年齢を超える管理監督職（以下この項及び第四項においてこれらの職を「他の職」という。）への降任又は転任（降給を伴う転任に限る。）をするものとする。ただし、異動期間に、この法律の他の規定により当該職員について他の職への昇任、降任若しくは転任をした場合又は第二十八条の七第一項の規定により当該職員を管理監督職を占めたまま引き続き勤務させることとした場合は、この限りでない。

2　前項の管理監督職勤務上限年齢は、条例で定めるものとする。

3　管理監督職及び管理監督職勤務上限年齢を定めるに当たつては、国及び他の地方公共団体の職員との間に権衡を失しないように適当な考慮が払われなければならない。

4　第一項本文の規定による他の職への降任又は転任（以下この節及び第四十九条第一項ただし書において「他の職への降任等」という。）を行うに当たつて任命権者が遵守すべき基準に関する事項その他の他の職への降任等に関し必要な事項は、条例で定める。

【参照条文】
※　国公法八一の二

（管理監督職への任用の制限）

第二十八条の三　任命権者は、採用し、昇任し、降任し、又は転任しようとする管理監督職に係る管理監督職勤務上限年齢に達している者を、その者が当該管理監督職を占めているものとした場合における異動期間の末日の翌日（他の職への降任等をされた職員にあつては、当該他の職への降任等をされた日）以後、当該管理監督職に採用し、昇任し、降任し、又は転任することができない。

【参照条文】
※　国公法八一の三

（適用除外）

第二十八条の四　前二条の規定は、臨時的に任用される職員その他の法律により任期を定めて任用される職員には適用しない。

【参照条文】
※　国公法八一の四

（管理監督職勤務上限年齢による降任等及び管理監督職への任用の制限の特例）

第二十八条の五　任命権者は、他の職への降任等をすべき管理監督職を占める職員について、次に掲げる事由があると認めるときは、条例で定めるところにより、当該職員が占める管理監督職に係る異動期間の末日の翌日から起算して一年を超えない期間内（当該期間内に次条第一項に規定する定年退職日（以下この項及び次項において「定年退職日」という。）がある職員にあつては、当該異動期間の末日の翌日から定年退職日までの期間内。第三項において同じ。）で当該異動期間を延長し、引き続き当該管理監督職を占めたまま勤務をさせることができる。

一　当該職員の職務の遂行上の特別の事情を勘案して、当該職員の他の職への降任等により公務の運営に著しい支障が生ずると認められる事由として条例で定める事由

二　当該職員の職務の特殊性を勘案して、当該職員の他の職への降任等により、当該管理監督職の欠員の補充が困難となることにより公務の運営に著しい支障が生ずると認められる事由として条例で定める事由

2　任命権者は、前項又はこの項の規定により異動期間（これらの規定により延長された期間を含む。）が延長された管理監督職を占める職員について、前項各号に掲げる事由が引き続きあると認めるときは、条例で定めるところにより、延長された当該異動期間の末日の翌日から起算して一年を超えない期間内（当該期間内に定年退職日がある職員にあつては、延長された当該異動期間の末日の翌日から定年退職日までの期間内。第四項において同じ。）で延長された当該異動期間を更に延長することができる。ただし、更に延長される当該異動期間の末日は、当該職員が占める管理監督職に係る異動期間の末日の翌日から起算して三年を超えることができない。

3　任命権者は、第一項の規定により異動期間を延長することができる場合を除き、他の職への降任等をすべき特定管理監督職群（職務の内容が相互に類似する複数の管理監督職であつて、これらの欠員を容易に補充することができない年齢別構成その他の特別の事情がある管理監督職として人事委員会規則（人事委員会を置かない地方公共団体においては、地方公共団体の規則）で定める管理監督職をいう。以下この項において同じ。）に属する管理監督職を占める職員について、当該職員の他の職への降任等により、当該特定管理監督職群に属する管理監督職の欠員の補充が困難となることにより公務の運営に著しい支障が生ずると認められる事由として条例で定める事由があると認めるときは、条例で定めるところにより、当該職員が占める管理監督職に係る異動期間の末日の翌日から起算して一年を超えない期間内で当該異動期間を延長し、引き続き当該管理監督職を占めたまま勤務をさせ、又は当該職員を当該管理監督職が属する特定管理監督職群の他の管理監督職に降任し、若しくは転任することができる。

4　任命権者は、第一項若しくは第二項の規定により異動期間（これらの規定により延長された期間を含む。）が延長された管理監督職を占める職員について前項に規定する事由があると認めるとき（第二項の規定により延長することができるときを除く。）、又は前項若しくはこの項の規定により異動期間（前三項又はこの項の規定により延長された期間を含む。）が延長された管理監督職を占める職員について前項に規定する事由が引き続きあると認めるときは、条例で定めるところにより、延長された当該異動期間の末日

の翌日から起算して一年を超えない期間内で延長された当該異動期間を更に延長することができる。

5 前各項に定めるもののほか、これらの規定による異動期間（これらの規定により延長された期間を含む。）の延長及び当該延長に係る職員の降任又は転任に関し必要な事項は、条例で定める。

【参照条文】
※ 国公法八一の五

（定年による退職）

第二十八条の六 職員は、定年に達したときは、定年に達した日以後における最初の三月三十一日までの間において、条例で定める日（次条第一項及び第二項ただし書において「定年退職日」という。）に退職する。

2 前項の定年は、国の職員につき定められている定年を基準として条例で定めるものとする。

3 前項の場合において、地方公共団体における当該職員に関しその職務と責任に特殊性があること又は欠員の補充が困難であることにより国の職員につき定められている定年を基準として定めることが実情に即さないと認められるときは、当該職員の定年については、条例で別の定めをすることができる。この場合においては、国及び他の地方公共団体の職員との間に権衡を失しないように適当な考慮が払われなければならない。

4 前三項の規定は、臨時的に任用される職員その他の法律により任期を定めて任用される職員及び非常勤職員には適用しない。

【参照条文】
【臨時的に任用される職員その他の法律により任期を定めて任用される職員―法二二、女子教職員の出産に際しての補助教職員の確保に関する法律三、地方公務員の育児休業等に関する法律六、教特法八1
【特例―教特法八2
※ 国公法八一の六

（定年による退職の特例）

第二十八条の七 任命権者は、定年に達した職員が前条第一項の規定により退職すべきこととなる場合において、次に掲げる事由があると認めるときは、同項の規定にかかわらず、条例で定めるところにより、当該職員に係る定年退職日の翌日から起算して一年を超えない範囲内で期限を定め、当該職員を当該定年退職日において従事している職務に従事させるため、引き続き勤務させることができる。ただし、第二十八条の五第一項から第四項までの規定により異動期間（これらの規定により延長された期間を含む。）を延長した職員であつて、定年退職日において管理監督職を占めている職員については、同条第一項又は第二項の規定により当該定年退職日まで当該異動期間を延長した場合に限るものとし、当該期限は、当該職員が占めている管理監督職に係る異動期間の末日の翌日から起算して三年を超えることができない。

一 前条第一項の規定により退職すべきこととなる職員の職務の遂行上の特別の事情を勘案して、当該職員の退職により公務の運営に著しい支障が生ずると認められる事由として条例で定める事由

二 前条第一項の規定により退職すべきこととなる職員の職務の特殊性を勘案して、当該職員の退職により、当該職員が占める職の欠員の補充が困難となることにより公務の運営に著しい支障が生ずると認められる事由として条例で定める事由

2 任命権者は、前項の期限又はこの項の規定により延長された期限が到来する場合において、前項各号に掲げる事由が引き続きあると認めるときは、条例で定めるところにより、これらの期限の翌日から起算して一年を超えない範囲内で期限を延長することができる。ただし、当該期限は、当該職員に係る定年退職日（同項ただし書に規定する職員にあつては、当該職員が占めている管理監督職に係る異動期間の末日）の翌日から起算して三年を超えることができない。

3 前二項に定めるもののほか、これらの規定による勤務に関し必要な事項は、条例で定める。

【参照条文】
【任命権者―法六　地教法三四・三七
※ 国公法八一の七

（懲戒）

第二十九条 職員が次の各号のいずれかに該当する場合には、当該職員に対し、懲戒処分として戒告、減給、停職又は免職の処分をすることができる。

一 この法律若しくは第五十七条に規定する特例を定めた法律又はこれらに基づく条例、地方公共団体の規則若しくは地方公共団体の機関の定める規程に違反した場合

二 職務上の義務に違反し、又は職務を怠つた場合

三 全体の奉仕者たるにふさわしくない非行のあつた場合

2 職員が、任命権者の要請に応じ当該地方公共団体の特別職に属する地方公務員、他の地方公共団体若しくは特定地方独立行政法人の地方公務員、国家公務員又は地方公社（地方住宅供給公社、地方道路公社及び土地開発公

社をいう。）その他その業務が地方公共団体若しくは国の事務若しくは事業と密接な関連を有する法人のうち条例で定めるものに使用される者（以下この項において「特別職地方公務員等」という。）となるため退職し、引き続き特別職地方公務員等として在職した後、引き続いて当該退職を前提として職員として採用された場合（一の特別職地方公務員等として在職した後、引き続き一以上の特別職地方公務員等として在職し、引き続いて当該退職を前提として職員として採用された場合を含む。）において、当該退職までの引き続く職員としての在職期間（当該退職前に同様の退職（以下この項において「先の退職」という。）、特別職地方公務員等としての在職及び職員としての採用がある場合には、当該先の退職までの引き続く職員としての在職期間を含む。次項において「要請に応じた退職前の在職期間」という。）中に前項各号のいずれかに該当したときは、当該職員に対し同項に規定する懲戒処分を行うことができる。

3　定年前再任用短時間勤務職員（第二十二条の四第一項の規定により採用された職員に限る。以下この項において同じ。）が、条例年齢以上退職者となつた日までの引き続く職員としての在職期間（要請に応じた退職前の在職期間を含む。）又は第二十二条の四第一項の規定によりかつて採用されて定年前再任用短時間勤務職員として在職していた期間中に第一項各号のいずれかに該当したときは、当該職員に対し同項に規定する懲戒処分を行うことができる。

4　職員の懲戒の手続及び効果は、法律に特別の定めがある場合を除く[2]ほか、条例で定めなければならない。

【参照条文】

【※不利益処分の審査請求―法四九～五一の二　【職務上の義務―法三〇～三五　【全体の奉仕者―憲法一五２　【特別の定―教特法九１・一〇　地教法三八・四〇・四三　【特例―地教法四七

※　国公法八二～八五　人規一二―〇

【実例・判例】

１）●懲戒処分そのものを消滅させることはできない。（昭二六・八・二七行実）

●依願免職後に、在職中の窃盗行為が発覚したとしても、その故をもつて依願免職という行政行為を変更することはできない。（昭二六・一一・一六行実）

●事件が取調中に処分保留になつた公務員に対して、地公法第二九条による懲戒処分に付することはさしつかえない。事件の取調が完了し、それぞれの処分の決定が明らかになるまで待つ必要はない。（昭二六・一二・二〇行実）

●検事拘留により取調中の職員であつても、地方公務員法第二九条の規定により懲戒処分をすることはできるものと解する。（昭二八・八・二一行実）

●一つの事件につき職員を懲戒処分する場合例えば最初の一ヶ月を停職処分としてその後二ヶ月間を減給処分とすることはできないものと解する。（昭二九・四・一五行実）

●懲戒処分をした職員にさらに民法上又は地方自治法上損害の賠償を行なわせることができる。（昭二九・四・一五行実）

●懲戒免職の場合、日付を遡つて発令することはできないものと解する。（昭二九・五・六行実）

●訓告が懲戒処分としての制裁的実質をそなえないものである限り、行ないうる。（昭三四・二・一九行実）

●給与の支給を受けることなく兼務している職に関しても減給処分を行ない得る。（昭三一・三・二〇行実）

●県費負担教職員を他の市町村に在職していた当時の懲戒事由に基づき現在在職中の市町村の教育委員会の内申により懲戒にすることができる。（昭三二・五・八行実）

●死亡した職員を懲戒免職することはできない。（昭四〇・一・二八行実）

●同一事由について懲戒処分と併せて分限処分を行うことは可能である。（昭四二・六・一五行実）

●地方公務員につき地公法所定の懲戒事由がある場合に、懲戒処分を行うかどうか、懲戒処分を行うときにいかなる処分を選ぶかは、平素から庁内の事情に通暁し、職員の指揮監督の衝に当たる懲戒権者の裁量に任されているものというべきである。すなわち、懲戒権者は、懲戒事由に該当すると認められる行為の原因、動機、性質、態様、結果、影響等のほか、当該公務員の右行為の前後における態度、懲戒処分等の処分歴、選択する処分が他の公務員及び社会に与える影響等、諸般の事情を総合的に考慮して、懲戒処分をすべきかどうか、また、懲戒処分をする場合にいかなる処分を選択すべきかを、その裁量的判断によつて決定することができるものと解すべきである。したがつて、裁判所が右の処分の適否を審査するに当たつては、懲戒権者と同一の立場に立つて懲戒処分をすべきであつたかどうか又はいかなる処分を選択すべきであつたかについて判断し、その結果と懲戒処分とを比較してその軽重を論ずべきものではなく、懲戒権者の懲戒権の行使に基づく処分が社会観念上著しく妥当を欠き、裁量権の範囲を逸脱しこれを濫用したと認められる場合に限り、違法であると判断すべきものである（平二・一・一八最裁判）

２）●懲戒処分について、条例で、これを執行猶予することができるような規定を設けることはできない。（昭二七・一一・一八行実）

●本条第二項の規定に基づく条例が制定されていな

い場合には、同条第一項の規定により懲戒処分を行なうことはできない。（昭三七・一二・六行実）

（適用除外）

第二十九条の二　次に掲げる職員及びこれに対する処分については、第二十七条第二項、第二十八条第一項から第三項まで、第四十九条第一項及び第二項並びに行政不服審査法（平成二十六年法律第六十八号）の規定を適用しない。

一　条件附採用期間中の職員

二　臨時的に任用された職員

2　前項各号に掲げる職員の分限については、条例で必要な事項を定めることができる。

【参照条文】

①【条件附採用・臨時的任用―法二二・二二の三

※　国公法五九・六〇・八一　人規一一―四

【実　例】

※　●条件附採用期間中の職員の休職制度については、地方公務員法第二二条第一項の規定の趣旨に反しない限り設けてもさしつかえない。（昭二八・一〇・二二行実）

第六節　服務

（服務の根本基準）

第三十条　すべて職員は、全体の奉仕者として公共の利益のために勤務し、且つ、職務の遂行に当つては、全力を挙げてこれに専念しなければならない。

【参照条文】

【全体の奉仕者―憲法一五2　【職務に専念する義務―法三五

※　国公法九六

（服務の宣誓）

第三十一条　職員は、条例の定めるところにより、服務の宣誓をしなければならない。

【参照条文】

※　国公法九七

（法令等及び上司の職務上の命令に従う義務）

第三十二条　職員は、その職務を遂行するに当つて、法令、条例、地方公共団体の規則及び地方公共団体の機関の定める規程に従い、且つ、上司の職務上の命令に忠実に従わなければならない。

【参照条文】

【特例―地教法四三2

※　国公法九八1

【実　例】

※　●宿日直を命ずる場合は、労働基準法第四一条及び同法施行規則第二三条の規定によつて行政官庁（市町村長）の許可を必要とするのであるが、許可を得ないで行なわれた宿日直勤務の命令による場合でも職員は宿日直勤務する義務が発生するものと解する。（昭三一・九・九行実）

※　●職員に対して、宿日直の勤務を命令する場合においては、労働基準法第四一条第三号及び同法施行規則第二三条並びに本法第五八条第三項の規定に基づき、行政官庁（労働基準監督署又は人事委員会）の許可を要することになつているが、当該手続を経ないで職員に宿日直の勤務を命令し、職員がその命令を拒否した場合でも、その職員に対して本条の上司の職務上の命令に従わなかつたものとして懲戒処分を行なうことができる。（昭三三・五・一二行実）

※　●教育行政上の必要に基づいて計画された講習会に出席することを命ぜられながら出席しないことは、職務命令違反となる。（昭三三・一〇・二四行実）

※　●職務の遂行上必要があると認められる限り名札の佩用について職務命令を発することができる。（昭三九・一〇・一行実）

（信用失墜行為の禁止）

第三十三条　職員は、その職の信用を傷つけ、又は職員の職全体の不名誉となるような行為をしてはならない。

【参照条文】

※　国公法九九

（秘密を守る義務）[1]

第三十四条　職員は、職務上知り得た秘密[1]を漏らしてはならない。その職を退いた後も、また、同様とする。

2　法令[2]による証人、鑑定人等となり、職務上の秘密[1]に属する事項を発表する場合においては、任命権者（退職者については、その退職した職又はこれに相当する職に係る任命権者）[3]の許可を受けなければならない。

3　前項の許可は、法律に特別の定がある場合を除く外、拒むことができない。

【参照条文】

①・②※【罰則―法六〇Ⅱ

②【証人―民訴一九一～二〇五　刑訴法一四四～一六四　議院証人法五　【鑑定人―民訴二一二～二一八　刑訴法一六五～一七三　【任命権者―法六

※　国公法一〇〇

【実例・判例】

1）●「秘密」とは、一般的に了知されていない事実であつて、それを一般に了知せしめることが一定の利益の侵害になると客観的に考えられるものをいい、本条第一項の「職務上知り得た秘密」とは、職務執

行上知り得た秘密を、第二項の「職務上の秘密」とは、職員の職務上の所管に属する秘密を指す。（昭三〇・二・一八行実）

２）●職員の履歴書等の人事記録は、一般には秘密に属する事項と考えられる。（昭三七・八・一〇行実）

●法第三四条第二項に規定する「法令」とは、民事訴訟法（第一九〇条以下）、刑事訴訟法（第一四三条以下）、議院における証人の宣誓及び証言等に関する法律（第一条以下）、地方自治法（第一〇〇条）、国家公務員法（第一七条）等を指すものであつて、人事院規則は含まれない。（昭四八・七・一八行実）

３）●人事委員会の権限によつて行なわれる調査、審理に関して、職員が秘密に属する事項を発表する場合には、国家公務員法第一〇〇条第四項の人事院の権限に相当するものは、人事委員会には与えられていないので許可を必要とする。（昭二六・一一・三〇行実）

※●国家公務員法第一〇〇条第一項にいう「秘密」であるためには、国家機関が単にある事項につき形式的に秘扱の指定をしただけでは足りず、右「秘密」とは、非公知の事項であつて、実質的にもそれを秘密として保護するに価すると認められるものをいうと解する。（昭五二・一二・一九最裁判）

（**職務に専念する義務**）

第三十五条　職員は、法律又は条例に特別の定がある場合を除く外、その勤務時間及び職務上の注意力のすべてをその職責遂行のために用い[1]、当該地方公共団体がなすべき責を有する職務にのみ従事しなければならない。

【参照条文】

【特別の定―法二八２・二九１・五五８・五五の二　労基法三四・三五・三九・六五～六八　労働安全衛生法六八　教特法二一　災害救助法七・八　災害対策基本法三一　自治法二五二の一七

※国公法一〇一

【実　例】

１）●休日休暇に関する事項を規定した条例は、本条に規定する「条例に特別の定がある場合」に該当する。本条の職務に専念する義務は、当該職員に割り振られた勤務時間以外においてはない。（昭二六・一二・一二行実）

●勤務時間中に、本法第四六条の規定による勤務条件の措置に関し要求すること、本法第四九条の二の規定による不利益処分の不服申立をすること及び以上の場合の審理に出頭すること（職務上の義務に属するものを除く。）は、法律又は条例に特別の定めがない限り、法的には職務に専念する義務に関する規定にてい触するものと解する。（昭二七・二・二九行実）

※●市町村の職務専念義務の特例条例において、職免の承認を与える者の規定中「任命権者又はその委任を受けた者」とあるが、県費負担教職員の場合、承認権者は市町村教委である。（昭四四・五・一五行実）

※●職務専念義務免除事由に該当しない限り、欠勤を承認することはできない。（昭四三・七・二行実）

（**政治的行為の制限**）

第三十六条　職員は、政党その他の政治的団体の結成に関与し、若しくはこれらの団体の[1]役員となつてはならず、又はこれらの団体の構成員となるように、若しくはならないように勧誘運動をしてはならない。

２　職員は、[2]特定の政党その他の政治的団体又は特定の内閣若しくは地方公共団体の[3]執行機関を支持し、又はこれに反対する目的をもつて、あるいは公の[4]選挙又は投票において特定の人又は事件を支持し、又はこれに反対する目的をもつて、次に掲げる[5]政治的行為をしてはならない。ただし、当該職員の属する地方公共団体の区域[6]（当該職員が都道府県の支庁若しくは地方事務所又は地方自治法第二百五十二条の十九第一項の指定都市の区若しくは総合区に勤務する者であるときは、当該支庁若しくは地方事務所又は区若しくは総合区の所管区域）外において、第一号から第三号まで及び第五号に掲げる政治的行為をすることができる。

一　公の選挙又は投票において投票をするように、又はしないように[7]勧誘運動をすること。

二　署名運動を企画し、又は主宰する等これに積極的に関与すること。

三　寄附金その他の金品の募集に関与すること。

四　文書又は図画を地方公共団体又は特定地方独立行政法人の庁舎（特定地方独立行政法人にあつては、事務所。以下この号において同じ[8]。）、施設等に掲示し、又は掲示させ、その他地方公共団体又は特定地方独立行政法人の庁舎、施設、資材又は資金を利用し、又は利用させること。

五　前各号に定めるものを除く外、条例で定める政治的行為

３　何人も前二項に規定する政治的行為を行うよう職員に求め、職員をそそのかし、若しくはあおつてはならず、又は職員が前二項に規定する政治的行為をなし、若しくはなさないことに対する代償若しくは報復として、任用、職務、給与その他職員の地位に関してなんらかの利益若しくは不利益を与え、与えようと企て、若しくは約束してはならない。

４　職員は、前項に規定する違法な行為に応じなかつたことの故をもつて不利益な取扱を受けることはない。

5 本条の規定は、職員の政治的中立性を保障することにより、地方公共団体の行政及び特定地方独立行政法人の業務の公正な運営を確保するとともに職員の利益を保護することを目的とするものであるという趣旨において解釈され、及び運用されなければならない。

【参照条文】【政党その他の政治的団体―政資法三】【教育公務員の政治的行為の制限―教特法一八　義務教育諸学校における教育の政治的中立の確保に関する臨時措置法】【公務員の選挙運動の制限等―選挙法一三六・一三六の二・一三七・二三九の二】【本条の特例―公企法三九2】

※　国公法一〇二　人規一四―七

【実　例】

1）●一項にいう「団体の役員」には、当該団体の定款、規約等組織を定めたものに役員として規定されているもののほか、事実上これらと同様な役割をもつ構成員が含まれるものと解される。（昭二七・一・二六行実）

2）●職員団体の業務にもっぱら従事する職員も第二項各号に掲げる政治的行為の制限を受ける。（昭二六・三・九行実）

3）●第二項に規定する「特定の執行機関を支持し、又はこれに反対する」とは、単に特定の執行機関が存在するように又は存在しないように影響を与えるのみではなく、特定の執行機関が成立するように又は成立しないように影響を与えることも含む。（昭三〇・四・一九行実）

4）●第二項の「公の選挙」には、土地改良区総代の選挙は含まれないものと解する。（昭四一・四・一八行実）

5）●職員が単に法律の制定自体に反対する目的をもって、署名運動を企画し又は主宰する等これに積極的に関与した場合は、特定の政党又は内閣等の字句を使用した場合でも、本条第二項にてい触しない。（昭二七・七・二九行実）

6）●法第三六条第二項但し書の区域における支庁若しくは地方事務所とは、地方自治法第一五五条にいう支庁若しくは地方事務所に限定され、同法第一五六条にいう行政機関は含まれない。（昭四二・六・一七行実）

7）●職員が特定候補者の依頼により勤務時間外に選挙事務所において無給にて経理事務の手伝をした場合の行為は、単なる労務の提供であつて、第二項第一号の「特定の人を支持し、公の選挙において投票するように勧誘運動をした」者ではない。（昭二六・四・一二行実）

●選挙公報に推薦人として名を連ねる行為は本条第三項の勧誘運動に該当する。（昭三七・七・一一行実）

8）●第二項第四号の規定中「地方公共団体の庁舎、施設」の「施設」には「公営住宅」は含まれ、公職選挙法第一四五条第一項ただし書の規定の特別規定である。（昭三三・八・二行実）

※　●第一項及び第二項に規定する政治的行為の制限は、個々の職員の行為を対象としているものであるから、職員組合自体の行為は直接にはこれと無関係であるが、その場合、当該行為が同時に職員個々の行為となるものである場合においては当該職員が当該制限を受ける。（昭二六・四・二行実）

（**争議行為等の禁止**）

第三十七条　職員は[1]、地方公共団体の機関が代表する使用者としての住民に対して同盟罷業、怠業その他の争議行為[2]をし、又は地方公共団体の機関の活動能率を低下させる怠業的行為をしてはならない。又、何人も、このような違法な行為を企て、又はその遂行を共謀し、そそのかし、若しくはあおつてはならない。

2 職員で前項の規定に違反する行為をしたものは、その行為の開始とともに、地方公共団体に対し、法令又は条例、地方公共団体の規則若しくは地方公共団体の機関の定める規程に基いて保有する任命上又は雇用上の権利をもつて対抗することができなくなるものとする。

【参照条文】

①【同盟罷業、怠業その他の争議行為―憲法二八　労調法六・七】【罰則―法六二の二】【本条の特例―公企法三九1】

②【法令―法二七～二九の二・四九の二等】

※　国公法九八2・3　地公労法一一　行労法一七

【実例・判例】

1）●組合の役員中争議行為を企て、又はその遂行を共謀し、そそのかし、若しくはあおつた者は、本条にてい触すると解する。（昭二八・九・二四行実）

2）●ハンスト及びビラの配布等の宣伝活動は、勤務時間の内外を問わず、地方公共団体の業務の正常な運営を阻害するものである場合においては、争議行為に該当すると解される。（昭二八・九・二四行実）

●いわゆる一斉休暇闘争とは、労働者がその所属の事業場において、その業務の正常な運営の阻害を目的として、全員一斉に休暇届を提出して職場を放棄・離脱するものと解するときは、その実質は、年次休暇に名を藉りた同盟罷業にほかならない。（昭四八・三・二最裁判）

●地公法第三七条第一項の争議行為禁止の合憲性、地方公務員も憲法第二八条の勤労者として同条による労働基本権の保障を受けるが、地方公共団体の住民全体の奉仕者として、実質的にはこれに対して労務提供義務を負うという特殊な地位を有し、かつ、その労務の内容は、公務の遂行すなわち直接公共の利益のための活動の一環をなすという公共的性質を有するものであつて、地方公務員が争議行為に及ぶことは、右のようなその地位の特殊性と職務の公共性と相容れず、また、そのために公務の停廃を生じ、地方住民全体ないしは国民全体の共同利益に重大な影響を及ぼすか、又はそのおそれがある点において、国家公務員の場合と選ぶところはない。そして、地方公務員の勤務条件が、法律及び地方公共団体の議会の制定する条例によつて定められ、また、その給与が地方公共団体の税収等の財源によつてまかなわれるところから、専ら当該地方公共団体における政治的、財政的、社会的その他諸般の合理的な配慮によつて決定されるべきものである点においても、地方公務員は国家公務員と同様の立場に置かれており、したがつてこの場合には、私企業における労働者の場合のように団体交渉による労働条件の決定という方式が当然には妥当せず、争議権も、団体交渉の裏づけとしての本来の機能を発揮する余地に乏しく、かえつて議会における民主的な手続によつてされるべき勤務条件の決定に対して不当な圧力を加え、これをゆがめるおそれがあることも、前記大法廷判決（昭四八・四・二五最裁判）が国家公務員の場合について指摘するとおりである。それ故、地方公務員の労働基本権は、地方公務員を含む地方住民全体ないしは国民全体の共同利益のために、これと調和するように制限されることも、やむをえないところといわなければならない。（昭五一・五・二一最裁判）

（営利企業への従事等の制限）

第三十八条　職員は、任命権者の許可を受けなければ、商業、工業又は金融業その他営利を目的とする私企業（以下この項及び次条第一項において「営利企業」という。）を営むことを[1]目的とする会社その他の団体の役員その他人事委員会規則（人事委員会を置かない地方公共団体においては、地方公共団体の規則）で定める地位を兼ね、若しくは自ら[2]営利企業を営み、又は報酬を得ていかなる[3]事業若しくは事務にも従事してはならない。ただし、非常勤職員（短時間勤務の職を占める職員及び第二十二条の二第一項第二号に掲げる職員を除く。）については、この限りでない。

2　人事委員会は、人事委員会規則により前項の場合における任命権者の許可の基準を定めることができる。

【参照条文】

※　教特法一七　地教法四七　国公法一〇三・一〇四

【実　例】

1）●「営利を目的とする私企業を営むことを目的とする」とは、商業・工業又は金融業等を営むことを目的とするという意味であり、「いかなる事業若しくは事務」とは、すべての事業及び事務を含むものである。（昭二六・五・一四行実）

2）●第一項の営利を目的とする私企業には営利を目的とする限り農業も含まれる。（昭二六・五・一四行実）

3）●職員が寺院の住職等の職を兼ね、葬儀、法要等を営む際布施その他の名目により事実上当該職員の収入がある場合においても、当該職員の収入は一般的には「報酬」とは考えられないので、第一項の「報酬を得て事業に従事する」ものとは解しがたい。（昭二六・六・二〇行実）

※　●地方公務員法上、職員が特別職を兼ね、その職務に従事することは、「職務に専念する義務」（第三五条）と「営利企業等の従事制限」（第三八条）の問題であつて、その特別職が、法令等により職員の職と兼ねえないものでない限り、これらの規定に従えば許される。（昭二六・三・一二行実）

※　●本条の規定は、勤務時間内は勿論、勤務時間外においても職員に適用されるものと解される。（昭二六・一二・一二行実）

※　●刑事休職中の職員も営利企業に従事する場合許可が必要である。（昭四三・七・一一行実）

第六節の二　退職管理

（再就職者による依頼等の規制）

第三十八条の二　職員（臨時的に任用された職員、条件付採用期間中の職員及び非常勤職員（短時間勤務の職を占める職員を除く。）を除く。以下この節、第六十条及び第六十三条において同じ。）であつた者であつて離職後に営利企業等（営利企業及び営利企業以外の法人（国、国際機関、地方公共団体、独立行政法人通則法（平成十一年法律第百三号）第二条第四項に規定する行政執行法人及び特定地方独立行政法人を除く。）をいう。以下同じ。）の地位に就いている者（退職手当通算予定職員であつた者であつて引き続いて退職手当通算法人の地位に就いている者及び公益的法人等への一般職の地方公務員の派遣等に関する法律（平成十二年法律第五十号）第十条第二項に規定する退職派遣者を除く。以下「再就職者」という。）は、離職前五年間に在職していた地方公共団体の執行機関の組織（当該執行機関（当該執行機関の附属機関を含む。）の補助機関及び当該執行機関の管理に属する機関の総体をいう。第三十八条の七において同じ。）若しくは議会の事務局（事務局を置かない場合には、これに準ずる組織。同条において同じ。）若しくは特定地方独立行政法人（以下「地方公共団体の執行機関の組織等」という。）の職員若しくは特定地方独立行政法人の役員（以下「役職員」という。）又はこれらに類する者として人事委員会規則（人事委員会を置かない地方公共団体においては、地方公共団体の規則。以下この条（第七項を除く。）、第三十八条の七、第六十条及び第六十四条において同じ。）で定めるものに対し、当該地方公共団体若しくは当該特定地方独立行政法人と当該営利企業等若しくはその子法人（国家公務員法第百六条の二第一項に規定する子法人の例を基準として人事委員会規則で定めるものをいう。以下同じ。）との間で締結される売買、貸借、請負その他の契約又は当該営利企業等若しくはその子法人に対して行われる行政手続法（平成五年法律第八十八号）第二条第二号に規定する処分に関する事務（以下「契約等事務」という。）であつて離職前五年間の職務に属するものに関し、離職後二年間、職務上の行為をするように、又はしないように要求し、又は依頼してはならない。

2　前項の「退職手当通算法人」とは、地方独立行政法人法第二条第一項に規定する地方独立行政法人その他その業務が地方公共団体又は国の事務又は事業と密接な関連を有する法人のうち人事委員会規則で定めるもの（退職手当（これに相当する給付を含む。）に関する規程において、職員が任命権者又はその委任を受けた者の要請に応じ、引き続いて当該法人の役員又は当該法人に使用される者となつた場合に、職員としての勤続期間を当該法人の役員又は当該法人に使用される者としての勤続期間に通算することと定められており、かつ、当該地方公共団体の条例において、当該法人の役員又は当該法人に使用される者として在職した後引き続いて再び職員となつた者の当該法人の役員又は当該法人に使用される者としての勤続期間を当該職員となつた者の職員としての勤続期間に通算することと定められている法人に限る。）をいう。

3　第一項の「退職手当通算予定職員」とは、任命権者又はその委任を受けた者の要請に応じ、引き続いて退職手当通算法人（前項に規定する退職手当通算法人をいう。以下同じ。）の役員又は退職手当通算法人に使用される者となるため退職することとなる職員であつて、当該退職手当通算法人に在職した後、特別の事情がない限り引き続いて選考による採用が予定されている者のうち人事委員会規則で定めるものをいう。

4　第一項の規定によるもののほか、再就職者のうち、地方自治法第百五十八条第一項に規定する普通地方公共団体の長の直近下位の内部組織の長又はこれに準ずる職であつて人事委員会規則で定めるものに離職した日の五年前の日より前に就いていた者は、当該職に就いていた時に在職していた地方公共団体の執行機関の組織等の役職員又はこれに類する者として人事委員会規則で定めるものに対し、契約等事務であつて離職した日の五年前の日より前の職務（当該職に就いていたときの職務に限る。）に属するものに関し、離職後二年間、職務上の行為をするように、又はしないように要求し、又は依頼してはならない。

5　第一項及び前項の規定によるもののほか、再就職者は、在職していた地方公共団体の執行機関の組織等の役職員又はこれに類する者として人事委員会規則で定めるものに対し、当該地方公共団体若しくは当該特定地方独立行政法人と営利企業等（当該再就職者が現にその地位に就いているものに限る。）若しくはその子法人との間の契約であつて当該地方公共団体若しくは当該特定地方独立行政法人においてその締結について自らが決定したもの又は当該地方公共団体若しくは当該特定地方独立行政法人による当該営利企業等若しくはその子法人に対する行政手続法第二条第二号に規定する処分であつて自らが決定したものに関し、職務上の行為をするように、又はしないように要求し、又は依頼してはならない。

6　第一項及び前二項の規定（第八項の規定に基づく条例が定められているときは、当該条例の規定を含む。）は、次に掲げる場合には適用しない。

一　試験、検査、検定その他の行政上の事務であつて、法律の規定に基づく行政庁による指定若しくは登録その他の処分（以下「指定等」という。）を受けた者が行う当該指定等に係るもの若しくは行政庁から委託を受けた者が行う当該委託に係るものを遂行するために必要な場合、又は地方公共団体若しくは国の事務若しくは事業と密接な関連を有する業務として人事委員会規則で定めるものを行うために必要な場合

二　行政庁に対する権利若しくは義務を定めている法令の規定若しくは地方公共団体若しくは特定地方独立行政法人との間で締結された契約に基づき、権利を行使し、若しくは義務を履行する場合、行政庁の処分により課された義務を履行する場合又はこれらに類する場合として人事委員会規則で定める場合

三　行政手続法第二条第三号に規定する申請又は同条第七号に規定する届出を行う場合

四　地方自治法第二百三十四条第一項に規定する一般競争入札若しくはせり売りの手続又は特定地方独立行政法人が公告して申込みをさせることによる競争の手続に従い、売買、貸借、請負その他の契約を締結するために必要な場合

五　法令の規定により又は慣行として公にされ、又は公にすることが予定されている情報の提供を求める場合（一定の日以降に公にすることが予定されている情報を同日前に開示するよう求める場合を除く。）

六　再就職者が役職員（これに類する者を含む。以下この号において同じ。）に対し、契約等事務に関し、職務上の行為をするように、又はしないように要求し、又は依頼することにより公務の公正性の確保に支障が生じないと認められる場合として人事委員会規則で定める場合において、人事委員会規則で定める手続により任命権者の承認を得て、再就職者が当該承認に係る役職員に対し、当該承認に係る契約等事務に関し、職務上の行為をするように、又はしないように要求し、又は依頼する場合

7　職員は、前項各号に掲げる場合を除き、再就職者から第一項、第四項又は第五項の規定（次項の規定に基づく条例が定められているときは、当該条例の規定を含む。）により禁止される要求又は依頼を受けたとき（地方独立行政法人法第五十条の二において準用する第一項、第四項又は第五項の規定（同条において準用する次項の規定に基づく条例が定められているときは、当該条例の規定を含む。）により禁止される要求又は依頼を受けたときを含む。）は、人事委員会規則又は公平委員会規則で定めるところにより、人事委員会又は公平委員会にその旨を届け出なければならない。

8　地方公共団体は、その組織の規模その他の事情に照らして必要があると認めるときは、再就職者のうち、国家行政組織法（昭和二十三年法律第百二十号）第二十一条第一項に規定する部長又は課長の職に相当する職として人事委員会規則で定めるものに離職した日の五年前の日より前に就いていた者について、当該職に就いていた時に在職していた地方公共団体の執行機関の組織等の役職員又はこれに類する者として人事委員会規則で定めるものに対し、契約等事務であつて離職した日の五年前の日より前の職務（当該職に就いていたときの職務に限る。）に属するものに関し、離職後二年間、職務上の行為をするように、又はしないように要求し、又は依頼してはならないことを条例により定めることができる。

【参照条文】
※　国公法一〇六の四

（違反行為の疑いに係る任命権者の報告）

第三十八条の三　任命権者は、職員又は職員であつた者に前条の規定（同条第八項の規定に基づく条例が定められているときは、当該条例の規定を含む。）に違反する行為（以下「規制違反行為」という。）を行つた疑いがあると思料するときは、その旨を人事委員会又は公平委員会に報告しなければならない。

【参照条文】
※　国公法一〇六の一六

（任命権者による調査）

第三十八条の四　任命権者は、職員又は職員であつた者に規制違反行為を行つた疑いがあると思料して当該規制違反行為に関して調査を行おうとするときは、人事委員会又は公平委員会にその旨を通知しなければならない。

2　人事委員会又は公平委員会は、任命権者が行う前項の調査の経過について、報告を求め、又は意見を述べることができる。

3　任命権者は、第一項の調査を終了したときは、遅滞なく、人事委員会又は公平委員会に対し、当該調査の結果を報告しなければならない。

【参照条文】
※　国公法一〇六の一七

（任命権者に対する調査の要求等）

第三十八条の五　人事委員会又は公平委員会は、第三十八条の二第七項の届出、第三十八条の三の報告又はその他の事由により職員又は職員であつた者に規制違反行為を行つた疑いがあると思料するときは、任命権者に対し、当該規制違反行為に関する調査を行うよう求めることができる。

2　前条第二項及び第三項の規定は、前項の規定により行われる調査について準用する。

【参照条文】
※　国公法一〇六の一八

（地方公共団体の講ずる措置）

第三十八条の六　地方公共団体は、国家公務員法中退職管理に関する規定の趣旨及び当該地方公共団体の職員の離職後の就職の状況を勘案し、退職管理の適正を確保するために必要と認められる措置を講ずるものとする。

2　地方公共団体は、第三十八条の二の規定の円滑な実施を図り、又は前項の規定による措置を講ずるため必要と認めるときは、条例で定めるところにより、職員であつた者で条例で定めるものが、条例で定める法人の役員その他の地位であつて条例で定めるものに就こうとする場合又は就いた場合には、離職後条例で定める期間、条例で定める事項を条例で定める者に届け出させることができる。

（廃置分合に係る特例）

第三十八条の七　職員であつた者が在職していた地方公共団体（この条の規定により当該職員であつた者が在職し

ていた地方公共団体とみなされる地方公共団体を含む。）の廃置分合により当該職員であつた者が在職していた地方公共団体（以下この条において「元在職団体」という。）の事務が他の地方公共団体に承継された場合には、当該他の地方公共団体を当該元在職団体と、当該他の地方公共団体の執行機関の組織若しくは議会の事務局で当該元在職団体の執行機関の組織若しくは議会の事務局に相当するものの職員又はこれに類する者として当該他の地方公共団体の人事委員会規則で定めるものを当該元在職団体の執行機関の組織若しくは議会の事務局の職員又はこれに類する者として当該元在職団体の人事委員会規則で定めるものと、それぞれみなして、第三十八条の二から前条までの規定（第三十八条の二第八項の規定に基づく条例が定められているときは当該条例の規定を含み、これらの規定に係る罰則を含む。）並びに第六十条第四号から第八号まで及び第六十三条の規定を適用する。

第七節　研修

（研修）

第三十九条　職員には、その勤務能率の発揮及び増進のために、研修を受ける機会が与えられなければならない。

2　前項の研修は、任命権者が行うものとする。

3　地方公共団体は、研修の目標、研修に関する計画の指針となるべき事項その他研修に関する基本的な方針を定めるものとする。

4　人事委員会は、研修に関する計画の立案その他研修の方法について任命権者に勧告することができる。

【参照条文】
②【本条の特例―地教法四五　教特法二一～二五】
※③【本条の特例―公企法三九1　国公法七一・七三】

【実　例】
1）●「研修」には、任命権者が自ら主催して行なう場合に限らず、他の機関に委託して行なう場合、特定の教育機関へ入所を命じた場合等を含む。（昭三〇・一〇・六行実）

第四十条　削除〔平二六・五法三四〕

第八節　福祉及び利益の保護

（**福祉及び利益の保護の根本基準**）

第四十一条　職員の福祉及び利益の保護は、適切であり、且つ、公正でなければならない。

【実　例】
1）●職員の福祉及び利益の保護に関しては、地方公務員法第五条第一項及び第四一条の規定により条例で定めることができる。（昭三〇・一二・一五行実）

第一款　厚生福利制度

（**厚生制度**）

第四十二条　地方公共団体は、職員の保健、元気回復その他厚生に関する事項について計画を樹立し、これを実施しなければならない。

【参照条文】
※　国公法七三

（**共済制度**）

第四十三条　職員の病気、負傷、出産、休業、災害、退職、障害若しくは死亡又はその被扶養者の病気、負傷、出産、死亡若しくは災害に関して適切な給付を行なうための相互救済を目的とする共済制度が、実施されなければならない。

2　前項の共済制度には、職員が相当年限忠実に勤務して退職した場合又は公務に基づく病気若しくは負傷により退職し、若しくは死亡した場合におけるその者又はその遺族に対する退職年金に関する制度が含まれていなければならない。

3　前項の退職年金に関する制度は、退職又は死亡の時の条件を考慮して、本人及びその退職又は死亡の当時その者が直接扶養する者のその後における適当な生活の維持を図ることを目的とするものでなければならない。

4　第一項の共済制度については、国の制度との間に権衡を失しないように適当な考慮が払われなければならない。

5　第一項の共済制度は、健全な保険数理を基礎として定めなければならない。

6　第一項の共済制度は、法律によつてこれを定める。

【参照条文】
②【退職年金―自治法二〇五】
⑥【法律―地方公務員等共済組合法　厚生年金保険法】
※　国公法一〇七・一〇八　国家公務員共済組合法

第四十四条　削除〔昭三七・九法一五二〕

第二款　公務災害補償

（**公務災害補償**）

第四十五条　職員が公務に因り死亡し、負傷し、若しくは疾病にかかり、若しくは公務に因る負傷若しくは疾病により死亡し、若しくは障害の状態となり、又は船員である職員が公務に因り行方不明となつた場合においてその者又はその遺族若しくは被扶養者がこれらの原因によつて受ける損害は、補償されなければならない。

2　前項の規定による補償の迅速かつ公正な実施を確保するため必要な補償に関する制度が実施されなければならない。

3　前項の補償に関する制度には、次に掲げる事項が定められなければならない。

一　職員の公務上の負傷又は疾病に対する必要な療養又は療養の費用の負担に関する事項

二　職員の公務上の負傷又は疾病に起因する療養の期間又は船員である職員の公務による行方不明の期間におけるその職員の所得の喪失に対する補償に関する事項

三　職員の公務上の負傷又は疾病に起因して、永久に、又は長期に所得能力を害された場合におけるその職員の受ける損害に対する補償に関する事項

四　職員の公務上の負傷又は疾病に起因する死亡の場合におけるその遺族又は職員の死亡の当時その収入によつて生計を維持した者の受ける損害に対する補償に関する事項

4　第二項の補償に関する制度は、法律によつて定めるものとし、当該制度については、国の制度との間に権衡を失しないように適当な考慮が払われなければならない。

【参照条文】
④【法律―地方公務員災害補償法】
※　国公法九三～九五　国家公務員災害補償法

【実　例】
※●県費負担教職員が公務上の災害を受けた場合、その補償をなすべき労働基準法上の使用者及び職員が受けた災害が公務上のものであるかどうかについての認定権者は、都道府県教育委員会である。（昭三三・五・一〇行実）

※●職員が公務出張中、自動車事故にあい負傷したため、市は公務上の災害と認定し、当該職員に対し災害補償を行なつた場合は、市はその行なつた補償の額の限度において、災害を受けた職員が当該災害の原因となつた第三者に対して有する損害賠償請求権を取得することができる。また、この事例において市が職員に対し災害補償を行なう場合、職員が当該第三者から損害賠償金を受けたときは、市はその価額の限度において補償の義務を免かれる。ただし、当該金品の中に第三者からの慰藉料、見舞金等精神的苦痛に対する損害賠償又は贈与と認められる部分があるときは、その部分については、補償の義務を免かれることはできない。（昭三六・八・二一行実）

第三款　勤務条件に関する措置の要求

（勤務条件に関する措置の要求）

第四十六条　職員は、[1]給与、勤務時間その他の勤務条件に[2]関し、[3]人事委員会又は公平委員会に対して、地方公共団体の当局により適当な措置が執られるべきことを要求[4]することができる。

【参照条文】
【罰則―法六一Ｖ】【本条の特例―公企法三九1】
※　自治法二〇六　国公法八六　人規一三―一

【実　例】
1）●本条に規定する勤務条件に関する措置の要求権は、職員に限り認められるものである。従つて、職員が個々に要求をすることは勿論、職員の個々が共同して要求をすることはできるが、職員団体はできないものと解する。（昭二六・一一・二一行実）
●退職者は本条の規定による勤務条件に関する措置の要求をすることはできない。（昭二七・七・三、昭二九・一一・一九行実）
●勤務条件に関する措置の要求について、委任を受けた職員が民法上の代理権の授受に基づいて行なう代理行為は、認める趣旨であると解する。（昭三二・三・一行実）

2）●「服務に関すること」は一般的には、「その他の勤務条件」に含まれないが、服務に関することが同時に「給与、勤務時間その他の勤務条件に関する」ものであれば対象になる。（昭二七・四・二行実）
●教職員の定数等それ自体に関することは、法第四六条にいう勤務条件ではないと解する。（昭三三・一〇・二三行実）
●現行勤務条件の不変更を求める措置要求はできる。（昭三三・一一・一七行実）
●定期昇給が他の者に比較して遅れた場合は、「不利益処分」としてでなく勤務条件に関する措置要求として処理すべきである。（昭三四・三・二七行実）
●勤務条件とは、法第四六条に例示されている給与及び勤務時間のような、職員が地方公共団体に対し、勤務を提供するについて存する諸条件で、職員が自己の勤務条件を提供し又はその提供を継続するかどうかの決心をするにあたり、一般的に当然考慮の対象となるべき利害関係事項であるものを指すと解する。（昭三五・九・一九行実）
●条例の規定により当然に支給されなければならない赴任旅費が支給されない場合に、その支給を求めることは、勤務条件に関する措置の要求の対象となる。この場合は、地方自治法第二〇六条の規定による不服申立て及び本法第四九条の二の規定による不利益処分に関する不服申立てはできない。（昭三五・一〇・三行実）
●休暇の不承認処分に不服のある職員は、勤務条件に関する措置の要求をすることができる。なお本法第四九条の二の規定による不利益処分に関する不服申立ては認められない。（昭三五・一〇・一四行実）

実）

●当局が交渉に応ずるよう求めることは、措置要求の対象とはならない。（昭四三・六・二二行実）

3）●県費負担教職員の措置要求の相手方は、都道府県教委により任命される教職員にあつては、都道府県人事委員会、任命権が市町村教委に委任され、これらの市町村教委により任命される教職員にあつては、当該市町村の人事委員会又は公平委員会である。（昭三二・一一・一六行実）

4）●地方公務員法の規定により、勤務条件に関する措置の要求及び不利益処分に関する不服申立てが認められている場合には、地方自治法第二〇六条第一項の「法律に特別の定がある場合」に該当し、従つて、同項に基づく不服申立てはできないと解される。（昭二七・七・一五行実）

●人事委員会が既に判定を下した事案とその要求の趣旨及び内容が同一と判断される事項を対象として同一人から再び措置の要求が提起された場合でも、一時不再理の原理を適用することはできない。（昭三四・三・五行実）

●人事委員会がさきに下した判定の趣旨を直ちに実現するよう当局に勧告することを求める措置要求はなし得るものと解する。（昭三五・一二・二二行実）

（審査及び審査の結果執るべき措置）

第四十七条　前条に規定する要求があつたときは、人事委員会又は公平委員会は、事案について口頭審理その他の方法による審査を行い、事案を判定[1]し、その結果に基いて、その権限に属する事項については、自らこれを実行し、その他の事項については、当該事項に関し権限を有する地方公共団体の機関[2]に対し、必要な勧告[3]をしなければならない。

【参照条文】【審査・判定―法八　【本条の特例―公企法三九1

※　国公法八七・八八

【実例・判例】

1）●本条の規定による判定及び勧告は、要求者の要求事項のみについて行なわれるものである。（昭二八・一二・一〇行実）

●勤務条件に関する措置要求に対する人事委員会の判定について、再審の手続はあり得ない。（昭三三・一二・一八行実）

2）●市町村立小学校の教職員の勤務条件にかかる「当該事項に関し権限を有する地方公共団体の機関」とは、主としてその教育委員会が該当するが、市町村長、議会等の当該市町村の機関も、その事項に関し権限を有する限り、当該「機関」に該当する。（昭二七・一・九行実）

3）●県費負担教職員に関する措置要求に対し、都道府県人事委員会は、審査し、その結果に基づき場合によつては、市町村の機関に対し勧告しなければならない場合が生ずることがあると解すべきである。（昭三二・二・一行実）

●県費負担教職員の勤務条件に関する措置要求について、政令指定都市において審査判定をなした結果、必要な場合には、条例改正等執るべき是正措置を県知事及び県教育委員会あてに勧告することができるものと解する。（昭四一・一一・二一行実）

●地方公務員法第四六条に基く措置要求の申立に対する人事委員会の判定は、取消訴訟の対象となる行政処分にあたる。（昭三六・三・一八最裁判）

（要求及び審査、判定の手続等）

第四十八条　前二条の規定による要求及び審査、判定の手続並びに審査、判定の結果執るべき措置に関し必要な事項は、人事委員会規則又は公平委員会規則で定めなければならない。

【参照条文】【人事委員会規則・公平委員会規則―法八5　【本条の特例―公企法三九1

第四款　不利益処分に関する審査請求

（不利益処分に関する説明書の交付）

第四十九条　任命権者は、職員に対し、懲戒その他その意に反すると認める不利益な処分[1]を行う場合においては、その際、当該職員に対し、処分の事由を記載した説明書を交付しなければならない。ただし、他の職への降任等に該当する降任をする場合又は他の職への降任等に伴い降給をする場合は、この限りでない。

2　職員は、その意に反して不利益な処分を受けたと思うときは、任命権者に対し処分の事由を記載した説明書の交付を請求することができる。

3　前項の規定による請求を受けた任命権者は、その日から十五日以内に、同項の説明書[2]を交付しなければならない。

4　第一項又は第二項の説明書には、当該処分につき、人事委員会又は公平委員会に対して審査請求をすることができる旨及び審査請求をすることができる期間を記載しなければならない。

【参照条文】【任命権者―法六　【懲戒―法二九　【※分限―法二七　【本条の特例―公企法三九1

①・②【本条の適用除外―法二九の二　【審査請求―法四九の二・四九の三

※　国公法八九　人規一三―一　行政不服審査法八二・八三　行政手続法一四

【実　例】

1）●昇給発令が職員の意に満たないものであつた場合

地公法

においても当該昇給発令は、職員に不利益を与えるものではないと思料され、不利益処分ではないものと解される。また定期昇給が行なわれなかつた場合においても、具体的な処分があつたのではないので不利益処分の審査の対象とはならないものと解する。（昭二九・七・一九行実）

●課長、係長の職を解職することは、地公法第一七条第一項に規定する昇任、降任又は転任のいずれかの一の処分に該当する。（昭三三・一一・一二行実）

2）●処分説明書の記載内容は、処分の効力に影響がなく、処分説明書のけん欠は、処分の効力に影響がない。（昭三九・四・一五行実）

（審査請求）

第四十九条の二　前条第一項に規定する処分[1]を受けた職員[2]は、人事委員会又は公平委員会に対してのみ審査請求をすることができる。

2　前条第一項に規定する処分を除くほか、職員に対する処分については、審査請求をすることができない。職員がした申請に対する不作為についても、同様とする。

3　第一項に規定する審査請求については、行政不服審査法第二章の規定を適用しない。

【参照条文】【審査請求―行政不服審査法二～四

※　国公法九〇　人規一三―一

【実　例】

1）●地方公務員法第四九条の二第一項の規定に基づき、不利益処分を受けた職員は、人事委員会に不服申立てをすることができる旨明らかにされているが、同条第一項に「前条第一項に規定する処分……」とは、任命権者が不利益処分と認める処分のみをいうのではなく、第四九条第二項に規定する職員が不利益処分と思う「処分」も含めて解するものと思料して差支えない。（昭三九・一一・一〇行実）

2）●一項にいう「職員」には、本制度の性質上当然に退職処分に関する限り、退職者も含まれる。（昭二六・一一・二七行実）

※　●勤務条件に関し人事委員会の勧告を地方公共団体の機関が履行しなかつた場合、これを不利益処分とみなし、本条により審査請求することはできない。（昭二七・一・九行実）

※　●代理人による審査請求はできる。（昭二八・六・二九行実）

※　●職員が本法第二九条による停職処分を受け、当該処分に服さない等の理由からさらに同条による免職処分を受けた場合、免職処分に係る不服申立てと関連して申し立てた停職処分に係る不服申立ては、当該免職処分があつた以後において申し立てたものであつても受理すべきであり、この場合は併合審査すべきものと解する。（昭三五・三・二二行実）

※　●前任者の降任処分が判定により取消された場合、その者は本来降任処分の時にさかのぼりその職に復するものであるが、一方、後任者の当該職への任命処分もまた有効に行なわれたものであるので、組織法上の関係においては当該取消処分は法律上不能であると解されるので、その両者の職の重複を来たさないよう、その何れか一方を異動させるべきである。

そしてこの場合、当該異動が降任処分となるものであるときは、地方公務員法第二八条に掲げる降任できる事由に該当しないものであれば、当該処分は違法なものであり、人事委員会において独立の不利益処分の審査請求として受理すべきものと解する。（昭三五・九・一九行実）

※　●休暇の不承認処分に不服のある職員は、地方公務員法第四六条の規定により、勤務条件に関する措置の要求をすることが認められるが、本条の規定による不利益処分に関する審査の請求をすることは、認められない。（昭三五・一〇・一四行実）

（審査請求期間）

第四十九条の三　前条第一項に規定する審査請求は、処分があつたことを知つた日の翌日から起算して三月以内にしなければならず、処分があつた日の翌日から起算して一年を経過したときは、することができない。

【参照条文】

※　行政不服審査法一八　国公法九〇の二

【実　例】

※　●職員が「処分」を不服として地方公務員法第四九条の二によつて不服の申立を行なつたが、不服申立期間を一日経過しており、特殊な事情があつたとしても期間経過した不服申立ては受理できない。（昭三九・七・一七行実）

※　●公平委員会規則で、天災その他やむをえない事由があるときは、不服申立書がその提出期限後に提出された場合でも、期限内に提出されたものとみなす旨定めても差支えない。（昭四九・八・二九行実）

（審査及び審査の結果執るべき措置）

第五十条　第四十九条の二第一項に規定する審査請求を受理したときは、人事委員会又は公平委員会は、直ちにその事案を審査[1]しなければならない。この場合において、処分を受けた職員から請求があつたときは、口頭審理を行わなければならない。口頭審理は、その職員から請求があつたときは、公開して行わなければならない。

2　人事委員会又は公平委員会は、必要があると認めるときは、当該審査請求に対する裁決を除き、審査に関する事務の一部を委員又は事務局長に委任することができる。

3　人事委員会又は公平委員会は、第一項に規定する審査の結果に基いて、その処分を承認し、修正し、又は取り消し、及び必要がある場合においては、任命権者にその職員の受けるべきであつた給与その他の給付を回復するため必要で且つ適切な措置をさせる等その職員がその処分によつて受けた不当な取扱を是正するための指示をしなければならない。

【参照条文】
【審査―法八
①【罰則―法六一Ⅰ
③【罰則―法六〇Ⅲ
※　国公法九一・九二

【実例・判例】

1）●公平委員会の事案審査の範囲は、必らずしも処分説明書に記載された事実関係にとどまらず、処分の基礎となつている事実関係であると認められ、従つて、事案の判定に必要であると認められる限りは、広く審査の対象とすることができる。（昭三四・一二・二五行実）

●不利益処分に関する審査を請求した職員が退職した場合においても、その退職によつて請求の利益が失われることのないもの（たとえば、懲戒処分の取消しを求める請求等）については、人事委員会は、審査を行なわなければならない。（昭三七・二・六行実）

●勤勉手当の減額は、地方公務員法第四九条に規定する不利益な処分にはあたらないと解されるので却下すべきである。（昭三八・一〇・二四行実）

●人事委員会は、当事者の一方から提出のあつた地方公務員法第八条第五項の規定に基づく書類につき、職権で、その相手方たる他の一方の当事者に閲覧もしくは謄写を許さず、人事委員会限りで証拠調べを行ない得る。（昭四一・三・五行実）

※●地方公務員法第八条第五項の規定により、人事委員会は、その権限の行使に関し必要があるときは、証人を喚問することができることとなつているが、この場合、証人に対する日当、宿泊料等いわゆる実費弁償の規定を単に人事委員会規則で制定することは、無理があると思われるし、他面、単行条例を制定することについても、その根拠が見あたらないので、この場合は、地方自治法第九六条第二項の事件議決を経たうえ支給条例を制定することが妥当と考えられる。（昭二六・八・一三行実）

※●公平委員会が免職処分について「本処分は、これを取り消し、戒告処分を行なうべきものと決定する」旨の判定をした場合、当該判定の内容が、修正の判定であると解せられる限りにおいては、この判定は形成的効力を有する。（昭二七・九・二〇行実）

※●公平委員会の判定の内容は、「承認」、「修正」及び「取消」のうちいずれか一に限られるものである。（昭二七・九・二〇行実）

※●審査の結果、分限免職が不当であると判断された場合、懲戒処分による減給又は停職に修正することはできないものと解する。（昭二七・一一・一一行実）

※●公平委員会が免職処分を取り消し、免職中の給与等を復職者に支給するよう任命権者に指示したが、任命権者は支給すべき予算なしとの理由で給与等を支給せざる場合は地方公務員法第六〇条第三号の故意に従わなかつた者に該当すると解せられない。（昭二八・一二・二五行実）

※●人事委員会において処分を修正する権限は、地方公務員法第五〇条第三項により認められたものである。（昭三九・八・一二行実）

※●修正裁決は、原処分の懲戒権の発動を承認し、これに基づく原処分の存在を前提とした上で原処分の法律効果の内容を変更するものであり、これにより原処分は、当初から修正裁決どおりの法律効果を伴う懲戒処分として存在していたものとみなされる。（昭六二・四・二一最裁判）

（審査請求の手続等）

第五十一条　審査請求の手続及び審査の結果執るべき措置に関し必要な事項は、人事委員会規則又は公平委員会規則で定めなければならない。

【参照条文】
【審査請求―法四九の二　【人事委員会規則・公平委員会規則―法八5
※　人規一三―一

【実　例】

※●代理人はその代理する請求者の死亡によつて代理人たる地位を当然に失うものと解するが、特にその旨を委員会規則に規定する必要はない。（昭二六・八・一八行実）

※●人事委員会は、請求者の死亡により審査を継続することができなくなつたと認める場合においては、審査を打ち切り、請求を棄却するよう措置することが適当である。（昭二六・九・四行実）

※●不利益処分に関する審査に関し、代理人を選任することができるが、この代理人の範囲を制限することはさしつかえないが、一般的には、その必要がないものと思われる。なお、代理人の選任の範囲を制限する場合においては、公平委員会規則自体でその旨を規定すべきものと解される。（昭二七・六・六行実）

※●県費負担教職員の不利益処分の審査の請求は「任命権者の属する地方公共団体の人事委員会」と解して適用すべきである。（昭三二・二・一行実）

※ ●不利益処分の不服申立ての審査において、弁護士を処分者である地方公共団体の長の代理人として選任する場合、当該弁護士を「吏員又は吏員相当の嘱託」に任命する必要はないものと解する。（昭三九・一二・二二行実）

（審査請求と訴訟との関係）

第五十一条の二　第四十九条第一項に規定する処分であつて人事委員会又は公平委員会に対して審査請求をすることができるものの取消しの訴えは、審査請求に対する人事委員会又は公平委員会の裁決を経た後でなければ、提起することができない。

【参照条文】
【審査請求―行政不服審査法四
※行政事件訴訟法八　国公法九二の二

【実　例】
※ ●人事委員会の判定につき任命権者その他地方公共団体の機関側からは、不服があつても出訴できない。（昭二七・一・九行実）
※ ●人事委員会の判定につき職員側から出訴し、第一審裁判所で原判定が取り消された場合任命権者その他地方公共団体の機関側から控訴できるものと解される。（昭二七・一・九行実）
※ ●人事委員会が任命権者の行なつた停職処分を減給処分に修正裁決された場合は、処分時にさかのぼつて減給処分に修正されたものと解する。（昭三九・八・一二行実）

第九節　職員団体

（職員団体）

第五十二条　この法律において「職員団体」[1]とは、職員がその勤務条件の維持改善を図ることを目的として組織する団体又はその連合体をいう。

2　前項の「職員」とは、第五項に規定する職員以外の職員をいう。

3　職員は、職員団体を結成し、若しくは結成せず、又はこれに加入し、若しくは加入しないことができる。ただし、重要な行政上の決定を行う職員、重要な行政上の決定に参画する管理的地位にある職員、職員の任免に関して直接の権限を持つ監督的地位にある職員、職員の任免、分限、懲戒若しくは服務、職員の給与その他の勤務条件又は職員団体との関係についての当局の計画及び方針に関する機密の事項に接し、そのためにその職務上の義務と責任とが職員団体の構成員としての誠意と責任とに直接に抵触すると認められる監督的地位にある職員その他職員団体との関係において当局の立場に立つて遂行すべき職務を担当する職員（以下「管理職員等」[2]という。）と管理職員等以外の職員とは、同一の職員団体を組織することができず、管理職員等と管理職員等以外の職員とが組織する団体は、この法律にいう「職員団体」ではない。

4　前項ただし書に規定する管理職員等の範囲[3]は、人事委員会規則又は公平委員会規則で定める。

5　警察職員及び消防職員[4]は、職員の勤務条件の維持改善を図ることを目的とし、かつ、地方公共団体の当局と交渉する団体を結成し、又はこれに加入してはならない。

【参照条文】
【本条の特例―公企法三九1
①・③【団体の結成―憲法二八
④【人事委員会規則・公平委員会規則―法八5
※憲法二八　公企法三九　地公労法　教特法二九　労組法一　国公法一〇八の二　人規一七―〇　行労法四・八

【実　例】
1 ●職員団体たる団体が「交渉」以外の目的を併有すること及び「交渉」目的のための行為以外の行為をすることは、地方公務員法の関知するところではない。（昭二六・三・一三行実）
2 ●県職員で管理職員等に該当しないものが、地方自治法第二五二条の一七の規定により市町村に派遣され、当該市町村において管理職員等となつた場合において、当該派遣職員が構成員として在籍する県の職員で管理職員等以外の職員で組織している職員団体は、地方公務員法上の職員団体と認められないこととなる。（昭四〇・一一・一七行実）
3 ●公平事務の委託を受けた県人事委員会は、個々の市町村ごとに管理職員等の範囲を定めるべきである。（昭四〇・五・二六行実）
4 ●法第五二条第四項にいう「消防職員」のなかに消防組織法第一五条の六に規定する「常勤の消防団員」は含まれる。（昭四一・六・一〇行実）
※ ●職員団体とは、職員が「主体となつて」組織する労働者団体をいう。この場合の「職員」とは、警察・消防職員及び地公労法の適用を受ける職員を除く一般職員をいう（地公法五二②、地公企法三九）。従つて、小規模の地方公営企業の職員が職員団体に加入した場合でも、当該職員以外の一般職員が主体となつて組織されている限り、当該団体は職員団体である。（昭四一・六・二一行実）

（職員団体の登録）

第五十三条　職員団体は、条例で定めるところにより、理事その他の役員の氏名及び条例で定める事項を記載した申請書に規約を添えて人事委員会又は公平委員会に登録を申請することができる。

2　前項に規定する職員団体の規約には、少くとも左に掲げる事項を記載するものとする。

一　名称
二　目的及び業務
三　主たる事務所の所在地
四　構成員の範囲及びその資格の得喪に関する規定
五　理事その他の役員に関する規定
六　第三項に規定する事項を含む業務執行、会議及び投票に関する規定
七　経費及び会計に関する規定
八　他の職員団体との連合に関する規定
九　規約の変更に関する規定
十　解散に関する規定

3　職員団体が登録される資格を有し、及び引き続き登録されているためには、規約の作成又は変更、役員の選挙[1]その他これらに準ずる重要な行為が、すべての構成員が平等に参加する機会を有する直接且つ秘密の投票による[2]全員の過半数（役員の選挙については、投票者の過半数）によつて決定される旨の手続を定め、且つ、現実に、その手続によりこれらの重要な行為が決定されることを必要とする。但し、連合体である職員団体にあつては、すべての構成員が平等に参加する機会を有する構成団体ごとの直接且つ秘密の投票による投票者の過半数で代議員を選挙し、すべての代議員が平等に参加する機会を有する直接且つ秘密の投票によるその全員の過半数（役員の選挙については、投票者の過半数）によつて決定される旨の手続を定め、且つ、現実に、その手続により決定されることをもつて足りるものとする。

4　前項に定めるもののほか、職員団体が登録される資格を有し、及び引き続き登録されているためには、当該職員団体が同一の地方公共団体に属する前条第五項に規定する職員以外の職員のみをもつて組織されていることを必要とする。ただし、同項に規定する職員以外の職員であつた者でその意に反して免職され、若しくは懲戒処分としての免職の処分を受け、当該処分を受けた日の翌日から起算して一年以内のもの又はその期間内に当該処分について法律の定めるところにより審査請求をし、若しくは訴えを提起し、これに対する裁決若しくは裁判が確定するに至らないものを構成員にとどめていること、及び当該職員団体の役員である者を構成員としていることを妨げない。

5　人事委員会又は公平委員会は、登録を申請した職員団体が前三項の規定に適合するものであるときは、条例で定めるところにより、規約及び第一項に規定する申請書の記載事項を登録し、当該職員団体にその旨を通知しなければならない。この場合において、職員でない者の役員就任を認めている職員団体を、そのゆえをもつて登録の要件に適合しないものと解してはならない。

6　登録を受けた職員団体が職員団体でなくなつたとき、登録を受けた職員団体について第二項から第四項までの規定に適合しない事実があつたとき、又は登録を受けた職員団体が第九項の規定による届出をしなかつたときは、人事委員会又は公平委員会は、条例で定めるところにより、六十日を超えない範囲内で当該職員団体の登録の効力を停止し、又は当該職員団体の登録を取り消すことができる。

7　前項の規定による登録の取消しに係る聴聞の期日における審理は、当該職員団体から請求があつたときは、公開により行わなければならない。

8　第六項の規定による登録の取消しは、当該処分の取消しの訴えを提起することができる期間内及び当該処分の取消しの訴えの提起があつたときは当該訴訟が裁判所に係属する間は、その効力を生じない。

9　登録を受けた職員団体は、その規約又は第一項に規定する申請書の記載事項に変更があつたときは、条例で定めるところにより、人事委員会又は公平委員会にその旨を届け出なければならない。この場合においては、第五項の規定を準用する。

10　登録を受けた職員団体は、解散したときは、条例で定めるところにより、人事委員会又は公平委員会にその旨を届け出なければならない。

【参照条文】
⑦【聴聞―行政手続法一五～二八】【本条の特例―公企法三九1】
①～⑨【本条の特例―教特法二九　公企法三九】
※　労組法五1　国公法一〇八の三　人規一七―一

【実　例】
1）●三項の「その他これに準ずる重要な行為」とは、例えば、他の諸団体との提携、連合、加入及び脱退、解散などが該当するものと解する。（昭二六・一一・一六行実）
2）●役員の選挙において候補者が定員を超過しない場合も、個々の候補者について信任投票を行なう必要がある。（昭二六・七・二四行実）

第五十四条　削除〔平一八・六法五〇〕

（交渉）
第五十五条　地方公共団体の当局[1]は、登録を受けた職員団体から、職員の給与、勤務時間その他の勤務条件に関し、及びこれに附帯して、社交的又は厚生的活動を含む適法な活動に係る事項に関し、適法な交渉の申入れがあつた場合においては、その申入れに応ずべき地位に立つ

ものとする。

2　職員団体と地方公共団体の当局との交渉は、団体協約を締結する権利を含まないものとする。

3　地方公共団体の事務の管理及び運営に関する事項は、交渉の対象とすることができない。

4　職員団体が交渉することのできる地方公共団体の当局は、交渉事項について適法に管理し、又は決定することのできる地方公共団体の当局とする。

5　交渉は、職員団体と地方公共団体の当局があらかじめ取り決めた員数の範囲内で、職員団体がその役員の中から指名する者と地方公共団体の当局の指名する者との間において行なわなければならない。交渉に当たつては、職員団体と地方公共団体の当局との間において、議題、時間、場所その他必要な事項をあらかじめ取り決めて行なうものとする。

6　前項の場合において、特別の事情があるときは、職員団体は、役員以外の者を指名することができるものとする。ただし、その指名する者[2]は、当該交渉の対象である特定の事項について交渉する適法な委任を当該職員団体の執行機関から受けたことを文書によつて証明できる者でなければならない。

7　交渉は、前二項の規定に適合しないこととなつたとき、又は他の職員の職務の遂行を妨げ、若しくは地方公共団体の事務の正常な運営を阻害することとなつたときは、これを打ち切ることができる。

8　本条に規定する適法な交渉は、勤務時間[3]中においても行なうことができる。

9　職員団体は、法令、条例、地方公共団体の規則及び地方公共団体の機関の定める規程にてい触しない限りにおいて、当該地方公共団体の当局と書面による協定を結ぶことができる。

10　前項の協定は、当該地方公共団体の当局及び職員団体の双方において、誠意と責任をもつて履行しなければならない。

11　職員は、職員団体に属していないという理由で、第一項に規定する事項に関し、不満を表明し、又は意見を申し出る自由を否定されてはならない。

【参照条文】

【本条の特例―公企法三九1

①～⑨【団体交渉権の保障―憲法二八

⑨【条例・規則―自治法一四・一五

※　地公労法八～一〇　労組法一　国公法一〇八の五　行労法八

【実　例】

1）●教職員の勤務条件に関する交渉は「当該地方公共団体の当局」でありさえすれば、都道府県教育委員会であると知事であるとを問わないものであり、等しく「教職員の給与に関する交渉」であつても、個々の交渉事項によつて「当該地方公共団体の当局」はそれぞれ異なるものである。（昭二八・一〇・一九行実）

2）●登録を受けた職員団体と当局が勤務条件に関して交渉を行なう場合、職員団体を支援する目的をもつて、職員団体の構成員以外の者（労働組合員及び自治労組合員）を交渉の場所に職員団体が参加させた場合、その職員団体の構成員以外の者が職員団体の正当な委任を受けて交渉員として参加する場合を除いて、当局は交渉に応ずる義務はない。（昭三八・一〇・一八行実）

3）●本条の適法な交渉であつても、職務専念義務の免除については、権限を有する者の承認を得なければならない。（昭四一・六・二一行実）

（職員団体のための職員の行為の制限）

第五十五条の二　職員は、職員団体の業務にもつぱら従事することができない。ただし、任命権者の許可を受けて、登録を受けた職員団体の役員としてもつぱら従事する場合は、この限りでない。

2　前項ただし書の許可は、任命権者が相当と認める場合に与えることができるものとし、これを与える場合においては、任命権者は、その許可の有効期間を定めるものとする。

3　第一項ただし書の規定により登録を受けた職員団体の役員として専ら従事する期間は、職員としての在職期間を通じて五年（地方公営企業等の労働関係に関する法律（昭和二十七年法律第二百八十九号）第六条第一項ただし書（同法附則第五項において準用する場合を含む。）の規定により労働組合の業務に専ら従事したことがある職員については、五年からその専ら従事した期間を控除した期間）を超えることができない。

4　第一項ただし書の許可は、当該許可を受けた職員が登録を受けた職員団体の役員として当該職員団体の業務にもつぱら従事する者でなくなつたときは、取り消されるものとする。

5　第一項ただし書の許可を受けた職員は、その許可が効力を有する間は、休職者とし、いかなる給与も支給されず、また、その期間は、退職手当の算定の基礎となる勤続期間に算入されないものとする。

6　職員は、条例で定める場合を除き、給与を受けながら、職員団体のためその業務を行ない、又は活動してはならない。

【参照条文】

【本条の特例―公企法三九1　【※職務に専念する義務―法三五
※　地公労法六　行労法七　国公法一〇八の六　人規一七―二

【判　例】

※　●地方公務員の専従休暇は、地方公務員の団結権等を保護するため、特に法律によつて認められた制度であつて、団結権等に内在し又はそれから当然に派生する権利に基づくものではない。（昭四〇・七・一四最裁判）

※　●ヤミ専従に慣行の効力が認められる余地はなく、このような行為を行なつた職員に対する懲戒免職処分は適法である。（昭五五・四・一一最裁判）

（不利益取扱の禁止）

第五十六条　職員は、職員団体の構成員であること、職員団体を結成しようとしたこと、若しくはこれに加入しようとしたこと又は職員団体のために正当な行為をしたことの故をもつて不利益な取扱を受けることはない。

【参照条文】
【本条の特例―公企法三九1　【不利益処分に対する救済―法四九～五一の二　【職員団体のための行為―法五五の二　【職員団体の結成―法五二
※　国公法一〇八の七　労組法七

第四章　補則

（特例）

第五十七条　職員のうち、公立学校（学校教育法（昭和二十二年法律第二十六号）第一条に規定する学校及び就学前の子どもに関する教育、保育等の総合的な提供の推進に関する法律（平成十八年法律第七十七号）第二条第七項に規定する幼保連携型認定こども園であつて地方公共団体の設置するものをいう。）の教職員（学校教育法第七条（就学前の子どもに関する教育、保育等の総合的な提供の推進に関する法律第二十六条において準用する場合を含む。）に規定する校長及び教員並びに学校教育法第二十七条第二項（同法第八十二条において準用する場合を含む。）、第三十七条第一項（同法第四十九条及び第八十二条において準用する場合を含む。）、第六十条第一項（同法第八十二条において準用する場合を含む。）、第六十九条第一項、第九十二条第一項及び第百二十条第一項並びに就学前の子どもに関する教育、保育等の総合的な提供の推進に関する法律第十四条第二項に規定する事務職員をいう。）、単純な労務に雇用される者その他その職務と責任の特殊性に基づいてこの法律に対する特例を必要とするものについては、別に法律で定める。ただし、その特例は、第一条の精神に反するものであつてはならない。

【参照条文】
【公立学校の教職員―地教法　教特法　【単純な労務に雇用される者―地公労法附則5　公企法　旧単純な労務に雇用される一般職に属する地方公務員の範囲を定める政令　【※企業職員―公企法　地公労法

【実　例】

※　●一般職員が企業職員を兼務している場合は、その企業職員たる地位において地方公営企業法及び地方公営企業労働関係法の適用をうけると同時に、知事の補助機関たる一般職の職員たる地位においては、これらの法律によつて適用を排除された法の各条項も適用されるものと解する。（昭二八・三・九行実）

※　●単純労務者が不利益処分を受けた場合は、苦情処理共同調整会議等により解決するほか、当該処分が違法なるものである場合においては行政事件訴訟特例法（現行＝行政事件訴訟法）の定めるところにより、裁判所に出訴することができる。（昭二九・六・一四行実）

※　●職員が単純な労務に雇用される者に該当するかどうかは、その者の職務及び責任の実態に基づいて判断すべきである。（昭三七・三・二三行実）

※　●単純な労務に雇用される一般職に属する地方公務員の範囲を定める政令（昭和二十六年政令第二十五号）は、地方公営企業労働関係法の施行に伴い地方公務員法附則第二十一項が削除され、昭和二十七年九月三十日をもつて失効した。しかし、地方公務員法第五十七条及び地方公営企業労働関係法附則第四項にいう単純な労務に雇用される者の範囲については、同政令の規定に基づいて解釈して差支えない。（昭三八・五・八行実）

※　●地方公営企業の予算上又は、賃金上不可能な賃金の支出を内容とする協定が締結された場合においては、当該地方公共団体の長は、地方公営企業労働関係法第一〇条第二項の規定により、協定を議会に付議し、その承認を求めなければならない。（昭四九・一〇・一五行実）

（他の法律の適用除外等）

第五十八条　労働組合法（昭和二十四年法律第百七十四号）、労働関係調整法（昭和二十一年法律第二十五号）及び最低賃金法（昭和三十四年法律第百三十七号）並びにこれらに基づく命令の規定は、職員に関して適用しない。

2　労働安全衛生法（昭和四十七年法律第五十七号）第二章の規定並びに船員災害防止活動の促進に関する法律（昭和四十二年法律第六十一号）第二章及び第五章の規定並びに同章に基づく命令の規定は、地方公共団体の行う労働基準法（昭和二十二年法律第四十九号）別表第一第一号から第十号まで及び第十三号から第十五号までに掲げる事業に従事する職員[1]以外の職員に関して適用しない。

3　労働基準法第二条、第十四条第二項及び第三項、第二十四条第一項、第三十二条の三から第三十二条の五まで、第三十八条の二第二項及び第三項、第三十八条の三、第三十八条の四、第三十九条第六項から第八項まで、第四十一条の二、第七十五条から第九十三条まで並びに第百二条の規定、労働安全衛生法第六十六条の八の四及び第九十二条の規定、船員法（昭和二十二年法律第百号）第六条中労働基準法第二条に関する部分、第三十条、第三十七条中勤務条件に関する部分、第五十三条第一項、第八十九条から第百条まで、第百二条及び第百八条中勤務条件に関する部分の規定並びに船員災害防止活動の促進に関する法律第六十二条の規定並びにこれらの規定に基づく命令の規定は、職員に関して適用しない。ただし、労働基準法第百二条の規定、労働安全衛生法第九十二条の規定、船員法第三十七条及び第百八条中勤務条件に関する部分の規定並びに船員災害防止活動の促進に関する法律第六十二条の規定並びにこれらの規定に基づく命令の規定は、地方公共団体の行う労働基準法別表第一第一号から第十号まで及び第十三号から第十五号までに掲げる事業に従事する職員に、同法第七十五条から第八十八条まで及び船員法第八十九条から第九十六条までの規定は、地方公務員災害補償法（昭和四十二年法律第百二十一号）第二条第一項に規定する者以外の職員に関しては適用する。

4　職員に関しては、労働基準法第三十二条の二第一項中「使用者は、当該事業場に、労働者の過半数で組織する労働組合がある場合においてはその労働組合、労働者の過半数で組織する労働組合がない場合においては労働者の過半数を代表する者との書面による協定により、又は」とあるのは「使用者は、」と、同法第三十四条第二項ただし書中「当該事業場に、労働者の過半数で組織する労働組合がある場合においてはその労働組合、労働者の過半数で組織する労働組合がない場合においては労働者の過半数を代表する者との書面による協定があるときは」とあるのは「条例に特別の定めがある場合は」と、同法第三十七条第三項中「使用者が、当該事業場に、労働者の過半数で組織する労働組合があるときはその労働組合、労働者の過半数で組織する労働組合がないときは労働者の過半数を代表する者との書面による協定により」とあるのは「使用者が」と、同法第三十九条第四項中「当該事業場に、労働者の過半数で組織する労働組合があるときはその労働組合、労働者の過半数で組織する労働組合がないときは労働者の過半数を代表する者との書面による協定により、次に掲げる事項を定めた場合において、第一号に掲げる労働者の範囲に属する労働者が有給休暇を時間を単位として請求したときは、前三項の規定による有給休暇の日数のうち第二号に掲げる日数については、これらの規定にかかわらず、当該協定で定めるところにより」とあるのは「前三項の規定にかかわらず、特に必要があると認められるときは、」とする。

5　労働基準法、労働安全衛生法、船員法及び船員災害防止活動の促進に関する法律の規定並びにこれらの規定に基づく命令の規定中第三項の規定により職員に関して適用されるものを適用する場合における職員の勤務条件に関する労働基準監督機関の職権は、地方公共団体の行う[2]労働基準法別表第一第一号から第十号まで及び第十三号から第十五号までに掲げる事業に従事する職員の場合を除き、人事委員会又はその委任を受けた人事委員会の委員（人事委員会を置かない地方公共団体においては、地方公共団体の長）が行うものとする。

【参照条文】【本条の特例―公企法三九1

【実　例】

1）●農業試験場、種畜場、蚕業試験場及び水産試験場は研究調査を目的とするものであるが、それらが労働基準法第八条第十二号の事業に該当するか又は同条第六号若しくは第七号の事業に該当するかについては、それらの事業内容の実態に即して判定すべきものである。なお、現業の職員の範囲は、その機関に勤務するすべての職員であり、個々の職員の業務によつて分割することは認められない。（昭二六・五・一行実）

2）●人事委員会を置かない市町村の設置する学校教員に対する労働基準監督機関の職権は、当該市町村長が行なわなければならず、県人事委員会で取り扱うことはできない。（昭二六・二・三行実）

●解雇予告除外事由の認定は、地方財政法第六条に規定する公営企業に従事する職員及び単純な労務に雇用される職員並びに労働基準法第八条第一号から第一〇号まで及び第一三号から第一五号までに掲げる事業に従事する職員の場合をそれぞれ除き、人事委員会又はその委任を受けた人事委員会の委員が行なうものと解する。（昭二六・一二・一二行実）

●県費負担教職員の労働基準監督機関は、当該職員の属する地方公共団体の人事委員会である。（昭三二・五・一四行実）

●人事委員会は、労働基準監督機関としての職権を行なうため、当該地方公共団体の事業又は事務所が労働基準法第八条第十一号、第十二号、第十六号及び第十七号に該当するかどうかを決定する権限を有する。

なお、人事委員会がこの号別を決定する際は、地方公務員法第八条第六項に基づく協定等により、労働基準局〔船員法適用の職員に関しては、地方海運局（必要に応じ、労働基準局を含む。）〕と協議することが適当である。（昭三八・六・三行実）

（人事行政の運営等の状況の公表）

第五十八条の二 任命権者は、次条に規定するもののほか、条例で定めるところにより、毎年、地方公共団体の長に対し、職員（臨時的に任用された職員及び非常勤職員（短時間勤務の職を占める職員及び第二十二条の二第一項第二号に掲げる職員を除く。）を除く。）の任用、人事評価、給与、勤務時間その他の勤務条件、休業、分限及び懲戒、服務、退職管理、研修並びに福祉及び利益の保護等人事行政の運営の状況を報告しなければならない。

2 人事委員会又は公平委員会は、条例で定めるところにより、毎年、地方公共団体の長に対し、業務の状況を報告しなければならない。

3 地方公共団体の長は、前二項の規定による報告を受けたときは、条例で定めるところにより、毎年、第一項の規定による報告を取りまとめ、その概要及び前項の規定による報告を公表しなければならない。

（等級等ごとの職員の数の公表）

第五十八条の三 任命権者は、第二十五条第四項に規定する等級及び職員の職の属する職制上の段階ごとに、職員の数を、毎年、地方公共団体の長に報告しなければならない。

2 地方公共団体の長は、毎年、前項の規定による報告を取りまとめ、公表しなければならない。

（総務省の協力及び技術的助言）

第五十九条 総務省は、地方公共団体の人事行政がこの法律によつて確立される地方公務員制度の原則に沿つて運営されるように協力し、及び技術的助言をすることができる。

【参照条文】

※ 自治法二四五～二五〇の六

第五章 罰則

注 次条中、点線の左側は、令和四年六月一七日から起算して三年を超えない範囲内において政令で定める日〔令七・六・一〕から施行となる。

（罰則）

第六十条 次の各号のいずれかに該当する者は、一年以下の懲役〔拘禁刑〕又は五十万円以下の罰金に処する。

一 第十三条の規定に違反して差別をした者

二 第三十四条第一項又は第二項の規定（第九条の二第十二項において準用する場合を含む。）に違反して秘密を漏らした者

三 第五十条第三項の規定による人事委員会又は公平委員会の指示に故意に従わなかつた者

四 離職後二年を経過するまでの間に、離職前五年間に在職していた地方公共団体の執行機関の組織等に属する役職員又はこれに類する者として人事委員会規則で定めるものに対し、契約等事務であつて離職前五年間の職務に属するものに関し、職務上不正な行為をするように、又は相当の行為をしないように要求し、又は依頼した再就職者

五 地方自治法第百五十八条第一項に規定する普通地方公共団体の長の直近下位の内部組織の長又はこれに準ずる職であつて人事委員会規則で定めるものに離職した日の五年前の日より前に就いていた者であつて、離職後二年を経過するまでの間に、当該職に就いていた時に在職していた地方公共団体の執行機関の組織等に属する役職員又はこれに類する者として人事委員会規則で定めるものに対し、契約等事務であつて離職した日の五年前の日より前の職務（当該職に就いていたときの職務に限る。）に属するものに関し、職務上不正な行為をするように、又は相当の行為をしないように要求し、又は依頼した再就職者

六 在職していた地方公共団体の執行機関の組織等に属する役職員又はこれに類する者として人事委員会規則で定めるものに対し、当該地方公共団体若しくは当該特定地方独立行政法人と営利企業等（再就職者が現にその地位に就いているものに限る。）若しくはその子法人との間の契約であつて当該地方公共団体若しくは当該特定地方独立行政法人においてその締結について自らが決定したもの又は当該地方公共団体若しくは当該特定地方独立行政法人による当該営利企業等若しくはその子法人に対する行政手続法第二条第二号に規定する処分であつて自らが決定したものに関し、職務上不正な行為をするように、又は相当の行為をしないように要求し、又は依頼した再就職者

七 国家行政組織法第二十一条第一項に規定する部長又は課長の職に相当する職として人事委員会規則で定めるものに離職した日の五年前の日より前に就いていた者であつて、離職後二年を経過するまでの間に、当該

職に就いていた時に在職していた地方公共団体の執行機関の組織等に属する役職員又はこれに類する者として人事委員会規則で定めるものに対し、契約等事務であつて離職した日の五年前の日より前の職務（当該職に就いていたときの職務に限る。）に属するものに関し、職務上不正な行為をするように、又は相当の行為をしないように要求し、又は依頼した再就職者（第三十八条の二第八項の規定に基づき条例を定めている地方公共団体の再就職者に限る。）

八　第四号から前号までに掲げる再就職者から要求又は依頼（地方独立行政法人法第五十条の二において準用する第四号から前号までに掲げる要求又は依頼を含む。）を受けた職員であつて、当該要求又は依頼を受けたことを理由として、職務上不正な行為をし、又は相当の行為をしなかつた者

【参照条文】

※　国公法一〇九

㊟　次条中、点線の左側と点線の囲み部分は、令和四年六月一七日から起算して三年を超えない範囲内において政令で定める日〔令七・六・一〕から施行となる。

第六十一条　次の各号のいずれかに該当する者は、三年以下の懲役拘禁刑又は百万円以下の罰金に処する。

一　第五十条第一項に規定する権限の行使に関し、第八条第六項の規定により人事委員会若しくは公平委員会から証人として喚問を受け、正当な理由がなくてこれに応ぜず、若しくは虚偽の陳述をした者又は同項の規定により人事委員会若しくは公平委員会から書類若しくはその写の提出を求められ、正当な理由がなくてこれに応ぜず、若しくは虚偽の事項を記載した書類若しくはその写を提出した者

二　第十五条の規定に違反して任用した者

三　第十八条の三（第二十一条の四第四項において準用する場合を含む。）の規定に違反して受験を阻害し、又は情報を提供した者

四　削除

四　何人たるを問わず、第三十七条第一項前段に規定する違法な行為の遂行を共謀し、唆し、若しくはあおり、又はこれらの行為を企てた者

五　第四十六条の規定による勤務条件に関する措置の要求の申出を故意に妨げた者

【参照条文】

※　国公法一一〇

【判　例】

※　●公務員の争議行為が国民全体又は地方住民全体の共同利益のために制約されるのは、それが業務の正常な運営を阻害する集団的かつ組織的な労務不提供等の行為として反公共性をもつからであるところ、このような集団的かつ組織的な行為としての争議行為を成り立たせるものは、まさにその行為の遂行を共謀したり、そそのかしたり、あおつたりする行為であつて、これら共謀等の行為は、争議行為の原動力をなすもの、換言すれば、全体としての争議行為の中でもそれなくしては右の争議行為が成立しえないという意味においていわばその中核的地位を占めるものであり、このことは、争議行為がその都度集団行為として組織され、遂行される場合ばかりでなく、すでに組織体として存在する労働組合の内部においてあらかじめ定められた団体意思決定の過程を経て決定され、遂行される場合においても異なるところはないのである。それ故、法が、共謀、そそのかし、あおり等の行為のもつ右のような性格に着目してこれを社会的に責任の重いものと評価し、当該組合に所属する者であると否とを問わず、このような行為をした者に対して違法な争議行為の防止のために特に処罰の必要性を認め、罰則を設けることには十分合理性があり、これをもつて憲法第一八条、第二八条に違反するものとすることができない。（昭五一・五・二一最裁判）

※　●いわゆる岩手県教組事件判決（最高裁昭和四四年(あ)第一二七五号同五一年五月二一日大法廷判決）は、地方公務員法六一条四号の合憲性を説示するに当たり、「これら共謀等の行為は、争議行為の原動力をなすもの、換言すれば、全体としての争議行為の中でもそれなくしては右の争議行為が成立しえないという意味においていわばその中核的地位を占める」旨を説示しているが、右説示は、同号に定める共謀等の行為全体を争議行為そのものと対比した場合において、前者が後者にとつて一般に不可欠の性質を有する点を指摘したものであり、共謀等の行為が同時に又は順を追つて併存する場合において、争議行為に対して原動力となる共謀等の行為が一つ存在すれば、それゆえに他の共謀等の行為の原動力性が否定されるなどという趣旨を含むものではなく、原判決があおりの企てに当たるためには、当該行為が原動力性を有する唯一の行為であることを要するかのようにいう点は、失当である。（平元・一二・一八最裁判）

第六十二条　第六十条第二号又は前条第一号から第三号まで若しくは第五号に掲げる行為を企て、命じ、故意にこ

れを容認し、そそのかし、又はそのほう助をした者は、それぞれ各本条の刑に処する。

【参照条文】
※ 国公法一一一

㊟ 次条は、令和四年六月一七日から起算して三年を超えない範囲内において政令で定める日〔令七・六・一〕から削られる。

第六十二条の二 何人たるを問わず、第三十七条第一項前段に規定する違法な行為の遂行を共謀し、唆し、若しくはあおり、又はこれらの行為を企てた者は、三年以下の禁錮又は百万円以下の罰金に処する。

㊟ 次条中、点線の左側は、令和四年六月一七日から起算して三年を超えない範囲内において政令で定める日〔令七・六・一〕から施行となる。

第六十三条 次の各号のいずれかに該当する者は、三年以下の懲役〔拘禁刑〕に処する。ただし、刑法（明治四十年法律第四十五号）に正条があるときは、刑法による。

一 職務上不正な行為（当該職務上不正な行為が、営利企業等に対し、他の役職員をその離職後に、若しくは役職員であつた者を、当該営利企業等若しくはその子法人の地位に就かせることを目的として、当該役職員若しくは役職員であつた者に関する情報を提供し、若しくは当該地位に関する情報の提供を依頼し、若しくは当該役職員若しくは役職員であつた者を当該地位に就かせることを要求し、若しくは依頼する行為、又は営利企業等に対し、離職後に当該営利企業等若しくはその子法人の地位に就くことを目的として、自己に関する情報を提供し、若しくは当該地位に関する情報の提供を依頼し、若しくは当該地位に就くことを要求し、若しくは約束する行為である場合における当該職務上不正な行為を除く。次号において同じ。）をすること若しくはしたこと、又は相当の行為をしないこと若しくはしなかつたことに関し、営利企業等に対し、離職後に当該営利企業等若しくはその子法人の地位に就くこと、又は他の役職員をその離職後に、若しくは役職員であつた者を、当該営利企業等若しくはその子法人の地位に就かせることを要求し、又は約束した職員

二 職務に関し、他の役職員に職務上不正な行為をするように、又は相当の行為をしないように要求し、依頼し、若しくは唆すこと、又は要求し、依頼し、若しくは唆したことに関し、営利企業等に対し、離職後に当該営利企業等若しくはその子法人の地位に就くこと、又は他の役職員をその離職後に、若しくは役職員であつた者を、当該営利企業等若しくはその子法人の地位に就かせることを要求し、又は約束した職員

三 前号（地方独立行政法人法第五十条の二において準用する場合を含む。）の不正な行為をするように、又は相当の行為をしないように要求し、依頼し、又は唆した行為の相手方であつて、同号（同条において準用する場合を含む。）の要求又は約束があつたことの情を知つて職務上不正な行為をし、又は相当の行為をしなかつた職員

【参照条文】
※ 国公法一一二

第六十四条 第三十八条の二第一項、第四項又は第五項の規定（同条第八項の規定に基づく条例が定められているときは、当該条例の規定を含む。）に違反して、役職員又はこれらの規定に規定する役職員に類する者として人事委員会規則で定めるものに対し、契約等事務に関し、職務上の行為をするように、又はしないように要求し、又は依頼した者（不正な行為をするように、又は相当の行為をしないように要求し、又は依頼した者を除く。）は、十万円以下の過料に処する。

【参照条文】
※ 国公法一一三

第六十五条 第三十八条の六第二項の条例には、これに違反した者に対し、十万円以下の過料を科する旨の規定を設けることができる。

【参照条文】
※ 国公法一一三

附 則（抄）

（施行期日）

1 この法律の規定中、第十五条及び第十七条から第二十三条までの規定並びに第六十一条第二号及び第三号の罰則並びに第六十二条中第六十一条第二号及び第三号に関する部分は、都道府県及び地方自治法第百五十五条第二項の市にあつてはこの法律公布の日から起算して二年を経過した日から、その他の地方公共団体にあつてはこの法律公布の日から起算して二年六月を経過した日からそれぞれ施行し、第二十七条から第二十九条まで及び第四十六条から第五十一条までの規定並びに第六十条第三

号、第六十一条第一号及び同条第五号の罰則並びに第六十二条中第六十一条第一号及び第五号に関する部分は、この法律公布の日から起算して八月を経過した日から施行し、その他の規定は、この法律公布の日から起算して二月を経過した日から施行する。

2～8 〔略〕

9 第十六条第三号の懲戒免職の処分には、当該地方公共団体において、地方公務員に関する従前の規定によりなされた懲戒免職の処分を含むものとする。

10 地方公務員に関する従前の規定により休職を命ぜられた者又は懲戒手続中の者若しくは懲戒処分を受けた者の休職又は懲戒に関しては、なお、従前の例による。

11 この法律公布の日から起算して六月を経過するまでの間は、第五十三条第一項中「人事委員会（人事委員会を置かない地方公共団体においては、地方公共団体の長とする。以下本節中同じ。）」及び「人事委員会」とあるのは「当該地方公共団体の長」と、同条第四項から第六項までのうち「人事委員会」とあるのは「当該地方公共団体の長」と、それぞれ読み替えるものとする。

12 この法律公布の日から起算して六月を経過するまでの間は、第五十四条第一項但書中「人事委員会」とあるのは「当該地方公共団体の長」と読み替えるものとする。

13 第五十八条第一項の規定施行の際現に存する労働組合でその主たる構成員が職員であるものは、この法律公布の日から起算して四月以内に第五十三条第一項の規定による登録の申請をしなければならない。この場合において、地方公共団体の長は、申請を受理した日から一月以内に第五十三条第一項の規定による登録をした旨又はしない旨の通知をしなければならない。

14 第五十八条第一項の規定施行の際現に存する労働組合でその主たる構成員が職員であるもののうち、前項の規定による登録の申請をしないものの取扱については、この法律公布の日から起算して四月を経過するまでの間、同項の規定による登録の申請をしたものの取扱については、同項の規定により登録をした旨又はしない旨の通知を受けるまでの間は、第五十八条第一項の規定にかかわらず、なお、従前の例による。

15 第五十八条第一項の規定施行の際現に存する法人である労働組合でその主たる構成員が職員であるものが第五十三条第一項の規定により登録されたときは、第五十四条第一項の法人である職員団体として設立されたものとみなす。

16 第五十八条第一項の規定施行の際現に存する労働組合で、附則第十三項の規定による登録の申請をしないものは、この法律公布の日から起算して四月を経過した日において、同項の規定による登録の申請をしたもののうち登録をしない旨の通知を受けたものは、この法律公布の日から起算して五月を経過した日において、それぞれ解散するものとする。

17 前二項の場合において必要な事項は、政令で定める。

18 第五十八条第一項及び第二項の規定施行前にしたこれらの規定に規定する法令の規定に違反する行為に対する罰則の適用については、これらの規定にかかわらず、なお、従前の例による。

19 この法律公布の日から起算して六月を経過するまでの間は、第五十八条第三項中「人事委員会又はその委任を受けた人事委員会の委員（人事委員会を置かない地方公共団体においては、地方公共団体の長）」とあるのは「地方公共団体の長」と読み替えるものとする。

（職員が職員団体の役員として専ら従事することができる期間の特例）

20 第五十五条の二の規定の適用については、職員の労働関係の実態にかんがみ、労働関係の適正化を促進し、もつて公務の能率的な運営に資するため、当分の間、同条第三項中「五年」とあるのは、「七年以下の範囲内で人事委員会規則又は公平委員会規則で定める期間」とする。

21 令和五年四月一日から令和十三年三月三十一日までの間における第二十八条の六第二項の条例で定める定年に関しては、国の職員につき定められている当該期間における定年に関する特例を基準として、条例で特例を定めるものとする。

22 第二十八条の六第三項の規定に基づき地方公共団体における当該職員の定年について条例で別の定めをしている場合には、令和五年四月一日から令和十三年三月三十一日までの間における当該定年に関し、条例で特例を定めることができる。この場合においては、国及び他の地方公共団体の職員との間に権衡を失しないように適当な考慮が払われなければならない。

23 任命権者は、当分の間、職員（臨時的に任用される職員その他の法律により任期を定めて任用される職員、非常勤職員その他この項の規定による情報の提供及び意思の確認を行わない職員として条例で定める職員を除く。以下この項において同じ。）が条例で定める年齢に達する日の属する年度の前年度（当該前年度に職員でなかつた者その他の当該前年度においてこの項の規定による情報の提供及び意思の確認を行うことができない職員として条例で定める職員にあつては、条例で定める期間）において、当該職員に対し、条例で定めるところにより、当該職員が当該条例で定める年齢に達する日以後に適用される任用及び給与に関する措置の内容その他の必要な情報を提供するものとするとともに、同日の翌日以後における勤務の意思を確認するよう努めるものとする。

24　前項の情報の提供及び意思の確認を行わない職員として条例で定める職員は、国家公務員法附則第九条に規定する情報の提供及び意思の確認を行わない職員を基準として定めるものとする。

25　附則第二十三項の条例で定める年齢は、国の職員につき定められている国家公務員法附則第九条に規定する年齢を基準として定めるものとする。

26　地方公務員法の一部を改正する法律（令和三年法律第六十三号）による改正前の第二十八条の二第二項及び第三項の規定に基づく定年の引上げに伴う給与に関する特例措置により降給をする場合における第四十九条第一項の規定の適用については、同項ただし書中「又は他の職への降任等に伴い降給をする場合」とあるのは、「、他の職への降任等に伴い降給をする場合又は地方公務員法の一部を改正する法律（令和三年法律第六十三号）による改正前の第二十八条の二第二項及び第三項の規定に基づく定年の引上げに伴う給与に関する特例措置により降給をする場合」とする。

附　則（平一一・七・二二法一〇七）（抄）

（施行期日）

第一条　この法律は、平成十三年四月一日から施行する。ただし、次の各号に掲げる規定は、当該各号に定める日から施行する。

一　次条の規定　公布の日

二　第一条中地方公務員法第二十九条の改正規定（同条第一項の次に二項を加える部分（同条第三項に係る部分を除く。）に限る。）及び附則第三条第一項の規定　公布の日から起算して三月を超えない範囲内において政令で定める日〔平一一・一〇・一〕

（懲戒処分に関する経過措置）

第三条　新法第二十九条第二項の規定は、同項に規定する退職が附則第一条第二号の政令で定める日以後である職員について適用する。この場合において、同日前に同項に規定する先の退職がある職員については、当該先の退職の前の職員としての在職期間は、同項に規定する要請に応じた退職前の在職期間には含まれないものとする。

2　新法第二十九条第三項の規定は、同項の定年退職者等となつた日がこの法律の施行の日（以下「施行日」という。）以後である職員について適用する。この場合において、附則第一条第二号の政令で定める日前に新法第二十九条第二項に規定する退職又は先の退職がある職員については、これらの退職の前の職員としての在職期間は、同条第三項の定年退職者等となつた日までの引き続く職員としての在職期間には含まれないものとする。

（特定警察職員等への適用期日）

第五条　地方公務員等共済組合法（昭和三十七年法律第百五十二号）附則第十八条の二第一項第一号に規定する特定警察職員等（次条において「特定警察職員等」という。）である者については、施行日から平成十九年四月一日までの間において条例で定める日から、新法第二十八条の四から第二十八条の六までの規定を適用する。

（任期の末日に関する特例）

第六条　平成二十五年三月三十一日（特定警察職員等である職員にあつては、平成三十一年三月三十一日）までの間における新法第二十八条の四第三項（新法第二十八条の五第二項及び第二十八条の六第三項において準用する場合を含む。）の条例で定める年齢に関しては、国の職員につき定められている任期の末日に関する特例を基準として、条例で特例を定めるものとする。

附　則（平二六・五・一四法三四）（抄）

改正　平二六・五・三〇法四二

（施行期日）

第一条　この法律は、公布の日から起算して二年を超えない範囲内において政令で定める日〔平二八・四・一〕から施行する。ただし、〔中略〕次条及び附則第六条の規定は、公布の日から施行する。

（準備行為）

第二条　第一条の規定による改正後の地方公務員法（以下「新法」という。）第十五条の二第一項第五号に規定する標準職務遂行能力及び同号の標準的な職並びに新法第二十三条の二第二項に規定する人事評価の基準及び方法に関する事項その他人事評価に関し必要な事項を定めるに当たつて必要な手続その他の行為は、この法律の施行の日（以下「施行日」という。）前においても、新法第十五条の二並びに第二十三条の二第二項及び第三項の規定の例により行うことができる。

2　〔略〕

（地方公務員法の一部改正に伴う経過措置）

第三条　第一条の規定による改正前の地方公務員法（以下この条において「旧法」という。）第四十条第一項の規定により施行日前の直近の勤務成績の評定が行われた日から起算して一年を経過する日までの間は、新法第三章第三節の規定にかかわらず、任命権者は、なお従前の例により、勤務成績の評定を行うことができる。

2　任命権者が、職員をその職員が現に任命されている職の置かれる機関（地方自治法（昭和二十二年法律第六十七号）第百五十五条第一項に規定する支庁、地方事務所、支所及び出張所、同法第百五十六条第一項に規定する行政機関、同法第二百二条の四第三項に規定する地域自治区の事務所、同法第二百四十四条第一項に規定する公の施設、同法第二百五十二条の二十第一項に規定する区の事務所及びその出張所並びに同法第二百五十二条の二十の二第一項に規定する総合区の事務所及びその出張所をいう。以下この項において同じ。）と規模の異なる他の機関であって所管区域の単位及び種類を同じくするものに置かれる職であって当該任命されている職より一段階上位又は一段階下位の職制上の段階に属するものに任命する場合において、当該任命が従前の例によれば昇任又は降任に該当しないときは、当分の間、新法第十五条の二第一項の規定にかかわらず、これを同項第四号に規定する転任とみなす。

3　施行日前に旧法第二十一条第一項の規定により作成された採用候補者名簿であってこの法律の施行の際現に効力を有するものについては、新法第二十一条第一項の規定により作成された採用候補者名簿とみなす。

4　施行日前に旧法第二十一条第一項の規定により作成された昇任候補者名簿であってこの法律の施行の際現に効力を有するものについては、新法第二十一条の四第四項において読み替えて準用する新法第二十一条第一項の規定により作成された昇任候補者名簿とみなす。

5　施行日前に旧法によって行われた不利益処分に関する説明書の交付、不服申立て及び審査については、なお従前の例による。

（処分等の効力）

第四条　この法律の施行前にこの法律による改正前のそれぞれの法律（これに基づく命令を含む。）の規定によってした又はすべき処分、手続、通知その他の行為であって、この法律による改正後のそれぞれの法律（これに基づく命令を含む。以下この条において「新法令」という。）の規定に相当の規定があるものは、法令に別段の定めのあるものを除き、新法令の相当の規定によってした又はすべき処分、手続、通知その他の行為とみなす。

（罰則に関する経過措置）

第五条　この法律の施行前にした行為に対する罰則の適用については、なお従前の例による。

（その他の経過措置）

第六条　この附則に規定するもののほか、この法律の施行に関し必要な経過措置（罰則に関する経過措置を含む。）は、政令で定める。

附　則（平二六・六・一三法六九）（抄）

（施行期日）

第一条　この法律は、行政不服審査法（平成二十六年法律第六十八号）の施行の日〔平二八・四・一〕から施行する。

（経過措置の原則）

第五条　行政庁の処分その他の行為又は不作為についての不服申立てであってこの法律の施行前にされた行政庁の処分その他の行為又はこの法律の施行前にされた申請に係る行政庁の不作為に係るものについては、この附則に特別の定めがある場合を除き、なお従前の例による。

（訴訟に関する経過措置）

第六条　この法律による改正前の法律の規定により不服申立てに対する行政庁の裁決、決定その他の行為を経た後でなければ訴えを提起できないこととされる事項であって、当該不服申立てを提起しないでこの法律の施行前にこれを提起すべき期間を経過したもの（当該不服申立てが他の不服申立てに対する行政庁の裁決、決定その他の行為を経た後でなければ提起できないとされる場合にあっては、当該他の不服申立てを提起しないでこの法律の施行前にこれを提起すべき期間を経過したものを含む。）の訴えの提起については、なお従前の例による。

2　この法律の規定による改正前の法律の規定（前条の規定によりなお従前の例によることとされる場合を含む。）により異議申立てが提起された処分その他の行為であって、この法律の規定による改正後の法律の規定により審査請求に対する裁決を経た後でなければ取消しの訴えを提起することができないこととされるものの取消しの訴えの提起については、なお従前の例による。

3　不服申立てに対する行政庁の裁決、決定その他の行為の取消しの訴えであって、この法律の施行前に提起されたものについては、なお従前の例による。

（罰則に関する経過措置）

第九条　この法律の施行前にした行為並びに附則第五条及び前二条の規定によりなお従前の例によることとされる場合におけるこの法律の施行後にした行為に対する罰則の適用については、なお従前の例による。

（その他の経過措置の政令への委任）

第十条　附則第五条から前条までに定めるもののほか、この法律の施行に関し必要な経過措置（罰則に関する経過措置を含む。）は、政令で定める。

附　則（平二九・五・一七法二九）（抄）

改正　令二・三・三一法一一

（施行期日）

第一条　この法律は、令和二年四月一日から施行する。ただし、次条及び附則第四条の規定は、公布の日から施行する。

（施行のために必要な準備等）

第二条　第一条の規定による改正後の地方公務員法（次項

及び附則第十七条において「新地方公務員法」という。）の規定による地方公務員（地方公務員法第二条に規定する地方公務員をいう。同項において同じ。）の任用、服務その他の人事行政に関する制度及び第二条の規定による改正後の地方自治法（同項において「新地方自治法」という。）の規定による給与に関する制度の適正かつ円滑な実施を確保するため、任命権者（地方公務員法第六条第一項に規定する任命権者をいう。以下この項において同じ。）は、人事管理の計画的推進その他の必要な準備を行うものとし、地方公共団体の長は、任命権者の行う準備に関し必要な連絡、調整その他の措置を講ずるものとする。

2　総務大臣は、新地方公務員法の規定による地方公務員の任用、服務その他の人事行政に関する制度及び新地方自治法の規定による給与に関する制度の適正かつ円滑な実施を確保するため、地方公共団体に対して必要な資料の提出を求めることその他の方法により前項の準備及び措置の実施状況を把握した上で、必要があると認めるときは、当該準備及び措置について技術的な助言又は勧告をするものとする。

（臨時的任用に関する経過措置）

第三条　この法律の施行の日前に第一条の規定による改正前の地方公務員法（附則第十七条において「旧地方公務員法」という。）第二十二条第二項若しくは第五項の規定により行われた臨時的任用の期間又は同条第二項若しくは第五項の規定により更新された臨時的任用の期間の末日がこの法律の施行の日以後である職員（地方公務員法第四条第一項に規定する職員をいう。附則第十七条において同じ。）に係る当該臨時的任用（常時勤務を要する職に欠員を生じた場合に行われたものに限る。）については、なお従前の例による。

（政令への委任）

第四条　前二条〔中略〕に定めるもののほか、この法律の施行に関し必要な経過措置は、政令で定める。

附　則（平三〇・七・六法七一）（抄）

（施行期日）

第一条　この法律は、平成三十一年四月一日から施行する。〔ただし書略〕

附　則（令元・六・一四法三七）（抄）

（施行期日）

第一条　この法律は、公布の日から起算して三月を経過した日から施行する。ただし、次の各号に掲げる規定は、当該各号に定める日から施行する。

一　〔略〕

二　〔前略〕第四十二条から第四十八条まで〔中略〕の規定　公布の日から起算して六月を経過した日

三・四　〔略〕

附　則（令三・六・一一法六三）（抄）

（施行期日）

第一条　この法律は、令和五年四月一日から施行する。ただし、次条の規定は、公布の日から施行する。

（実施のための準備等）

第二条　この法律による改正後の地方公務員法（以下「新地方公務員法」という。）の規定による職員（地方公務員法第三条に規定する一般職に属する職員をいう。以下同じ。）の任用、分限その他の人事行政に関する制度の適正かつ円滑な実施を確保するため、任命権者（同法第六条第一項に規定する任命権者及びその委任を受けた者をいう。以下この項及び第三項並びに次条から附則第八条までにおいて同じ。）は、長期的な人事管理の計画的推進その他必要な準備を行うものとし、地方公共団体の長は、任命権者の行う準備に関し必要な連絡、調整その他の措置を講ずるものとする。

2　総務大臣は、新地方公務員法の規定による職員の任用、分限その他の人事行政に関する制度の適正かつ円滑な実施を確保するため、地方公共団体に対して必要な資料の提出を求めることその他の方法により前項の準備及び措置の実施状況を把握した上で、必要があると認めるときは、当該準備及び措置について技術的な助言又は勧告をするものとする。

3　任命権者は、この法律の施行の日（以下「施行日」という。）の前日までの間に、施行日から令和六年三月三十一日までの間に条例で定める年齢に達する職員（当該職員が占める職に係るこの法律による改正前の地方公務員法（以下「旧地方公務員法」という。）第二十八条の二第二項の規定に基づく定年が当該条例で定める年齢である職員に限る。）に対し、新地方公務員法附則第二十三項の規定の例により、当該職員が当該条例で定める年齢に達する日以後に適用される任用及び給与に関する措置の内容その他の必要な情報を提供するものとするとともに、同日の翌日以後における勤務の意思を確認するよう努めるものとする。

4　前項の条例で定める年齢は、国の職員につき定められている国家公務員法等の一部を改正する法律（令和三年法律第六十一号。次条及び附則第四条第四項において「令和三年国家公務員法等改正法」という。）附則第二条第二項に規定する年齢を基準として定めるものとする。

（定年前再任用短時間勤務職員等に関する経過措置）

第三条　新地方公務員法第二十二条の四及び第二十二条の五の規定は、施行日以後に退職した新地方公務員法第二十二条の四第一項に規定する条例年齢以上退職者について適用する。

2 前項に定めるもののほか、施行日から令和十四年三月三十一日までの間における新地方公務員法第二十二条の四及び第二十二条の五の規定の適用に関し必要な経過措置は、令和三年国家公務員法等改正法附則第三条第二項の規定を基準として、条例で定めるものとする。

3 平成十一年十月一日前に新地方公務員法第二十九条第二項に規定する退職又は先の退職がある新地方公務員法第二十二条の四第三項に規定する定年前再任用短時間勤務職員（以下「定年前再任用短時間勤務職員」という。）について、新地方公務員法第二十九条第三項の規定を適用する場合には、同項に規定する引き続く職員としての在職期間には、同日前の当該退職又は先の退職の前の職員としての在職期間を含まないものとする。

4 次条第一項若しくは第二項又は附則第六条第一項若しくは第二項の規定により採用された職員（次条第二項第四号に掲げる者に該当して採用された職員を除く。）として在職していた期間がある定年前再任用短時間勤務職員に対する新地方公務員法第二十九条第三項の規定の適用については、同項中「又は」とあるのは、「又は地方公務員法の一部を改正する法律（令和三年法律第六十三号）附則第四条第一項若しくは第二項若しくは附則第六条第一項若しくは第二項の規定によりかつて採用されて職員として在職していた期間若しくは」とする。

5 施行日前に旧地方公務員法第二十八条の三第一項又は第二項の規定により勤務することとされ、かつ、旧地方公務員法勤務延長期限（同条第一項の期限又は同条第二項の規定により延長された期限をいう。以下この項及び次項において同じ。）が施行日以後に到来する職員（次項において「旧地方公務員法勤務延長職員」という。）に係る当該旧地方公務員法勤務延長期限までの間における同条第一項又は第二項の規定による勤務については、新地方公務員法第二十八条の七の規定にかかわらず、なお従前の例による。

6 任命権者は、旧地方公務員法勤務延長職員について、旧地方公務員法勤務延長期限又はこの項の規定により延長された期限が到来する場合において、新地方公務員法第二十八条の七第一項各号に掲げる事由があると認めるときは、条例で定めるところにより、これらの期限の翌日から起算して一年を超えない範囲内で期限を延長することができる。ただし、当該期限は、当該旧地方公務員法勤務延長職員に係る旧地方公務員法第二十八条の二第一項に規定する定年退職日の翌日から起算して三年を超えることができない。

7 新地方公務員法第二十八条の二第一項の規定は、施行日において第五項の規定により同条第一項に規定する管理監督職を占めたまま引き続き勤務している職員には適用しない。

8 前三項に定めるもののほか、施行日から令和十四年三月三十一日までの間における新地方公務員法第二十八条の七第一項若しくは第二項の規定又は第五項若しくは第六項の規定による勤務に関し必要な経過措置は、令和三年国家公務員法等改正法附則第三条第九項の規定を基準として、条例で定めるものとする。

9 第五項から前項までに定めるもののほか、第五項又は第六項の規定による勤務に関し必要な事項は、条例で定める。

（定年退職者等の再任用に関する経過措置）

第四条 任命権者は、当該任命権者の属する地方公共団体における次に掲げる者のうち、条例で定める年齢（第四項において「特定年齢」という。）に達する日以後における最初の三月三十一日（以下「特定年齢到達年度の末日」という。）までの間にある者であって、当該者を採用しようとする常時勤務を要する職に係る旧地方公務員法第二十八条の二第二項及び第三項の規定に基づく定年（施行日以後に設置された職その他の条例で定める職にあっては、条例で定める年齢）に達している者を、条例で定めるところにより、従前の勤務実績その他の人事委員会規則（地方公務員法第九条第二項に規定する競争試験等を行う公平委員会（以下この項及び次条第二項において「競争試験等を行う公平委員会」という。）を置く地方公共団体においては公平委員会規則、人事委員会及び競争試験等を行う公平委員会を置かない地方公共団体においては地方公共団体の規則。以下同じ。）で定める情報に基づく選考により、一年を超えない範囲内で任期を定め、当該常時勤務を要する職に採用することができる。

一 施行日前に旧地方公務員法第二十八条の二第一項の規定により退職した者

二 旧地方公務員法第二十八条の三第一項若しくは第二項又は前条第五項若しくは第六項の規定により勤務した後退職した者

三 施行日前に退職した者（前二号に掲げる者を除く。）のうち、勤続期間その他の事情を考慮して前二号に掲げる者に準ずる者として条例で定める者

2 令和十四年三月三十一日までの間、任命権者は、当該任命権者の属する地方公共団体における次に掲げる者のうち、特定年齢到達年度の末日までの間にある者であって、当該者を採用しようとする常時勤務を要する職に係

る新地方公務員法定年（新地方公務員法第二十八条の六第二項及び第三項の規定に基づく定年をいう。次条第三項及び第四項において同じ。）に達している者を、条例で定めるところにより、従前の勤務実績その他の人事委員会規則で定める情報に基づく選考により、一年を超えない範囲内で任期を定め、当該常時勤務を要する職に採用することができる。

一 施行日以後に新地方公務員法第二十八条の六第一項の規定により退職した者

二 施行日以後に新地方公務員法第二十八条の七第一項又は第二項の規定により勤務した後退職した者

三 施行日以後に新地方公務員法第二十二条の四第一項の規定により採用された者のうち、同条第三項に規定する任期が満了したことにより退職した者

四 施行日以後に新地方公務員法第二十二条の五第一項又は第二項の規定により採用された者のうち、同条第三項において準用する新地方公務員法第二十二条の四第三項に規定する任期が満了したことにより退職した者

五 施行日以後に退職した者（前各号に掲げる者を除く。）のうち、勤続期間その他の事情を考慮して前各号に掲げる者に準ずる者として条例で定める者

3 前二項の任期又はこの項の規定により更新された任期は、条例で定めるところにより、一年を超えない範囲内で更新することができる。ただし、当該任期の末日は、前二項の規定により採用する者又はこの項の規定により任期を更新する者の特定年齢到達年度の末日以前でなければならない。

4 特定年齢は、国の職員につき定められている令和三年国家公務員法等改正法附則第四条第一項に規定する年齢を基準として定めるものとする。

5 第一項及び第二項の規定による採用については、新地方公務員法第二十二条の規定は、適用しない。

第五条 地方公共団体の組合を組織する地方公共団体の任命権者は、前条第一項の規定によるほか、当該地方公共団体の組合における同項各号に掲げる者のうち、特定年齢到達年度の末日までの間にある者であって、当該者を採用しようとする常時勤務を要する職に係る旧地方公務員法第二十八条の二第二項及び第三項の規定に基づく定年（施行日以後に設置された職その他の条例で定める職にあっては、条例で定める年齢）に達している者を、条例で定めるところにより、従前の勤務実績その他の人事委員会規則で定める情報に基づく選考により、一年を超えない範囲内で任期を定め、当該常時勤務を要する職に採用することができる。

2 地方公共団体の組合の任命権者は、前条第一項の規定によるほか、当該地方公共団体の組合を組織する地方公共団体における同項各号に掲げる者のうち、特定年齢到達年度の末日までの間にある者であって、当該者を採用しようとする常時勤務を要する職に係る旧地方公務員法第二十八条の二第二項及び第三項の規定に基づく定年（施行日以後に設置された職その他の条例で定める職にあっては、条例で定める年齢）に達している者を、条例で定めるところにより、従前の勤務実績その他の地方公共団体の組合の規則（競争試験等を行う公平委員会を置く地方公共団体の組合においては、公平委員会規則。第四項及び附則第七条において同じ。）で定める情報に基づく選考により、一年を超えない範囲内で任期を定め、当該常時勤務を要する職に採用することができる。

3 令和十四年三月三十一日までの間、地方公共団体の組合を組織する地方公共団体の任命権者は、前条第二項の規定によるほか、当該地方公共団体の組合における同項各号に掲げる者のうち、特定年齢到達年度の末日までの間にある者であって、当該者を採用しようとする常時勤務を要する職に係る新地方公務員法定年に達している者を、条例で定めるところにより、従前の勤務実績その他の人事委員会規則で定める情報に基づく選考により、一年を超えない範囲内で任期を定め、当該常時勤務を要する職に採用することができる。

4 令和十四年三月三十一日までの間、地方公共団体の組合の任命権者は、前条第二項の規定によるほか、当該地方公共団体の組合を組織する地方公共団体における同項各号に掲げる者のうち、特定年齢到達年度の末日までの間にある者であって、当該者を採用しようとする常時勤務を要する職に係る新地方公務員法定年に達している者を、条例で定めるところにより、従前の勤務実績その他の地方公共団体の組合の規則で定める情報に基づく選考により、一年を超えない範囲内で任期を定め、当該常時勤務を要する職に採用することができる。

5 前各項の場合においては、前条第三項及び第五項の規定を準用する。

第六条 任命権者は、新地方公務員法第二十二条の四第四項の規定にかかわらず、当該任命権者の属する地方公共団体における附則第四条第一項各号に掲げる者のうち、特定年齢到達年度の末日までの間にある者であって、当該者を採用しようとする短時間勤務の職（新地方公務員法第二十二条の四第一項に規定する短時間勤務の職をいう。附則第八条第二項を除き、以下同じ。）に係る旧地方公務員法定年相当年齢（短時間勤務の職を占める職員が、常時勤務を要する職でその職務が当該短時間勤務の

職と同種の職を占めているものとした場合における旧地方公務員法第二十八条の二第二項及び第三項の規定に基づく定年（施行日以後に設置された職その他の条例で定める職にあっては、条例で定める年齢）をいう。次条第一項及び第二項において同じ。）に達している者を、条例で定めるところにより、従前の勤務実績その他の人事委員会規則で定める情報に基づく選考により、一年を超えない範囲内で任期を定め、当該短時間勤務の職に採用することができる。

2　令和十四年三月三十一日までの間、任命権者は、新地方公務員法第二十二条の四第四項の規定にかかわらず、当該任命権者の属する地方公共団体における附則第四条第二項各号に掲げる者のうち、特定年齢到達年度の末日までの間にある者であって、当該者を採用しようとする短時間勤務の職に係る新地方公務員法定年相当年齢（短時間勤務の職を占める職員が、常時勤務を要する職でその職務が当該短時間勤務の職と同種の職を占めているものとした場合における新地方公務員法第二十八条の六第二項及び第三項の規定に基づく定年をいう。次条第三項及び第四項において同じ。）に達している者（新地方公務員法第二十二条の四第一項の規定により当該短時間勤務の職に採用することができる者を除く。）を、条例で定めるところにより、従前の勤務実績その他の人事委員会規則で定める情報に基づく選考により、一年を超えない範囲内で任期を定め、当該短時間勤務の職に採用することができる。

3　前二項の場合においては、附則第四条第三項及び第五項の規定を準用する。

第七条　地方公共団体の組合を組織する地方公共団体の任命権者は、前条第一項の規定によるほか、新地方公務員法第二十二条の五第三項において準用する新地方公務員法第二十二条の四第四項の規定にかかわらず、当該地方公共団体の組合における附則第四条第一項各号に掲げる者のうち、特定年齢到達年度の末日までの間にある者であって、当該者を採用しようとする短時間勤務の職に係る旧地方公務員法定年相当年齢に達している者を、条例で定めるところにより、従前の勤務実績その他の人事委員会規則で定める情報に基づく選考により、一年を超えない範囲内で任期を定め、当該短時間勤務の職に採用することができる。

2　地方公共団体の組合の任命権者は、前条第一項の規定によるほか、新地方公務員法第二十二条の五第三項において準用する新地方公務員法第二十二条の四第四項の規定にかかわらず、当該地方公共団体の組合を組織する地方公共団体における附則第四条第一項各号に掲げる者のうち、特定年齢到達年度の末日までの間にある者であって、当該者を採用しようとする短時間勤務の職に係る旧地方公務員法定年相当年齢に達している者を、条例で定めるところにより、従前の勤務実績その他の地方公共団体の組合の規則で定める情報に基づく選考により、一年を超えない範囲内で任期を定め、当該短時間勤務の職に採用することができる。

3　令和十四年三月三十一日までの間、地方公共団体の組合を組織する地方公共団体の任命権者は、前条第二項の規定によるほか、新地方公務員法第二十二条の五第三項において準用する新地方公務員法第二十二条の四第四項の規定にかかわらず、当該地方公共団体の組合における附則第四条第二項各号に掲げる者のうち、特定年齢到達年度の末日までの間にある者であって、当該者を採用しようとする短時間勤務の職に係る新地方公務員法定年相当年齢に達している者（新地方公務員法第二十二条の五第一項の規定により当該短時間勤務の職に採用することができる者を除く。）を、条例で定めるところにより、従前の勤務実績その他の人事委員会規則で定める情報に基づく選考により、一年を超えない範囲内で任期を定め、当該短時間勤務の職に採用することができる。

4　令和十四年三月三十一日までの間、地方公共団体の組合の任命権者は、前条第二項の規定によるほか、新地方公務員法第二十二条の五第三項において準用する新地方公務員法第二十二条の四第四項の規定にかかわらず、当該地方公共団体の組合を組織する地方公共団体における附則第四条第二項各号に掲げる者のうち、特定年齢到達年度の末日までの間にある者であって、当該者を採用しようとする短時間勤務の職に係る新地方公務員法定年相当年齢に達している者（新地方公務員法第二十二条の五第二項の規定により当該短時間勤務の職に採用することができる者を除く。）を、条例で定めるところにより、従前の勤務実績その他の地方公共団体の組合の規則で定める情報に基づく選考により、一年を超えない範囲内で任期を定め、当該短時間勤務の職に採用することができる。

5　前各項の場合においては、附則第四条第三項及び第五項の規定を準用する。

第八条　施行日前に旧地方公務員法第二十八条の四第一項、第二十八条の五第一項又は第二十八条の六第一項若しくは第二項の規定により採用された職員（以下この項及び次項において「旧地方公務員法再任用職員」という。）のうち、この法律の施行の際現に常時勤務を要する職を占める職員は、施行日に、附則第四条第一項の規定（旧地方公務員法第二十八条の六第一項又は第二項の規定により採用された職員のうち地方公共団体の組合を組織する地方公共団体の任命権者により採用された職員にあっては附則第五条第一項の規定、旧地方公務員法第二十八条の六第一項又は第二項の規定により採用された職員のうち地方公共団体の組合の任命権者により採用された職員にあっては附則第五条第二項の規定）により採用されたものとみなす。この場合において、当該採用されたものとみなされる職員の任期は、附則第四条第一項並びに第五条第一項及び第二項の規定にかかわらず、施行日における旧地方公務員法再任用職員としての任期の残任期間と同一の期間とする。

2　旧地方公務員法再任用職員のうち、この法律の施行の際現に旧地方公務員法第二十八条の五第一項に規定する短時間勤務の職を占める職員は、施行日に、附則第六条第一項の規定（旧地方公務員法第二十八条の六第一項又は第二項の規定により採用された職員のうち地方公共団体の組合を組織する地方公共団体の任命権者により採用された職員にあっては前条第一項の規定、旧地方公務員法第二十八条の六第一項又は第二項の規定により採用された職員のうち地方公共団体の組合の任命権者により採用された職員にあっては前条第二項の規定）により採用されたものとみなす。この場合において、当該採用されたものとみなされる職員の任期は、附則第六条第一項並びに前条第一項及び第二項の規定にかかわらず、施行日における旧地方公務員法再任用職員としての任期の残任期間と同一の期間とする。

3　任命権者は、附則第四条第一項、第五条第一項若しくは第二項若しくは第六条第一項又は前条第一項若しくは第二項の規定により採用した職員のうち当該職員を昇任し、降任し、又は転任しようとする常時勤務を要する職に係る旧地方公務員法第二十八条の二第二項及び第三項の規定に基づく定年（施行日以後に設置された職その他の条例で定める職にあっては、条例で定める年齢）に達した職員以外の職員及び附則第四条第二項、第五条第三項若しくは第四項若しくは第六条第二項又は前条第三項若しくは第四項の規定により採用した職員のうち当該職員を昇任し、降任し、又は転任しようとする常時勤務を要する職に係る新地方公務員法第二十八条の六第二項及び第三項の規定に基づく定年に達した職員以外の職員を、当該常時勤務を要する職に昇任し、降任し、又は転任することができない。

4　附則第四条から前条までの規定が適用される場合における新地方公務員法第二十二条の四第四項の規定の適用については、同項中「経過していない定年前再任用短時間勤務職員」とあるのは、「経過していない定年前再任用短時間勤務職員、地方公務員法の一部を改正する法律（令和三年法律第六十三号。以下この項において「令和三年地方公務員法改正法」という。）附則第四条第一項、第五条第一項若しくは第二項、第六条第一項又は第七条第一項若しくは第二項の規定により採用した職員のうち当該職員を昇任し、降任し、又は転任しようとする短時間勤務の職に係る旧地方公務員法定年相当年齢（短時間勤務の職を占める職員が、常時勤務を要する職でその職務が当該短時間勤務の職と同種の職を占めているものとした場合における令和三年地方公務員法改正法による改正前の第二十八条の二第二項及び第三項の規定に基づく定年（令和三年地方公務員法改正法の施行の日以後に設置された職その他の条例で定める職にあっては、条例で定める年齢）をいう。）に達している職員及び令和三年地方公務員法改正法附則第四条第二項、第五条第三項若しくは第四項、第六条第二項又は第七条第三項若しくは第四項の規定により採用した職員のうち当該職員を昇任し、降任し、又は転任しようとする短時間勤務の職に係る新地方公務員法定年相当年齢（短時間勤務の職を占める職員が、常時勤務を要する職でその職務が当該短時間勤務の職と同種の職を占めているものとした場合における第二十八条の六第二項及び第三項の規定に基づく定年をいう。）に達している職員」とする。

5　任命権者は、基準日（附則第四条から前条までの規定が適用される間における各年の四月一日（施行日を除く。）をいう。以下この項において同じ。）から基準日の翌年の三月三十一日までの間、基準日における新地方公務員法定年（新地方公務員法第二十八条の六第二項及び第三項の規定に基づく定年（短時間勤務の職にあっては、当該短時間勤務の職を占める職員が、常時勤務を要する職でその職務が当該短時間勤務の職と同種の職を占めているものとした場合における同条第二項及び第三項の規定に基づく定年）をいう。以下この項において同じ。）が基準日の前日における新地方公務員法定年を超える職及びこれに相当する基準日以後に設置された職その他の条例で定める職（以下この項において「新地方公務員法定年引上げ職」という。）に、附則第四条第二項各号に掲げる者のうち基準日の前日において同日における当該新地方公務員法定年引上げ職に係る新地方公務員法定年に達している者（当該条例で定める職にあっては、条例で定める者）を、同項、附則第五条第三項若しくは第四項若しくは第六条第二項又は前条第三項若しくは第四項の規定により採用しようとする場合には、当該者は当該者を採用しようとする新地方公務員法定年引上げ職に係る新地方公務員法定年に達しているものとみなして、これらの規定を適用し、新地方公務員法定年引上げ職に、附則第四条第二項、第五条第三項若しくは第四項若しくは第六条第二項又は前条第三項若しくは第四項の規定により採用された職員のうち基準日の前日において同日における当該新地方公務員法定年引上げ職に係る新地方公務員法定年に達している職員（当該条例で定める職にあっては、条例で定める職員）を、昇任し、降任し、又は転任しようとする場合には、当該職員は当該職員を昇任し、降任し、又は転任しようとする新地方公務員法定年引上げ職に係る新地方公務員法定年に達しているものとみなして、第三項の規定及び前項の規定により読み替えて適用する新地方公務員法第二十二条の四第四項の規定を適用する。

6　附則第四条第一項若しくは第二項又は第六条第一項若しくは第二項の規定により採用された職員（附則第四条第二項第四号に掲げる者に該当して採用された職員を除く。次項において同じ。）は、定年前再任用短時間勤務職員とみなして、新地方公務員法第二十九条第三項の規定を適用する。この場合において、同項中「（第二十二条の四第一項の規定により採用された職員に限る。以下この項において同じ。）が、条例年齢以上退職者」とあるのは「が、地方公務員法の一部を改正する法律（令和三年法律第六十三号。以下この項において「令和三年地方公務員法改正法」という。）附則第四条第一項各号若しくは第二項第一号、第二号若しくは第五号に掲げる者となつた日若しくは同項第三号に掲げる者に該当する場合における条例年齢以上退職者」と、「又は」とあるのは「又は令和三年地方公務員法改正法による改正前の第二十八条の四第一項若しくは第二十八条の五第一項の規定によりかつて採用されて職員として在職していた期間、令和三年地方公務員法改正法附則第四条第一項若しくは第二項若しくは第六条第一項若しくは第二項の規定によりかつて採用されて職員として在職していた期間若しくは」とする。

7　平成十一年十月一日前に新地方公務員法第二十九条第二項に規定する退職又は先の退職がある附則第四条第一項若しくは第二項又は第六条第一項若しくは第二項の規定により採用された職員について、前項の規定により定年前再任用短時間勤務職員とみなして新地方公務員法第二十九条第三項の規定を適用する場合には、同項に規定する引き続く職員としての在職期間には、同日前の当該退職又は先の退職の前の職員としての在職期間を含まないものとする。

第九条　大学（教育公務員特例法（昭和二十四年法律第一号）第二条第一項に規定する公立学校であるものに限る。）の同条第二項に規定する教員への採用についての附則第四条から第七条までの規定の適用については、附則第四条第一項及び第二項中「任期を定め」とあるのは「教授会の議に基づき学長が定める任期をもって」と、同条第三項（附則第五条第五項、第六条第三項及び第七条第五項において準用する場合を含む。）中「範囲内で」とあるのは「範囲内で教授会の議に基づき学長が定める期間をもって」と、附則第五条第一項から第四項まで、第六条第一項及び第二項並びに第七条第一項から第四項までの規定中「任期を定め」とあるのは「教授会の議に基づき学長が定める任期をもって」とする。

2　暫定再任用職員（附則第四条第一項若しくは第二項、第五条第一項から第四項まで、第六条第一項若しくは第二項又は第七条第一項から第四項までの規定により採用された職員をいう。第七項において同じ。）に対する附則第十四条の規定による改正後のへき地教育振興法（昭和二十九年法律第百四十三号）第五条の二第一項の規定の適用については、同項中「第二項」とあるのは、「第二項、地方公務員法の一部を改正する法律（令和三年法律第六十三号）附則第四条第一項若しくは第二項、第五条第一項から第四項まで、第六条第一項若しくは第二項若しくは第七条第一項から第四項まで」とする。

3　地方教育行政の組織及び運営に関する法律（昭和三十一年法律第百六十二号）第三十七条第一項に規定する県費負担教職員に対する附則第四条及び第六条の規定の適用については、附則第四条第一項及び第二項並びに第六条第一項及び第二項中「当該任命権者の属する地方公共団体」とあるのは「市町村」と、「採用しようとする」とあるのは「採用しようとする当該市町村を包括する都道府県の区域内の市町村の」とする。

4　附則第四条第一項若しくは第二項又は第六条第一項若しくは第二項の規定により採用された職員に対する附則第十五条の規定による改正後の地方教育行政の組織及び運営に関する法律第四十七条の二第一項の規定の適用については、同項中「養護助教諭」とあるのは「養護助教諭（地方公務員法の一部を改正する法律（令和三年法律第六十三号）附則第四条第一項若しくは第二項又は第六条第一項若しくは第二項の規定により採用された者（以下この項において「暫定再任用職員」という。）を除く。）」と、「講師（同法」とあるのは「講師（暫定再任用職員及び地方公務員法」とする。

5　地方独立行政法人法（平成十五年法律第百十八号）第二条第二項に規定する特定地方独立行政法人の職員に対する附則第二条から第四条まで及び第六条並びに前条の規定の適用については、次の表の上欄に掲げるこれらの規定中同表の中欄に掲げる字句は、それぞれ同表の下欄に掲げる字句とする。

附則第二条第三項	に条例	に設立団体（地方独立行政法人法第六条第三項に規定する設立団体をいう。以下同じ。）の条例
	当該条例	当該設立団体の条例
附則第二条第四項及び第三条第二項	条例	設立団体の条例
附則第三条第六項	ときは、条例で定めるところにより	ときは
附則第三条第八項及び第九項	条例	設立団体の条例
附則第四条第一項	地方公共団体における	特定地方独立行政法人における
	条例	設立団体の条例
	人事委員会規則（地方公務員法第九条第二項に規定する競争試験等を行う公平委員会（以下この項及び次条第二項において「競争試験等を行う公平委員会」という。）を置く地方公共団体においては公平委員会規則、人事委員会及び競争試験等を行う公平委員会を置かない地方公共団体においては地方公共団体の規則。以下同じ。）	特定地方独立行政法人の規程
附則第四条第二項	地方公共団体	特定地方独立行政法人
	条例	設立団体の条例
	人事委員会規則	特定地方独立行政法人の規程
附則第四条第三項	条例	設立団体の条例
附則第六条第一項及び第二項	地方公共団体	特定地方独立行政法人
	条例	設立団体の条例
	人事委員会規則	特定地方独立行政法人の規程
附則第八条第三項から第五項まで	条例	設立団体の条例

6　設立団体が二以上である場合における前項の規定の適用については、前項の表附則第二条第三項の項中「設立団体（地方独立行政法人法第六条第三項に規定する設立団体をいう。以下同じ。）」とあるのは「地方独立行政法人法第百二十三条第四項の規定によりその条例を特定地方独立行政法人の職員に対して適用する旨が定款に定められた地方公共団体（以下「条例適用設立団体」という。）」と、「設立団体の条例」とあるのは「条例適用設立団体の条例」と、同表附則第二条第四項及び第三条第二項の項、附則第三条第八項及び第九項の項、附則第四条第一項の項、附則第四条第二項の項、附則第四条第三項の項、附則第六条第一項及び第二項の項及び附則第八条第三項から第五項までの項中「設立団体」とあるのは「条例適用設立団体」とする。

7　附則第四条から前条まで及び前各項に定めるもののほか、暫定再任用職員の任用その他暫定再任用職員に関し必要な事項は、条例で定める。

第十条　（**その他の経過措置の政令への委任**）附則第三条から前条までに定めるもののほか、この法律の施行に関し必要な経過措置は、政令で定める。

（**検討**）

第十一条 政府は、国家公務員に係る管理監督職勤務上限年齢による降任等又は定年前再任用短時間勤務職員に関連する制度についての検討の状況に鑑み、必要があると認めるときは、地方公務員に係るこれらの制度について検討を行い、その結果に基づいて所要の措置を講ずるものとする。

附 則（令三・六・一六法七五）（抄）

（**施行期日**）

1 この法律は、公布の日から起算して二十日を経過した日から施行する。

附 則（令四・六・一七法六八）（抄）

（**施行期日**）

1 この法律は、刑法等一部改正法施行日〔令七・六・一〕から施行する。〔ただし書略〕

○行政手続法

平五・一一・一二
法　八八

最終改正　令六・六・二六法六五

目次〔略〕

第一章　総則

（目的等）

第一条　この法律は、処分、行政指導及び届出に関する手続並びに命令等を定める手続に関し、共通する事項を定めることによって、行政運営における公正の確保と透明性（行政上の意思決定について、その内容及び過程が国民にとって明らかであることをいう。第四十六条において同じ。）の向上を図り、もって国民の権利利益の保護に資することを目的とする。

2　処分、行政指導及び届出に関する手続並びに命令等を定める手続に関しこの法律に規定する事項について、他の法律に特別の定めがある場合は、その定めるところによる。

（定義）

第二条　この法律において、次の各号に掲げる用語の意義は、当該各号に定めるところによる。

一　法令　法律、法律に基づく命令（告示を含む。）、条例及び地方公共団体の執行機関の規則（規程を含む。以下「規則」という。）をいう。

二　処分　行政庁の処分その他公権力の行使に当たる行為をいう。

三　申請　法令に基づき、行政庁の許可、認可、免許その他の自己に対し何らかの利益を付与する処分（以下「許認可等」という。）を求める行為であって、当該行為に対して行政庁が諾否の応答をすべきこととされているものをいう。

四　不利益処分　行政庁が、法令に基づき、特定の者を名あて人として、直接に、これに義務を課し、又はその権利を制限する処分をいう。ただし、次のいずれかに該当するものを除く。

イ　事実上の行為及び事実上の行為をするに当たりその範囲、時期等を明らかにするために法令上必要とされている手続としての処分

ロ　申請により求められた許認可等を拒否する処分その他申請に基づき当該申請をした者を名あて人としてされる処分

ハ　名あて人となるべき者の同意の下にすることとされている処分

ニ　許認可等の効力を失わせる処分であって、当該許認可等の基礎となった事実が消滅した旨の届出があったことを理由としてされるもの

五　行政機関　次に掲げる機関をいう。

イ　法律の規定に基づき内閣に置かれる機関若しくは内閣の所轄の下に置かれる機関、宮内庁、内閣府設置法（平成十一年法律第八十九号）第四十九条第一項若しくは第二項に規定する機関、国家行政組織法（昭和二十三年法律第百二十号）第三条第二項に規定する機関、会計検査院若しくはこれらに置かれる機関又はこれらの機関の職員であって法律上独立に権限を行使することを認められた職員

ロ　地方公共団体の機関（議会を除く。）

六　行政指導　行政機関がその任務又は所掌事務の範囲内において一定の行政目的を実現するため特定の者に一定の作為又は不作為を求める指導、勧告、助言その他の行為であって処分に該当しないものをいう。

七　届出　行政庁に対し一定の事項の通知をする行為（申請に該当するものを除く。）であって、法令により直接に当該通知が義務付けられているもの（自己の期待する一定の法律上の効果を発生させるためには当該通知をすべきこととされているものを含む。）をいう。

八　命令等　内閣又は行政機関が定める次に掲げるものをいう。

イ　法律に基づく命令（処分の要件を定める告示を含む。次条第二項において単に「命令」という。）又は規則

ロ　審査基準（申請により求められた許認可等をするかどうかをその法令の定めに従って判断するために必要とされる基準をいう。以下同じ。）

ハ　処分基準（不利益処分をするかどうか又はどのような不利益処分とするかについてその法令の定めに従って判断するために必要とされる基準をいう。以下同じ。）

ニ　行政指導指針（同一の行政目的を実現するため一定の条件に該当する複数の者に対し行政指導をしようとするときにこれらの行政指導に共通してその内容となるべき事項をいう。以下同じ。）

（適用除外）

第三条　次に掲げる処分及び行政指導については、次章から第四章の二までの規定は、適用しない。

一　国会の両院若しくは一院又は議会の議決によってされる処分

二　裁判所若しくは裁判官の裁判により、又は裁判の執行としてされる処分

三　国会の両院若しくは一院若しくは議会の議決を経て、又はこれらの同意若しくは承認を得た上でされるべきものとされている処分

四　検査官会議で決すべきものとされている処分及び会計検査の際にされる行政指導

五　刑事事件に関する法令に基づいて検察官、検察事務官又は司法警察職員がする処分及び行政指導

六　国税又は地方税の犯則事件に関する法令（他の法令において準用する場合を含む。）に基づいて国税庁長官、国税局長、税務署長、国税庁、国税局若しくは税務署の当該職員、税関長、税関職員又は徴税吏員（他の法令の規定に基づいてこれらの職員の職務を行う者を含む。）がする処分及び行政指導並びに金融商品取引の犯則事件に関する法令（他の法令において準用する場合を含む。）に基づいて証券取引等監視委員会、その職員（当該法令においてその職員とみなされる者を含む。）、財務局長又は財務支局長がする処分及び行政指導

七　学校、講習所、訓練所又は研修所において、教育、講習、訓練又は研修の目的を達成するために、学生、生徒、児童若しくは幼児若しくはこれらの保護者、講習生、訓練生又は研修生に対してされる処分及び行政指導

八　刑務所、少年刑務所、拘置所、留置施設、海上保安留置施

設、少年院又は少年鑑別所において、収容の目的を達成するためにされる処分及び行政指導

九　公務員（国家公務員法（昭和二十二年法律第百二十号）第二条第一項に規定する国家公務員及び地方公務員法（昭和二十五年法律第二百六十一号）第三条第一項に規定する地方公務員をいう。以下同じ。）又は公務員であった者に対してその職務又は身分に関してされる処分及び行政指導

十　外国人の出入国、出入国管理及び難民認定法（昭和二十六年政令第三百十九号）第六十一条の二第一項に規定する難民の認定、同条第二項に規定する補完的保護対象者の認定又は帰化に関する処分及び行政指導

十一　専ら人の学識技能に関する試験又は検定の結果についての処分

十二　相反する利害を有する者の間の利害の調整を目的として法令の規定に基づいてされる裁定その他の処分（その双方を名宛人とするものに限る。）及び行政指導

十三　公衆衛生、環境保全、防疫、保安その他の公益に関わる事象が発生し又は発生する可能性のある現場において警察官若しくは海上保安官又はこれらの公益を確保するために行使すべき権限を法律上直接に与えられたその他の職員によってされる処分及び行政指導

十四　報告又は物件の提出を命ずる処分その他その職務の遂行上必要な情報の収集を直接の目的としてされる処分及び行政指導

十五　審査請求、再調査の請求その他の不服申立てに対する行政庁の裁決、決定その他の処分

十六　前号に規定する処分の手続又は第三章に規定する聴聞若しくは弁明の機会の付与の手続その他の意見陳述のための手続において法令に基づいてされる処分及び行政指導

2　次に掲げる命令等を定める行為については、第六章の規定は、適用しない。

一　法律の施行期日について定める政令

二　恩赦に関する命令

三　命令又は規則を定める行為が処分に該当する場合における当該命令又は規則

四　法律の規定に基づき施設、区間、地域その他これらに類するものを指定する命令又は規則

五　公務員の給与、勤務時間その他の勤務条件について定める命令等

六　審査基準、処分基準又は行政指導指針であって、法令の規定により若しくは慣行として、又は命令等を定める機関の判断により公にされるもの以外のもの

3　第一項各号及び前項各号に掲げるもののほか、地方公共団体の機関がする処分（その根拠となる規定が条例又は規則に置かれているものに限る。）及び行政指導、地方公共団体の機関に対する届出（前条第七号の通知の根拠となる規定が条例又は規則に置かれているものに限る。）並びに地方公共団体の機関が命令等を定める行為については、次章から第六章までの規定は、適用しない。

（国の機関等に対する処分等の適用除外）

第四条　国の機関又は地方公共団体若しくはその機関に対する処分（これらの機関又は団体がその固有の資格において当該処分の名あて人となるものに限る。）及び行政指導並びにこれらの機関又は団体がする届出（これらの機関又は団体がその固有の資格においてすべきこととされているものに限る。）については、この法律の規定は、適用しない。

2　次の各号のいずれかに該当する法人に対する処分であって、当該法人の監督に関する法律の特別の規定に基づいてされるもの（当該法人の解散を命じ、若しくは設立に関する認可を取り消す処分又は当該法人の役員若しくは当該法人の業務に従事する者の解任を命ずる処分を除く。）については、次章及び第三章の規定は、適用しない。

一　法律により直接に設立された法人又は特別の法律により特別の設立行為をもって設立された法人

二　特別の法律により設立され、かつ、その設立に関し行政庁の認可を要する法人のうち、その行う業務が国又は地方公共団体の行政運営と密接な関連を有するものとして政令で定める法人

3　行政庁が法律の規定に基づく試験、検査、検定、登録その他の行政上の事務について当該法律に基づきその全部又は一部を行わせる者を指定した場合において、その指定を受けた者（その者が法人である場合にあっては、その役員）又は職員その他の者が当該事務に従事することに関し公務に従事する職員とみなされるときは、その指定を受けた者に対し当該法律に基づいて当該事務に関し監督上される処分（当該指定を取り消す処分、その指定を受けた者が法人である場合におけるその役員の解任を命ずる処分又はその指定を受けた者の当該事務に従事する者の解任を命ずる処分を除く。）については、次章及び第三章の規定は、適用しない。

4　次に掲げる命令等を定める行為については、第六章の規定は、適用しない。

一　国又は地方公共団体の機関の設置、所掌事務の範囲その他の組織について定める命令等

二　皇室典範（昭和二十二年法律第三号）第二十六条の皇統譜について定める命令等

三　公務員の礼式、服制、研修、教育訓練、表彰及び報償並びに公務員の間における競争試験について定める命令等

四　国又は地方公共団体の予算、決算及び会計について定める命令等（入札の参加者の資格、入札保証金その他の国又は地方公共団体の契約の相手方又は相手方になろうとする者に係る事項を定める命令等を除く。）並びに国又は地方公共団体の財産及び物品の管理について定める命令等（国又は地方公共団体が財産及び物品を貸し付け、交換し、売り払い、譲与し、信託し、若しくは出資の目的とし、又はこれらに私権を設定することについて定める命令等であって、これらの行為の相手方又は相手方になろうとする者に係る事項を定めるものを除く。）

五　会計検査について定める命令等

六　国の機関相互間の関係について定める命令等並びに地方自治法（昭和二十二年法律第六十七号）第二編第十二章に規定する国と普通地方公共団体との関係及び普通地方公共団体相互間の関係その他の国と地方公共団体との関係及び地方公共団体相互間の関係について定める命令等（第一項の規定によりこの法律の規定を適用しないこととされる処分に係る命令等を含む。）

七　第二項各号に規定する法人の役員及び職員、業務の範囲、財務及び会計その他の組織、運営及び管理について定める命令等（これらの法人に対する処分であって、これらの法人の解散を命じ、若しくは設立に関する認可を取り消す処分又はこれらの法人の役員若しくはこれらの法人の業務に従事する者の解任を命ずる処分に係る命令等を除く。）

第二章　申請に対する処分

（審査基準）

第五条　行政庁は、審査基準を定めるものとする。

2　行政庁は、審査基準を定めるに当たっては、許認可等の性質に照らしてできる限り具体的なものとしなければならない。

3　行政庁は、行政上特別の支障があるときを除き、法令により申請の提出先とされている機関の事務所における備付けその他の適当な方法により審査基準を公にしておかなければならない。

（標準処理期間）

第六条　行政庁は、申請がその事務所に到達してから当該申請に対する処分をするまでに通常要すべき標準的な期間（法令により当該行政庁と異なる機関が当該申請の提出先とされている場合は、併せて、当該申請が当該提出先とされている機関の事務所に到達してから当該行政庁の事務所に到達するまでに通常要すべき標準的な期間）を定めるよう努めるとともに、これを定めたときは、これらの当該申請の提出先とされている機関の事務所における備付けその他の適当な方法により公にしておかなければならない。

（申請に対する審査、応答）

第七条　行政庁は、申請がその事務所に到達したときは遅滞なく当該申請の審査を開始しなければならず、かつ、申請書の記載事項に不備がないこと、申請書に必要な書類が添付されていること、申請をすることができる期間内にされたものであることその他の法令に定められた申請の形式上の要件に適合しない申請については、速やかに、申請をした者（以下「申請者」という。）に対し相当の期間を定めて当該申請の補正を求め、又は当該申請により求められた許認可等を拒否しなければならない。

（理由の提示）

第八条　行政庁は、申請により求められた許認可等を拒否する処分をする場合は、申請者に対し、同時に、当該処分の理由を示さなければならない。ただし、法令に定められた許認可等の要件又は公にされた審査基準が数量的指標その他の客観的指標により明確に定められている場合であって、当該申請がこれらに適合しないことが申請書の記載又は添付書類その他の申請の内容から明らかであるときは、申請者の求めがあったときにこれを示せば足りる。

2　前項本文に規定する処分を書面でするときは、同項の理由は、書面により示さなければならない。

（情報の提供）

第九条　行政庁は、申請者の求めに応じ、当該申請に係る審査の進行状況及び当該申請に対する処分の時期の見通しを示すよう努めなければならない。

2　行政庁は、申請をしようとする者又は申請者の求めに応じ、申請書の記載及び添付書類に関する事項その他の申請に必要な情報の提供に努めなければならない。

（公聴会の開催等）

第十条　行政庁は、申請に対する処分であって、申請者以外の者の利害を考慮すべきことが当該法令において許認可等の要件とされているものを行う場合には、必要に応じ、公聴会の開催その他の適当な方法により当該申請者以外の者の意見を聴く機会を設けるよう努めなければならない。

（複数の行政庁が関与する処分）

第十一条　行政庁は、申請の処理をするに当たり、他の行政庁において同一の申請者からされた関連する申請が審査中であることをもって自らすべき許認可等をするかどうかについての審査又は判断を殊更に遅延させるようなことをしてはならない。

2　一の申請又は同一の申請者からされた相互に関連する複数の申請に対する処分について複数の行政庁が関与する場合においては、当該複数の行政庁は、必要に応じ、相互に連絡をとり、当該申請者からの説明の聴取を共同して行う等により審査の促進に努めるものとする。

第三章　不利益処分

第一節　通則

（処分の基準）

第十二条　行政庁は、処分基準を定め、かつ、これを公にしておくよう努めなければならない。

2　行政庁は、処分基準を定めるに当たっては、不利益処分の性質に照らしてできる限り具体的なものとしなければならない。

（不利益処分をしようとする場合の手続）

第十三条　行政庁は、不利益処分をしようとする場合には、次の各号の区分に従い、この章の定めるところにより、当該不利益処分の名あて人となるべき者について、当該各号に定める意見陳述のための手続を執らなければならない。

一　次のいずれかに該当するとき　聴聞

イ　許認可等を取り消す不利益処分をしようとするとき。

ロ　イに規定するもののほか、名あて人の資格又は地位を直接にはく奪する不利益処分をしようとするとき。

ハ　名あて人が法人である場合におけるその役員の解任を命ずる不利益処分、名あて人の業務に従事する者の解任を命ずる不利益処分又は名あて人の会員である者の除名を命ずる不利益処分をしようとするとき。

ニ　イからハまでに掲げる場合以外の場合であって行政庁が相当と認めるとき。

二　前号イからニまでのいずれにも該当しないとき　弁明の機会の付与

2　次の各号のいずれかに該当するときは、前項の規定は、適用しない。

一　公益上、緊急に不利益処分をする必要があるため、前項に規定する意見陳述のための手続を執ることができないとき。

二　法令上必要とされる資格がなかったこと又は失われるに至ったことが判明した場合に必ずすることとされている不利益処分であって、その資格の不存在又は喪失の事実が裁判所の判決書又は決定書、一定の職に就いたことを証する当該任命権者の書類その他の客観的な資料により直接証明されたものをしようとするとき。

三 施設若しくは設備の設置、維持若しくは管理又は物の製造、販売その他の取扱いについて遵守すべき事項が法令において技術的な基準をもって明確にされている場合において、専ら当該基準に従うべきことを命ずる不利益処分であってその不充足の事実が計測、実験その他客観的な認定方法によって確認されたものをしようとするとき。
四 納付すべき金銭の額を確定し、一定の額の金銭の納付を命じ、又は金銭の給付決定の取消しその他の金銭の給付を制限する不利益処分をしようとするとき。
五 当該不利益処分の性質上、それによって課される義務の内容が著しく軽微なものであるため名あて人となるべき者の意見をあらかじめ聴くことを要しないものとして政令で定める処分をしようとするとき。

（不利益処分の理由の提示）
第十四条 行政庁は、不利益処分をする場合には、その名あて人に対し、同時に、当該不利益処分の理由を示さなければならない。ただし、当該理由を示さないで処分をすべき差し迫った必要がある場合は、この限りでない。
2 行政庁は、前項ただし書の場合においては、当該名あて人の所在が判明しなくなったときその他処分後において理由を示すことが困難な事情があるときを除き、処分後相当の期間内に、同項の理由を示さなければならない。
3 不利益処分を書面でするときは、前二項の理由は、書面により示さなければならない。

第二節 聴聞

（聴聞の通知の方式）
第十五条 行政庁は、聴聞を行うに当たっては、聴聞を行うべき期日までに相当な期間をおいて、不利益処分の名あて人となるべき者に対し、次に掲げる事項を書面により通知しなければならない。
一 予定される不利益処分の内容及び根拠となる法令の条項
二 不利益処分の原因となる事実
三 聴聞の期日及び場所
四 聴聞に関する事務を所掌する組織の名称及び所在地
2 前項の書面においては、次に掲げる事項を教示しなければならない。
一 聴聞の期日に出頭して意見を述べ、及び証拠書類又は証拠物（以下「証拠書類等」という。）を提出し、又は聴聞の期日への出頭に代えて陳述書及び証拠書類等を提出することができること。
二 聴聞が終結する時までの間、当該不利益処分の原因となる事実を証する資料の閲覧を求めることができること。
3 行政庁は、不利益処分の名あて人となるべき者の所在が判明しない場合においては、第一項の規定による通知を、その者の氏名、同項第三号及び第四号に掲げる事項並びに当該行政庁が同項各号に掲げる事項を記載した書面をいつでもその者に交付する旨を当該行政庁の事務所の掲示場に掲示することによって行うことができる。この場合においては、掲示を始めた日から二週間を経過したときに、当該通知がその者に到達したものとみなす。

（代理人）
第十六条 前条第一項の通知を受けた者（同条第三項後段の規定により当該通知が到達したものとみなされる者を含む。以下「当事者」という。）は、代理人を選任することができる。
2 代理人は、各自、当事者のために、聴聞に関する一切の行為をすることができる。
3 代理人の資格は、書面で証明しなければならない。
4 代理人がその資格を失ったときは、当該代理人を選任した当事者は、書面でその旨を行政庁に届け出なければならない。

（参加人）
第十七条 第十九条の規定により聴聞を主宰する者（以下「主宰者」という。）は、必要があると認めるときは、当事者以外の者であって当該不利益処分の根拠となる法令に照らし当該不利益処分につき利害関係を有するものと認められる者（同条第二項第六号において「関係人」という。）に対し、当該聴聞に関する手続に参加することを求め、又は当該聴聞に関する手続に参加することを許可することができる。
2 前項の規定により当該聴聞に関する手続に参加する者（以下「参加人」という。）は、代理人を選任することができる。
3 前条第二項から第四項までの規定は、前項の代理人について準用する。この場合において、同条第二項及び第四項中「当事者」とあるのは、「参加人」と読み替えるものとする。

（文書等の閲覧）
第十八条 当事者及び当該不利益処分がされた場合に自己の利益を害されることとなる参加人（以下この条及び第二十四条第三項において「当事者等」という。）は、聴聞の通知があった時から聴聞が終結する時までの間、行政庁に対し、当該事案についてした調査の結果に係る調書その他の当該不利益処分の原因となる事実を証する資料の閲覧を求めることができる。この場合において、行政庁は、第三者の利益を害するおそれがあるときその他正当な理由があるときでなければ、その閲覧を拒むことができない。
2 前項の規定は、当事者等が聴聞の期日における審理の進行に応じて必要となった資料の閲覧を更に求めることを妨げない。
3 行政庁は、前二項の閲覧について日時及び場所を指定することができる。

（聴聞の主宰）
第十九条 聴聞は、行政庁が指名する職員その他政令で定める者が主宰する。
2 次の各号のいずれかに該当する者は、聴聞を主宰することができない。
一 当該聴聞の当事者又は参加人
二 前号に規定する者の配偶者、四親等内の親族又は同居の親族
三 第一号に規定する者の代理人又は次条第三項に規定する補佐人
四 前三号に規定する者であった者
五 第一号に規定する者の後見人、後見監督人、保佐人、保佐監督人、補助人又は補助監督人
六 参加人以外の関係人

（聴聞の期日における審理の方式）
第二十条 主宰者は、最初の聴聞の期日の冒頭において、行政庁の職員に、予定される不利益処分の内容及び根拠となる法令の条項並びにその原因となる事実を聴聞の期日に出頭した者に対

し説明させなければならない。
2 当事者又は参加人は、聴聞の期日に出頭して、意見を述べ、及び証拠書類等を提出し、並びに主宰者の許可を得て行政庁の職員に対し質問を発することができる。
3 前項の場合において、当事者又は参加人は、主宰者の許可を得て、補佐人とともに出頭することができる。
4 主宰者は、聴聞の期日において必要があると認めるときは、当事者若しくは参加人に対し質問を発し、意見の陳述若しくは証拠書類等の提出を促し、又は行政庁の職員に対し説明を求めることができる。
5 主宰者は、当事者又は参加人の一部が出頭しないときであっても、聴聞の期日における審理を行うことができる。
6 聴聞の期日における審理は、行政庁が公開することを相当と認めるときを除き、公開しない。

（陳述書等の提出）
第二十一条 当事者又は参加人は、聴聞の期日への出頭に代えて、主宰者に対し、聴聞の期日までに陳述書及び証拠書類等を提出することができる。
2 主宰者は、聴聞の期日に出頭した者に対し、その求めに応じて、前項の陳述書及び証拠書類等を示すことができる。

（続行期日の指定）
第二十二条 主宰者は、聴聞の期日における審理の結果、なお聴聞を続行する必要があると認めるときは、さらに新たな期日を定めることができる。
2 前項の場合においては、当事者及び参加人に対し、あらかじめ、次回の聴聞の期日及び場所を書面により通知しなければならない。ただし、聴聞の期日に出頭した当事者及び参加人に対しては、当該聴聞の期日においてこれを告知すれば足りる。
3 第十五条第三項の規定は、前項本文の場合において、当事者又は参加人の所在が判明しないときにおける通知の方法について準用する。この場合において、同条第三項中「不利益処分の名あて人となるべき者」とあるのは「当事者又は参加人」と、「掲示を始めた日から二週間を経過したとき」とあるのは「掲示を始めた日から二週間を経過したとき（同一の当事者又は参加人に対する二回目以降の通知にあっては、掲示を始めた日の翌日）」と読み替えるものとする。

（当事者の不出頭等の場合における聴聞の終結）
第二十三条 主宰者は、当事者の全部若しくは一部が正当な理由なく聴聞の期日に出頭せず、かつ、第二十一条第一項に規定する陳述書若しくは証拠書類等を提出しない場合、又は参加人の全部若しくは一部が聴聞の期日に出頭しない場合には、これらの者に対し改めて意見を述べ、及び証拠書類等を提出する機会を与えることなく、聴聞を終結することができる。
2 主宰者は、前項に規定する場合のほか、当事者の全部又は一部が聴聞の期日に出頭せず、かつ、第二十一条第一項に規定する陳述書又は証拠書類等を提出しない場合において、これらの者の聴聞の期日への出頭が相当期間引き続き見込めないときは、これらの者に対し、期限を定めて陳述書及び証拠書類等の提出を求め、当該期限が到来したときに聴聞を終結することとすることができる。

（聴聞調書及び報告書）
第二十四条 主宰者は、聴聞の審理の経過を記載した調書を作成し、当該調書において、不利益処分の原因となる事実に対する当事者及び参加人の陳述の要旨を明らかにしておかなければならない。
2 前項の調書は、聴聞の期日における審理が行われた場合には各期日ごとに、当該審理が行われなかった場合には聴聞の終結後速やかに作成しなければならない。
3 主宰者は、聴聞の終結後速やかに、不利益処分の原因となる事実に対する当事者等の主張に理由があるかどうかについての意見を記載した報告書を作成し、第一項の調書とともに行政庁に提出しなければならない。
4 当事者又は参加人は、第一項の調書及び前項の報告書の閲覧を求めることができる。

（聴聞の再開）
第二十五条 行政庁は、聴聞の終結後に生じた事情にかんがみ必要があると認めるときは、主宰者に対し、前条第三項の規定により提出された報告書を返戻して聴聞の再開を命ずることができる。第二十二条第二項本文及び第三項の規定は、この場合について準用する。

（聴聞を経てされる不利益処分の決定）
第二十六条 行政庁は、不利益処分の決定をするときは、第二十四条第一項の調書の内容及び同条第三項の報告書に記載された主宰者の意見を十分に参酌してこれをしなければならない。

（審査請求の制限）
第二十七条 この節の規定に基づく処分又はその不作為については、審査請求をすることができない。

（役員等の解任等を命ずる不利益処分をしようとする場合の聴聞等の特例）
第二十八条 第十三条第一項第一号ハに該当する不利益処分に係る聴聞において第十五条第一項の通知があった場合におけるこの節の規定の適用については、名あて人である法人の役員、名あて人の業務に従事する者又は名あて人の会員である者（当該処分において解任し又は除名すべきこととされている者に限る。）は、同項の通知を受けた者とみなす。
2 前項の不利益処分のうち名あて人である法人の役員又は名あて人の業務に従事する者（以下この項において「役員等」という。）の解任を命ずるものに係る聴聞が行われた場合においては、当該処分にその名あて人が従わないことを理由として法令の規定によりされる当該役員等を解任する不利益処分については、第十三条第一項の規定にかかわらず、行政庁は、当該役員等について聴聞を行うことを要しない。

第三節 弁明の機会の付与

（弁明の機会の付与の方式）
第二十九条 弁明は、行政庁が口頭ですることを認めたときを除き、弁明を記載した書面（以下「弁明書」という。）を提出してするものとする。
2 弁明をするときは、証拠書類等を提出することができる。

（弁明の機会の付与の通知の方式）
第三十条 行政庁は、弁明書の提出期限（口頭による弁明の機会の付与を行う場合には、その日時）までに相当な期間をおいて、不利益処分の名あて人となるべき者に対し、次に掲げる事項を書面により通知しなければならない。
一 予定される不利益処分の内容及び根拠となる法令の条項
二 不利益処分の原因となる事実

三　弁明書の提出先及び提出期限（口頭による弁明の機会の付与を行う場合には、その旨並びに出頭すべき日時及び場所）

（聴聞に関する手続の準用）

第三十一条　第十五条第三項及び第十六条の規定は、弁明の機会の付与について準用する。この場合において、第十五条第三項中「第一項」とあるのは「第三十条」と、「同項第三号及び第四号」とあるのは「同条第三号」と、第十六条第一項中「前条第一項」とあるのは「第三十条」と、「同条第三項後段」とあるのは「第三十一条において準用する第十五条第三項後段」と読み替えるものとする。

第四章　行政指導

（行政指導の一般原則）

第三十二条　行政指導にあっては、行政指導に携わる者は、いやしくも当該行政機関の任務又は所掌事務の範囲を逸脱してはならないこと及び行政指導の内容があくまでも相手方の任意の協力によってのみ実現されるものであることに留意しなければならない。

2　行政指導に携わる者は、その相手方が行政指導に従わなかったことを理由として、不利益な取扱いをしてはならない。

（申請に関連する行政指導）

第三十三条　申請の取下げ又は内容の変更を求める行政指導にあっては、行政指導に携わる者は、申請者が当該行政指導に従う意思がない旨を表明したにもかかわらず当該行政指導を継続すること等により当該申請者の権利の行使を妨げるようなことをしてはならない。

（許認可等の権限に関連する行政指導）

第三十四条　許認可等をする権限又は許認可等に基づく処分をする権限を有する行政機関が、当該権限を行使することができない場合又は行使する意思がない場合においてする行政指導にあっては、行政指導に携わる者は、当該権限を行使し得る旨を殊更に示すことにより相手方に当該行政指導に従うことを余儀なくさせるようなことをしてはならない。

（行政指導の方式）

第三十五条　行政指導に携わる者は、その相手方に対して、当該行政指導の趣旨及び内容並びに責任者を明確に示さなければならない。

2　行政指導に携わる者は、当該行政指導をする際に、行政機関が許認可等をする権限又は許認可等に基づく処分をする権限を行使し得る旨を示すときは、その相手方に対して、次に掲げる事項を示さなければならない。

一　当該権限を行使し得る根拠となる法令の条項

二　前号の条項に規定する要件

三　当該権限の行使が前号の要件に適合する理由

3　行政指導が口頭でされた場合において、その相手方から前二項に規定する事項を記載した書面の交付を求められたときは、当該行政指導に携わる者は、行政上特別の支障がない限り、これを交付しなければならない。

4　前項の規定は、次に掲げる行政指導については、適用しない。

一　相手方に対しその場において完了する行為を求めるもの

二　既に文書（前項の書面を含む。）又は電磁的記録（電子的方式、磁気的方式その他人の知覚によっては認識することができない方式で作られる記録であって、電子計算機による情報処理の用に供されるものをいう。）によりその相手方に通知されている事項と同一の内容を求めるもの

（複数の者を対象とする行政指導）

第三十六条　同一の行政目的を実現するため一定の条件に該当する複数の者に対し行政指導をしようとするときは、行政機関は、あらかじめ、事案に応じ、行政指導指針を定め、かつ、行政上特別の支障がない限り、これを公表しなければならない。

（行政指導の中止等の求め）

第三十六条の二　法令に違反する行為の是正を求める行政指導（その根拠となる規定が法律に置かれているものに限る。）の相手方は、当該行政指導が当該法律に規定する要件に適合しないと思料するときは、当該行政指導をした行政機関に対し、その旨を申し出て、当該行政指導の中止その他必要な措置をとることを求めることができる。ただし、当該行政指導がその相手方について弁明その他意見陳述のための手続を経てされたものであるときは、この限りでない。

2　前項の申出は、次に掲げる事項を記載した申出書を提出してしなければならない。

一　申出をする者の氏名又は名称及び住所又は居所

二　当該行政指導の内容

三　当該行政指導がその根拠とする法律の条項

四　前号の条項に規定する要件

五　当該行政指導が前号の要件に適合しないと思料する理由

六　その他参考となる事項

3　当該行政機関は、第一項の規定による申出があったときは、必要な調査を行い、当該行政指導が当該法律に規定する要件に適合しないと認めるときは、当該行政指導の中止その他必要な措置をとらなければならない。

第四章の二　処分等の求め

第三十六条の三　何人も、法令に違反する事実がある場合において、その是正のためにされるべき処分又は行政指導（その根拠となる規定が法律に置かれているものに限る。）がされていないと思料するときは、当該処分をする権限を有する行政庁又は当該行政指導をする権限を有する行政機関に対し、その旨を申し出て、当該処分又は行政指導をすることを求めることができる。

2　前項の申出は、次に掲げる事項を記載した申出書を提出してしなければならない。

一　申出をする者の氏名又は名称及び住所又は居所

二　法令に違反する事実の内容

三　当該処分又は行政指導の内容

四　当該処分又は行政指導の根拠となる法令の条項

五　当該処分又は行政指導がされるべきであると思料する理由

六　その他参考となる事項

3　当該行政庁又は行政機関は、第一項の規定による申出があったときは、必要な調査を行い、その結果に基づき必要があると認めるときは、当該処分又は行政指導をしなければならない。

第五章　届出

（届出）

第三十七条　届出が届出書の記載事項に不備がないこと、届出書に必要な書類が添付されていることその他の法令に定められた届出の形式上の要件に適合している場合は、当該届出が法令により当該届出の提出先とされている機関の事務所に到達したときに、当該届出をすべき手続上の義務が履行されたものとする。

第六章　意見公募手続等

（命令等を定める場合の一般原則）
第三十八条　命令等を定める機関（閣議の決定により命令等が定められる場合にあっては、当該命令等の立案をする各大臣。以下「命令等制定機関」という。）は、命令等を定めるに当たっては、当該命令等がこれを定める根拠となる法令の趣旨に適合するものとなるようにしなければならない。
2　命令等制定機関は、命令等を定めた後においても、当該命令等の規定の実施状況、社会経済情勢の変化等を勘案し、必要に応じ、当該命令等の内容について検討を加え、その適正を確保するよう努めなければならない。

（意見公募手続）
第三十九条　命令等制定機関は、命令等を定めようとする場合には、当該命令等の案（命令等で定めようとする内容を示すものをいう。以下同じ。）及びこれに関連する資料をあらかじめ公示し、意見（情報を含む。以下同じ。）の提出先及び意見の提出のための期間（以下「意見提出期間」という。）を定めて広く一般の意見を求めなければならない。
2　前項の規定により公示する命令等の案は、具体的かつ明確な内容のものであって、かつ、当該命令等の題名及び当該命令等を定める根拠となる法令の条項が明示されたものでなければならない。
3　第一項の規定により定める意見提出期間は、同項の公示の日から起算して三十日以上でなければならない。
4　次の各号のいずれかに該当するときは、第一項の規定は、適用しない。
一　公益上、緊急に命令等を定める必要があるため、第一項の規定による手続（以下「意見公募手続」という。）を実施することが困難であるとき。
二　納付すべき金銭について定める法律の制定又は改正により必要となる当該金銭の額の算定の基礎となるべき金額及び率並びに算定方法についての命令等その他当該法律の施行に関し必要な事項を定める命令等を定めようとするとき。
三　予算の定めるところにより金銭の給付決定を行うために必要となる当該金銭の額の算定の基礎となるべき金額及び率並びに算定方法その他の事項を定める命令等を定めようとするとき。
四　法律の規定により、内閣府設置法第四十九条第一項若しくは第二項若しくは国家行政組織法第三条第二項に規定する委員会又は内閣府設置法第三十七条若しくは第五十四条若しくは国家行政組織法第八条に規定する機関（以下「委員会等」という。）の議を経て定めることとされている命令等であって、相反する利害を有する者の間の利害の調整を目的として、法律又は政令の規定により、これらの者及び公益をそれぞれ代表する委員をもって組織される委員会等において審議を行うこととされているものとして政令で定める命令等を定めようとするとき。
五　他の行政機関が意見公募手続を実施して定めた命令等と実質的に同一の命令等を定めようとするとき。
六　法律の規定に基づき法令の規定の適用又は準用について必要な技術的読替えを定める命令等を定めようとするとき。
七　命令等を定める根拠となる法令の規定の削除に伴い当然必要とされる当該命令等の廃止をしようとするとき。
八　他の法令の制定又は改廃に伴い当然必要とされる規定の整理その他の意見公募手続を実施することを要しない軽微な変更として政令で定めるものを内容とする命令等を定めようとするとき。

（意見公募手続の特例）
第四十条　命令等制定機関は、命令等を定めようとする場合において、三十日以上の意見提出期間を定めることができないやむを得ない理由があるときは、前条第三項の規定にかかわらず、三十日を下回る意見提出期間を定めることができる。この場合においては、当該命令等の案の公示の際その理由を明らかにしなければならない。
2　命令等制定機関は、委員会等の議を経て命令等を定めようとする場合（前条第四項第四号に該当する場合を除く。）において、当該委員会等が意見公募手続に準じた手続を実施したときは、同条第一項の規定にかかわらず、自ら意見公募手続を実施することを要しない。

（意見公募手続の周知等）
第四十一条　命令等制定機関は、意見公募手続を実施して命令等を定めるに当たっては、必要に応じ、当該意見公募手続の実施について周知するよう努めるとともに、当該意見公募手続の実施に関連する情報の提供に努めるものとする。

（提出意見の考慮）
第四十二条　命令等制定機関は、意見公募手続を実施して命令等を定める場合には、意見提出期間内に当該命令等制定機関に対し提出された当該命令等の案についての意見（以下「提出意見」という。）を十分に考慮しなければならない。

（結果の公示等）
第四十三条　命令等制定機関は、意見公募手続を実施して命令等を定めた場合には、当該命令等の公布（公布をしないものにあっては、公にする行為。第五項において同じ。）と同時期に、次に掲げる事項を公示しなければならない。
一　命令等の題名
二　命令等の案の公示の日
三　提出意見（提出意見がなかった場合にあっては、その旨）
四　提出意見を考慮した結果（意見公募手続を実施した命令等の案と定めた命令等との差異を含む。）及びその理由
2　命令等制定機関は、前項の規定にかかわらず、必要に応じ、同項第三号の提出意見に代えて、当該提出意見を整理又は要約したものを公示することができる。この場合においては、当該公示の後遅滞なく、当該提出意見を当該命令等制定機関の事務所における備付けその他の適当な方法により公にしなければならない。
3　命令等制定機関は、前二項の規定により提出意見を公示し又は公にすることにより第三者の利益を害するおそれがあるとき、その他正当な理由があるときは、当該提出意見の全部又は

一部を除くことができる。

4　命令等制定機関は、意見公募手続を実施したにもかかわらず命令等を定めないこととした場合には、その旨（別の命令等の案について改めて意見公募手続を実施しようとする場合にあっては、その旨を含む。）並びに第一項第一号及び第二号に掲げる事項を速やかに公示しなければならない。

5　命令等制定機関は、第三十九条第四項各号のいずれかに該当することにより意見公募手続を実施しないで命令等を定めた場合には、当該命令等の公布と同時期に、次に掲げる事項を公示しなければならない。ただし、第一号に掲げる事項のうち命令等の趣旨については、同項第一号から第四号までのいずれかに該当することにより意見公募手続を実施しなかった場合において、当該命令等自体から明らかでないときに限る。

一　命令等の題名及び趣旨

二　意見公募手続を実施しなかった旨及びその理由

（準用）

第四十四条　第四十二条の規定は第四十条第二項に該当することにより命令等制定機関が自ら意見公募手続を実施しないで命令等を定める場合について、前条第一項から第三項までの規定は第四十条第二項に該当することにより命令等制定機関が自ら意見公募手続を実施しないで命令等を定めた場合について、前条第四項の規定は第四十条第二項に該当することにより命令等制定機関が自ら意見公募手続を実施しないで命令等を定めないこととした場合について準用する。この場合において、第四十二条中「当該命令等制定機関」とあるのは「委員会等」と、前条第一項第二号中「命令等の案の公示の日」とあるのは「委員会等が命令等の案について公示に準じた手続を実施した日」と、同項第四号中「意見公募手続を実施した」とあるのは「委員会等が意見公募手続に準じた手続を実施した」と読み替えるものとする。

（公示の方法）

第四十五条　第三十九条第一項並びに第四十三条第一項（前条において読み替えて準用する場合を含む。）、第四項（前条において準用する場合を含む。）及び第五項の規定による公示は、電子情報処理組織を使用する方法その他の情報通信の技術を利用する方法により行うものとする。

2　前項の公示に関し必要な事項は、総務大臣が定める。

第七章　補則

（地方公共団体の措置）

第四十六条　地方公共団体は、第三条第三項において第二章から前章までの規定を適用しないこととされた処分、行政指導及び届出並びに命令等を定める行為に関する手続について、この法律の規定の趣旨にのっとり、行政運営における公正の確保と透明性の向上を図るため必要な措置を講ずるよう努めなければならない。

附　則

（施行期日）

1　この法律は、公布の日から起算して一年を超えない範囲内において政令で定める日〔平六・一〇・一〕から施行する。

（経過措置）

2　この法律の施行前に第十五条第一項又は第三十条の規定による通知に相当する行為がされた場合においては、当該通知に相当する行為に係る不利益処分の手続に関しては、第三章の規定にかかわらず、なお従前の例による。

3　この法律の施行前に、届出その他政令で定める行為（以下「届出等」という。）がされた後一定期間内に限りすることができることとされている不利益処分に係る当該届出等がされた場合においては、当該不利益処分に係る手続に関しては、第三章の規定にかかわらず、なお従前の例による。

4　前二項に定めるもののほか、この法律の施行に関して必要な経過措置は、政令で定める。

㊟　次の法律の第四四条により行政手続法が改正されたが、公布の日から起算して三年を超えない範囲内において政令で定める日から施行となるため、一部改正法の形式で掲載した。

○デジタル社会の形成を図るための規制改革を推進するためのデジタル社会形成基本法等の一部を改正する法律

令五・六・一六
法　六　三

（行政手続法の一部改正）

第四十四条　行政手続法（平成五年法律第八十八号）の一部を次のように改正する。

第十五条第一項中「名あて人」を「名宛人」に改め、同条第三項中「名あて人」を「名宛人」に、「その者の氏名、同項第三号及び第四号に掲げる事項並びに当該行政庁が同項各号に掲げる事項を記載した書面をいつでもその者に交付する旨を当該行政庁の事務所の掲示場に掲示すること」を「公示の方法」に改め、同項後段を削り、同条に次の一項を加える。

4　前項の公示の方法による通知は、不利益処分の名宛人となるべき者の氏名、第一項第三号及び第四号に掲げる事項並びに当該行政庁が同項各号に掲げる事項を記載した書面をいつでもその者に交付する旨（以下この項において「公示事項」という。）を総務省令で定める方法により不特定多数の者が閲覧することができる状態に置くとともに、公示事項が記載された書面を当該行政庁の事務所の掲示場に掲示し、又は公示事項を当該事務所に設置した電子計算機の映像面に表示したものの閲覧をすることができる状態に置く措置をとることによって行うものとする。この場合においては、当該措置を開始した日から二週間を経過したときに、当該通知がその者に到達したものとみなす。

第十六条第一項中「同条第三項後段」を「同条第四項後段」に改める。

第二十二条第三項中「第十五条第三項」及び「同条第三項」の下に「及び第四項」を加え、「名あて人」を「名宛人」に改め、「と、」の下に「同項中」を加え、「掲示を始めた日から二週間を経過した」を削り、「、掲示を始めた」を「、当該措置を開始した」に改める。

第三十一条中「第十五条第三項及び」の下に「第四項並びに」を加え、「同項第三号」を「同条第四項中「第一項第三号」に、「同条第三号」を「第三十条第三号」に、「同条第三項後段」を「同条第四項後段」に、「第十五条第三項後段」を「第十五条第四項後段」に改める。

附　則（抄）

（施行期日）

第一条　この法律は、公布の日から起算して一年を超えない範囲内において政令で定める日〔令六・四・一〕から施行する。ただし、次の各号に掲げる規定は、当該各号に定める日から施行する。

一　〔略〕

二　〔前略〕第四十四条〔中略〕の規定〔中略〕並びに次条〔中略〕の規定　公布の日から起算して三年を超えない範囲内において政令で定める日

（公示送達等の方法に関する経過措置）

第二条　次に掲げる法律の規定は、前条第二号に掲げる規定の施行の日以後にする公示送達、送達又は通知について適用し、同日前にした公示送達、送達又は通知については、なお従前の例による。

一～九　〔略〕

十　第四十四条の規定による改正後の行政手続法第十五条第三項及び第四項（これらの規定を同法又は他の法律において準用する場合を含む。）

十一～十五　〔略〕

○行政手続法施行令

平六・八・五
政令二六五

最終改正　令六・五・一七政令一八六

（申請に対する処分及び不利益処分に関する規定の適用が除外される法人）

第一条　行政手続法（以下「法」という。）第四条第二項第二号の政令で定める法人は、外国人技能実習機構、危険物保安技術協会、行政書士会、漁業共済組合連合会、金融経済教育推進機構、軽自動車検査協会、健康保険組合、健康保険組合連合会、原子力損害賠償・廃炉等支援機構、広域的運営推進機関、広域臨海環境整備センター、港務局、小型船舶検査機構、国民健康保険組合、国民健康保険団体連合会、国民年金基金、国民年金基金連合会、国家公務員共済組合、国家公務員共済組合連合会、市街地再開発組合、自動車安全運転センター、司法書士会、社会保険労務士会、住宅街区整備組合、商工会連合会、水害予防組合、水害予防組合連合、税理士会、石炭鉱業年金基金、全国健康保険協会、全国市町村職員共済組合連合会、全国社会保険労務士会連合会、脱炭素成長型経済構造移行推進機構、地方公務員共済組合、地方公務員共済組合連合会、地方公務員災害補償基金、地方住宅供給公社、地方道路公社、地方独立行政法人、中央職業能力開発協会、中央労働災害防止協会、中小企業団体中央会、土地開発公社、土地改良区、土地改良区連合、土地家屋調査士会、土地区画整理組合、都道府県職業能力開発協会、日本行政書士会連合会、日本銀行、日本下水道事業団、日本公認会計士協会、日本司法書士会連合会、日本商工会議所、日本税理士会連合会、日本赤十字社、日本土地家屋調査士会連合会、日本弁理士会、日本水先人会連合会、農業共済組合、農業共済組合連合会、農水産業協同組合貯金保険機構、防災街区整備事業組合、水先人会、預金保険機構及び労働災害防止協会とする。

（不利益処分をしようとする場合の手続を要しない処分）

第二条　法第十三条第二項第五号の政令で定める処分は、次に掲げる処分とする。

一　法令の規定により行政庁が交付する書類であって交付を受けた者の資格又は地位を証明するもの（以下この号において「証明書類」という。）について、法令の規定に従い、既に交付した証明書類の記載事項の訂正（追加を含む。以下この号において同じ。）をするためにその提出を命ずる処分及び訂正に代えて新たな証明書類の交付をする場合に既に交付した証明書類の返納を命ずる処分

二　届出をする場合に提出することが義務付けられている書類について、法令の規定に従い、当該書類が法令に定められた要件に適合することとなるようにその訂正を命ずる処分

（職員以外に聴聞を主宰することができる者）

第三条　法第十九条第一項の政令で定める者は、次に掲げる者とする。

一　法令に基づき審議会その他の合議制の機関の答申を受けて行うこととされている処分に係る聴聞にあっては、当該合議制の機関の構成員

二　保健師助産師看護師法（昭和二十三年法律第二百三号）第十四条第二項の規定による処分に係る聴聞にあっては、准看護師試験委員

三　歯科衛生士法（昭和二十三年法律第二百四号）第八条第一項の規定による処分に係る聴聞にあっては、歯科衛生士の業務に関する学識経験を有する者

四　医療法（昭和二十三年法律第二百五号）第二十三条の二、第二十四条第一項、第二十四条の二、第二十八条又は第二十九条第一項若しくは第二項の規定による処分に係る聴聞にあっては、診療に関する学識経験を有する者

（意見公募手続を実施することを要しない命令等）

第四条　法第三十九条第四項第四号の政令で定める命令等は、次に掲げる命令等とする。

一　健康保険法（大正十一年法律第七十号）第七十条第一項（同法第八十五条第九項、第八十五条の二第五項、第八十六条第四項、第百十条第七項及び第百四十九条において準用する場合を含む。）及び第三項、第七十二条第一項（同法第八

十五条第九項、第八十五条の二第五項、第八十六条第四項、第百十条第七項及び第百四十九条において準用する場合を含む。）並びに第九十二条第二項（指定訪問看護の取扱いに係る部分に限り、同法第百十一条第三項及び第百四十九条において準用する場合を含む。）の命令等

二 船員保険法（昭和十四年法律第七十三号）第五十四条第二項（同法第六十一条第七項、第六十二条第四項、第六十三条第四項及び第七十六条第六項において準用する場合を含む。）及び第六十五条第十項（同法第七十八条第三項において準用する場合を含む。）の命令等

三 労働基準法（昭和二十二年法律第四十九号）第三十二条の四第三項及び第三十八条の四第三項（同法第四十一条の二第三項において準用する場合を含む。）の命令等

四 労働者災害補償保険法（昭和二十二年法律第五十号）第七条第一項第二号、第二項第二号及び第三号並びに第三項、第八条第二項及び第三項、第八条の二第一項第二号（同号の厚生労働省令に係る部分に限る。）、第二項各号（同法第八条の三第二項において準用する場合を含む。）及び第三項（同法第八条の二第四項（同法第八条の三第二項において準用する場合を含む。）及び第八条の三第二項において準用する場合を含む。）、第八条の三第一項第二号（同号の厚生労働省令に係る部分に限り、同法第八条の四において準用する場合を含む。）、第十二条の二、第十二条の七、第十二条の八第三項第二号及び第四項、第十三条第三項（同法第二十条の三第二項及び第二十二条第二項において準用する場合を含む。）、第十四条第二項（同法第二十条の四第二項及び第二十二条の二第二項において準用する場合を含む。）、第十四条の二（同法第二十条の四第二項及び第二十二条の二第二項において準用する場合を含む。）、第十五条第一項、第十五条の二（同法第二十条の五第三項及び第二十二条の三第三項において準用する場合を含む。）、第十六条の二第一項第四号（同法第二十条の六第三項及び第二十二条の四第三項において準用する場合を含む。）、第十七条（同法第二十条の七第二項及び第二十二条の五第二項において準用する場合を含む。）、第十八条の二（同法第二十条の八第二項及び第二十三条第二項において準用する場合を含む。）、第十九条の二（同法第二十条の九第二項及び第二十四条第二項において準用する場合を含む。）、第二十条、第二十条の三第一項、第二十条の十、第二十二条第一項、第二十五条、第二十六条第一項及び第二項第一号、第二十七条、第二十八条、第二十九条第二項、第三十一条第一項から第三項まで、第三十三条第一号、第三号及び第五号から第七号まで、第三十四条第一項第三号（同法第三十六条第一項第二号において準用する場合を含む。）、第三十五条第一項、第三十七条、第四十六条、第四十七条、第四十九条第一項、第五十条、第五十八条第一項、第五十九条第二項及び第三項（同法第六十条の三第三項及び第六十二条第三項において準用する場合を含む。）、第六十条第二項、第三項（同法第六十条の四第四項及び第六十三条第三項において準用する場合を含む。）及び第四項（同法第六十三条第三項において準用する場合を含む。）並びに第六十条の二第一項、同法第六十条の四第三項において読み替えて適用する同法第二十条の六第三項の規定により読み替えられた同法第十六条の六第一項第二号並びに同法第六十一条第一項、第六十四条第二項及び別表第一各号（同法第二十条の五第三項、第二十条の六第三項、第二十条の八第二項、第二十二条の三第三項、第二十二条の四第三項及び第二十三条第二項において準用する場合を含む。）の命令等

五 国民健康保険法（昭和三十三年法律第百九十二号）第四十条第二項（同法第五十二条第六項、第五十二条の二第三項、第五十三条第三項及び第五十四条の三第二項において準用する場合を含む。）及び第五十四条の二第十項（同法第五十四条の三第二項において準用する場合を含む。）の命令等

六 労働施策の総合的な推進並びに労働者の雇用の安定及び職業生活の充実等に関する法律（昭和四十一年法律第百三十二号）第三十条の二第三項の命令等

七 労働保険の保険料の徴収等に関する法律（昭和四十四年法律第八十四号）第二条第二項、第四条の二、第七条第三号及び第五号、第八条第一項、第九条、第十一条第三項、第十二条第二項、第三項及び第五項、第十二条の二、第十三条、第十四条第一項、第十四条の二第一項、第十五条第一項及び第二項、第十六条（同法附則第五条において準用する場合を含む。）、第十七条第二項（同法第二十条第四項及び第二十一条第三項において準用する場合を含む。）、第十八条、第十九条第一項、第二項、第五項及び第六項、第二十条第一項（同条第二項において準用する場合を含む。）及び第三項、第二十一条の二、第二十二条第五項（同項の第一級保険料日額、第二級保険料日額及び第三級保険料日額の変更に係る部分に限る。）、第三十三条第一項、第三十六条、第三十九条、第四十二条並びに第四十五条の二の命令等

八 高年齢者等の雇用の安定等に関する法律（昭和四十六年法律第六十八号）第二十二条第四号、第二十四条第一項第三号及び第二十五条第一項（同項の計画に係る部分に限る。）の命令等

九 雇用の分野における男女の均等な機会及び待遇の確保等に関する法律（昭和四十七年法律第百十三号）第十条第一項、第十一条第四項、第十一条の三第三項及び第十三条第二項の命令等

十 雇用保険法（昭和四十九年法律第百十六号）第十条の四第一項、第十三条第一項及び第三項、第十八条第三項、第二十条第一項（同項の厚生労働省令で定める理由に係る部分に限る。）及び第二項（同項の厚生労働省令で定める理由に係る部分に限る。）、第二十条の二（同条の厚生労働省令で定める事業及び厚生労働省令で定める者に係る部分に限る。）、第二十二条第二項、第二十四条の二第一項（同項第二号の厚生労働大臣が指定する地域に係る部分を除く。）、第二十五条第一項（同項の政令で定める基準に係る部分に限る。）及び第三項、第二十六条第二項、第二十七条第一項（同項の政令で定める基準に係る部分に限る。）及び第二項、第二十九条第二項、第三十二条第三項（同法第三十七条の四第六項及び第四十条第四項において準用する場合を含む。）、第三十三条第二項（同法第三十七条の四第六項及び第四十条第四項において準用する場合を含む。）、第三十七条の三第一項、第三十七条の五第一項第三号、第三十八条第一項第二号、第三十九条第一項、第五十二条第二項（同法第五十五条第四項において準用する場合を含む。）、第五十六条の三第一項（同項の厚生労

働省令で定める基準に係る部分及び同項第二号の就職が困難な者として厚生労働省令で定めるものに係る部分に限る。）、第六十一条の四第一項（同項の厚生労働省令で定める理由に係る部分に限る。）、第六十一条の七第一項（同項（同条第四項の規定により読み替えて適用する場合を含む。）の厚生労働省令で定める理由に係る部分及び同条第四項の規定により読み替えて適用する同条第一項の厚生労働省令で定める日に係る部分に限る。）及び第二項並びに第六十一条の八第一項（同項の厚生労働省令で定める理由に係る部分に限る。）の命令等並びに同法の施行に関する重要事項に係る命令等

十一　高齢者の医療の確保に関する法律（昭和五十七年法律第八十号）第七十一条第一項（同項の療養の給付の取扱い及び担当に関する基準に係る部分に限る。）、第七十四条第四項、第七十五条第四項、第七十六条第三項及び第七十九条第一項（指定訪問看護の取扱いに係る部分に限る。）の命令等

十二　労働者派遣事業の適正な運営の確保及び派遣労働者の保護等に関する法律（昭和六十年法律第八十八号）第四条第一項第三号、第三十五条の四第一項並びに第四十条の二第一項第二号、第四号及び第五号の命令等

十三　育児休業、介護休業等育児又は家族介護を行う労働者の福祉に関する法律（平成三年法律第七十六号）第二条第一号及び第三号から第五号まで、第五条第二項、第三項及び第四項第二号、第六条第一項第二号（同法第九条の三第二項、第十二条第二項、第十六条の三第二項及び第十六条の六第二項において準用する場合を含む。）及び第三項、第七条第二項及び第三項（同法第九条の四及び第十三条において準用する場合を含む。）、第八条第三項及び第四項（同法第九条の四及び第十四条第三項において準用する場合を含む。）、第九条第二項第一号、第九条の三第三項及び第四項第一号、第九条の五第二項、第四項、第五項及び第六項第一号、第十条、第十二条第三項、第十五条第三項第一号、第十六条の二第一項及び第二項、第十六条の五第一項及び第二項、第十六条の八第一項第二号（同法第十六条の九第一項において準用する場合を含む。）、第三項（同法第十六条の九第一項において準用する場合を含む。）及び第四項第一号（同法第十六条の九第一項において準用する場合を含む。）、第十七条第一項第二号（同法第十八条第一項において準用する場合を含む。）、第三項（同法第十八条第一項において準用する場合を含む。）及び第四項第一号（同法第十八条第一項において準用する場合を含む。）、第十九条第一項第二号（同法第二十条第一項において準用する場合を含む。）及び第三号（同法第二十条第一項において準用する場合を含む。）、第三項（同法第二十条第一項において準用する場合を含む。）並びに第四項第一号（同法第二十条第一項において準用する場合を含む。）、第二十一条第一項、第二十二条第一項第三号、第二十二条の二、第二十三条第一項から第三項まで、第二十五条第一項並びに第二十八条の命令等並びに同法の施行に関する重要事項に係る命令等

十四　短時間労働者及び有期雇用労働者の雇用管理の改善等に関する法律（平成五年法律第七十六号）第十五条第一項の命令等

2　法第三十九条第四項第八号の政令で定める軽微な変更は、次に掲げるものとする。

一　他の法令の制定又は改廃に伴い当然必要とされる規定の整理

二　前号に掲げるもののほか、用語の整理、条、項又は号の繰上げ又は繰下げその他の形式的な変更

附　則

（施行期日）

第一条　この政令は、法の施行の日から施行する。

（雇用保険法に係る意見公募手続を実施することを要しない命令等に関する特例）

第二条　雇用保険法附則第四条第二項の規定の適用がある場合における第四条第一項第十号の規定の適用については、同号中「の命令等」とあるのは、「並びに附則第四条第一項の命令等」とする。

2　雇用保険法附則第五条第四項の規定の適用がある場合における第四条第一項第十号の規定の適用については、同号中「の命令等」とあるのは、「並びに附則第五条第一項（同項の厚生労働大臣が指定する地域に係る部分を除く。）の命令等」とする。

3　雇用保険法附則第十条第二項の規定の適用がある場合における第四条第一項第十号の規定の適用については、同号中「の命令等」とあるのは、「並びに附則第十条第一項の規定により読み替えて適用する同法第五十七条第二項（同項の厚生労働省令で定める者に係る部分に限る。）の命令等」とする。

4　雇用保険法附則第十一条の二第一項の規定の適用がある場合における第四条第一項第十号の規定の適用については、同号中「の命令等」とあるのは、「並びに附則第十一条の二第一項（同項の厚生労働省令で定める者に係る部分に限る。）の命令等」とする。

○行政機関の保有する情報の公開に関する法律

平一一・五・一四
法　四　二

最終改正　令三・五・一九法三七

目次〔略〕

第一章　総則

（目的）

第一条　この法律は、国民主権の理念にのっとり、行政文書の開示を請求する権利につき定めること等により、行政機関の保有する情報の一層の公開を図り、もって政府の有するその諸活動を国民に説明する責務が全うされるようにするとともに、国民の的確な理解と批判の下にある公正で民主的な行政の推進に資することを目的とする。

（定義）

第二条　この法律において「行政機関」とは、次に掲げる機関をいう。

一　法律の規定に基づき内閣に置かれる機関（内閣府を除く。）及び内閣の所轄の下に置かれる機関

二　内閣府、宮内庁並びに内閣府設置法（平成十一年法律第八十九号）第四十九条第一項及び第二項に規定する機関（これらの機関のうち第四号の政令で定める機関が置かれる機関にあっては、当該政令で定める機関を除く。）

三　国家行政組織法（昭和二十三年法律第百二十号）第三条第二項に規定する機関（第五号の政令で定める機関が置かれる機関にあっては、当該政令で定める機関を除く。）

四　内閣府設置法第三十九条及び第五十五条並びに宮内庁法（昭和二十二年法律第七十号）第十六条第二項の機関並びに内閣府設置法第四十条及び第五十六条（宮内庁法第十八条第一項において準用する場合を含む。）の特別の機関で、政令で定めるもの

五　国家行政組織法第八条の二の施設等機関及び同法第八条の三の特別の機関で、政令で定めるもの

六　会計検査院

2　この法律において「行政文書」とは、行政機関の職員が職務上作成し、又は取得した文書、図画及び電磁的記録（電子的方式、磁気的方式その他人の知覚によっては認識することができない方式で作られた記録をいう。以下同じ。）であって、当該行政機関の職員が組織的に用いるものとして、当該行政機関が保有しているものをいう。ただし、次に掲げるものを除く。

一　官報、白書、新聞、雑誌、書籍その他不特定多数の者に販売することを目的として発行されるもの

二　公文書等の管理に関する法律（平成二十一年法律第六十六号）第二条第七項に規定する特定歴史公文書等

三　政令で定める研究所その他の施設において、政令で定めるところにより、歴史的若しくは文化的な資料又は学術研究用の資料として特別の管理がされているもの（前号に掲げるものを除く。）

第二章　行政文書の開示

（開示請求権）

第三条　何人も、この法律の定めるところにより、行政機関の長（前条第一項第四号及び第五号の政令で定める機関にあっては、その機関ごとに政令で定める者をいう。以下同じ。）に対し、当該行政機関の保有する行政文書の開示を請求することができる。

（開示請求の手続）

第四条　前条の規定による開示の請求（以下「開示請求」という。）は、次に掲げる事項を記載した書面（以下「開示請求書」という。）を行政機関の長に提出してしなければならない。

一　開示請求をする者の氏名又は名称及び住所又は居所並びに法人その他の団体にあっては代表者の氏名

二　行政文書の名称その他の開示請求に係る行政文書を特定するに足りる事項

2　行政機関の長は、開示請求書に形式上の不備があると認めるときは、開示請求をした者（以下「開示請求者」という。）に対し、相当の期間を定めて、その補正を求めることができる。この場合において、行政機関の長は、開示請求者に対し、補正の参考となる情報を提供するよう努めなければならない。

（行政文書の開示義務）

第五条　行政機関の長は、開示請求があったときは、開示請求に係る行政文書に次の各号に掲げる情報（以下「不開示情報」という。）のいずれかが記録されている場合を除き、開示請求者に対し、当該行政文書を開示しなければならない。

一　個人に関する情報（事業を営む個人の当該事業に関する情報を除く。）であって、当該情報に含まれる氏名、生年月日その他の記述等（文書、図画若しくは電磁的記録に記載され、若しくは記録され、又は音声、動作その他の方法を用いて表された一切の事項をいう。次条第二項において同じ。）により特定の個人を識別することができるもの（他の情報と照合することにより、特定の個人を識別することができることとなるものを含む。）又は特定の個人を識別することはできないが、公にすることにより、なお個人の権利利益を害するおそれがあるもの。ただし、次に掲げる情報を除く。

イ　法令の規定により又は慣行として公にされ、又は公にすることが予定されている情報

ロ　人の生命、健康、生活又は財産を保護するため、公にすることが必要であると認められる情報

ハ　当該個人が公務員等（国家公務員法（昭和二十二年法律第百二十号）第二条第一項に規定する国家公務員（独立行政法人通則法（平成十一年法律第百三号）第二条第四項に規定する行政執行法人の役員及び職員を除く。）、独立行政法人等（独立行政法人等の保有する情報の公開に関する法律（平成十三年法律第百四十号。以下「独立行政法人等情報公開法」という。）第二条第一項に規定する独立行政法人等をいう。以下同じ。）の役員及び職員、地方公務員法（昭和二十五年法律第二百六十一号）第二条に規定する地方公務員並びに地方独立行政法人（地方独立行政法人法（平成十五年法律第百十八号）第二条第一項に規定する地

方独立行政法人をいう。以下同じ。）の役員及び職員をいう。）である場合において、当該情報がその職務の遂行に係る情報であるときは、当該情報のうち、当該公務員等の職及び当該職務遂行の内容に係る部分

一の二　個人情報の保護に関する法律（平成十五年法律第五十七号）第六十条第三項に規定する行政機関等匿名加工情報（同条第四項に規定する行政機関等匿名加工情報ファイルを構成するものに限る。以下この号において「行政機関等匿名加工情報」という。）又は行政機関等匿名加工情報の作成に用いた同条第一項に規定する保有個人情報から削除した同法第二条第一項第一号に規定する記述等若しくは同条第二項に規定する個人識別符号

二　法人その他の団体（国、独立行政法人等、地方公共団体及び地方独立行政法人を除く。以下「法人等」という。）に関する情報又は事業を営む個人の当該事業に関する情報であって、次に掲げるもの。ただし、人の生命、健康、生活又は財産を保護するため、公にすることが必要であると認められる情報を除く。

イ　公にすることにより、当該法人等又は当該個人の権利、競争上の地位その他正当な利益を害するおそれがあるもの

ロ　行政機関の要請を受けて、公にしないとの条件で任意に提供されたものであって、法人等又は個人における通例として公にしないこととされているものその他の当該条件を付することが当該情報の性質、当時の状況等に照らして合理的であると認められるもの

三　公にすることにより、国の安全が害されるおそれ、他国若しくは国際機関との信頼関係が損なわれるおそれ又は他国若しくは国際機関との交渉上不利益を被るおそれがあると行政機関の長が認めることにつき相当の理由がある情報

四　公にすることにより、犯罪の予防、鎮圧又は捜査、公訴の維持、刑の執行その他の公共の安全と秩序の維持に支障を及ぼすおそれがあると行政機関の長が認めることにつき相当の理由がある情報

五　国の機関、独立行政法人等、地方公共団体及び地方独立行政法人の内部又は相互間における審議、検討又は協議に関する情報であって、公にすることにより、率直な意見の交換若しくは意思決定の中立性が不当に損なわれるおそれ、不当に国民の間に混乱を生じさせるおそれ又は特定の者に不当に利益を与え若しくは不利益を及ぼすおそれがあるもの

六　国の機関、独立行政法人等、地方公共団体又は地方独立行政法人が行う事務又は事業に関する情報であって、公にすることにより、次に掲げるおそれその他当該事務又は事業の性質上、当該事務又は事業の適正な遂行に支障を及ぼすおそれがあるもの

イ　監査、検査、取締り、試験又は租税の賦課若しくは徴収に係る事務に関し、正確な事実の把握を困難にするおそれ又は違法若しくは不当な行為を容易にし、若しくはその発見を困難にするおそれ

ロ　契約、交渉又は争訟に係る事務に関し、国、独立行政法人等、地方公共団体又は地方独立行政法人の財産上の利益又は当事者としての地位を不当に害するおそれ

ハ　調査研究に係る事務に関し、その公正かつ能率的な遂行を不当に阻害するおそれ

ニ　人事管理に係る事務に関し、公正かつ円滑な人事の確保に支障を及ぼすおそれ

ホ　独立行政法人等、地方公共団体が経営する企業又は地方独立行政法人に係る事業に関し、その企業経営上の正当な利益を害するおそれ

（部分開示）

第六条　行政機関の長は、開示請求に係る行政文書の一部に不開示情報が記録されている場合において、不開示情報が記録されている部分を容易に区分して除くことができるときは、開示請求者に対し、当該部分を除いた部分につき開示しなければならない。ただし、当該部分を除いた部分に有意の情報が記録されていないと認められるときは、この限りでない。

2　開示請求に係る行政文書に前条第一号の情報（特定の個人を識別することができるものに限る。）が記録されている場合において、当該情報のうち、氏名、生年月日その他の特定の個人を識別することができることとなる記述等の部分を除くことにより、公にしても、個人の権利利益が害されるおそれがないと認められるときは、当該部分を除いた部分は、同号の情報に含まれないものとみなして、前項の規定を適用する。

（公益上の理由による裁量的開示）

第七条　行政機関の長は、開示請求に係る行政文書に不開示情報（第五条第一号の二に掲げる情報を除く。）が記録されている場合であっても、公益上特に必要があると認めるときは、開示請求者に対し、当該行政文書を開示することができる。

（行政文書の存否に関する情報）

第八条　開示請求に対し、当該開示請求に係る行政文書が存在しているか否かを答えるだけで、不開示情報を開示することとなるときは、行政機関の長は、当該行政文書の存否を明らかにしないで、当該開示請求を拒否することができる。

（開示請求に対する措置）

第九条　行政機関の長は、開示請求に係る行政文書の全部又は一部を開示するときは、その旨の決定をし、開示請求者に対し、その旨及び開示の実施に関し政令で定める事項を書面により通知しなければならない。

2　行政機関の長は、開示請求に係る行政文書の全部を開示しないとき（前条の規定により開示請求を拒否するとき及び開示請求に係る行政文書を保有していないときを含む。）は、開示をしない旨の決定をし、開示請求者に対し、その旨を書面により通知しなければならない。

（開示決定等の期限）

第十条　前条各項の決定（以下「開示決定等」という。）は、開示請求があった日から三十日以内にしなければならない。ただし、第四条第二項の規定により補正を求めた場合にあっては、当該補正に要した日数は、当該期間に算入しない。

2　前項の規定にかかわらず、行政機関の長は、事務処理上の困難その他正当な理由があるときは、同項に規定する期間を三十日以内に限り延長することができる。この場合において、行政機関の長は、開示請求者に対し、遅滞なく、延長後の期間及び延長の理由を書面により通知しなければならない。

（開示決定等の期限の特例）

第十一条　開示請求に係る行政文書が著しく大量であるため、開示請求があった日から六十日以内にそのすべてについて開示決

定等をすることにより事務の遂行に著しい支障が生ずるおそれがある場合には、前条の規定にかかわらず、行政機関の長は、開示請求に係る行政文書のうちの相当の部分につき当該期間内に開示決定等をし、残りの行政文書については相当の期間内に開示決定等をすれば足りる。この場合において、行政機関の長は、同条第一項に規定する期間内に、開示請求者に対し、次に掲げる事項を書面により通知しなければならない。
一　本条を適用する旨及びその理由
二　残りの行政文書について開示決定等をする期限

（事案の移送）
第十二条　行政機関の長は、開示請求に係る行政文書が他の行政機関により作成されたものであるときその他他の行政機関の長において開示決定等をすることにつき正当な理由があるときは、当該他の行政機関の長と協議の上、当該他の行政機関の長に対し、事案を移送することができる。この場合においては、移送をした行政機関の長は、開示請求者に対し、事案を移送した旨を書面により通知しなければならない。
2　前項の規定により事案が移送されたときは、移送を受けた行政機関の長において、当該開示請求についての開示決定等をしなければならない。この場合において、移送をした行政機関の長が移送前にした行為は、移送を受けた行政機関の長がしたものとみなす。
3　前項の場合において、移送を受けた行政機関の長が第九条第一項の決定（以下「開示決定」という。）をしたときは、当該行政機関の長は、開示の実施をしなければならない。この場合において、移送をした行政機関の長は、当該開示の実施に必要な協力をしなければならない。

（独立行政法人等への事案の移送）
第十二条の二　行政機関の長は、開示請求に係る行政文書が独立行政法人等により作成されたものであるときその他独立行政法人等において独立行政法人等情報公開法第十条第一項に規定する開示決定等をすることにつき正当な理由があるときは、当該独立行政法人等と協議の上、当該独立行政法人等に対し、事案を移送することができる。この場合においては、移送をした行政機関の長は、開示請求者に対し、事案を移送した旨を書面により通知しなければならない。
2　前項の規定により事案が移送されたときは、当該事案については、行政文書を移送を受けた独立行政法人等が保有する独立行政法人等情報公開法第二条第二項に規定する法人文書と、開示請求を移送を受けた独立行政法人等に対する独立行政法人等情報公開法第四条第一項に規定する開示請求とみなして、独立行政法人等情報公開法の規定を適用する。この場合において、独立行政法人等情報公開法第十条第一項中「第四条第二項」とあるのは「行政機関の保有する情報の公開に関する法律（平成十一年法律第四十二号）第四条第二項」と、独立行政法人等情報公開法第十七条第一項中「開示請求をする者又は法人文書」とあるのは「法人文書」と、「により、それぞれ」とあるのは「により」と、「開示請求に係る手数料又は開示」とあるのは「開示」とする。
3　第一項の規定により事案が移送された場合において、移送を受けた独立行政法人等が開示の実施をするときは、移送をした行政機関の長は、当該開示の実施に必要な協力をしなければならない。

（第三者に対する意見書提出の機会の付与等）
第十三条　開示請求に係る行政文書に国、独立行政法人等、地方公共団体、地方独立行政法人及び開示請求者以外の者（以下この条、第十九条第二項及び第二十条第一項において「第三者」という。）に関する情報が記録されているときは、行政機関の長は、開示決定等をするに当たって、当該情報に係る第三者に対し、開示請求に係る行政文書の表示その他政令で定める事項を通知して、意見書を提出する機会を与えることができる。
2　行政機関の長は、次の各号のいずれかに該当するときは、開示決定に先立ち、当該第三者に対し、開示請求に係る行政文書の表示その他政令で定める事項を書面により通知して、意見書を提出する機会を与えなければならない。ただし、当該第三者の所在が判明しない場合は、この限りでない。
一　第三者に関する情報が記録されている行政文書を開示しようとする場合であって、当該情報が第五条第一号ロ又は同条第二号ただし書に規定する情報に該当すると認められるとき。
二　第三者に関する情報が記録されている行政文書を第七条の規定により開示しようとするとき。
3　行政機関の長は、前二項の規定により意見書の提出の機会を与えられた第三者が当該行政文書の開示に反対の意思を表示した意見書を提出した場合において、開示決定をするときは、開示決定の日と開示を実施する日との間に少なくとも二週間を置かなければならない。この場合において、行政機関の長は、開示決定後直ちに、当該意見書（第十九条において「反対意見書」という。）を提出した第三者に対し、開示決定をした旨及びその理由並びに開示を実施する日を書面により通知しなければならない。

（開示の実施）
第十四条　行政文書の開示は、文書又は図画については閲覧又は写しの交付により、電磁的記録についてはその種別、情報化の進展状況等を勘案して政令で定める方法により行う。ただし、閲覧の方法による行政文書の開示にあっては、行政機関の長は、当該行政文書の保存に支障を生ずるおそれがあると認めるときその他正当な理由があるときは、その写しにより、これを行うことができる。
2　開示決定に基づき行政文書の開示を受ける者は、政令で定めるところにより、当該開示決定をした行政機関の長に対し、その求める開示の実施の方法その他の政令で定める事項を申し出なければならない。
3　前項の規定による申出は、第九条第一項に規定する通知があった日から三十日以内にしなければならない。ただし、当該期間内に当該申出をすることができないことにつき正当な理由があるときは、この限りでない。
4　開示決定に基づき行政文書の開示を受けた者は、最初に開示を受けた日から三十日以内に限り、行政機関の長に対し、更に開示を受ける旨を申し出ることができる。この場合においては、前項ただし書の規定を準用する。

（他の法令による開示の実施との調整）
第十五条　行政機関の長は、他の法令の規定により、何人にも開示請求に係る行政文書が前条第一項本文に規定する方法と同一の方法で開示することとされている場合（開示の期間が定められている場合にあっては、当該期間内に限る。）には、同項本文の規定にかかわらず、当該行政文書については、当該同一の方法による開示を行わない。ただし、当該他の法令の規定に一定の場合には開示をしない旨の定めがあるときは、この限りでない。

2　他の法令の規定に定める開示の方法が縦覧であるときは、当該縦覧を前条第一項本文の閲覧とみなして、前項の規定を適用する。

（手数料）

第十六条　開示請求をする者又は行政文書の開示を受ける者は、政令で定めるところにより、それぞれ、実費の範囲内において政令で定める額の開示請求に係る手数料又は開示の実施に係る手数料を納めなければならない。

2　前項の手数料の額を定めるに当たっては、できる限り利用しやすい額とするよう配慮しなければならない。

3　行政機関の長は、経済的困難その他特別の理由があると認めるときは、政令で定めるところにより、第一項の手数料を減額し、又は免除することができる。

（権限又は事務の委任）

第十七条　行政機関の長は、政令（内閣の所轄の下に置かれる機関及び会計検査院にあっては、当該機関の命令）で定めるところにより、この章に定める権限又は事務を当該行政機関の職員に委任することができる。

第三章　審査請求等

（審理員による審理手続に関する規定の適用除外等）

第十八条　開示決定等又は開示請求に係る不作為に係る審査請求については、行政不服審査法（平成二十六年法律第六十八号）第九条、第十七条、第二十四条、第二章第三節及び第四節並びに第五十条第二項の規定は、適用しない。

2　開示決定等又は開示請求に係る不作為に係る審査請求についての行政不服審査法第二章の規定の適用については、同法第十一条第二項中「第九条第一項の規定により指名された者（以下「審理員」という。）」とあるのは「第四条（行政機関の保有する情報の公開に関する法律（平成十一年法律第四十二号）第二十条第二項の規定に基づく政令を含む。）の規定により審査請求がされた行政庁（第十条の規定により引継ぎを受けた行政庁を含む。以下「審査庁」という。）」と、同法第十三条第一項及び第二項中「審理員」とあるのは「審査庁」と、同法第二十五条第七項中「あったとき、又は審理員から第四十条に規定する執行停止をすべき旨の意見書が提出されたとき」とあるのは「あったとき」と、同法第四十四条中「行政不服審査会等」とあるのは「情報公開・個人情報保護審査会（審査庁が会計検査院の長である場合にあっては、別に法律で定める審査会。第五十条第一項第四号において同じ。）」と、「受けたとき（前条第一項の規定による諮問を要しない場合（同項第二号又は第三号に該当する場合を除く。）にあっては審理員意見書が提出されたとき、同項第二号又は第三号に該当する場合にあっては同項第二号又は第三号に規定する議を経たとき）」とあるのは「受けたとき」と、同法第五十条第一項第四号中「審理員意見書又は行政不服審査会等若しくは審議会等」とあるのは「情報公開・個人情報保護審査会」とする。

（審査会への諮問）

第十九条　開示決定等又は開示請求に係る不作為について審査請求があったときは、当該審査請求に対する裁決をすべき行政機関の長は、次の各号のいずれかに該当する場合を除き、情報公開・個人情報保護審査会（審査請求に対する裁決をすべき行政機関の長が会計検査院の長である場合にあっては、別に法律で定める審査会）に諮問しなければならない。

一　審査請求が不適法であり、却下する場合

二　裁決で、審査請求の全部を認容し、当該審査請求に係る行政文書の全部を開示することとする場合（当該行政文書の開示について反対意見書が提出されている場合を除く。）

2　前項の規定により諮問をした行政機関の長は、次に掲げる者に対し、諮問をした旨を通知しなければならない。

一　審査請求人及び参加人（行政不服審査法第十三条第四項に規定する参加人をいう。以下この項及び次条第一項第二号において同じ。）

二　開示請求者（開示請求者が審査請求人又は参加人である場合を除く。）

三　当該審査請求に係る行政文書の開示について反対意見書を提出した第三者（当該第三者が審査請求人又は参加人である場合を除く。）

（第三者からの審査請求を棄却する場合等における手続等）

第二十条　第十三条第三項の規定は、次の各号のいずれかに該当する裁決をする場合について準用する。

一　開示決定に対する第三者からの審査請求を却下し、又は棄却する裁決

二　審査請求に係る開示決定等（開示請求に係る行政文書の全部を開示する旨の決定を除く。）を変更し、当該審査請求に係る行政文書を開示する旨の裁決（第三者である参加人が当該行政文書の開示に反対の意思を表示している場合に限る。）

2　開示決定等又は開示請求に係る不作為についての審査請求については、政令で定めるところにより、行政不服審査法第四条の規定の特例を設けることができる。

（訴訟の移送の特例）

第二十一条　行政事件訴訟法（昭和三十七年法律第百三十九号）第十二条第四項の規定により同項に規定する特定管轄裁判所に開示決定等の取消しを求める訴訟又は開示決定等若しくは開示請求に係る不作為に係る審査請求に対する裁決の取消しを求める訴訟（次項及び附則第二項において「情報公開訴訟」という。）が提起された場合においては、同法第十二条第五項の規定にかかわらず、他の裁判所に同一又は同種若しくは類似の行政文書に係る開示決定等又は開示請求に係る不作為に係る審査請求に対する裁決に係る抗告訴訟（同法第三条第一項に規定する抗告訴訟をいう。次項において同じ。）が係属しているときは、当該特定管轄裁判所は、当事者の住所又は所在地、尋問を受けるべき証人の住所、争点又は証拠の共通性その他の事情を考慮して、相当と認めるときは、申立てにより又は職権で、訴訟の全部又は一部について、当該他の裁判所又は同法第十二条第一項から第三項までに定める裁判所に移送することができる。

2　前項の規定は、行政事件訴訟法第十二条第四項の規定により同項に規定する特定管轄裁判所に開示決定等又は開示決定等若

しくは開示請求に係る不作為に係る審査請求に対する裁決に係る抗告訴訟で情報公開訴訟以外のものが提起された場合について準用する。

第四章　補則

（開示請求をしようとする者に対する情報の提供等）
第二十二条　行政機関の長は、開示請求をしようとする者が容易かつ的確に開示請求をすることができるよう、公文書等の管理に関する法律第七条第二項に規定するもののほか、当該行政機関が保有する行政文書の特定に資する情報の提供その他開示請求をしようとする者の利便を考慮した適切な措置を講ずるものとする。
2　総務大臣は、この法律の円滑な運用を確保するため、開示請求に関する総合的な案内所を整備するものとする。

（施行の状況の公表）
第二十三条　総務大臣は、行政機関の長に対し、この法律の施行の状況について報告を求めることができる。
2　総務大臣は、毎年度、前項の報告を取りまとめ、その概要を公表するものとする。

（行政機関の保有する情報の提供に関する施策の充実）
第二十四条　政府は、その保有する情報の公開の総合的な推進を図るため、行政機関の保有する情報が適時に、かつ、適切な方法で国民に明らかにされるよう、行政機関の保有する情報の提供に関する施策の充実に努めるものとする。

（地方公共団体の情報公開）
第二十五条　地方公共団体は、この法律の趣旨にのっとり、その保有する情報の公開に関し必要な施策を策定し、及びこれを実施するよう努めなければならない。

（政令への委任）
第二十六条　この法律に定めるもののほか、この法律の実施のため必要な事項は、政令で定める。

附　則

1　この法律は、公布の日から起算して二年を超えない範囲内において政令で定める日〔平一三・四・一〕から施行する。ただし、第二十三条第一項中両議院の同意を得ることに関する部分、第四十条から第四十二条まで及び次項の規定は、公布の日から施行する。
2　政府は、この法律の施行後四年を目途として、この法律の施行の状況及び情報公開訴訟の管轄の在り方について検討を加え、その結果に基づいて必要な措置を講ずるものとする。

○行政不服審査法

平二六・六・一三
法　　六　　八

最終改正　令五・六・一六法六三

目次〔略〕

第一章　総則

（目的等）
第一条　この法律は、行政庁の違法又は不当な処分その他公権力の行使に当たる行為に関し、国民が簡易迅速かつ公正な手続の下で広く行政庁に対する不服申立てをすることができるための制度を定めることにより、国民の権利利益の救済を図るとともに、行政の適正な運営を確保することを目的とする。
2　行政庁の処分その他公権力の行使に当たる行為（以下単に「処分」という。）に関する不服申立てについては、他の法律に特別の定めがある場合を除くほか、この法律の定めるところによる。

（処分についての審査請求）
第二条　行政庁の処分に不服がある者は、第四条及び第五条第二項の定めるところにより、審査請求をすることができる。

（不作為についての審査請求）
第三条　法令に基づき行政庁に対して処分についての申請をした者は、当該申請から相当の期間が経過したにもかかわらず、行政庁の不作為（法令に基づく申請に対して何らの処分をもしないことをいう。以下同じ。）がある場合には、次条の定めるところにより、当該不作為についての審査請求をすることができる。

（審査請求をすべき行政庁）
第四条　審査請求は、法律（条例に基づく処分については、条例）に特別の定めがある場合を除くほか、次の各号に掲げる場合の区分に応じ、当該各号に定める行政庁に対してするものとする。
一　処分庁等（処分をした行政庁（以下「処分庁」という。）

又は不作為に係る行政庁（以下「不作為庁」という。）をいう。以下同じ。）に上級行政庁がない場合又は処分庁等が主任の大臣若しくは宮内庁長官若しくは内閣府設置法（平成十一年法律第八十九号）第四十九条第一項若しくは第二項若しくは国家行政組織法（昭和二十三年法律第百二十号）第三条第二項に規定する庁の長である場合　当該処分庁等

二　宮内庁長官又は内閣府設置法第四十九条第一項若しくは第二項若しくは国家行政組織法第三条第二項に規定する庁の長が処分庁等の上級行政庁である場合　宮内庁長官又は当該庁の長

三　主任の大臣が処分庁等の上級行政庁である場合（前二号に掲げる場合を除く。）　当該主任の大臣

四　前三号に掲げる場合以外の場合　当該処分庁等の最上級行政庁

（再調査の請求）

第五条　行政庁の処分につき処分庁以外の行政庁に対して審査請求をすることができる場合において、法律に再調査の請求をすることができる旨の定めがあるときは、当該処分に不服がある者は、処分庁に対して再調査の請求をすることができる。ただし、当該処分について第二条の規定により審査請求をしたときは、この限りでない。

2　前項本文の規定により再調査の請求をしたときは、当該再調査の請求についての決定を経た後でなければ、審査請求をすることができない。ただし、次の各号のいずれかに該当する場合は、この限りでない。

一　当該処分につき再調査の請求をした日（第六十一条において読み替えて準用する第二十三条の規定により不備を補正すべきことを命じられた場合にあっては、当該不備を補正した日）の翌日から起算して三月を経過しても、処分庁が当該再調査の請求につき決定をしない場合

二　その他再調査の請求についての決定を経ないことにつき正当な理由がある場合

（再審査請求）

第六条　行政庁の処分につき法律に再審査請求をすることができる旨の定めがある場合には、当該処分についての審査請求の裁決に不服がある者は、再審査請求をすることができる。

2　再審査請求は、原裁決（再審査請求をすることができる処分についての審査請求の裁決をいう。以下同じ。）又は当該処分（以下「原裁決等」という。）を対象として、前項の法律に定める行政庁に対してするものとする。

（適用除外）

第七条　次に掲げる処分及びその不作為については、第二条及び第三条の規定は、適用しない。

一　国会の両院若しくは一院又は議会の議決によってされる処分

二　裁判所若しくは裁判官の裁判により、又は裁判の執行としてされる処分

三　国会の両院若しくは一院若しくは議会の議決を経て、又はこれらの同意若しくは承認を得た上でされるべきものとされている処分

四　検査官会議で決すべきものとされている処分

五　当事者間の法律関係を確認し、又は形成する処分で、法令の規定により当該処分に関する訴えにおいてその法律関係の当事者の一方を被告とすべきものと定められているもの

六　刑事事件に関する法令に基づいて検察官、検察事務官又は司法警察職員がする処分

七　国税又は地方税の犯則事件に関する法令（他の法令において準用する場合を含む。）に基づいて国税庁長官、国税局長、税務署長、国税庁、国税局若しくは税務署の当該職員、税関長、税関職員又は徴税吏員（他の法令の規定に基づいてこれらの職員の職務を行う者を含む。）がする処分及び金融商品取引の犯則事件に関する法令（他の法令において準用する場合を含む。）に基づいて証券取引等監視委員会、その職員（当該法令においてその職員とみなされる者を含む。）、財務局長又は財務支局長がする処分

八　学校、講習所、訓練所又は研修所において、教育、講習、訓練又は研修の目的を達成するために、学生、生徒、児童若しくは幼児若しくはこれらの保護者、講習生、訓練生又は研修生に対してされる処分

九　刑務所、少年刑務所、拘置所、留置施設、海上保安留置施設、少年院又は少年鑑別所において、収容の目的を達成するためにされる処分

十　外国人の出入国又は帰化に関する処分

十一　専ら人の学識技能に関する試験又は検定の結果についての処分

十二　この法律に基づく処分（第五章第一節第一款の規定に基づく処分を除く。）

2　国の機関又は地方公共団体その他の公共団体若しくはその機関に対する処分で、これらの機関又は団体がその固有の資格において当該処分の相手方となるもの及びその不作為については、この法律の規定は、適用しない。

（特別の不服申立ての制度）

第八条　前条の規定は、同条の規定により審査請求をすることができない処分又は不作為につき、別に法令で当該処分又は不作為の性質に応じた不服申立ての制度を設けることを妨げない。

第二章　審査請求

第一節　審査庁及び審理関係人

（審理員）

第九条　第四条又は他の法律若しくは条例の規定により審査請求がされた行政庁（第十四条の規定により引継ぎを受けた行政庁を含む。以下「審査庁」という。）は、審査庁に所属する職員（第十七条に規定する名簿を作成した場合にあっては、当該名簿に記載されている者）のうちから第三節に規定する審理手続（この節に規定する手続を含む。）を行う者を指名するとともに、その旨を審査請求人及び処分庁等（審査庁以外の処分庁等に限る。）に通知しなければならない。ただし、次の各号のいずれかに掲げる機関が審査庁である場合若しくは条例に基づく処分について条例に特別の定めがある場合又は第二十四条の規定により当該審査請求を却下する場合は、この限りでない。

一　内閣府設置法第四十九条第一項若しくは第二項又は国家行政組織法第三条第二項に規定する委員会

二　内閣府設置法第三十七条若しくは第五十四条又は国家行政組織法第八条に規定する機関

三　地方自治法（昭和二十二年法律第六十七号）第百三十八条

の四第一項に規定する委員会若しくは委員又は同条第三項に規定する機関

2　審査庁が前項の規定により指名する者は、次に掲げる者以外の者でなければならない。

一　審査請求に係る処分若しくは当該処分に係る再調査の請求についての決定に関与した者又は審査請求に係る不作為に係る処分に関与し、若しくは関与することとなる者

二　審査請求人

三　審査請求人の配偶者、四親等内の親族又は同居の親族

四　審査請求人の代理人

五　前二号に掲げる者であった者

六　審査請求人の後見人、後見監督人、保佐人、保佐監督人、補助人又は補助監督人

七　第十三条第一項に規定する利害関係人

3　審査庁が第一項各号に掲げる機関である場合又は同項ただし書の特別の定めがある場合においては、別表第一の上欄に掲げる規定の適用については、これらの規定中同表の中欄に掲げる字句は、それぞれ同表の下欄に掲げる字句に読み替えるものとし、第十七条、第四十条、第四十二条及び第五十条第二項の規定は、適用しない。

4　前項に規定する場合において、審査庁は、必要があると認めるときは、その職員（第二項各号（第一項各号に掲げる機関の構成員にあっては、第一号を除く。）に掲げる者以外の者に限る。）に、前項において読み替えて適用する第三十一条第一項の規定による審査請求人若しくは第十三条第四項に規定する参加人の意見の陳述を聴かせ、前項において読み替えて適用する第三十四条の規定による参考人の陳述を聴かせ、同項において読み替えて適用する第三十五条第一項の規定による検証をさせ、前項において読み替えて適用する第三十六条の規定による第二十八条に規定する審理関係人に対する質問をさせ、又は同項において読み替えて適用する第三十七条第一項若しくは第二項の規定による意見の聴取を行わせることができる。

（法人でない社団又は財団の審査請求）

第十条　法人でない社団又は財団で代表者又は管理人の定めがあるものは、その名で審査請求をすることができる。

（総代）

第十一条　多数人が共同して審査請求をしようとするときは、三人を超えない総代を互選することができる。

2　共同審査請求人が総代を互選しない場合において、必要があると認めるときは、第九条第一項の規定により指名された者（以下「審理員」という。）は、総代の互選を命ずることができる。

3　総代は、各自、他の共同審査請求人のために、審査請求の取下げを除き、当該審査請求に関する一切の行為をすることができる。

4　総代が選任されたときは、共同審査請求人は、総代を通じてのみ、前項の行為をすることができる。

5　共同審査請求人に対する行政庁の通知その他の行為は、二人以上の総代が選任されている場合においても、一人の総代に対してすれば足りる。

6　共同審査請求人は、必要があると認める場合には、総代を解任することができる。

（代理人による審査請求）

第十二条　審査請求は、代理人によってすることができる。

2　前項の代理人は、各自、審査請求人のために、当該審査請求に関する一切の行為をすることができる。ただし、審査請求の取下げは、特別の委任を受けた場合に限り、することができる。

（参加人）

第十三条　利害関係人（審査請求人以外の者であって審査請求に係る処分又は不作為に係る処分の根拠となる法令に照らし当該処分につき利害関係を有するものと認められる者をいう。以下同じ。）は、審理員の許可を得て、当該審査請求に参加することができる。

2　審理員は、必要があると認める場合には、利害関係人に対し、当該審査請求に参加することを求めることができる。

3　審査請求への参加は、代理人によってすることができる。

4　前項の代理人は、各自、第一項又は第二項の規定により当該審査請求に参加する者（以下「参加人」という。）のために、当該審査請求への参加に関する一切の行為をすることができる。ただし、審査請求への参加の取下げは、特別の委任を受けた場合に限り、することができる。

（行政庁が裁決をする権限を有しなくなった場合の措置）

第十四条　行政庁が審査請求がされた後法令の改廃により当該審査請求につき裁決をする権限を有しなくなったときは、当該行政庁は、第十九条に規定する審査請求書又は第二十一条第二項に規定する審査請求録取書及び関係書類その他の物件を新たに当該審査請求につき裁決をする権限を有することとなった行政庁に引き継がなければならない。この場合において、その引継ぎを受けた行政庁は、速やかに、その旨を審査請求人及び参加人に通知しなければならない。

（審理手続の承継）

第十五条　審査請求人が死亡したときは、相続人その他法令により審査請求の目的である処分に係る権利を承継した者は、審査請求人の地位を承継する。

2　審査請求人について合併又は分割（審査請求の目的である処分に係る権利を承継させるものに限る。）があったときは、合併後存続する法人その他の社団若しくは財団若しくは合併により設立された法人その他の社団若しくは財団又は分割により当該権利を承継した法人は、審査請求人の地位を承継する。

3　前二項の場合には、審査請求人の地位を承継した相続人その他の者又は法人その他の社団若しくは財団は、書面でその旨を審査庁に届け出なければならない。この場合には、届出書には、死亡若しくは分割による権利の承継又は合併の事実を証する書面を添付しなければならない。

4　第一項又は第二項の場合において、前項の規定による届出がされるまでの間において、死亡者又は合併前の法人その他の社団若しくは財団若しくは分割をした法人に宛ててされた通知が審査請求人の地位を承継した相続人その他の者又は合併後の法人その他の社団若しくは財団若しくは分割により審査請求人の地位を承継した法人に到達したときは、当該通知は、これらの者に対する通知としての効力を有する。

5　第一項の場合において、審査請求人の地位を承継した相続人その他の者が二人以上あるときは、その一人に対する通知その他の行為は、全員に対してされたものとみなす。

6　審査請求の目的である処分に係る権利を譲り受けた者は、審査庁の許可を得て、審査請求人の地位を承継することができる。

（標準審理期間）

第十六条　第四条又は他の法律若しくは条例の規定により審査庁となるべき行政庁（以下「審査庁となるべき行政庁」という。）は、審査請求がその事務所に到達してから当該審査請求に対する裁決をするまでに通常要すべき標準的な期間を定めるよう努めるとともに、これを定めたときは、当該審査庁となるべき行政庁及び関係処分庁（当該審査請求の対象となるべき処分の権限を有する行政庁であって当該審査庁となるべき行政庁以外のものをいう。次条において同じ。）の事務所における備付けその他の適当な方法により公にしておかなければならない。

（審理員となるべき者の名簿）

第十七条　審査庁となるべき行政庁は、審理員となるべき者の名簿を作成するよう努めるとともに、これを作成したときは、当該審査庁となるべき行政庁及び関係処分庁の事務所における備付けその他の適当な方法により公にしておかなければならない。

第二節　審査請求の手続

（審査請求期間）

第十八条　処分についての審査請求は、処分があったことを知った日の翌日から起算して三月（当該処分について再調査の請求をしたときは、当該再調査の請求についての決定があったことを知った日の翌日から起算して一月）を経過したときは、することができない。ただし、正当な理由があるときは、この限りでない。

2　処分についての審査請求は、処分（当該処分について再調査の請求をしたときは、当該再調査の請求についての決定）があった日の翌日から起算して一年を経過したときは、することができない。ただし、正当な理由があるときは、この限りでない。

3　次条に規定する審査請求書を郵便又は民間事業者による信書の送達に関する法律（平成十四年法律第九十九号）第二条第六項に規定する一般信書便事業者若しくは同条第九項に規定する特定信書便事業者による同条第二項に規定する信書便で提出した場合における前二項に規定する期間（以下「審査請求期間」という。）の計算については、送付に要した日数は、算入しない。

（審査請求書の提出）

第十九条　審査請求は、他の法律（条例に基づく処分については、条例）に口頭ですることができる旨の定めがある場合を除き、政令で定めるところにより、審査請求書を提出してしなければならない。

2　処分についての審査請求書には、次に掲げる事項を記載しなければならない。

一　審査請求人の氏名又は名称及び住所又は居所
二　審査請求に係る処分の内容
三　審査請求に係る処分（当該処分について再調査の請求についての決定を経たときは、当該決定）があったことを知った年月日
四　審査請求の趣旨及び理由
五　処分庁の教示の有無及びその内容
六　審査請求の年月日

3　不作為についての審査請求書には、次に掲げる事項を記載しなければならない。

一　審査請求人の氏名又は名称及び住所又は居所
二　当該不作為に係る処分についての申請の内容及び年月日
三　審査請求の年月日

4　審査請求人が、法人その他の社団若しくは財団である場合、総代を互選した場合又は代理人によって審査請求をする場合には、審査請求書には、第二項各号又は前項各号に掲げる事項のほか、その代表者若しくは管理人、総代又は代理人の氏名及び住所又は居所を記載しなければならない。

5　処分についての審査請求書には、第二項及び前項に規定する事項のほか、次の各号に掲げる場合においては、当該各号に定める事項を記載しなければならない。

一　第五条第二項第一号の規定により再調査の請求についての決定を経ないで審査請求をする場合　再調査の請求をした年月日
二　第五条第二項第二号の規定により再調査の請求についての決定を経ないで審査請求をする場合　その決定を経ないことについての正当な理由
三　審査請求期間の経過後において審査請求をする場合　前条第一項ただし書又は第二項ただし書に規定する正当な理由

（口頭による審査請求）

第二十条　口頭で審査請求をする場合には、前条第二項から第五項までに規定する事項を陳述しなければならない。この場合において、陳述を受けた行政庁は、その陳述の内容を録取し、これを陳述人に読み聞かせて誤りのないことを確認しなければならない。

（処分庁等を経由する審査請求）

第二十一条　審査請求をすべき行政庁が処分庁等と異なる場合における審査請求は、処分庁等を経由してすることができる。この場合において、審査請求人は、処分庁等に審査請求書を提出し、又は処分庁等に対し第十九条第二項から第五項までに規定する事項を陳述するものとする。

2　前項の場合には、処分庁等は、直ちに、審査請求書又は審査請求録取書（前条後段の規定により陳述の内容を録取した書面をいう。第二十九条第一項及び第五十五条において同じ。）を審査庁となるべき行政庁に送付しなければならない。

3　第一項の場合における審査請求期間の計算については、処分庁に審査請求書を提出し、又は処分庁に対し当該事項を陳述した時に、処分についての審査請求があったものとみなす。

（誤った教示をした場合の救済）

第二十二条　審査請求をすることができる処分につき、処分庁が誤って審査請求をすべき行政庁でない行政庁を審査請求をすべき行政庁として教示した場合において、その教示された行政庁に書面で審査請求がされたときは、当該行政庁は、速やかに、審査請求書を処分庁又は審査庁となるべき行政庁に送付し、かつ、その旨を審査請求人に通知しなければならない。

2　前項の規定により処分庁に審査請求書が送付されたときは、処分庁は、速やかに、これを審査庁となるべき行政庁に送付し、かつ、その旨を審査請求人に通知しなければならない。

3　第一項の処分のうち、再調査の請求をすることができない処分につき、処分庁が誤って再調査の請求をすることができる旨を教示した場合において、当該処分庁に再調査の請求がされたときは、処分庁は、速やかに、再調査の請求書（第六十一条において読み替えて準用する第十九条に規定する再調査の請求書をいう。以下この条において同じ。）又は再調査の請求録取書（第六十一条において準用する第二十条後段の規定により陳述の内容を録取した書面をいう。以下この条において同じ。）を審査庁となるべき行政庁に送付し、かつ、その旨を再調査の請求人に通知しなければならない。

4　再調査の請求をすることができる処分につき、処分庁が誤って審査請求をすることができる旨を教示しなかった場合において、当該処分庁に再調査の請求がされた場合であって、再調査の請求人から申立てがあったときは、処分庁は、速やかに、再調査の請求書又は再調査の請求録取書及び関係書類その他の物件を審査庁となるべき行政庁に送付しなければならない。この場合において、その送付を受けた行政庁は、速やかに、その旨を再調査の請求人及び第六十一条において読み替えて準用する第十三条第一項又は第二項の規定により当該再調査の請求に参加する者に通知しなければならない。

5　前各項の規定により審査請求書又は再調査の請求書若しくは再調査の請求録取書が審査庁となるべき行政庁に送付されたときは、初めから審査庁となるべき行政庁に審査請求がされたものとみなす。

（審査請求書の補正）

第二十三条　審査請求書が第十九条の規定に違反する場合には、審査庁は、相当の期間を定め、その期間内に不備を補正すべきことを命じなければならない。

（審理手続を経ないでする却下裁決）

第二十四条　前条の場合において、審査請求人が同条の期間内に不備を補正しないときは、審査庁は、次節に規定する審理手続を経ないで、第四十五条第一項又は第四十九条第一項の規定に基づき、裁決で、当該審査請求を却下することができる。

2　審査請求が不適法であって補正することができないことが明らかなときも、前項と同様とする。

（執行停止）

第二十五条　審査請求は、処分の効力、処分の執行又は手続の続行を妨げない。

2　処分庁の上級行政庁又は処分庁である審査庁は、必要があると認める場合には、審査請求人の申立てにより又は職権で、処分の効力、処分の執行又は手続の続行の全部又は一部の停止その他の措置（以下「執行停止」という。）をとることができる。

3　処分庁の上級行政庁又は処分庁のいずれでもない審査庁は、必要があると認める場合には、審査請求人の申立てにより、処分庁の意見を聴取した上、執行停止をすることができる。ただし、処分の効力、処分の執行又は手続の続行の全部又は一部の停止以外の措置をとることはできない。

4　前二項の規定による審査請求人の申立てがあった場合において、処分、処分の執行又は手続の続行により生ずる重大な損害を避けるために緊急の必要があると認めるときは、審査庁は、執行停止をしなければならない。ただし、公共の福祉に重大な影響を及ぼすおそれがあるとき、又は本案について理由がないとみえるときは、この限りでない。

5　審査庁は、前項に規定する重大な損害を生ずるか否かを判断するに当たっては、損害の回復の困難の程度を考慮するものとし、損害の性質及び程度並びに処分の内容及び性質をも勘案するものとする。

6　第二項から第四項までの場合において、処分の効力の停止は、処分の効力の停止以外の措置によって目的を達することができるときは、することができない。

7　執行停止の申立てがあったとき、又は審理員から第四十条に規定する執行停止をすべき旨の意見書が提出されたときは、審査庁は、速やかに、執行停止をするかどうかを決定しなければならない。

（執行停止の取消し）

第二十六条　執行停止をした後において、執行停止が公共の福祉に重大な影響を及ぼすことが明らかとなったとき、その他事情が変更したときは、審査庁は、その執行停止を取り消すことができる。

（審査請求の取下げ）

第二十七条　審査請求人は、裁決があるまでは、いつでも審査請求を取り下げることができる。

2　審査請求の取下げは、書面でしなければならない。

第三節　審理手続

（審理手続の計画的進行）

第二十八条　審査請求人、参加人及び処分庁等（以下「審理関係人」という。）並びに審理員は、簡易迅速かつ公正な審理の実現のため、審理において、相互に協力するとともに、審理手続の計画的な進行を図らなければならない。

（弁明書の提出）

第二十九条　審理員は、審査庁から指名されたときは、直ちに、審査請求書又は審査請求録取書の写しを処分庁等に送付しなければならない。ただし、処分庁等が審査庁である場合には、この限りでない。

2　審理員は、相当の期間を定めて、処分庁等に対し、弁明書の提出を求めるものとする。

3　処分庁等は、前項の弁明書に、次の各号の区分に応じ、当該各号に定める事項を記載しなければならない。

一　処分についての審査請求に対する弁明書　処分の内容及び理由

二　不作為についての審査請求に対する弁明書　処分をしていない理由並びに予定される処分の時期、内容及び理由

4　処分庁が次に掲げる書面を保有する場合には、前項第一号に掲げる弁明書にこれを添付するものとする。

一　行政手続法（平成五年法律第八十八号）第二十四条第一項の調書及び同条第三項の報告書

二　行政手続法第二十九条第一項に規定する弁明書

5　審理員は、処分庁等から弁明書の提出があったときは、これを審査請求人及び参加人に送付しなければならない。

（反論書等の提出）

第三十条　審査請求人は、前条第五項の規定により送付された弁明書に記載された事項に対する反論を記載した書面（以下「反論書」という。）を提出することができる。この場合において、審理員が、反論書を提出すべき相当の期間を定めたとき

は、その期間内にこれを提出しなければならない。

2 参加人は、審査請求に係る事件に関する意見を記載した書面（第四十条及び第四十二条第一項を除き、以下「意見書」という。）を提出することができる。この場合において、審理員が、意見書を提出すべき相当の期間を定めたときは、その期間内にこれを提出しなければならない。

3 審理員は、審査請求人から反論書の提出があったときはこれを参加人及び処分庁等に、参加人から意見書の提出があったときはこれを審査請求人及び処分庁等に、それぞれ送付しなければならない。

（口頭意見陳述）

第三十一条 審査請求人又は参加人の申立てがあった場合には、審理員は、当該申立てをした者（以下この条及び第四十一条第二項第二号において「申立人」という。）に口頭で審査請求に係る事件に関する意見を述べる機会を与えなければならない。ただし、当該申立人の所在その他の事情により当該意見を述べる機会を与えることが困難であると認められる場合には、この限りでない。

2 前項本文の規定による意見の陳述（以下「口頭意見陳述」という。）は、審理員が期日及び場所を指定し、全ての審理関係人を招集してさせるものとする。

3 口頭意見陳述において、申立人は、審理員の許可を得て、補佐人とともに出頭することができる。

4 口頭意見陳述において、審理員は、申立人のする陳述が事件に関係のない事項にわたる場合その他相当でない場合には、これを制限することができる。

5 口頭意見陳述に際し、申立人は、審理員の許可を得て、審査請求に係る事件に関し、処分庁等に対して、質問を発することができる。

（証拠書類等の提出）

第三十二条 審査請求人又は参加人は、証拠書類又は証拠物を提出することができる。

2 処分庁等は、当該処分の理由となる事実を証する書類その他の物件を提出することができる。

3 前二項の場合において、審理員が、証拠書類若しくは証拠物又は書類その他の物件を提出すべき相当の期間を定めたときは、その期間内にこれを提出しなければならない。

（物件の提出要求）

第三十三条 審理員は、審査請求人若しくは参加人の申立てにより又は職権で、書類その他の物件の所持人に対し、相当の期間を定めて、その物件の提出を求めることができる。この場合において、審理員は、その提出された物件を留め置くことができる。

（参考人の陳述及び鑑定の要求）

第三十四条 審理員は、審査請求人若しくは参加人の申立てにより又は職権で、適当と認める者に、参考人としてその知っている事実の陳述を求め、又は鑑定を求めることができる。

（検証）

第三十五条 審理員は、審査請求人若しくは参加人の申立てにより又は職権で、必要な場所につき、検証をすることができる。

2 審理員は、審査請求人又は参加人の申立てにより前項の検証をしようとするときは、あらかじめ、その日時及び場所を当該申立てをした者に通知し、これに立ち会う機会を与えなければならない。

（審理関係人への質問）

第三十六条 審理員は、審査請求人若しくは参加人の申立てにより又は職権で、審査請求に係る事件に関し、審理関係人に質問することができる。

（審理手続の計画的遂行）

第三十七条 審理員は、審査請求に係る事件について、審理すべき事項が多数であり又は錯綜しているなど事件が複雑であることその他の事情により、迅速かつ公正な審理を行うため、第三十一条から前条までに定める審理手続を計画的に遂行する必要があると認める場合には、期日及び場所を指定して、審理関係人を招集し、あらかじめ、これらの審理手続の申立てに関する意見の聴取を行うことができる。

2 審理員は、審理関係人が遠隔の地に居住している場合その他相当と認める場合には、政令で定めるところにより、審理員及び審理関係人が音声の送受信により通話をすることができる方法によって、前項に規定する意見の聴取を行うことができる。

3 審理員は、前二項の規定による意見の聴取を行ったときは、遅滞なく、第三十一条から前条までに定める審理手続の期日及び場所並びに第四十一条第一項の規定による審理手続の終結の予定時期を決定し、これらを審理関係人に通知するものとする。当該予定時期を変更したときも、同様とする。

（審査請求人等による提出書類等の閲覧等）

第三十八条 審査請求人又は参加人は、第四十一条第一項又は第二項の規定により審理手続が終結するまでの間、審理員に対し、提出書類等（第二十九条第四項各号に掲げる書面又は第三十二条第一項若しくは第二項若しくは第三十三条の規定により提出された書類その他の物件をいう。次項において同じ。）の閲覧（電磁的記録（電子的方式、磁気的方式その他人の知覚によっては認識することができない方式で作られる記録であって、電子計算機による情報処理の用に供されるものをいう。以下同じ。）にあっては、記録された事項を審査庁が定める方法により表示したものの閲覧）又は当該書面若しくは当該書類の写し若しくは当該電磁的記録に記録された事項を記載した書面の交付を求めることができる。この場合において、審理員は、第三者の利益を害するおそれがあると認めるとき、その他正当な理由があるときでなければ、その閲覧又は交付を拒むことができない。

2 審理員は、前項の規定による閲覧をさせ、又は同項の規定による交付をしようとするときは、当該閲覧又は交付に係る提出書類等の提出人の意見を聴かなければならない。ただし、審理員が、その必要がないと認めるときは、この限りでない。

3 審理員は、第一項の規定による閲覧について、日時及び場所を指定することができる。

4 第一項の規定による交付を受ける審査請求人又は参加人は、政令で定めるところにより、実費の範囲内において政令で定める額の手数料を納めなければならない。

5 審理員は、経済的困難その他特別の理由があると認めるときは、政令で定めるところにより、前項の手数料を減額し、又は免除することができる。

6 地方公共団体（都道府県、市町村及び特別区並びに地方公共団体の組合に限る。以下同じ。）に所属する行政庁が審査庁である場合における前二項の規定の適用については、これらの規定中「政令」とあるのは、「条例」とし、国又は地方公共団体に所属しない行政庁が審査庁である場合におけるこれらの規定の適用については、これらの規定中「政令で」とあるのは、「審査庁が」とする。

（審理手続の併合又は分離）

第三十九条 審理員は、必要があると認める場合には、数個の審査請求に係る審理手続を併合し、又は併合された数個の審査請求に係る審理手続を分離することができる。

（審理員による執行停止の意見書の提出）

第四十条 審理員は、必要があると認める場合には、審査庁に対し、執行停止をすべき旨の意見書を提出することができる。

（審理手続の終結）

第四十一条 審理員は、必要な審理を終えたと認めるときは、審理手続を終結するものとする。

2 前項に定めるもののほか、審理員は、次の各号のいずれかに該当するときは、審理手続を終結することができる。

一 次のイからホまでに掲げる規定の相当の期間内に、当該イからホまでに定める物件が提出されない場合において、更に一定の期間を示して、当該物件の提出を求めたにもかかわらず、当該提出期間内に当該物件が提出されなかったとき。

イ 第二十九条第二項 弁明書

ロ 第三十条第一項後段 反論書

ハ 第三十条第二項後段 意見書

ニ 第三十二条第三項 証拠書類若しくは証拠物又は書類その他の物件

ホ 第三十三条前段 書類その他の物件

二 申立人が、正当な理由なく、口頭意見陳述に出頭しないとき。

3 審理員が前二項の規定により審理手続を終結したときは、速やかに、審理関係人に対し、審理手続を終結した旨並びに次条第一項に規定する審理員意見書及び事件記録（審査請求書、弁明書その他審査請求に係る事件に関する書類その他の物件のうち政令で定めるものをいう。同条第二項及び第四十三条第二項において同じ。）を審査庁に提出する予定時期を通知するものとする。当該予定時期を変更したときも、同様とする。

（審理員意見書）

第四十二条 審理員は、審理手続を終結したときは、遅滞なく、審査庁がすべき裁決に関する意見書（以下「審理員意見書」という。）を作成しなければならない。

2 審理員は、審理員意見書を作成したときは、速やかに、これを事件記録とともに、審査庁に提出しなければならない。

第四節 行政不服審査会等への諮問

第四十三条 審査庁は、審理員意見書の提出を受けたときは、次の各号のいずれかに該当する場合を除き、審査庁が主任の大臣又は宮内庁長官若しくは内閣府設置法第四十九条第一項若しくは第二項若しくは国家行政組織法第三条第二項に規定する庁の長である場合にあっては行政不服審査会に、審査庁が地方公共団体の長（地方公共団体の組合にあっては、長、管理者又は理事会）である場合にあっては第八十一条第一項又は第二項の機関に、それぞれ諮問しなければならない。

一 審査請求に係る処分をしようとするときに他の法律又は政令（条例に基づく処分については、条例）に第九条第一項各号に掲げる機関若しくは地方公共団体の議会又はこれらの機関に類するものとして政令で定めるもの（以下「審議会等」という。）の議を経るべき旨又は経ることができる旨の定めがあり、かつ、当該議を経て当該処分がされた場合

二 裁決をしようとするときに他の法律又は政令（条例に基づく処分については、条例）に第九条第一項各号に掲げる機関若しくは地方公共団体の議会又はこれらの機関に類するものとして政令で定めるものの議を経るべき旨又は経ることができる旨の定めがあり、かつ、当該議を経て裁決をしようとする場合

三 第四十六条第三項又は第四十九条第四項の規定により審議会等の議を経て裁決をしようとする場合

四 審査請求人から、行政不服審査会又は第八十一条第一項若しくは第二項の機関（以下「行政不服審査会等」という。）への諮問を希望しない旨の申出がされている場合（参加人から、行政不服審査会等に諮問しないことについて反対する旨の申出がされている場合を除く。）

五 審査請求が、行政不服審査会等によって、国民の権利利益及び行政の運営に対する影響の程度その他当該事件の性質を勘案して、諮問を要しないものと認められたものである場合

六 審査請求が不適法であり、却下する場合

七 第四十六条第一項の規定により審査請求に係る処分（法令に基づく申請を却下し、又は棄却する処分及び事実上の行為を除く。）の全部を取り消し、又は第四十七条第一号若しくは第二号の規定により審査請求に係る事実上の行為の全部を撤廃すべき旨を命じ、若しくは撤廃することとする場合（当該処分の全部を取り消すこと又は当該事実上の行為の全部を撤廃すべき旨を命じ、若しくは撤廃することについて反対する旨の意見書が提出されている場合及び口頭意見陳述においてその旨の意見が述べられている場合を除く。）

八 第四十六条第二項各号又は第四十九条第三項各号に定める措置（法令に基づく申請の全部を認容すべき旨を命じ、又は認容するものに限る。）をとることとする場合（当該申請の全部を認容することについて反対する旨の意見書が提出されている場合及び口頭意見陳述においてその旨の意見が述べられている場合を除く。）

2 前項の規定による諮問は、審理員意見書及び事件記録の写しを添えてしなければならない。

3 第一項の規定により諮問をした審査庁は、審理関係人（処分庁等が審査庁である場合にあっては、審査請求人及び参加人）に対し、当該諮問をした旨を通知するとともに、審理員意見書の写しを送付しなければならない。

第五節 裁決

（裁決の時期）

第四十四条 審査庁は、行政不服審査会等から諮問に対する答申を受けたとき（前条第一項の規定による諮問を要しない場合（同項第二号又は第三号に該当する場合を除く。）にあっては審理員意見書が提出されたとき、同項第二号又は第三号に規定する議を経たとき）は、遅滞なく、裁決をしなければならない。

（処分についての審査請求の却下又は棄却）

第四十五条 処分についての審査請求が法定の期間経過後にされ

たものである場合その他不適法である場合には、審査庁は、裁決で、当該審査請求を却下する。

2　処分についての審査請求が理由がない場合には、審査庁は、裁決で、当該審査請求を棄却する。

3　審査請求に係る処分が違法又は不当ではあるが、これを取り消し、又は撤廃することにより公の利益に著しい障害を生ずる場合において、審査請求人の受ける損害の程度、その損害の賠償又は防止の程度及び方法その他一切の事情を考慮した上、処分を取り消し、又は撤廃することが公共の福祉に適合しないと認めるときは、審査庁は、裁決で、当該審査請求を棄却することができる。この場合には、審査庁は、裁決の主文で、当該処分が違法又は不当であることを宣言しなければならない。

（処分についての審査請求の認容）

第四十六条　処分（事実上の行為を除く。以下この条及び第四十八条において同じ。）についての審査請求が理由がある場合（前条第三項の規定の適用がある場合を除く。）には、審査庁は、裁決で、当該処分の全部若しくは一部を取り消し、又はこれを変更する。ただし、審査庁が処分庁の上級行政庁又は処分庁のいずれでもない場合には、当該処分を変更することはできない。

2　前項の規定により法令に基づく申請を却下し、又は棄却する処分の全部又は一部を取り消す場合において、次の各号に掲げる審査庁は、当該申請に対して一定の処分をすべきものと認めるときは、当該各号に定める措置をとる。

一　処分庁の上級行政庁である審査庁　当該処分庁に対し、当該処分をすべき旨を命ずること。

二　処分庁である審査庁　当該処分をすること。

3　前項に規定する一定の処分に関し、第四十三条第一項第一号に規定する議を経るべき旨の定めがある場合において、審査庁が前項各号に定める措置をとるために必要があると認めるときは、審査庁は、当該定めに係る審議会等の議を経ることができる。

4　前項に規定する定めがある場合のほか、第二項に規定する一定の処分に関し、他の法令に関係行政機関との協議の実施その他の手続をとるべき旨の定めがある場合において、審査庁が同項各号に定める措置をとるために必要があると認めるときは、審査庁は、当該手続をとることができる。

第四十七条　事実上の行為についての審査請求が理由がある場合（第四十五条第三項の規定の適用がある場合を除く。）には、審査庁は、裁決で、当該事実上の行為が違法又は不当である旨を宣言するとともに、次の各号に掲げる審査庁の区分に応じ、当該各号に定める措置をとる。ただし、審査庁が処分庁の上級行政庁以外の審査庁である場合には、当該事実上の行為を変更すべき旨を命ずることはできない。

一　処分庁以外の審査庁　当該処分庁に対し、当該事実上の行為の全部若しくは一部を撤廃し、又はこれを変更すべき旨を命ずること。

二　処分庁である審査庁　当該事実上の行為の全部若しくは一部を撤廃し、又はこれを変更すること。

（不利益変更の禁止）

第四十八条　第四十六条第一項本文又は前条の場合において、審査庁は、審査請求人の不利益に当該処分を変更し、又は当該事実上の行為を変更すべき旨を命じ、若しくはこれを変更することはできない。

（不作為についての審査請求の裁決）

第四十九条　不作為についての審査請求が当該不作為に係る処分についての申請から相当の期間が経過しないでされたものである場合その他不適法である場合には、審査庁は、裁決で、当該審査請求を却下する。

2　不作為についての審査請求が理由がない場合には、審査庁は、裁決で、当該審査請求を棄却する。

3　不作為についての審査請求が理由がある場合には、審査庁は、裁決で、当該不作為が違法又は不当である旨を宣言する。この場合において、次の各号に掲げる審査庁は、当該申請に対して一定の処分をすべきものと認めるときは、当該各号に定める措置をとる。

一　不作為庁の上級行政庁である審査庁　当該不作為庁に対し、当該処分をすべき旨を命ずること。

二　不作為庁である審査庁　当該処分をすること。

4　審査請求に係る不作為に係る処分に関し、第四十三条第一項第一号に規定する議を経るべき旨の定めがある場合において、審査庁が前項各号に定める措置をとるために必要があると認めるときは、審査庁は、当該定めに係る審議会等の議を経ることができる。

5　前項に規定する定めがある場合のほか、審査請求に係る不作為に係る処分に関し、他の法令に関係行政機関との協議の実施その他の手続をとるべき旨の定めがある場合において、審査庁が第三項各号に定める措置をとるために必要があると認めるときは、審査庁は、当該手続をとることができる。

（裁決の方式）

第五十条　裁決は、次に掲げる事項を記載し、審査庁が記名押印した裁決書によりしなければならない。

一　主文

二　事案の概要

三　審理関係人の主張の要旨

四　理由（第一号の主文が審理員意見書又は行政不服審査会等若しくは審議会等の答申書と異なる内容である場合には、異なることとなった理由を含む。）

2　第四十三条第一項の規定による行政不服審査会等への諮問を要しない場合には、前項の裁決書には、審理員意見書を添付しなければならない。

3　審査庁は、再審査請求をすることができる裁決をする場合には、裁決書に再審査請求をすることができる旨並びに再審査請求をすべき行政庁及び再審査請求期間（第六十二条に規定する期間をいう。）を記載して、これらを教示しなければならない。

（裁決の効力発生）

第五十一条　裁決は、審査請求人（当該審査請求が処分の相手方以外の者のしたものである場合における第四十六条第一項及び第四十七条の規定による裁決にあっては、審査請求人及び処分の相手方）に送達された時に、その効力を生ずる。

2　裁決の送達は、送達を受けるべき者に裁決書の謄本を送付することによってする。ただし、送達を受けるべき者の所在が知れない場合その他裁決書の謄本を送付することができない場合には、公示の方法によってすることができる。

3　公示の方法による送達は、審査庁が裁決書の謄本を保管し、いつでもその送達を受けるべき者に交付する旨を当該審査庁の掲示場に掲示し、かつ、その旨を官報その他の公報又は新聞紙に少なくとも一回掲載してするものとする。この場合において、その掲示を始めた日の翌日から起算して二週間を経過した時に裁決書の謄本の送付があったものとみなす。

4　審査庁は、裁決書の謄本を参加人及び処分庁等（審査庁以外の処分庁等に限る。）に送付しなければならない。

（裁決の拘束力）

第五十二条　裁決は、関係行政庁を拘束する。

2　申請に基づいてした処分が手続の違法若しくは不当を理由として裁決で取り消され、又は申請を却下し、若しくは棄却した処分が裁決で取り消された場合には、処分庁は、裁決の趣旨に従い、改めて申請に対する処分をしなければならない。

3　法令の規定により公示された処分が裁決で取り消され、又は変更された場合には、処分庁は、当該処分が取り消され、又は変更された旨を公示しなければならない。

4　法令の規定により処分の相手方以外の利害関係人に通知された処分が裁決で取り消され、又は変更された場合には、処分庁は、その通知を受けた者（審査請求人及び参加人を除く。）に、当該処分が取り消され、又は変更された旨を通知しなければならない。

（証拠書類等の返還）

第五十三条　審査庁は、裁決をしたときは、速やかに、第三十二条第一項又は第二項の規定により提出された証拠書類若しくは証拠物又は書類その他の物件及び第三十三条の規定による提出要求に応じて提出された書類その他の物件をその提出人に返還しなければならない。

第三章　再調査の請求

（再調査の請求期間）

第五十四条　再調査の請求は、処分があったことを知った日の翌日から起算して三月を経過したときは、することができない。ただし、正当な理由があるときは、この限りでない。

2　再調査の請求は、処分があった日の翌日から起算して一年を経過したときは、することができない。ただし、正当な理由があるときは、この限りでない。

（誤った教示をした場合の救済）

第五十五条　再調査の請求をすることができる処分につき、処分庁が誤って再調査の請求をすることができる旨を教示しなかった場合において、審査請求がされた場合であって、審査請求人から申立てがあったときは、審査庁は、速やかに、審査請求書又は審査請求録取書を処分庁に送付しなければならない。ただし、審査請求人に対し弁明書が送付された後においては、この限りでない。

2　前項本文の規定により審査請求書又は審査請求録取書の送付を受けた処分庁は、速やかに、その旨を審査請求人及び参加人に通知しなければならない。

3　第一項本文の規定により審査請求書又は審査請求録取書が処分庁に送付されたときは、初めから処分庁に再調査の請求がされたものとみなす。

（再調査の請求についての決定を経ずに審査請求がされた場合）

第五十六条　第五条第二項ただし書の規定により審査請求がされたときは、同項の再調査の請求は、取り下げられたものとみなす。ただし、処分庁において当該審査請求がされた日以前に再調査の請求に係る処分（事実上の行為を除く。）を取り消す旨の第六十条第一項の決定書の謄本を発している場合又は再調査の請求に係る事実上の行為を撤廃している場合は、当該審査請求（処分（事実上の行為を除く。）の一部を取り消す旨の第五十九条第一項の決定がされている場合又は事実上の行為の一部が撤廃されている場合にあっては、その部分に限る。）が取り下げられたものとみなす。

（三月後の教示）

第五十七条　処分庁は、再調査の請求がされた日（第六十一条において読み替えて準用する第二十三条の規定により不備を補正すべきことを命じた場合にあっては、当該不備が補正された日）の翌日から起算して三月を経過しても当該再調査の請求が係属しているときは、遅滞なく、当該処分について直ちに審査請求をすることができる旨を書面でその再調査の請求人に教示しなければならない。

（再調査の請求の却下又は棄却の決定）

第五十八条　再調査の請求が法定の期間経過後にされたものである場合その他不適法である場合には、処分庁は、決定で、当該再調査の請求を却下する。

2　再調査の請求が理由がない場合には、処分庁は、決定で、当該再調査の請求を棄却する。

（再調査の請求の認容の決定）

第五十九条　処分（事実上の行為を除く。）についての再調査の請求が理由がある場合には、処分庁は、決定で、当該処分の全部若しくは一部を取り消し、又はこれを変更する。

2　事実上の行為についての再調査の請求が理由がある場合には、処分庁は、決定で、当該事実上の行為が違法又は不当である旨を宣言するとともに、当該事実上の行為の全部若しくは一部を撤廃し、又はこれを変更する。

3　処分庁は、前二項の場合において、再調査の請求人の不利益に当該処分又は当該事実上の行為を変更することはできない。

（決定の方式）

第六十条　前二条の決定は、主文及び理由を記載し、処分庁が記名押印した決定書によりしなければならない。

2　処分庁は、前項の決定書（再調査の請求に係る処分の全部を取り消し、又は撤廃する決定に係るものを除く。）に、再調査の請求に係る処分につき審査請求をすることができる旨（却下の決定である場合にあっては、当該却下の決定が違法な場合に限り審査請求をすることができる旨）並びに審査請求をすべき行政庁及び審査請求期間を記載して、これらを教示しなければならない。

（審査請求に関する規定の準用）

第六十一条　第九条第四項、第十条から第十六条まで、第十八条第三項、第十九条（第三項並びに第五項第一号及び第二号を除く。）、第二十条、第二十三条、第二十四条、第二十五条（第三項を除く。）、第二十六条、第二十七条、第三十一条（第五項を除く。）、第三十二条（第二項を除く。）、第三十九条、第五十一条及び第五十三条の規定は、再調査の請求について準用する。この場合において、別表第二の上欄に掲げる規定中同表の中欄に掲げる字句は、それぞれ同表の下欄に掲げる字句に読み替えるものとする。

第四章　再審査請求

（再審査請求期間）

第六十二条　再審査請求は、原裁決があったことを知った日の翌日から起算して一月を経過したときは、することができない。ただし、正当な理由があるときは、この限りでない。

2　再審査請求は、原裁決があった日の翌日から起算して一年を経過したときは、することができない。ただし、正当な理由があるときは、この限りでない。

（裁決書の送付）

第六十三条　第六十六条第一項において読み替えて準用する第十一条第二項に規定する審理員又は第六十六条第一項において準用する第九条第一項各号に掲げる機関である再審査庁（他の法律の規定により再審査請求がされた行政庁（第六十六条第一項において読み替えて準用する第十四条の規定により引継ぎを受けた行政庁を含む。）をいう。以下同じ。）は、原裁決をした行政庁に対し、原裁決に係る裁決書の送付を求めるものとする。

（再審査請求の却下又は棄却の裁決）

第六十四条　再審査請求が法定の期間経過後にされたものである場合その他不適法である場合には、再審査庁は、裁決で、当該再審査請求を却下する。

2　再審査請求が理由がない場合には、再審査庁は、裁決で、当該再審査請求を棄却する。

3　再審査請求に係る原裁決（審査請求を却下し、又は棄却したものに限る。）が違法又は不当である場合において、当該審査請求に係る処分が違法又は不当のいずれでもないときは、再審査庁は、裁決で、当該再審査請求を棄却する。

4　前項に規定する場合のほか、再審査請求に係る原裁決等が違法又は不当ではあるが、これを取り消し、又は撤廃することにより公の利益に著しい障害を生ずる場合において、再審査請求人の受ける損害の程度、その損害の賠償又は防止の程度及び方法その他一切の事情を考慮した上、原裁決等を取り消し、又は撤廃することが公共の福祉に適合しないと認めるときは、再審査庁は、裁決で、当該再審査請求を棄却することができる。この場合には、再審査庁は、裁決の主文で、当該原裁決等が違法又は不当であることを宣言しなければならない。

（再審査請求の認容の裁決）

第六十五条　原裁決等（事実上の行為を除く。）についての再審査請求が理由がある場合（前条第三項に規定する場合及び同条第四項の規定の適用がある場合を除く。）には、再審査庁は、裁決で、当該原裁決等の全部又は一部を取り消す。

2　事実上の行為についての再審査請求が理由がある場合（前条第四項の規定の適用がある場合を除く。）には、裁決で、当該事実上の行為が違法又は不当である旨を宣言するとともに、処分庁に対し、当該事実上の行為の全部又は一部を撤廃すべき旨を命ずる。

（審査請求に関する規定の準用）

第六十六条　第二章（第九条第三項、第十八条（第三項を除く。）、第十九条第三項並びに第五項第一号及び第二号、第二十二条、第二十五条第二項、第二十九条（第一項を除く。）、第三十条第一項、第四十一条第二項第一号イ及びロ、第四節、第四十五条から第四十九条まで並びに第五十条第三項を除く。）の規定は、再審査請求について準用する。この場合において、別表第三の上欄に掲げる規定中同表の中欄に掲げる字句は、それぞれ同表の下欄に掲げる字句に読み替えるものとする。

2　再審査庁が前項において準用する第九条第一項各号に掲げる機関である場合には、前項において準用する第十七条、第四十条、第四十二条及び第五十条第二項の規定は、適用しない。

第五章　行政不服審査会等

第一節　行政不服審査会

第一款　設置及び組織

（設置）

第六十七条　総務省に、行政不服審査会（以下「審査会」という。）を置く。

2　審査会は、この法律の規定によりその権限に属させられた事項を処理する。

（組織）

第六十八条　審査会は、委員九人をもって組織する。

2　委員は、非常勤とする。ただし、そのうち三人以内は、常勤とすることができる。

（委員）

第六十九条　委員は、審査会の権限に属する事項に関し公正な判断をすることができ、かつ、法律又は行政に関して優れた識見を有する者のうちから、両議院の同意を得て、総務大臣が任命する。

2　委員の任期が満了し、又は欠員を生じた場合において、国会の閉会又は衆議院の解散のために両議院の同意を得ることができないときは、総務大臣は、前項の規定にかかわらず、同項に定める資格を有する者のうちから、委員を任命することができる。

3　前項の場合においては、任命後最初の国会で両議院の事後の承認を得なければならない。この場合において、両議院の事後の承認が得られないときは、総務大臣は、直ちにその委員を罷免しなければならない。

4　委員の任期は、三年とする。ただし、補欠の委員の任期は、前任者の残任期間とする。

5　委員は、再任されることができる。

6　委員の任期が満了したときは、当該委員は、後任者が任命されるまで引き続きその職務を行うものとする。

7　総務大臣は、委員が心身の故障のために職務の執行ができないと認める場合又は委員に職務上の義務違反その他委員たるに適しない非行があると認める場合には、両議院の同意を得て、その委員を罷免することができる。

8　委員は、職務上知ることができた秘密を漏らしてはならない。その職を退いた後も同様とする。

9　委員は、在任中、政党その他の政治的団体の役員となり、又は積極的に政治運動をしてはならない。

10　常勤の委員は、在任中、総務大臣の許可がある場合を除き、報酬を得て他の職務に従事し、又は営利事業を営み、その他金銭上の利益を目的とする業務を行ってはならない。

11　委員の給与は、別に法律で定める。

（会長）

第七十条　審査会に、会長を置き、委員の互選により選任する。
2　会長は、会務を総理し、審査会を代表する。
3　会長に事故があるときは、あらかじめその指名する委員が、その職務を代理する。

（専門委員）
第七十一条　審査会に、専門の事項を調査させるため、専門委員を置くことができる。
2　専門委員は、学識経験のある者のうちから、総務大臣が任命する。
3　専門委員は、その者の任命に係る当該専門の事項に関する調査が終了したときは、解任されるものとする。
4　専門委員は、非常勤とする。

（合議体）
第七十二条　審査会は、委員のうちから、審査会が指名する者三人をもって構成する合議体で、審査請求に係る事件について調査審議する。
2　前項の規定にかかわらず、審査会が定める場合においては、委員の全員をもって構成する合議体で、審査請求に係る事件について調査審議する。

（事務局）
第七十三条　審査会の事務を処理させるため、審査会に事務局を置く。
2　事務局に、事務局長のほか、所要の職員を置く。
3　事務局長は、会長の命を受けて、局務を掌理する。

第二款　審査会の調査審議の手続

（審査会の調査権限）
第七十四条　審査会は、必要があると認める場合には、審査請求に係る事件に関し、審査請求人、参加人又は第四十三条第一項の規定により審査会に諮問をした審査庁（以下この款において「審査関係人」という。）にその主張を記載した書面（以下この款において「主張書面」という。）又は資料の提出を求めること、適当と認める者にその知っている事実の陳述又は鑑定を求めることその他必要な調査をすることができる。

（意見の陳述）
第七十五条　審査会は、審査関係人の申立てがあった場合には、当該審査関係人に口頭で意見を述べる機会を与えなければならない。ただし、審査会が、その必要がないと認める場合には、この限りでない。
2　前項本文の場合において、審査請求人又は参加人は、審査会の許可を得て、補佐人とともに出頭することができる。

（主張書面等の提出）
第七十六条　審査関係人は、審査会に対し、主張書面又は資料を提出することができる。この場合において、審査会が、主張書面又は資料を提出すべき相当の期間を定めたときは、その期間内にこれを提出しなければならない。

（委員による調査手続）
第七十七条　審査会は、必要があると認める場合には、その指名する委員に、第七十四条の規定による調査をさせ、又は第七十五条第一項本文の規定による審査関係人の意見の陳述を聴かせることができる。

（提出資料の閲覧等）
第七十八条　審査関係人は、審査会に対し、審査会に提出された主張書面若しくは資料の閲覧（電磁的記録にあっては、記録された事項を審査会が定める方法により表示したものの閲覧）又は当該主張書面若しくは当該資料の写し若しくは当該電磁的記録に記録された事項を記載した書面の交付を求めることができる。この場合において、審査会は、第三者の利益を害するおそれがあると認めるとき、その他正当な理由があるときでなければ、その閲覧又は交付を拒むことができない。
2　審査会は、前項の規定による閲覧をさせ、又は同項の規定による交付をしようとするときは、当該閲覧又は交付に係る主張書面又は資料の提出人の意見を聴かなければならない。ただし、審査会が、その必要がないと認めるときは、この限りでない。
3　審査会は、第一項の規定による閲覧について、日時及び場所を指定することができる。
4　第一項の規定による交付を受ける審査請求人又は参加人は、政令で定めるところにより、実費の範囲内において政令で定める額の手数料を納めなければならない。
5　審査会は、経済的困難その他特別の理由があると認めるときは、政令で定めるところにより、前項の手数料を減額し、又は免除することができる。

（答申書の送付等）
第七十九条　審査会は、諮問に対する答申をしたときは、答申書の写しを審査請求人及び参加人に送付するとともに、答申の内容を公表するものとする。

第三款　雑則

（政令への委任）
第八十条　この法律に定めるもののほか、審査会に関し必要な事項は、政令で定める。

第二節　地方公共団体に置かれる機関

第八十一条　地方公共団体に、執行機関の附属機関として、この法律の規定によりその権限に属させられた事項を処理するための機関を置く。
2　前項の規定にかかわらず、地方公共団体は、当該地方公共団体における不服申立ての状況等に鑑み同項の機関を置くことが不適当又は困難であるときは、条例で定めるところにより、事件ごとに、執行機関の附属機関として、この法律の規定によりその権限に属させられた事項を処理するための機関を置くこととすることができる。
3　前節第二款の規定は、前二項の機関について準用する。この場合において、第七十八条第四項及び第五項中「政令」とあるのは、「条例」と読み替えるものとする。
4　前三項に定めるもののほか、第一項又は第二項の機関の組織及び運営に関し必要な事項は、当該機関を置く地方公共団体の条例（地方自治法第二百五十二条の七第一項の規定により共同設置する機関にあっては、同項の規約）で定める。

第六章　補則

（不服申立てをすべき行政庁等の教示）
第八十二条　行政庁は、審査請求若しくは再調査の請求又は他の法令に基づく不服申立て（以下この条において「不服申立て」と総称する。）をすることができる処分をする場合には、処分の相手方に対し、当該処分につき不服申立てをすることができる旨並びに不服申立てをすべき行政庁及び不服申立てをすることができる期間を書面で教示しなければならない。ただし、当該処分を口頭でする場合は、この限りでない。

2　行政庁は、利害関係人から、当該処分が不服申立てをすることができる処分であるかどうか並びに当該処分が不服申立てをすることができるものである場合における不服申立てをすべき行政庁及び不服申立てをすることができる期間につき教示を求められたときは、当該事項を教示しなければならない。

3　前項の場合において、教示を求めた者が書面による教示を求めたときは、当該教示は、書面でしなければならない。

（教示をしなかった場合の不服申立て）

第八十三条　行政庁が前条の規定による教示をしなかった場合には、当該処分について不服がある者は、当該処分庁に不服申立書を提出することができる。

2　第十九条（第五項第一号及び第二号を除く。）の規定は、前項の不服申立書について準用する。

3　第一項の規定により不服申立書の提出があった場合において、当該処分が処分庁以外の行政庁に対し審査請求をすることができる処分であるときは、処分庁は、速やかに、当該不服申立書を当該行政庁に送付しなければならない。当該処分が他の法令に基づき、処分庁以外の行政庁に不服申立てをすることができる処分であるときも、同様とする。

4　前項の規定により不服申立書が送付されたときは、初めから当該行政庁に審査請求又は当該法令に基づく不服申立てがされたものとみなす。

5　第三項の場合を除くほか、第一項の規定により不服申立書が提出されたときは、初めから当該処分庁に審査請求又は当該法令に基づく不服申立てがされたものとみなす。

（情報の提供）

第八十四条　審査請求、再調査の請求若しくは再審査請求又は他の法令に基づく不服申立て（以下この条及び次条において「不服申立て」と総称する。）につき裁決、決定その他の処分（同条において「裁決等」という。）をする権限を有する行政庁は、不服申立てをしようとする者又は不服申立てをした者の求めに応じ、不服申立書の記載に関する事項その他の不服申立てに必要な情報の提供に努めなければならない。

（公表）

第八十五条　不服申立てにつき裁決等をする権限を有する行政庁は、当該行政庁がした裁決等の内容その他当該行政庁における不服申立ての処理状況について公表するよう努めなければならない。

（政令への委任）

第八十六条　この法律に定めるもののほか、この法律の実施のために必要な事項は、政令で定める。

（罰則）

第八十七条　第六十九条第八項の規定に違反して秘密を漏らした者は、一年以下の懲役又は五十万円以下の罰金に処する。

附　則

（施行期日）

第一条　この法律は、公布の日から起算して二年を超えない範囲内において政令で定める日〔平二八・四・一〕から施行する。ただし、次条の規定は、公布の日から施行する。

（準備行為）

第二条　第六十九条第一項の規定による審査会の委員の任命に関し必要な行為は、この法律の施行の日前においても、同項の規定の例によりすることができる。

（経過措置）

第三条　行政庁の処分又は不作為についての不服申立てであって、この法律の施行前にされた行政庁の処分又はこの法律の施行前にされた申請に係る行政庁の不作為に係るものについては、なお従前の例による。

第四条　この法律の施行後最初に任命される審査会の委員の任期は、第六十九条第四項本文の規定にかかわらず、九人のうち、三人は二年、六人は三年とする。

2　前項に規定する各委員の任期は、総務大臣が定める。

（その他の経過措置の政令への委任）

第五条　前二条に定めるもののほか、この法律の施行に関し必要な経過措置は、政令で定める。

（検討）

第六条　政府は、この法律の施行後五年を経過した場合において、この法律の施行の状況について検討を加え、必要があると認めるときは、その結果に基づいて所要の措置を講ずるものとする。

附　則（平二九・三・三一法四）（抄）

（施行期日）

第一条　この法律は、平成二十九年四月一日から施行する。ただし、次の各号に掲げる規定は、当該各号に定める日から施行する。

一～四　〔略〕

五　次に掲げる規定　平成三十年四月一日

イ～ハ　〔略〕

ニ　〔前略〕附則〔中略〕第百二十九条〔中略〕の規定

ホ～ル　〔略〕

六～十一　〔略〕

附　則（令三・五・一九法三七）（抄）

（施行期日）

第一条　この法律は、令和三年九月一日から施行する。〔ただし書略〕

別表第一（第九条関係）

第十一条第二項	第九条第一項の規定により指名された者（以下「審理員」という。）	審査庁
第十三条第一項及び第二項	審理員	審査庁
第二十五条第七項	執行停止の申立てがあったとき、又は審理員から第四十条に規定する執行停止をすべき旨の意見書が提出されたとき	執行停止の申立てがあったとき
第二十八条	審理員	審査庁
第二十九条第一項	審理員は、審査庁から指名されたときは、直ちに	審査庁は、審査請求がされたときは、第二十四条の規定により当該審査請求を却下する場合を除き、速やかに
第二十九条第二項	審理員は	審査庁は、審査庁が処分庁等以外である場合にあっては
	提出を求める	提出を求め、審査庁が処分庁等である場合にあっては、相当の期間内に、弁明書を作成する
第二十九条第五項	審理員は	審査庁は、第二項の規定により
	提出があったとき	提出があったとき、又は弁明書を作成したとき
第三十条第一項及び第二項	審理員	審査庁
第三十条第三項	審理員	審査庁
	参加人及び処分庁等	参加人及び処分庁等（処分庁等が審査庁である場合にあっては、参加人）
	審査請求人及び処分庁等	審査請求人及び処分庁等（処分庁等が審査庁である場合にあっては、審査請求人）
第三十一条第一項	審理員	審査庁
第三十一条第二項	審理員	審査庁
	審理関係人	審理関係人（処分庁等が審査庁である場合にあっては、審査請求人及び参加人。以下この節及び第五十条第一項第三号において同じ。）
第三十一条第三項から第五項まで、第三十二条第三項、第三十三条から第三十七条まで、第三十八条第一項から第三項まで及び第五項、第三十九条並びに第四十一条第一項及び第二項	審理員	審査庁
第四十一条第三項	審理員が	審査庁が
	終結した旨並びに次条第一項に規定する審理員意見書及び事件記録（審査請求書、弁明書その他審査請求に係る事件に関する書類その他の物件のうち政令で定めるものをいう。同条第二項及び第四十三条第二項において同じ。）を審査庁に提出する予定時期を通知するものとする。当該予定時期を変更したときも、同様とする	終結した旨を通知するものとする

第四十四条	行政不服審査会等から諮問に対する答申を受けたとき（前条第一項の規定による諮問を要しない場合（同項第二号又は第三号に該当する場合を除く。）にあっては審理員意見書が提出されたとき、同項第二号又は第三号に該当する場合にあっては同項第二号又は第三号に規定する議を経たとき）	審理手続を終結したとき
第五十条第一項第四号	理由（第一号の主文が審理員意見書又は行政不服審査会等若しくは審議会等の答申書と異なる内容である場合には、異なることとなった理由を含む。）	理由

別表第二（第六十一条関係）

第九条第四項	前項に規定する場合において、審査庁	処分庁
	（第二項各号（第一項各号に掲げる機関の構成員にあっては、第一号を除く。）に掲げる者以外の者に限る。）に、前項において読み替えて適用する	に、第六十一条において読み替えて準用する
	若しくは第十三条第四項	又は第六十一条において準用する第十三条第四項
	聴かせ、前項において読み替えて適用する第三十四条の規定による参考人の陳述を聴かせ、同項において読み替えて適用する第三十五条第一項の規定による検証をさせ、前項において読み替えて適用する第三十六条の規定による第二十八条に規定する審理関係人に対する質問をさせ、又は同項において読み替えて適用する第三十七条第一項	聴かせる
	若しくは第二項の規定による意見の聴取を行わせる	
第十一条第二項	第九条第一項の規定により指名された者（以下「審理員」という。）	処分庁
第十三条第一項	処分又は不作為に係る処分	処分
	審理員	処分庁
第十三条第二項	審理員	処分庁
第十四条	第十九条に規定する審査請求書	第六十一条において読み替えて準用する第十九条に規定する再調査の請求書
	第二十一条第二項に規定する審査請求録取書	第二十二条第三項に規定する再調査の請求録取書
第十六条	第四条又は他の法律若しくは条例の規定により審査庁となるべき行政庁（以下「審査庁となるべき行政庁」という。）	再調査の請求の対象となるべき処分の権限を有する行政庁
	当該審査庁となるべき行政庁及び関係処	当該行政庁

	分庁（当該審査請求の対象となるべき処分の権限を有する行政庁であって当該審査庁以外のものをいう。次条において同じ。）	
第十八条第三項	次条に規定する審査請求書	第六十一条において読み替えて準用する次条に規定する再調査の請求書
	前二項に規定する期間（以下「審査請求期間」という。）	第五十四条に規定する期間
第十九条の見出し及び同条第一項	審査請求書	再調査の請求書
第十九条第二項	処分についての審査請求書	再調査の請求書
	処分（当該処分について再調査の請求についての決定を経たときは、当該決定）	処分
第十九条第四項	審査請求書	再調査の請求書
	第二項各号又は前項各号	第二項各号
第十九条第五項	処分についての審査請求書	再調査の請求書
	審査請求期間	第五十四条に規定する期間
	前条第一項ただし書又は第二項ただし書	同条第一項ただし書又は第二項ただし書
第二十条	前条第二項から第五項まで	第六十一条において読み替えて準用する前条第二項、第四項及び第五項
第二十三条（見出しを含む。）	審査請求書	再調査の請求書
第二十四条第一項	次節に規定する審理手続を経ないで、第四十五条第一項又は第四十九条第一項	審理手続を経ないで、第五十八条第一項
第二十五条第二項	処分庁の上級行政庁又は処分庁である審査庁	処分庁
第二十五条第四項	前二項	第二項
第二十五条第六項	第二項から第四項まで	第二項及び第四項
第二十五条第七項	執行停止の申立てがあったとき、又は審理員から第四十条に規定する執行停止をすべき旨の意見書が提出されたとき	執行停止の申立てがあったとき
第三十一条第一項	審理員	処分庁
	この条及び第四十一条第二項第二号	この条
第三十一条第二項	審理員	処分庁
	全ての審理関係人	再調査の請求人及び参加人
第三十一条第三項及び第四項	審理員	処分庁
第三十二条第三項	前二項	第一項
	審理員	処分庁
第三十九条	審理員	処分庁
第五十一条第一項	第四十六条第一項及び第四十七条	第五十九条第一項及び第二項
第五十一条第四項	参加人及び処分庁等（審査庁以外の処分庁等に限る。）	参加人
第五十三条	第三十二条第一項又は第二項の規定により提出された証拠書	第六十一条において準用する第三十二条第一項の規定により提出さ

	類若しくは証拠物又は書類その他の物件及び第三十三条の規定による提出要求に応じて提出された書類その他の物件	れた証拠書類又は証拠物

別表第三（第六十六条関係）

第九条第一項	第四条又は他の法律若しくは条例の規定により審査請求がされた行政庁（第十四条の規定により引継ぎを受けた行政庁を含む。以下「審査庁」という。）	第六十三条に規定する再審査庁（以下この章において「再審査庁」という。）
	この節	この節及び第六十三条
	処分庁等（審査庁以外の処分庁等に限る。）	裁決庁等（原裁決をした行政庁（以下この章において「裁決庁」という。）又は処分庁をいう。以下この章において同じ。）
	若しくは条例に基づく処分について条例に特別の定めがある場合又は第二十四条	又は第六十六条第一項において読み替えて準用する第二十四条
第九条第二項第一号	審査請求に係る処分若しくは	原裁決に係る審査請求に係る処分、
	に関与した者又は審査請求に係る不作為に係る処分に関与し、若しくは関与することとなる者	又は原裁決に関与した者

第九条第四項	前項に規定する場合において、審査庁	第一項各号に掲げる機関である再審査庁（以下「委員会等である再審査庁」という。）
	前項において	第六十六条第一項において
	適用する	準用する
	第十三条第四項	第六十六条第一項において準用する第十三条第四項
	第二十八条	同項において読み替えて準用する第二十八条
第十一条第二項	第九条第一項の規定により指名された者（以下「審理員」という。）	第六十六条第一項において読み替えて準用する第九条第一項の規定により指名された者（以下「審理員」という。）又は委員会等である再審査庁
第十三条第一項	処分又は不作為に係る処分の根拠となる法令に照らし当該処分	原裁決等の根拠となる法令に照らし当該原裁決等
	審理員	審理員又は委員会等である再審査庁
第十三条第二項	審理員	審理員又は委員会等である再審査庁

第十四条	第十九条に規定する審査請求書	第六十六条第一項において読み替えて準用する第十九条に規定する再審査請求書
	第二十一条第二項に規定する審査請求録取書	同項において読み替えて準用する第二十一条第二項に規定する再審査請求録取書
第十五条第一項、第二項及び第六項	審査請求の	原裁決に係る審査請求の
第十六条	第四条又は他の法律若しくは条例	他の法律
	関係処分庁（当該審査請求の対象となるべき処分の権限を有する行政庁であって当該審査庁となるべき行政庁以外のものをいう。次条において同じ。）	当該再審査請求の対象となるべき裁決又は処分の権限を有する行政庁
第十七条	関係処分庁	当該再審査請求の対象となるべき裁決又は処分の権限を有する行政庁
第十八条第三項	次条に規定する審査請求書	第六十六条第一項において読み替えて準用する次条に規定する再審査請求書
	前二項に規定する期間（以下「審査請求期間」という。）	第五十条第三項に規定する再審査請求期間（以下この章において「再審査請求期間」という。）
第十九条の見出し及び同条第一項	審査請求書	再審査請求書
第十九条第二項	処分についての審査請求書	再審査請求書
	処分の内容	原裁決等の内容
	審査請求に係る処分（当該処分について再調査の請求についての決定を経たときは、当該決定）	原裁決
	処分庁	裁決庁
第十九条第四項	審査請求書	再審査請求書
	第二項各号又は前項各号	第二項各号
第十九条第五項	処分についての審査請求書	再審査請求書
	審査請求期間	再審査請求期間
第二十条	前条第一項ただし書又は第二項ただし書	第六十二条第一項ただし書又は第二項ただし書
	前条第二項から第五項まで	第六十六条第一項において読み替えて準用する前条第二項、第四項及び第五項
第二十一条の見出し	処分庁等	処分庁又は裁決庁
第二十一条第一項	審査請求をすべき行政庁が処分庁等と異なる場合における審査請求は、処分庁等	再審査請求は、処分庁又は裁決庁
	処分庁等に	処分庁若しくは裁決庁に
	審査請求書	再審査請求書
	第十九条第二項から第五項まで	第六十六条第一項において読み替えて準用する第十九条第二項、第四項及び第五項
第二十一条第二項	処分庁等	処分庁又は裁決庁
	審査請求書又は審査請求録取書（前条後段	再審査請求書又は再審査請求録取書（第六十六条第一項において準用する前条後段
	第二十九条第一項及	第六十六条第一項にお

	び第五十五条	いて読み替えて準用する第二十九条第一項
第二十一条第三項	審査請求期間	再審査請求期間
	処分庁に	処分庁若しくは裁決庁に
	審査請求書	再審査請求書
	処分についての審査請求	再審査請求
第二十三条（見出しを含む。）	審査請求書	再審査請求書
第二十四条第一項	審理手続を経ないで、第四十五条第一項又は第四十九条第一項	審理手続（第六十三条に規定する手続を含む。）を経ないで、第六十四条第一項
第二十五条第一項	処分	原裁決等
第二十五条第三項	処分庁の上級行政庁又は処分庁のいずれでもない審査庁	再審査庁
	処分庁の意見	裁決庁等の意見
	執行停止をすることができる。ただし、処分の効力、処分の執行又は手続の続行の全部又は一部の停止以外の措置をとることはできない	原裁決等の効力、原裁決等の執行又は手続の続行の全部又は一部の停止（以下「執行停止」という。）をすることができる
第二十五条第四項	前二項	前項
	処分	原裁決等
第二十五条第六項	第二項から第四項まで	第三項及び第四項
	処分	原裁決等
第二十五条第七項	第四十条に規定する執行停止をすべき旨の意見書が提出されたとき	第六十六条第一項において準用する第四十条に規定する執行停止をすべき旨の意見書が提出されたとき（再審査庁が委員会等である再審査庁である場合にあっては、執行停止の申立てがあったとき）
第二十八条	処分庁等	裁決庁等
	審理員	審理員又は委員会等である再審査庁
第二十九条第一項	審理員は	審理員又は委員会等である再審査庁は、審理員にあっては
	審査請求書又は審査請求録取書の写しを処分庁等に送付しなければならない。ただし、処分庁等が審査庁である場合には、この限りでない	委員会等である再審査庁にあっては、再審査請求がされたときは第六十六条第一項において読み替えて準用する第二十四条の規定により当該再審査請求を却下する場合を除き、速やかに、それぞれ、再審査請求書又は再審査請求録取書の写しを裁決庁等に送付しなければならない
第三十条の見出し	反論書等	意見書
第三十条第二項	審理員	審理員又は委員会等である再審査庁
第三十条第三項	審理員は、審査請求人から反論書の提出があったときはこれを参加人及び処分庁等に	審理員又は委員会等である再審査庁は
	これを審査請求人及び処分庁等に、それぞれ	、これを再審査請求人及び裁決庁等に
第三十一条第一項から第四項まで	審理員	審理員又は委員会等である再審査庁
第三十一条第五項	審理員	審理員又は委員会等である再審査庁
	処分庁等	裁決庁等

第三十二条第二項	処分庁等は、当該処分	裁決庁等は、当該原裁決等
第三十二条第三項及び第三十三条から第三十七条まで	審理員	審理員又は委員会等である再審査庁
第三十八条第一項	審理員	審理員又は委員会等である再審査庁
	第二十九条第四項各号に掲げる書面又は第三十二条第一項若しくは第二項若しくは	第六十六条第一項において準用する第三十二条第一項若しくは第二項又は
第三十八条第二項、第三項及び第五項、第三十九条並びに第四十一条第一項	審理員	審理員又は委員会等である再審査庁
第四十一条第二項	審理員	審理員又は委員会等である再審査庁
	イからホまで	ハからホまで
第四十一条第三項	審理員が	審理員又は委員会等である再審査庁が
	審理手続を終結した旨並びに次条第一項	審理員にあっては審理手続を終結した旨並びに第六十六条第一項において準用する次条第一項
	審査請求書、弁明書	再審査請求書、原裁決に係る裁決書
	同条第二項及び第四十三条第二項	第六十六条第一項において準用する次条第二項
	を通知する	を、委員会等である再審査庁にあっては審理手続を終結した旨を、それぞれ通知する
	当該予定時期	審理員が当該予定時期
第四十四条	行政不服審査会等から諮問に対する答申を受けたとき（前条第一項の規定による諮問を要しない場合（同項第二号又は第三号に該当する場合を除く。）にあっては審理員意見書が提出されたとき、同項第二号又は第三号に該当する場合にあっては同項第二号又は第三号に規定する議を経たとき）	審理員意見書が提出されたとき（委員会等である再審査庁にあっては、審理手続を終結したとき）
第五十条第一項第四号	第一号の主文が審理員意見書又は行政不服審査会等若しくは審議会等の答申書と異なる内容である場合には	再審査庁が委員会等である再審査庁以外の行政庁である場合において、第一号の主文が審理員意見書と異なる内容であるときは
第五十条第二項	第四十三条第一項の規定による行政不服審査会等への諮問を要しない場合	再審査庁が委員会等である再審査庁以外の行政庁である場合
第五十一条第一項	処分	原裁決等
	第四十六条第一項及び第四十七条	第六十五条
第五十一条第四項	及び処分庁等（審査庁以外の処分庁等に限る。）	並びに処分庁及び裁決庁（処分庁以外の裁決庁に限る。）
第五十二条第二項	申請を	申請若しくは審査請求を
	棄却した処分	棄却した原裁決等
	処分庁	裁決庁等
	申請に対する処分	申請に対する処分又は審査請求に対する裁決
第五十二条第三項	処分が	原裁決等が
	処分庁	裁決庁等
第五十二条第	処分の	原裁決等の

四項		
	処分が	処分庁
	原裁決等が	裁決庁等

(注) 次の法律の第一五〇条により行政不服審査法が改正されたが、刑法等一部改正法施行日〔令七・六・一〕から施行となるため、一部改正法の形式で掲載した。

○刑法等の一部を改正する法律の施行に伴う関係法律の整理等に関する法律

令四・六・一七
法 六 八

（当せん金付証票法等の一部改正）

第百五十条 次に掲げる法律の規定中「懲役」を「拘禁刑」に改める。

一～十七 〔略〕

十八 行政不服審査法（平成二十六年法律第六十八号）第八十七条

十九～二十二 〔略〕

附 則（抄）

（施行期日）

1 この法律は、刑法等一部改正法施行日〔令七・六・一〕から施行する。〔ただし書略〕

(注) 次の法律の第六二条により行政不服審査法が改正されたが、公布の日から起算して三年を超えない範囲内において政令で定める日から施行となるため、一部改正法の形式で掲載した。

○デジタル社会の形成を図るための規制改革を推進するためのデジタル社会形成基本法等の一部を改正する法律

令五・六・一六
法 六 三

（行政不服審査法の一部改正）

第六十二条 行政不服審査法（平成二十六年法律第六十八号）の一部を次のように改正する。

第五十一条第三項中「交付する旨」の下に「を総務省令で定める方法により不特定多数の者が閲覧することができる状態に置くとともに、その旨が記載された書面」を、「当該審査庁」の下に「の事務所」を加え、「かつ、その旨を官報その他の公報又は新聞紙に少なくとも一回掲載してする」を「又はその旨を当該事務所に設置した電子計算機の映像面に表示したものの閲覧をすることができる状態に置く措置をとることにより行う」に、「その掲示を始めた」を「当該措置を開始した」に改める。

附 則（抄）

（施行期日）

第一条 この法律は、公布の日から起算して一年を超えない範囲内において政令で定める日〔令六・四・一〕から施行する。ただし、次の各号に掲げる規定は、当該各号に定める日から施行する。

一 〔略〕

二 〔前略〕第六十二条〔中略〕の規定並びに次条〔中略〕の規定 公布の日から起算して三年を超えない範囲内において政令で定める日

（公示送達等の方法に関する経過措置）

第二条 次に掲げる法律の規定は、前条第二号に掲げる規定の施行の日以後にする公示送達、送達又は通知について適用し、同日前にした公示送達、送達又は通知については、なお従前の例による。

一～十三 〔略〕

十四 第六十二条の規定による改正後の行政不服審査法第五十一条第三項（同法又は他の法律において準用する場合を含む。）

十五 〔略〕

○行政事件訴訟法

昭三七・五・一六
法 一三九

最終改正 令六・六・二一法六〇

目次〔略〕

第一章 総則

（この法律の趣旨）

第一条 行政事件訴訟については、他の法律に特別の定めがある場合を除くほか、この法律の定めるところによる。

（行政事件訴訟）

第二条 この法律において「行政事件訴訟」とは、抗告訴訟、当事者訴訟、民衆訴訟及び機関訴訟をいう。

（抗告訴訟）

第三条 この法律において「抗告訴訟」とは、行政庁の公権力の行使に関する不服の訴訟をいう。

2 この法律において「処分の取消しの訴え」とは、行政庁の処分その他公権力の行使に当たる行為（次項に規定する裁決、決定その他の行為を除く。以下単に「処分」という。）の取消しを求める訴訟をいう。

3 この法律において「裁決の取消しの訴え」とは、審査請求その他の不服申立て（以下単に「審査請求」という。）に対する行政庁の裁決、決定その他の行為（以下単に「裁決」という。）の取消しを求める訴訟をいう。

4 この法律において「無効等確認の訴え」とは、処分若しくは裁決の存否又はその効力の有無の確認を求める訴訟をいう。

5 この法律において「不作為の違法確認の訴え」とは、行政庁が法令に基づく申請に対し、相当の期間内に何らかの処分又は裁決をすべきであるにかかわらず、これをしないことについての違法の確認を求める訴訟をいう。

6 この法律において「義務付けの訴え」とは、次に掲げる場合において、行政庁がその処分又は裁決をすべき旨を命ずることを求める訴訟をいう。

一 行政庁が一定の処分をすべきであるにかかわらずこれがされないとき（次号に掲げる場合を除く。）。

二 行政庁に対し一定の処分又は裁決を求める旨の法令に基づく申請又は審査請求がされた場合において、当該行政庁がその処分又は裁決をすべきであるにかかわらずこれがされないとき。

7 この法律において「差止めの訴え」とは、行政庁が一定の処分又は裁決をすべきでないにかかわらずこれがされようとしている場合において、行政庁がその処分又は裁決をしてはならない旨を命ずることを求める訴訟をいう。

（当事者訴訟）

第四条 この法律において「当事者訴訟」とは、当事者間の法律関係を確認し又は形成する処分又は裁決に関する訴訟で法令の規定によりその法律関係の当事者の一方を被告とするもの及び公法上の法律関係に関する確認の訴えその他の公法上の法律関係に関する訴訟をいう。

（民衆訴訟）

第五条 この法律において「民衆訴訟」とは、国又は公共団体の機関の法規に適合しない行為の是正を求める訴訟で、選挙人たる資格その他自己の法律上の利益にかかわらない資格で提起するものをいう。

（機関訴訟）

第六条 この法律において「機関訴訟」とは、国又は公共団体の機関相互間における権限の存否又はその行使に関する紛争についての訴訟をいう。

（この法律に定めがない事項）

第七条 行政事件訴訟に関し、この法律に定めがない事項については、民事訴訟の例による。

第二章 抗告訴訟

第一節 取消訴訟

（処分の取消しの訴えと審査請求との関係）

第八条 処分の取消しの訴えは、当該処分につき法令の規定により審査請求をすることができる場合においても、直ちに提起することを妨げない。ただし、法律に当該処分についての審査請求に対する裁決を経た後でなければ処分の取消しの訴えを提起することができない旨の定めがあるときは、この限りでない。

2　前項ただし書の場合においても、次の各号の一に該当するときは、裁決を経ないで、処分の取消しの訴えを提起することができる。

一　審査請求があつた日から三箇月を経過しても裁決がないとき。

二　処分、処分の執行又は手続の続行により生ずる著しい損害を避けるため緊急の必要があるとき。

三　その他裁決を経ないことにつき正当な理由があるとき。

3　第一項本文の場合において、当該処分につき審査請求がされているときは、裁判所は、その審査請求に対する裁決があるまで（審査請求があつた日から三箇月を経過しても裁決がないときは、その期間を経過するまで）、訴訟手続を中止することができる。

（原告適格）

第九条　処分の取消しの訴え及び裁決の取消しの訴え（以下「取消訴訟」という。）は、当該処分又は裁決の取消しを求めるにつき法律上の利益を有する者（処分又は裁決の効果が期間の経過その他の理由によりなくなつた後においてもなお処分又は裁決の取消しによつて回復すべき法律上の利益を有する者を含む。）に限り、提起することができる。

2　裁判所は、処分又は裁決の相手方以外の者について前項に規定する法律上の利益の有無を判断するに当たつては、当該処分又は裁決の根拠となる法令の規定の文言のみによることなく、当該法令の趣旨及び目的並びに当該処分において考慮されるべき利益の内容及び性質を考慮するものとする。この場合において、当該法令の趣旨及び目的を考慮するに当たつては、当該法令と目的を共通にする関係法令があるときはその趣旨及び目的をも参酌するものとし、当該利益の内容及び性質を考慮するに当たつては、当該処分又は裁決がその根拠となる法令に違反してされた場合に害されることとなる利益の内容及び性質並びにこれが害される態様及び程度をも勘案するものとする。

（取消しの理由の制限）

第十条　取消訴訟においては、自己の法律上の利益に関係のない違法を理由として取消しを求めることができない。

2　処分の取消しの訴えとその処分についての審査請求を棄却した裁決の取消しの訴えとを提起することができる場合には、裁決の取消しの訴えにおいては、処分の違法を理由として取消しを求めることができない。

（被告適格等）

第十一条　処分又は裁決をした行政庁（処分又は裁決があつた後に当該行政庁の権限が他の行政庁に承継されたときは、当該他の行政庁。以下同じ。）が国又は公共団体に所属する場合には、取消訴訟は、次の各号に掲げる訴えの区分に応じてそれぞれ当該各号に定める者を被告として提起しなければならない。

一　処分の取消しの訴え　当該処分をした行政庁の所属する国又は公共団体

二　裁決の取消しの訴え　当該裁決をした行政庁の所属する国又は公共団体

2　処分又は裁決をした行政庁が国又は公共団体に所属しない場合には、取消訴訟は、当該行政庁を被告として提起しなければならない。

3　前二項の規定により被告とすべき国若しくは公共団体又は行政庁がない場合には、取消訴訟は、当該処分又は裁決に係る事務の帰属する国又は公共団体を被告として提起しなければならない。

4　第一項又は前項の規定により国又は公共団体を被告として取消訴訟を提起する場合には、訴状には、民事訴訟の例により記載すべき事項のほか、次の各号に掲げる訴えの区分に応じてそれぞれ当該各号に定める行政庁を記載するものとする。

一　処分の取消しの訴え　当該処分をした行政庁

二　裁決の取消しの訴え　当該裁決をした行政庁

5　第一項又は第三項の規定により国又は公共団体を被告として取消訴訟が提起された場合には、被告は、遅滞なく、裁判所に対し、前項各号に掲げる訴えの区分に応じてそれぞれ当該各号に定める行政庁を明らかにしなければならない。

6　処分又は裁決をした行政庁は、当該処分又は裁決に係る第一項の規定による国又は公共団体を被告とする訴訟について、裁判上の一切の行為をする権限を有する。

（管轄）

第十二条　取消訴訟は、被告の普通裁判籍の所在地を管轄する裁判所又は処分若しくは裁決をした行政庁の所在地を管轄する裁判所の管轄に属する。

2　土地の収用、鉱業権の設定その他不動産又は特定の場所に係る処分又は裁決についての取消訴訟は、その不動産又は場所の所在地の裁判所にも、提起することができる。

3　取消訴訟は、当該処分又は裁決に関し事案の処理に当たつた下級行政機関の所在地の裁判所にも、提起することができる。

4　国又は独立行政法人通則法（平成十一年法律第百三号）第二条第一項に規定する独立行政法人若しくは別表に掲げる法人を被告とする取消訴訟は、原告の普通裁判籍の所在地を管轄する高等裁判所の所在地を管轄する地方裁判所（次項において「特定管轄裁判所」という。）にも、提起することができる。

5　前項の規定により特定管轄裁判所に同項の取消訴訟が提起された場合であつて、他の裁判所に事実上及び法律上同一の原因に基づいてされた処分又は裁決に係る抗告訴訟が係属している場合においては、当該特定管轄裁判所は、当事者の住所又は所在地、尋問を受けるべき証人の住所、争点又は証拠の共通性その他の事情を考慮して、相当と認めるときは、申立てにより又は職権で、訴訟の全部又は一部について、当該他の裁判所又は第一項から第三項までに定める裁判所に移送することができる。

（関連請求に係る訴訟の移送）

第十三条　取消訴訟と次の各号の一に該当する請求（以下「関連請求」という。）に係る訴訟とが各別の裁判所に係属する場合において、相当と認めるときは、関連請求に係る訴訟の係属する裁判所は、申立てにより又は職権で、その訴訟を取消訴訟の係属する裁判所に移送することができる。ただし、取消訴訟又は関連請求に係る訴訟の係属する裁判所が高等裁判所であるときは、この限りでない。

一　当該処分又は裁決に関連する原状回復又は損害賠償の請求

二　当該処分とともに一個の手続を構成する他の処分の取消しの請求

三　当該処分に係る裁決の取消しの請求

四　当該裁決に係る処分の取消しの請求
五　当該処分又は裁決の取消しを求める他の請求
六　その他当該処分又は裁決の取消しの請求と関連する請求

（出訴期間）
第十四条　取消訴訟は、処分又は裁決があつたことを知つた日から六箇月を経過したときは、提起することができない。ただし、正当な理由があるときは、この限りでない。
2　取消訴訟は、処分又は裁決の日から一年を経過したときは、提起することができない。ただし、正当な理由があるときは、この限りでない。
3　処分又は裁決につき審査請求をすることができる場合又は行政庁が誤つて審査請求をすることができる旨を教示した場合において、審査請求があつたときは、処分又は裁決に係る取消訴訟は、その審査請求をした者については、前二項の規定にかかわらず、これに対する裁決があつたことを知つた日から六箇月を経過したとき又は当該裁決の日から一年を経過したときは、提起することができない。ただし、正当な理由があるときは、この限りでない。

（被告を誤つた訴えの救済）
第十五条　取消訴訟において、原告が故意又は重大な過失によらないで被告とすべき者を誤つたときは、裁判所は、原告の申立てにより、決定をもつて、被告を変更することを許すことができる。
2　前項の決定は、書面でするものとし、その正本を新たな被告に送達しなければならない。
3　第一項の決定があつたときは、出訴期間の遵守については、新たな被告に対する訴えは、最初に訴えを提起した時に提起されたものとみなす。
4　第一項の決定があつたときは、従前の被告に対しては、訴えの取下げがあつたものとみなす。
5　第一項の決定に対しては、不服を申し立てることができない。
6　第一項の申立てを却下する決定に対しては、即時抗告をすることができる。
7　上訴審において第一項の決定をしたときは、裁判所は、その訴訟を管轄裁判所に移送しなければならない。

（請求の客観的併合）
第十六条　取消訴訟には、関連請求に係る訴えを併合することができる。
2　前項の規定により訴えを併合する場合において、取消訴訟の第一審裁判所が高等裁判所であるときは、関連請求に係る訴えの被告の同意を得なければならない。被告が異議を述べないで、本案について弁論をし、又は弁論準備手続において申述をしたときは、同意したものとみなす。

（共同訴訟）
第十七条　数人は、その数人の請求又はその数人に対する請求が処分又は裁決の取消しの請求と関連請求とである場合に限り、共同訴訟人として訴え、又は訴えられることができる。
2　前項の場合には、前条第二項の規定を準用する。

（第三者による請求の追加的併合）
第十八条　第三者は、取消訴訟の口頭弁論の終結に至るまで、その訴訟の当事者の一方を被告として、関連請求に係る訴えをこれに併合して提起することができる。この場合において、当該取消訴訟が高等裁判所に係属しているときは、第十六条第二項の規定を準用する。

（原告による請求の追加的併合）
第十九条　原告は、取消訴訟の口頭弁論の終結に至るまで、関連請求に係る訴えをこれに併合して提起することができる。この場合において、当該取消訴訟が高等裁判所に係属しているときは、第十六条第二項の規定を準用する。
2　前項の規定は、取消訴訟について民事訴訟法（平成八年法律第百九号）第百四十三条の規定の例によることを妨げない。

第二十条　前条第一項前段の規定により、処分の取消しの訴えをその処分についての審査請求を棄却した裁決の取消しの訴えに併合して提起する場合には、同項後段において準用する第十六条第二項の規定にかかわらず、処分の取消しの訴えの被告の同意を得ることを要せず、また、その提起があつたときは、出訴期間の遵守については、処分の取消しの訴えは、裁決の取消しの訴えを提起した時に提起されたものとみなす。

（国又は公共団体に対する請求への訴えの変更）
第二十一条　裁判所は、取消訴訟の目的たる請求を当該処分又は裁決に係る事務の帰属する国又は公共団体に対する損害賠償その他の請求に変更することが相当であると認めるときは、請求の基礎に変更がない限り、口頭弁論の終結に至るまで、原告の申立てにより、決定をもつて、訴えの変更を許すことができる。
2　前項の決定には、第十五条第二項の規定を準用する。
3　裁判所は、第一項の規定により訴えの変更を許す決定をするには、あらかじめ、当事者及び損害賠償その他の請求に係る訴えの被告の意見をきかなければならない。
4　訴えの変更を許す決定に対しては、即時抗告をすることができる。
5　訴えの変更を許さない決定に対しては、不服を申し立てることができない。

（第三者の訴訟参加）
第二十二条　裁判所は、訴訟の結果により権利を害される第三者があるときは、当事者若しくはその第三者の申立てにより又は職権で、決定をもつて、その第三者を訴訟に参加させることができる。
2　裁判所は、前項の決定をするには、あらかじめ、当事者及び第三者の意見をきかなければならない。
3　第一項の申立てをした第三者は、その申立てを却下する決定に対して即時抗告をすることができる。
4　第一項の規定により訴訟に参加した第三者については、民事訴訟法第四十条第一項から第三項までの規定を準用する。
5　第一項の規定により第三者が参加の申立てをした場合には、民事訴訟法第四十五条第三項及び第四項の規定を準用する。

（行政庁の訴訟参加）
第二十三条　裁判所は、処分又は裁決をした行政庁以外の行政庁を訴訟に参加させることが必要であると認めるときは、当事者若しくはその行政庁の申立てにより又は職権で、決定をもつて、その行政庁を訴訟に参加させることができる。
2　裁判所は、前項の決定をするには、あらかじめ、当事者及び当該行政庁の意見をきかなければならない。
3　第一項の規定により訴訟に参加した行政庁については、民事訴訟法第四十五条第一項及び第二項の規定を準用する。

（釈明処分の特則）

第二十三条の二 裁判所は、訴訟関係を明瞭にするため、必要があると認めるときは、次に掲げる処分をすることができる。

一 被告である国若しくは公共団体に所属する行政庁又は被告である行政庁に対し、処分又は裁決の内容、処分又は裁決の根拠となる法令の条項、処分又は裁決の原因となる事実その他処分又は裁決の理由を明らかにする資料（次項に規定する審査請求に係る事件の記録を除く。）であつて当該行政庁が保有するものの全部又は一部の提出を求めること。

二 前号に規定する行政庁以外の行政庁に対し、同号に規定する資料であつて当該行政庁が保有するものの全部又は一部の送付を嘱託すること。

2 裁判所は、処分についての審査請求に対する裁決を経た後に取消訴訟の提起があつたときは、次に掲げる処分をすることができる。

一 被告である国若しくは公共団体に所属する行政庁又は被告である行政庁に対し、当該審査請求に係る事件の記録であつて当該行政庁が保有するものの全部又は一部の提出を求めること。

二 前号に規定する行政庁以外の行政庁に対し、同号に規定する事件の記録であつて当該行政庁が保有するものの全部又は一部の送付を嘱託すること。

（職権証拠調べ）

第二十四条 裁判所は、必要があると認めるときは、職権で、証拠調べをすることができる。ただし、その証拠調べの結果について、当事者の意見をきかなければならない。

（執行停止）

第二十五条 処分の取消しの訴えの提起は、処分の効力、処分の執行又は手続の続行を妨げない。

2 処分の取消しの訴えの提起があつた場合において、処分、処分の執行又は手続の続行により生ずる重大な損害を避けるため緊急の必要があるときは、裁判所は、申立てにより、決定をもつて、処分の効力、処分の執行又は手続の続行の全部又は一部の停止（以下「執行停止」という。）をすることができる。ただし、処分の効力の停止は、処分の執行又は手続の続行の停止によつて目的を達することができる場合には、することができない。

3 裁判所は、前項に規定する重大な損害を生ずるか否かを判断するに当たつては、損害の回復の困難の程度を考慮するものとし、損害の性質及び程度並びに処分の内容及び性質をも勘案するものとする。

4 執行停止は、公共の福祉に重大な影響を及ぼすおそれがあるとき、又は本案について理由がないとみえるときは、することができない。

5 第二項の決定は、疎明に基づいてする。

6 第二項の決定は、口頭弁論を経ないですることができる。ただし、あらかじめ、当事者の意見をきかなければならない。

7 第二項の申立てに対する決定に対しては、即時抗告をすることができる。

8 第二項の決定に対する即時抗告は、その決定の執行を停止する効力を有しない。

（事情変更による執行停止の取消し）

第二十六条 執行停止の決定が確定した後に、その理由が消滅し、その他事情が変更したときは、裁判所は、相手方の申立てにより、決定をもつて、執行停止の決定を取り消すことができる。

2 前項の申立てに対する決定及びこれに対する不服については、前条第五項から第八項までの規定を準用する。

（内閣総理大臣の異議）

第二十七条 第二十五条第二項の申立てがあつた場合には、内閣総理大臣は、裁判所に対し、異議を述べることができる。執行停止の決定があつた後においても、同様とする。

2 前項の異議には、理由を附さなければならない。

3 前項の異議の理由においては、内閣総理大臣は、処分の効力を存続し、処分を執行し、又は手続を続行しなければ、公共の福祉に重大な影響を及ぼすおそれのある事情を示すものとする。

4 第一項の異議があつたときは、裁判所は、執行停止をすることができず、また、すでに執行停止の決定をしているときは、これを取り消さなければならない。

5 第一項後段の異議は、執行停止の決定をした裁判所に対して述べなければならない。ただし、その決定に対する抗告が抗告裁判所に係属しているときは、抗告裁判所に対して述べなければならない。

6 内閣総理大臣は、やむをえない場合でなければ、第一項の異議を述べてはならず、また、異議を述べたときは、次の常会において国会にこれを報告しなければならない。

（執行停止等の管轄裁判所）

第二十八条 執行停止又はその決定の取消しの申立ての管轄裁判所は、本案の係属する裁判所とする。

（執行停止に関する規定の準用）

第二十九条 前四条の規定は、裁決の取消しの訴えの提起があつた場合における執行停止に関する事項について準用する。

（裁量処分の取消し）

第三十条 行政庁の裁量処分については、裁量権の範囲をこえ又はその濫用があつた場合に限り、裁判所は、その処分を取り消すことができる。

（特別の事情による請求の棄却）

第三十一条 取消訴訟については、処分又は裁決が違法ではあるが、これを取り消すことにより公の利益に著しい障害を生ずる場合において、原告の受ける損害の程度、その損害の賠償又は防止の程度及び方法その他一切の事情を考慮したうえ、処分又は裁決を取り消すことが公共の福祉に適合しないと認めるときは、裁判所は、請求を棄却することができる。この場合には、当該判決の主文において、処分又は裁決が違法であることを宣言しなければならない。

2 裁判所は、相当と認めるときは、終局判決前に、判決をもつて、処分又は裁決が違法であることを宣言することができる。

3 終局判決に事実及び理由を記載するには、前項の判決を引用することができる。

（取消判決等の効力）

第三十二条 処分又は裁決を取り消す判決は、第三者に対しても効力を有する。

2 前項の規定は、執行停止の決定又はこれを取り消す決定に準用する。

第三十三条　処分又は裁決を取り消す判決は、その事件について、処分又は裁決をした行政庁その他の関係行政庁を拘束する。

2　申請を却下し若しくは棄却した処分又は審査請求を却下し若しくは棄却した裁決が判決により取り消されたときは、その処分又は裁決をした行政庁は、判決の趣旨に従い、改めて申請に対する処分又は審査請求に対する裁決をしなければならない。

3　前項の規定は、申請に基づいてした処分又は審査請求を認容した裁決が判決により手続に違法があることを理由として取り消された場合に準用する。

4　第一項の規定は、執行停止の決定に準用する。

（第三者の再審の訴え）

第三十四条　処分又は裁決を取り消す判決により権利を害された第三者で、自己の責めに帰することができない理由により訴訟に参加することができなかつたため判決に影響を及ぼすべき攻撃又は防御の方法を提出することができなかつたものは、これを理由として、確定の終局判決に対し、再審の訴えをもつて、不服の申立てをすることができる。

2　前項の訴えは、確定判決を知つた日から三十日以内に提起しなければならない。

3　前項の期間は、不変期間とする。

4　第一項の訴えは、判決が確定した日から一年を経過したときは、提起することができない。

（訴訟費用の裁判の効力）

第三十五条　国又は公共団体に所属する行政庁が当事者又は参加人である訴訟における確定した訴訟費用の裁判は、当該行政庁が所属する国又は公共団体に対し、又はそれらの者のために、効力を有する。

第二節　その他の抗告訴訟

（無効等確認の訴えの原告適格）

第三十六条　無効等確認の訴えは、当該処分又は裁決に続く処分により損害を受けるおそれのある者その他当該処分又は裁決の無効等の確認を求めるにつき法律上の利益を有する者で、当該処分若しくは裁決の存否又はその効力の有無を前提とする現在の法律関係に関する訴えによつて目的を達することができないものに限り、提起することができる。

（不作為の違法確認の訴えの原告適格）

第三十七条　不作為の違法確認の訴えは、処分又は裁決についての申請をした者に限り、提起することができる

（義務付けの訴えの要件等）

第三十七条の二　第三条第六項第一号に掲げる場合において、義務付けの訴えは、一定の処分がされないことにより重大な損害を生ずるおそれがあり、かつ、その損害を避けるため他に適当な方法がないときに限り、提起することができる。

2　裁判所は、前項に規定する重大な損害を生ずるか否かを判断するに当たつては、損害の回復の困難の程度を考慮するものとし、損害の性質及び程度並びに処分の内容及び性質をも勘案するものとする。

3　第一項の義務付けの訴えは、行政庁が一定の処分をすべき旨を命ずることを求めるにつき法律上の利益を有する者に限り、提起することができる。

4　前項に規定する法律上の利益の有無の判断については、第九条第二項の規定を準用する。

5　義務付けの訴えが第一項及び第三項に規定する要件に該当する場合において、その義務付けの訴えに係る処分につき、行政庁がその処分をすべきであることがその処分の根拠となる法令の規定から明らかであると認められ又は行政庁がその処分をしないことがその裁量権の範囲を超え若しくはその濫用となると認められるときは、裁判所は、行政庁がその処分をすべき旨を命ずる判決をする。

第三十七条の三　第三条第六項第二号に掲げる場合において、義務付けの訴えは、次の各号に掲げる要件のいずれかに該当するときに限り、提起することができる。

一　当該法令に基づく申請又は審査請求に対し相当の期間内に何らの処分又は裁決がされないこと。

二　当該法令に基づく申請又は審査請求を却下し又は棄却する旨の処分又は裁決がされた場合において、当該処分又は裁決が取り消されるべきものであり、又は無効若しくは不存在であること。

2　前項の義務付けの訴えは、同項各号に規定する法令に基づく申請又は審査請求をした者に限り、提起することができる。

3　第一項の義務付けの訴えを提起するときは、次の各号に掲げる区分に応じてそれぞれ当該各号に定める訴えをその義務付けの訴えに併合して提起しなければならない。この場合において、当該各号に定める訴えに係る訴訟の管轄について他の法律に特別の定めがあるときは、当該義務付けの訴えに係る訴訟の管轄は、第三十八条第一項において準用する第十二条の規定にかかわらず、その定めに従う。

一　第一項第一号に掲げる要件に該当する場合　同号に規定する処分又は裁決に係る不作為の違法確認の訴え

二　第一項第二号に掲げる要件に該当する場合　同号に規定する処分又は裁決に係る取消訴訟又は無効等確認の訴え

4　前項の規定により併合して提起された義務付けの訴え及び同項各号に定める訴えに係る弁論及び裁判は、分離しないでしなければならない。

5　義務付けの訴えが第一項から第三項までに規定する要件に該当する場合において、同項各号に定める訴えに係る請求に理由があると認められ、かつ、その義務付けの訴えに係る処分又は裁決につき、行政庁がその処分若しくは裁決をすべきであることがその処分若しくは裁決の根拠となる法令の規定から明らかであると認められ又は行政庁がその処分若しくは裁決をしないことがその裁量権の範囲を超え若しくはその濫用となると認められるときは、裁判所は、その義務付けの訴えに係る処分又は裁決をすべき旨を命ずる判決をする。

6　第四項の規定にかかわらず、裁判所は、審理の状況その他の事情を考慮して、第三項各号に定める訴えについてのみ終局判決をすることがより迅速な争訟の解決に資すると認めるときは、当該訴えについてのみ終局判決をすることができる。この場合において、裁判所は、当該訴えについてのみ終局判決をしたときは、当事者の意見を聴いて、当該訴えに係る訴訟手続が完結するまでの間、義務付けの訴えに係る訴訟手続を中止することができる。

7　第一項の義務付けの訴えのうち、行政庁が一定の裁決をすべき旨を命ずることを求めるものは、処分についての審査請求が

された場合において、当該処分に係る処分の取消しの訴え又は無効等確認の訴えを提起することができないときに限り、提起することができる。

（差止めの訴えの要件）
第三十七条の四　差止めの訴えは、一定の処分又は裁決がされることにより重大な損害を生ずるおそれがある場合に限り、提起することができる。ただし、その損害を避けるため他に適当な方法があるときは、この限りでない。
2　裁判所は、前項に規定する重大な損害を生ずるか否かを判断するに当たつては、損害の回復の困難の程度を考慮するものとし、損害の性質及び程度並びに処分又は裁決の内容及び性質をも勘案するものとする。
3　差止めの訴えは、行政庁が一定の処分又は裁決をしてはならない旨を命ずることを求めるにつき法律上の利益を有する者に限り、提起することができる。
4　前項に規定する法律上の利益の有無の判断については、第九条第二項の規定を準用する。
5　差止めの訴えが第一項及び第三項に規定する要件に該当する場合において、その差止めの訴えに係る処分又は裁決につき、行政庁がその処分若しくは裁決をすべきでないことがその処分若しくは裁決の根拠となる法令の規定から明らかであると認められ又は行政庁がその処分若しくは裁決をすることがその裁量権の範囲を超え若しくはその濫用となると認められるときは、裁判所は、行政庁がその処分又は裁決をしてはならない旨を命ずる判決をする。

（仮の義務付け及び仮の差止め）
第三十七条の五　義務付けの訴えの提起があつた場合において、その義務付けの訴えに係る処分又は裁決がされないことにより生ずる償うことのできない損害を避けるため緊急の必要があり、かつ、本案について理由があるとみえるときは、裁判所は、申立てにより、決定をもつて、仮に行政庁がその処分又は裁決をすべき旨を命ずること（以下この条において「仮の義務付け」という。）ができる。
2　差止めの訴えの提起があつた場合において、その差止めの訴えに係る処分又は裁決がされることにより生ずる償うことのできない損害を避けるため緊急の必要があり、かつ、本案について理由があるとみえるときは、裁判所は、申立てにより、決定をもつて、仮に行政庁がその処分又は裁決をしてはならない旨を命ずること（以下この条において「仮の差止め」という。）ができる。
3　仮の義務付け又は仮の差止めは、公共の福祉に重大な影響を及ぼすおそれがあるときは、することができない。
4　第二十五条第五項から第八項まで、第二十六条から第二十八条まで及び第三十三条第一項の規定は、仮の義務付け又は仮の差止めに関する事項について準用する。
5　前項において準用する第二十五条第七項の即時抗告についての裁判又は前項において準用する第二十六条第一項の決定により仮の義務付けの決定が取り消されたときは、当該行政庁は、当該仮の義務付けの決定に基づいてした処分又は裁決を取り消さなければならない。

（取消訴訟に関する規定の準用）
第三十八条　第十一条から第十三条まで、第十六条から第十九条まで、第二十一条から第二十三条まで、第二十四条、第三十三条及び第三十五条の規定は、取消訴訟以外の抗告訴訟について準用する。
2　第十条第二項の規定は、処分の無効等確認の訴えとその処分についての審査請求を棄却した裁決に係る抗告訴訟とを提起することができる場合に、第二十条の規定は、処分の無効等確認の訴えをその処分についての審査請求を棄却した裁決に係る抗告訴訟に併合して提起する場合に準用する。
3　第二十三条の二、第二十五条から第二十九条まで及び第三十二条第二項の規定は、無効等確認の訴えについて準用する。
4　第八条及び第十条第二項の規定は、不作為の違法確認の訴えに準用する。

第三章　当事者訴訟

（出訴の通知）
第三十九条　当事者間の法律関係を確認し又は形成する処分又は裁決に関する訴訟で、法令の規定によりその法律関係の当事者の一方を被告とするものが提起されたときは、裁判所は、当該処分又は裁決をした行政庁にその旨を通知するものとする。

（出訴期間の定めがある当事者訴訟）
第四十条　法令に出訴期間の定めがある当事者訴訟は、その法令に別段の定めがある場合を除き、正当な理由があるときは、その期間を経過した後であつても、これを提起することができる。
2　第十五条の規定は、法令に出訴期間の定めがある当事者訴訟について準用する。

（抗告訴訟に関する規定の準用）
第四十一条　第二十三条、第二十四条、第三十三条第一項及び第三十五条の規定は当事者訴訟について、第二十三条の二の規定は当事者訴訟における処分又は裁決の理由を明らかにする資料の提出について準用する。
2　第十三条の規定は、当事者訴訟とその目的たる請求と関連請求の関係にある請求に係る訴訟とが各別の裁判所に係属する場合における移送に、第十六条から第十九条までの規定は、これらの訴えの併合について準用する。

第四章　民衆訴訟及び機関訴訟

（訴えの提起）
第四十二条　民衆訴訟及び機関訴訟は、法律に定める場合において、法律に定める者に限り、提起することができる。

（抗告訴訟又は当事者訴訟に関する規定の準用）
第四十三条　民衆訴訟又は機関訴訟で、処分又は裁決の取消しを求めるものについては、第九条及び第十条第一項の規定を除き、取消訴訟に関する規定を準用する。
2　民衆訴訟又は機関訴訟で、処分又は裁決の無効の確認を求めるものについては、第三十六条の規定を除き、無効等確認の訴えに関する規定を準用する。
3　民衆訴訟又は機関訴訟で、前二項に規定する訴訟以外のものについては、第三十九条及び第四十条第一項の規定を除き、当事者訴訟に関する規定を準用する。

第五章　補則

（仮処分の排除）

第四十四条 行政庁の処分その他公権力の行使に当たる行為については、民事保全法(平成元年法律第九十一号)に規定する仮処分をすることができない。

(処分の効力等を争点とする訴訟)

第四十五条 私法上の法律関係に関する訴訟において、処分若しくは裁決の存否又はその効力の有無が争われている場合には、第二十三条第一項及び第二項並びに第三十九条の規定を準用する。

2 前項の規定により行政庁が訴訟に参加した場合には、民事訴訟法第四十五条第一項及び第二項の規定を準用する。ただし、攻撃又は防御の方法は、当該処分若しくは裁決の存否又はその効力の有無に関するものに限り、提出することができる。

3 第一項の規定により行政庁が訴訟に参加した後において、処分若しくは裁決の存否又はその効力の有無に関する争いがなくなつたときは、裁判所は、参加の決定を取り消すことができる。

4 第一項の場合には、当該争点について第二十三条の二及び第二十四条の規定を、訴訟費用の裁判について第三十五条の規定を準用する。

(取消訴訟等の提起に関する事項の教示)

第四十六条 行政庁は、取消訴訟を提起することができる処分又は裁決をする場合には、当該処分又は裁決の相手方に対し、次に掲げる事項を書面で教示しなければならない。ただし、当該処分を口頭でする場合は、この限りでない。

一 当該処分又は裁決に係る取消訴訟の被告とすべき者

二 当該処分又は裁決に係る取消訴訟の出訴期間

三 法律に当該処分についての審査請求に対する裁決を経た後でなければ処分の取消しの訴えを提起することができない旨の定めがあるときは、その旨

2 行政庁は、法律に処分についての審査請求に対する裁決に対してのみ取消訴訟を提起することができる旨の定めがある場合において、当該処分をするときは、当該処分の相手方に対し、法律にその定めがある旨を書面で教示しなければならない。ただし、当該処分を口頭でする場合は、この限りでない。

3 行政庁は、当事者間の法律関係を確認し又は形成する処分又は裁決に関する訴訟で法令の規定によりその法律関係の当事者の一方を被告とするものを提起することができる処分又は裁決をする場合には、当該処分又は裁決の相手方に対し、次に掲げる事項を書面で教示しなければならない。ただし、当該処分を口頭でする場合は、この限りでない。

一 当該訴訟の被告とすべき者

二 当該訴訟の出訴期間

附 則

(施行期日)

第一条 この法律は、昭和三十七年十月一日から施行する。

(行政事件訴訟特例法の廃止)

第二条 行政事件訴訟特例法(昭和二十三年法律第八十一号。以下「旧法」という。)は、廃止する。

(経過措置に関する原則)

第三条 この法律は、この附則に特別の定めがある場合を除き、この法律の施行前に生じた事項にも適用する。ただし、旧法によつて生じた効力を妨げない。

(訴願前置に関する経過措置)

第四条 法令の規定により訴願をすることができる処分又は裁決であつて、訴願を提起しないでこの法律の施行前にこれを提起すべき期間を経過したものの取消訴訟の提起については、この法律の施行後も、なお旧法第二条の例による。

(取消しの理由の制限に関する経過措置)

第五条 この法律の施行の際現に係属している裁決の取消しの訴えについては、第十条第二項の規定を適用しない。

(被告適格に関する経過措置)

第六条 この法律の施行の際現に係属している取消訴訟の被告適格については、なお従前の例による。

(出訴期間に関する経過措置)

第七条 この法律の施行の際現に旧法第五条第一項の期間が進行している処分又は裁決の取消しの訴えの出訴期間で、処分又は裁決があつたことを知つた日を基準とするものについては、なお従前の例による。ただし、その期間は、この法律の施行の日から起算して三箇月をこえることができない。

2 この法律の施行の際現に旧法第五条第三項の期間が進行している処分又は裁決の取消しの訴えの出訴期間で、処分又は裁決があつた日を基準とするものについては、なお従前の例による。

3 前二項の規定は、この法律の施行後に審査請求がされた場合における第十四条第四項の規定の適用を妨げない。

(取消訴訟以外の抗告訴訟に関する経過措置)

第八条 取消訴訟以外の抗告訴訟で、この法律の施行の際現に係属しているものの原告適格及び被告適格については、なお従前の例による。

2 附則第五条の規定は、処分の無効等確認の訴えとその処分についての審査請求を棄却した裁決に係る抗告訴訟とを提起することができる場合に準用する。

(当事者訴訟に関する経過措置)

第九条 第三十九条の規定は、この法律の施行後に提起される当事者訴訟についてのみ、適用する。

(民衆訴訟及び機関訴訟に関する経過措置)

第十条 民衆訴訟及び機関訴訟のうち、処分又は裁決の取消しを求めるものについては、取消訴訟に関する経過措置に関する規定を、処分又は裁決の無効の確認を求めるものについては、無効等確認の訴えに関する経過措置に関する規定を準用する。

(処分の効力等を争点とする訴訟に関する経過措置)

第十一条 第三十九条の規定は、この法律の施行の際現に係属している私法上の法律関係に関する訴訟については、この法律の施行後に新たに処分若しくは裁決の存否又はその効力の有無が争われるに至つた場合にのみ、準用する。

附 則(平一六・六・九法八四)(抄)

(施行期日)

第一条 この法律は、公布の日から起算して一年を超えない範囲内において政令で定める日〔平一七・四・一〕から施行する。〔ただし書略〕

(経過措置に関する原則)

第二条 この法律による改正後の規定は、この附則に特別の定めがある場合を除き、この法律の施行前に生じた事項にも適用する。ただし、この法律による改正前の規定により生じた効力を妨げない。

(被告適格に関する経過措置)

第三条 この法律の施行の際現に係属している抗告訴訟(この法律による改正後の行政事件訴訟法(以下「新法」という。)第三条第一項に規定する抗告訴訟をいう。)並びに民衆訴訟(新法第五条に規定する民衆訴訟をいう。)及び機関訴訟(新法第六条に規定する機関訴訟をいう。)のうち処分(新法第三条第二項に規定する処分をいう。以下同じ。)又は裁決(同条第三項に規定する裁決をいう。以下同じ。)の取消し又は無効の確認を求めるものの被告適格に関しては、新法第十一条、第二十三条第一項及び第三十三条第一項(これらの規定を新法第三十八条第一項(新法第四十三条第二項において準用する場合を含む。)並びに附則第十八条の規定による改正後の地方税法(昭和二十五年法律第二百二十六号)第十九条の十四第一項、附則第三十六条の規定による改正後の国税通則法(昭和三十七年法律第六十六号)第百十六条第一項、附則第四十三条の規定による改正後のたばこ事業法(昭和五十九年法律第六十八号)附則第二十三条及び附則第四十四条の規定による改正後の塩事業法(平成八年法律第三十九号)附則第三十四条の規定にかかわらず、なお従前の例による。

(出訴期間に関する経過措置)

第四条 この法律の施行前にその期間が満了した処分又は裁決に関する訴訟の出訴期間については、なお従前の例による。

(取消訴訟等の提起に関する事項の教示に関する経過措置)

第五条 この法律の施行前にされた処分又は裁決については、新法第四十六条の規定は、適用しない。

(検討)

第五十条 政府は、この法律の施行後五年を経過した場合において、新法の施行の状況について検討を加え、必要があると認めるときは、その結果に基づいて所要の措置を講ずるものとする。

別表(第十二条関係)

名称	根拠法
沖縄科学技術大学院大学学園	沖縄科学技術大学院大学学園法(平成二十一年法律第七十六号)
沖縄振興開発金融公庫	沖縄振興開発金融公庫法(昭和四十七年法律第三十一号)
外国人技能実習機構	外国人の技能実習の適正な実施及び技能実習生の保護に関する法律(平成二十八年法律第八十九号)
株式会社国際協力銀行	株式会社国際協力銀行法(平成二十三年法律第三十九号)
株式会社日本政策金融公庫	株式会社日本政策金融公庫法(平成十九年法律第五十七号)
株式会社日本貿易保険	貿易保険法(昭和二十五年法律第六十七号)
金融経済教育推進機構	金融サービスの提供及び利用環境の整備等に関する法律(平成十二年法律第百一号)
原子力損害賠償・廃炉等支援機構	原子力損害賠償・廃炉等支援機構法(平成二十三年法律第九十四号)
国立大学法人	国立大学法人法(平成十五年法律第百十二号)
新関西国際空港株式会社	関西国際空港及び大阪国際空港の一体的かつ効率的な設置及び管理に関する法律(平成二十三年法律第五十四号)
大学共同利用機関法人	国立大学法人法
脱炭素成長型経済構造移行推進機構	脱炭素成長型経済構造への円滑な移行の推進に関する法律(令和五年法律第三十二号)
日本銀行	日本銀行法(平成九年法律第八十九号)
日本司法支援センター	総合法律支援法(平成十六年法律第七十四号)
日本私立学校振興・共済事業団	日本私立学校振興・共済事業団法(平成九年法律第四十八号)
日本中央競馬会	日本中央競馬会法(昭和二十九年法律第二百五号)
日本年金機構	日本年金機構法(平成十九年法律第百九号)
農水産業協同組合貯金保険機構	農水産業協同組合貯金保険法(昭和四十八年法律第五十三号)
福島国際研究教育機構	福島復興再生特別措置法(平成二十四年法律第二十五号)
放送大学学園	放送大学学園法(平成十四年法律第百五十六号)
預金保険機構	預金保険法(昭和四十六年法律第三十四号)

㊟　次の法律の附則第五八条により行政事件訴訟法が改正されたが、公布の日から起算して四年を超えない範囲内において政令で定める日から施行となるため、一部改正法の形式で掲載した。

○民事訴訟法等の一部を改正する法律

令四・五・二五
法　四八

（行政事件訴訟法の一部改正）

第五十八条　行政事件訴訟法（昭和三十七年法律第百三十九号）の一部を次のように改正する。

第十五条第二項中「書面で」を「電子決定書（民事訴訟法（平成八年法律第百九号）第百二十二条において準用する同法第二百五十二条第一項の規定により作成された電磁的記録（電子的方式、磁気的方式その他人の知覚によつては認識することができない方式で作られる記録であつて、電子計算機による情報処理の用に供されるものをいう。以下この項において同じ。）を作成して」に、「正本」を「電子決定書（同法第百二十二条において準用する同法第二百五十三条第二項の規定により裁判所の使用に係る電子計算機（入出力装置を含む。）に備えられたファイルに記録されたものに限る。）」に改める。

第十九条第二項中「（平成八年法律第百九号）」を削る。

附　則（抄）

（施行期日）

第一条　この法律は、公布の日から起算して四年を超えない範囲内において政令で定める日から施行する。〔ただし書略〕

（行政事件訴訟法の一部改正に伴う経過措置）

第五十九条　前条の規定による改正後の行政事件訴訟法第十五条第二項（同法第二十一条第二項（同法第三十八条第一項（同法第四十三条第一項において準用する場合を含む。）及び同法第四十三条第二項において準用する場合を含む。）、同法第四十条第二項（同法第四十三条第三項において準用する場合を含む。）及び同法第四十三条第一項において準用する場合を含む。）の規定は、施行日以後に提起される取消訴訟、法令に出訴期間の定めがある当事者訴訟、同法第四十三条第一項に規定する訴訟若しくは同条第三項に規定する訴訟（法令に出訴期間の定めがあるものに限る。）における被告の変更を許す決定又は抗告訴訟、同条第一項に規定する訴訟若しくは同条第二項に規定する訴訟における訴えの変更を許す決定の送達について適用し、施行日前に提起された取消訴訟、法令に出訴期間の定めがある当事者訴訟、同条第一項に規定する訴訟若しくは同条第三項に規定する訴訟（法令に出訴期間の定めがあるものに限る。）における被告の変更を許す決定又は抗告訴訟、同条第一項に規定する訴訟若しくは同条第二項に規定する訴訟における訴えの変更を許す決定の送達については、なお従前の例による。

㊟　次の法律の第七条により行政事件訴訟法が改正されたが、国立健康危機管理研究機構法（令和五年法律第四十六号）の施行の日（令和五年六月七日から起算して三年を超えない範囲内において政令で定める日）から施行となるため、一部改正法の形式で掲載した。

○国立健康危機管理研究機構法の施行に伴う関係法律の整備に関する法律

令五・六・七
法　四七

（行政事件訴訟法の一部改正）

第七条　行政事件訴訟法（昭和三十七年法律第百三十九号）の一部を次のように改正する。

別表原子力損害賠償・廃炉等支援機構の項の次に次のように加える。

国立健康危機管理研究機構	国立健康危機管理研究機構法（令和五年法律第四十六号）

附　則（抄）

（施行期日）

第一条　この法律は、国立健康危機管理研究機構法（令和五年法律第四十六号）の施行の日（以下「施行日」という。）から施行する。〔ただし書略〕

㊟ 次の法律の附則第二七条により行政事件訴訟法が改正されたが、公布の日から起算して三年を超えない範囲内において政令で定める日から施行となるため、一部改正法の形式で掲載した。

○出入国管理及び難民認定法及び外国人の技能実習の適正な実施及び技能実習生の保護に関する法律の一部を改正する法律

令六・六・二一
法　六〇

（国立国会図書館法等の一部改正）

第二十七条 次に掲げる法律の規定中「外国人技能実習機構」を「外国人育成就労機構」に、「外国人の技能実習の適正な実施及び技能実習生の保護に関する法律」を「外国人の育成就労の適正な実施及び育成就労外国人の保護に関する法律」に改める。

一 〔略〕

二 行政事件訴訟法（昭和三十七年法律第百三十九号）別表外国人技能実習機構の項

三〜八 〔略〕

附 則（抄）

（施行期日）

第一条 この法律は、公布の日から起算して三年を超えない範囲内において政令で定める日から施行する。〔ただし書略〕

○行政代執行法

昭二三・五・一五
法　四三

最終改正 昭三七・九・一五法一六一

第一条 行政上の義務の履行確保に関しては、別に法律で定めるものを除いては、この法律の定めるところによる。

第二条 法律（法律の委任に基く命令、規則及び条例を含む。以下同じ。）により直接に命ぜられ、又は法律に基き行政庁により命ぜられた行為（他人が代つてなすことのできる行為に限る。）について義務者がこれを履行しない場合、他の手段によつてその履行を確保することが困難であり、且つその不履行を放置することが著しく公益に反すると認められるときは、当該行政庁は、自ら義務者のなすべき行為をなし、又は第三者をしてこれをなさしめ、その費用を義務者から徴収することができる。

第三条 前条の規定による処分（代執行）をなすには、相当の履行期限を定め、その期限までに履行がなされないときは、代執行をなすべき旨を、予め文書で戒告しなければならない。

② 義務者が、前項の戒告を受けて、指定の期限までにその義務を履行しないときは、当該行政庁は、代執行令書をもつて、代執行をなすべき時期、代執行のために派遣する執行責任者の氏名及び代執行に要する費用の概算による見積額を義務者に通知する。

③ 非常の場合又は危険切迫の場合において、当該行為の急速な実施について緊急の必要があり、前二項に規定する手続をとる暇がないときは、その手続を経ないで代執行をすることができる。

第四条 代執行のために現場に派遣される執行責任者は、その者が執行責任者たる本人であることを示すべき証票を携帯し、要求があるときは、何時でもこれを呈示しなければならない。

第五条 代執行に要した費用の徴収については、実際に要した費用の額及びその納期日を定め、義務者に対し、文書をもつてその納付を命じなければならない。

第六条 代執行に要した費用は、国税滞納処分の例により、これを徴収することができる。

② 代執行に要した費用については、行政庁は、国税及び地方税に次ぐ順位の先取特権を有する。

③ 代執行に要した費用を徴収したときは、その徴収金は、事務費の所属に従い、国庫又は地方公共団体の経済の収入となる。

附 則

① この法律は、公布の日から起算し、三十日を経過した日から、これを施行する。

② 行政執行法は、これを廃止する。

○請願法

昭二二・三・一三
法　一　三

第一条　請願については、別に法律の定める場合を除いては、この法律の定めるところによる。

第二条　請願は、請願者の氏名（法人の場合はその名称）及び住所（住所のない場合は居所）を記載し、文書でこれをしなければならない。

第三条　請願書は、請願の事項を所管する官公署にこれを提出しなければならない。天皇に対する請願書は、内閣にこれを提出しなければならない。

②　請願の事項を所管する官公署が明らかでないときは、請願書は、これを内閣に提出することができる。

第四条　請願書が誤つて前条に規定する官公署以外の官公署に提出されたときは、その官公署は、請願者に正当な官公署を指示し、又は正当な官公署にその請願書を送付しなければならない。

第五条　この法律に適合する請願は、官公署において、これを受理し誠実に処理しなければならない。

第六条　何人も、請願をしたためにいかなる差別待遇も受けない。

附　則

この法律は、日本国憲法施行の日〔昭二二・五・三〕から、これを施行する。

○国家賠償法

昭二二・一〇・二七
法　一　二　五

第一条　国又は公共団体の公権力の行使に当る公務員が、その職務を行うについて、故意又は過失によつて違法に他人に損害を加えたときは、国又は公共団体が、これを賠償する責に任ずる。

②　前項の場合において、公務員に故意又は重大な過失があつたときは、国又は公共団体は、その公務員に対して求償権を有する。

第二条　道路、河川その他の公の営造物の設置又は管理に瑕疵があつたために他人に損害を生じたときは、国又は公共団体は、これを賠償する責に任ずる。

②　前項の場合において、他に損害の原因について責に任ずべき者があるときは、国又は公共団体は、これに対して求償権を有する。

第三条　前二条の規定によつて国又は公共団体が損害を賠償する責に任ずる場合において、公務員の選任若しくは監督又は公の営造物の設置若しくは管理に当る者と公務員の俸給、給与その他の費用又は公の営造物の設置若しくは管理の費用を負担する者とが異なるときは、費用を負担する者もまた、その損害を賠償する責に任ずる。

②　前項の場合において、損害を賠償した者は、内部関係でその損害を賠償する責任ある者に対して求償権を有する。

第四条　国又は公共団体の損害賠償の責任については、前三条の規定によるの外、民法の規定による。

第五条　国又は公共団体の損害賠償の責任について民法以外の他の法律に別段の定があるときは、その定めるところによる。

第六条　この法律は、外国人が被害者である場合には、相互の保証があるときに限り、これを適用する。

附　則（抄）

①　この法律は、公布の日から、これを施行する。

⑥　この法律施行前の行為に基づく損害については、なお従前の例による。

す

せ

地方自治法関係
事項別条文索引

★本索引においては，別に特定の略語を使用せず，直ちに条文を示す。
〔例〕 96①Ⅷ 地方自治法第九十六条第一項第八号

㊟地方自治法の一部を改正する法律（令和6年法律第65号）の改正を反映

◇事項別条文索引の使い方

1. この索引は，日常法令に余り親しんでいない方々でも，調べたい事項（必要事項）が第何条にあるかをたやすく，検出できるように作成しました。

例えば，「議員の定数」については何条に規定されているか疑問である場合，㋖の項の「議員」を検出すると，次のとおり記載されてあります。

議員
　～の定数　　90（都道府県の～）
　　　　　　　91（市町村の～）

すなわち，「県議会議員」については地方自治法第90条に，「市町村議会議員」については同法第91条に規定されていることを知ることができます。

2. また，この索引は，必要とする事項の検出を容易にするために，どこからでも引けるように配意しました。

例えば，上記の「議員の定数」については，「議員の定数」の㋖の項の外，「定数」からも引けるようになつています。すなわち，㋢の項の「定数」の項でも次のように右の条数が示されています。

定数
　議員の～　　90，91
　議会職員の～　　138⑥
　副知事，副市町村長の～　　161
　職員の～　　172③
　　　　――以下略――

3. 事項の配列は，原則として「五十音順」によりましたが，当該事項の関係条文が数カ条にわたるものについては，条文の若い順序によりました。
また，接続詞としての「と」，「に」，「の」については，五十音による順序に関係なく，それに続く事項により配列しました。

4. この索引に使用した記号は，下の通りです。
(1) ～印　　「直前の事項と同一」であることを示す。
〔例〕
議員
（議員）　　（議員の定数）
　～の定数　　90（都道府県の～）
(2) →印　　「その事項を見よ」ということを示す。
(3) ※印　　当該事項の条文とは直接関係があるというよりも，間接的なものとして，「参考までに留意して見よ」という意味を示す。

5. 地方自治法本文に附してある参照条文と一体的に利用すれば一層その真価を発揮できるよう工夫してあります。

例えば，「長の退職」については，本索引によつて，地方自治法第145条に「根拠規定」のあることを承知し，さらに同法第145条の末尾に附されている参照条文により，公職選挙法第90条に「特別規定」のあることを知ることができます。

事項別条文索引

〔令和７年版〕
地方自治ポケット六法

平成７年12月15日　初　版　発　行
令和６年11月15日　令和７年版発行

監修者　地方自治制度研究会
編　者　学陽書房編集部
発行者　佐久間　重嘉

発行所　学　陽　書　房
東京都千代田区飯田橋1-9-3
(営業) TEL (03) 3261―1111(代)
FAX (03) 5211―3300
(編集) TEL (03) 3261―1112(代)
http://www.gakuyo.co.jp/

ISBN978-4-313-02137-2　C2032
法規書籍印刷／東京美術紙工

自治体の

法規担当になったら読む本〈改訂版〉

塩浜克也・遠藤雅之　著

例規審査を中心に、原課からの法律相談、訴訟対応など、必須の基礎知識と実務ノウハウを解説した、好評ロングセラーの改訂版。「改正方法の選択」「法律を理解するコツ」「法務の効果的な執行」等のトピックを追加し、内容をアップデート！

Ａ５判並製　定価　二九一五円（一〇％税込）

基礎から分かる！

自治体の例規審査

伊藤和之　著

自治体の法規担当者必携！　例規審査のノウハウが1冊でわかる！

例規審査を行う心構えから、例規の形式・構成、実質的な規定内容、用字・用語、わかりやすい表現、一部改正及び全部改正、廃止の仕方まで、担当者に欠かせないポイントを伝えます。

Ａ５判並製　定価　三八五〇円（一〇％税込）

学陽書房